BIBLIOTHÈQUE MUNICIPALE DE GATINEAU

Le Routard

Irlande

N'APPARTIENT PLUS
À LA BIBLIOTHÈQUE
MUNICIPALE DE GATINEAU

Directeur de collection et auteur
Philippe GLOAGUEN

Cofondateurs
**Philippe GLOAGUEN
et Michel DUVAL**

Rédacteur en chef
Pierre JOSSE

Rédacteurs en chef adjoints
**Amanda KERAVEL
et Benoît LUCCHINI**

Directrice de la coordination
Florence CHARMETANT

Directrice administrative
Bénédicte GLOAGUEN

Direction éditoriale
Catherine JULHE

Rédaction
**Isabelle AL SUBAIHI
Mathilde de BOISGROLLIER
Thierry BROUARD
Marie BURIN des ROZIERS
Véronique de CHARDON
Gavin's CLEMENTE-RUÏZ
Fiona DEBRABANDER
Anne-Caroline DUMAS
Géraldine LEMAUF-BEAUVOIS
Olivier PAGE
Alain PALLIER
Anne POINSOT
André PONCELET**

Administration
**Carole BORDES
Solenne DESCHAMPS**

2014

hachette

Remarque importante aux hôteliers et restaurateurs

Les enquêteurs du *Routard* travaillent dans le plus strict anonymat. Aucune réduction, aucun avantage quelconque, aucune rétribution n'est jamais demandé en contrepartie. Face aux aigrefins, la loi autorise les hôteliers et restaurateurs à porter plainte.

Avis aux lecteurs

Le *Routard*, ce n'est pas comme le bon vin, il vieillit mal. On ne veut pas pousser à la consommation, mais évitez de partir avec une édition ancienne. Les modifications sont souvent importantes.

Les réductions accordées à nos lecteurs ne sont jamais demandées par nos rédacteurs afin de préserver leur anonymat. Les hôteliers et restaurateurs sont sollicités par une société de mailing, totalement indépendante de la rédaction, qui reste donc libre de ses choix. De même pour les autocollants et plaques émaillées.

Routard.com, le voyage à portée de clics !

✓ Rejoignez la plus grande communauté francophone de voyageurs: plus de **2 millions** de visiteurs !

✓ Échangez avec les routarnautes: forums, photos, avis sur les hôtels...

✓ Retrouvez aussi toutes les informations actualisées pour choisir et préparer vos voyages: plus de 200 fiches pays, une centaine de dossiers pratiques et un magazine en ligne pour découvrir tous les secrets de votre destination.

✓ Enfin, comparez les offres pour organiser et réserver votre voyage au meilleur prix.

Pour que votre pub voyage autant que nos lecteurs,
contactez nos régies publicitaires:
- fbrunel@hachette-livre.fr -
- veronique@routard.com -

Pictogrammes du *Routard*

Établissements

- 🏠 Hôtel, auberge, chambres d'hôtes
- Camping
- |●| Restaurant
- Boulangerie, sandwicherie
- Glacier
- Café, salon de thé
- Café, bar
- Bar musical
- Club, boîte de nuit
- Salle de spectacle
- Office de tourisme
- Poste
- Boutique, magasin, marché
- @ Accès internet
- Hôpital, urgences

Sites

- Plage
- Site de plongée
- Piste cyclable, parcours à vélo

Transports

- ✈ Aéroport
- Gare ferroviaire
- Gare routière, arrêt de bus
- Ⓜ Station de métro
- Station de tramway
- Parking
- Taxi
- Taxi collectif
- Bateau
- Bateau fluvial

Attraits et équipements

- Présente un intérêt touristique
- Recommandé pour les enfants
- Adapté aux personnes handicapées
- Ordinateur à disposition
- Connexion wifi
- Inscrit au Patrimoine mondial de l'Unesco

Le *Routard* est imprimé sur un papier issu de forêts gérées.

© **HACHETTE LIVRE (Hachette Tourisme), 2014**
Tous droits de traduction, de reproduction et d'adaptation réservés pour tous pays.
© **Cartographie** Hachette Tourisme.
I.S.B.N. 978-2-01-245791-1

TABLE DES MATIÈRES

DUBLIN ET SES ENVIRONS

AU NORD DE DUBLIN

LES MONTS WICKLOW

À L'OUEST DES MONTS WICKLOW

LA CÔTE SUD À l'EST DE CORK

SUR LA ROUTE DE WATERFORD (PAR BALLYHACK)

LE RING OF KERRY

DE LA PÉNINSULE DE DINGLE AU SHANNON

VISITE DE LA PÉNINSULE

DE TRALEE À LIMERICK

LE COMTÉ DE CLARE

LA CÔTE OUEST DU COMTÉ DE CLARE

LA RÉGION DU BURREN

LES ÎLES D'ARAN (OILEÁIN ÁRANN)

LE CONNEMARA

GALWAY

DE GALWAY À CLIFDEN PAR LA CÔTE

DE GALWAY À CLIFDEN PAR LES TWELVE BENS

DE CLIFDEN À LEENANE

LES COMTÉS DE MAYO ET DE SLIGO

LE SUD DE SLIGO

LE DONEGAL

L'IRLANDE DU NORD (ULSTER)

LE NORD-EST : CÔTES ET *GLENS* (VALLÉES)

BELFAST ET SES ENVIRONS

LE SUD-EST : DE LA PÉNINSULE D'ARDS À ARMAGH

L'OUEST D'ENNISKILLEN AUX SPERRIN MOUNTAINS

Recommandation à ceux qui souhaitent profiter des réductions et avantages proposés dans le *Routard* par les hôteliers et les restaurateurs : à l'hôtel, pensez à les demander au moment de la réservation ou, si vous n'avez pas réservé, **à l'arrivée.** Elles ne sont valables que pour les réservations en direct et non cumulables avec d'autres offres promotionnelles (notamment sur Internet). Au restaurant, parlez-en **au moment** de la commande et surtout **avant** que l'addition ne soit établie. Poser votre *Routard* sur la table ne suffit pas : le personnel de salle n'est pas toujours au courant et une fois le ticket de caisse imprimé, il est difficile de modifier le total. En cas de doute, montrez la notice relative à l'établissement dans le *Routard* et ne manquez pas de nous faire part de toute difficulté rencontrée.

NOUVEAU ET IMPORTANT : DERNIÈRE MINUTE

Sauf rare rareexception, le *Routard* bénéficie d'une parution annuelle à date fixe. Entre deux dates, des événements fortuits (formalités, taux de change, catastrophes naturelles, conditions d'accès aux sites, fermetures inopinées, etc.) peuvent modifier vos projets de voyage. Pour éviter les déconvenues, nous vous recommandons de consulter la rubrique « Guide » par pays de notre site ● *routard.com* ● et plus particulièrement les dernières *Actus voyageurs.*

NOS NOUVEAUTÉS

HONG KONG, MACAO, CANTON (avril 2014)

Hong Kong : un nom légendaire signifiant « Port aux Parfums », où les aventuriers anglais faisaient transiter leurs cargaisons d'opium, avant de laisser la place à tous les businessmen de la planète... et aux amateurs de shopping. Macao s'oppose à Hong Kong, sa turbulente voisine, par le charme de ses petites rues pavées, par le cachet portugais de ses balcons, sans oublier le baroque de ses églises, témoins d'un passé d'exception. Ce sont aussi les centres commerciaux, les casinos gigantesques, comme le *Venetian*, copie conforme de son aîné du Strip de Las Vegas. Quant à Canton, c'est le berceau de la gastronomie chinoise. Ici, on grignote sans cesse, du petit déj au « thé de nuit », en dégustant ces fameuses bouchées à la vapeur, les *dim sum*, la fierté de Canton, dont le nom signifie très poétiquement « toucher le cœur ».

LA BATAILLE DE NORMANDIE (mars 2014)

En 2014, nous célébrons les 70 ans du Débarquement en Normandie. À cette occasion, le *Routard* vous invite à découvrir ou redécouvrir les lieux, sites, monuments et musées connus ou moins connus pour comprendre et revivre la plus grande bataille de tous les temps. La plupart des jeunes soldats n'avaient jamais combattu. Ils revinrent tous en héros, morts ou vivants. Si on a bien en tête l'arrivée des Alliés sur les plages normandes, il ne faut pas oublier que les Normands furent les premières victimes de cet affrontement et eurent à subir les conséquences destructrices des combats. À travers ce guide, en suivant l'avancée des troupes alliées, on découvre aussi ce que fut la vie en Normandie pendant les 3 mois de cette terrible bataille qui a failli échouer.

Remerciements

Nous tenons à remercier tout particulièrement Loup-Maëlle Besançon, Thierry Bessou, Gérard Bouchu, François Chauvin, Grégory Dalex, Stéphanie Déro, Fabrice Doumergue, Cédric Fischer, Carole Fouque, Michelle Georget, David Giason, Claude Hervé-Bazin, Emmanuel Juste, Dimitri Lefèvre, Sacha Lenormand, Fabrice de Lestang, Romain Meynier, Éric Milet, Pierre Mitrano, Jean-Sébastien Petitdemange, Thomas Rivallain, Dominique Roland et Solange Vivier pour leur collaboration régulière.

Laura Baron
Emmanuelle Bauquis
Jean-Jacques Bordier-Chêne
Michèle Boucher
Sophie Cachard
Clémence Crosnier
Agnès Debiage
Jérôme Denoix
Tovi et Ahmet Diler
Clélie Dudon
Sophie Duval
Alain Fisch
Bérénice Glanger
Adrien et Clément Gloaguen
Xavier Haudiquet
Bernard Hilaire

Sébastien Jauffret
Anaïs Kerdraon
Jacques Lemoine
Julie Montet
Jacques Muller
Caroline Ollion
Nicolas et Benjamin Pallier
Martine Partrat
Odile Paugam et Didier Jehanno
Émilie Pujol
Prakit Saiporn
Jean-Luc et Antigone Schilling
Paloma Telle
Bérénice Thiberge
Marion Trifot
Caroline Vallano

Direction: Nathalie Bloch-Pujo
Contrôle de gestion: Jérome Boulingre et Virginie Laurent-Arnaud
Secrétariat: Catherine Maîtrepierre
Direction éditoriale: Catherine Julhe
Édition: Matthieu Devaux, Géraldine Péron, Olga Krokhina, Gia-Quy Tran, Julie Dupré, Barbara Janssens, Camille Loiseau, Béatrice Macé de Lépinay, Emmanuelle Michon, Marion Sergent et Clémence Toublanc
Préparation-lecture: Lorraine Ouvrieu
Cartographie: Frédéric Clémençon et Aurélie Huot
Fabrication: Nathalie Lautout et Audrey Detournay
Relations presse France: COM'PROD, Fred Papet. ☎ 01-70-69-04-69.
● info@comprod.fr ●
Direction marketing: Adrien de Bizemont, Lydie Firmin et Laure Illand
Contacts partenariats: André Magniez (EMD). ● andremagniez@gmail.com ●
Édition des partenariats: Élise Ernest
Informatique éditoriale: Lionel Barth
Couverture: Clément Gloaguen et Seenk
Maquette intérieure : le-bureau-des-affaires-graphiques.com, Thibault Reumaux et npeg.fr
Relations presse: Martine Levens (Belgique) et Maureen Browne (Suisse)
Régie publicitaire: Florence Brunel-Jars

Quelle est la meilleure saison pour y aller ?

Le printemps demeure idéal, car c'est en principe la période la plus ensoleillée de l'année. Sinon, l'été bien sûr, mais vous ne serez pas seul(e) à sillonner les péninsules, et les prix grimpent dans les endroits les plus touristiques.

Quel est le meilleur moyen pour y aller ?

On trouve des billets d'avion très bon marché, au départ de Paris ou de la province, même l'été. Sinon, on peut embarquer sa voiture sur le ferry, mais c'est long. Pour conjuguer les 2, reste la location de voiture sur place.

Quel est le décalage horaire ?

1h de moins qu'en France toute l'année.

La vie est-elle chère ?

Pour se loger, de bons compromis possibles entre les AJ faisant parfois *B & B* et le camping. Les *B & B* pratiquent des tarifs assez élevés, mais, avec la crise, beaucoup de propriétaires les ont revus à la baisse. Prévoir large pour les restos, du moins le soir, de 20 à 40 % plus chers qu'en France. Pour les petits budgets, envisager de se faire la popote et s'offrir un pub de temps en temps.

Est-il possible de loger en *B & B* sans réserver ?

Oui, mais hors saison seulement. À partir de Pâques, mieux vaut assurer ses arrières dans les régions touristiques. Et gare aux festivals locaux et autres rencontres sportives qui peuvent vite faire grimper les prix.

Peut-on partir avec les enfants ?

Pas de souci. Beaucoup de *B & B* proposent des chambres familiales, et les pubs acceptent les têtes blondes jusqu'en début de soirée. Pour occuper les journées, les activités de plein air ne manquent pas.

Peut-on se baigner ?

On l'admet, il y a plus exotique, même si l'Irlande regorge de plages aux eaux turquoise fort attrayantes. En revanche, c'est un vrai régal pour les plongeurs et les surfeurs.

Quels sont les meilleurs endroits pour écouter de la musique irlandaise ?

Un peu partout, les pubs proposent des *music sessions* toute l'année. On trouve cependant les meilleurs festivals dans les péninsules à l'ouest, durant l'été et dans le Nord-Ouest, terreau des plus grands musiciens folk.

Peut-on faire de la randonnée en Irlande ?

Bien sûr, mais pas partout : les péninsules à l'ouest sont les plus propices à la marche. Les offices de tourisme vendent de bonnes cartes et les chemins sont généralement bien balisés. En revanche, c'est rarement plat !

Comment se déplacer quand on n'a pas de voiture ?

Le réseau de bus n'est pas mauvais et il existe des formules de billets à la semaine ou au mois. Sinon, le bon vieux pouce marche encore et le vélo rencontre un certain succès... Dans tous les cas, il ne faut pas être pressé et ne pas vouloir « faire » toute l'Irlande en 15 jours.

Peut-il être dangereux de voyager en Irlande ?

Non, et même absolument pas en république d'Irlande (Eire). En Irlande du Nord (Ulster), les quartiers sensibles de Belfast et de Derry font désormais partie des circuits touristiques... Les tensions entre catholiques et protestants ont quasiment disparu, ranimées parfois lors des marches des orangistes en juillet-août.

LES COUPS DE CŒUR DU ROUTARD

● En plein cœur de Dublin, dans Trinity College, une des universités européennes les plus réputées, haut lieu de la culture irlandaise, admirer le fameux Book of Kells, le plus précieux livre conservé en Irlande (un Nouveau Testament en latin). .... p. 135

● À Dublin, s'entraîner raisonnablement au *pub-crawling* (littéralement « ramper de bar en bar ») dans Temple Bar, quartier on ne peut plus central, à l'étonnante vitalité de jour comme de nuit, où 2 ruelles sont décorées de fresques murales. .... p. 124, 133

● Toits de chaume, chalutiers colorés, rythme de vie digne d'une charrette tirée par un vieil âne... C'est Kilmore Quay, village au sud de Wexford, un lieu enchanteur encore peu connu des touristes. ... p. 178

● Kilkenny est l'une des villes les plus agréables d'Irlande. Au menu : architecture médiévale, rues piétonnes animées, musique dans les pubs, sans oublier la bière locale, bien sûr ! .... p. 190

● VTTistes et randonneurs s'éclateront dans la péninsule de Sheep's Head. Un endroit vallonné et très nature, avec de superbes paysages champêtres qui tombent dans la mer. .... p. 256

● Un vertigineux escalier (2 300 marches) creusé dans la roche, qui donne l'impression de monter jusqu'au ciel : c'est à Skellig Michael, île inscrite au Patrimoine mondial de l'Unesco, qui a vu les premiers moines s'installer dans ce refuge farouche.. p. 289

● Partir à la chasse aux orchidées (en été) ou, les pieds dans la tourbe (au printemps), admirer un paysage quasi lunaire coloré par les gentianes : les sentiers du Burren donnent l'occasion de randos inoubliables.................................. p. 362

● Aran : les îles sentinelles de l'Irlande regardent loin vers l'ouest. De Dun Aengus, fort circulaire datant de l'époque préhistorique, perché au sommet d'une falaise, contempler cet océan qui a tant déchiré le cœur des Irlandais qui émigraient. .. p. 372

● Le Connemara : aller de lac en lac, de crique en crique, de plage en plage dans une des régions les plus attachantes du pays... p. 383

● Rude et sauvage, la péninsule de Slieve League est bordée de falaises parmi les plus hautes d'Europe. Du port de pêche de Killybegs au bourg animé d'Ardara en passant par la pointe de Malin Beg, c'est la vraie Irlande du cœur....... p. 489

● Tout au nord, la péninsule d'Inishowen. Ses côtes déchiquetées regorgent de criques et de baies splendides, à découvrir en prenant le temps, le nez au vent. .. p. 508

● De portes en bastions, d'églises en chapelles, parcourir les remparts de Derry. .... p. 527

● Contrée de légendes, la Chaussée des Géants en appelle au fantastique. Les formes des rochers basaltiques y évoquent mille constructions. .... p. 530

● Ville aux multiples visages, Belfast a conservé dans sa chair la marque des hommes qui se sont battus pour elle. Républicaines (catholiques) ou loyalistes (protestants), les fresques colorées enflamment encore les cœurs. .... p. 548

● Au cœur du grand lough Erne, les ruines du monastère médiéval de Devenish Island et sa tour ronde évoquent toute la puissance de la foi irlandaise. ..... p. 599

ITINÉRAIRES CONSEILLÉS

1 semaine : itinéraire 1

Dublin : 3 jours

– La rive sud : Trinity College et le livre de Kells, la Bank of Ireland, le Musée national, la Galerie nationale, le beau jardin de Saint Stephen's Green, le vieux quartier populaire des Liberties et la brasserie *Guinness*, la prison historique de Kilmainham, le musée d'Art moderne au Royal Hospital Kilmainham ; en soirée : le quartier branché de Temple Bar et la visite des pubs historiques (*Mulligan's, Brazen Head* – le plus vieux de Dublin –, *James Toner* – le pub de Yeats).
– La rive nord : la Grande Poste (rébellion de 1916), la galerie municipale d'Art moderne, le musée des Écrivains de Dublin, le musée des Arts décoratifs de Collins Barracks, Phoenix Park (le plus grand parc urbain d'Irlande).

Le Ring of Kerry : 2 jours

– Killarney ;
– Valentia Island.

La péninsule de Dingle : 2 jours

– Balade à vélo ou à pied : la falaise de Slea Head et l'oratoire de Gallarus, les *clochans* (huttes de pierre) et l'église de Kilmalkedar.

1 semaine : itinéraire 2

Dublin : 3 jours

Voir plus haut : même programme.

Sligo et Donegal : 2 ou 3 jours

– Sligo et ses environs, le parc national du Glenveagh et la péninsule d'Inishowen.

L'Irlande du Nord : 2 jours

– Derry : 1 journée ;
– la Chaussée des Géants et ses environs, 1 journée et retour sur Dublin.

10 jours

Dublin : 3 jours

Voir plus haut : même programme.

Le Ring of Kerry : 2 jours

– Killarney ;
– Valentia Island.

La péninsule de Dingle : 2 jours

– Balade à vélo ou à pied : la falaise de Slea Head et l'oratoire de Gallarus, les *clochans* (huttes de pierre) et l'église de Kilmalkedar.

Le Burren (comté de Clare) : 1 jour

– Prodigieux relief karstique et la plus grosse concentration mégalithique.

Galway et ses proches environs : 2 jours

– Excursion à Oughterard et Maam Cross, et leurs fameux lacs près des Twelve Bens ;
– Galway : Lynch's Castle, le musée Nora-Barnacle, le musée de la Ville, la tournée des pubs.

3 semaines

Dublin : 3 jours

Voir plus haut : même programme.

Les monts Wicklow : 1 jour

– Le château de Russborough, Powerscourt Gardens, superbe site de Glendalough (tour ronde, la cathédrale et le cimetière).

Kilkenny : 1 jour

– Le château, le vieil hôtel de ville, Kyteler's Inn, la Rothe House, la cathédrale Saint-Canice, visite de la brasserie *Smithwick's*.

Cashel : 1 jour

– Visite du rocher et de la cathédrale.

Cahir : 1 jour

– Le château.

Cork : 2 jours

– Chandon Church, Butter Exchange, le musée de Cork et la prison.

Sur la route de Cork à Mizen Head : 1 jour

– Kinsale (port de plaisance) : le musée et le fort Charles ;
– Timoleague et son abbaye franciscaine ;
– Union Hall et Castle Town Shend : adorable petit port ;
– la péninsule de Mizen Head.

Bantry : une demi-journée

– Visite de la Bantry House ;
– Glengarriff et l'île Garinish (paradis de fleurs).

Le Ring of Kerry : 2 jours et demi

– Kenmare ;
– Killarney ;
– Valentia Island.

La péninsule de Dingle : 2 jours

– Balade à vélo ou à pied : la falaise de Slea Head et l'oratoire de Gallarus, les *clochans* (huttes de pierre) et l'église de Kilmalkedar.

Le Burren (comté de Clare) : 1 jour

– Prodigieux relief karstique et la plus grosse concentration mégalithique en Irlande.

Galway : 1 jour

– Lynch's Castle, le musée Nora-Barnacle, le musée de la Ville, la tournée des pubs.

Le Connemara et le Mayo : 1 semaine

– Oughterard et Maam Cross, et leurs fameux lacs près des Twelve Bens ;
– Clifden et son marché aux chevaux (début août), sans oublier les bars musicaux ;
– la région de Letterfrack, porte d'entrée du parc national du Connemara ;
– Leenane, paradis des randonneurs ;
– Cong, capitale de la Joyce Country : l'abbaye, les lacs Corrib et Mask ;
– Westport, Westport House, l'abbaye de Murrisk au pied du Croagh Patrick ;
– Newport ;
– Achill Island : l'Atlantic Drive jusqu'à Dooega, le village fantôme de Slievemore, randonnée au mont Croaghaun et ses falaises.

Si vous êtes plutôt...

... vieilles pierres, l'Irlande compte d'innombrables sites, dispersés dans toute l'île : comme les forts préhistoriques du Burren (Cahercommaun Fort), de Dun Aengus (Aran) ou l'ensemble archéologique de la vallée de la Boyne, à proximité de Dublin, ou encore les forts plus récents de Dunbeg (péninsule de Dingle) ou de Caherconnell (Burren) ;

... amateur d'architecture religieuse, là encore, le choix est vaste : abbayes, souvent en ruine, parfois restaurées (comme Boyle Abbey ou Ballintuber Abbey), églises perdues dans la lande, monastères (comme celui de Clonmacnoise à mi-chemin entre Dublin et Galway), cimetières aux tombes moussues, sans parler des magnifiques croix celtiques, isolées dans la campagne profonde ;

... fan d'histoire irlandaise contemporaine, visitez les demeures de certaines grandes figures historiques (maison natale de Parnell, près de Rathdrum, ou Derrynane House, la maison de Daniel O'Connell près de Caherdaniel...), ou encore des lieux chargés d'histoire (comme Kilmanham Jail à Dublin) ;

... amateur d'architecture classique, visitez les belles demeures palladiennes ou georgiennes que se sont fait construire au XVIIe s les aristocrates anglais, comme Westport House à Westport (Mayo), Russborough House près de Glendalough, Castletown House, près de Kildare, ou encore, dans un style différent, Bantry House à Bantry, ou Mount Stewart House en Irlande du Nord ;

... fan de randonnées, prévoyez un passage par les régions du Burren ou du Connemara, avec leurs paysages si particuliers – et pas si faciles pour les marcheurs (ils demandent souvent à traverser des champs), sans parler des Monts Wicklow, proches de Dublin. Des itinéraires de grande randonnée, aménagés de façon moderne, comme la Great Western Greenway (Mayo), entre autres, sont venus compléter l'offre (certains sont praticables en vélo) ;

... amateur de paysages spectaculaires, l'Irlande en propose de nombreux : les Skellig Islands (Kerry), les falaises abruptes (celles de Moher, celles d'Achill Island, de Slieve League...), les îles d'Aran ou encore les rochers basaltiques de la Chaussée des Géants en Irlande du Nord.

... passionné de pêche en eau douce, les rivières et les innombrables loughs, en particulier dans le nord et l'ouest (Connemara, Mayo...), mais aussi en Irlande du Nord (comté du Fermanagh) vous fourniront l'occasion d'exercer vos talents.

COMMENT Y ALLER ?

EN AVION

::

Les compagnies régulières

Vols au départ de la France et de la Belgique

▲ AIR FRANCE

Rens et résas au ☎ *36-54 (0,34 €/ mn – tlj 6h30-22h), sur* ● *airfrance. fr* ●*, dans les agences Air France et dans ttes les agences de voyages. Fermées dim.*

➣ Entre Paris-CDG et Dublin, Air France assure 5 vols directs/j.

Air France propose à tous des tarifs attractifs toute l'année. Vous avez la possibilité de consulter les meilleurs tarifs du moment sur Internet, directement sur la page « Meilleures offres et promotions ».

Le programme de fidélisation Air France-KLM permet de cumuler des *miles* à son rythme et de profiter d'un large choix de primes. Avec votre carte *Flying Blue*, vous êtes immédiatement identifié comme client privilégié lorsque vous voyagez avec tous les partenaires.

Air France propose également des réductions jeunes. La carte *Flying Blue Jeune* est réservée aux jeunes âgés de 2 à 24 ans résidant en France métropolitaine, dans les départements d'outre-mer, au Maroc ou Tunisie ou en Algérie. Avec plus de 1 000 destinations et plus de 100 partenaires, *Flying Blue Jeune* offre autant d'occasions de cumuler des *miles* partout dans le monde.

▲ AER LINGUS

– *Paris : rens et résas au* ☎ *0821-230-267 (0,12 €/mn – lun-ven 9h-17h).*

● aerlingus.com ●
– *Bruxelles :* ☎ *070-35-99-01.* ● *aer lingus.com* ●

➣ Vols quotidiens reliant Paris à Dublin et Cork. Également des vols (pour la plupart saisonniers) Nice-Dublin, Nice-Cork, Perpignan-Dublin, Rennes-Dublin, Rennes-Cork, Rennes-Shannon, Toulouse-Dublin, Bordeaux-Dublin, Marseille-Dublin et Lyon-Dublin.

➣ Vols quotidiens de Bruxelles vers Dublin et Cork.

▲ BRITISH AIRWAYS

Rens et résas : ☎ *0825-825-400 (0,15 €/mn).* ● *britishairways.com* ●

➣ Assure des vols vers Dublin via Londres ou Birmingham au départ de Paris, Bordeaux, Lyon, Marseille, Montpellier, Mulhouse, Nantes, Nice et Toulouse.

Vols au départ de la Suisse

▲ AER LINGUS

– *Zurich :* ☎ *044-286-99-33.* ● *aerlin gus@zrh.airlinecenter.ch* ●

➣ 1 liaison/j. Genève-Dublin ainsi que 1 vol/j. Zurich-Dublin, en partage de code avec *Swiss*. En hiver, vol Genève-Cork.

▲ SWISS INTERNATIONAL AIRLINES

Rens et résas : ☎ *0848-700-700 (en Suisse) ;* ☎ *0892-232-501 (depuis la France ; 0,34 €/mn).* ● *swiss.com* ●

➣ 1 vol/j. Zurich-Dublin.

Les compagnies *low-cost*

Ce sont des compagnies dites « à bas prix ». Elles desservent les capitales européennes ainsi que de nombreuses villes de province. Plus vous réserverez vos billets à l'avance, plus vous aurez des chances d'avoir des tarifs avantageux, mais il ne faut pas trop espérer trouver facilement des billets à prix planchers lors des périodes les plus fréquentées (vacances scolaires, week-ends...). N'hésitez pas à combiner les offres, d'autant plus que les compagnies *low-cost* permettent des vols simples. La résa se fait souvent par Internet et parfois par téléphone (pas d'agence, juste un numéro de réservation et un billet à imprimer soi-même). Des frais de dossier ainsi que des frais pour le paiement par carte de paiement peuvent vous être facturés. En outre, les pénalités en cas de changement d'horaires sont assez importantes. Afin de réduire les files d'attente dans les aéroports, certaines compagnies font même payer l'enregistrement aux comptoirs. Pour l'éviter, vous avez intérêt à vous enregistrer directement sur Internet où le service est gratuit. Il faut aussi rappeler que plusieurs compagnies facturent maintenant les bagages en soute ou limitent leur poids. En cabine également le nombre de bagages est strictement limité (attention même le plus petit sac à main est compté comme un bagage à part entière). À bord, c'est service minimum et tous les services sont payants (boissons, journaux...). Ne pas oublier non plus d'ajouter le prix du bus pour se rendre à ces aéroports, souvent assez éloignés du centre-ville, ou dans des aéroports secondaires quand il s'agit des capitales. Attention également au moment de la réservation par Internet à décrocher certaines options qui sont automatiquement cochées (assurances, etc.). Au final, même si les prix de base restent très attractifs, il convient de prendre en compte tous ces frais annexes pour calculer le plus justement son budget.

▲ EASYJET

Centre d'appels : ☎ 0820-420-315 *(0,12 €/mn).* ● *easyjet.com* ●
➢ Dessert directement Belfast au départ de Paris-CDG et de Nice. Possibilité de gagner Belfast au départ de Marseille et de Toulouse via Londres-Gatwick et au départ de Lyon via Londres-Stansted. Également des vols au départ de Genève.

▲ FLYBE

Résas (en Grande-Bretagne) : ☎ 00-44-1392-683-152. ● *flybe.com* ●
➢ Flybe dessert Dublin via Southampton au départ de Bordeaux, Clermont-Ferrand, Rennes, Brest, La Rochelle, Limoges, Bergerac, Béziers, Perpignan, Nice, Avignon, Tours, Chambéry et Paris-Orly.
➢ Flybe dessert également Belfast directement ou via Birmingham au départ d'Avignon, Bergerac, Béziers, Bordeaux, Brest, Chambéry, Clermont-Ferrand, La Rochelle, Limoges, Nantes, Rennes, Toulouse, Tours, Paris-Orly et Paris-CDG.

▲ RYANAIR

De France

Rens et résas : ☎ 0892-562-150 *(0,34 €/mn ; lun-ven 9h-18h, sam 10h-17h, dim 11h-17h).* ● *ryanair. com* ● *Accueil en anglais, mais ttes les infos sont disponibles en français. Les meilleurs tarifs sont accessibles slt sur Internet (promos ponctuelles). En Irlande :* ☎ 1520-444-004 *(0,15 €/mn).*
➢ Ryanair propose jusqu'à 6 vols directs/j. vers Dublin au départ de Paris-Beauvais. Service de navettes entre Paris-Porte Maillot et l'aéroport de Paris-Beauvais ; départ 3h15 avt le vol Ryanair. Billet à acheter à la boutique *Paris-Beauvais (1, bd Pershing, 75017 Paris ;* ☎ *0892-682-064, 0,34 €/ mn).* Coût : 16 € l'aller simple.
➢ En province, Ryanair assure des vols quotidiens vers Dublin (ou Cork, Knock, Kerry, Shannon et Derry) via Londres-Stansted ou Londres-Luton au départ d'une quinzaine d'aéroports en France. Des vols directs également (certains saisonniers) : Biarritz-Dublin, Bordeaux-Cork, Brest-Dublin, Carcassonne-Cork, Carcassonne-Dublin, Clermont-Ferrand-Dublin, Grenoble-Dublin, La Rochelle-Dublin, Lyon-Dublin, Nantes-Dublin, Nantes-Shannon, Nice-Dublin, Marseille-Dublin, Rodez-Dublin et Tours-Dublin.

De Belgique

– *Charleroi :* à env 60 km au sud de Bruxelles. Infos et résas : ☎ 09-02-33-660 (en français) ou 600 (en anglais) ; 1 €/mn ; lun-ven 9h-19h, sam 10h-17h,

autoe**s**cape
.com

partout dans le monde

Louez
votre voiture
au **meilleur prix**,
partout en
irlande

Depuis 12 ans, nous sélectionnons les meilleurs loueurs et négocions
des prix discount, en Irlande et partout dans le monde.

 de remise pour les Routards*
Pour toute réservation par Internet,
avec le code de réduction : GDR14

Assistance téléphonique
pour vous conseiller
à tout moment

0 892 46 46 10
0,34€/min

*réduction valable jusqu'au 31/12/2014, non cumulable avec toute remise ou promotion

dim 11h-17h. ● *charleroi-airport.com* ●
➤ Vols de Bruxelles-Charleroi vers Dublin et Shannon. Un service analogue à Beauvais-Dublin (voir ci-dessus « De France ») existe au départ de Charleroi pour env 13 € l'aller simple et 22 € l'A/R. Navette Bruxelles-Charleroi (billet à acheter à la gare du Midi, à Bruxelles). Départ à l'angle de la rue de France et de la rue de l'Instruction, 3h avt l'heure du vol.

EN TRAIN

Oui, il est possible de se rendre en Irlande en train (suivi du bateau, bien évidemment), mais il n'existe pas, comme c'est le cas pour la Grande-Bretagne, de tarification commune (billet unique train + bateau).

Au départ de Paris

Pour vous aider à calculer la durée de votre voyage, voici le temps que met le train au départ de Paris pour joindre les différents ports.
➤ *Le Havre :* 2h en corail.
➤ *Cherbourg :* 2h50-3h30 en corail.
➤ *Boulogne :* 2h en TGV, 2h40 en corail.
➤ *Calais (Fréthun) :* 1h20 en TGV, 3h en corail.
➤ *Dieppe :* 2h en corail avec changement à Rouen.
➤ *Roscoff :* 4h15 en TGV avec changement à Morlaix.
➤ *Saint-Malo :* 3h15 en TGV avec changement à Rennes.

Pour préparer votre voyage

– *Billet à domicile :* commandez et payez votre billet par Internet ou par téléphone au ☎ *36-35 (0,34 € TTC/mn, hors surcoût éventuel de votre opérateur).* La SNCF vous l'envoie gratuitement à domicile.
– *Service bagages à domicile :* la SNCF prend en charge vos bagages où vous le souhaitez, et vous les livre là où vous allez. *Service disponible en France continentale, en Allemagne, en Suisse (enlèvement et livraison uniquement en gare) et au Luxembourg.*

Pour voyager au meilleur prix

La SNCF propose des tarifs adaptés à chacun de vos voyages.
➤ *TGV Prem's, Intercités Prem's :* des petits prix disponibles toute l'année. Tarifs non échangeables et non remboursables (offres soumises à conditions). Impossible de poser des options de réservation sur ces billets ; il faut les payer immédiatement.
➤ *Les tarifs Loisirs*
Une offre pour tous ceux qui programment leurs voyages mais souhaitent avoir la liberté de décider au dernier moment et de changer d'avis (offres soumises à conditions). Tarifs échangeables et remboursables. Pour bénéficier des meilleures réductions, pensez à réserver vos billets à l'avance (les réservations sont ouvertes jusqu'à 90 jours avant le départ) ou à voyager en période de faible affluence.
➤ *Les cartes*
Pour ceux qui voyagent régulièrement, profitez de réductions garanties tout le temps avec les *Carte Enfant +, Carte 12-17, Carte 18-27, Carte Week-End* ou *Carte Senior* (valables 1 an).

Vous voyagez au-delà de la France ?

Avec les *Pass InterRail,* les résidents européens peuvent voyager dans 30 pays d'Europe, dont l'Irlande. Plusieurs formules et autant de tarifs, en fonction de la destination et de l'âge. À noter que le *Pass InterRail* n'est pas valable dans votre pays de résidence. Cependant, l'*InterRail Global Pass* offre une réduction de 50 % depuis votre point de départ jusqu'au point frontière en France.
– Pour les grands voyageurs, l'*InterRail Global Pass* est valable dans l'ensemble des 30 pays concernés ; intéressant si vous comptez parcourir plusieurs pays au cours du même périple. Il se présente sous 4 formes au choix. 2 formules flexibles : utilisables 5 j. sur une période de validité de 10 j. (276 € pour les plus de 25 ans, 181 € pour les 12-25 ans) ou 10 j. sur une période de validité de 22 j. (393 € pour les plus de 25 ans, 265 € pour les

Gaéland
ASHLING

IRLANDE

**WEEK-ENDS
SEJOURS
CIRCUITS
B & B
HOTELS
MANOIRS
VELO
GOLF
PECHE**

Branchez-vous sur la ligne verte

Tél. : 0825 12 3003 · Fax : 01 42 71 45 45
4, Quai des Célestins · 75004 PARIS
E-mail : resa@gaeland-ashling.com
Site : www.gaeland-ashling.com

**Devis à la carte sur demande,
en avion ou en ferry,
n'hésitez pas à nous consulter.**

Brochure sur demande · Lic. 075 96 0188

12-25 ans). 3 formules continues : *pass 15 j.* (435 € pour les plus de 25 ans, 307 € pour les 12-25 ans), *pass 22 j.* (509 € pour les plus de 25 ans, 339 € pour les 12-25 ans), *pass 1 mois* (658 € pour les plus de 25 ans, 435 € pour les 12-25 ans). Ces 5 formules existent aussi en version 1re classe (mais ce n'est pas le même prix, bien sûr !).

– Si vous ne parcourez que l'Irlande, le *One Country Pass* vous suffira. D'une période de validité de 1 mois et utilisable, selon les formules, 3, 4, 6 ou 8 j. en discontinu : à vous de calculer avant votre départ le nombre de jours que vous passerez sur les rails : 3 j. (123 € pour les plus de 25 ans, 81 € pour les 12-25 ans, 62 € pour les 4-11 ans), 4 j. (155 € pour les plus de 25 ans, 101 € pour les 12-25 ans, 78 € pour les 4-11 ans), 6 j. (208 € pour les plus de 25 ans, 133 € pour les 12-25 ans, 104 € pour les 4-11 ans) ou 8 j. (251 € pour les plus de 25 ans, 165 € pour les 12-25 ans, 126 € pour les 4-11 ans). Là encore, ces formules existent en version 1re classe.

– *InterRail* (● interrail.eu ●) offre également la possibilité d'obtenir des réductions ou avantages à travers toute l'Europe avec ses partenaires bonus (musées, chemins de fer privés, hôtels, etc.).

Pour obtenir plus d'informations sur les conditions de réservation et d'achat de vos billets

– *Internet :* ● tgv.com ● intercites. com ● voyages-sncf.com ●
– *Téléphone :* ☎ 36-35 (0,34 €/mn hors surcoût éventuel de votre opérateur).
– Également dans les gares, les boutiques SNCF et les agences de voyages agréées.

EN BATEAU

Différents itinéraires

Si vous choisissez le bateau, les possibilités d'itinéraires sont extrêmement nombreuses. Votre choix dépendra :

– *de votre point de départ et de votre point d'arrivée :* par exemple, pour les Bretons, un départ de Roscoff est logique. Pour les Bruxellois, un trajet jusqu'à Hull, puis l'autoroute jusqu'à Liverpool (bateau pour Belfast) ou Holyhead (bateau pour Dún Laoghaire, près de Dublin) s'imposent ;
– *de la saison :* certains bateaux fonctionnent avec régularité toute l'année, d'autres sont saisonniers ;
– *de vos contraintes budgétaires :* étudiez bien les offres de billets combinés. Cherchez les réductions applicables à votre cas (âge, période de voyage, etc.). Bien sûr, les prix sont proportionnellement moins élevés lorsqu'on part à 3 ou 4 dans une voiture.

Quelques conseils

– Choisissez et réservez longtemps à l'avance. Vous aurez les dates qui vous conviennent et vous trouverez la meilleure formule pour votre portefeuille.
– Petits budgets, prévoyez un piquenique, car la nourriture à bord est souvent très chère.

Compagnies maritimes

Voir la carte et le tableau des liaisons maritimes.

▲ BRITTANY FERRIES

– *Roscoff :* port du Bloscon, BP 72, 29688 Roscoff Cedex. ☎ 0825-828-828 (0,15 €/mn ; lun-ven 8h30-19h, sam 9h-18h). ● brittanyferries.fr ●
➤ Traversée directe Roscoff-Cork (1 départ ven soir et 1 retour sam, traversées de nuit) et liaisons France-Angleterre (Roscoff-Plymouth, Saint-Malo-Portsmouth, Caen-Ouistreham-Portsmouth, Cherbourg-Portsmouth, Le Havre-Portsmouth et Cherbourg-Poole combiné avec Fishguard-Rosslare). Brittany Ferries propose des formules associant traversée et hébergement (*B & B, guesthouses,* hôtels, demeures de caractère, hôtels d'exception, maisons de vacances). Également des circuits autotours dans toutes les régions et des séjours à thème (rando, pêche, golf). Voir plus loin « Les organismes de voyages ».

COMMENT Y ALLER ?

LES LIAISONS MARITIMES

▲ **IRISH FERRIES**
Rens et résas : ☎ *01-70-72-03-26.*
● *irishferries.fr* ●
– *Cherbourg :* gare maritime, 50100.
☎ *02-33-23-44-44.*
– *Roscoff :* ☎ *02-98-61-17-17.*
– *Belgique :* ☎ *02-400-14-85.* ● *irish
ferries.com* ●
– *Eire (Rosslare) :* ☎ *(053) 91-33-158.*
➢ Irish Ferries propose jusqu'à
4 traversées/sem au départ de Cherbourg (tte l'année) ou de Roscoff
(mai-sept) vers le port de Rosslare
à bord du luxueux *Oscar Wilde* et
opère aussi sur 2 lignes depuis la
Grande-Bretagne : Holyhead-Dublin et
Pembroke-Rosslare.

▲ **P & O FERRIES ET P & O IRISH SEA**
– *Rens et résas de France :* ☎ *0825-
120-156 (0,15 €/mn).*
– *Rens et résas de Belgique :*
☎ *070-70-77-71.*
– *Rens et résas des Pays-Bas :*
☎ *020-201-33-33.*
Également sur ● *poferries.fr* ● *ou dans
votre agence de voyages.*
Lignes maritimes :
➢ *France/Grande-Bretagne :*
Calais-Douvres.

➢ *Belgique/Grande-Bretagne :*
Zeebrugge-Hull.
➢ *Pays-Bas/Grande-Bretagne :*
Rotterdam-Hull.
➢ *Grande-Bretagne/république
d'Irlande :* Liverpool-Dublin.
➢ *Écosse/Irlande du Nord :* Cairnryan-
Larne et Troon-Larne.

▲ **CELTIC LINK FERRIES**
– *Cherbourg :* gare maritime 1.
☎ *02-33-43-23-87 (lun-ven 9h30-17h).*
● *celticlinkferries.com* ●
➢ *Cherbourg-Rosslare :* 2-3 liaisons/sem.

▲ **DFDS SEAWAYS**
Rens et résas : ☎ *02-32-14-68-50.*
● *dfdsseaways.fr* ●
La compagnie, en partenariat avec
Transmanche Ferries, propose des tra-
versées entre la France et l'Angleterre.
➢ *Dieppe-Newhaven :* 2 départs/j.
Trajet : 4h.
➢ *Le Havre-Portsmouth :* 1 départ/j.
Trajet : 5h30 (jour)-8h (nuit).
➢ *Calais (ou Dunkerque)-Douvres :*
env 10 départs/j. Trajet : 1h30-2h10.
Ensuite, liaisons Angleterre-Irlande
avec *Norfolk Line* (qui appartient au
groupe DFDS Seaways).

Départ	Arrivée	Durée moyenne	Compagnie	Fréquence
De France en république d'Irlande				
Roscoff	Cork	14h	Brittany Ferries	1 par semaine de fin mars à fin octobre.
Roscoff	Rosslare	16h	Irish Ferries	Tous les 2 jours de mai à septembre.
Cherbourg	Rosslare	18h30	Irish Ferries et Celtic Link Ferries	Tous les 2 jours, en moyenne (toute l'année).
De France en Grande-Bretagne				
Roscoff	Plymouth	6h	Brittany Ferries	1 à 2 par jour (1 à 3 de début juin à début septembre). 1 traversée par semaine de mi-novembre à mi-décembre.
Saint-Malo	Portsmouth	10h45	Brittany Ferries	1 par jour. Toute l'année.
Cherbourg	Poole	4h30 (en ferry classique) 2h15 (en ferry rapide)	Brittany Ferries	1 à 3 par jour. Toute l'année. De mi-mai à fin septembre, un ferry rapide.
Cherbourg	Portsmouth	3h	Brittany Ferries	1 par jour.
Caen / Ouistreham	Portsmouth	6h (en ferry classique)	Brittany Ferries	2 à 4 par jour. Toute l'année.
		3h45 (en ferry rapide)	Brittany Ferries	2 par jour en haute saison.
Calais	Douvres	de 35 mn à 1h30	Plusieurs compagnies : P & O Ferries, DFDS Seaways	Nombreux départs quotidiens (bateaux).
Dunkerque	Douvres	2h10	DFDS Seaways	Nombreux départs quotidiens.
Dieppe	Newhaven	4h	DFDS Seaways	2 par jour.

Zeebrugge	Hull	12h30	P & O Ferries	Quotidien. Trajet de nuit.
De Grande-Bretagne en république d'Irlande				
Holyhead	Dublin	3h15	Irish Ferries (ferry), Stena Line	6 par jour.
		1h50	Irish Ferries (catamaran)	3 par jour (4 en été).
Pembroke	Rosslare	3h45	Irish Ferries	2 départs quotidiens (dont un de nuit).
Fishguard	Rosslare	3h30	P & O Ferries (ferry), Stena Line	4 départs quotidiens.
		1h45	P & O Ferries (catamaran), Stena Line	Départs quotidiens en saison, 6 en juillet-août.
De Grande-Bretagne en Irlande du Nord				
Cairnryan	Larne	2h	P & O Irish Sea	5 à 7 par jour.
		1h (catamaran)	P & O Irish Sea	2 par jour.
Liverpool	Belfast	8h	Norfolk Line et Stena Line	Quotidien en saison. Trajet de nuit.
Troon	Larne	1h50 (catamaran)	P & O Irish Sea	2 départs par jour.
Stranraer	Belfast	2 à 3h	Stena Line	6 par jour.

▲ EURO-MER

– *Central de résa en France : 5, quai de Sauvages, 34078 Montpellier Cedex 3.* ☎ 04-67-65-10-10. ● *euromer.com* ● *Envoi gratuit de devis et brochures.*
Spécialiste en Europe des traversées maritimes, Euro-Mer revend *Brittany Ferries, Irish Ferries, P & O Ferries, Irish Sea, Seafrance* et *LD Lines*.
Au départ de Cherbourg ou Roscoff pour Rosslare, ou de Roscoff pour Cork, en traversée directe pour l'Irlande, ou bien via l'Angleterre avec traversée de la mer d'Irlande. Nombreuses réductions pour les groupes, clubs de camping-cars, jeunes de moins de 26 ans, 4x4 et familles.

LES ORGANISMES DE VOYAGES
::

– Ne pas croire que les vols à tarif réduit sont tous au même prix pour une même destination à une même époque : loin de là. On a déjà vu, dans un même avion partagé par 2 organismes des passagers qui avaient payé 40 % plus cher que les autres. De plus, une agence bon marché ne l'est pas forcément toute l'année (elle peut n'être compétitive qu'à certaines dates bien précises). Donc, contactez tous les organismes et jugez vous-même.
– Les organismes cités sont classés par ordre alphabétique, pour éviter les jalousies et les grincements de dents.

EN FRANCE

▲ AGUILA-VOYAGES-PHOTO

– *Atelier 10 : 270, rue Thomas-Edison, 34400 Lunel.* ☎ 04-67-13-22-32. ● *aguila-voyages.com* ●
Fondée par 3 photographes professionnels et grands voyageurs, Aguila offre l'opportunité de partir en voyage avec un photographe-reporter. Lors des séjours, celui-ci livre ses techniques de la photographie de reportage et sa connaissance du territoire. Il apprend aux participants, par petits groupes de 3 à 10 personnes, à repérer les scènes et les lumières et leur fait bénéficier de ses relations privilégiées

avec les populations. Le catalogue offre une large gamme de destinations dans le monde avec par exemple l'Équateur, l'Islande, la Patagonie, la Toscane, le Maroc ou le Vietnam. Des séjours sont également organisés en France. Aguila propose aussi un cycle de conférences-formations sur le thème de la photo dans différentes villes de France. Inscriptions sur le site internet.

▲ ALAINN TOURS

– *9, Unit Pro-tek House, Finisklin Business Park, Sligo (Irlande).* ☎ 0820-20-20-30 (*n° Indigo*) ou 00-353-71-91-50345. ● *vacancesenirlande.com* ●
Spécialiste du voyage en Irlande pour les individuels et les groupes, Alainn Tours, fort de ses 20 ans d'existence, étend maintenant son savoir-faire à l'Écosse. Cette fervente équipe franco-irlandaise est basée en Irlande depuis 1991. Elle présente la particularité de s'adresser directement à la clientèle internaute. Toutes les formules proposées sont traitées individuellement en moins de 48h. Une assistance téléphonique en français tous les jours est incluse dans les forfaits avant, pendant et après votre séjour. Le choix des hébergements va du logement chez l'habitant au château en passant par les demeures de charme. Vous pouvez greffer sur les séjours diverses activités (golf, pêche, équitation, randonnée...) ou différents thèmes (culture, archéologie, ornithologie...).

▲ BOURSE DES VOLS / BOURSE DES VOYAGES

Rens : ☎ 01-42-61-66-61 (*lun-sam 9h-20h*). ● *bdv.fr* ●
Agence de voyages en ligne, bdv.fr propose une vaste sélection de vols secs, séjours et circuits à réserver en ligne ou par téléphone. Pour bénéficier des meilleurs tarifs aériens, même à la dernière minute, le service de Bourse des Vols référence en temps réel un large panel de vols réguliers, charters et dégriffés au départ de Paris et de nombreuses villes de province. Bourse des Voyages propose des promotions toute l'année sur une large sélection de destinations (séjours, circuits...).

Álainn Tours

Tour Operator
Ireland

Votre spécialiste Franco-Irlandais
basé en Irlande

www.vacancesenirlande.com

➤ N° Indigo **0820 20 20 30**

Assistance téléphonique 7j / 7j en Français

Votre B&B en Irlande...

B&B Ireland
Be at the heart of it all

Réservez sur
www.bandbireland.com
Site officiel des B&B agréés par l'Office de Tourisme d'Irlande

▲ BRITTANY FERRIES

– Roscoff : port du Bloscon, BP 72, 29688 Roscoff Cedex. Rens et résas : ☎ 0825-828-828 (0,15 €/mn ; lun-ven 8h30-19h, sam 9h-18h). • brittany ferries.fr •

Brittany Ferries, spécialiste de l'Irlande depuis plus de 30 ans, propose une sélection de plus de 800 hébergements à la carte (B & B, guesthouses, hôtels, maisons de vacances, demeures de caractère, etc.) dans toutes les régions d'Irlande, qu'il est possible de combiner. En brochure également, des séjours à thème (rando, pêche, golf) et des circuits autotours exclusifs Sud-Ouest, Connemara, Est et Nord, et des circuits en autocar. Tarif préférentiel sur les traversées maritimes combinées avec la réservation d'hébergements.

▲ CELTICTOURS

☎ 01-55-87-82-05. • celtictours.fr •
– Paris : Maison de la Scandinavie, 54-56, av. Bosquet, 75007. Ⓜ École-militaire. Lun-ven 10h-18h.

Scanditours est une véritable institution sur la Norvège, la Finlande, la Suède, le Danemark, l'Islande, le Groenland, les îles Féroé et le Spitzberg.

Celtictours consacre sa programmation à l'Irlande et l'Écosse. Circuits accompagnés et voyages individuels : transport aérien, maritime, location de voitures, autotours, séjours chez l'habitant, en cottage, en auberge, en hôtel, en château ou encore en manoir.

▲ COMPTOIR DES PAYS CELTES

• comptoir.fr •
– Paris : 6, rue des Écoles, 75005. ☎ 0892-239-039 (0,34 €/mn). Ⓜ Cardinal-Lemoine. Lun-ven 9h30-18h30, sam 10h-18h30.
– Lyon : 10, quai Tilsitt, 69002. ☎ 0892-230-465 (0,34 €/mn). Ⓜ Bellecour. Lun-sam 9h30-18h30.
– Marseille : 12, rue Breteuil, 13001. ☎ 0892-236-636 (0,34 €/mn). Ⓜ Estrangin. Lun-sam 9h30-18h30.
– Toulouse : 43, rue Peyrolières, 31000. ☎ 0892-232-236 (0,34€/mn). Ⓜ Esquirol. Lun-sam 9h30-18h30.

Partez à la découverte de l'âme et de l'identité celte ! Pour votre voyage en Irlande, Écosse, au pays de Galles et en Galice, le Comptoir vous propose un large choix d'autotours et de séjours cosy en B & B. Quelles que soient vos envies, des spécialistes seront à votre écoute pour créer un voyage sur mesure.

L'authenticité, les mythes, les traditions et les couleurs de l'Irlande ne sont jamais bien loin lorsque leurs conseillers vous aident à bâtir un voyage. Comptoir des Pays Celtes propose un grand choix d'hébergements de charme, des idées de voyages originales et bien d'autres suggestions à combiner selon son budget, ses envies et son humeur.

21 Comptoirs, plus de 60 destinations, des idées de voyages à l'infini. Comptoir des Voyages s'impose depuis 20 ans comme une référence incontournable pour les voyages sur mesure, accessible à tous les budgets. Membre de l'association ATR (Agir pour un tourisme responsable), Comptoir des Voyages a obtenu en 2010, pour la seconde année, la certification Tourisme responsable AFAQ AFNOR.

▲ FUAJ

– Paris : antenne nationale, 27, rue Pajol, 75018. ☎ 01-44-89-87-27. Ⓜ La Chapelle, Marx-Dormoy ou Gare-du-Nord. Mar-ven 13h-17h30.
– Rens dans ttes les auberges de jeunesse, les points d'infos et de résas en France, et sur le site • fuaj.org •

La FUAJ (Fédération unie des auberges de jeunesse) accueille ses adhérents dans 160 auberges de jeunesse en France. Seule association française membre de l'IYHF (International Youth Hostel Federation), elle est le maillon d'un réseau de 4 000 auberges de jeunesse réparties dans 90 pays. La FUAJ organise, pour ses adhérents, des activités sportives, culturelles et éducatives ainsi que des rencontres internationales. Vous pouvez obtenir gratuitement les brochures printemps-été, hiver, la carte pliable des AJ et le guide des AJ en France.

▲ GAELAND ASHLING

– Paris : 4, quai des Célestins, 75004. ☎ 0825-12-30-03 (0,15 €/mn). • gaeland-ashling.com • Lun-ven 9h30-18h30, sam 10h-17h.
– Et dans ttes les agences de voyages.

3 destinations phares pour ce

routard sur iPhone et iPad

Toutes les rubriques du guide dans 10 applis villes

4,49 € l'appli ville

Géolocalisation sans connexion Internet

Disponibles sur l'App Store :

Amsterdam   Marrakech
Barcelone   New York
Berlin   Paris
Bruxelles   Rome
Londres   Venise

tour-opérateur spécialisé sur l'ouest de l'Europe (l'Irlande, la Grande-Bretagne et l'Écosse). L'équipe est composée de fanas de l'Irlande, qui connaissent très bien la destination. Très grande souplesse à la réservation, que ce soit pour les transports ou pour l'hôtel. Logement en *B & B*, manoirs, cottages ou *cruisers*. Formules sportives telles qu'équitation, golf, pêche. Circuits en autocar ou en minibus...

▲ HUWANS-CLUB AVENTURE

☎ *0826-88-20-80   (0,15 €/mn).* ● *huwans-clubaventure.fr* ●
– *Paris : 18, rue Séguier, 75006.* Ⓜ *Saint-Michel ou Odéon. Mar-sam 10h-19h.*
– *Lyon : 38, quai Arloing, 69009.* Ⓜ *Bellecour ou Ampère. Lun-ven 9h30-13h, 14h-18h30 ; sam 10h-13h, 14h-18h.*
Spécialiste du voyage d'aventure ce tour-opérateur privilégie la randonnée en petit groupe, en famille ou entre amis pour parcourir le monde hors des sentiers battus. Leur site offre 1 000 voyages dans 90 pays différents, à pied, en pirogue ou à dos de chameau. Ces voyages sont encadrés par des guides locaux et professionnels.

▲ NOUVELLES FRONTIÈRES

Ttes les brochures Nouvelles Frontières sont disponibles dans les 300 agences expertes du réseau. Rens au ☎ *0825-000-825 (0,15 €/mn) et sur* ● *nouvelles-frontieres.fr* ●
Nouvelles Frontières, un savoir-faire incomparable depuis 45 ans. Des propositions de circuits, d'itinéraires à la carte, des séjours balnéaires et d'escapades imaginés et construits par des spécialistes de chaque destination. Vols au départ de Paris et de province.

▲ TERRES D'AVENTURE

– *Paris : 30, rue Saint-Augustin, 75002.* ☎ *0825-700-825 (0,15 €/mn).* ● *terdav. com* ● Ⓜ *Opéra ou Quatre-Septembre. Lun- sam 9h30-19h.*
– *Agences également à Bordeaux, Chamonix, Grenoble, Lille, Lyon, Marseille, Nantes, Rennes, Rouen, Strasbourg et Toulouse.*
Depuis 1976, Terres d'Aventure, spécialiste du voyage à pied, propose aux voyageurs passionnés de marche et de rencontres des randonnées hors des sentiers battus à la découverte des grands espaces de notre planète. Voyages à pied, à cheval, en bateau, à raquettes... Sur tous les continents, des aventures en petit groupe ou en individuel encadrés par des professionnels expérimentés. Les hébergements dépendent des sites explorés : camps d'altitude, bivouac, refuge ou petits hôtels. Les voyages sont conçus par niveaux de difficulté : de la simple balade en plaine à l'expédition sportive en passant par la course en haute montagne.

En province, certaines de leurs agences sont de véritables *Cités des Voyageurs* dédiées au voyage : librairies spécialisées, boutiques d'accessoires de voyage, expositions-ventes d'artisanat et cocktails-conférences. Consultez le programme des manifestations sur leur site internet.

▲ VOYAGES-SNCF.COM

Voyages-sncf.com, acteur majeur du tourisme français, qui recense 9 millions de visiteurs par mois, propose d'acheter en ligne des billets de train, d'avion, des chambres d'hôtel, des locations de voitures, des vacances et des séjours clés en main ou Alacarte®, ainsi que des spectacles, des excursions et des visites de musées. Un large choix et des prix avantageux sont offerts toute l'année, pour tous types de voyages dans le monde entier : SNCF, 180 compagnies aériennes, 84 000 hôtels référencés et les principaux loueurs de voitures.
Le site ● *voyages-sncf.com* ● permet d'accéder tous les jours, 24h/24, à plusieurs services : envoi gratuit des billets à domicile, Alerte Résa pour être informé de l'ouverture des réservations et profiter du plus grand choix, calendrier des meilleurs prix (TTC), mais aussi des offres de dernière minute et des promotions...
Pratique : ● *voyages-sncf.mobi* ●, le site mobile pour réserver, s'informer et profiter des bons plans n'importe où et à n'importe quel moment.
Et grâce à l'ÉcoComparateur, en exclusivité sur ● *voyages-sncf.com* ●, possibilité de comparer le prix, le temps de trajet et l'indice de pollution pour

Votre voyage de A à Z !

CHOISIR

Trouvez la destination de vos rêves avec nos idées week-end et nos carnets de voyage.

ORGANISER

Préparez votre voyage avec nos 220 fiches destination, nos dossiers pratiques et les conseils de nos 530 000 membres.

RÉSERVER

Réservez avec les meilleurs partenaires votre vol, votre voiture, votre hôtel, votre location…

PARTAGER

Partagez vos expériences, photos, bons plans et avis d'hôtels avec 2.4 millions d'internautes chaque mois*.

* Source Nielsen/ Mediametrie/ Netrating

un même trajet en train, en avion et en voiture.

▲ **VOYAGEURS EN IRLANDE ET DANS LES ÎLES BRITANNIQUES (ANGLETERRE, ÉCOSSE, IRLANDE)** ☎ 01-42-86-17-60. ● *voyageursdu monde.fr* ●
– *Paris* : La Cité des Voyageurs, 55, rue Sainte-Anne, 75002. ☎ 01-42-86-16-00. Ⓜ *Opéra ou Pyramides. Lun-sam 9h30-19h.*
– *Également des agences à Bordeaux, Grenoble, Lille, Lyon, Marseille, Montpellier, Nantes, Nice, Rennes, Rouen, Strasbourg et Toulouse ; et aussi à Bruxelles et Genève.*
Le spécialiste du voyage en individuel sur mesure.
Parce que chaque voyageur est différent, que chacun a ses rêves et ses idées pour les réaliser, Voyageurs du Monde conçoit, depuis plus de 30 ans, des projets sur mesure. Les séjours proposés sur 120 destinations sont élaborés par leurs 180 conseillers voyageurs. Spécialistes de leur pays, ils vous aideront à personnaliser les voyages présentés à travers une trentaine de brochures d'un nouveau type et sur le site internet, où vous pourrez également découvrir leurs hébergements exclusifs et consulter votre espace personnalisé. Chacune des 15 Cités des Voyageurs est une invitation au voyage : accessoires de voyage, expositions-ventes d'artisanat et conférences. Voyageurs du Monde est membre de l'association ATR (Agir pour un tourisme responsable) et a obtenu sa certification Tourisme responsable AFAQ AFNOR.

Comment aller à Roissy et à Orly ?

Bon à savoir

– *le pass Navigo* est valable pour Roissy-Rail (RER B, zones 1-5) et Orly-Rail (RER C, zones 1-4). Les week-ends et j. fériés, le *pass Navigo* est dézoné, ce qui permet à ceux qui n'ont que les zones 1 à 3 d'aller tout de même jusqu'aux aéroports sans frais supplémentaires ;

– *le billet Orly-Rail* permet d'accéder sans supplément aux réseaux métro et RER.

À Roissy-Charles-de-Gaulle 1, 2 et 3

Attention : si vous partez de Roissy, pensez à vérifier de quelle aérogare votre avion décolle, car la durée du trajet peut considérablement varier en fonction de cette donnée.

En transports collectifs

🚌 **Les cars Air France :** ☎ 0892-350-820 (0,34 €/mn). ● *lescarsair france.com* ● *Paiement par CB possible à bord.*
Le site internet diffuse les informations essentielles sur le réseau (lignes, horaires, tarifs...) permettant de connaître en temps réel des infos sur le trafic afin de mieux planifier son départ. Il propose également une boutique en ligne, qui permet d'acheter et d'imprimer les billets électroniques pour accéder aux bus.
➤ *Paris-Roissy* : départ pl. de l'Étoile (1, av. Carnot), avec un arrêt pl. de la Porte-Maillot (bd Gouvion-Saint-Cyr). Départs ttes les 20 mn 5h45-23h. Durée du trajet : env 35-50 mn. Tarifs : 15,50 € l'aller simple, 26 € l'A/R ; réduc enfants 2-11 ans.
Autres départs depuis la gare Montparnasse (arrêt rue du Commandant-Mouchotte, face à l'hôtel *Pullman*), ttes les 30 mn 6h-21h30, avec un arrêt gare de Lyon (20 bis, bd Diderot). Tarifs : 17 € l'aller simple, 26 € l'A/R ; réduc enfants 2-11 ans.
➤ *Roissy-Paris* : les cars *Air France* desservent la pl. de la Porte-Maillot, avec un arrêt bd Gouvion-Saint-Cyr, et se rendent ensuite au terminus de l'av. Carnot. Départs ttes les 20-30 mn 5h45-23h, des terminaux 2A et 2C (porte C2), 2E et 2F (niveau « Arrivées », porte 3 de la galerie), 2B et 2D (porte B1), et du terminal 1 (porte 34, niveau « Arrivées »).
À destination de la gare de Lyon et de la gare Montparnasse, départs ttes les 30 mn 6h-21h30, des mêmes terminaux. Durée du trajet : env 1h.

🚌 *Roissybus* : ☎ 32-46 (0,34 €/mn). ● *ratp.fr* ● Départs de la pl. de l'Opéra (angle rues Scribe et Auber) ttes les 15 mn (20 mn à partir de 20h) 5h45-23h. Durée du trajet : 1h. De Roissy, départs 6h-23h des terminaux 1, 2A, 2B, 2C, 2D et 2F, et à la sortie du hall d'arrivée du terminal 3. Tarif : 10 €.

Bus RATP n° 351 : de la pl. de la Nation, 5h35-20h20. Solution la moins chère mais la plus lente. Compter 3 tickets ou 5,70 € et 1h40 de trajet. Ou **bus n° 350**, de la gare de l'Est (1h15 de trajet). Arrivée Roissypôle-gare RER.

RER ligne B + navette : ☎ 32-46 (0,34 €/mn). Départs ttes les 15 mn 4h53-0h20 depuis la gare du Nord et à partir de 5h26 depuis Châtelet. À Roissy-Charles-de-Gaulle, descendre à la station (il y en a 2) qui dessert le bon terminal. De là, prendre la navette adéquate. Compter 50 mn de la gare du Nord à l'aéroport (navette comprise), mais mieux vaut prendre de la marge. Tarif : 10,90 €.

Si vous venez du nord, de l'ouest ou du sud de la France en train, vous pouvez rejoindre les aéroports de Roissy sans passer par Paris, la gare SNCF Paris-Charles-de-Gaulle étant reliée aux réseaux TGV.

En taxi

Pensez à explorer les nouveaux services de transport de personnes qui se développent dans la capitale et qui pourraient être adaptés à vos besoins.
– **WeCab :** ☎ 01-41-27-66-77. Une formule de taxi partagé (avoir un peu de souplesse horaire donc, max 2 arrêts), uniquement entre les aéroports parisiens et Paris/proche banlieue, tarifs forfaitaires (paiement à l'avance en ligne)... ● wecab.com ● 5 % de réduc pour nos lecteurs avec le code « routard2013 » au paiement.
– **LeCab :** ☎ 01-76-49-76-49. Tarifs forfaitaires (paiement à l'avance en ligne), pas de facturation des bagages, réservation gratuite sur Internet (y compris smartphone), payante par téléphone, flotte de Peugeot 508, le chauffeur vient vous chercher dans l'aéroport... ● lecab.fr ●
Maintenant, à vous de voir !

En voiture

Chaque terminal a son propre parking. Compter 34 € par tranche de 24h. Également des parkings longue durée (PR et PX), plus éloignés des terminaux, qui proposent des tarifs plus avantageux (forfait 24h 25 €, forfait 7 j. 151 €). Possibilité de réserver sa place de parking via le site ● aeroportsdeparis.fr ● Stationnement au parking Vacances (longue durée) dans le P3 Résa (terminaux 1 et 3) situé à 2 mn du terminal 3 à pied, ou dans le PAB (terminal 2). Formules de stationnement 1-30 j. (120-205 €) pour le P3 Résa ; 2-5 j. (13 € par tranche de 12h) et 6-14 j. (24 € par tranche de 24h) dans le PAB. Réservation sur Internet uniquement. Les P1, PAB et PEF accueillent les deux-roues : 15 € pour 24h.

Comment se déplacer entre Roissy-Charles-de-Gaulle 1, 2 et 3 ?

Les rames du CDG-VAL font le lien entre les 3 terminaux en 8 mn. Fonctionne tlj, 24h/24. Gratuit. Accessible aux personnes à mobilité réduite. Départs ttes les 4 mn, et ttes les 20 mn minuit-4h. Desserte gratuite vers certains hôtels, parkings, gares RER et gares TGV. Infos au ☎ 39-50.

À Orly-Sud et Orly-Ouest

En transports collectifs

Les cars Air France : ☎ 0892-350-820 (0,34 €/mn). ● lescarsairfrance.com ● Tarifs : 11 € l'aller simple, 18 € l'A/R ; réduc 2-11 ans. Paiement par CB possible dans le bus.
➤ Paris-Orly : départs de l'Étoile, 1, av. Carnot, ttes les 30 mn 5h-22h40. Arrêts au terminal des Invalides, rue Esnault-Pelterie (Ⓜ Invalides), gare Montparnasse (rue du Commandant-Mouchotte, face à l'hôtel Pullman ; Ⓜ Montparnasse-Bienvenüe, sortie « Gare SNCF ») et porte d'Orléans (arrêt facultatif uniquement dans le sens Orly-Paris). Compter env. 1h.
➤ Orly-Paris : départs ttes les 20 mn 6h-23h30, d'Orly-Sud, porte L, et d'Orly-Ouest, porte H, niveau « Arrivées ».

RER C + navette : ☎ 01-60-11-46-20. ● parisparletrain.fr ● Prendre

COMMENT Y ALLER ?

le RER C jusqu'à Pont-de-Rungis (un RER ttes les 15-30 mn). Compter 25 mn depuis la gare d'Austerlitz. Ensuite, navette pdt 15-20 mn pour Orly-Sud et Orly-Ouest. Compter 6,50 €. Très recommandé les jours où l'on piétine sur l'autoroute du Sud (w-e et jours de grands départs) : on ne sera jamais en retard. Pour le retour, départs de la navette ttes les 15 mn depuis la porte G à Orly-Ouest (5h40-23h14) et la porte F à Orly-Sud (4h45-0h55).

🚌 *Bus RATP Orlybus :* ☎ 0892-68-77-14 *(0,34 €/mn).* ● *ratp.fr* ● Compter 20-30 mn pour rejoindre Orly (Ouest ou Sud) et 7,20 € l'aller simple.

➢ *Paris-Orly :* départs ttes les 15-20 mn de la pl. Denfert-Rochereau. Orlybus fonctionne tlj 5h35-23h, jusqu'à minuit ven, sam et veilles de fêtes.

➢ *Orly-Paris :* départ d'Orly-Sud, porte H, quai 4, ou d'Orly-Ouest, porte J, niveau « Arrivées ». Fonctionne tlj 6h-23h30, jusqu'à 0h20 ven, sam et veilles de fêtes.

🚄 *Orlyval :* ☎ 32-46 *(0,34 €/mn).* ● *ratp.fr* ● Compter 10,90 € l'aller simple entre Orly et Paris. La jonction se fait à Antony (ligne B du RER) sans aucune attente. Permet d'aller d'Orly à Châtelet et vice versa en 40 mn env, sans se soucier de la densité de la circulation automobile.

➢ *Paris-Orly :* départs pour Orly-Sud et Ouest ttes les 6-8 mn 6h-22h15.

➢ *Orly-Paris :* départ d'Orly-Sud, porte K, zone livraison des bagages, ou d'Orly-Ouest, porte W, niveau 1.

En taxi

Pensez à explorer les nouveaux services de transport de personnes qui se développent dans la capitale, et qui pourraient être adaptés à vos besoins (voir plus haut les solutions en taxi proposées pour se rendre à Roissy).

En voiture

– *Parkings aéroports :* à proximité d'Orly-Ouest, parkings P0 et P2. À proximité d'Orly-Sud, P1, P2 et P3 (à 50 m du terminal, accessible par tapis roulant). Compter 28,50 € pour 24h de stationnement. Les parkings P0 et P2, à proximité immédiate des terminaux, proposent des forfaits intéressants,

dont le « Week-end ». Forfaits disponibles aussi pour les P4, P5 et P7 : 15,50 € pour 24h et 1 € par jour supplémentaire au-delà de 8 j. (45 j. de stationnement max). Il existe pour le P7 des forfaits Vacances 1 à 30 j. (15-130 €). Les P4, P7 (en extérieur) et P5 (couvert) sont des parkings longue durée, plus excentrés, reliés par navettes gratuites aux terminaux. *Rens :* ☎ 01-49-75-56-50. Comme à Roissy, possibilité de réserver en ligne sa place de parking (P0 et P7) sur ● *aeroportsdeparis.fr* ● Les frais de résa (en sus du parking) sont de 8 € pour 1 j., de 12 € pour 2-3 j. et de 20 € pour 4-10 j. de stationnement pour la P0. Les parkings P0-P2 à Orly-Ouest et P1-P3 à Orly-Sud accueillent les deux-roues : 6,20 € pour 24h.

– À proximité, *Econopark* : possibilité de laisser sa voiture à Chilly-Mazarin *(13, rue Denis-Papin, ZA La Vigne-aux-Loups, 91380 ; à env 10 mn d'Orly ; proche A 6 et A 10).* De 1 à 28 j., compter 30-166 €. Trajet A/R vers Orly en minibus (sans supplément). Option parking couvert possible. Réservation et paiement en ligne ● *econopark.fr* ● ou par tél ☎ 01-60-14-85-62.

Liaisons entre Orly et Roissy-Charles-de-Gaulle

🚌 *Les cars Air France :* ☎ 0892-350-820 *(0,34 €/mn).* ● *lescarsairfrance.com* ● Départs de Roissy-Charles-de-Gaulle depuis les terminaux 1 (porte 32), 2A et 2C, 2B et 2D, 2E et 2F (galerie de liaison entre les terminaux 2E et 2F) vers Orly 5h55-22h30. Départs d'Orly-Sud (porte K) et d'Orly-Ouest (porte H) vers Roissy-Charles-de-Gaulle 6h30 (7h le w-e)-22h30. Ttes les 30-45 mn (dans les 2 sens). Durée du trajet : env 50 mn. Tarif : 18 € ; réduc.

🚄 *RER B + Orlyval :* ☎ 32-46 *(0,34 €/mn).* Depuis Roissy, navette puis RER B jusqu'à Antony et enfin Orlyval entre Antony et Orly, 6h-22h15. Tarif : 19,50 €.

EN BELGIQUE

▲ AIRSTOP

Pour ttes les adresses Airstop, un seul numéro de téléphone : ☎ 070-233-188.

● *airstop.be* ● *Lun-ven 9h-18h30, sam 10h-17h.*
– *Bruxelles : bd E.-Jacquemain, 76, 1000.*
– *Anvers : Jezusstraat, 16, 2000.*
– *Bruges : Dweersstraat, 2, 8000.*
– *Gand : Maria Hendrikaplein, 65, 9000.*
– *Louvain : Tiensestraat, 5, 3000.*
Airstop offre une large gamme de prestations, du vol sec au séjour tout compris à travers le monde.

▲ **CONNECTIONS**
Rens et résas : ☎ *070-233-313.*
● *connections.be* ● *Lun-ven 9h-19h, sam 10h-17h.*
Fort d'une expérience de plus de 20 ans dans le domaine du voyage, Connections dispose d'un réseau de 30 *travel shops* dont un à Brussels Airport. Connections propose des vols dans le monde entier à des tarifs avantageux et des voyages destinés à des voyageurs désireux de découvrir la planète de façon autonome et de vivre des expériences uniques. Connections offre une gamme complète de produits : vols, hébergements, locations de voitures, autotours, vacances sportives, excursions, assurances « protections »...

▲ **HUWANS-CLUB AVENTURE**
● *huwans-clubaventure.fr* ●
– *Bruxelles : Nomades Voyages, 27, pl. Saint-Job, 1180.*
Voir texte dans la partie « En France ».

▲ **NOUVELLES FRONTIÈRES**
● *nouvelles-frontieres.be* ●
– *Nombreuses agences dans le pays, notamment à Bruxelles, Charleroi, Liège, Mons, Namur, Waterloo, Wavre, et au Luxembourg.*
Voir texte dans la partie « En France ».

▲ **SERVICE VOYAGES ULB**
● *servicevoyages.be* ● *25 agences dont 122 à Bruxelles.*
– *Bruxelles : campus ULB, av. Paul-Héger, 22, CP 166, 1000.* ☎ *02-650-40-20.*
– *Bruxelles : pl. Saint-Lambert, 1200.* ☎ *02-742-28-80.*
– *Bruxelles : chaussée d'Alsemberg, 815, 1180.* ☎ *02-332-29-60.*
Service Voyages ULB, c'est le voyage à l'université. Billets d'avion sur vols

charters et sur compagnies régulières à des prix compétitifs.

▲ **TAXISTOP**
Pour ttes les adresses Taxistop : ☎ *070-222-292.* ● *taxistop.be* ●
– *Bruxelles : rue Thérésienne, 7a, 1000.*
– *Gand : Maria Hendrikaplein, 65, 9000.*
– *Ottignies : bd Martin, 27, 1340.*
Taxistop propose un système de covoiturage ainsi que d'autres services, comme l'échange de maisons ou le gardiennage.

▲ **TERRES D'AVENTURE**
– *Bruxelles : 23, chaussée de Charleroi, 1060.* ☎ *02-543-95-60.* ● *terdav.com* ● *Lun-sam 10h-19h.*
Voir texte dans la partie « En France ».

▲ **VOYAGEURS DU MONDE**
– *Bruxelles : 23, chaussée de Charleroi, 1060.* ☎ *02-543-95-50.* ● *voyageurs dumonde.com* ●
Le spécialiste du voyage en individuel sur mesure.
Voir texte dans la partie « En France ».

EN SUISSE

▲ **HUWANS-CLUB AVENTURE**
– *Genève : 51, rue Prévost-Martin, 121.*
● *huwans-clubaventure.fr* ●
Voir texte dans la partie « En France ».

▲ **STA TRAVEL**
☎ *058-450-49-49.* ● *statravel.ch* ●
– *Fribourg : rue de Lausanne, 24, 1701.* ☎ *058-450-49-80.*
– *Genève : rue de Rive, 10, 1204.* ☎ *058-450-48-00.*
– *Genève : rue Vignier, 3, 1205.* ☎ *058-450-48-30.*
– *Lausanne : bd de Grancy, 20, 1006.* ☎ *058-450-48-50.*
– *Lausanne : à l'université, Anthropole, 1015.* ☎ *058-450-49-20.*
Agences spécialisées notamment dans les voyages pour jeunes et étudiants. 150 bureaux STA et plus de 700 agents du même groupe répartis dans le monde entier sont là pour donner un coup de main *(Travel Help)*.
STA propose des tarifs avantageux : vols secs *(Blue Ticket)*, hôtels, écoles de langues, *work & travel*, circuits d'aventure, voitures de location, etc.

Délivre la carte internationale d'étudiant et la carte Jeune.

▲ TERRES D'AVENTURE

– *Genève : Neos Voyages, rue des Bains, 50, 1205.* ☎ *022-320-66-35.* ● *geneve@neos.ch* ●
– *Lausanne : Neos Voyages, rue Simplon, 11, 1006.* ☎ *021-612-66-00.* ● *lausanne@neos.ch* ●
Voir texte dans la partie « En France ».

▲ TUI – NOUVELLES FRONTIÈRES

– *Genève : rue Chantepoulet, 25, 1201.* ☎ *022-716-15-70.*
– *Lausanne : bd de Grancy, 19, 1006.* ☎ *021-616-88-91.*
Voir texte dans la partie « En France ».

AU QUÉBEC

▲ TOURS CHANTECLERC

● *tourschanteclerc.com* ●
Tours Chanteclerc est un tour-opérateur qui publie différentes brochures de voyages : Europe, Amérique du Nord, Amérique du Sud, Asie et Pacifique sud, Afrique et le Bassin méditerranéen en circuits ou en séjours. Il s'adresse aux voyageurs indépendants qui réservent un billet d'avion, un hébergement (dans toute l'Europe), des excursions ou une location de voiture. Également spécialiste de Paris, il offre une vaste sélection d'hôtels et d'appartements dans la Ville lumière.

▲ VOYAGES CAMPUS / TRAVEL CUTS

● *voyagescampus.com* ●
Voyages Campus / Travel Cuts est un réseau national d'agences de voyages spécialisées pour les étudiants et les voyageurs qui disposent de petits budgets. Le réseau existe depuis 40 ans et compte plus de 50 agences dont 6 au Québec. Voyages Campus propose des produits exclusifs comme l'assurance « Bon voyage », le programme de Vacances-Travail (SWAP), la carte d'étudiant internationale (ISIC) et plus. Ils peuvent aider à planifier un séjour autant à l'étranger qu'au Canada, et même au Québec.

UNITAID

UNITAID a été créé pour lutter contre le VIH/sida, le paludisme et la tuberculose, principales maladies meurtrières dans les pays en développement. UNITAID intervient dans 94 pays en facilitant l'accès aux médicaments et aux diagnostics, en en baissant les prix, dans les pays en développement. Le financement d'UNITAID provient principalement d'une contribution de solidarité sur les billets d'avion, mise en place par 6 pays membres, dont la France. En France, la taxe est de 1 € sur les vols intérieurs et de 4 € sur les vols internationaux (ce qui représente le traitement d'un enfant séropositif pour 1 an). Depuis 2006, UNITAID a réuni plus de un milliard de dollars. Les financements d'UNITAID ont permis à près de un million de personnes atteintes du VIH/sida de bénéficier d'un traitement, et de délivrer plus de 19 millions de traitements contre le paludisme. Moins de 5 % des fonds sont utilisés pour le fonctionnement du programme, 95 % sont utilisés directement pour les médicaments et les tests. Pour en savoir plus : ● *unitaid.eu* ●

i IRLANDE UTILE

▶ Pour la carte générale de l'Irlande, se reporter au cahier couleur.

ABC
DE L'IRLANDE

L'ÎLE

▶ *Superficie :* 84 412 km² (environ un septième de la France).

▶ *Division politique :* l'île est partagée entre la république d'Irlande (Eire) et l'Irlande du Nord (Ulster), qui fait partie du Royaume-Uni de Grande-Bretagne et d'Irlande du Nord.

▶ *Divisions administratives :* 4 provinces (Leinster, Munster, Connaught et Ulster) et 32 comtés.

▶ *Heure :* GMT en hiver et GMT + 1 en été, soit 1h de retard sur la France toute l'année.

LA RÉPUBLIQUE D'IRLANDE (EIRE)

▶ *Superficie :* 70 273 km².

▶ *Population :* environ 4,58 millions d'habitants (recensement 2011).

▶ *Capitale :* Dublin (1,2 million d'habitants).

▶ *Langues officielles :* le gaélique et l'anglais.

▶ *Monnaie :* l'euro.

▶ *Régime :* démocratie parlementaire à 2 chambres.

▶ *Chef de l'État :* Michael D. Higgins depuis 2011.

▶ *Chef du gouvernement :* Enda Kenny (Fine Gael) depuis mars 2011.

▶ *Divisions administratives :* 3 des 4 provinces (Leinster, Munster, Connaught) représentant ensemble 23 comtés et 3 des 9 comtés de la 4e (Ulster), soit un total de 26 comtés.

▶ *Religions :* 86,8 % de catholiques et 5,1 % de protestants.

AVANT LE DÉPART

Adresses utiles

En France

🚩 *Office de tourisme de l'île d'Irlande :* ☎ 01-70-20-00-20. ● *irlande-tourisme.fr* ● Les offices de tourisme de la république d'Irlande et d'Irlande du Nord ont eu la bonne idée de se réunir sous la bannière unique du « Tourisme irlandais ». Plus d'accueil du public, mais l'office envoie sur demande la brochure générale sur l'île d'Irlande ainsi que des brochures thématiques : la pêche, la marche (en anglais), le golf, les séjours linguistiques, le calendrier des fêtes, etc. Également des brochures éditées par les principales associations de *B & B* et par la fédération des hôtels, ainsi que toute la documentation spécifique à l'Irlande du Nord. Bien d'autres brochures enfin, des campings aux châteaux et manoirs en passant par les *B & B* haut de gamme. De quoi préparer intelligemment votre voyage, la doc de l'office dans une main, le *Routard* dans l'autre.

■ *Ambassade d'Irlande :* 12, av. Foch, 75116 Paris (entrée 4, rue Rude). ☎ 01-44-17-67-00. ● *embassyofireland.fr* ● Ⓜ *Charles-de-Gaulle-Étoile.* Lun-ven 9h30-12h. Par tél, lun-ven 9h30-13h, 14h30-17h30.

■ *Centre culturel irlandais :* 5, rue des Irlandais, 75005 Paris. ☎ 01-58-52-10-30. ● *centreculturelirlandais.com* ● Expos mar-sam 14h-18h (20h mer), dim 12h30-14h30. Médiathèque lun-ven 14h-18h (20h mer). Ce centre culturel est la vitrine de la culture contemporaine irlandaise.

Installé en plein Quartier latin, dans le magnifique bâtiment, longtemps connu comme le collège des Irlandais. Expos, débats-conférences, rencontres avec des écrivains, concerts (programme consultable sur le site internet) et riche médiathèque, tout pour prendre un premier bol d'Eire avant d'aller voir sur place, ou pour garder le contact avec la culture gaélique après son retour.

■ *Ambassade de Grande-Bretagne :* 35, rue du Faubourg-Saint-Honoré, 75363 Paris. ☎ 01-44-51-31-00. ● *ukinfrance.fco.gov.uk/fr* ●

🄸 *Office de tourisme de Grande-Bretagne :* ● *visitbritain.fr* ● *Bureau fermé au public ; infos par Internet slt.*

■ *Association irlandaise :* 22, rue Delambre, 75014 Paris. ☎ 01-47-64-39-31. ● *association-irlandaise.org* ● Ⓜ *Vavin.* Association ouverte aux Français et aux Irlandais. Organise des cours de *tin whistle*, de *fiddle*, de cornemuse irlandaise et de *bodhran*, ainsi que de danse irlandaise.

En Belgique

🄸 *Tourism Ireland :* av. Louise, 66, 1050 Bruxelles. ☎ 02-275-01-71. ● *ireland.com/be-fr* ● *Lun-ven 9h-12h30, 13h-17h.*

🄸 *Office britannique de tourisme :* bureau fermé au public ; infos par Internet slt.

■ *Ambassade d'Irlande :* chaussée d'Etterbeek, 180 (5e étage), 1040 Bruxelles. ☎ 02-28-23-400. ● *embassyofireland.be* ● *Lun-ven 10h-13h, 14h-16h.*

■ *Ambassade de Grande-Bretagne :* av. d'Auderghem, 10, 1040 Bruxelles. ☎ 02-287-62-11. ● *ukinbelgium.fco. gov.uk/fr* ●

Au Canada

🄸 *Tourism Ireland :* 2, Bloor St West, suite 3403, Toronto (Ontario) M4W 3E2. ☎ 1800-7426-7625. ● *ireland.com* ● *Lun-ven 9h-16h30.*

■ *Ambassade d'Irlande :* 130, Albert St, suite 1105, Ottawa (Ontario) K1P 5G4. ☎ (613) 233-6281. ● *embassyofireland.ca* ●

■ *British High Commission :* 80, Elgin St, Ottawa (Ontario) K1P 5K7. ☎ (613) 237-1530. ● *ukincanada.fco.gov.u/en* ● Bureaux à Montréal et Québec.

En Suisse

🄸 *Tourism Ireland :* Hindergartenstrasse 36, 8447 Darchen. ☎ 044-210-41-53. ● *ireland.com* ●

■ *Ambassade d'Irlande :* Kirchenfeldstrasse 68, 3000 Berne 6. ☎ 031-352-14-42. ● *embassyofireland.ch* ●

■ *Ambassade de Grande-Bretagne :* Thunstrasse 50, 3005 Berne. ☎ 031-359-77-00. ● *ukinswitzerland.fco.gov. uk/en.ch* ●

🄸 *Office de tourisme de Grande-Bretagne :* ● *visitbritain.com* ● *Bureau fermé au public ; infos par Internet slt.*

Sur place

🄸 *Offices de tourisme régionaux et locaux :* indiqués par la lettre « i » en blanc sur fond vert. Bon accueil et bonne disponibilité. Les petits offices de tourisme locaux ne sont généralement ouverts qu'en saison. Il existe, pour la république d'Irlande, 7 offices régionaux correspondant à des zones géographiques, localisés à Dublin, Waterford (Sud-Est), Cork (comtés de Cork et Kerry sud), à proximité de Limerick (Shannon Town pour les comtés de Clare, Limerick, Kerry nord), Galway (comté de Galway, Mayo et Roscommon), Sligo (comtés de Cavan, Leitrim, Monaghan, Sligo et Donegal) et Mullingar (pour la côte est et le Centre). Infos sur les balades et visites, parfois même un plan gratuit de la ville (parfois seulement !). En Irlande du Nord, il existe 5 offices régionaux : ceux de Belfast et de Derry, ainsi que ceux de Coleraine (pour la Chaussée des Géants et les Glens of Antrim), Newtonwards (pour le comté de Down) et Enniskillen (comté et lacs de Fermanagh). La plupart des offices se proposent d'effectuer pour vous les résas d'hôtels, B & B, spectacles et concerts. On peut faire du change dans les plus grands.

Formalités

– Pour les majeurs, une carte d'identité en cours de validité suffit. ATTENTION,

LES PASSEPORTS ET LES CARTES D'IDENTITÉ PÉRIMÉS NE SONT PAS ACCEPTÉS. Des dizaines de touristes se font encore refouler chaque année pour défaut de papiers en règle. À bon entendeur...

– Attention : l'autorisation de sortie du territoire pour mineurs qui permettait à un enfant de circuler dans certains pays sans être accompagné de ses parents est supprimée depuis le 1er janvier 2013. Désormais, l'enfant – qu'il soit accompagné ou non – peut voyager à l'étranger avec :

– soit sa carte nationale d'identité seulement (notamment pour les pays de l'Union européenne, de l'espace Schengen et la Suisse) ;

- soit son passeport ;

- soit son passeport accompagné d'un visa.

- Pour la voiture, faut-il le rappeler, carte grise et carte verte internationale, et plaque de nationalité à l'arrière. Le permis de conduire français est accepté.

– Interdiction formelle d'importer des viandes et produits laitiers (fromages compris).

– Un document européen (passeport pour animal) existe, permettant de faire transporter les animaux (chiens, chats et pourquoi pas les... furets !) satisfaisant aux exigences (vaccins, santé, etc.). Il est conseillé d'entamer la procédure auprès de votre vétérinaire au moins 7 mois à l'avance et de vérifier auprès des compagnies maritimes si elles sont agréées pour le transport des animaux de compagnie (il n'y a pas de compagnie aérienne agréée). Si vous venez en Irlande en transitant par l'Angleterre, pas de quarantaine non plus, à condition de satisfaire aux exigences du *Pet Travel Scheme* sur les liaisons directes entre le continent européen et l'Irlande. Consulter le site ● mfe.org ● et aller ensuite dans la rubrique « Moving country ».

Santé

Pour un séjour temporaire en Irlande, pensez à vous procurer la carte européenne d'assurance maladie. Il vous suffit d'appeler votre centre de Sécurité sociale (ou de se connecter au site internet de votre centre, encore plus rapide !), qui vous l'enverra sous une quinzaine de jours. Cette carte fonctionne avec tous les pays membres de l'Union européenne, ainsi qu'en Islande, au Liechtenstein, en Norvège et en Suisse. C'est une carte plastifiée bleue du même format que la carte Vitale. Attention, elle est valable 1 an, gratuite et personnelle (chaque membre de la famille doit avoir la sienne, y compris les enfants), mais n'est pas valable pour les soins délivrés dans les établissements privés.

Assurances voyages

■ **Routard Assurance** (c/o AVI International) : 106, rue La Boétie, 75008 Paris. ☎ 01-44-63-51-00. ● avi-international.com ● Ⓜ Saint-Philippe-du-Roule ou Franklin-D.-Roosevelt. Depuis 1995, *Routard Assurance*, en collaboration avec *AVI International*, spécialiste de l'assurance voyage, propose aux routards un tarif à la semaine qui inclut une assurance bagages de 2 000 € et une assurance appareils photo de 300 €. Pour les séjours longs (de 2 mois à 1 an), il existe le *Plan Marco Polo*. Les seniors ont aussi leur contrat Routard Assistance Senior. *Routard Assurance* est aussi disponible en version light (durée adaptée aux week-ends et courts séjours en Europe). Vous trouverez un bulletin de souscription dans les dernières pages de chaque guide.

■ **AVA** : 25, rue de Maubeuge, 75009 Paris. ☎ 01-53-20-44-20. ● ava.fr ● Ⓜ Cadet. Un autre courtier fiable pour ceux qui souhaitent s'assurer en cas de décès-invalidité-accident lors d'un voyage à l'étranger, mais surtout pour bénéficier d'une assistance rapatriement, perte de bagages et annulation. Attention, franchises pour leurs contrats d'assurance voyage.

■ **Pixel Assur** : 18, rue des Plantes, 78600 Maisons-Laffitte. ☎ 01-39-62-28-63. ● pixel-assur.com ● RER A : Maisons-Laffitte. Assurance de matériel photo et vidéo tous risques dans le monde entier. Devis basé sur le prix d'achat de votre matériel. Avantage : garantie à l'année.

Numéro d'urgence européen

☎ *112 :* voici le numéro d'urgence commun à la France et à tous les pays de l'UE, à composer en cas d'accident, agression ou détresse. Il permet de se faire localiser et aider en français, tout en améliorant les délais d'intervention des services de secours.

Pensez à scanner passeport, visa, carte de paiement et vouchers d'hôtel. Ensuite, adressez-les-vous par e-mail, en pièces jointes. Idem pour vos billets d'avions électroniques. En cas de perte ou de vol, rien de plus facile pour les récupérer dans un cybercafé. Les démarches administratives en seront bien plus rapides. Merci tonton Routard !

Carte internationale d'étudiant (carte ISIC)

Elle prouve le statut d'étudiant dans le monde entier et permet de bénéficier de tous les avantages, services et réductions dans les domaines du transport, de l'hébergement, de la culture, des loisirs, du shopping... C'est la clé de la mobilité étudiante !
La carte ISIC permet aussi d'accéder à des avantages exclusifs sur le voyage (billets d'avion spécial étudiants, hôtels et auberges de jeunesse, assurances, cartes SIM internationales, location de voiture...).

Pour l'obtenir en France

– *Commandez-la en ligne :* ● *isic.fr* ●
– *Rendez-vous dans la boutique ISIC* (2, rue de Cicé, 75006 Paris ; ☎ 01-40-49-01-01) muni de votre certificat de

scolarité, d'une photo d'identité et de 13 € (12 € + 1 € de frais de traitement). Émission immédiate sur place ou envoi à domicile le jour même de la commande en ligne.

En Belgique

Elle coûte 10 € (+ 1 € de frais d'envoi, 12 € via le site ISIC) et s'obtient sur présentation de la carte d'identité et de la carte d'étudiant auprès de l'agence *Connections* : *rens au* ☎ *070-23-33-13.* ● *isic.be* ●.

En Suisse

Dans toutes les agences *S.T.A. Travel* (☎ *058-450-40-00 ou 49-49),* sur présentation de la carte d'étudiant, d'une photo et de 20 Fs. Commande de la carte en ligne : ● *isic.ch* ● *statravel.ch* ●

Au Canada

La carte coûte 20 $Ca (+ 1,50 $Ca de frais d'envoi). Disponible dans les agences *Travel Cuts / Voyages Campus,* mais aussi dans les bureaux d'associations étudiants. Pour plus d'infos : ● *voyagescampus.com* ●

Carte d'adhesion internationale aux auberges de jeunesse (carte FUAJ)

Cette carte vous ouvre les portes des 4 000 auberges de jeunesse du réseau HI-Hostelling International en France et dans le monde. Vous pouvez ainsi parcourir 90 pays à des prix avantageux, et bénéficier de tarifs préférentiels avec les partenaires des auberges de jeunesse HI. Enfin, vous intégrez une communauté mondiale de voyageurs partageant les mêmes valeurs : plaisir de la rencontre, respect des différences et échange dans un esprit convivial. Il n'y a pas de limite d'âge pour séjourner en auberge de jeunesse. Il faut simplement être adhérent.

Pour l'obtenir en France

– *En ligne,* avec un paiement sécurisé, sur le site ● hifrance.org ●
– *Dans toutes les auberges de jeunesse,* points d'informations et de réservations en France. Liste des AJ sur ● hifrance.org ●
– *Par correspondance* auprès de l'antenne nationale (27, rue Pajol, 75018 Paris ; ☎ 01-44-89-87-27) en envoyant une photocopie d'une pièce d'identité et un chèque à l'ordre de la FUAJ du montant correspondant à l'adhésion. Ajoutez 2 € pour les frais d'envoi. Vous recevrez votre carte sous 15 jours.

Les tarifs de l'adhésion 2014

– *Carte internationale individuelle FUAJ - de 26 ans :* 7 €. Pour les personnes de 16 à 25 ans (veille des 26 ans) – Français ou étrangers résidant en France depuis plus de 12 mois –, les étudiants français et les demandeurs d'emploi sur présentation d'un justificatif. Pour les mineurs, une autorisation parentale et la carte d'identité du parent tuteur sont nécessaires pour l'inscription.
– *Carte internationale individuelle FUAJ + de 26 ans :* 11 €.
– *Carte internationale FUAJ Famille :* 20 €. Pour les familles ayant un ou plusieurs enfants de moins de 16 ans. Les enfants de plus de 16 ans devront acquérir une carte individuelle FUAJ.
– *Carte internationale FUAJ partenaire :* gratuite. Réservée aux personnes licenciées, aux adhérents d'une association ou fédération sportive partenaire de la FUAJ, sur présentation de leur licence. Liste complète des associations et fédérations sportives sur ● hifrance.org ●, rubrique « Partenaires ».

En Belgique

Réservée aux personnes résidant en Belgique. La carte d'adhésion est obligatoire. Son prix varie selon l'âge : entre 3 et 15 ans, 3 € ; entre 16 et 25 ans, 9 € ; après 25 ans, 15 €.
Votre carte de membre vous permet d'obtenir de 3 à 20 € de réduction sur votre première nuit dans les réseaux LAJ, VJH et CAJL (Luxembourg), ainsi que des réductions auprès de nombreux partenaires en Belgique.

Renseignements et inscriptions

■ *À Bruxelles : LAJ,* rue de la Sablonnière, 28, 1000. ☎ 02-219-56-76. ● lesaubergesdejeunesse.be ●
■ *À Anvers : Vlaamse Jeugdherbergcentrale (VJH),* Beatrijslaan 72, B 2050 Antwerpen. ☎ 03-232-72-18. ● jeugdherbergen.be ●

En Suisse (SJH)

Réservée aux personnes résidant en Suisse. Le prix de la carte dépend de l'âge : 22 Fs pour les moins de 18 ans, 33 Fs pour les adultes et 44 Fs pour une famille avec des enfants de moins de 18 ans.

Renseignements et inscriptions

■ *Schweizer Jugendherbergen (SJH) :* service des membres, Schaffhauserstr. 14, 8006 Zurich. ☎ 41-44-360-14-14. ● youthhostel.ch ●

Au Canada

Elle coûte 35 $Ca pour une durée de 16 à 28 mois et 175 $Ca pour une carte valable à vie (tarifs hors taxes). Gratuit pour les enfants de moins de 18 ans.

■ *Auberges de jeunesse du Saint-Laurent / St Laurent Youth Hostels :* 3514, av. Lacombe, Montréal (Québec) H3T 1M1. ☎ (514) 731-1015. N° gratuit (au Canada) : ☎ 1-800-663-5777.
■ *Canadian Hostelling Association :* 205 Catherine St, bureau 400, Ottawa (Ontario) K2P 1C3. ☎ (613) 237-7884. ● hihostels.ca ●

Pour réserver votre séjour en auberge de jeunesse HI

– *En France :* ● hifrance.org ● Réservez vos séjours dans 120 auberges de jeunesse. Accès aux offres spéciales et dernières minutes.
– *En France et dans le monde :* ● hihostels.ca ● Si vous prévoyez un

séjour itinérant, vous pouvez réserver plusieurs auberges en une seule fois !

ARGENT, BANQUES, CHANGE

::

République d'Irlande (Eire)

Depuis début 2002, l'euro est dans toutes les poches et dans tous les portefeuilles des Irlandais.

Irlande du Nord (Ulster)

En juin 2013, 1 livre sterling (£ ou GBP) valait près de 1,20 €.
Le sigle £ seul symbolise la livre sterling ou *pound,* également désignée par les initiales GBP.

Où se procurer des devises ?

Sur place, aux nombreux distributeurs, ou au comptoir des banques. Elles sont ouvertes en général du lundi au vendredi de 9h30 à 16h30 (17h jeudi). On peut souvent changer de l'argent dans les offices de tourisme, mais, de manière générale, le taux est très peu avantageux... du moins pour vous !

De l'Eire à l'Ulster

Si les livres sterling sont difficilement acceptées en Eire, l'acceptation des euros en Ulster va croissant. En vous éloignant de la « frontière », le change devient de plus en plus défavorable. Par précaution, procurez-vous quelques pounds avant d'arriver en Ulster. Contrairement à la plupart des banques, les postes acceptent les pièces de monnaie, même les plus petites...

Cartes de paiement

Quelle que soit la carte que vous possédez, chaque banque gère elle-même le processus d'opposition et le numéro de téléphone correspondant ! Avant de partir, notez donc bien le numéro d'opposition propre à votre banque (il figure souvent au dos des tickets de retrait, sur votre contrat ou à côté

des distributeurs de billets), ainsi que le numéro à 16 chiffres de votre carte. Bien entendu, conservez ces informations en lieu sûr, séparément de votre carte. Par ailleurs, l'assistance médicale se limite aux 90 premiers jours du voyage et l'assistance véhicule aux cartes haut de gamme (renseignez-vous auprès de votre banque). N'oubliez pas aussi de VÉRIFIER LA DATE D'EXPIRATION DE VOTRE CARTE DE PAIEMENT avant votre départ !

– *Carte bleue Visa :* assistance médicale incluse ; numéro d'urgence (Europe Assistance) : ☎ (00-33) 1-41-85-85-85. ● carte-bleue.fr ● *Pour faire opposition, contactez le numéro communiqué par votre banque.*

– *Carte MasterCard :* assistance médicale incluse ; numéro d'urgence : ☎ (00-33) 1-41-16-65-65. ● mastercardfrance.com ● *En cas de perte ou de vol, composez le numéro communiqué par votre banque pour faire opposition.*

– *Carte American Express :* téléphonez en cas de pépin au ☎ (00-33) 1-47-77-72-00 (numéro accessible tlj 24h/24). ● americanexpress.fr ●

– *Pour toutes les cartes émises par La Banque postale :* composez le ☎ 0825-809-803 (0,15 €/mn) depuis la France métropolitaine ou les DOM, et le ☎ (00-33) 5-55-42-51-96 depuis l'étranger.

– *Également un numéro d'appel valable quelle que soit votre carte de paiement pour faire opposition :* ☎ 0892-705-705 (serveur vocal à 0,34 €/mn). Ne fonctionne ni en PCV ni depuis l'étranger.

Petite mesure de précaution

Si vous retirez de l'argent dans un distributeur, utilisez de préférence les distributeurs attenants à une agence bancaire. En cas de pépin avec votre carte (carte avalée, erreur de numéro...), vous aurez un interlocuteur dans l'agence, pendant les heures ouvrables du moins.

Western Union Money Transfer

● westernunion.com ●
En cas de besoin urgent d'argent liquide (perte ou vol de billets, chèques

de voyage, cartes de paiement), vous pouvez être dépanné en quelques minutes grâce au système **Western Union Money Transfer.** Pour cela, demandez à quelqu'un de vous déposer de l'argent en euros dans l'un des bureaux *Western Union* ; les correspondants en France de *Western Union* sont *La Banque postale (fermée sam ap-m, n'oubliez pas !* ☎ 0825-009-898, *0,15 €/mn)* en collaboration avec la *Société financière de paiements (SFDP* ; ☎ *0825-825-842, 0,15 €/mn).* L'argent vous est transféré en moins d'un quart d'heure. La commission, assez élevée, est payée par l'expéditeur. Possibilité d'effectuer un transfert en ligne 24h/24 par carte de paiement (*Visa* ou *MasterCard* émises en France).

ACHATS

– *Les cardigans :* ne croyez pas qu'en Irlande tout le monde porte les pulls tricotés en laine du pays suivant les motifs compliqués de l'île d'Aran. C'est en réalité plutôt les touristes qui les portent.
ATTENTION : ne pas acheter ces pulls dans les magasins de souvenirs, où ils coûtent parfois le double du prix réel. On entend par prix réel celui qu'on paie pour le même pull, les mêmes dessins, etc., dans un village loin de tout magasin réservé aux touristes. N'hésitez pas à négocier le prix d'un pull ou à demander une réduction pour plusieurs achetés. Nous avons essayé, et ça a marché ! Les plus beaux *jumpers* (pulls) se trouvent dans le Donegal, dans la péninsule de Slieve League précisément.
– *Les vestes et casquettes de tweed :* les plus beaux tweeds se trouvent dans le Donegal, vendus au mètre, à Ardara par exemple.
– *La pure laine (100 %) :* non dégraissée ou dégraissée (blanche ou de couleur), pour tricotage ou tissage.
– *La dentelle, le lin* (quelquefois à prix intéressant) dans les grands magasins tel *Dunnes Stores* : très belle qualité et sympa pour l'hiver !
– *Le fameux cristal irlandais,* Waterford restant le fournisseur le plus en vogue. Également des fabricants à Galway. Il faut juste aimer les chandeliers un peu lourds et avoir le portefeuille suffisamment lesté pour pouvoir s'offrir les délicates créations de la cristallerie Waterford...
– *Les disques :* aussi chers que chez nous, mais, comme le choix est bien plus grand, profitez-en. Attendre Belfast, si vous passez par l'Irlande du Nord, pour acheter des CD, nettement moins chers que dans le Sud. Si toutefois vous craquez quelque part pour un petit groupe local, mieux vaut acheter le CD tout de suite, car beaucoup d'entre eux ne sont distribués que dans un faible rayon.
– *Les instruments de musique :* ils ne sont pas trop chers en Irlande, encore faut-il savoir où les acheter et à quel prix. Demandez donc à un musicien rencontré dans un pub ou dans un festival, il pourra vous donner les meilleurs tuyaux.

Spécial « accros » !

En Irlande, les cigarettes coûtent extrêmement cher. En Irlande du Nord, c'est pire. Quant au whiskey : il est tellement taxé qu'il vous coûtera moins cher dans n'importe quel supermarché de France.

BUDGET

En république d'Irlande (Eire)

Avec le développement des dernières années, l'Irlande est devenue l'un des pays les plus chers d'Europe. Plus cher même qu'en France ou en Belgique, surtout pour les restaurants. Cela dit, la crise a eu comme effet de lisser les prix, voire de les revoir un peu à la baisse, surtout dans l'arrière-pays.

– ***Pour les voyageurs à petit budget :*** prévoir un budget moyen de 45 à 55 € par jour et par personne, soit 13 à 20 € pour un lit en dortoir, 10 € par repas (pris dans des snacks, sandwicheries, pubs bon marché ou, mieux, à l'AJ, en utilisant la cuisine) et 10 à 15 € pour le reste (transports, visites, etc.). À Dublin, ajouter quelques euros pour le logement.

– ***Pour les voyageurs à budget moyen :*** à deux, en logeant dans les B & B et en mangeant au restaurant, prévoir 75 à 90 € par jour et par personne (30 à 40 € par personne pour le B & B, 10 € le midi pour un plat du jour ou un sandwich, 20 à 25 € le soir pour un repas un peu plus élaboré et 10 à 15 € pour d'éventuelles visites ou une virée dans un pub). Bien sûr, si vous louez une voiture, ce sera plus cher.

Hébergement

– ***Très bon marché :*** le camping, qui revient à 15 à 20 € pour deux avec voiture et tente.

– ***Bon marché :*** le dortoir dans une AJ, pour lequel il faut prévoir de 13 à 20 € par personne et par nuit (un peu plus à Dublin). À noter que la plupart des AJ proposent aussi des chambres doubles ou familiales, mais le rapport qualité-prix n'est pas évident : selon le confort, compter facilement de 50 à 60 € pour deux.

– ***Prix moyens :*** le B & B. Ils sont presque tous au même prix, à savoir de 60 à 90 € pour deux selon la saison (en chambre double avec salle de bains). Les personnes seules paient la moitié de ce tarif, plus une majoration de 5 à 10 € environ. Bien sûr, le petit déj est toujours compris. Les prix indiqués sont les prix officiels, mais les propriétaires pratiquent parfois une remise (voir plus loin « Hébergement »). Elle est très fréquente à partir de 2 ou 3 nuits.

– ***Plus chic :*** de 90 à 120 € la double, prix d'un B & B amélioré ou d'un petit hôtel.

– ***Chic :*** plus de 120 € la double. C'est le tarif minimum d'une chambre d'hôtel, hors promotions.

Nourriture

Outre de la *Guinness* (très calorique !), on trouve bien d'autres choses à manger dans les pubs. La *bar food* est consistante et pas chère. Parfois, le pub dispose d'une salle de resto à part... et propose alors une carte distincte (plus chère) de celle du pub. Bien sûr, il existe aussi des restaurants traditionnels, comme chez nous. Quel que soit le type d'établissement, cela dit, il y a presque toujours une carte pour le midi et une carte pour le soir. Le midi, on s'en tirer pour 8 à 10 € en se contentant d'un plat et d'une carafe d'eau. Le soir, en revanche, un repas au resto atteindra facilement les 20-25 €, et encore, si l'on s'en tient à un plat et un verre de vin. Enfin, il peut être utile de savoir que certains restaurateurs proposent, en fin d'après-midi, un *early bird menu*, sorte de repas précoce à prix cassés... Intéressant, à condition d'avoir envie de dîner avant 19h.

– Rien ne nous empêche de laisser un pourboire au serveur, mais, vu l'augmentation des prix, cette pratique semble quelque peu passée à la trappe.

– À Dublin, comme dans la majorité des grandes villes, les prix sont plus élevés... Bref, vous l'avez compris, si l'on ne fait pas un peu attention, le budget nourriture peut vite devenir important. Vous trouverez ci-dessous nos fourchettes de prix. ***Elles sont données pour un plat principal,*** souvent assez copieux, cela dit, pour satisfaire un appétit normal.

– ***Bon marché :*** de 8 à 10 €. Le midi, dans les snacks, les *delis*, les pubs et les petits restos. Le soir, c'est difficile à trouver, sauf bien sûr dans les fast-foods et autres sandwicheries... Aux routards qui cherchent à dépenser le moins possible, on conseille de se faire le petit déj à l'AJ *(hostel),* de manger sur le pouce le midi et de remettre le couvert à l'auberge le soir... en utilisant la cuisine du lieu (il y a des épiceries et des supermarchés un peu partout).

– ***Prix moyens :*** de 10 à 20 €.

– ***Chic :*** de 20 à 30 €.

– ***Plus chic :*** plus de 30 €.

Musées

Le prix d'entrée varie le plus souvent entre 3 et 7 €. Mais quelques grands musées ou sites pratiquent des tarifs plus élevés. Heureusement, des réductions étudiants et seniors aident à faire passer la pilule. Il existe à peu près partout des billets famille (valables pour deux adultes et quatre enfants). Il peut s'avérer économique d'investir dans une *Duchás Heritage Card* (valable 1 an). Nombreux sont les musées, monuments et sites auxquels on a ainsi accès librement (environ 65). Liste sur demande ou disponible dans les offices de tourisme. Coût en 2013 : 21 € par adulte, 8 € par enfant, 16 € pour les plus de 60 ans et 55 € pour le ticket famille. Un conseil : achetez-la dans le premier site où elle est en vente (on peut aussi la commander sur le site internet ci-dessous). Pour tout renseignement : *Heritage Centre, Lakeside Retail Park, unit 20, Claremorris, Mayo.* ☎ *(01) 647-65-92.* ● *heritageireland.ie* ● Ne pas confondre avec l'*Heritage Island* (● *heritageisland. com* ●), qui regroupe à peu près autant de sites patrimoniaux irlandais et qui est un « marketing consortium ». Par ailleurs, les titulaires de la carte internationale des AJ peuvent souvent obtenir des réductions sur les droits d'entrée à des activités proches de l'AJ. Vous remarquerez enfin que plusieurs musées publics ne disposent d'aucun budget et fonctionnent uniquement grâce à des bénévoles !

En Irlande du Nord (Ulster)

Attention, en Ulster, le coût de la vie est, de manière générale, supérieur à celui pratiqué en république d'Irlande (Eire). Les restos sont vraiment chers. Seuls les prix des musées et des transports sont équivalents.

Hébergement

– **Bon marché :** en camping, de 6 £ à 15 £ (7,20-18 €) pour deux personnes ; en AJ, de 10 £ à 20 £ (12-24 €) le lit par personne selon le confort et la taille de la chambre.
– **Prix moyens :** de 40 £ à 60 £ (48-72 €) la chambre pour deux personnes.
– **Chic :** de 60 £ à 80 £ (72-96 €) la chambre pour deux personnes.
– **Plus chic :** plus de 80 £ (96 €).

Nourriture

– **Très bon marché :** de 2 £ à 7 £ (2,40-8,40 €).
– **Bon marché :** de 7 £ à 12 £ (8,40-14,40 €).
– **Prix moyens :** de 12 £ à 20 £ (14,40-24 €).
– **Chic :** de 20 £ à 30 £ (24-36 €).
– **Plus chic :** plus de 30 £ (36 €).

CLIMAT
::

> « La vie, ce n'est pas d'attendre que l'orage passe,
> c'est d'apprendre à danser sous la pluie ».
>
> Sénèque

Il pleut parfois (c'est un euphémisme), en tout cas plus qu'au Sahara, précisent les brochures de l'office de tourisme de l'île d'Irlande. Un bon ciré et des bottes (ou des chaussures étanches) sont à conseiller à ceux qui mettent de temps en temps le nez hors des pubs, et même aux autres, on ne sait jamais. Le temps, encore plus qu'en Normandie, est un show permanent. Après la pluie, le soleil. Après le soleil, la pluie. Entre les deux, crachin, brume, brouillard, arcs-en-ciel, et même des effets de soleil en cours d'averse qui projettent votre ombre sur les nuages... et tout ça parfois en moins de 1h ! Les premiers jours, la rapidité d'évolution du

Moyenne des températures atmosphériques

Nombre de jours de pluie

IRLANDE (Dublin)

temps stupéfie les petits continentaux fraîchement débarqués. Mais on s'y fait vite et on garde toujours son imper à portée de main.

Conséquence : pas évident de faire sécher son linge. Et parfois, les sacs à dos résistent mal à la pluie. Il est prudent de mettre ses vêtements dans des sacs plastique. Le mieux est de découvrir l'Irlande en mai ou en juin : ce sont les mois les plus ensoleillés. Au contraire, c'est en décembre que les cieux dispensent le plus largement leurs douches quotidiennes. À part ça, il ne fait ni chaud ni froid, plutôt bon en été. Au milieu, quoi !

Pour des nouvelles fraîches, consulter le site ● *met.ie* ●

DANGERS ET ENQUIQUINEMENTS
::

Pour profiter sereinement de son voyage dans la verte Érin, le routard doit, comme dans la plupart des pays européens, appliquer quelques règles de bon sens.

– Sans que ce soit pire qu'ailleurs, l'Irlande déplore chaque année un certain nombre de voyageurs détroussés. Rien de catastrophique, c'est plutôt l'occasion qui fait le larron. Ne laissez rien dans votre voiture dans les grandes villes, gardez votre argent et vos papiers sur vous à l'AJ. À Dublin, ne vous garez pas dans les quartiers craignos, surtout avec une plaque étrangère.

– Du côté des événements politiques nord-irlandais, aucune inquiétude à avoir : non seulement l'ère de la paix semble s'être ouverte pour de bon, mais en plus

les affrontements entre communautés n'ont jamais concerné les touristes – sauf ceux qui, à de rares occasions, se seraient trouvés au mauvais endroit au mauvais moment, comme lors des marches protestantes de l'été.
– Dans un tout autre registre, vous risquez, dans certains endroits marécageux, de servir de garde-manger à de minuscules moucherons appelés *midges,* qui vous attaqueront par milliers au crépuscule (ils ne sortent que sous certaines conditions de luminosité, et leurs attaques cessent instantanément à la nuit noire). Leurs morsures peuvent causer des réactions cutanées violentes et douloureuses. Un seul remède pour ne pas rester enfermé en attendant le grand jour ou la nuit noire : le produit anti-insectes *(Insect Ecran).* Si vous êtes bouffé et que ça vous gratouille, le savon de Marseille calme rapidement : à la douche ! Leur période la plus active se situe entre le 20 juin et le 20 juillet, alors que le mois d'août peut être plus tranquille.

DÉCALAGE HORAIRE

En Irlande, on est à GMT en hiver et GMT + 1 en été, soit 1h de retard toute l'année par rapport à la France. Quand il est 12h en France, il est donc 11h en Irlande.

ÉLECTRICITÉ

Ah, ces insulaires ! incapables de faire comme tout le monde ! En plus de conduire à gauche et d'inverser les robinets « eau chaude » et « eau froide », voilà-t-y pas qu'ils ont des prises de courant incompatibles avec celles du continent ! La plupart se composent de trois fiches et distribuent du courant de 220 volts. Pour votre rasoir, vous trouverez dans toutes les salles de bains des prises adéquates. Elles peuvent aussi servir pour recharger la batterie de votre téléphone portable ou de votre appareil photo. Pour le reste, vous trouverez un adaptateur *(adapter)* au supermarché du coin.

ÉQUITATION

La plus noble conquête de l'homme a dû avoir lieu en Irlande. Aucun autre pays ne peut se vanter d'avoir d'aussi riches pâturages servis par un climat tempéré convenant si bien à la bête. Et puis il y a cette affinité profonde entre l'Irlandais et sa monture. C'est dire que le cheval constitue l'un des points d'ancrage de la vie sociale ! Sachez que vous trouverez une partie de l'âme irlandaise sur les champs de courses, les champs de foires et les gradins des grandes compétitions. Voici quelques-uns des principaux événements.

Les foires aux chevaux

– En juillet à *Cahirmee,* près de Buttevant, comté de Cork.
– En octobre à *Ballinasloe,* à la limite est du comté de Galway.

Les spectacles

– En août, foire aux poneys du Connemara à *Clifden.*
– En août toujours, au début du mois, pendant 3 jours, compétition internationale d'équitation de Ballsbridge à *Dublin.*

Les courses

– Le lundi de Pâques, *Grand National* à *Fairyhouse,* comté de Meath.
– Fin avril, la *Gold Cup* à *Punchestown,* comté de Kildare.

– Le dernier week-end de juin, l'*Irish Derby* au *Curragh*, près de Kildare.
– Mi-juillet, l'*Irish Oaks* au même endroit que le précédent.
– La seconde quinzaine de juillet, les *Galway Races*.

Cours et randonnées

■ *Equestrian Holidays Ireland (EHI) :* ● *ehi.ie* ● *Brochure disponible à l'office de tourisme de l'île d'Irlande à Paris. Equestrian Holidays Ireland regroupe un ensemble d'établissements de caractères très différents, du cours de base à la rando équestre en passant par le cross-country, le saut et le dressage. Circuits dans le Connemara ou dans les comtés de Kerry, Clare, Sligo, Donegal et Wicklow. Les bagages sont en général expédiés chaque matin par le loueur à l'étape suivante.

FÊTES, FESTIVALS ET JOURS FÉRIÉS

Parmi les très nombreux festivals et fêtes organisés en Irlande, voici une sélection, dans différents genres. Vous pouvez trouver une liste plus exhaustive dans la brochure *Calendar of Events*. ● *discoverireland.ie/What-On* ●

– *17 mars :* la Saint-Patrick, fête nationale irlandaise.
– *Avril :* festival de Poésie et de Littérature à Galway.
– *Mai :* Galway Early Music Festival, vers mi-mai, pendant 3 jours, à Galway.
– *Juin :* Bloomsday (célébration de l'*Ulysse* de Joyce) à Dublin, le 16.
– *Juillet :* commémorations orangistes de la bataille de la Boyne, dans toute l'Irlande du Nord, le 12. Pèlerinage de Croagh Patrick (comté de Mayo) le dernier dimanche de juillet. *Galway Races* (course de chevaux), en principe fin juillet, début août. En juillet et août, *Siamsa Galway's Folk Theatre,* du lundi au vendredi.
– *Août :* festival de Musiques folk et traditionnelle de Ballyshannon. Compétition internationale d'équitation à Ballsbridge, Dublin. Grande foire aux poneys du Connemara à Clifden, le 3e jeudi d'août. *All Ireland Fleadh* (voir « Musique » dans « Hommes, culture, environnement »). Festival de Tralee (élection de la Rose). À Derry, commémoration de la levée du Grand Siège (le samedi le plus proche du 12 août). À Killorglin (Ring of Kerry), en général les 10, 11 et 12 août, la *Puck Fair.*
– *Septembre :* festival de l'Huître de Galway durant le 3e week-end. Même manifestation à Clarenbridge le week-end précédent. Festival d'Opérette à Waterford. *Clifden Arts Week,* durant la 3e semaine. Finale du championnat de *hurling* (1er dimanche) et de foot gaélique (3e dimanche) à Dublin. *Match Maker Festival* à Lisdoonvarna, durant tout le mois (pour les célibataires).
– *Octobre :* Cork Jazz Festival le dernier week-end.
– *Fin octobre-début novembre :* festival d'Opéra à Wexford, pendant 3 semaines. De plus, de nombreux festivals ont lieu tout au long de l'année. Ce sont des *fleadhtha,* rassemblements de musiciens irlandais traditionnels.

Jours fériés communs à la république d'Irlande (Eire) et à l'Irlande du Nord (Ulster)

– *1er janvier.*
– *17 mars :* Saint-Patrick, fête nationale de la république d'Irlande.
– *Lundi de Pâques.*
– *Vendredi saint :* ce jour n'est pas férié en république d'Irlande mais de nombreux pubs et magasins sont fermés.
– *Fête du 1er mai :* 1er lundi après le 1er mai, si celui-ci n'en est pas un.
– *25 décembre.*
– *26 décembre :* Boxing Day.

Jours fériés seulement en république d'Irlande (Eire)

– *Premier lundi de juin.*
– *Premier lundi d'août.*
– *Dernier lundi d'octobre.*

Jours fériés seulement en Irlande du Nord (Ulster)

– *Dernier lundi de mai :* congé de printemps.
– *12 juillet :* Orangeman's Day, célébration de la victoire protestante de la Boyne (se reporter au chapitre « L'Irlande du Nord (Ulster) »).
– *Dernier lundi d'août.*

HÉBERGEMENT

Les *Bed & Breakfast*

Prix correspondant, pour deux personnes, aux 2-3-étoiles bien d'chez nous (voir plus haut « Budget »). Attention, il y a une forte majoration si l'on voyage seul. Vous serez, de manière assez générale, considéré comme un client, et parfois comme un véritable ami de la famille. Dans beaucoup de *B & B,* la générosité de l'*Irish breakfast* permet d'alléger le repas de midi. Certains lecteurs marchandent le prix des *B & B.* Ça peut marcher, surtout hors saison. D'ailleurs, les prix indiqués dans ce guide sont les prix officiels fixés par le ministère du Tourisme. Les proprios font parfois des remises, surtout à partir de la 2e ou 3e nuit.

Il est d'usage de se présenter avant 18h ou 19h dans les *B & B* préréservés. Sinon, téléphonez pour prévenir de l'heure de votre arrivée et évitez par courtoisie et respect d'arriver après 22h, sauf cas de force majeure. De même, le matin, vos hôtes n'apprécieront guère que vous demandiez votre petit déj à l'aube. Hormis en juillet et août, certains week-ends et dans les villes importantes, la réservation n'est pas nécessaire.

À l'exception de la côte d'Antrim et d'une partie de celle de Down, il y a beaucoup moins de *B & B* en Irlande du Nord.

Les différentes catégories de Bed & Breakfast

– Ceux avec le trèfle sont agréés par le *Bord Fáilte* ou le *Northern Ireland Tourist Board.* Cela garantit au moins qu'ils sont à jour de leur cotisation. Demander à l'office de tourisme de l'île d'Irlande à Paris la brochure (en fait, un vrai livre) de l'association **B & B Ireland,** qui regroupe environ 1 800 *B & B (Belleek Rd, Ballyshannon, Co. Donegal ;* ☎ *(00-353) 71-98-22-222 ;* ● bandbireland.com ●).

– Ceux qui ne sont pas agréés sont généralement bien tenus, aussi confortables et propres que les *B & B* « *approved* ». Toutefois, ils ne satisfont pas totalement aux normes des organismes officiels (pour d'obscures raisons techniques le plus souvent). D'autres *B & B* n'ont tout simplement pas envie de payer la cotisation au *B & B Ireland,* soit par souci d'économie, soit par incompatibilité « idéologique »... Bref, ne pas se poser trop de questions sur ces *B & B* non agréés, d'autant que c'est dans ceux-là que l'on a le plus de chances de tomber sur des gens originaux.

– Pour quelques euros, le *Family Homes of Ireland Bed and Breakfast Accommodation Guide* liste et décrit (avec photos) des *B & B* (non agréés) du Nord et du Sud. *Where to Stay in Northern Ireland* est son pendant pour le Nord. Ces guides indiquent un numéro de téléphone permettant la réservation dans les établissements de leur réseau (paiement immédiat par carte *Visa* ou *MasterCard*).

■ *Family Homes of Ireland :* Fough West Business Park, Oughterard, Co. Galway, Irlande. ☎ (00-353) 91-55-20-00. ● familyhomes.ie ●

– Il y a 20 ou 30 ans, les propriétaires étaient souvent des gens qui louaient de une à trois chambres soit par goût du contact avec l'étranger, soit pour avoir un supplément de revenus appréciable, soit les deux à la fois ! Les années 1990 ont vu éclore, dans les endroits touristiques, des *B & B* de quatre à six chambres, construits dans un but lucratif. Bien souvent, la structure même de l'endroit ne favorise pas la rencontre avec les proprios. Les chambres sont d'un côté et les quartiers privés du proprio de l'autre. Chacun son salon. Certaines attitudes deviennent plus commerciales, l'accueil se standardise... à la baisse. Mais bon, dans l'ensemble, il n'y a pas de quoi trop s'en faire, les contacts demeurant, en général, franchement sympathiques.

Quelques conseils

– Les *standard rooms* sont des chambres avec salle de bains à l'extérieur (mais elle peut être privée). Celles *en suite* possèdent salle de bains et w-c à l'intérieur. La différence de prix va de 5 à 10 € environ.
– Une *double* a un seul lit et une *twin* a deux petits lits.
– Dans les endroits touristiques bondés en haute saison, n'hésitez pas à demander aux *B & B* complets une autre adresse. Souvent, ils connaissent des gens qui le font occasionnellement et ils téléphonent pour vous assez volontiers.
– Les *B & B* au-dessus des pubs sont bruyants. Très utiles cependant quand c'est complet partout. Et pratiques aussi si l'on souhaite que le lit ne soit pas loin du dernier verre...
– Certains *B & B* proposent le dîner. Mais il faut toujours réserver cette option lors de la réservation de la chambre. Et, bien entendu, il peut arriver que la maîtresse de maison change d'avis et ne fasse plus à manger, surtout si la clientèle se fait moins nombreuse.
– Il existe parfois des disparités de qualité de confort importantes entre deux *B & B* de même prix. En revanche, certains offrent, pour quelques euros de plus, des prestations dignes d'établissements chic. N'hésitez pas à faire ce petit effort financier si vous en avez les moyens.
– Sachez qu'il n'y a jamais de gant de toilette et que, du fait de l'incompatibilité des prises de courant, vous aurez besoin d'un adaptateur pour recharger votre portable (parfois fourni ; voir plus haut « Électricité »).
– Dans les régions à tourbières, faites-vous préciser si l'eau du robinet est *drinkable* (« potable »).
Il existe quelques centraux de réservation très pratiques, comme celui-ci :

■ *Goireland :* Fexco Centre, Longford St, Killorglin, Co. Kerry, Irlande. ☎ (00-353) 66-979-18-04. *Appels depuis l'Irlande :* ☎ 1-850-668-668. ● goireland.com ● Lun-ven 9h-17h30, sam 9h-17h. Résas avec paiement immédiat par CB slt (MasterCard, Visa, Dinner's, AA). Demander quelqu'un qui parle le français. Frais de dossier raisonnables (plus élevés pour la location de maisons).

Les *farmhouses*

Une appellation pas toujours justifiée, disons-le tout de suite. Certaines adresses ne se distinguent des *B & B* que grâce à quelques moutons qui broutent dans le champ voisin... Mais rassurez-vous, on a dégoté de nombreuses *farmhouses* géniales, souvent nichées dans des cadres enchanteurs et pas plus chères qu'un *B & B*. Idéal pour faire découvrir aux petits citadins les joies de la vie rurale : fabriquer le *brown bread,* nourrir les animaux, tondre les moutons, etc.
Renseignements à l'office de tourisme de l'île d'Irlande ou brochure sur demande.

En république d'Irlande (Eire)
■ **Irish Farmhouse Holidays :** *Belleek Rd, Ballyshannon, Donegal.* ☎ *(00-353)* *71-98-22-222.* ● *irishfarmholidays.com* ●

Les *guesthouses*

Ce sont des maisons d'hôtes, à mi-chemin entre l'hôtel et la pension de famille, ou bien des *B & B* qui ont grandi et augmenté leur nombre de chambres au-delà de la limite légale. Elles se situent dans nos rubriques « Plus chic ».
La brochure *Friendly Homes of Ireland* regroupe un ensemble de maisons indivi- duelles et de petites *guesthouses* s'engageant à offrir le plus qui fera la différence par rapport au *B & B*.

■ **Friendly Homes of Ireland :** ● *tourismresources.ie/fh* ●

Les hôtels

Souvent hors de prix. Et surtout, ils n'offrent guère mieux que les *B & B* ! L'*Irish Hotels Federation* regroupe cependant un panel d'hôtels varié (un bon millier d'adresses), allant de la *guesthouse* de charme dans un manoir du XVIIIe s à l'éta- blissement de luxe dernier cri. Reste, encore une fois, que les tarifs sont fran- chement trop élevés.

En république d'Irlande (Eire)
■ **Irish Hotels Federation :** *13, Northbrook Rd, Dublin 6.* ☎ *(00-353-1) 293-91-70.* ● *irelandhotels.com* ●

En Irlande du Nord (Ulster)
■ **Northern Ireland Hotels Federation :** ☎ *(00-44) 28-90-77-66-35.* ● *nihf. co.uk* ●

Les manoirs et châteaux

Voilà une idée qui n'est pas pour tous les budgets, mais, si vous en avez les moyens, n'hésitez pas. Compter jusqu'à deux ou trois fois le prix d'un *B & B*. Résa conseillée toute l'année. Nous mentionnons de-ci de-là quelques adresses qui nous ont plu. Brochures disponibles à l'office de tourisme de l'île d'Irlande à Paris.

■ **The Hidden Ireland :** *PO Box 31, Westport, Co. Mayo. À Westport :* ☎ *(00-353-98) 666-50. À Dublin :* ☎ *(00-353-1) 662-71-66.* ● *hiddeni reland.com* ● Maisons de caractère d'un évident intérêt architectural, dont les proprios ont choisi d'accueillir des visiteurs pour la nuit. Il s'agit donc de *B & B*, mais pas à prix *B & B* ! Derrière la diversité, quelques constantes :

toutes sont au milieu d'un parc et dans une région au riche passé historique.
■ **Ireland's Blue Book (Irish Country Houses and Restaurants) :** *8, Mount Crescent, Dublin 2.* ☎ *(00-353-1) 676-99-14.* ● *irelands-blue-book.com* ● Une trentaine de châteaux et manoirs convertis en hôtels et restaurants de charme. Service haut de gamme, cadre à l'avenant... les prix aussi !

Les maisons à louer

Locations à la semaine, souvent en cottage ou en maison traditionnelle (formules *self-catering*).

En république d'Irlande (Eire)
■ **Irish Cottages and Holiday Homes Association :** ☎ *(00-353-1) 205-27-77.* ● *irishcottageholidays.com* ●

■ **Irish Self Catering Federation :** ☎ *(00-353) 818-300-186.* ● *iscf.ie* ●

En Irlande du Nord (Ulster)

■ **Northern Ireland Self-Catering Holiday Association :** ● nischa.com ●
■ **Cottages in Ireland :** ☎ (00-44) 28-90-73-65-25. ● cottagesinireland. com ● Pour l'Irlande du Nord et le Donegal.

Le camping

On trouve assez facilement son bonheur dans les terrains de camping irlandais (beaucoup sont plutôt destinés au caravaning et laissent peu d'espace aux tentes). On vous indique le prix pour deux personnes avec tente et voiture.
Brochure disponible à l'office de tourisme de l'île d'Irlande à Paris, ou contacter :

■ **Irish Caravan and Camping Council :** PO Box 4443, Dublin 2. ● camping-ireland.ie ●

■ **British Holidays and Home Parks Association :** ● ukparks.com ● Pour l'Irlande du Nord.

Les auberges de jeunesse *(youth hostels)*

Il est difficile de donner une appréciation globale à l'ensemble des AJ d'Irlande. La qualité de l'accueil, des locaux et de leur entretien ainsi que la beauté du site varient extrêmement variables d'un établissement à l'autre et d'une année à l'autre. C'est encore plus vrai dans les régions où les routards se pressent en masse, comme certains coins du Kerry ou du Connemara.

Pour le reste, il faut savoir que les grands dortoirs se raréfient, la norme étant plutôt aujourd'hui ceux de quatre à six lits. Des chambres pour couples et pour familles sont disponibles dans la plupart des établissements. Les facilités de lavage et de séchage et l'accès à une cuisine font partie de l'équipement standard, de même que l'accès à Internet.

Avant le départ, allez chercher ou faites-vous envoyer par l'office de tourisme de l'île d'Irlande à Paris la liste des AJ. Il existe plusieurs associations concurrentes.

– *Les AJ officielles :* gérées par *An Óige* pour l'Eire (une vingtaine, dont quelques-unes franchisées) et par la *Northern Ireland Association of Youth Hostels* (une demi-douzaine) pour l'Ulster, affiliées au réseau *Hostelling International*. Générale-ment situées dans des coins isolés, parfois sauvages et magnifiques. En Irlande du Nord, plutôt des bâtiments modernes et un peu froids. Certaines, en raison de leur importante capacité d'accueil, reçoivent des groupes. La carte de membre n'est pas obligatoire, mais elle permet de bénéficier d'une réduction de 2 € par nuitée. Mieux vaut l'acheter en France, car, en Irlande, elle coûte un peu plus cher (voir plus haut « Avant le départ »). Mais la plupart des AJ du Sud acceptent les non-membres, moyennant ou pas un supplément symbolique.

Elles pratiquent en général trois tarifs différents : 18 ans ou moins, haute et basse saison.

Attention, la réception est souvent fermée de 10h30 à 17h.

■ **En Irlande du Nord (Ulster) :** Hostelling International-Northern Ireland, 22-32, Donegall Rd, Belfast BT12-5JN. ☎ (00-44) 28-90-32-47-33. ● hini.org.uk ●

■ **En république d'Irlande (Eire) :** An Óige, Irish Youth Hostel Association, 61, Mountjoy St, Dublin 7. ☎ (00-353-1) 830-45-55. ● anoige.ie ●

– *Les AJ privées :* les plus sympas. Elles sont souvent plus petites, il y a moins de monde (et pas de groupes !), l'ambiance y est plus familiale et l'aménagement plus personnalisé. Pas de limite d'âge et aucune carte de membre requise. Niveau de confort très variable. Certaines sont haut de gamme, et d'autres décaties et mal tenues, mieux vaut le savoir. De nombreuses AJ en site rural accueillent aussi les campeurs, qui peuvent utiliser les équipements de l'*hostel* (cuisine, sanitaires, buanderie, salon, etc.) en tant qu'hôtes à part entière. Il existe deux associations qui répertorient la grande majorité des AJ privées d'Irlande. Chacune publie un dépliant (ou dispose d'un site internet) décrivant ses établissements, avec pas mal de détails utiles. Certaines AJ sont affiliées aux deux !

■ **Independant Hostels (IHI) :** Dooey Hostel, Glencolumbkille. ☎ (00-353-74) 97-30-130. ● independenthostel sireland.com ● Une sélection libre et originale d'AJ privées souvent tenues par des personnages hauts en couleur. Environ 70 AJ référencées.

■ **Independent Holidays Hostels (IHH) :** PO Box 11772, Fairview, Dublin 3. ☎ (00-353-1) 83-64-700. ● hostels-ireland.com ● Environ 80 AJ approuvées par le Tourist Board et pratiquant le book ahead. AJ d'Irlande du Nord également.

– Enfin, quelques AJ, surtout celles implantées à Dublin, sont affiliées à **Celtic Group Hostels** : ☎ (00-353-1) 855-00-19. ● celticgrouphostels.com ●

Comment réserver ses nuitées en AJ ?

– **Réserver en AJ privée :** voir ci-dessus. Téléphoner ou envoyer un e-mail.
– **Réserver en AJ officielle :** voir plus haut la rubrique « Avant le départ. Carte d'adhésion internationale aux auberges de jeunesse (carte FUAJ) ».

Spécial « en fauteuil »

♿ Ceux qui voyagent en fauteuil trouveront certains établissements prêts à les accueillir. En particulier, beaucoup d'AJ privées récentes sont superbement conçues, leur rendant aisés vie quotidienne et déplacements. Pour toute précision, contacter les organismes suivants.

En république d'Irlande (Eire)

■ **National Disability Authority :** Access Dept., 25, Clyde Rd, Ballsbridge, Dublin 4. ☎ (00-353-1) 608- 04-00. ● nda.ie ● Infos par téléphone ou par courrier. Ils vous enverront leurs brochures.

En Irlande du Nord (Ulster)

■ **Disability Action :** Portside Business Park, 189, Airport Rd West, Bel- fast BT3-9ED. ☎ (00-44) 28-90-29-78-80. ● disabilityaction.org ●

LANGUE

Vous parlerez évidemment en anglais (pour vous aider à communiquer, n'oubliez pas notre Guide de conversation du routard en anglais), mais, même si la langue de l'ancien colonisateur s'est imposée, les Irlandais gardent au fond de leur cœur une grande affection pour leur langue historique, le gaélique (« Irish » pour les Irlandais). Contrairement aux idées reçues, le gaélique parlé en Irlande n'est pas proche du breton, mais il appartient au groupe gaélique, qui comprend aussi le gaélique d'Écosse et le manxois (de l'île de Man). Le breton fait partie du groupe brittonique qui comprend le breton, le gallois et le cornique (de Cornouailles).
Parlé majoritairement pendant des siècles, le gaélique amorça son déclin au XIXe s avec la pénétration massive de l'anglais, de l'idéologie et du mode de vie de l'occupant britannique. Un coup fatal lui fut porté par la Grande Famine de 1844 à 1850, qui provoqua près de 1 million de morts et força 1,5 million d'Irlandais à émigrer, désorganisant complètement la société rurale irlandaise. Aujourd'hui, si 30 % d'Irlandais parlent plus ou moins couramment le gaélique appris en classe (obligatoire à l'école primaire), celui-ci ne survit comme langue maternelle que chez les 3 ou 4 % de la population vivant dans le Gaeltacht, mosaïque de petits bouts du territoire où il prend le pas sur l'anglais. Les poches principales se situent dans le Kerry, le Connemara et le Donegal, mais on trouve aussi quelques villages

de langue gaélique dans le comté de Meath, à moins de 50 km de Dublin ! Cette langue très complexe aurait fini par s'éteindre tout doucement si, à la fin du XIXᵉ s, un mouvement culturel n'avait tenté de la sauver, non pour supplanter l'anglais, mais plutôt pour redécouvrir une identité culturelle nationale.

Aujourd'hui, le gaélique vit une grande contradiction. D'une part, chaque été, plusieurs milliers d'élèves extrêmement motivés se rendent dans le *Gaeltacht* et renouent avec une pratique vivante de la langue ; il existe aussi depuis quelques années des *Gaelic schools* : le gaélique y est parlé en permanence et l'anglais n'est qu'un enseignement au même titre que les maths ou la musique. D'autre part, le gaélique n'apparaît plus comme indispensable aux yeux de beaucoup, et son usage quotidien ne concerne guère plus de 120 000 personnes. Imposé à l'école, vécu comme une corvée, sa nécessité dans la vie sociale n'étant pas perçue, il provoque chez certains une réaction de rejet. Pour qu'on se reprenne à l'aimer, mieux vaudrait qu'on l'interdise !

Petit vocabulaire de base (avec prononciation !)

Fáilte	« fôltieu »	bienvenue
Slainte	« slantieu »	à votre santé
Slàn	« slaun »	au revoir
Go raibh maith agat	« gorêve mahagate »	merci (littéralement : « que le bien soit avec vous »)
Conas ta tù ?	« conaçe ta tou ? »	comment vas-tu ? (cela, pour les personnes qu'on connaît un peu)

Et n'oubliez pas de rouler les « r » !

Les étrangetés du gaélique

– Certains mots comportent un nombre impressionnant de lettres qui ne se prononcent pas, ou alors pas de la façon que vous pourriez imaginer. Ainsi, la ville de Dún Laoghaire se prononce quelque chose comme « Doune Liri ».
– Il vous arrivera de voir des majuscules ailleurs qu'en début de mot. Explication : on forme les cas en ajoutant un préfixe (par exemple, « n » pour le génitif). Si c'est à un nom propre, le « n » est placé avant la majuscule, comme dans « Dún na nGall » signifiant « le fort de l'étranger » (qui a donné « Donegal »).
– La lettre « h » après une lettre remplace un point sur cette lettre, destiné à en modifier la prononciation dans l'écriture traditionnelle.
– Dans de nombreux noms de lieux et de gens d'origine gaélique, le groupe « gh » se prononce comme un « h » fortement expiré : Omagh, Gallagher, Ballyvaughan...

Toponymie gaélique

Ard	haut	Ardagh
Baile, bally	ville	Ballyshannon
Caher, cahir	château	Caherdaniel, Cahirciveen
Carrick	rocher	Carrickmacross
Droichead	pont	Droicheadnva
Drum	crête	Drumshanbo
Dun	fort	Donegal, Dún Laoghaire
Glen	vallée	Glenmore
Inish	île	Inishmore
Kill	bois ou église	Killarney, Kilkenny

Relevé de transaction
Bibliothèque municipale de Gatineau
Bernard-Lonergan
http://bibliotheque.gatineau.ca

****

Date : 14-10-2015 16:24
Abonné : 00638180
****

Documents :

35000046076153
Irlande /
Retour le : 04-11-2015

35000046801071
L'essentiel de l'Irlande : pour déc
Retour le : 04-11-2015

35000046281217
Le Guide du routard : Irlande /
Retour le : 04-11-2015
Total : 3

Renouvellement téléphonique
819 595-7460

Knock	colline	Knocknagree, Castleknock
Lough	lac	Glendalough
Mona	tourbe	Monavullagh
Rath	tumulus	Mountrath
Sean, shan	vieux	Shankill, Shanagolden
Slieve	montagne	Slieve League
Trá	plage	Tramore

LIVRES DE ROUTE

Romans, nouvelles

– **Dublinois,** de James Joyce (nouvelles, 1914 ; Gallimard, coll. « Folio », n° 2439, 1993). L'auteur décrit la vie quotidienne des Dublinois du début du XX° s avec un réalisme psychologique très subtil. Sous la peinture de mœurs et la monotonie des milieux bourgeois, l'auteur met au jour fêlures et lézardes que la fatalité vient imprimer à l'existence quotidienne. Le recueil inspira à John Huston son dernier film (voir « L'Irlande et le cinéma » dans « Hommes, culture, environnement »).

– **Ulysse,** de James Joyce (roman, 1922 ; Gallimard, coll. « Folio » n° 2830, 1996). Un des chefs-d'œuvre de la littérature mondiale. Au travers des déambulations de Leopold Bloom dans le Dublin de 1904, c'est une relecture, parodie, transposition de L'Odyssée qui nous est proposée. Mais le projet de Joyce va bien plus loin : tous les styles, tous les langages se rassemblent en une sorte d'encyclopédie du verbe, comme si l'auteur avait voulu faire de ce livre une somme de la culture et du langage de notre temps. Intimidant ? Beaucoup, c'est vrai, s'y sont cassé le nez. Il faut une bonne boussole pour suivre cette longue et zigzagante (car très arrosée !) croisière dublinoise. À noter qu'une nouvelle traduction est parue, également chez Gallimard, à l'occasion du « centenaire » de 2004.

– **Molloy,** de Samuel Beckett (roman, 1951 ; Minuit, coll. « Double » n° 7, 1982). Ce livre sombre, aride, déroutant et difficile est une réflexion originale sur l'existence tragique et absurde de l'homme, qui vit parce qu'il ne peut faire autre chose et se contente de vivre dans le non-sens, parce qu'il n'y a rien d'autre à faire. Molloy préfigure admirablement le théâtre de Beckett, tout en explorant des voies propres au genre romanesque. Pour lecteurs avertis.

– **Un taxi mauve,** de Michel Déon (roman, 1973 ; Gallimard, coll. « Folio » n° 999, 1991). L'Irlande, ce « paysage d'avant l'homme, pur et frémissant », est l'héroïne incontestée du livre. Le narrateur, venu y chercher la solitude et les joies de la chasse à la bécasse, rencontre quelques personnages étranges entre lesquels va se jouer un psychodrame fait de tensions, d'envies et de jalousies.

– **Le Pornographe,** de John McGahern (roman, 1979 ; Presses de la Renaissance ; 10/18 » n° 2220, 1991). Un jeune professeur d'anglais écrit à ses moments perdus des textes obscènes pour une revue de pornographie médiocre. Les quelques scènes érotiques inventées par le narrateur sont osées (le roman fut censuré dès sa sortie), mais dissimulent en réalité la banalité et la morosité de l'existence du personnage. John McGahern (1934-2006) est l'un des plus grands romanciers irlandais. Il a écrit notamment Lignes de fond, L'Obscur, La Caserne, Entre les femmes...

– **La Légende d'Henry Smart,** de Roddy Doyle (roman, 1999 ; Denoël ; 10/18 n° 3444, 2002). Ça commence comme du Dickens dans la misère la plus sordide des faubourgs de Dublin, au début du XX° s. Le petit Henry Smart rencontre ensuite l'Histoire (encore adolescent, il est présent dans la Grande Poste de Dublin en 1916) et se forge un destin. Par l'auteur de la trilogie de Barrytown (The Commitments, The Snapper, The Van, Robert Laffont, coll. « Pavillons », 2009), adaptée pour le grand écran.

– **Eureka Street,** de Robert McLiam Wilson (roman, 1999 ; Christian Bourgois ; 10/18 n° 3047). Belfast la belle, Belfast la tendre, Belfast la meurtrière, et plein de personnages qui tentent de vivre dans cette ville. Il y a Roche, le gavroche des rues, Chuckie, l'un des trois nouveaux milliardaires que compte l'Irlande par semaine, Jake, le héros malgré lui, à la recherche de l'amour... Belfast est ici décrite avec beaucoup d'humour et sans concessions.

– *Tu ne tueras point,* d'Edna O'Brien (roman, 1996 ; Fayard ; LGF, coll. « Biblio », 1998). Comme McGahern, Edna O'Brien excelle à dépeindre l'Irlande profonde où le tragique naît souvent du silence, du non-dit, du renfermement. Inspiré d'une réelle histoire d'inceste, le roman d'Edna O'Brien, avec sa narration elliptique, ses courts chapitres, transmet une émotion absolue. Parmi les nombreux autres romans de cette romancière originaire du comté de Clare, *Décembres fous* (10/18 n° 3623), qui raconte un autre drame rural issu d'une banale querelle de voisinage.

– *À l'irlandaise,* de Joseph O'Connor (roman, 1999 ; Robert Laffont ; 10/18 n° 3189, 2003). Par un jeune romancier talentueux, par ailleurs frère de Sinead O'Connor, le récit douloureux de la quête d'un père à la recherche de l'agresseur de sa fille. Sur fond de violence dublinoise, une approche paradoxale du pardon. Lire également *Inishowen* (roman ; Phébus, 2001). La rencontre d'un flic usé et d'une New-Yorkaise minée par la maladie qui convergent vers le Donegal, plus précisément vers la presqu'île d'Inishowen. Un peu facile parfois (le pathos...), mais efficace.

– *L'Impasse,* de Gene Kerrigan (roman, 2011 ; Gallimard ; Série noire). Dave Callaghan, qui a connu la prison et souhaite se réinsérer, se retrouve mêlé malgré lui au combat sans pitié de deux chefs de la pègre de Dublin. Sur fond de crise, un polar dans lequel l'humanité tente de faire face à la violence aveugle.

– *Les Fantômes de Belfast,* de Stuart Neville (éd. Rivages 2011). Belfast 1998, après les accords du « Vendredi saint ». Gerry Fagan, un paramilitaire hanté par les crimes qu'on lui a fait commettre au nom de la « cause », commence une impitoyable vendetta en s'attaquant à ses camarades. Un polar sans complaisance aucune.

– *Mon traître,* de Sorj Chalandon (roman, 2008 ; Grasset ; LGF, Le Livre de Poche n° 31457, 2009). Un Français, qui s'est pris de passion pour la cause républicaine, doit faire l'amère expérience de la trahison : son héros était un mouchard au service des Anglais. Inspiré par une histoire véritable. *Retour à Killybegs* (roman, 2011 ; Grasset ; Le Livre de Poche 2012) reprend le même thème, mais du point de vue du traître. On suit le parcours du jeune militant pétri d'idéaux et son recrutement par l'IRA, où il gravit rapidement les échelons jusqu'à l'événement tragique qui va le contraindre à la trahison. Après une vie de honte et d'angoisse, il est dénoncé par ceux qui l'avaient acculé à la faute et revient dans son village natal attendre la vengeance de ses anciens amis. Une plongée en apnée édifiante dans l'univers sombre et impitoyable de la lutte clandestine.

Récits de voyage

– *Deux vagabonds en Irlande,* de Bernard Pouchèle et Pierre Josse (textes et photos, 1998 ; Terre de Brume). Un superbe album de photos noir et blanc. Paysages d'ailleurs, visages burinés et malins, enfants terriblement joueurs, le tout saupoudré de bribes d'histoires tragiques et émouvantes. Une Irlande insolite, âpre, sans apprêt, résolument hors des sentiers battus. Une histoire d'amour qui s'étale sur 25 ans, montrant certains aspects d'une Irlande presque disparue aujourd'hui, alors qu'une nouvelle surgit à l'aube du IIIe millénaire... Avec des commentaires pleins d'humour, parfois délirants, des dérives littéraires souvent décalées, des textes poétiques de Bernard Pouchèle, grand chemineau devant l'Éternel ; et des photos de Pierre Josse, arpenteur forcené des *bogs* et des sentiers détrempés de l'Irlande. Préface d'Hervé Jaouen.

– *Journal d'Aran et d'autres lieux,* de Nicolas Bouvier (feuilles de route, 1990 ; Payot, coll. « Petite Bibliothèque. Voyageurs » n° 155, 2001). Chronique d'un séjour à Aran, remarquable de réalisme et de poésie, par l'un des plus grands écrivains routards.

– **L'Irlande dans un verre (McCarthy's Bar),** de Pete McCarthy (2003 ; Hoëbeke, coll. « Étonnants Voyageurs »). De pub en pub, l'errance d'une sorte de routard à l'anglo-saxonne qui va du comté de Cork à celui de Donegal en passant par le Connemara. Une bien belle balade.

– **Voyage au pays des Travellers,** de Guillaume Thouroude (Cartouche, 2012). Même si son auteur en parle comme d'un « petit ouvrage d'ethnologie précaire », on est loin d'un traité savant : dans une forme proche de celle du récit de voyage nous est contée la découverte d'une minorité sociale très particulière, celle des Travellers (voir la rubrique « Population » dans « Hommes, culture, environnement »), qui conduit, en fin de compte, à la découverte d'une autre Irlande, dont ne parlent pas les guides...

Récits autobiographiques

– **L'Homme des îles,** de Tomás O'Crohan (autobiographie, 1937 ; Payot, coll. « Petite Bibliothèque. Voyageurs » n° 195, 2003). Écrit en gaélique, ce livre est l'œuvre d'un simple pêcheur et paysan des îles Blasket (une poignée d'îlots à l'extrême pointe ouest de la péninsule de Dingle, dans le Kerry), évacuées dans les années 1950 sur ordre du gouvernement parce que la vie y était trop difficile. O'Crohan (1856-1937) porte témoignage de cette vie à la charnière des XIXe et XXe s, avec un talent hérité d'une longue lignée de conteurs anonymes.

– **Un peuple partisan,** de Brendan Behan (récit autobiographique, 1958 ; Gallimard, coll. « Du Monde Entier », 1996). Ce livre relate l'expérience pénitentiaire de l'auteur, qui fut condamné à l'âge de 16 ans pour actes « terroristes » – il faisait partie de l'IRA – et resta emprisonné de 1939 à 1942. Au travers de sa propre histoire, c'est le peuple d'Irlande, frondeur, bavard, hâbleur, épris de liberté, amoureux de la vie, qui est évoqué.

Quelques maisons spécialisées et autres titres à lire

– **Les éditions Terre de Brume** (● terredebrume.com ●) éditent une collection, « La Bibliothèque irlandaise ». Citons, au hasard, *Le Pot d'or* de James Stephens et *Le Seigneur de la montagne* de Walter Macken. De ce denier également, *Les Enfants de la pluie et du vent* et *La Quête de belle terre,* ou l'histoire hallucinante des massacres de Cromwell en Irlande et de leurs conséquences sur le peuple irlandais. Walter Macken, après le magnifique recueil de nouvelles *Et Dieu fit le dimanche*, nous livre ici une belle tranche de rêve, une leçon d'espoir pour l'Irlande. Mettre dans son sac *Les Îles d'Aran* de Synge, un classique, ainsi que *L'Homme tranquille* de Maurice Walsh (le livre qui inspira le film de John Ford) et *Deirdre* de James Stephens (une des plus belles histoires d'amour jamais écrites). Enfin, trois polars ébouriffants : *Belfast Blues* et *Doublé à Dublin* de Richard Deutsch, ainsi que *Neige sur Galway* de Maurice Goldring. Signalons aussi la réédition d'un classique, *Le Mouchard* (2003), de Liam O'Flaherty, adapté au cinéma par John Ford à la fin des années 1930. Dans le Dublin des années 1920, la dernière journée d'un homme perdu, qui a dénoncé, pour 20 £, un ancien camarade de lutte.

– **Aux éditions 10/18,** entre autres, *Coups du sort,* de William Trevor (n° 3018), *Le Chant du coyote,* de Colum McCann (n° 2799), *Tarry Flynn,* de Patrick Kavanagh (n° 3237), *Chimères,* de Nuala O'Faolain (n° 3934).

– Pêle-mêle, sur l'**histoire** : *Les Irlandais,* de Seán O'Faolain (Coop Breizh), encore un important auteur irlandais né en 1900 et mort en 1990. De J. Guiffan, *L'Irlande contemporaine de A à Z* (éd. Armeline, 2001). Dans la collection « Nations d'Europe » chez Hatier, l'excellente *Histoire de l'Irlande,* toujours de J. Guiffan, et l'ouvrage plus récent *La Question d'Irlande* (éd. Complexe, 2006) du même auteur. *La Résistance irlandaise,* de R. Faligot (éd. Terre de Brume).

– Et enfin, dans le même domaine, par le plus grand spécialiste français de l'Irlande : **Histoire de l'Irlande et des Irlandais,** par Pierre Joannon (Perrin, 2005).

Presque obligatoire à tout amoureux de la verte Érin. Une véritable somme d'une rigoureuse précision. En même temps, d'une lecture aisée et passionnante, avec un épilogue d'une fort subtile clairvoyance !
– Deux autres merveilleux *classiques* de la littérature irlandaise : *Insurrection* et *Famine,* de Liam O'Flaherty, et *Une enfance irlandaise,* de Seán O'Casey (Le Chemin Vert).
– *Les ouvrages d'Hervé Jaouen (Ouest-France) :* Journal d'Irlande, l'un des ouvrages donnant l'image la plus authentique de l'Irlande ! *Chroniques irlandaises,* un émouvant état des lieux dans l'histoire d'amour entre l'auteur et la verte Érin ; *D'un comté, l'autre,* une balade à la découverte des plus beaux sites, avec plein de conseils pratiques pour organiser son voyage.

MAGASINS

Les boutiques sont ouvertes en général de 9h ou 10h à 17h30 ou 18h. Dans les villes, le jeudi ou le vendredi sont les soirs de « nocturnes », le plus souvent jusqu'à 20h. De plus en plus de magasins ouvrent le dimanche après-midi, à Dublin et à Galway notamment. Épiceries, marchands de journaux et supermarchés ouvrent parfois le dimanche matin. En Irlande du Nord, le dimanche est journée morte.

MESURES

La république d'Irlande est théoriquement convertie au système métrique, mais pas l'Irlande du Nord. Alors, sachez que :

1 inch	2,54 cm
1 foot	30,5 cm
1 yard	0,91 m
1 mile	1,6 km environ
1 pound (livre)	0,45 kg
1 pint	0,57 l
1 gallon	4,54 l
1 ounce (oz)	28 g
1 acre	0,4 ha

PHOTO

Les effets de nuages sont rarement maîtrisables. Bravo si vous arrivez à photographier un phénomène peu ordinaire, observable sur les collines, le *brocken spectre* : vous êtes sur une crête, vous avez un nuage en face et le soleil derrière vous. Votre ombre se projette, agrandie sur le nuage, tel un fantôme immense entouré par le halo d'un arc-en-ciel. Curieusement, si deux personnes sont côte à côte à ce même moment, aucune ne peut percevoir l'ombre de son voisin !

POSTE

– Les bureaux de poste sont ouverts du lundi au vendredi de 9h à 17h30 et parfois le samedi de 9h à 17h pour des bureaux importants (9h-13h en Irlande du Nord).
– Selon une vieille tradition irlandaise, le bureau du village est encore souvent implanté au fond de l'épicerie, surtout dans les campagnes reculées. La tradition se perpétuant de nos jours, il n'est pas rare, dans les villes moyennes, de trouver

des timbres à vendre dans l'enceinte d'un supermarché ! On a même vu (à Clonakilty, dans le Sud) une poste cachée dans une église !
– Une carte postale ou une lettre vers l'Europe vous coûtera 0,90 € en république d'Irlande et 0,87 £ en Irlande du Nord.
– Poste restante... dans tous les bureaux principaux. Pour être sûr, visez le chef-lieu de comté !

POURBOIRES

L'usage du pourboire s'est raréfié en Eire, mais personne ne vous en voudra si vous laissez 10 % de plus dans un restaurant ou un taxi. La plupart du temps, le service est déjà inclus dans l'addition. En Irlande du Nord, un pourboire de 6 à 10 % est automatiquement ajouté pour les groupes (parfois dès cinq personnes).

RANDONNÉE

Softy day, windy day : avant de partir randonner en Irlande, vous avez intérêt à connaître les nuances subtiles de la météo. Bien sûr, il pleut en Irlande, mais les rapides changements de temps permettent des éclaircies aux éclairages sublimes. Et l'Irlande reste le paradis des randonneurs. Et puis, la pluie, c'est un bon prétexte pour s'abriter dans les pubs. Enfin, les *B & B* sont nombreux tout au long du parcours. Un conseil : prévenez la veille de votre lever matinal (c'est-à-dire si vous voulez le breakfast avant 9h) et demandez à votre charmante hôtesse de remplir votre Thermos de thé chaud pour la journée. N'oubliez pas chaussures montantes et chaussures de rechange pour le soir, voire chaussures irlandaises en plastique. Ayez toujours un coupe-vent, ainsi que deux paires de chaussettes pour la traversée des tourbières. Mieux vaut emporter une boussole. Avec ces quelques précautions, vos randonnées irlandaises feront partie de vos meilleurs souvenirs. D'une manière générale, le balisage des sentiers est assez aléatoire. Le mieux est de vous procurer un guide de randonnée pour la région qui vous intéresse et de partir avec une carte *Discovery Series* au 1/50 000, où figurent la plupart des sentiers pédestres, y compris ceux qui ne sont pas balisés. Il est conseillé de se renseigner à l'office de tourisme du coin pour connaître le dernier balisage des sentiers à suivre, car celui-ci change parfois (panneaux arrachés, cairns – petits monticules de pierre – déplacés, etc.). Enfin, en Irlande, le randonneur doit avoir l'esprit « montagnard » et non pas « baladeur ». Les conditions atmosphériques d'altitude sont au moins à doubler : 600 m irlandais correspondent à plus de 1 200 m en montagne française.

Grande randonnée

De nombreuses grandes randonnées (signalées par des panneaux représentant un petit homme jaune, le *Walking Man*) vous sont proposées, une trentaine en Eire et l'*Ulster Way* en Irlande du Nord. Une documentation de base (en français et en anglais) peut être obtenue auprès des offices de tourisme (voir plus haut « Avant le départ »). Une documentation très complète peut être demandée à l'avance.

Pour la république d'Irlande (Eire)
■ *The National Waymarked Ways Advisory Committee :* ● getirelandwalking.ie ●

Pour l'Irlande du Nord (Ulster)
■ *Countryside Access and Activities Network :* ● walkni.com ●

Petite randonnée

Les informations sur des circuits de petite randonnée se trouvent dans les offices de tourisme ou dans les réserves naturelles, où des brochures *Scenic Walks* sont disponibles. Leurs indications vous éviteront de tomber dans un « cul-de-sac » (en anglais sur les panneaux !).

Cartes

Les cartes *Discovery Series* (au 1/50 000) destinées à la randonnée couvrent l'ensemble du territoire : il y en a 89. ● *irishmaps.ie* ● *osi.ie* ●

SANTÉ
::

– En cas de gros pépin, l'Irlande et le Royaume-Uni faisant partie de l'Union européenne, les résidents des autres pays de l'Union peuvent être traités gratuitement dans le service des urgences des hôpitaux publics, dans le Sud comme dans le Nord. Condition : avoir avec soi la carte européenne d'assurance maladie. Sinon, vous devrez avancer les frais d'hospitalisation. Demandez-la donc à votre caisse d'assurance maladie quelques semaines avant votre départ (voir « Avant le départ. Santé »).
– En cas de consultation de médecine en clinique privée, les frais médicaux sont remboursés aux assurés sociaux des autres pays de l'Union, soit à leur retour par leur caisse de rattachement (au barème en vigueur en France), soit sur place sur présentation de la carte européenne (mais ça nécessite quelques démarches dont on se passe bien lorsqu'on est en vacances !). Dans la pratique, on attend, en général, le retour au pays pour faire les papiers.

SITES INTERNET
::

● *routard.com* ● Rejoignez la plus grande communauté francophone de voyageurs ! Échangez avec les routarnautes : forums, photos, avis d'hôtels. Retrouvez aussi toutes les informations actualisées pour choisir et préparer vos voyages : plus de 200 fiches pays, une centaine de dossiers pratiques et un magazine en ligne pour découvrir tous les secrets de votre destination. Enfin, comparez les offres pour organiser et réserver votre voyage au meilleur prix. Routard.com, le voyage à portée de clic !
● *encycl-celt.chez-alice.fr* ● En français. Bonne introduction à la culture celte sans délire New Age. À découvrir notamment, sur ce site, un conte irlandais. Toujours pour découvrir la culture celte et préparer des vacances culturelles :
● *gaelport.com* ● En anglais et en gaélique.
● *eventguide.ie* ● En anglais. Pour ne rien rater de la vie culturelle irlandaise : de la soirée techno au récital de poésie médiévale, aucun événement ne vous échappera.
● *ceolas.org/ceolas.html* ● En anglais. Tout ce qui concerne la musique traditionnelle celtique. Liens vers d'autres sites si vous voulez plus de détails sur la *tin whistle*, le *bodhran,* la harpe ou la bombarde.
● *ecotourismireland.ie* ● Organisation soutenue par l'Union européenne, qui œuvre à la promotion de lieux d'écotourisme et de tourisme responsable.
● *guinness.com* ● En anglais. Des conseils de dégustation aux révélations sur la fabrication d'une des bières les plus célèbres. Pour vous faire mousser dans les discussions au pub...
Et si cela ne vous suffit pas :

● *irelandonthenet.ie* ● Un portail donnant accès à des milliers de sites irlandais, classés par catégories et thèmes. Consulter également ● *centrecultureirlandais. com* ● qui propose une multitude de liens.

STAGES

Derrière les verts paysages et les pubs se cache une riche culture. Vous pouvez vous inscrire à des stages d'archéologie, de gaélique, de littérature, de peinture, de photo ou encore de musique et de danse traditionnelles. Brochure *Cultural Programmes Ireland* à demander à l'office de tourisme de l'île d'Irlande à Paris. Tout concourt à ce qu'un séjour linguistique en Irlande soit une franche réussite : la qualité de l'enseignement et l'accueil légendaire des familles irlandaises. Large choix, du plus prudent à l'immersion complète. Activités complémentaires : tennis, golf, voile, équitation, musique, on ne peut pas tout citer. Demandez à l'office de tourisme de l'île d'Irlande, à Paris, la brochure *Apprendre l'anglais en Irlande*.

TABAC

Comme un peu partout, il est interdit de fumer dans les lieux publics. Les aéroports, les gares, mais aussi les restaurants, pubs et *hostels* sont entièrement non-fumeurs. Et la loi est respectée. Seules exceptions à cette règle : les *B & B* (considérés comme domiciles privés) et les prisons... Mais les *B & B* sont non-fumeurs dans 99 % des cas ; quant aux prisons, on espère que vous n'irez pas vérifier ! Les cigarettes sont vendues à un prix prohibitif : environ 8-9,50 € le paquet.

TÉLÉCOMMUNICATIONS

Téléphone

ATTENTION : *les indicatifs* des différentes circonscriptions téléphoniques *(area codes)* sont indiqués *en face du nom de chaque ville ou village en début de rubrique.* Il suffit donc de s'y reporter : il est nécessaire de faire précéder le numéro de votre correspondant de l'indicatif pour lui téléphoner depuis une autre circonscription téléphonique. Attention, il n'y a pas d'uniformisation nationale ; selon les circonscriptions, les numéros sont plus ou moins longs. Ainsi, si vous téléphonez dans la circonscription de Cork, vous composerez un numéro de 14 chiffres depuis la France, mais si vous téléphonez dans le comté de Mayo, à Westport, vous ne composerez que 12 chiffres. Enfin, n'oubliez pas que, lorsque vous faites un appel dans la circonscription où vous vous trouvez, vous n'avez pas à composer l'indicatif de circonscription téléphonique.
– On trouve des *cabines à pièces et à carte* un peu partout dans les rues, et les télécartes (10, 20, 50 et 100 unités) sont en vente chez tous les marchands de journaux et dans les bureaux de poste.
– Pour appeler vers l'étranger, acheter de préférence des *télécartes internationales* qui offrent de fortes réductions sur ces appels, comparativement aux cartes traditionnelles. Ces cartes peuvent aussi être utilisées pour appeler à l'intérieur du pays ; certaines permettent d'appeler depuis d'autres pays, y compris la France. Attention, il ne faut pas insérer ces cartes dans la fente de l'appareil. Ce qu'on achète, c'est en fait un numéro inscrit au dos de la carte et qui vous donne un « crédit temps ». Très pratique. La télécarte *Spirit* est l'une des plus compétitives.
– Vous pouvez utiliser le *numéro de France Direct* si vous avez la carte France Télécom, ou pour effectuer un appel en PCV vers la métropole ou vers les DOM.

La communication sera alors, selon le cas, reportée sur votre facture ou facturée à votre correspondant.
– *Les portables :* les numéros de mobiles irlandais commencent par 085 à 088. Les téléphones mobiles GSM fonctionnent dans toute l'Irlande avec un contrat spécial (contactez votre opérateur).

En république d'Irlande (Eire)

– *France → Eire* (0,22 €/mn au tarif plein et 0,12 €/mn au tarif réduit) *:* composer le 00 + 353 (indicatif du pays) + indicatif de la ville ou de la circonscription (sans le 0) + numéro du correspondant.
– *Eire → France :* composer le 00 + 33 (indicatif du pays) + numéro du correspondant (sans le 0 initial).
– *Eire → Irlande du Nord :* composer le 00 + 44 (indicatif du Royaume-Uni) + 28 + numéro du correspondant à huit chiffres. On peut aussi composer le 048 suivi du numéro à huit chiffres du correspondant.
– *Appel France Direct :* composer le ☎ *1800-551-033.*
– *Renseignements :* composer le ☎ *11* (gratuit depuis une cabine et sur le réseau GSM Eircell).
– *Tarif réduit :* toute la semaine de 18h à 8h, ainsi que les week-ends et jours fériés.

En Irlande du Nord (Ulster)

– *France → Irlande du Nord :* composer le 00 + 44 (indicatif du Royaume-Uni) + indicatif (le 28 sans le 0) + numéro du correspondant.
– *Irlande du Nord → France :* composer le 00 + 33 (indicatif du pays) + numéro du correspondant (sans le 0 initial).
– *Irlande du Nord → Irlande (Eire) :* composer le 00 + 353 (indicatif du pays) + indicatif de la ville (sans le 0) + numéro du correspondant.
– *Appel France Direct :* composer le ☎ *0800-890-033.*
– *Renseignements :* composer le ☎ *118-500* (gratuit depuis une cabine).
– *Tarif réduit :* toute la semaine de 18h à 6h, ainsi que les week-ends et jours fériés. Chacun des opérateurs en concurrence applique des tarifs spécifiques. Les radins se renseigneront sur les promotions du moment !
En Irlande du Nord, tous les numéros sont composés de huit chiffres. Quand on téléphone d'une circonscription téléphonique à une autre, on fait précéder ce numéro d'un indicatif *commun aux six comtés, le 028.* Chaque comté a plusieurs circonscriptions différentes.

Le téléphone portable en voyage

Le routard qui ne veut pas perdre le contact avec sa tribu peut utiliser son propre téléphone portable en Irlande avec l'option « Europe ». Mais gare à la note salée en rentrant chez vous ! On conseille donc d'acheter à l'arrivée une carte SIM locale prépayée chez l'un des nombreux opérateurs *(Vodafone, O2...)* représentés dans les boutiques de téléphonie mobile des principales villes du pays et souvent à l'aéroport. On vous attribue alors un numéro de téléphone local et un petit crédit de communication, généralement pour un montant de 10 €. Avant de signer le contrat et de payer, essayez donc, si possible, la carte SIM du vendeur dans votre téléphone – préalablement débloqué – afin de vérifier si celui-ci est compatible. Si besoin, vous pouvez communiquer ce numéro provisoire à vos proches par SMS. Ensuite, les cartes permettant de recharger votre crédit de communication s'achètent dans ces mêmes boutiques, ou en supermarché, stations-service, tabacs-journaux, etc. à partir de 5 €. C'est toujours plus pratique pour trouver son chemin vers un B & B paumé, réserver un hôtel, un resto ou une visite guidée, et bien moins cher que si vous appeliez avec votre carte SIM personnelle. Malin, non ?

Urgence : en cas de perte ou de vol de votre téléphone portable

Suspendre aussitôt sa ligne permet d'éviter de douloureuses surprises au retour du voyage ! Voici les numéros des quatre opérateurs français, accessibles depuis la France et l'étranger.

– *SFR :* depuis la France, ☎ 1023 ; depuis l'étranger, ▯ + 33-6-1000-1900.
– *Bouygues Télécom :* depuis la France comme depuis l'étranger, ☎ 0800-29-1000 (remplacer le 0 initial par + 33 depuis l'étranger).
– *Orange :* depuis la France comme depuis l'étranger, ▯ + 33-6-07-62-64-64.
– *Free :* depuis la France, ☎ 3244 ; depuis l'étranger, ☎ + 33-1-78-56-95-60.

Vous pouvez aussi demander la suspension de votre ligne depuis le site internet de votre opérateur.

Internet

Dans les villes, grandes ou moyennes, pas trop de problèmes pour trouver des cybercafés ou des bibliothèques municipales avec accès à Internet. Sinon, la grande majorité des *B & B* et *hostels* disposent d'une connexion internet. On peut également se connecter en wifi dans la plupart des pubs.

TRANSPORTS INTÉRIEURS

▶ Pour la carte des distances, se reporter au cahier couleur.

Le stop

Si le stop était un sport national il y a quelques années, sa pratique est devenue tout à fait exceptionnelle. Cela dit, dans certaines zones reculées où les transports en commun sont rares, rien n'interdit d'essayer. Et ça permet de faire de belles rencontres !

Les transports en commun

En Irlande, c'est le meilleur moyen de circuler : entre *Bus Eireann,* compagnies privées, train et location de vélos, on y arrive. Combiner ces différents moyens de transport peut être une bonne idée.

Le train

Réseau assez peu développé, s'étendant en toile d'araignée de Dublin vers la plupart des grandes villes, y compris celles du Nord. Assez lent (sauf sur la ligne rapide Dublin-Belfast), horaires peu respectés et plus cher que le bus (surtout les vendredi et dimanche, avec jusqu'à 50 % de majoration !). Il existe des forfaits kilométrage illimité, uniquement en 2de classe. Parfois, un aller-retour coûte moins cher qu'un aller simple. On peut aussi opter pour le *Trekker Four Day* (110 €), qui permet de voyager sur 4 jours consécutifs à partir de la date d'achat. Bien calculer son coup et acheter ses billets sur Internet, c'est moins cher. Horaires dans les gares et offices de tourisme. Pas de tarification commune (billet unique train + bateau).
Pour plus d'infos :

■ **Irish Rail :** *Connolly Station, Dublin 1.* ☎ *(00-353-1) 836-62-22.* ● *irishrail.ie* ●

■ **Northern Ireland Railways :** ☎ *(00-44) 28-90-66-66-30.* ● *translink.co.uk* ●

Le bus

– **Les compagnies nationales :** en Eire, la compagnie nationale s'appelle *Bus Eireann* ; dans le Nord, *Ulsterbus*. Des liaisons sont assurées entre toutes les villes et la plupart des villages, mais, d'une part, en dehors de l'été, beaucoup de lignes réduisent leur trafic ou ferment et, d'autre part, dans certains coins très isolés, le trajet n'est effectué qu'une fois par jour... et encore. Pour ne pas rester coincé dans un trou, se procurer les feuillets d'horaires gratuits et disponibles dans les offices de tourisme, dans les stations de bus ou affichés dans les AJ. Sinon, il y a l'*Expressway and Local Bus Timetable,* en vente dans les gares routières, qui détaille les horaires de toutes les liaisons assurées par *Bus Eireann.* Un peu encombrant mais bien utile. Dans le Nord, les horaires sont publiés par comté et sont gratuits. On rappelle que le bus est moins cher que le train. Il est aussi plus rapide et son réseau nettement plus étendu. De plus, les bus s'arrêtent, même en pleine campagne, sur un simple signe : on peut donc aller à peu près partout. Pour les villes principales, on vous donne les fréquences moyennes des liaisons.

– Les lignes locales ne sont pas aussi bon marché qu'on serait tenté de le croire, elles sont même assez chères.

– Le *Midweek Return Ticket* de *Bus Eireann* offre des tarifs réduits sur des allers-retours à condition de voyager les lundi, mardi, mercredi ou jeudi *(mid-week).*

– L'*Open Road Pass* de *Bus Eireann* permet un nombre illimité de voyages pendant 3 à 15 j. C'est une bonne solution : le billet 3 j. coûtait, en 2013, 57 € ; pour 8 j., c'était 137 € ; et pour 15 j. 249 € ; demi-tarif pour les moins de 16 ans (réduc valable pour tous les tarifs indiqués ci-dessus). Mais le système comporte certaines contraintes : par exemple, sur le billet 3 j., on indique les jours choisis, ce qui signifie qu'on ne peut voyager avec ce billet que pendant ces 3 j. sur un total de 6 j. (pour 15 j., c'est sur une période de 30 j. que les trajets doivent s'effectuer). Il ne donne pas accès aux trajets à destination de l'Irlande du Nord. En revanche, il permet de voyager gratuitement dans les bus urbains de Cork, Galway, Limerick et Waterford. Il existe une autre formule incluant l'Irlande du Nord *(Irish Rover),* coûtant (en 2013) respectivement 88, 200 et 295 €.

– Dans le Nord, les réseaux bus et train sont chapeautés par ***Translink*** *(☎ 90-66-66-30 ; infos et résas :* ● *translink.co.uk* ●*).* Avis aux cyclistes, les bus grandes lignes peuvent transporter (gratuitement) deux vélos à la fois, mais seulement après 9h30 en semaine. Premier arrivé, premier servi. Même politique pour le train, mais sans limite de nombre.

■ ***Bus Eireann :*** *Central Bus Station, Store St, Dublin 1. ☎ (00-353-1) 836-61-11.* ● *buseireann.ie* ● *(ts les horaires, prix et réduc disponibles slt sur Internet).*
■ ***Ulster Bus :*** *☎ (00-44) 28-90-66-66-30.* ● *translink.co.uk* ●

– ***Les compagnies privées :*** il existe de très nombreuses compagnies privées qui, sur les longs trajets, proposent des liaisons beaucoup moins chères que la compagnie nationale. Avant de choisir, bien comparer les différentes solutions proposées. Nous indiquons ces compagnies quand elles existent. Les offices de tourisme possèdent toujours les infos les plus à jour sur les petites compagnies. De toute façon, dans certaines régions comme le nord-ouest du Donegal, vous n'aurez le choix qu'entre des compagnies privées, car *Bus Eireann* n'assure pas de service.

Forfait autobus-train

– *L'Irish Explorer Bus & Rail :* plus intéressant que les forfaits bus seul ou train seul, il permet de voyager autant que l'on veut dans toute la république d'Irlande, en bus ou en train (sauf dans Dublin même), soit 5 ou 8 j. effectifs sur une période de 15 j. (coût en 2013 : 160 et 245 €).
On peut l'acheter dans toutes les gares en Irlande, voire dans certaines gares maritimes, ou dans n'importe quel bureau *Usit.*

Le vélo

Un excellent moyen pour visiter ce pays. L'ennui, c'est le vent. Particulièrement pervers, puisqu'on l'affronte quasiment toujours de face !

Il existe une série de cinq cartes couvrant l'Irlande, avec courbes de niveau très précises, à acheter sur place.

Le revêtement des routes étant souvent en mauvais état et les pistes cyclables n'étant rien d'autre que la bande d'arrêt d'urgence, bien gravillonnée, les jantes étroites et les pneus minces sont à prohiber. Cependant, le VTT ou le *mountain bike* ne s'imposent pas : trop lourds et finalement peu adaptés aux routes. De plus, les chemins de randonnée sont impraticables aux vélos : entre tourbières, marais et rochers, enfer garanti ! Il vaut mieux avoir un excellent vélo de randonneur.

En été, si vous ne réservez pas à l'avance, vous risquez d'être coincé, surtout dans les grandes villes (Cork, Dublin), et même dans les petites de la côte ouest. La location n'est pas très chère, mais les vélos ne sont en général pas terribles. En Irlande du Nord, c'est plutôt le contraire : bons vélos, mais hors de prix. Donc, si vous voulez visiter l'Irlande à pédales, on vous conseille d'emporter votre propre vélo. En avion, le vélo est inclus dans la limite de poids autorisé. Sinon, vous pouvez essayer la société *Raleigh Rent-a-Bike*, qui possède de nombreux magasins de location de vélos en Irlande. *(Compter un peu plus de 80 €/sem tt compris ou bien autour de 20 €/j.)* Après entente préalable, on peut laisser le vélo à un point différent de celui de location.

Si vous voulez, de temps en temps, prendre le bus et que la soute à bagages n'est pas pleine, aucun problème pour que votre engin vous accompagne. Il faut tout de même payer un supplément. Dans le train, vous êtes censé payer pour transporter votre vélo, mais personne ne le fait. Dans le Nord, c'est officiellement gratuit.

Vous verrez souvent le panneau « *Loose chippings* » : il indique que la chaussée est recouverte de petits cailloux. Soyez donc prudent quand une voiture vous dépasse. Attention aux moutons et aux vaches, parfois belliqueuses. Choisissez de prendre les petites routes, c'est tellement plus agréable même si elles sont de qualité aléatoire ! Attention tout de même, elles sont souvent étroites et elles se révèlent dangereuses (en particulier dans la péninsule de Dingle et dans le Kerry).

La voiture

Il est évident que le fait d'être autonome permet de profiter pleinement de la campagne irlandaise. À quatre, il n'est pas idiot d'envisager la location d'une voiture au moins pour 1 semaine, afin de ne pas passer à côté de certains des plus beaux sites du pays (voir « La location de voitures » un peu plus loin).

Conduire en Irlande

C'est loin d'être une partie de plaisir. Première constatation : on roule à gauche. Plus facile à dire qu'à faire. À vrai dire, on s'habitue assez vite, mais il reste toujours des réflexes dangereux, ne serait-ce que, sur une route étroite, de serrer à droite lorsqu'un véhicule débouche devant vous dans l'autre sens. Prudence, donc !

Les conducteurs sont en général assez cool au volant et, à l'inverse de chez nous, un minimum courtois. Mais le pays évolue, le trafic augmente et les chauffards sévissent, avec leur portable à la main et leur hâte d'arriver, tout en restant d'un optimisme ravageur lorsqu'il s'agit de doubler sans visibilité... Remarquez, il est si difficile de doubler qu'on les comprendrait presque. Sur une petite route, il suffit de tomber derrière un camion ou un papy qui conduit deux fois l'an, et vous êtes bon pour faire du 30 km/h pendant 100 bornes !

Autre ennui permanent : les traditionnels bouchons du centre-ville. Évitez si possible les horaires d'entrée et de sortie des bureaux, car c'est infernal !

En route, vous rencontrerez des voitures avec la lettre rouge « L » apposée sur les pare-brises avant et arrière. Elle signifie *Learner Restricted* ; autrement dit, c'est un apprenti conducteur qui est au volant. Mais en Irlande on peut faire son apprentissage tout seul, sans auto-école et sans rien demander à personne ! Il est possible, après avoir passé le code, d'acheter et de conduire une voiture pendant 2 ans (renouvelables deux fois, donc 6 ans au total). Ne vous étonnez donc pas si les « L » sont encore plus hésitants que nos « A »... Car, aussi incroyable que cela puisse paraître, ils conduisent légalement sans permis !

Limitations de vitesse

La vitesse est limitée à 50 km/h en ville et dans les agglomérations, de 80 à 100 km/h sur les routes nationales et à 120 km/h sur les autoroutes. Dans le Nord, c'est presque la même chose, mais en miles, ne confondez pas ! Donc 30 m/h en ville, 60 m/h sur les nationales et 70 m/h sur les autoroutes.

Routes

Une route irlandaise est un monde à elle seule. Elle est domaine public, donc propriété de tous. Ainsi, on y trouve des voitures qui circulent, d'autres arrêtées n'importe où (y compris dans un virage ou en haut d'une côte), des camions, des bus, des cyclo-touristes, des cyclistes locaux, des grand-mères qui papotent, des enfants qui jouent, des moutons isolés, des troupeaux de moutons, des vaches, des pêcheurs à la ligne avec leurs cannes installées sur la chaussée, des tracteurs, des poules et des nids-de-poule... et on en oublie ! Europe oblige, les distances et les limitations de vitesse sont désormais indiquées en kilomètres, excepté en Irlande du Nord (en miles). Les Irlandais rattrapent petit à petit leur retard en terme d'autoroutes (ainsi Dublin-Cork a été achevé en 2010). Également de belles 4-voies toutes neuves. Leurs accotements permettent à un véhicule lent de se déporter sur la gauche d'une ligne pointillée jaune (mais oui, à gauche, réfléchissez un peu !) pour se faire dépasser. Respectez cette règle dans la mesure du possible, l'automobiliste plus pressé que vous en sera ravi et vous fera un signe de warnings pour vous remercier, auquel vous répondrez par un appel de phares. La courtoisie sur la route, c'est bien agréable !

Essence

Les carburants, à savoir gazole et essence (sans-plomb 95, en anglais *unleaded*), sont vendus à des prix équivalents à ceux de nos régions. Attention, ils ne sont en vente que dans les stations-service (pas de pompes dans les supermarchés) et sont un peu plus chers en Irlande du Nord.

Stationnement

Si vous partez avec votre propre voiture, sachez que les parkings gratuits en centre-ville, quand il y en a (et il y en a très peu !), sont en général limités à 1 ou 2h. Le reste du temps, on doit se rabattre sur les parkings de rue ou les parkings fermés (hors de prix). Attention, le stationnement est interdit devant deux bandes jaunes parallèles. En république d'Irlande, pour le stationnement payant, il est souvent nécessaire de se procurer des *parking discs* à gratter dans les magasins les plus proches (bureaux de tabac, supérettes...) ou les offices de tourisme. Ils ne sont pas réutilisables.

Amendes

Vous risquez une amende si l'un des passagers n'a pas mis sa ceinture de sécurité ou – en Irlande du Nord seulement – si vous quittez votre voiture arrêtée sans en avoir verrouillé les portières !
Attention, l'amende pour stationnement illicite est très élevée : en Eire, c'est 40 € pour un simple défaut de ticket ! On peut la payer soit sur place (aux horaires étriqués du *town council*), soit sur Internet, une fois rentré à la maison. Quant aux stationnements gênants... méfiez-vous des sabots !

Cartes routières

Pour une exploration précise des régions, les cinq cartes routières éditées par Bartholomew sont parfaites. À ceci près que les automobilistes connaîtront quelques difficultés à s'y retrouver dans les noms des villages, lus en anglais sur la carte et

Distance entre les villes (en km)	ARMAGH	BELFAST	CORK	LONDONDERRY	DONEGAL	DUBLIN	ENNISKILLEN	GALWAY	KILKENNY	KILLARNEY	LIMERICK	ROSSLARE	SLIGO	WATERFORD	WEXFORD
ARMAGH		59	390	113	128	135	83	236	257	377	270	286	145	301	264
BELFAST	59		424	117	180	167	130	306	284	436	323	330	206	333	309
CORK	390	424		428	402	256	347	209	148	87	105	208	336	126	187
LONDONDERRY	113	117	428		69	237	98	272	335	441	328	397	135	383	378
DONEGAL	128	180	402	69		233	59	204	309	407	296	391	66	357	372
DUBLIN	135	167	256	237	233		163	212	114	304	193	153	214	163	135
ENNISKILLEN	83	130	347	98	59	163		177	231	355	248	315	66	281	293
GALWAY	236	306	209	272	204	212	177		172	193	104	274	138	220	253
KILKENNY	257	284	148	335	309	114	231	172		198	113	98	245	48	80
KILLARNEY	377	436	87	441	407	304	355	193	198		111	275	343	193	254
LIMERICK	270	323	105	328	296	193	248	104	113	111		211	232	129	190
ROSSLARE	286	330	208	397	391	153	315	274	98	275	211		325	82	19
SLIGO	145	206	336	135	66	214	66	138	245	343	232	325		293	307
WATERFORD	301	333	126	383	357	163	281	220	48	193	129	82	293		61
WEXFORD	264	309	187	378	372	135	293	253	80	254	190	19	307	61	

en gaélique sur certains panneaux indicateurs. Il est donc fortement conseillé de se procurer une carte, comme la Michelin au 1/400 000. Sinon, les plus courageux tenteront d'apprendre des rudiments de prononciation qui leur permettront, en lisant le mot gaélique, de retomber sur la transcription phonétique anglaise figurant sur les cartes.

Panneaux routiers

En république d'Irlande, les pancartes routières sont toutes en kilomètres. En Irlande du Nord, tout est en miles (multiplier par 1,6 pour avoir le nombre de kilomètres). Attention, gare aux plaisantins qui font tourner les pancartes : il n'est pas rare de se perdre à cause de joyeux drilles qui se sont fendu la poire après une soirée bien arrosée !

Distances

Les distances indiquées sont parfois assez approximatives. Une autre règle : si un endroit n'est plus indiqué, c'est qu'il faut aller tout droit... du moins en principe ! Sachez aussi que même si l'Irlande est un petit pays, on a assez vite fait une flopée de kilomètres (le tour de l'Irlande en suivant le plus possible les côtes fait ainsi dans les 2 200 km). Allez, bonne route !

En cas de problème

Voici les numéros d'assistance 24h/24 (numéros Verts, appel gratuit) réservés aux membres d'une association automobile ayant des accords de réciprocité avec :
– *RIAC (Royal Irish Automobile Club) :* ☎ *(00-353-1) 677-51-41.* ● *riac.ie* ●
– *AA (Automobile Association) :* ☎ *0818-227-228.* ● *aaireland.com* ●

La location de voitures

Moyen de transport intéressant à partir de trois personnes, car, vu le prix des transports, on s'y retrouve rapidement. À quatre, c'est l'idéal. Et puis, si vous restez 3 semaines, rien ne vous empêche de louer un véhicule pendant 1 semaine seulement, depuis Cork ou Galway par exemple, et de faire tout le Sud en bus, puisque cette partie est très bien desservie. À vous de calculer ça de près, et n'excluez pas de combiner plusieurs moyens de transport.

Conditions de location

– Le chauffeur doit avoir plus de 23 ans et posséder son permis depuis plus de 2 ans. Il arrive que certaines agences proposent la location dès 21 ans, mais elles en profitent pour multiplier par deux le prix des assurances.
– Le permis de conduire français est reconnu en Irlande, mais il ne peut servir de document d'identité ou de nationalité.
– Considérées comme un espace public, les voitures de location sont une zone non-fumeurs.

Quelques conseils

– Si possible, arriver en Irlande avec un fax du loueur, confirmant les tarifs accordés.
– Attention à certaines pratiques peu commerciales des agents des comptoirs : forcing pour faire accepter toutes les assurances, facturation abusive d'essence même lorsque le réservoir est plein à la restitution... Vérifier aussi qu'on ne vous fait pas payer deux fois certaines assurances.

Sociétés de location

Chez les grands loueurs, les locations faites à partir de France sont nettement moins chères que localement. Ils sont présents à l'aéroport.

Le site de l'organisme professionnel de la location de véhicules en Irlande est ● *carrentalcouncil.ie* ●

■ **Auto Escape :** ☎ *0892-46-46-10 (0,34 €/mn).* ● *autoescape.com* ● *Vous trouverez également les services d'*Auto Escape *sur* ● *routard.com* ● *Il est recommandé de réserver à l'avance.* L'agence *Auto Escape* réserve auprès des loueurs de véhicules de gros volumes d'affaires, ce qui garantit des tarifs très compétitifs. *Auto Escape* offre 5 % de remise sur la loc de voiture aux lecteurs du *Routard* pour tte résa par Internet avec le code de réduction « GDR14 ».

■ **BSP Auto :** ☎ *01-43-46-20-74 (tlj 9h-21h30).* ● *bsp-auto.com* ● Les prix proposés sont attractifs et comprennent le kilométrage illimité et les assurances. *BSP Auto* vous propose exclusivement les grandes compagnies de location sur place, vous assurant un très bon niveau de services. Les plus : vous ne payez votre location que 5 jours avant le départ + réduction spéciale aux lecteurs de ce guide avec le code « routard ».

■ **Atlas Car Rental :** à *l'aéroport de Dublin.* ☎ *(00-353-1) 844-48-59.* ● *atlascarhire.com* ●

■ **Eurodollar :** à *l'aéroport de Dublin.* ☎ *(00-353-1) 844-19-50.*

Les grands loueurs *(Hertz, Europcar, Avis)* peuvent s'avérer les moins chers lorsque l'on possède certaines cartes accordant des privilèges tarifaires *(Visa Premier, Gold MasterCard, Fnac).*

La moto

On rencontre assez peu de motards en Irlande, pourtant l'état des routes s'est nettement amélioré. On déconseille, si vous souhaitez partir avec votre 2-roues, les motos dites sportives ; préférez les GT et les trails-routières. De toute façon, la conduite ne sera pas de tout repos...

La roulotte

Une grosse campagne de pub a fait la promotion de ce moyen de déplacement. On s'est d'abord dit que c'était très agréable de jouer les écolos ; mais on s'est aperçu qu'il y avait énormément de servitudes. D'abord, ne comptez pas faire plus de 15 à 18 km par jour. Ensuite, vu le succès du système, les parcours sont imposés, avec des étapes obligatoires et un coût supplémentaire pour chaque stationnement nocturne.

Si vous êtes tenté, demandez à l'office de tourisme de l'île d'Irlande à Paris la brochure ; toutes les agences de location y sont mentionnées. On peut réserver une roulotte depuis la France auprès de certaines agences, mais c'est un peu plus cher. Assurance obligatoire. Consulter ● *irishhorsedrawncaravans.com* ●

Le taxi

Les taxis n'ont des compteurs que dans les grandes villes. Ailleurs, ça se négocie, de préférence avant la course ! À Belfast et à Derry, les quartiers catholiques sont desservis par des taxis collectifs *(black taxis)* créés par la population républicaine pour protester contre la suppression des lignes de bus pendant les « troubles ». Le taxi comme moyen de transport populaire !

En bateau sur le Shannon et l'Erne

Aucun permis n'est nécessaire pour louer un petit bateau habitable à moteur sur les eaux intérieures. De deux à huit couchettes très bien aménagées, avec kitchenette, lavabo, douche et w.-c. Points de départ : Carrick-on-Shannon, Portumna, Killaloe, Athlone et Belleek (Irlande du Nord). Les tarifs peuvent comprendre la semaine en bateau plus l'aller-retour en avion.

Des cartes de navigation et la liste des points de ravitaillement en fuel sont remises au départ. On peut louer du matériel de pêche et des bicyclettes pour explorer les rives.

Pour connaître toutes les possibilités, s'adresser directement à **Waterways Ireland** (● waterwaysireland.org ●) ou à **Inland Waterways Association of Ireland** (● iwai.ie ●).

URGENCES

■ **Irish Tourist Assistance Service :** 6-7, Hanover St East, Dublin 2. ☎ (01) 661-05-62 (lun-ven) et Store St (Garda Station), ☎ (01) 666-81-09 (w-e et j. fériés). ● itas.ie ● Lun-sam 10h-18h, dim et j. fériés 12h-18h. En cas de vol, de perte de papiers, d'incident grave, cette association s'occupe de vous faire refaire une pièce d'identité, un billet d'avion ou de ferry pour le retour, et apporte un vrai soutien moral aux victimes.

– En cas d'accident, s'il y a des blessés, appelez le ☎ 999 ou le ☎ 112.
■ Sinon, pour des raisons d'assurance, signalez votre crash à **Motor Insurers Bureau of Ireland** : 39, Molesworth St, Dublin 2. ☎ (01) 676-99-44. Fax : (01) 676-11-08. ● mibi. ie ● Ils se chargent de faire l'intermédiaire entre votre assurance et celle des autres protagonistes de l'accident.

Tous ceux qui ont eu l'occasion de visiter l'Irlande le savent : les Irlandais cultivent naturellement le plaisir de l'accueil, de la conversation et de la découverte d'autrui.

Toutefois, avec l'enrichissement rapide de ces dernières années, les mentalités ont changé. Tous les Irlandais vous le diront : le mercantilisme tient désormais lieu de philosophie collective. Dans ce pays où la vie est chère, le culte du paraître est une manière de montrer qu'on a réussi. Heureusement, l'âme celtique a beau avoir ses faiblesses, elle n'est pas soluble dans l'argent. Le cœur de l'Irlande bat encore, aucun doute là-dessus ! Simplement, ce n'est pas en voyageant de ville en ville que vous le découvrirez : il faudra parcourir les recoins de l'île, visiter les villages cachés et les péninsules sauvages, pour trouver, au détour d'un *Gaeltacht* (zone où l'on parle la langue gaélique), la vraie chaleur humaine de la verte Érin.

Si le pays est, malgré tout, resté autant humain, c'est sans doute parce qu'il a beaucoup souffert autrefois. Comprendre les gens sans connaître leur histoire est impossible en Irlande. Ce pays magnifique, où les paysages ressemblent à des gravures romantiques du XIX\ᵉ s, est peuplé de fantômes. Ce passé toujours présent, vous y serez confronté dès le premier pub, la première chanson, même si, dans certains milieux, on constate une volonté d'oublier et de se tourner uniquement vers l'avenir, chez les jeunes en particulier. Car c'est cela, l'Irlande d'aujourd'hui : une économie libérale en crise après avoir été florissante, un pays jeune (25 % des habitants ont moins de 15 ans) et moderne. Si la mentalité, autrefois très conservatrice, s'est assouplie, l'Irlande reste un pays de valeurs fortes, de contrastes, voire de contradictions. Le soleil brille à travers la pluie, les buveurs de bière ont de l'esprit, les ballades tristes débouchent sur des gigues déchaînées... Et si, de la plupart des contrées que l'on visite, on rapporte des souvenirs, c'est plutôt un peu de soi-même qu'on laisse en Irlande... Car, peu importe sa patrie, l'Irlande est celle du cœur.

BOISSONS

::

Que boire ?

On a dit de l'Irlande : « C'est un pays où il faut s'abstenir de tout, sauf de boire ! » Ici, de fait, la terre absorbe la pluie aussi bien que les Irlandais absorbent la bière !
– D'abord, parlons du **whiskey** irlandais. Ses laudateurs estiment que le *Scotch whisky* n'en est que le frère cadet, à l'exception de certains pur malt de plus de 20 ans d'âge peut-être, et qu'à côté du Jameson ou du Bushmills ce que font les Écossais, eh bien, c'est de la bibine ! Plus délicat, plus fruité, plus équilibré, le whiskey surprend et séduit même certains de ceux qui avaient un jour décrété leur aversion pour le whisky.

D'ailleurs, on dit ici qu'il n'est de whiskey qu'irlandais et, pour certains spécialistes en marketing de chez Pernod-Ricard (propriétaire de Jameson, entre autres), « en Jameson vit toute l'âme irlandaise ». À notre avis, les meilleurs crus parmi les plus répandus et les plus abordables : le Blackbush et, justement, le Jameson 12 ans d'âge.

La fabrication du whiskey se déroule en plusieurs étapes : tout d'abord le maltage, qui consiste à transformer l'orge en malt par la germination et le séchage. Place ensuite au brassage *(mashing)*, qui transforme l'amidon contenu dans le malt en sucres par addition d'eau chauffée à haute température. La fermentation, troi-

ORIGINE CONTRÔLÉE

C'est en Irlande que le whiskey a été inventé. Eh oui ! Saint Patrick lui-même, grand voyageur, rapporta d'Égypte au Vᵉ s un engin bizarre : l'alambic, qui servait jusqu'alors à distiller les parfums. Les Irlandais détournèrent rapidement l'engin pour une cause plus virile, la distillation à base d'orge et d'eau. À l'origine, on disait en gaélique uisce beatha *(« eau-de-vie »), devenu par altération* whiskey. *Les Écossais volèrent la recette de ce trésor « béni des dieux » et développèrent leurs industries grâce aux lois anglaises qui interdisaient aux Irlandais de distiller.*

sième étape dans l'élaboration du whiskey, consiste en la transformation du sucre contenu dans le moût *(worting)* issu du brassage en alcool *(washing)* par l'addition de levures. Vient ensuite la distillation par laquelle est extrait l'alcool du *wash* (une sorte de bière à malt) par chauffage et condensation successifs. C'est par cette opération que le whiskey, distillé trois fois, se distingue du scotch (whisky écossais qui a subi une double distillation) et du bourbon (whisky américain généralement distillé une seule fois). Le vieillissement en fût de chêne est l'ultime phase d'élaboration : la durée minimale est de 3 ans en Irlande.

– **L'Irish coffee** se prépare dans un verre ballon, préalablement rempli d'eau très chaude pour l'amener à la bonne température. On verse un tiers de whiskey, deux tiers de café brûlant sucré à la cassonade et, chapeautant le tout, de la crème fraîche qu'il faut laisser doucement couler sur le dos d'une cuillère pour qu'elle ne se mélange pas au café. On savoure lentement. Le secret consiste à très bien mélanger le sucre.

– Côté **bières**, il est bon de savoir qu'il faut un tour de main particulier pour servir le *stout* à la perfection, et les habitués n'accordent leurs faveurs qu'à quelques « tireurs ». Vous apprendrez à mesurer du doigt la qualité du breuvage : il doit être servi à la température exacte. Malheureusement, les touristes imposent de plus en plus souvent leur goût pour les bières fraîches. La mousse, bien dense, doit aussi être crémeuse, onctueuse et subsister jusqu'à la fin. Un bon truc consiste à marquer ses initiales ou à dessiner un trèfle dessus et à vérifier qu'à la dernière gorgée les traces figurent encore. Les caprices de l'histoire ont fait de l'Irlande le pays du stout, tandis que l'Angleterre devenait la patrie de la *pale ale*. Le stout a pour origine l'incendie qui ravagea la City en 1666 : le roi Charles II décida d'utiliser les orges calcinées pour la fabrication de la bière. Il fut même le premier à en boire avant d'en ordonner de larges distributions gratuites pour familiariser le peuple avec cette nouvelle saveur.

Goûtez évidemment la *Guinness,* qui est en Irlande un « monument national ». Cette soupe d'orge fermentée, extrêmement nourrissante, apparaît à certains comme une sorte de boisson divine qui tient lieu de nourriture. C'est même une véritable religion. D'ailleurs, les Irlandais aiment bien les rites, et communier à la Guinness, c'est quand même autre chose que d'aller à la messe !

Guinness, c'est d'abord le nom d'un homme, Arthur Guinness, qui décida en 1759 que son nom traverserait les siècles parce qu'il allait proposer une bière unique au monde. Il prévoyait à long terme, car lorsqu'il s'installa sur quelques ares de terrain au bord de la Liffey à Dublin, il signa un bail de 9 000 ans ! Actuellement, la *Guinness* a débordé : plus de 10 millions de verres sont servis chaque jour à travers le monde.

À Cork, et dans tout le sud-ouest du pays, les connaisseurs ont un sérieux penchant pour la *Murphy* (stout plus doux que la *Guinness*, elle-même quasi introuvable dans le Sud). Selon eux, c'est l'une des rares bières qui ne donnent pas mal au crâne. Encore que ça doit dépendre de la quantité... Un autre stout qui marche bien dans la région, la *Beamish*, un peu moins chère. Une nouvelle bière vient de faire son apparition, la *Beamish Red*, de couleur rousse comme son nom l'indique.

En fait de bière rousse, la *Smithwic's* (prononcer « Smiticks ») est très agréable avec son léger goût de caramel. Et bien que nous soyons dans un pays où la plupart des hommes préfèrent les brunes, parlons tout de même des blondes *(lager)* : l'Irlande en produit quelques-unes *(Harp, Bass)*, mais celles-ci ont (malheureusement ?) fait place à l'universelle *Heineken*, ou encore à la *Carlsberg*...

– Il existe une **liqueur** à base de quatre alcools forts et de quatre herbes aromatiques, l'*Irish mist*, assez sucrée, mais qui titre quand même dans les 36° Gay-Lussac. On peut parfois en trouver en France. En Irlande, il y en a dans presque tous les pubs. À goûter sans faute.

D'autres préféreront peut-être le *Baileys* (17°), qui est plus doux. C'est un mélange de liqueur de whiskey et de crème. La *Sheridan's* est une liqueur de vanille avec du chocolat et de la liqueur de café.

– Typique aussi, l'**Irish Flag Drink,** constitué d'une couche de crème de menthe (verte), d'une de Baileys (blanche) et d'une de brandy (orange). À boire cul sec !

– Et puis n'oubliez pas le **cidre** (notamment *Stag*). Marque la plus populaire : le *Bulmers,* qu'on trouve assez facilement à la pression.

– **Le poteen** (de *poitín* : petit pot qui servait à recueillir l'alcool) est une eau-de-vie fabriquée clandestinement en Irlande. La tradition remonte très loin, et on pense qu'au XVIIIe s, dans certains coins, une famille sur deux avait son propre alambic. On y distillait un liquide obtenu du pressage à froid de la pomme de terre et mélangé depuis plusieurs semaines à de l'eau, du sucre et de la levure. L'Angleterre tenta par tous les moyens de les interdire et introduisit même, en 1760, une loi déclarant crime toute distillation illégale. Il en résulta une augmentation notable des distilleries clandestines. Faire de l'alcool clandestin était devenu une des formes de résistance du peuple irlandais.

Aujourd'hui, dans le Donegal, le Connemara et ailleurs, on continue à faire le *poteen* par tradition, mais on n'en obtient pas en s'adressant au pub du coin. Il faut nécessairement connaître quelqu'un qui connaît quelqu'un qui... Sans pour autant être invité dans un *shebeen* (un bar clandestin), peut-être aurez-vous l'occasion un jour d'y goûter ; alors, prenez le godet d'une main et le pied de la table de l'autre, parce que c'est raide au-delà de ce que vous pouvez imaginer.

Et ne vous laissez pas abuser par le pseudo-*poteen* vendu dans les boutiques... c'est seulement pour les touristes !

CUISINE

Autrefois, on ne parlait pas de gastronomie irlandaise. Elle se cantonnait aux « fondamentaux », comme l'*Irish stew* (ragoût de mouton, plat national), aux plats simples offerts dans les pubs (appelés *pub grub,* d'ailleurs souvent bien troussés) et aux traditionnels *fish & chips*. Puis, quelques châteaux-hôtels, manoirs de campagne commencèrent à proposer une cuisine de qualité (mais élitiste et très chère). Les fastes années *Celtic Tiger* ont bien entendu changé les choses. Quelques chefs, qui avaient fait leurs classes dans les meilleures brigades européennes (notamment françaises), ont peu à peu réinventé la cuisine irlandaise en fusionnant tradition et créativité. Cette évolution a été favorisée par la variété remarquable des productions du pays. L'Irlande est devenue l'un des grands pays du fromage, des poissons et fruits de mer (savoureuses huîtres de la baie de Galway, anguilles du lough Neagh, saumon sauvage) et des belles viandes (l'agneau du Connemara, le bœuf cru fumé à la tourbe...).

Aujourd'hui, certains pubs se mettent également à jouer dans la cour des grands et offrent des plats fort bien préparés à des prix relativement démocratiques. N'hésitez pas à vous arrêter dans les auberges et pubs de campagne : les légumes viennent du potager ou de l'oncle fermier. Avec la crise économique, de leur côté, des adresses chic se sont adaptées aux circonstances et proposent de très intéressants menus « *early bird* » (grosso modo 18h-19h), où l'on a l'occasion de goûter à une très belle cuisine sans attentat au portefeuille !

Pour ceux souhaitant pique-niquer, la multiplication des marchés fermiers se révélera une véritable aubaine pour goûter les fromages locaux (le plus souvent fabriqués de façon artisanale et au goût authentique), les confitures, les produits de saison, les jus de fruits naturels, les tourtes et bons cakes des mamies locales.

Ne manquez pas de vous enquérir des dates des grands festivals gastronomiques, comme celui de l'huître de Clarenbridge (comté de Galway), celui des fraises d'Enniscorthy (comté de Wexford) ou celui de ces quatre petits ports d'Irlande du Nord (*Kilkeel, Annalong, Ardglass* et *Portavogie*), célébrant avec faste poisson et fruits de mer...

> ## FAUX AMI
>
> *Dans le menu de votre* full Irish breakfast, *vous remarquerez sans doute la proposition qui vous est faite de commencer la journée par un* white *ou un* black pudding. *Attention, il s'agit de boudin blanc ou noir ! Et pour cause : le mot anglais* pudding *dérive directement du français...* « boudin ».

– L'*Irish breakfast* traditionnel se compose en général de saucisses, d'une ou de deux tranches de bacon, de flageolets à la sauce tomate (pas toujours), d'une demi-tomate passée à la poêle et d'un ou deux œufs. Il existe différentes variantes : avec des champignons ou des *ashbrowns,* galettes de pommes de terre râpées, avec du *pudding* (sorte de boudin blanc ou noir) ou du saumon fumé. Le tout accompagné de toasts. Il paraît que c'est le meilleur remède pour faire disparaître les excès de la veille. Excellent rapport quantité-prix. En revanche, vous pouvez être certain d'avoir fait le plein de cholestérol pour la journée !

Heureusement, les *B & B* proposent d'autres formules : céréales, yaourt, porridge, fruits frais... Chez les hôtes les plus consciencieux, on trouve du pain et des *scones* faits maison, parfois aussi des confitures locales. Profitez bien de ce premier repas de la journée, ça vous permettra peut-être d'éviter le suivant et de faire quelques économies si vous avez un petit budget !

Quelques spécialités

– **Côte sud :** les boudins blancs et noirs de Clonakilty, l'agneau du Kerry, les pieds de cochon cuits ou marinés, la viande de bœuf du Tipperary et du nord de Cork, les fruits de mer et une vingtaine de savoureux fromages fermiers.

– **Côte ouest :** l'agneau du Connemara, le saumon et l'anguille fumés, les huîtres de la baie de Galway (se mariant si bien avec la *Guinness*), le miel, les myrtilles et autres baies du Burren, les saucisses parfumées aux algues marines du Mayo...

– **Côte est :** les crevettes de la baie de Dublin, le bleu du Wicklow, le mouton de montagne de la péninsule de Cooley, le fameux bœuf Hereford, le célèbre plat dublinois, le *coddle* (saucisses, petit-salé, pommes de terre et oignons).

– **Irlande du Nord :** les huîtres de Hillsborough (comté de Down), les pommes du comté d'Armagh, les anguilles du lough Neagh, le pain à la *Guinness* de Portadown, l'agneau fumé d'Enniskillen et, bien sûr, le saumon de la côte d'Antrim...

ÉCONOMIE

Les voyageurs qui connaissaient depuis longtemps la république d'Irlande (Eire) n'en revenaient pas : avant la crise financière, le PIB par habitant occupait le deuxième rang de l'Union européenne, pas loin derrière celui du Luxembourg. Tous les indices étaient au beau fixe et la richesse s'étalait au grand jour. C'est dire si l'ancien « homme malade » de l'Union européenne (16 % de chômeurs en 1993) avait fait du chemin. Le boom économique avait été tel que tout le monde avait parlé, dans les années 1990, du « miracle irlandais » et du « tigre celte ». Record en 1999, avec un pic de croissance à 11 % !

Le niveau très bas des impôts prélevés sur les entreprises avait attiré dans le pays un nombre important de sociétés de services en tout genre (centraux de réservations mondiaux d'hôtellerie, de location de voitures...), ainsi que des services informatiques et des multinationales de l'industrie pharmaceutique. C'est donc essentiellement l'explosion du tertiaire qui avait fait faire un bond à l'économie. Beaucoup d'entreprises en avaient profité, comme IBM, Apple (usine à Cork), Microsoft, eBay, Google et Yahoo.

Mais la crise financière est passée par là. L'Irlande a été le premier pays européen à entrer en récession, dès 2008, en raison de la crise des *subprimes.* La spéculation immobilière déraisonnée qui avait provoqué une flambée des prix (loyers à Dublin aussi chers qu'à Londres ou à Paris) s'est transformée en une bulle prête à éclater. Comme aux États-Unis, les Irlandais avaient emprunté de fortes sommes d'argent à taux variable et sans aucun apport personnel. Bon nombre de ménages ont donc dû vendre leur maison, et des milliers de maisons neuves, voire inachevées, attendent sagement qu'on veuille bien les acheter... En un mot, les Irlandais ont payé très cher le prix de leur insouciance.

La faillite du système bancaire a, quant à elle, été évitée de justesse (l'Irlande a dû accepter en novembre 2010 un plan de sauvetage de 85 milliards d'euros de la part de l'Union européenne et du FMI) mais le taux de chômage a explosé.

Après une politique budgétaire sévère (pas moins de cinq budgets d'austérité en 5 ans !), traduite par une diminution des salaires (publics et privés) et des prestations sociales revues à la baisse, on observe depuis 2012 un léger mieux. Certains investisseurs reviennent, séduits par un immobilier désormais à prix réduit et par les faibles taux d'imposition destinés à redresser la compétitivité du pays. Mais l'économie que l'on croyait stabilisée a de nouveau rechuté (retour de la récession et forte progression de la dette au 1er trimestre 2013).

Les Irlandais, souvent surendettés, ne consomment guère : la demande intérieure a chuté de plus de 25 % ! Pour preuve, les centres-ville où s'échelonnent de nombreux commerces vides, qui ne trouvent pas de repreneurs. Combien d'entrepreneurs investiront dans un pays sans véritable perspective pour le marché intérieur ? Quant au taux de chômage, il s'élevait encore à la mi-2013 à 14,2 %.

Le remède au chômage : l'émigration !

Les jeunes diplômés restent majoritairement sur le carreau et n'ont d'autre solution que celle de l'émigration. Un chiffre éloquent : le gouvernement a estimé que plus de 100 000 Irlandais auront quitté le pays d'ici à 2014, principalement vers le Canada et l'Australie. Sur une population de moins de 4,5 millions d'habitants, cette perte d'énergie vitale risque de laisser l'Irlande exsangue... Pas ou peu de réactions violentes ou syndicales fortes dans le pays. En 5 ans, on a compté à peine cinq manifestations d'envergure ! Il semble que cette douloureuse résignation soit à mettre surtout sur le compte du manque de mémoire ouvrière des Irlandais et, d'une certaine manière, à leur sens de la dérision et de l'humour sur la situation... Toutefois, de nombreuses actions de protestation ont eu lieu, notamment dans le cadre du mouvement « Occupy Dame Street » (c'est dans cette rue que la Banque centrale d'Irlande a son siège). Les étudiants sont à la pointe de ces actions. Beaucoup disent que les Irlandais ont connu bien des épreuves par le passé et que celle-là sera surmontée comme les autres !

ENVIRONNEMENT

Le vert est la couleur symbolique de l'Irlande, et les habitants ne s'y trompent pas : la qualité de leur environnement constitue un attrait touristique indéniable et l'agriculture est l'un des piliers économiques de l'île. Même si les forêts naturelles de feuillus (décimées presque entièrement pendant des siècles) ont cédé la place à une multitude de petits bois de résineux à vocation essentiellement commerciale, l'Irlande peut être fière de sa variété de paysages remarquables : des kilomètres de haies, des falaises (idéales pour l'observation des phoques, des dauphins et des baleines), des lagons et des milieux humides en tout genre, dont bien sûr les tourbières.

Inutile de vous frotter les yeux : si l'Irlande est truffée de palmiers et de plantes exotiques (notamment dans les parcs ouverts au public), le jardinier s'appelle Gulf Stream. En mai et juin, bruyères, ajoncs, genêts, armérias maritimes et autres fleurs sauvages égaient la campagne et les côtes maritimes. Par ailleurs, les spécialistes apprécieront le fait que 30 % des espèces européennes de lichens prennent le grand air sur l'île, ainsi qu'une multitude de mousses et de fougères.

Hormis quelques bébêtes endémiques – protégées, bien sûr –, dont une espèce de limace que l'on ne trouve que dans le Kerry (attention où vous mettez les pieds), c'est également en Irlande que l'on observe le plus grand nombre d'écrevisses et de loutres en Europe. L'île est aussi réputée pour les saumons et autres favoris à écailles des pêcheurs, les oies du Groenland (un tiers de la population mondiale fait escale aux alentours de Wexford), les râles des genêts (comment, vous ne saviez pas que le râle est un oiseau qui ressemble à une perdrix élancée, espèce menacée en Europe ?) et les sternes de Dougall. On recense pas loin de 400 espèces d'oiseaux sur tout le territoire.

Cela dit, comme dans tout pays industrialisé, la protection de l'environnement a du mal à suivre : transports saturés dans les grandes villes, pollution parfois alarmante des eaux douces, diminution inquiétante des ressources naturelles. Néanmoins, ces problèmes restent relativement limités en raison du caractère encore rural de l'île. Alors, pour que l'Irlande demeure longtemps un lieu de migration privilégié des oiseaux, un havre pour les mammifères marins et un petit paradis pour la randonnée, appliquez donc ce conseil affiché dans certaines stations balnéaires : « Prenez uniquement des photos et ne laissez sur la plage que la trace de vos pas. »

GÉOGRAPHIE

Le centre de l'île est occupé par une grande plaine couverte de lacs et drainée par le Shannon. Tout autour, des massifs montagneux quartziques ou granitiques, culminant dans le Kerry à 1 041 m (Carrantuohill). La végétation est très contrastée mais omniprésente. On ne dit pas « la verte Érin » pour rien ! Battue par le vent de l'Atlantique, la côte ouest s'avère la plus sauvage. Celle du Nord-Est est en grande partie bardée de falaises. Les tourbières recouvrent les hauteurs et quelques cirques glaciaires. Dans le Burren, mousses et arbrisseaux parviennent tant bien que mal à s'agripper à la roche nue, et on n'est pas loin de la rocaille désertique (l'eau a percé le calcaire de part en part et s'écoule en rivières souterraines !). En progressant vers l'est, on quitte le brun de la tourbe pour le vert d'arbres et de haies, pas encore assez nombreux pour former de véritables forêts. Les plaines du Centre, traversées par les fleuves, prennent souvent des allures de marécages autour des grands lacs. L'Est, à l'abri du vent, est couvert de pâturages et de petites forêts, comme dans les environs des monts Wicklow.

À signaler : aucun point de l'île n'est éloigné de la mer de plus de 96 km.

HISTOIRE

Les Celtes et les Gaëls

Le premier peuplement de l'île remonte à 7000 av. J.-C. Les Celtes n'arrivèrent de différentes parties d'Europe qu'entre le VIIe et le Ier s av. J.-C. Parmi eux, les Gaëls s'imposèrent et essaimèrent en Écosse et sur l'île de Man. N'ayant jamais connu l'invasion romaine ni les autres, la civilisation celte put se développer de façon homogène en *Hibernia* (nom latin de l'Irlande, brrr !) et présenter des traits largement spécifiques.

Les Gaëls pratiquèrent surtout l'élevage, rarement la culture. Ils construisirent peu de villes, quelques fortins seulement.

Comme il fallait bien passer le temps, les *tuatha* (petits royaumes) se faisaient la guerre. Petit à petit se dégagèrent des royaumes plus puissants dirigés par de grandes familles, tels les *Ui Neill* (O'Neill), au nord de l'île.

L'absence de religion précise et de culte réellement profond favorisa l'implantation du christianisme. Saint Patrick acheva, entre 432 et 461, l'évangélisation des Gaëls, non sans avoir – selon la tradition – débarrassé le pays de tous ses serpents. Malgré ses successeurs, pourtant, les cultes magiques et les épopées mythiques ne seront jamais tout à fait oubliés par la population.

L'âge d'or de l'Irlande

Les moines irlandais ne se contentèrent pas de construire des monastères chez eux, ils parcoururent l'Europe, afin de prêcher la bonne parole. Leur influence fut considérable. L'Irlande ayant échappé aux vagues de destructions des hordes barbares, Charlemagne fit quérir dans l'île la fine fleur de ses savants afin qu'ils enseignent dans les nouvelles écoles de son empire. Plusieurs rois européens envoyèrent leurs enfants suivre les cours des moines en Irlande, l'« île des saints et des savants ». L'âge d'or irlandais, ce fut également un épanouissement artistique considérable : l'enluminure atteignit un degré de perfection inégalé (livre de Kells). L'orfèvrerie fut remarquable. De cette époque datent les curieux et si caractéristiques motifs irlandais (entrelacs, spirales, etc.), produits de la fusion des techniques celtes et des motifs du haut Moyen Âge.

Les invasions vikings et anglo-normandes

C'est au VIIIe s que les Scandinaves commencèrent à piller l'île. Leurs raids, visant avant tout les riches monastères, entraînèrent le déclin de ces derniers, mais furent aussi à l'origine des premières villes irlandaises. Dublin devint le camp principal des Vikings, qui profitèrent évidemment du manque d'unité des petits royaumes gaëls pour s'implanter partout, sauf en Ulster, où les O'Neill étaient trop puissants. Mais c'est un chef gaël du Munster (le sud de l'île), Brian Boru, qui réussit à unifier une grande partie de l'île sous son pouvoir. Les Vikings s'inquiétèrent et organisèrent une grosse expédition contre lui. La bataille décisive eut lieu à Clontarf en 1014. Les Gaëls triomphèrent, mais Brian Boru fut tué à la fin du combat. Arrêt des grands raids scandinaves.

Profitant des rivalités entre grands chefs gaëls, les Anglo-Normands n'eurent aucun mal à conquérir l'île. En 1170, Fitzgilbert de Clare, dit Strongbow, s'empara de Dublin pour le compte de la Couronne britannique. En 1250, ils occupaient toute l'île, toujours à l'exception de l'Ulster, instituant une grande nouveauté : un gouvernement centralisé. Cependant, cette domination ne fut jamais définitivement assurée. Le gros des forces anglo-normandes guerroyait sur le continent. À défaut de pouvoir battre les Anglo-Normands militairement, les Irlandais, comme pour les Scandinaves, les... assimilèrent. À la fin du XIVe s, tout était à refaire !

L'influence de l'Angleterre se limitait à Dublin et ses environs. Le reste du pays se partageait entre grandes familles gaéliques et anglo-irlandaises (les comtes). Ces derniers persistant à se celtiser, Henry VIII (roi de 1509 à 1547) envoya quelques colons protestants en Ulster et édicta des lois interdisant l'usage du gaélique et le port du costume national. En 1563, Elizabeth Ire promulgua les Trente-Neuf Articles, listant les divergences en matière de dogme entre protestants et catholiques, et donnant prétexte à de cruelles persécutions.

> ## FILS À PAPA
>
> *Quelques patronymes irlandais très répandus (Fitzgerald, Fitzpatrick, Fitzmaurice...) remontent à la période anglo-normande. Le nom de famille de ces nobles normands venus guerroyer en Irlande était à l'origine composé d'un prénom, celui du chef du clan, précédé de « fils de » (en français dans le texte), transcrit par fitz. Pratique d'autant plus courante que, en gaélique, on procédait de la même façon pour former les noms de famille, avec Mac (« fils de ») et O' (« petit-fils de » ou « descendant de »).*

Faux espoirs et désespoir

Au cours du XVIIe s, l'Irlande vécut de sanglants événements dont les conséquences plongèrent petit à petit les populations catholiques dans le plus grand désespoir.

À la fin du XVIe s, toute l'Irlande (mais surtout l'Ulster...) se souleva derrière une puissante alliance des comtes. Malgré le renfort de troupes espagnoles, les comtes furent battus à Kinsale en 1601. En 1607, les chefs anglo-irlandais quittèrent le pays pour se réfugier sur le continent, épisode dramatique resté dans l'histoire sous le nom de « la fuite des comtes » *(Flight of the Earls)*. Dès 1603, désireux d'assurer durablement leur pouvoir, les Anglais avaient décidé d'une politique énergique et massive d'implantation de colons en Ulster. On fit venir principalement des Écossais presbytériens à qui l'on remit les terres confisquées aux catholiques. La ville de Derry fut « donnée » aux corporations de Londres, qui ajoutèrent « London » à « Derry ». Dépossédé de ses terres, le paysan catholique fut tout juste admis comme ouvrier agricole... Ainsi est né le premier apartheid... Dans le même temps, la création de Trinity College à Dublin, université interdite aux catholiques, marquait la volonté de l'Angleterre d'asseoir son hégémonie culturelle. Fin du premier acte.

L'impitoyable Cromwell

À l'occasion de la guerre civile anglaise, les paysans catholiques se révoltèrent en de violentes jacqueries, provoquant l'intervention, en 1649, du tristement célèbre Cromwell et de ses non moins tristes « Côtes de fer ». Le pays fut mis à feu et à sang, les populations massacrées, des villes mises à sac, les châteaux et les églises détruits. Cromwell avait obtenu le financement de son expédition de reconquête en promettant des terres à ses soldats et aux bailleurs d'argent. Les paysans irlandais furent rejetés dans les terres arides de l'Ouest, celles de la province de Connaught, qui sont aussi, piètre consolation, les plus belles. Cromwell ne leur laissait pas le choix : « En Connaught ou en enfer ! » Fin du deuxième acte.

Les guerres jacobites

Les querelles de succession au trône d'Angleterre, entre le catholique Jacques II et le protestant Guillaume d'Orange, rendirent espoir aux Irlandais. En 1689, Jacques II débarqua en Irlande, pour livrer bataille à Guillaume. Son armée échoua devant les remparts de Derry : après 105 jours de siège, l'arrivée des troupes de Guillaume contraignit son rival à battre en retraite. Le roi catholique vit ensuite son armée écrasée en 1690 à la décisive bataille de la Boyne (que les extrémistes orangistes célèbrent chaque année le 12 juillet) et il trouva refuge à Saint-Germain. Fin du troisième et dernier acte.

Les lois pénales

Après un siècle de colonisation britannique et de révoltes irlandaises, l'administration anglaise estima qu'il était temps de « normaliser » la situation en donnant au pays un cadre juridique. Cela se traduisit d'abord par de nouvelles confiscations de terres. Puis on édicta les iniques « lois pénales » : les catholiques n'étaient ni éligibles ni même électeurs, exclus de l'armée, des services publics, de la magistrature et de toutes les professions libérales. Les prêtres devaient prêter serment et demander l'autorisation de dire la messe. Interdiction d'enseigner le gaélique, d'acheter des terres, d'hériter d'un propriétaire protestant, de posséder un cheval valant plus de 5 £. La masse catholique devint pratiquement hors la loi. Alors naquit pour les catholiques l'« Irlande secrète ». Celle des messes clandestines et des *hedge schools,* littéralement « écoles des haies et des buissons ».

Naissance du nationalisme irlandais

S'ajoutait à ce train de mesures l'interdiction d'exporter la laine et les produits manufacturés. En cas d'exception, les produits devaient transiter par les ports anglais, où ils étaient lourdement taxés.

Mais les Anglo-Irlandais protestants, souffrant de ces mesures, en vinrent à nourrir un violent ressentiment contre la « mère patrie ». Leur parlement à Dublin possédait très peu de pouvoir. Un parlementaire – et avocat – protestant, Henry Grattan, fonda en 1759 le Parti des patriotes qui lutta pour l'abrogation des lois pénales.

Lors de la guerre de l'indépendance américaine, l'Angleterre, obligée de retirer des troupes de l'île, fut contrainte à de nombreuses concessions. En 1782, Londres dut redonner certains pouvoirs au Parlement irlandais..., qui abrogea aussi sec les lois pénales et redonna aux catholiques le droit à l'éducation et à la propriété, sans toutefois leur rendre leurs droits politiques.

Libre à nouveau de commercer, l'Irlande connut alors une relative période de prospérité. Dublin et les grandes villes du pays se couvrirent de belles demeures georgiennes et de monuments prestigieux. Restait une anomalie : un pays à 90 % catholique régi par un Parlement 100 % protestant !

Les *United Irishmen*

La Révolution française ne tarda pas à trouver un écho en Irlande. Un jeune avocat protestant, Theobald Wolfe Tone, créa le mouvement des *United Irishmen,* qui se fixait comme but l'établissement d'une législation en Irlande garantissant les libertés politique et religieuse pour tous. Les protestants conservateurs (surtout en Ulster) créèrent en réaction une organisation pour assurer leur domination : l'*ordre d'Orange* (du nom de Guillaume d'Orange, vainqueur à la bataille de la Boyne). Les rumeurs d'une reprise en main directe de l'Irlande par l'Angleterre s'amplifiant, Wolfe Tone partit chercher en France un soutien politique et militaire. En 1796, une escadre commandée par Hoche partit donc prêter main-forte aux *United Irishmen.* Malheureusement, elle ne put débarquer (voir le texte « Bantry »). En 1798, des insurrections de paysans catholiques éclatèrent, rejoints par des presbytériens d'Ulster. Hélas, après quelques succès, les rebelles, trop faiblement armés, furent battus. Wolfe Tone sollicita une nouvelle intervention française, mais elle vint trop tard (voir le texte « Castlebar »). La répression fut, une nouvelle fois, impitoyable.

En 1800, devant l'audience du Parti des patriotes et des discours légendaires de Grattan, le Premier ministre anglais William Pitt se convainquit que la seule façon de préserver la suprématie spirituelle des protestants était de rétablir l'Acte d'union avec l'Angleterre. L'année suivante, celui-ci était entériné par les parlements de Londres et de Dublin. Le Parlement irlandais fut supprimé, et le pays passa totalement sous la juridiction de l'Angleterre. Le Royaume-Uni de Grande-Bretagne et d'Irlande était né. L'Irlande fut désormais totalement intégrée au système économique anglais. N'ayant pas d'industrie, l'île devint alors le marché des produits britanniques et s'appauvrit un peu plus. La condition des paysans catholiques ne fut jamais aussi misérable. L'émigration reprit de plus belle.

Après l'échec en 1803 de la rébellion de Robert Emmet, qui essaya de s'emparer du château de Dublin, les protestants allaient disparaître en tant que moteur principal du nationalisme irlandais et laisser place aux catholiques.

Daniel O'Connell et l'émancipation des catholiques

L'abrogation des lois pénales ayant permis aux catholiques l'accès aux professions libérales dès 1782, de brillants avocats ne tardèrent pas à se révéler. Daniel O'Connell fut l'un d'entre eux.

Nationaliste convaincu mais opposé à la violence, il s'attacha à la création d'un mouvement de masse puissant (soutenu par les libéraux protestants) pour obtenir l'abrogation de l'Union, une réforme agraire, le rétablissement du Parlement d'Irlande et le droit de se présenter aux élections.

Finalement, en 1829, Londres accorda le *Catholic Emancipation Act* autorisant les catholiques à participer aux élections. Un parti irlandais allait désormais représenter plus justement l'Irlande au Parlement britannique.

O'Connell reprit le combat sur d'autres objectifs : la suppression de l'impôt dû à l'Église anglicane, puis l'abrogation de l'Union avec l'Angleterre. Orateur de talent, il rassemblait sur ces thèmes des foules énormes. L'Angleterre commença à prendre peur de ce « roi sans couronne ». En 1843, O'Connell appela à un nouveau rassemblement géant à Clontarf, aux portes de Dublin. Mais le meeting ayant été interdit, il l'annula au dernier moment, refusant l'épreuve de force et perdant de ce fait beaucoup de crédit politique. Usé, découragé, il mourut peu après.

La Grande Famine

De 1845 à 1850, le mildiou, maladie de la pomme de terre, ravagea la plupart des cultures. La famine ne tarda pas à frapper violemment, provoquant diverses épidémies. Les gens mouraient par dizaines de milliers. Pendant ce temps, le commerce avec l'Angleterre continuait tranquillement, Londres ayant refusé d'arrêter l'exportation de vivres. Lorsqu'un navire arrivait plein de victuailles pour les affamés, six bateaux lourdement chargés de blé ou de bétail quittaient les ports irlandais pour l'Angleterre. Vaguement inquiet, le gouvernement anglais fit quand même voter une loi autorisant en Irlande... les soupes populaires !

Pour permettre aux ouvriers agricoles au chômage et aux paysans ruinés de gagner quelques sous, le gouvernement anglais organisa aussi des travaux d'utilité publique consistant à dégager les pierres des champs et à monter des murets pour quelques *pence* par jour. Jusqu'à 700 000 personnes y furent employées. Quelque 300 000 autres furent hébergées dans les *workhouses* (hospices). Ne pouvant payer les fermages, de nombreux malheureux furent expulsés par la troupe. Pour les survivants, un seul espoir : les ports.

Des centaines de milliers de personnes s'entassèrent comme « fret de retour » sur des bateaux pour l'Amérique, vite surnommés *coffin boats* (« bateaux-cercueils ») à cause de l'énorme taux de mortalité à bord.

Les conséquences humaines de la famine et de l'émigration furent désastreuses : en 10 ans, la population de l'île passa de 8,5 à 6 millions d'habitants. En décimant les populations rurales, la Grande Famine détruisit davantage la langue gaélique que cinq siècles d'occupation anglaise.

Le mouvement Young Ireland et les *fenians*

Anciens supporters d'O'Connell, de jeunes révolutionnaires irlandais fondèrent en 1840 le mouvement Jeune Irlande pour reprendre le combat nationaliste. Ils créèrent un drapeau tricolore : le vert pour les catholiques, l'orange pour les protestants et le blanc au milieu symbolisant la paix entre eux (c'est aujourd'hui le drapeau national). En 1848, il n'y eut pas vraiment d'insurrection, juste quelques coups de main peu significatifs et mal préparés. La famine et l'état de misère générale ne favorisaient pas, à l'évidence, une quelconque prise de conscience ! Mais une nouvelle organisation, l'*Irish Republican Brotherhood*, fut créée à Dublin et à New York ; elle resta dans l'histoire sous le nom de *Mouvement fenian* (les *Fianna* sont les guerriers et héros des légendes gaéliques). Bénéficiant d'un soutien important aux États-Unis et d'un recrutement très populaire, elle compta rapidement plusieurs milliers de membres et improvisa deux insurrections qui échouèrent. En 1867, une campagne d'attentats frappa l'Angleterre. Trois fenians furent pendus et la plupart des dirigeants arrêtés. O'Donovan Rossa passa 15 ans en prison enchaîné, contraint de laper sa soupe à genoux.

La lutte pour le Home Rule et la réforme agraire

Gladstone, un libéral, arriva au pouvoir à Londres en 1868. Ses premières mesures furent de mettre fin à la suprématie de l'Église anglicane en Irlande, de supprimer la dîme qui lui était due et d'établir la liberté totale du culte catholique. Puis il instaura une loi timide sur les expulsions, donnant une meilleure protection aux petits métayers. Cet assouplissement encouragea les mouvements de revendication légale. En 1879, le fenian Michael Davitt fondait la Ligue agraire, afin de restituer aux Irlandais leur droit ancestral à la terre.
Auparavant, en 1870, s'était créé le *Home Rule Party* (Parti pour l'autonomie). En 1874, le parti remporta plus de la moitié des sièges irlandais au Parlement britannique. Malgré cette victoire, Londres ne fit aucune nouvelle concession.
C'est alors que les parlementaires irlandais, pour attirer l'attention sur leurs problèmes, inaugurèrent une tactique : « l'obstruction » des débats. Comme on n'avait pas le droit d'interrompre un orateur, les *home rulers* lurent à la tribune des pages entières de la Bible. Un avocat protestant, tout jeune député, passa maître dans l'exercice de cet art : Charles Stewart Parnell. Fils d'une grande famille aristocratique, éduqué à Cambridge, son cœur n'en était pas moins irlandais. Orateur hors pair, bel homme, défenseur des pauvres, président de la Ligue agraire, il ne tarda pas à devenir extrêmement populaire et fut, après O'Connell, le « deuxième roi sans couronne » d'Irlande. Face à l'agitation paysanne, Gladstone se résolut en 1881 à entamer une vraie réforme agraire et fit voter plusieurs lois autorisant la redistribution aux petits paysans de la plupart des grands domaines (on comptait 5 % de propriétaires irlandais en 1878, leur nombre atteindra 70 % avant la Première Guerre mondiale).
En 1885, le parti du Home Rule rafla tous les sièges aux élections irlandaises (à l'exception des bastions loyalistes d'Ulster), acquérant une position d'arbitre à Westminster. Parnell devint pour les conservateurs britanniques l'homme à abattre. Ceux-ci ne tardèrent pas à trouver son talon d'Achille : une liaison adultère avec la femme d'un député, Kitty O'Shea. Dans la prude Irlande, le combat devenait inégal. Déconsidéré, malade, Parnell mourut en 1891, 2 ans après le scandale.
En 1893, une loi sur le Home Rule fut enfin votée par la Chambre des communes

(mais rejetée par la Chambre des lords). C'est alors que les loyalistes protestants d'Ulster créèrent le Parti unioniste pour s'opposer au Home Rule.

Le renouveau de la culture gaélique et la création du Sinn Féin

À partir de 1884, un certain nombre d'intellectuels, écrivains, poètes mirent en avant l'aspect culturel afin de redonner une identité aux Irlandais. On assista alors à la création de la Ligue gaélique de sauvegarde de la langue, de l'Association athlétique gaélique pour promouvoir les anciens sports irlandais, et enfin de l'*Irish Literary Theatre* autour de lady Gregory et du poète Yeats. De nouveaux partis politiques apparurent, notamment, en 1905, le *Sinn Féin* (« nous seuls » en gaélique). De nombreux Irlandais se joignirent au Sinn Féin, notamment les militants de l'*Irish Republican Brotherhood* (la tradition feniane).

Après les élections générales de 1910, le vieux parti du Home Rule fut à nouveau en position d'arbitre à la Chambre des communes. Le Sinn Féin n'obtint pas les votes espérés, car les électeurs avaient jugé que la vieille stratégie du Home Rule valait quand même mieux qu'une hypothétique et lointaine indépendance ! Les unionistes d'Ulster s'organisèrent militairement au sein de l'UVF *(Ulster Volunteer Force)* pour lutter plus durement contre le Home Rule. Ce fut le célèbre cri d'Edward Carson : « *Not an inch !* » (« Pas un pouce de plus dans les concessions aux catholiques ! ») Les nationalistes irlandais répliquèrent en créant leurs propres milices armées : les *Nationalist Irish Volunteers.*

En 1914, le roi George V signa enfin le décret d'application du Home Rule... qui différait sa mise en œuvre à la fin du conflit mondial qui venait de commencer. On vous laisse imaginer la déception, immense, de la communauté nationaliste.

Mais la situation de guerre extérieure prit le pas sur les risques de guerre civile : si les protestants soutenaient sans réserve l'effort de guerre de la Grande-Bretagne, les républicains étaient partagés, et certains d'entre eux cherchèrent même l'appui de l'Allemagne. En 1916, malgré une absence de consensus parmi les chefs républicains, une insurrection éclata à Dublin. La Grande Poste fut occupée par les Irish Volunteers et la Citizen Army. James Connolly et Patrick Pearse proclamèrent la république dans une célèbre déclaration. La résistance à l'armée britannique dura une semaine, puis les rebelles durent se rendre.

Tous les chefs républicains furent fusillés, sauf Eamon De Valera, sauvé par sa nationalité américaine. La répression fut sauvage. James Connolly, blessé lors des combats, fut fusillé assis, ce qui indigna une opinion publique déjà en état de choc. Pourtant bien peu favorable à l'insurrection, elle bascula d'un seul coup de son côté. Le Sinn Féin nomma De Valera, quoique emprisonné, à sa tête. La goutte qui fit déborder le vase fut la décision gouvernementale d'étendre la conscription à l'Irlande. Résultat : aux élections générales de 1918, 73 des 105 élus à Westminster étaient membres du mouvement indépendantiste Sinn Féin.

La guerre d'indépendance

En janvier 1919, les députés du Sinn Féin refusèrent de siéger à Londres et constituèrent le Parlement libre d'Irlande, le *Dáil Eireann,* qui nomma un gouvernement présidé par De Valera, dont l'évasion venait d'être organisée par Michael Collins, chef des services secrets de l'IRA *(Irish Republican Army)*. S'ensuivirent 2 ans de guérilla contre l'armée et la police anglaises. Remarquablement organisés dans l'IRA, les républicains leur infligèrent de lourdes pertes. Londres tergiversa, semblant d'abord vouloir faire des concessions en respectant le Home Rule, puis reculant devant l'opposition véhémente des protestants d'Ulster et, pour faire bonne mesure, envoyant des régiments de mercenaires, les *Black and Tan* (parce qu'ils portaient des uniformes noir et brun dépareillés).

Finalement, en juin 1921, les deux parties furent contraintes de négocier un cessez-le-feu. Les ressources britanniques étaient épuisées par la Première Guerre mondiale, et les techniques de guérilla des républicains causaient des ravages. Le 6 décembre 1921, les négociateurs républicains (dont Michael Collins, doué d'un sens aigu du possible) signèrent un traité assez hypocrite. Les Anglais reconnaissaient la souveraineté de l'État libre sur toute l'île, mais exigeaient la création dans le Nord d'un mini-État transitoire de six comtés (à majorité protestante), à qui serait donné le droit de choisir de rester ou non membre du Royaume-Uni. Bien évidemment, dès 1922, ce droit fut utilisé, entraînant la partition de l'Irlande, votée par l'Ulster.

Lorsque le traité fut ratifié, à une très courte majorité, le pays se divisa profondément. Une grande partie de l'IRA y était opposée. Une guerre civile éclata entre pro et antitraité. Elle dura 2 ans et fit plus de victimes que la guerre d'indépendance. Les Anglais pourvurent largement en armes les troupes de « l'État libre » contre les rebelles. La répression fut très brutale. Le 27 avril 1923, De Valera appela à déposer les armes et à lutter par d'autres moyens.

Dès lors, les deux « États » connurent des destins séparés. En 1927, l'ancien Royaume-Uni de Grande-Bretagne et d'Irlande devint « Royaume-Uni de Grande-Bretagne et d'Irlande du Nord ».

Une adolescence difficile

Les *Sinn Féiners,* De Valera en tête, s'obstinèrent néanmoins à refuser de siéger au Parlement de Dublin, dont ils ne reconnaissaient pas la légitimité. Mais notre rescapé de l'insurrection de la Grande Poste prouva que l'on manque quelquefois de fusiller des gens pleins d'avenir, en devenant le personnage le plus important de l'histoire contemporaine irlandaise ! Dès 1926, il accepta de siéger au *Dáil* pour s'opposer au *Fine Gael* (« la famille des Gaëls ») favorable à la partition, divisant ainsi profondément les rangs de son propre parti. Avec l'aile la moins extrémiste, il fonda un parti républicain, le *Fianna Fáil* (« les guerriers de la destinée »), visant à stabiliser le jeune « État libre » tout en maintenant l'idée de la réunification de l'île à long terme. Il arriva au pouvoir avec les élections de 1932 et mena ensuite une longue guerre économique contre le Royaume-Uni. Au pouvoir jusqu'en 1948, il fit notamment, en 1937, voter au *Dáil* la Constitution du pays. Elle affirme en son « point 2 » que « le territoire national consiste en l'île tout entière, ses îles et ses eaux territoriales », ce qui donne une légitimité constitutionnelle à la réunification du pays.

En 1949, l'Irlande du Sud devint officiellement une république et quitta le Commonwealth. L'IRA, quant à elle, ne renonçait pas à la libération totale de l'île. Elle s'était une nouvelle fois lancée dans l'action dès 1939, lors de la *Bombing Campaign* visant les villes britanniques. Puis, à l'occasion de la *Borders Campaign* (« campagne des frontières »), de 1956 à 1962, elle inaugura une tactique consistant à attaquer les postes frontières avec l'Ulster. En 1969, tout s'embrasa à nouveau dans le Nord quand le mouvement pour les droits civiques fut réprimé (voir le chapitre « L'Irlande du Nord ») et, en 1972, Londres décida le *Direct Rule* de Westminster sur l'Irlande du Nord en dissolvant son Parlement.

LES ENNEMIS DE NOS ENNEMIS...

Les nazis tentèrent un rapprochement avec l'IRA afin d'affaiblir la Grande-Bretagne. Ils livrèrent armes et munitions à Sean Russell, un des chefs de l'IRA, afin de favoriser des attentats antibritanniques. Cette alliance fut très controversée, à tel point que la statue de Russell à Fairview Park (Dublin) est souvent souillée.

Vers l'âge adulte

Depuis 1951, régulièrement, le Fianna Fáil revient au pouvoir pour de longues périodes à l'issue desquelles il cède la place à une coalition des partis d'opposition. En particulier de 1951 à 1973, il mena une politique de redressement économique et d'ouverture aux instances internationales. L'adhésion à la Communauté économique européenne fut ainsi prononcée en 1973, préparant de profondes métamorphoses. Eh oui ! De décembre 1990 à l'automne 1997, le président de la république d'Irlande fut une présidente, Mary Robinson, mariée à un protestant, militante de longue date pour le droit à la contraception, au divorce, à l'homosexualité, à l'égalité des sexes et à l'avortement. Son septennat a vu la transformation sociale la plus profonde que l'Irlande ait jamais connue. En 1992, le traité de Maastricht a été approuvé par 70 % des Irlandais alors qu'un nouveau référendum rejetait le droit à l'avortement.

Ce deuxième résultat est là pour rappeler que le combat est de longue haleine. Pourtant, des résultats substantiels ont déjà été acquis. Les préservatifs sont en vente libre. L'homosexualité a été décriminalisée en 1993 et le divorce légalisé par le référendum de 1995. La nécessité de diminuer le nombre d'unions libres causées par l'interdiction du divorce fut un argument décisif. Toutefois, la baisse d'autorité de l'Église catholique n'est plus un tabou : les mentalités se sont vraiment modernisées (et les affaires de pédophilie dans la hiérarchie catholique ont aussi fortement contribué à décrédibiliser l'Église).

Dopée par les crédits européens, stimulée par l'appartenance à l'Union, l'Irlande a reconstruit son identité. Cette absence de complexes toute neuve a permis aux Irlandais de signer, en décembre 1993, une déclaration historique. D'une, les Britanniques admettaient de respecter le vœu de la majorité des habitants d'Irlande du Nord, si un jour ceux-ci se prononçaient en faveur du rattachement au Sud. De deux, l'Irlande acceptait de ne pas rechercher la réunification de l'île sans le libre consentement de la majorité de la population du Nord. De trois, elle confirmait, en cas de réunification, la nécessité de changements en profondeur de sa Constitution pour tenir compte de sa nouvelle minorité. Depuis, les gouvernements successifs n'ont pas dévié de cette ligne empreinte de sagesse, respectant le processus de paix et évitant la confrontation avec les républicains. En 1998, responsables politiques nord-irlandais dublinois et londoniens sont tombés d'accord sur les modalités de pacification des provinces. Un processus qui ne va pas sans mécontenter les extrémistes, mais qui a été largement adopté par la population du Nord comme par celle du Sud. Pour de plus longs développements sur la situation dans le Nord et les avancées du processus de paix, voir le chapitre « L'Irlande du Nord (Ulster) ».

En 2001, les électeurs de la république d'Irlande, eux qui avaient « reçu » de Bruxelles 230 milliards de francs entre 1972 et 2001... ont créé la surprise en refusant une première fois de ratifier le traité de Nice. Avait joué la peur de perdre leur neutralité et surtout de céder davantage de souveraineté à Bruxelles (l'Union européenne exerçant une forte pression pour que l'Irlande abandonne ses pratiques de dumping fiscal). Le second référendum a vu, lui, la victoire du « oui ».

Les élections législatives de 2002 et de 2007 ont marqué une certaine stabilité, le parti de droite au pouvoir du Premier ministre Bertie Ahern (Fianna Fáil) s'imposant avec plus de 40 % des suffrages exprimés. Mais c'est la progression historique du Sinn Féin, passant de un à cinq sièges, qui a fait sensation !

En 2007, le Fianna Fáil s'est maintenu, mais l'effondrement de leurs anciens partenaires des Progressive Democrats a contraint le parti au pouvoir à former un gouvernement de coalition avec les Verts du remuant John Gormley. En mai 2008, Bertie Ahern, mis en difficulté par des enquêtes pour enrichissement personnel, a passé la main à Brian Cowen. Homme expérimenté et consensuel, son premier geste fut de rencontrer son homologue nord-irlandais, Peter Robinson, pour signer des accords de coopération économique. Une initiative vite oubliée par la majorité des Irlandais, sévèrement touchée par la crise économique. D'autant plus qu'après avoir renfloué les principales banques du pays, le gouvernement a annoncé un plan d'austérité avec une augmentation importante des impôts sur le revenu, notamment sur les plus hauts salaires (jusqu'à + 9 %).

Élections législatives de février 2011 : un séisme politique !

Les dernières élections ont totalement changé la configuration politique de l'Eire. Le Fianna Fáil a lourdement payé la crise. Au pouvoir depuis 1987, il a connu une véritable bérézina, avec seulement 17,4 % des voix (son pire résultat depuis sa création), passant derrière ses concurrents traditionnels, le Fine Gael (centre droit) et le Labour. Le Sinn Féin, avec 10 % des suffrages, obtient 14 sièges (son meilleur score depuis 1948). Les partis de gauche (Sinn Féin, Labour et extrême gauche) obtiennent la majorité absolue à Dublin. Les Verts, victimes de leur participation au gouvernement Fianna Fáil, ont totalement disparu du champ politique.

Et d'importantes visites d'État !

En mai 2011, visite historique de la reine Elizabeth II en Irlande, la première d'un souverain britannique depuis 1922 ! Presque une provocation pour les républicains en pleine commémoration du trentième anniversaire de la mort de Bobby Sands, en mai 1981. Lui a succédé Barack Obama, qui a visité *Moneygall,* à 130 km de Dublin. Village natal de *Falmouth Kearney,* son arrière-arrière-

> ### O'BAMA
>
> *Telle est la nouvelle orthographe que certains Irlandais facétieux ont proposée en 2012 lorsque le président américain a visité* Moneygall. *Un groupe a même écrit une chanson qui dit que* « O'Bama » est « aussi irlandais que le bacon, le chou et le ragoût »... Comme un O'Hara, quoi !

arrière-grand-père maternel qui émigra aux États-Unis en 1850 suite à la Grande Famine. C'est une tradition pour nombre de présidents d'honorer, en période d'élections, leurs racines irlandaises. Kennedy, Reagan, Clinton avaient fait de même, soulignant par là le poids électoral des quelque 40 millions d'Américains revendiquant une parenté avec l'île d'Émeraude...

L'IRLANDE ET LE CINÉMA

Mais quand un œil de caméra se pose sur cette île (sauf scénario nullissime), il en sort toujours un bon film. C'est sans doute le génie des lieux et de ses habitants qui hante la pellicule. Voici quelques films célèbres, à voir avant de partir, au cinéma ou chez soi en DVD. Pour rêver...

– *L'Homme d'Aran* (britannique, 1934) *:* de Robert Flaherty. Filmée comme un documentaire, cette fiction témoigne de l'existence difficile des insulaires. La récolte du goémon, la chasse au requin à bord de *currachs* traditionnels, la pêche du haut de falaises vertigineuses sont montrées au travers de la vie quotidienne d'une famille d'Inishmore. Un brillant hommage à la patrie d'origine de Flaherty.

– *Huit heures de sursis* (*Odd Man Out* ; britannique, 1947) *:* de Carol Reed. Un militant du Sinn Féin (James Mason), grièvement blessé pendant l'attaque d'une banque visant à renflouer les finances du mouvement, erre dans un Belfast nocturne. Reed s'intéresse à la réaction de la population face à un homme blessé recherché par la police. Superbe rendu de l'atmosphère de la ville, bien que le film ait été majoritairement tourné en studio. Par exemple, on y voit Mason tenter de trouver refuge dans le célèbre pub *The Crown,* dont l'extérieur fut vraiment filmé et l'intérieur fidèlement reconstitué dans les studios.

– *L'Homme tranquille* (américain, 1952) : de John Ford. *The Quiet Man* raconte l'histoire d'un boxeur américain qui revient en Irlande, l'île de ses ancêtres. Débarqué dans son village, il achète une vieille chaumière et s'y retire. Mais il tombe amoureux d'une jeune Irlandaise dont le frère, un gros gaillard méfiant et brutal, ne l'entend pas de cette oreille. Pour pouvoir épouser sa dulcinée, notre héros devra affronter une foule d'obstacles, se sortir des pièges (la tradition, la loi du clan...), fréquenter assidûment le pub local et avoir recours à ce qu'il connaît bien, l'art de la boxe.

Le film fut tourné dans le Connemara, à Cong, et dans ces merveilleux paysages de collines et de lacs de l'Ouest. Ford engagea des acteurs américains d'origine irlandaise : John Wayne, le roi des cow-boys, et Maureen O'Hara, la plus célèbre rousse aux yeux verts que l'Irlande ait jamais déléguée à Hollywood. Malgré quelques inévitables clichés, le film est un merveilleux hommage rendu à l'Irlande par un géant du cinéma.

– *La Fille de Ryan* (britannique, 1970) : de David Lean. Avec Robert Mitchum. On y découvre les sompteux et inquiétants horizons de la péninsule de Dingle (Dingle, Stradbally, la plage d'Inch et la pointe de Slea Head). Pendant la Première Guerre mondiale, dans un village du bout du monde occupé par les forces britanniques, l'instituteur (Mitchum) épouse la fille de Ryan, le tenancier du pub local. Mais, trop absorbé par ses chères études, il la délaisse... Elle tombe dans les bras d'un officier *British* au moment où le village insurgé sort les fusils pour chasser les militaires anglais. Une passion secrète avec l'ennemi dans un contexte de révolte armée et de guerre, c'est ce qu'on appelle de la petite histoire dans la grande histoire.

– *Un taxi mauve* (français, 1977) : d'Yves Boisset. Adaptation du roman de Michel Déon. Fred Astaire, dans son taxi mauve, rythme la valse énigmatique de Philippe Noiret et de Charlotte Rampling à travers de superbes paysages, vastes et désolés, qui servent de toile de fond à cette intrigue envoûtante et fort bien ficelée. Le film fut tourné dans le Connemara, du côté de Cong, et dans la péninsule de Dingle (voir le pub *Tomasín* à Stradbally).

– *Gens de Dublin* (américain, 1987) : de John Huston. Par l'un des derniers monstres sacrés de Hollywood, adaptation risquée mais réussie de *The Dead (Les Morts),* la dernière nouvelle du recueil *Dubliners* de James Joyce. John Huston avait les deux qualités pour porter à l'écran ce texte génial : l'audace et la finesse d'analyse. Exilé pour éviter la chasse aux sorcières qui sévissait à Hollywood au début des années 1950, Huston trouva refuge près de Galway. Pour *Gens de Dublin,* Huston engagea sa fille Anjelica et l'acteur Donald McCann. Huston est mort peu de temps après la fin du tournage : il avait 81 ans ! *Gens de Dublin* est son testament cinématographique.

– *The Field* (irlandais, 1990) : de Jim Sheridan. Années 1930 : un vieux paysan (Richard Harris) au caractère pas du tout facile s'apprête à acheter aux enchères ce qu'il convoite depuis des années : le champ loué et cultivé par ses ancêtres pendant des générations et qu'il destine à son fils (Sean Bean). Totalement écrasé par son père, ce dernier rêve en secret de partir avec la fille du Traveller (une nomade !). Survient alors un Américain fortuné (Tom Berenger) en quête de racines... et donc de terre. Les premières images annoncent immédiatement la couleur (sombre). Les paysages de Leenane sont très bien filmés, et le personnage de Richard Harris est effrayant de détermination.

– *The Crying Game* (irlandais, 1992) : de Neil Jordan. Un soldat de l'armée anglaise, enlevé en Irlande par des combattants de l'IRA qui veulent l'échanger contre un des leurs, sympathise avec son geôlier. Le soldat lui fait promettre de contacter son amie si les choses tournent mal. On ne vous raconte pas la suite ! Un film surprenant sur une nouvelle de Frank O'Connor, délicatement interprété.

– *Michael Collins* (irlandais, 1996) : de Neil Jordan. Une évocation du destin d'un homme qui lutta et donna sa vie pour l'indépendance de son pays. On peut critiquer les libertés prises vis-à-vis de l'histoire, mais il n'en reste pas moins un grand film, récompensé par le Lion d'or de Venise, nous éclairant sur une période mal connue (du moins dans nos chaumières) de l'histoire irlandaise.

– **Bloody Sunday** (anglo-irlandais, 2002) : de Paul Greengrass. La reconstitution de l'engrenage infernal qui allait mener, le dimanche 30 janvier 1972, à la tragédie que l'on sait (13 morts parmi les manifestants d'une marche pacifique à Derry, en Irlande du Nord). Un film qui a valeur de document, monté en séquences courtes, sans pathos. Paul Greengrass, récompensé par l'Ours d'or du Festival de Berlin en 2002, a également produit *Omagh* (2005), sur une autre tragédie irlandaise.

– **The Magdalene Sisters** (franco-britannique, 2002) : de Peter Mullan. Émouvant hommage aux dizaines de milliers de femmes enfermées dans des centres de redressement tenus par des religieuses, véritables minibagnes. Le film raconte le destin d'une fille violée, celui d'une autre trop jolie et susceptible de provoquer le désir et d'une mère célibataire. Ces centres, créés au XIXe s, ne fermèrent qu'en 1996 ! Lion d'or à la Mostra de Venise en 2002 !

– **Le vent se lève** (*The wind that shakes the barley* ; anglais, 2006) : de Ken Loach. Dans la veine de son *Land and Freedom,* un Ken Loach historique qui retrace le parcours d'un jeune Irlandais laissant tomber ses études de médecine pour rejoindre l'IRA, au moment de la guerre d'indépendance. Un film très fort qui dénonce les atrocités commises par les troupes britanniques et la douloureuse guerre civile de 1922. Palme d'or du Festival de Cannes 2006.

– D'autres films célèbres ont été tournés en Irlande : la petite ville de Youghal a été maquillée pour figurer le port américain de **Moby Dick,** film de John Huston avec Gregory Peck, adapté du célèbre roman de Melville. Certaines scènes de **Barry Lindon,** de Stanley Kubrick, rendent hommage à la beauté de la campagne irlandaise. Même s'il ne parle pas spécialement du pays, on peut reconnaître, dans **Excalibur,** de John Boorman, des paysages ou des lieux comme le lac de Luggala et la cascade de Powerscourt dans les monts Wicklow, ou le château de Cahir dans le comté de Tipperary. Plus récemment, Mel Gibson est venu tourner **Braveheart** sur le terrain militaire du Curragh près de Kildare. Les scènes du débarquement du film **Il faut sauver le soldat Ryan** furent tournées à Curracloe, dans le comté de Wexford, et **Angela's Ashes** se passe à Limerick.

Dublin à elle seule sert de décor pour de nombreuses prises de vue : **My Left Foot, The Commitments, Au nom du père, The Boxer, Agnes Brown...**

MÉDIAS

Votre TV en français : TV5MONDE partout avec vous

TV5MONDE est reçue partout dans le monde par câble, satellite et sur IPTV. Dépaysement assuré au pays de la francophonie avec du cinéma, du divertissement, du sport, des informations internationales et du documentaire.

En voyage ou au retour, restez connecté ! Le site internet ● *tv5monde.com* ● et son application iPhone, sa déclinaison mobile (● *m.tv5monde.com* ●), offrent de nombreux services pratiques pour préparer son séjour, le vivre intensément et le prolonger à travers des blogs et des visites multimédias.

Demandez à votre hôtel le canal de diffusion de TV5MONDE, et n'hésitez pas à faire part de vos remarques sur le site ● *tv5monde.com/contact* ●

Presse, télévision, radio

Pour les accros de l'actu, on trouve facilement la plupart des journaux nationaux francophones, quotidiens ou hebdomadaires, dans les grandes villes du Sud ou dans les aéroports. On peut par ailleurs capter sur grandes ondes les stations de radio France-Inter et Europe 1, mais la qualité de réception varie selon les régions.

Par exemple, inutile d'essayer de capter dans le centre de Dublin alors que la réception est très nette en banlieue. Sinon, la radio locale Near FM diffuse des programmes de RFI tous les matins de 8h à 9h (101.6 FM).

Enfin, pour ceux qui ne sauraient se passer des chaînes de TV francophones, le satellite permet de capter toutes les chaînes. Ceux dont le niveau en anglais le leur permet peuvent regarder les chaînes britanniques (BBC 1 et BBC 2, Channel 4) ainsi que les chaînes irlandaises RTE 1, RTE 2, TV3 (chaîne privée genre TF1) et TnaG, qui diffuse des programmes en gaélique sous-titrés en anglais.

MUSIQUE

Un peu d'histoire

La musique en Irlande imprègne tous les aspects de l'existence. En témoigne la harpe, emblème traditionnel du pays. Ce n'est pas par hasard si c'est un instrument de musique mythologique, utilisé par les bardes celtes, qui a été choisi.

Les chansons se faisaient autrefois le véhicule des espoirs, des révoltes. Elles racontaient les exploits des héros de l'Irlande et se transmettaient aux quatre coins du pays. Tout y est spiritualité et poésie, et la musique y est restée très populaire. Ce sens profond de la musique, ce lien social entre les gens, cette absence totale de timidité quand il s'agit de chanter en public seront à l'origine de vos plus belles soirées irlandaises. Beaucoup de chansons ont été écrites spontanément et sont parties d'un pub. Le cas le plus célèbre est *Helicopter Song,* qui raconte l'évasion de trois dirigeants de l'IRA depuis la prison de Mountjoy... en hélicoptère ! Le soir même, leur exploit fut chanté par tout Dublin.

Si la musique traditionnelle ne s'est jamais totalement éteinte, elle n'a connu une véritable renaissance qu'au début des années 1960, avec principalement des groupes ou des chanteurs irlandais (ou écossais) émigrés à Londres. C'est l'exemple de Christy Moore qui a commencé à faire la manche à cette période dans les rues de Londres. D'autres ont suivi, comme Andy Irvine ou Donal Lunny. Le premier groupe à entrer dans les *charts* est Planxty, au tournant des années 1960 et 1970. Puis Bothy Band et Clannad, dont le style (influencé par le *progressive folk,* façon Alan Stivell, avec guitare électrique et tout) s'est également beaucoup éloigné de la musique traditionnelle pure.

Et puis il y a tous les grands anciens : Sean O'Riada, les Chieftains, Furey Brothers, Wolfe Tones et même les Dubliners. Et puis les classiques (des jeunes qui ont pris de la bouteille) comme Oisín, Davy Spillane, De Dannan (superbe *Ballroom*), Nancy Black... À signaler aussi, les Waterboys, aujourd'hui séparés, l'un des groupes folklo-rock préférés des Irlandais, Arcady, Four Men and A Dog.

Dans toute l'Irlande, vous pourrez trouver des concerts ou des *sessions* dans les pubs, mais c'est quand même dans la capitale que vous aurez le plus de chances d'écouter les meilleurs concerts.

Donner une liste de groupes ou de musiciens à voir ou à écouter remplirait facilement quelques pages. Signalons que les femmes ont pris la tête avec Sharon Shannon à l'accordéon, les Fallen Angels (cinq femmes qui chantent *a cappella*), la célèbre Enya, issue du groupe Clannad, et puis Eleanor McEvoy, une chanteuse multi-instrumentiste, qui passe sans aucun problème du classique au rock, sans oublier la musique traditionnelle. Autres groupes à ne pas manquer, un trio de chanteurs *a cappella* eux aussi, The Voice Squad, puis Fisherstreet, un groupe de musique du comté de Clare, et enfin un duo fabuleux : Steve Cooney à la guitare (remplacé par Tim Edey aujourd'hui) et Seamus Begey à l'accordéon. Par ailleurs, Altan, groupe originaire du Donegal dont les joueurs de *fiddle* (Máiréad Ni Mhaonaigh, Paul O'Shaughnessy et Ciárán Tourish) sont représentatifs du style de ce comté.

Et le meilleur pour la fin, Christy Moore, poète, inclassable, indémodable, merveilleux, un grand, quoi ! C'est LE chanteur irlandais ; essayez absolument de le voir en concert. D'ailleurs, en Irlande, tout le monde l'appelle Christy.

Citons en particulier trois superbes disques : *The Long Long Note* et, surtout, *Sunshine Dance,* tous les deux par Deiseal, un excellent groupe de musique traditionnelle, et *Angel Candles* par Máire Breatnach, compositrice et violoniste traditionnelle et classique qui a joué avec tous les plus grands.

Il serait trop long de dresser la liste de tous les musiciens d'aujourd'hui qui ont une origine irlandaise. Donnons juste un aperçu : The Cranberries, au succès mondial, avec leur chanteuse Dolores O'Riordan dont la voix rappelle celle de Sinead O'Connor (une autre très grande !), Loreena McKennitt, qui, partant du terreau familier de la côte ouest de l'île, recherche l'interpénétration des cultures musicales (par exemple celles des troubadours, de l'Andalousie et du Maroc).

Ce renouveau, consacré par l'organisation de festivals, coïncide avec un regain d'intérêt sur le plan international pour la musique celtique.

Festivals, *fleadhtha* et *seisiúin*

Si une bonne part de la vie musicale est concentrée dans les pubs, il est bien d'autres lieux où elle s'exprime. Un *fleadh* (prononcer « fla », pluriel *fleadhtha*), par exemple, est un rassemblement populaire de musique traditionnelle irlandaise. Dans les villes où ils se tiennent, les pubs ferment beaucoup plus tard c'est la folle ambiance. Pour ces soirées improvisées, les *seisiúin* (pluriel de *seisiún*, prononcer « shèshoun »), arrivez de bonne heure dans les pubs, sous peine de ne pas y trouver de place.

L'événement musical majeur en Irlande est le *All Ireland Fleadh,* final de tous les *fleadhtha* locaux, qui se tient en général l'avant-dernière semaine d'août. Il change de ville chaque année. Certaines d'entre elles sont renommées pour leur atmosphère indescriptible qui règne durant les *fleadhtha*. Citons Ennis, Buncrana, Listowel. Apportez votre duvet ou votre tente, mais il y a des chances que vous passiez au moins une nuit blanche. Allez assister aux concours entre orchestres, puis précipitez-vous dans les pubs, où les mêmes groupes vont continuer à jouer. C'est là souvent meilleur, plus chaleureux, et une part plus grande est laissée à l'improvisation sur des thèmes connus. On y retrouve les instruments traditionnels : l'*uilleann pipe,* sorte de cornemuse qui se joue assis en appuyant avec le coude au lieu de souffler dedans comme les Écossais, le *bodhran* (prononcer « bôrône »), grand tambourin fait d'une peau de chèvre tendue, sur laquelle on frappe avec un morceau de bois poli et dur, et bien sûr le violon *(fiddle)* et la flûte irlandaise *(tin whistle)*. Parfois, les instruments s'échangent. Certains participants se font une spécialité des *bones* et, à défaut des deux côtes de mouton usuelles, ils utilisent deux cuillères pour obtenir le *clickaty-clack* qui rythme les morceaux. D'autres préfèrent le *washboard,* où l'on tapote une planche à laver avec des dés à coudre. Quelque chose de vraiment étonnant, ce sont les compétitions de *whistling* et de *lilting,* où les siffleurs ou chanteurs interprètent des airs traditionnels. Il existe aussi un savoir-vivre en *session*. Il y a un ordre de passage pour lancer un morceau et rien n'est plus détestable que d'entendre un touriste, aussi bon soit-il, se lancer dans des acrobaties instrumentesques dès la fin d'un premier morceau. Il faut également savoir faire court lorsqu'on est le seul à connaître et jouer un morceau. En revanche, les Irlandais seront les premiers à vous proposer de chanter ou de jouer, ce qu'il est de bon ton de faire (en se faisant prier !). Plus c'est court, plus ça plaît !

À propos des *seisiúin,* les vraies ont lieu en hiver. En été, dans les endroits touristiques, elles sont organisées à l'avance, et deux ou trois musiciens (pas toujours les mêmes) sont payés pour former un noyau autour duquel viendront se greffer d'autres musiciens au gré de leur humeur du moment (non payés, ceux-là).

Une autre forme de rassemblement musical est le *festival* fréquenté surtout par les jeunes. Folk irlandais bien sûr, mais il s'ouvre en général à d'autres genres de musiques : blues, jazz, rock... Les festivals se déroulent généralement en pleine campagne, en plein air ou sous chapiteau, et durent 3 jours. Les plus connus : Cork (pour le jazz) fin octobre, Castlebar (pour le rock) en été, Miltown Malbay (musique traditionnelle) en juillet.

À mettre dans le sac à dos, *La Musique irlandaise* d'Erik Falc'her-Poyroux (éditions Coop Breizh). Un excellent petit ouvrage sur l'histoire de la musique irlandaise.

Le rock irlandais : une sacrée santé

Se conter et se raconter en vers est, depuis la nuit des temps, presque un réflexe conditionné chez l'Irlandais. Avec l'émigration vers le Nouveau Monde au XIXe s., les Irlandais apportèrent dans leurs bagages ce don de capter l'histoire d'un peuple. Romances, héros, scélérats, beaucoup de faits et personnages légendaires du Far West sont parvenus jusqu'à nous dans des ballades telles que celle de *Jesse James.* D'ailleurs, à l'époque, les cow-boys de souche irlandaise étaient les plus prisés par les gros propriétaires de bovins, car leurs chants mélodieux apaisaient les vaches. Et puis, en inventant le whiskey (dont dérivera le bourbon), l'Irlande a quand même désaltéré toute la musique américaine, jazz compris !

L'Irlandais est né en colère. Et, avant tout, le rock est une musique de révolte... sur trois accords. En raccourci, on peut dire que l'esclavagisme et la Grande Famine sont les sources de ce fleuve qui inonde le monde d'aujourd'hui. Si, à ses balbutiements, ce sont les Noirs qui ont monopolisé le rock au travers du blues et du rhythm'n'blues, les Blancs étaient de grands consommateurs de country & western (où la musique irlandaise entrait pour une grande part). Un beau jour, un certain Chuck Berry chanta une espèce de dérivé du country & western d'une façon si originale, grâce à sa culture noire, que le succès fut quasi instantané : le rock avait pris forme.

Et les Irlandais dans tout ça ? Eh bien, ils ont fait comme d'habitude, ils se sont exportés. Présents partout à la fois, dans le sang de Joan Baez (dont l'autre moitié est mexicaine), dans les chansons de Judy Collins et Van Morisson, avec la guitare de Rory Gallagher, pour ne citer que quelques exemples. Au début des années 1980, U2 devint le plus grand groupe mondial ; même s'ils ne portent pas vraiment l'Irlande traditionnelle dans leurs gènes, ils sont d'origine dublinoise et, à une exception près, anglo-protestants. Puis il y eut Bob Geldof avec ses *charity concerts* comme « Band Aid ».

Mais l'histoire du rock irlandais prend, au début des années 1980, un tournant décisif avec l'arrivée des Pogues. Originaires d'Irlande, ces Londoniens partent à la recherche de leurs racines. C'est le retour aux sources : les chants traditionnels sont passés à la moulinette punk. Le nom complet original des Pogues est Pogue Mahone – « Embrasse mon cul » en gaélique ; insolents, alcooliques et poètes, leur premier grand succès fut écrit par Ewan McColl : *Dirty Old Town.* Puis Shane McGowan (l'ex-chanteur) prit petit à petit les rênes créatives avec le guitariste Philip Chevron, et ça donna une suite de chansons poignantes sur l'immigration, les fantômes du passé et la difficulté d'assumer son identité irlandaise dans un monde anglo-saxon qui les méprise. Même en Irlande, leur cote était mitigée... car cet autoportrait pas toujours flatteur dérangeait. Mais les Pogues sont certainement quelque part à l'origine du mouvement des Commitments à Dublin aujourd'hui (de *to commit*, « commettre, s'engager »). S'engager, oui : à être irlandais. À rester à Dublin, à ne pas s'exporter au travers du show-biz anglo-américain... Du coup, 1 200 groupes dublinois jouent dans les pubs irlandais et enregistrent leurs disques en Irlande. Bref, l'antithèse de U2...

Quelques groupes en France

Pas nombreux, les groupes popularisant la musique irlandaise en France. Mais alors, quelle qualité musicale ! Voici, à notre humble avis, les meilleurs.

– *Trotwood :* ceux-là jouent en famille (en juillet et août, vous pourrez d'ailleurs les trouver dans la péninsule de Dingle, où ils ont vécu et donnent encore parfois des

concerts : demandez « the French people » !). Violons, contrebasse, accordéon, harpe... Pas leur pareil pour jouer la musique traditionnelle irlandaise, mais aussi des chants anglais, les madrigaux de Shakespeare, etc. On peut commander leurs CD de chansons et de musique instrumentale irlandaises sur ● trotwood.eu ●
– Taxi Mauve : ● taximauve.com ● L'un des groupes les plus anciens en France. Reconnu en Irlande, où l'on apprécie son talent et son professionnalisme. A produit un superbe CD, Far of Fields (1992).
– Celtic Hangover : ● celtichangover.com ● Irlandais et Savoyards regroupés sous une même bannière, celle du folk-rock celte. Déjà huit CD à leur actif et un DVD. Ils méritent d'être davantage connus.

MYTHOLOGIE

La mythologie irlandaise tient une place de choix dans les mythes européens. C'est la plus ancienne qui soit écrite dans la langue du peuple. Les plus anciens textes datent du VIIe s de notre ère. Le plus fameux des poèmes épiques est le Táin Bó Cuailnge, en français Le Vol de bétail de Cooley. C'est le poème fondateur de la mythologie irlandaise. On y trouve, sous forme des guerriers de la Branche rouge, l'équivalent des chevaliers de la Table ronde.
À l'époque où l'on se réunissait au coin du feu autour d'un conteur pendant les longues soirées d'hiver, la narration du Táin, agrémentée de quelques récits annexes, prenait une semaine entière ! L'histoire centrale est une guerre entre les royaumes d'Ulster et de Connaught. Fauteuse de guerre : la reine Maeve de Connaught. En bref, elle abandonne son mari, Conor, roi d'Ulster, puis épouse Eochaid avant de tomber amoureuse du petit-neveu de celui-ci, Aillil, qui tue son grand-oncle et le remplace aux côtés de la reine. Le dénommé Aillil possédant le Taureau à la corne blanche, Maeve veut être son égale en richesses et décide de dérober le Taureau brun de Cooley. Pour ce faire, elle envahit l'Ulster. Mais la morale est sauve : bien mal acquis ne profite jamais, et, une fois les deux bestiaux confrontés en Connaught, ils se combattent à mort et se tuent mutuellement.
C'est pour retarder l'invasion de l'Ulster qu'intervient le terrible guerrier Cú Chulaínn, fils du dieu-soleil Lugh, conçu pendant la nuit de noces de sa mère (sœur de Conor) et d'un guerrier de la Branche rouge. Il arrache un chêne, le noue d'une seule main et le place au milieu de la route, avec une inscription décrivant son exploit et plaçant un geis (quelque chose d'intermédiaire entre un sort et un tabou) qui intime à l'armée de Maeve de ne pas dépasser ce point sans qu'un de ses hommes n'en ait fait de même. Les hommes de Maeve échouent, et son armée doit traverser une forêt touffue qui la retarde considérablement...
Parmi les récits complémentaires figure l'une des plus belles histoires d'amour de la littérature européenne, l'une des Three Sorrowful Tales of Ireland, celle de Deirdre (« chagrin » en gaélique). Complexe et pleine de rebondissements, elle entremêle amour, prophéties, rêves, rivalités, intrigues et combats.

Zoom sur « le petit peuple » d'Irlande

Si votre brosse à dents disparaît, peut-être êtes-vous victime d'un lépréchaun. Petit lutin tout de vert vêtu, facétieux, le lépréchaun adore se divertir de son office de cordonnier des dieux en jouant les tours les plus pendables aux hommes. Cet artisan capricieux s'obstine à ne réparer qu'une chaussure par paire, mais il est très persévérant quand il s'agit de piéger les voleurs ou les avares. Gardien des trésors « elfiques », il fait apparaître et disparaître les arcs-en-ciel indicateurs de chaudrons d'or. Bref, vous l'aurez compris, mieux vaut l'avoir dans votre poche. Pour amadouer cet incorrigible gourmand, rien de tel qu'une part de tourte aux fruits, une portion de ragoût de mouton ou une tartine de fromage grillée.

PERSONNAGES

– **Gerry Adams** (né en 1948) : né à Belfast, d'origine populaire et militant républicain depuis l'enfance. Plusieurs fois emprisonné pour ses activités politiques, il est interné au sinistre camp de Long Kesh quand on vient le chercher, en hélico (excusez du peu !), pour négocier une trêve de l'IRA. Élu président du Sinn Féin en 1983, plusieurs fois député de West Belfast, mais refusant de siéger à la Chambre des communes. On dit qu'il possède une intuition, un sens politique, un art de la négociation et une capacité d'analyse des rapports de force hors pair. C'est lui qui s'est battu avec une incroyable détermination pour mettre fin à la politique abstentionniste des républicains lors des élections, lui aussi qui fut à l'origine de la victoire de Bobby Sands comme député aux Communes en 1981. On retrouve le même courage, la même obstination à convaincre les loyalistes protestants d'engager le dialogue, la même résolution pour arriver au cessez-le-feu puis pour obtenir le démantèlement de l'arsenal de l'IRA et son abandon de la lutte armée. Sans pour autant renoncer à ses convictions.

– **Samuel Beckett** (1906-1989) : le plus français des écrivains irlandais ou le plus irlandais des auteurs écrivant en français ? Son parcours commence comme celui d'un brillant rejeton d'une famille de la minorité protestante de Dublin : études de français à Trinity College, suivies d'un premier séjour à Paris comme lecteur d'anglais à l'École normale supérieure. Secrétaire de James Joyce, il se fixe en France en 1937, rompant avec sa famille et son pays, pour mener une existence matériellement difficile. C'est bien sûr son œuvre théâtrale qui lui a apporté la célébrité, assez tardivement (sa première pièce, En attendant Godot, écrite en français, est créée en 1953). Ce premier chef-d'œuvre est suivi de Fin de partie (1957) et Oh ! les beaux jours (1960), qui consacrent Beckett comme auteur phare du nouveau théâtre. Il est également l'auteur d'une œuvre romanesque inclassable. Le prix Nobel de littérature lui est justement décerné en 1969. Exilé volontaire, cet homme discret a toujours soigneusement vécu à l'écart de la scène médiatique.

– **Michael Collins** (1890-1922) : né près de Cork, c'est un héros pour les uns et un traître pour les autres. D'abord fonctionnaire à Londres, il rejoint le camp des patriotes. Membre du Sinn Féin, il prend part à l'insurrection de Pâques en 1916 pendant laquelle il se fait remarquer. Il change d'identité comme de chemise et parvient même à jouer les taupes au sein de l'armée d'occupation ! Mais, rallié à De Valera, le chef du Fianna Fáil, il change progressivement d'avis et se veut l'artisan d'un compromis avec la Grande-Bretagne qui donnerait, dit-il, « suffisamment de liberté pour parachever la liberté ». Il signe le traité de Londres en 1921. Renié par De Valera, il devient président du gouvernement provisoire. Lors de la guerre civile qui suit, il est tué par des républicains extrémistes au mois d'août 1922.

– **Seamus Heaney** (1939-2013) : le dernier en date des prix Nobel de littérature irlandais (millésime 1995). Après tout, il n'est que le quatrième de la série ! Ce poète et essayiste, né dans le comté de Derry, est issu d'une famille catholique. Après avoir étudié et enseigné à Belfast, de 1957 à 1972, il s'est finalement installé en république d'Irlande. Son œuvre, qu'on qualifie poliment d'« érudite », n'est pas des plus facile à lire : elle s'appuie sur un héritage profondément gaélique (sur ce point, la filiation de Seamus Heaney est à chercher du côté de Yeats), mais elle trouve aussi ses racines dans la dure réalité d'un pays déchiré.

– **James Joyce** (1882-1941) : il suit des études classiques et se dirige très vite vers la littérature. Mais cet Irlandais critique choisit rapidement l'exil : à 20 ans, il est à Paris, puis à Trieste où il enseigne pour assurer la subsistance des siens (en 1904, il rencontre Nora Barnacle, et deux enfants naissent en 1905 et 1907). Après 1912, il restera définitivement sur le continent, en France, en Italie ou en Suisse. Et pourtant Joyce ne parlera guère dans son œuvre que de l'Irlande, en particulier de sa ville, Dublin. Peu de villes au monde ont eu droit à un pareil hymne d'amour que Dublin dans Ulysse, un des sommets de la littérature romanesque du XXe s (voir « Livres de route » dans « Irlande utile »). Après *Ulysse,* qui pousse déjà très loin la technique d'écriture romanesque, Joyce se lance dans un projet encore plus ambitieux, aux limites de la lisibilité, *Finnegan's Wake,* auquel il consacre 15 ans de sa vie.

– *Seán McBride (1904-1988) :* son père est l'un des héros des Pâques sanglantes de 1916, fusillé avec les autres leaders de l'insurrection. Sa mère, Maud Gonne, est l'une des grandes pasionarias de la cause nationaliste, qui a enflammé le cœur de W. B. Yeats. Seán, opposé au traité de partition de l'Irlande, rejoint l'IRA, en devenant son chef d'état-major vers la fin des années 1930. Puis il se consacre à son métier d'avocat et défend les militants républicains emprisonnés. En 1946, il crée un parti nationaliste et occupe le poste de ministre des Affaires étrangères dans un gouvernement de coalition. Il est parmi les fondateurs d'*Amnesty International* en 1961 et honoré à ce titre par le prix Nobel de la paix en 1974. Toujours sur la brèche, il restera jusqu'au bout fidèle à la cause républicaine. Un très, très grand homme donc, longtemps cauchemar de la classe politique britannique. Quand il mourut, le *Daily Telegraph* titra : « Death of an Evil » (« Mort d'un démon »)...

– *George Bernard Shaw (1856-1950) :* romancier, essayiste et dramaturge, ce grand pessimiste maniant l'ironie et la dérision comme personne reçut le prix Nobel de littérature en 1925. G. B. Shaw fut d'abord marqué par son enfance pauvre à Dublin. Révolté contre l'injustice sociale, pamphlétaire dénonçant l'hypocrisie de la société victorienne, il rédige en 1884 le manifeste de la *Fabian Society.* Socialo et féministe avant la lettre, Shaw écrit de nombreux ouvrages politiques avant de devenir critique musical et dramatique. C'est au travers du théâtre qu'il se fait connaître dans le monde entier : 57 pièces en tout. Parmi les œuvres, citons *Le Héros et le Soldat,* qui tourne l'héroïsme en dérision, *La Profession de Mme Warren,* qui dénonce la prostitution, tandis que *Sainte Jeanne,* plus lyrique, juge Jeanne d'Arc comme la « femme fatale » du catholicisme. Mais c'est *Pygmalion,* sa pièce la plus célèbre, qui va crever le rideau, puis l'écran, à travers son adaptation au cinéma rebaptisée *My Fair Lady.* Aujourd'hui, ses aphorismes sont repris à la TV, au théâtre et dans certains dîners en ville. « Celui qui peut le fait, celui qui ne peut pas l'enseigne » : voilà un réel sujet de réflexion !

– *Jonathan Swift (1667-1745) :* né à Dublin, le père de Gulliver est probablement le fils non reconnu d'un notable anglo-irlandais. Ordonné prêtre, il occupe des emplois de secrétaire avant de se faire connaître comme pamphlétaire à Londres. Swift dérange. Son œuvre majeure, *Les Voyages de Gulliver* (1726), a d'abord été publiée sous un faux nom. Pas fou, Swift : il savait très bien ce que son conte philosophique pouvait faire encourir à son auteur. Cet homme d'Église, qui ne dédaignait pas écrire des textes antireligieux, a été l'homme de deux femmes : Stella, sans doute sa nièce, à qui il a écrit de nombreuses lettres, et Vanessa, dont il fut le précepteur et avec qui il vécut maritalement pendant quelque temps. Tout s'est gâté quand Vanessa a écrit à Stella avant de mourir ! Mais il se réconcilia néanmoins avec Stella. Swift a régulièrement pris parti pour l'Irlande opprimée, même s'il n'adhérait pas aux valeurs de ce pays. Sa *Modeste proposition au sujet des enfants pauvres,* acte de naissance de l'humour noir (Swift propose de faire des enfants pauvres, une fois bien nourris, un mets de choix pour les riches), est la preuve de sa profonde compassion pour les souffrances du peuple irlandais.

– *Oscar Wilde (1854-1900) :* Oscar Fingal O'Flahertie Wills Wilde, tenant plus que tout à ses origines (installé à Londres, il déclara : « *I am not English. I am Irish, which is quite another thing* »), a connu deux vies bien différentes dans sa courte existence. Auteur à succès dans différents genres (poésie, théâtre, roman), il semble promis à une brillante carrière londonienne. Mais, dans la prude société victorienne, il commet l'erreur d'attaquer en justice le père de son amant, qui avait révélé les *unnatural practices* dont Wilde se rendait coupable, selon lui, avec son fils. L'écrivain aura beau citer la Bible en se plaçant sous le patronage de David et Jonathan, rien n'y fait, il est lourdement condamné. Il effectue sa peine dans la geôle de Reading. Libéré en 1897, il est ruiné et ne peut plus espérer retrouver sa place dans la société. Exilé à Paris, il meurt d'une méningite en novembre 1900.

– William Butler Yeats (1865-1939) : né à Dublin, protestant d'ascendance anglaise, Yeats est devenu un des chantres du nationalisme irlandais, acquis à la cause à la suite de la rencontre avec l'actrice Maud Gonne. L'œuvre poétique de W. B. Yeats illustre une certaine tendance du romantisme irlandais, nourri de thèmes de l'Irlande païenne et de mysticisme. Même s'il a pu lui arriver, par périodes, de se retrancher dans sa tour d'ivoire, Yeats a donné un nouvel élan à la vie littéraire de son pays en fondant la Société de littérature nationale puis la Société dramatique nationale irlandaise, qui allait donner naissance à l'*Abbey Theatre,* creuset de la scène irlandaise. Prix Nobel de littérature en 1923, il est enterré à Drumcliff (comté de Sligo), dans la région qui a le plus inspiré sa poésie.

POPULATION

La république d'Irlande ne compte que 4,58 millions d'habitants environ dans les 26 comtés de la république (et 1,781 million dans les 6 comtés d'Irlande du Nord). Quelques chiffres : en 1841, l'île comptait 8,5 millions d'habitants ; en 1951, elle n'en comptait plus que la moitié. La Grande Famine et l'émigration avaient accompli leur œuvre... Pendant plus de 100 ans, le phénomène chronique qu'était devenue l'émigration a vidé l'Irlande de ses forces vives : le pays perdait entre 20 000 et 60 000 habitants par an, le nombre des émigrants excédant celui des naissances. Il a fallu attendre les années 1970 pour que le phénomène s'amenuise et que de nouvelles perspectives d'emploi en Irlande même retiennent au pays bras et cerveaux. Entre 1996 et 2002, la population a progressé de 8 % ! L'immigration a été jugée excessive, et la loi irlandaise qui permettait d'accorder la nationalité irlandaise à tout enfant né sur le sol irlandais, même né de deux parents étrangers, a été amendée en 2004. Mais avec la crise et le chômage élevé, de nombreux étrangers venus chercher du travail sont repartis et les Irlandais ont recommencé à s'exiler. On a calculé que, sans toutes les vicissitudes de l'Histoire, l'île compterait aujourd'hui autour de 15 millions d'habitants. À titre de comparaison, il y a environ 40 millions d'Américains d'origine irlandaise ! Voilà pourquoi, lors de votre voyage en Irlande, vous aurez peut-être l'impression que les Américains sont partout : ils reviennent en pèlerinage sur la terre de leurs ancêtres...
La densité de population est inégale : le grand Dublin concentre près du tiers de la population du pays. Les campagnes des comtés de l'Ouest et du Nord-Ouest sont relativement désertes. C'est là aussi un des charmes de l'Irlande...

Les *tinkers*

En caravane moderne, ou en roulotte, les *tinkers* n'ont pas la même origine que les Tsiganes ou les « romanos » de chez nous. La majorité d'entre eux sont le résultat direct des expulsions de paysans pauvres de leurs terres par les *landlords* anglais, et surtout de la Grande Famine de 1845. Les *tinkers* n'ont, pour ainsi dire, jamais arrêté de marcher depuis. Ils sont spécialistes des petits métiers de la route et font de jolies choses en vannerie, et surtout en cuivre et en étain (d'où l'origine de leur nom provenant du travail du métal... « tink-tink »). Selon le dernier recensement, ils seraient 24 000. À signaler que le mot « tinkers » possède en Irlande une connotation péjorative ; « travellers » est largement plus correct. Délaissés, voire ignorés par la population, ils ont de plus en plus tendance à s'implanter autour des banlieues défavorisées de Dublin.

RELIGIONS ET CROYANCES

On ne vous l'apprendra pas, l'Irlande est un pays très religieux. Vous aurez de nombreuses occasions de vous en rendre compte : statues de la Vierge au détour du chemin, affluence à la messe du dimanche, Bible dans le tiroir de votre table de chevet et, sur certaines radios, minute de silence pour la prière du soir. Tous les ans, l'ascension du Croagh Patrick rassemble plusieurs centaines de milliers de pèlerins, et la minuscule île du Purgatoire-de-Saint-Patrick, sur le lough Derg dans le Donegal, peut recevoir jusqu'à 2 500 pénitents pour trois nuits de prières et de mortification.

Pourquoi une telle ferveur ? Pour comprendre, il faut faire un petit retour en arrière. Le christianisme s'est imposé en douceur et n'a pas relégué les anciens lieux et personnages sacrés au rang d'antiquités diaboliques. Il les a assimilés. Ainsi, Brighid, plus ou moins déesse de la Fertilité, est devenue sainte Brigitte et assure, avec saint Patrick, la protection de l'Irlande. Les puits à souhaits *(wishing wells)* et les sources restent, mais leur histoire a modifiée : tel saint y a bu, tel autre l'a fait jaillir. N'oubliez pas que les premiers évêques étaient des druides convertis. Ainsi, on n'a pas systématiquement interdit les anciennes pratiques comme on l'a fait sur le continent : pas de conflit avec une religion qui respecte les convictions profondes de ceux qui la pratiquent. Il reste aujourd'hui de nombreuses traces de cette époque. On n'aime pas trop parler des « Forts des Fées », ces points de passage avec l'autre monde, et on fait parfois des offrandes au « petit peuple ».

La religion catholique est devenue le symbole de la résistance irlandaise face à l'envahisseur anglican. Daniel O'Connell a fondé l'Association catholique et réuni, en 1843, près de 1 million de personnes à Tara (ancienne capitale des rois celtes, encore un mélange celto-catho) ; enfin, la Constitution de 1922 présente un aspect résolument clérical.

Aujourd'hui, même si le pays reste profondément religieux, les choses bougent. D'une part, l'humour et la tolérance des Irlandais leur ont permis de surmonter cette crise identitaire. Un curé, interrogé sur les pratiques païennes de ses paroissiens, répondit, sincèrement étonné d'une telle question, que « le royaume de Dieu était bien assez grand pour accueillir aussi les fées et les lutins ». D'autre part,

NOM DE DIEU !

Depuis 2010, une loi punit tout blasphème d'une amende de 25 000 €. L'Europe laïque n'est pas pour demain ! Ces réglementations d'un autre temps se trouvent renforcées. Pour être honnête, il faut préciser qu'en Alsace le blasphème peut être puni (en principe) de 3 ans de prison.

de 1990 à 1997, une femme, mariée à un protestant, a œuvré à la tête du gouvernement pour faire accepter des idées telles qu'avortement, homosexualité et contraception. En parlant de contraception, cela aurait certainement évité à un évêque ultracatholique de trouver, il y a de ça quelques années, la photo de son fils illégitime en première page des journaux. N'oublions pas non plus que les révélations, ces dernières années, sur les agissements scandaleux de religieuses à la tête de blanchisseries pour mères célibataires ainsi que les dénonciations de prêtres pédophiles ont mis à mal la foi sans mesure que les Irlandais vouaient à l'Église. Le divorce n'est légal que depuis 1995 et les anti-avortements ont encore de beaux jours devant eux. Le chemin vers la laïcité est encore long !

SAUMON SAUVAGE D'IRLANDE

Poisson mythique des Celtes, le saumon sauvage remonte la plupart des rivières du pays. L'Irlande a su conserver une population naturelle de saumons, même si celle-ci a fortement décliné.

Les saumons sauvages pondent en décembre sur les frayères aux eaux très pures et bien oxygénées. Les alevins naissent en mars-avril et vont séjourner dans la rivière durant 1 an ; au mois d'avril suivant, ils se métamorphosent. Ils deviennent alors des *smolts,* qui quittent leur rivière natale pour entreprendre un périple qui les mènera au large des îles Féroé et à l'ouest du Groenland. Un ou deux ans plus tard, ils quittent ces lieux de croissance en mer et reviennent vers leur pays d'origine. Les saumons adultes atteignent les côtes du pays à partir du mois d'avril, mais la plus grande migration vers leur berceau se déroule en juin et juillet.

C'est à ce moment-là qu'ils étaient capturés au filet par des pêcheurs professionnels. « Étaient », car depuis 2006, cette pêche en mer est interdite, et vous verrez d'ailleurs sur les côtes de nombreuses pancartes écrites par des pêcheurs mécontents qui ont perdu leur gagne-pain – tout en étant correctement dédommagés, rassurez-vous. Pas la peine, donc, de chercher du saumon sauvage dans votre assiette : si saumon il y a, il est issu de fermes aquatiques.

En mai et juin, on peut observer ces magnifiques poissons en action, lorsqu'ils sautent rageusement pour remonter les rivières et franchir cascades et barrages. Les amateurs de pêche à la ligne – encore autorisée, elle, dans certaines rivières – pourront se rendre, par exemple, à Ballina (comté de Mayo), ville située sur la rivière Moy, une des plus poissonneuses d'Irlande.

SAVOIR-VIVRE ET COUTUMES : LE PUB IRLANDAIS

Comment boire ?

Le pub est probablement l'une des institutions irlandaises les plus connues. Il évoque irrésistiblement des images colorées, animées, pleines de chaleureuses discussions, d'odeurs fortes de moquettes imprégnées de bière... Entrons dans ce bain de vapeur surpeuplé, dont il est indispensable d'énoncer quelques us et coutumes.

D'abord, à moins que vous ne vouliez seulement humer l'atmosphère et vous pénétrer de l'ambiance, ne vous écroulez pas sur la banquette en criant « Garçon, un demi ! », vous auriez encore le gosier sec à l'heure de la fermeture. Ici, on va chercher sa consommation au comptoir, difficile à atteindre aux heures de pointe. Le barman sait exactement l'ordre d'arrivée des clients.

Si vous avez très, très soif, ne vous impatientez pas la première fois que vous commandez de la *Guinness*, puisqu'elle se tire en deux fois, amoureusement. On paie sitôt servi, ce qui évite les contestations de fin de beuverie.

Le midi, et le soir parfois aussi, les pubs vous offrent une restauration copieuse et variée : soupes, sandwichs ou le *pub grub*, plat consistant à prix fort raisonnable.

À moins d'être particulièrement asocial, vous ne resterez pas

GUINNESS : PRESSION OU BOUTEILLE ?

À la pression, bien sûr. D'abord parce que la mousse si crémeuse s'obtient uniquement avec une tireuse à azote (et non avec du vulgaire CO_2). En plus, les pubs utilisent un ustensile secret : une microgrille dans le robinet qui fait éclater les bulles et qui rend la mousse si compacte. Enfin, seule une tireuse sort la bière à exactement 6 °C.

souvent seul plus de 10 mn devant votre verre. Les Irlandais sont d'adorables bavards et voudront tout connaître de vous. Important ! Si l'on est invité par des Irlandais, on ne paie pas la première tournée, et surtout, on n'insiste pas... sous peine de s'exposer à de graves ennuis diplomatiques. Il est d'usage de boire aussi souvent que l'Irlandais qui est avec soi. Conseil précieux : si vous n'êtes pas habitué à la bière ou si vous en faites d'habitude une consommation mesurée, commencez par des *half pints* (ou *glasses* en Eire). Pour les soiffards, il est bon de savoir qu'une *pint* revient moins cher que deux *half pints*. Lorsqu'on est trois ou quatre, son tour venu, il faut payer son *round* (« tournée »). Si le groupe est plus nombreux, un *round* revenant très cher, les buveurs constituent un *pool* (« une petite banque ») : chacun pose des sous sur la table et on écluse jusqu'à épuisement de l'argent (quitte à en remettre en cours de route).

Bon, maintenant, quelques termes rituels : si l'on vous propose un *half one,* sachez qu'il ne s'agit pas d'une *half pint,* mais d'un de ces verres de whiskey qui vous tombent comme une bombe au phosphore droit dans l'intestin ! De même un *chaser* est une *pint* accompagnée de whiskey, et le *black and tan* un mélange de *Guinness* et de bière rousse ou blonde (une invention des Anglais !).

Recommandation essentielle ! À l'approche de la fermeture, au moment des « *last orders, gentlemen !* », prévoir large et commander deux ou trois pintes, sous peine de se retrouver sans stock si la résistance à la fermeture se révèle plus longue que prévu ! Ne tremblez surtout pas si le patron vous intime l'ordre de finir votre verre et de vider les lieux. Ses expressions favorites sont : « *Are you right there, folks ?* » ; ou « *All together now* »; ou encore « *Come on now, finish up your drinks !* », etc. Regardez autour de vous : les Irlandais s'en fichent complètement. Ils ont effectué à temps des réserves et éclusent tranquillou. C'est une sorte de jeu. Dans le Nord, dans certains pubs des quartiers républicains, les clients mettront souvent 1h ou 2 à déguerpir et joueront au chat et à la souris avec le patron. Pour finir, ne pas croire que, les dernières lumières éteintes, la vie s'arrête ; on continuera à boire chez quelqu'un dans une *party,* parfois jusqu'à l'aube. Si vous êtes invité à l'une d'entre elles, avant d'y aller, achetez donc dans un pub *off-license* (c'est-à-dire qui vend pour la consommation à l'extérieur) un *six-pack* de bière, ça sera toujours apprécié, surtout que, maintenant, la *Guinness* pression existe en boîte !

Enfin, il est de bon ton de se lever avec les Irlandais quand parfois ils entonnent l'hymne national pour clore la soirée. Dans le Nord, dans les *social clubs* et pubs, c'est un moment très émouvant.

Guide pratique

À la différence de l'Angleterre, les enfants accompagnés sont acceptés dans les pubs (avec quelques exceptions à Dublin). Leur présence y semblera normale jusque vers 18h ou 19h.

De nombreux pubs pratiquent les *happy hours* entre 17h et 19h, où les prix diminuent d'environ 20 %.

Aux *pub addicts,* rappelons les **horaires d'ouverture** :

– **en Eire :** (théoriquement !) du lundi au jeudi de 10h30 à 23h30, les vendredi et samedi de 10h30 à 0h30 et le dimanche de 12h à 23h ; en hiver, parfois fermeture 30 mn plus tôt le soir. Cela dit, la pression (sans jeu de mots) des proprios de pubs s'est intensifiée ces derniers temps pour que cette limite soit reculée de 30 mn ou même de 1h. Dans les faits, les pubs ferment rarement à l'heure légale. Certains se transforment en *late bars* (mi-discothèque, mi-bar) qui ne ferment que vers 2h ou 3h ;

– **en Irlande du Nord :** du lundi au samedi de 11h30 à 23h30 et le dimanche de 12h30 à 22h, avec quelques variantes (beaucoup ferment le dimanche). Quelques établissements, surtout ceux qui proposent repas ou musique live, restent ouverts jusqu'à 1h.

SITES INSCRITS AU PATRIMOINE MONDIAL DE L'UNESCO

Organisation
des Nations Unies
pour l'éducation,
la science et la culture

En coopération avec
le centre du patrimoine mondial de l'Unesco

Pour figurer sur la liste du Patrimoine mondial, les sites doivent avoir une valeur universelle exceptionnelle et satisfaire à au moins un des 10 critères de sélection. La protection, la gestion, l'authenticité et l'intégrité des biens sont également des considérations importantes.

Le patrimoine est l'héritage du passé dont nous profitons aujourd'hui et que nous transmettons aux générations à venir. Nos patrimoines culturel et naturel sont deux sources irremplaçables de vie et d'inspiration. Ces sites appartiennent à tous les peuples du monde, sans tenir compte du territoire sur lequel ils sont situés. Pour plus d'informations : ● *whc.unesco.org* ●

En Irlande, les sites inscrits sont les suivants :

– *république d'Irlande (Eire) :* l'île Skellig Michael et l'ensemble archéologique de la vallée de la Boyne ;

– *Irlande du Nord (Ulster) :* la Chaussée des Géants.

SPORTS, JEUX

Le sport occupe une énorme place en Irlande, et ce serait une erreur de croire que le rugby est le jeu de plus prisé par les Irlandais, même s'il compte beaucoup. Le *hurling* et le football gaélique, sports typiquement irlandais, pratiqués par des centaines de milliers de joueurs regroupés dans la *GAA (Gaelic Athletic Association),* sont infiniment plus populaires. La GAA est elle-même une expression du nationalisme irlandais et possède des sections dans le monde entier, partout où se trouvent des communautés irlandaises. Pour en savoir plus, visiter le musée des Sports gaéliques à Dublin ou consulter le site ● *gaa.ie* ●

LE SPORT ADOUCIT LES MŒURS

L'équipe nationale d'Irlande de rugby est un cas unique puisqu'elle représente deux entités politiques différentes, la république d'Irlande et l'Irlande du Nord. Un hymne a été spécialement créé en 1995, l'Ireland's Call, joué après l'Amhran na bhFiann (hymne de l'Eire) lorsque les matchs ont lieu à Dublin. En déplacement, c'est en principe l'Ireland's Call et le God Save the Queen qui sont joués. Même subtilité pour le drapeau : celui de la république d'Irlande est déployé à Belfast tandis qu'un drapeau supplémentaire représentant les quatre provinces irlandaises flotte à côté lors des matchs à Dublin.

– *Le hurling :* c'est un genre de hockey sur gazon, longtemps interdit lors de l'occupation britannique, et qui mérite le titre de jeu de balle le plus rapide du monde. En Irlande, on y joue depuis des siècles, et aujourd'hui encore dans les écoles. Ce sport assez brutal se pratique à 15 avec une batte en bois de frêne, appelée *hurley* en anglais et *camán* en gaélique, et une balle de cuir, le *sliotar.* Les buts se composent de poteaux de rugby avec une cage de football en dessous... étonnant ! Il faut expédier le *sliotar* entre les poteaux. Trois points au-dessous de la barre (mais il y a un gardien !) et un point au-dessus. Souvent, la balle va si vite qu'on ne la voit pas voler. De mai à septembre, les clubs s'affrontent pour tenter d'atteindre la finale qui a lieu au Croke Park, à Dublin, le premier dimanche de septembre. Ambiance assurée. Il existe une version féminine du *hurling,* le *camogie.*

– *Le football gaélique :* probablement le sport le plus cher au cœur des Irlandais. 15 joueurs dans chaque camp, tous amateurs. On peut au choix jouer au pied ou à la main, mais si l'on porte le ballon à la main, il faut dribbler ou passer au bout de quatre pas. Les points s'obtiennent de la même manière qu'au *hurling* : trois en dessous de la barre et un au-dessus. Le jeu gagne en rapidité et en spectacle. Le championnat dure de mai à juillet, et la sélection des gros bras et des gros mollets s'opère au niveau des comtés, puis des quatre provinces pour les *semi-finals,* pour aboutir au *All Ireland Final* qui se joue également à Croke Park, à Dublin. Kerry et Dublin sont les deux clubs les plus titrés.

– **Le golf :** en Irlande ce sport est celui de monsieur Tout-le-Monde (près de 300 terrains de golf 9 et 18 trous). Les débutants peuvent toujours affiner leur talent au *pitch-and-putt,* sorte de golf d'entraînement limité à deux gestes (*pitch,* « lancer », et *putt,* « faire rouler »). Assez amusant, même pour un néophyte.

– **Les fléchettes (darts) :** revoilà le pub... Le jeu remonterait à la guerre de Cent Ans. La légende veut qu'un jour où l'on faisait un temps de chien, les archers anglais, abrités sous une grange, s'amusèrent à lancer des flèches sur la tranche d'un billot de bois. Ils en vinrent vite à raccourcir leurs projectiles jusqu'à obtenir des « *dartes* » (le mot est d'ailleurs français), proches des fléchettes actuelles. Les divisions en secteurs de la cible moderne s'inspireraient de même des veines d'éclatement du bois. Ainsi naquit ce jeu célèbre aux règles compliquées. On peut jouer individuellement ou par équipes. Le but du jeu est de partir d'un chiffre donné et d'arriver le premier à zéro, en déduisant à chaque fois les points obtenus. Ce chiffre est généralement de 301 lorsqu'il s'agit de deux joueurs et de 501 pour deux équipes. Chaque joueur dispose de trois fléchettes et tente de les placer dans la cible posée à 1,73 m du sol et située à 2,74 m d'une ligne appelée *hockey line.* Les secteurs sont numérotés de 1 à 20, apparemment dans le désordre ; en fait, les numéros les plus élevés sont encadrés des numéros les plus faibles. Chaque fléchette marque les points correspondant au point d'impact. Le cercle extérieur double les points, celui du milieu les triple, le centre (*bull eye,* de couleur rouge ou noire) vaut 50 points, et le petit cercle vert autour 25 points. Les fléchettes qui se plantent mais finissent par tomber ne comptent pas. Voilà pour les règles pratiquées en compétition officielle. Maintenant, ça se complique encore : chaque pub a ses habitudes, ses propres règles. Il existe d'autres jeux de fléchettes comme le *killer,* le *cricket* et bien d'autres encore. Les fléchettes dans les pubs sont avant tout un passe-temps, un jeu qui se termine toujours autour d'une bonne pinte de bière.

– **Les courses de lévriers :** encore un must pour qui veut approcher l'âme irlandaise. Toute l'année et tous les jours (généralement le soir), sauf parfois le dimanche, dans toute l'Irlande, sur une vingtaine de cynodromes. Ambiance indescriptible. Les paris sont innombrables et des millions d'euros changent de mains chaque semaine... Consulter ● *igb.ie* ●

– **Le beagling :** une chasse à courre à pied... où l'on ne tue pas l'animal ! Se pratique en hiver. Les participants partent derrière une meute de beagles (sorte de bassets), sur les traces d'un lièvre. Le jeu se termine lorsque l'animal est acculé. Pour y participer, il suffit d'une sacrée endurance.

– **La pêche :** concernant la pêche en eau douce, il ne suffit pas de tremper du fil pour prendre brochet, truite ou saumon, mais en insistant un peu, on a de bonnes chances de s'amuser.

La pêche au saumon et à la truite de mer requiert une licence. Pour les autres types de pêche, ça dépend des régions. La somme demandée est assez modique. En mer, on peut attraper de beaux lieus, roussettes, congres, lingues, ainsi que des raies. La pêche au requin se pratique de juin à septembre. Son poids moyen est de 40 à 80 livres et il peut atteindre 3,50 m de long : sur la photo, ça fait toujours bien... même si votre mérite est moindre, car ce poisson pas très futé mord tout ce qu'il rencontre ! Si vous voulez voir des requins, allez à Achill Sound au printemps : tout occupés à manger de plus petits poissons, ils foncent dans les filets...

DUBLIN
ET SES ENVIRONS

DUBLIN [Baile átha cliath]　　　1 200 000 hab.　　　IND. TÉL. : 01

▶ Pour se repérer, voir le plan centre, le zoom et le plan du métro
sur le plan détachable en fin de guide.

Enfin une capitale à taille humaine !
À l'image de Leopold Bloom, le héros de
Joyce dans *Ulysse,* vous découvrirez vite
qu'à Dublin la meilleure façon de marcher,
c'est bien sûr la vôtre. Les Dublinois aiment
arpenter le bitume, entre deux emplettes
sur O'Connell Street ou entre deux *Guinness* dans Temple Bar. Rien n'est jamais
très loin dans ce centre historique où se
côtoient quartiers flambant neufs, entrepôts délabrés des bords de la Liffey, ou
ruelles qui paraissent jaillir du XIXᵉ s. La
Liffey, aux eaux nonchalantes, sépare la
ville en deux parties : rive nord, les grandes
artères commerçantes, les grands monu-

ments civils ; rive sud, les monuments plus anciens, les restes (peu nombreux)
de la ville médiévale, l'université et les belles demeures georgiennes rappelant le
passé aristocratique de Dublin. L'animation est grande des deux côtés du fleuve :
rive nord, elle est plus populaire autour de Talbot Street et Henry Street ; rive sud,
l'atmosphère est un peu plus sophistiquée, surtout autour de Grafton Street et
ses magasins de luxe, et à la fois plus jeune avec les étudiants de Trinity College...
Dublin se révèle vraiment une ville à part ; d'ailleurs, beaucoup de gens vous
diront que ce n'est pas vraiment l'Irlande. Bien qu'elle ait été le berceau du
nationalisme irlandais, elle n'en demeure pas moins marquée par son passé
britannique. Les marques de l'*ascendancy* protestante se retrouvent partout.
Le mode de vie et les habitudes indiquent aussi une pénétration britannique
profonde. La grande voisine est encore trop proche.
Prenez donc le temps de découvrir cette ville qui ne risque d'être un peu
ennuyeuse que pour celui qui ne sait pas voir. Restez-y en tout cas plus
d'une journée. Le temps de boire une bonne bière noire, de chanter aussi et
d'apprécier les traces laissées par les grands écrivains du pays. Comme pour
justifier ce double adage des Dublinois : « Tu boiras et tu liras. »

UN PEU D'HISTOIRE

Aux premiers siècles de notre ère, des Celtes s'étaient déjà installés sur les bords
de la Liffey, que l'on franchissait facilement à gué, d'où son nom en gaélique :

Baile Atha Cliath, la « ville du gué aux claies » (ou aux haies). *Dubh Linn,* la « mare noire », était probablement un quartier de la ville, qui devait son nom aux eaux noires de l'estuaire. Au IXe s, des pirates vikings y construisirent un fort. La municipalité, obligée de trouver une date de naissance pour le millénaire de la ville, choisit 988, date de la première trace écrite du paiement d'un impôt !

En 1170, Dublin tomba aux mains des Normands, qui construisirent le célèbre château et fortifièrent la cité. Il en reste aujourd'hui une tour et quelques vestiges de remparts. De cette période à 1921, Dublin symbolisa le pouvoir britannique. Mais la cité ne s'affirma vraiment qu'au XVIIIe s. Le commerce maritime florissant et l'exploitation forcenée de la paysannerie irlandaise favorisèrent l'apparition d'une riche bourgeoisie protestante. La ville se couvrit de monuments civils prestigieux, de belles demeures et de romantiques jardins. En 1782, avec l'autonomie octroyée au Parlement irlandais, Dublin atteignit le faîte de sa splendeur et du pouvoir. Pourtant, suite à la révolte des *United Irishmen,* en 1800, la suppression du Parlement, la reprise en main directe de l'Irlande par l'Angleterre, le départ de l'*ascendancy* et des grands propriétaires pour Londres provoquèrent le déclin rapide de la ville. Les masses paysannes ruinées, affamées, s'y entassèrent bientôt.

Au moment de la révolution industrielle, Dublin se prolétarisa au point que, au début du XXe s, elle était l'une des villes les plus pauvres d'Europe. La grande grève générale de 1913, qui dura 6 mois, se fit sur fond de misère effroyable. Le taux de cas de tuberculose y était le plus élevé de toutes les capitales de l'époque. Le découragement de la population était à son comble.

En fait, Dublin connut dès la fin du XIXe s un extraordinaire bouillonnement culturel. Lady Gregory et Yeats rallièrent tous ceux qui voulaient faire revivre la culture gaélique. La création de l'*Abbey Theatre* fut un grand événement. Une pièce de Yeats, *Cathleen ni Houlihan,* fit pleurer tout Dublin. Parallèlement, l'agitation politique reprit (création du Sinn Féin, etc.). C'est dans ce terreau culturel et politique que se prépara la grande insurrection de Pâques 1916, la prise de la Grande Poste et la proclamation de la république.

Ville grise tout en couleurs

De 1921 aux années 1970, la cité n'évolua guère, gardant quasiment intacte son apparence de ville du XIXe s. Les immeubles se dégradaient, tombaient plutôt, comme ça, de temps à autre, au milieu de modernes et incongrues nouvelles pièces rapportées. Les taudis faisaient place à d'immenses parkings, faute de moyens pour construire autre chose. Puis les subventions de l'Union européenne et le boom de la Net-économie passèrent par là. Des quartiers entiers jaillirent de terre, comme celui de Docklands, avec son lot de sièges d'entreprises internationales, de centres commerciaux, d'hôtels dédiés au tourisme d'affaires, d'appartements pour *golden boys.* Au début des années 2000, le moderniste sans états d'âme semblait avoir pris le pas sur les autres.

Mais heureusement, Dublin, c'est avant tout ses habitants. Les vrais. Les yuppies et autres bobos y sont encore minoritaires. En revanche, les Molly Malone, les truculents et incroyables personnages de Brendan Behan, sont encore nombreux et se laissent découvrir par ceux qui s'en donnent la peine, par ceux qui prennent le temps de parcourir d'autres quartiers. Allez dans les Liberties ou sur Rathmines Road, à la recherche de ces gens extraordinaires qui répondaient autrefois aux noms de Jembo-no-Toes, Johnny Forty Coats, Damn-the-Weather ou Jack-the-Tumbler et qui ont toujours des héritiers... Trop de visiteurs ratent ces Dublinois exceptionnels et pleins d'humour parce qu'ils ne vont pas aux courses de lévriers ou dans les pubs plus perdus, hors des sentiers battus.

Dublin doit donc être vue sous toutes ses facettes : les belles rues et les quartiers georgiens, bien sûr, mais aussi les aspects les moins évidents, les plus cachés, ruelles, *lanes,* cours intérieures, terrains vagues, façades solitaires, fenêtres aveugles. Bref, un quotidien insolite que l'on ne perçoit plus, tant l'œil l'a banalisé. Alors éclatent des détails architecturaux insoupçonnés, des images étranges, parfois artistiques et poétiques, derniers clins d'œil complices d'une architecture en fin de cycle... à ceux qui sauront les saisir. Dublin, c'est une ville grise tout en couleurs, aux contradictions attachantes, à l'adorable caractère décousu... Petit à petit, la ville reprend des forces, passe à la vitesse supérieure sans pour autant rompre avec son identité. Et c'est ça qui est saisissant, ce contraste entre la tradition des briques georgiennes, la musique folklorique et le béton brut de décoffrage ou la pop qui envahit les salles de concerts.

Donc, Dublin, on aime vraiment. D'une douce passion, un peu douloureuse parfois... Comme nous, vous aurez plaisir à saisir des images fortes ou poétiques qui iront se loger dans un coin de votre tête, accompagnées de quelques dérives esthétiques. Elles vous aideront à découvrir cette capitale entrée dans la modernité, mais qui, malgré certaines apparences, n'a pas bradé son identité.

JAMES JOYCE, *ULYSSE* ET DUBLIN

Peu de héros de roman ont eu droit à une consécration posthume de la part de leur pays d'origine. Leopold Bloom, le héros d'*Ulysse* de James Joyce (voir « Livres de route » dans « Irlande utile » en début de guide), fit pourtant scandale en son temps, au même titre que le bouquin. Tous les ans, à la même date (le 16 juin), Dublin célèbre le **Bloom's Day,** une grande fête destinée à rendre hommage à ce personnage hors du commun et, à travers lui, à Joyce. Le principe de cette fête haute en couleur consiste à entraîner le grand public (les initiés autant que les néophytes) sur les traces de Bloom, ce héros peu banal. Mais, en 2004, Dublin a vécu un Bloom's Day d'anthologie, puisqu'il s'agissait de commémorer le centenaire de cette mémorable balade. Dans le livre, le jeudi 16 juin 1904 en effet, Bloom effectue environ 18 miles (dont 8 au moins à pied) dans Dublin, et ce entre 8h et 2h. Au fil des pages, le lecteur se retrouve ainsi au 7, Eccles Street (son domicile), chez *Sweny's* (« the Chemist »), à l'*Ormond Hotel,* à la *Jesuit House* de Gardiner Street, au pub *Barney Kiernan's,* chez Bella Cohen... Autant de lieux en partie disparus de nos jours et pourtant bien réels, décrits avec une extrême précision par Joyce. Du coup, le chemin suivi par Bloom en centre-ville à l'heure du déjeuner a pu être reconstitué en 14 étapes. En 1988, à l'occasion de la célébration du millénaire de Dublin, des plaques en bronze ont été scellées entre les bureaux de l'*Evening Telegraph* et le Musée national.

De même, le Bloom's Day se propose de suivre à la lettre les étapes et le rythme du roman : de 6h à 20h, toutes sortes de manifestations littéraires, de spectacles de rue, de sketchs et de lectures se déroulent sur les lieux mêmes où Joyce fait passer Leopold Bloom. Une carte spéciale, *Ulysse's Map of Dublin,* détaille même à l'intention des disciples de Joyce l'itinéraire exact et les lieux de Leopold Bloom (elle est en vente toute l'année en librairie).

Chaque année, tout Dublin semble communier dans un même élan, comme dans une transe littéraire collective. Phénomène fascinant que cette capitale se retrouvant elle-même dans le miroir d'un personnage maudit par les milieux bienpensants d'alors.

Puis la fête commence : petit déj à l'aube à Sandycove et lectures à la tour James-Joyce (voir « Dans les environs de Dublin »), où se déroulent les premières scènes du roman, rallye de vieilles automobiles, lectures à nouveau au *James Joyce Centre,* rallye de bicyclettes soutenu par la compagnie *Guinness.* Puis les joyeux drilles se retrouvent au coude à coude au pub *Davy Byrne's,* sur Duke Street, pour avaler un sandwich au gorgonzola arrosé d'un verre de bourgogne (exactement ce que fait Leopold Bloom dans le livre)... et mille autres réjouissances jusque très tard dans la nuit. Difficile, vraiment, de dénicher une autre capitale dans le monde capable de générer un tel engouement collectif autour d'un simple héros de roman.

■ *Infos :* The James Joyce Museum, au Dublin Writers Museum, ☎ 872-20-77 ; ou à Sandycove (dans la James Joyce Tower), ☎ 280-92-65. Ces 2 hauts lieux littéraires sont décrits dans les rubriques « À voir » et « Dans

les environs de Dublin ». *Et aussi :*
James Joyce Centre, 35, North Great
George's St. ☎ 878-85-47. ● *james*
joyce.ie ●

Arrivée à l'aéroport

✈ *Aéroport (hors plan détachable par*
C1) : à 10 km au nord du centre-ville.
☎ 814-11-11. ● dublinairport.com ●
🛈 *Office de tourisme :* dans les terminaux 1 et 2. Tlj 8h-19h (T 1) et 6h-19h
(T 2). Très compétent. Résas, brochures, cartes, tickets de bus (sauf *Dublin*
Bus)...
■ *Change et distributeurs :* en plusieurs endroits de l'aéroport.
@ *Internet :* plusieurs postes payants
répartis en divers endroits.
■ *Location de voitures :* agences
internationales dans le hall des arrivées,
ou compagnies locales moins chères
réunies dans une petite salle sur le côté
(repérer le panneau « Car Hire »). Coordonnées sur le site de l'aéroport. Tarifs
souvent plus intéressants qu'en ville
et possibilité de louer une voiture pour
une seule journée.

Pour aller au centre-ville

➢ Les *bus Airlink* (● *dublinbus.ie* ●)
nos 747 gagnent directement le centre-
ville (une dizaine d'arrêts dont la gare
routière Busáras, O'Connell St au
centre-ville, ou encore la gare Heuston,
leur terminus). Compter 6 € l'aller et
10 € l'A/R. Départs à peu près ttes les
15-20 mn 6h-23h env. On peut prendre
aussi l'*Aircoach* (☎ 844-71-18 ; ● air
coach.ie ●), qui fonctionne 24h/24 et
ne s'arrête pas non plus entre l'aéroport et O'Connell St, et dessert ensuite
plusieurs points dans le centre-ville à
proximité des grands hôtels (départs
ttes les 15 mn en journée, ttes les heures minuit-5h). Compter 7 € l'aller, 12 €
l'A/R (tarifs 2013) et respectivement
8 et 14 € si l'on va au-delà de Trinity
College.
➢ Sinon, différentes lignes *omnibus*
assurent la liaison avec O'Connell St
(la nº 16) et Lower Abbey St (la nº 41).
Ticket moins cher, mais durée du trajet
plus longue (env 50 mn). Penser à faire

de la monnaie, les chauffeurs de bus,
n'ayant pas accès à l'argent pour des
raisons de sécurité, ne peuvent rendre
la monnaie. Sinon, il faut se faire rembourser dans l'un des bureaux dans le
centre.
➢ *En taxi :* compter plus de 25 € pour
se rendre dans le centre. Possibilité de
partager un taxi collectif avec d'autres
usagers.

Circuler en voiture et se garer

– La circulation à Dublin n'est pas toujours facile. Beaucoup de sens uniques
auxquels on n'a guère le temps de
s'habituer, des conducteurs au tem-
pérament assez retors, des chauffeurs
de bus sans pitié... et peu de places
pour se garer. Évitez la voiture dans le
centre, surtout que presque tout peut
se faire à pied.
– Se garer est un autre souci. 2 solutions : les emplacements équipés de
parcmètres, qui sont chers et limités à
2h, ou les parkings privés, encore plus
chers.
– Ne laissez aucun objet de valeur dans
votre véhicule quand vous vous garez
ailleurs que dans un parking gardé. Il
suffit en fait d'appliquer le principe suivant : je n'ai rien à voler, donc on ne me
volera rien. Il ne reste plus qu'à trouver
un secteur gratuit un peu en dehors du
centre et faire le reste à pied.

Transports en commun

Comme dans beaucoup de villes, les
meilleurs moyens de transport pour
visiter Dublin sont le bus et le *DART*.
Les tarifs sont malheureusement élevés
(la carte *InterRail* est acceptée dans le
DART, mais pas dans le bus).

Les bus

Les bus dublinois sont une vraie institution. Depuis quelques années, ils
sont de plus en plus à l'heure. Force est
de constater également qu'ils roulent
bien, grâce aux nombreux couloirs qui

leur sont dévolus. Mais ajoutez à cela qu'ils ont, les bougres, une forte tendance à débouler sur votre gauche, et vous aurez tout intérêt à vous en méfier et à obéir aux doux sons de *game-boy* des passages piétons...

– *Bureau de renseignements (Dublin Bus Head Office) :* 59, Upper O'Connell St, en face de l'annexe de l'office de tourisme. ☎ 872-00-00. *Tlj sf dim 9h-17h30 (14h le w-e).*

– C'est l'un des grands mystères dublinois : il n'existe aucune carte détaillée des lignes de bus. Pour vous débrouiller tant bien que mal, il existe un *Main Guide to Dublin Bus Services (2 €)*, qui répertorie les principales lignes avec tous les arrêts, mais toujours pas de plan. Sinon, *timetables* de chaque ligne et infos détaillées sur le site officiel ● *dublinbus.ie* ●

– Les bus circulent en général de 6h à 23h30 en semaine, moins fréquemment le week-end. Le samedi soir, pour éviter la foule du dernier bus, prendre l'avant-dernier. Le dimanche, les premiers bus ne démarrent qu'à partir de 10h environ.

– *Attention :* de nombreux kiosques et autres boutiques vendent des tickets dans toute la ville. Mais le plus simple est d'acheter votre ticket dans les bus, en mettant la somme exacte – soit de 1,65 à 2,80 € selon la longueur du trajet (et même davantage si l'on se rend dans les banlieues les plus éloignées), mais il existe un billet à 0,65 € pour les très courts trajets dans le centre (City Centre Fare) – dans une petite tirelire, car les chauffeurs ne rendent pas la monnaie (ils donnent un bon pour se faire rembourser au bureau de O'Connell St). Les billets sont refusés. Réduc moins de 16 ans. Une carte magnétique prépayée, la *Leap Card*, permet d'obtenir un tarif réduit (environ 20 %).

– *Trajets illimités :* différentes formules, depuis le ticket de bus journalier pour un adulte (*1 Day Rambler* à 6,90 €) au *1 Day Family Ticket*. Ce dernier offre à 2 adultes et 4 enfants (moins de 16 ans) la possibilité de voyager sur le réseau de bus pour 11,50 €. Le *5 Day Rambler* coûte 25 € et est valable 5 jours consécutifs pour un adulte. Le même système existe aussi pour 3 jours (15 €).

N'est pas valable pour les bus de nuit. Existe également une formule *3 Day Freedom* à 28 € incluant l'*Airlink Bus* de/vers l'aéroport et le *Hop on-Hop off City Tours* (voir plus loin « Tours organisés »).

– Pour les noctambules, certains bus se muent en *Nitelink*, qui circulent du lundi au mercredi à 0h30 et à 2h (pour la moitié des lignes seulement), le jeudi toutes les heures de 0h30 à 3h30 et, les vendredi et samedi, toutes les 20 mn de 0h30 à 4h30. Pas de service le dimanche. Départs sur Westmoreland Street, College Street et D'Olier Street (selon les destinations). Il en existe à peu près pour toutes les directions. Prévoir un minimum de 5,70 €.

– Sachez enfin, en vrac, que les arrêts n'ont d'autre nom (quand ils en ont) que celui de la rue sur laquelle ils se trouvent, qu'ils abritent rarement des plans précis et qu'il est préférable de se manifester (en usant de son pouce, par exemple) à l'arrivée d'un bus pour qu'il s'arrête.

Le *DART* (Dublin Area Rapid Transit)

Entre le RER et un train de banlieue moderne. Le *DART* n'a qu'une seule ligne (côtière), qui part de Malahide ou de Howth (au nord) et va jusqu'à Greystones dans le comté de Wicklow. Trajet très panoramique. Hyper pratique en tout cas pour se rendre à Malahide, Howth, Dún Laoghaire ou Bray. Dans Dublin même, 5 stations : Connolly, Tara St, Pearse, Grand Canal Dock et Lansdowne Rd. ☎ 703-35-04. ● *dublin.ie/transport/dart.htm* ● Fonctionne du lundi au samedi de 6h à 23h30 environ et le dimanche à partir de 9h20. De 5 à 20 mn d'attente selon les heures. Par exemple, le trajet Connolly-Malahide coûte 2,80 €. Réduc en achetant un A/R et avec la *Smart Cart* ou la *Leap Card*. Il existe des *Integrated Tickets* valables à la fois sur les réseaux de bus et de *DART*. Là encore, ticket pour 1, 3 ou 7 jours.

Le *LUAS*

Ce tramway récent, propriété d'une compagnie privée sans *office* et avare en renseignements, compte 2 lignes.

Pas de connexion de l'une à l'autre. ☎ 1800-300-604 (n° gratuit). ● luas.ie ● Glisse du lundi au samedi de 5h30 (6h30 le samedi) à 0h30 ; le dimanche, 1er tram à 7h et dernier à 23h30. Fréquence variable (entre 5 et 10 mn le plus souvent). Tickets disponibles aux bornes automatiques des arrêts, à partir de 1,60 € le trajet simple (et jusqu'à 2,80 € selon le nombre de zones tarifaires franchies). Surcharge de 0,10 € aux heures de pointe. Des tickets illimités Luas & Dublin Bus (Combi Tickets) peuvent s'avérer intéressants (8,10 €/j.). Quant au 7-Day Ticket, il coûte à partir de 13,20 € (pour la zone 1). La ligne rouge relie Connolly Station au quartier de Tallaght, au sud-ouest de Dublin, en traversant la rive nord du centre-ville (arrêts notamment à Busáras, sur Abbey Street, Smithfield Village et à la gare Heuston). La ligne verte part de Saint Stephen's Green et file au sud sur 9 km vers Cherrywood. Possibilité d'acheter des Flexi-Tickets pour circuler sur les 2 lignes.

Adresses et infos utiles

Infos touristiques

🛈 **Office de tourisme** (Dublin Discover Ireland Centre ; zoom détachable D4, 1) : à l'angle de Saint Andrew's St et Suffolk St. ☎ 1850-230-330. De l'étranger, composer le ☎ 00-353-66-97-920-83. ● visitdublin.com ● Sept-juin, lun-sam 9h-17h30, dim 10h30-15h ; juil-août, lun-sam 9h-19h, dim 10h30-15h. Dans une ancienne église totalement rénovée. Demander Dublin Pocket Guide. Nombreux services : vente de tickets de concerts, change, petite librairie, vente des billets et des passes de 3, 8 ou 15 jours de la compagnie nationale Bus Eireann, téléphone gratuit pour obtenir des informations sur les trains... et snack-salon de thé en mezzanine vraiment pas cher. Réservations de lits, service payant mais bien pratique le vendredi soir ou le week-end. Propose aussi un Dublin Pass (à 35 €/j. en 2013 : se renseigner pour bien calculer si c'est intéressant en fonction de son programme). Accueille également le **Northern Ire-**land Tourist Board (☎ 605-77-32) pour préparer son voyage en Irlande du Nord. Autre bureau sur O'Connell Street (zoom détachable D3, 2) : lun-sam 9h-17h.

🛈 **Temple Bar Cultural Trust** (zoom détachable D4, 3) : 12, East Essex St. ☎ 677-22-55. ● templebar.ie ● Lun-ven 9h-13h, 14h15-17h30. Infos détaillées sur les nombreuses activités culturelles, artistiques, musicales du quartier de Temple Bar, uniquement. Très bon accueil.

Poste, téléphone

✉ **Poste principale** (General Post Office ; zoom détachable D3) : O'Connell St (et Henry St). ☎ 705-70-00. Lun-sam 8h-20h. Nombreux téléphones à pièce et à carte dans la poste même. Fait poste restante.

✉ La plupart des autres bureaux de poste, comme la **Post Office** (zoom détachable D4) situé en face de l'office de tourisme, sur Saint Andrew's St, sont ouverts de 9h à 18h (13h le samedi).

Internet

@ **Internet and Call Shop** (zoom détachable D4, 10) : 38, Dame St. Tlj 9h30-23h30.

@ **Central Cyber Cafe** (zoom détachable D4, 11) : 6, Grafton St. Lun-ven 7h-23h, sam 9h-22h et dim 10h-20h.

@ **Global Internet Cafe** (zoom détachable D3, 12) : 8, Lower O'Connell St. ● globalcafe.ie ● Lun-ven 9h-21h, sam 9h-20h, dim 10h-20h.

@ **Internet Cafe** (zoom détachable D4, 13) : Lord Edward St. Tlj 10h-22h30.

@ Plusieurs adresses également dans Talbot Street (zoom détachable E3).

Représentations diplomatiques

■ **Ambassade de France** (hors plan détachable par G6, 20) : 36, Ailesbury Rd, Dublin 4. ☎ 277-50-00. ● ambafrance-ie.org ● Lun-ven 9h-12h30. Possibilité de les joindre l'ap-m par tél.

■ **Ambassade de Belgique** (plan détachable F5) : 1, Elgins Rd,

DUBLIN ET SES ENVIRONS

Ballsbridge, Dublin 4. ☎ 631-52-84. ● diplomatie.belgium.be/ireland ● Lunven 9h-13h, 14h-15h.

■ *Ambassade de Suisse* : 6, Ailesbury Rd, Dublin 4. ☎ 218-63-82 ou 83. ● eda.admin.ch/dublin ● *Lun-ven 8h30-12h.*

■ *Ambassade du Canada* : 7-8, Wilton Terrace, Dublin 2. ☎ 234-40-00. ● canada.ie ● *Lun-ven 9h-13h, 14h-16h30.*

Culture

– *Infos locales :* l'équivalent du *Pariscope* s'appelle à Dublin *In Dublin Magazine* ; c'est un hebdomadaire gratuit. Assez superficiel, malgré quelques articles sur la vie sociale et culturelle. Pour tout savoir sur les concerts, théâtre, expos... consulter plutôt *The Event Guide.* Très bien informé et gratuit. On le trouve surtout dans les magasins de musique et dans de nombreux bars.

■ *Comhaltas Ceoltóirí Eireann* (institut culturel irlandais) : 32, Belgrave Sq, Monkstown. ☎ 280-02-95. ● comhaltas.ie ● *À env 6 km au sud-est du centre, peu avt le port de Dún Laoghaire.* Prendre les bus n°s 7, 7 A ou 8 à *O'Connell Bridge. Station DART : Sea Point. Lun-ven 9h30-13h, 14h-17h30.* C'est la maison de la culture irlandaise, principalement dédiée à la musique traditionnelle. Quelques disques, livres, instruments traditionnels, renseignements sur les stages de musique. Bar et *music sessions* dans une belle salle de concerts les vendredi et samedi vers 21h. Encore plus de soirées festives l'été.

■ *Alliance française* (zoom détachable E4, **22**) : 1, Kildare St. ☎ 676-17-32. ● alliance-francaise.ie ● *À l'angle de Nassau St. Lun-ven 9h30-18h (17h30 en été).* Bon accueil. Au 1er étage, tableau d'affichage avec quelques petites annonces. Infos sur les concerts de groupes français à Dublin. Abrite aussi le service culturel de l'ambassade de France et une médiathèque française libre d'accès pour la consultation *(lun 12h30-19h30, mar-jeu 10h-19h30, ven 10h-17h, sam 10h-14h ; en été, lun-jeu 12h-18h30).* Cafétéria *La Cocotte* (voir plus loin « Où manger ? »).

■ *Sinn Féin Book Bureau* (zoom détachable D3, **23**) : 58, Parnell Sq West. ☎ 814-85-42. ● sinnfeinbookshop. com ● *Lun-sam 10h (11h sam)-16h30.* Librairie militante républicaine qui possède un rayon important de bouquins sur la lutte de libération en Irlande, beaucoup de disques et recueils de chansons nationalistes, *rebel songs,* folk...

■ *Journaux en français :* chez *Eason Bookshop,* vaste librairie au 40, Lower O'Connell St *(également à la gare de Heuston et Abbey St Middle).* ☎ 873-38-11. *Lun-mer et sam 8h-19h, jeu 8h-21h, ven 8h-20h, dim 12h-18h.* On y trouve *Le Monde (Libération* et même *L'Équipe* en été). Voir aussi chez les *newsagents* autour de Trinity College, Grafton Street et Westmoreland Street.

Urgences

■ *Hickey's Pharmacy* (zoom détachable D3, **24**) : 55, Lower O'Connell St. ☎ 873-04-27. *Tlj jusqu'à 22h. Également une autre pharmacie dans Grafton St. Tlj jusqu'à 20h.*

■ *Irish Tourist Assistance Service :* voir « Urgences » dans « Irlande utile ».

Compagnies aériennes, agence de voyages

■ *Aer Lingus :* slt à l'aéroport. ☎ 0818-365-000.

■ *Air France :* slt à l'aéroport. ☎ 605-03-83. *Tlj 5h-20h (19h30 le w-e).*

■ *Usit* (zoom détachable D3, **25**) : 19-21, Aston Quay (O'Connell Bridge). ☎ 602-19-06. ● usit.ie ● *Lun-sam 10h-18h30 (17h sam).* Spécialisé dans les vols bon marché, trains et bus pour les étudiants.

Location et réparation de bicyclettes

N'hésitez pas à louer des vélos : c'est très pratique et ça vous évitera les interminables queues aux arrêts de bus.

■ *Dublin City Velo :* ● dublinbikes. ie ● L'équivalent du *Vélib'* parisien. Pas moins de 44 stations dans le centre de Dublin. *Les premières 30 mn sont* gratuites, puis compter 1,50 € pour 2h. Possibilité d'acheter un ticket valable 3 j. Paiement par CB.

■ **Cycle Ways** (zoom détachable D3, 26) : 185, Parnell St. ☎ 873-47-48. ● cycleways.com ● Lun-sam 9h30-18h, dim 12h-18h. Loc de vélos de ville ou de VTT à la journée (20 €) ou à la sem (80 €). Magasin hyper complet avec tout le matériel possible et des conseils avisés.

Tours organisés

Plusieurs compagnies organisent des Hop On-Hop Off City Tours : un bus à étage (et découvert) suit un itinéraire touristique dans Dublin et s'arrête à une vingtaine de reprises à l'entrée de la plupart des musées, monuments et quartiers renommés. On peut ainsi descendre à n'importe quelle étape puis prendre le bus suivant (passage toutes les 15 mn), et ce durant 24h. Pratique pour visiter un bon nombre de lieux intéressants sans courir aux quatre coins de la ville ni se rendre fou dans les transports en commun.

– **Dublin Bus Tour :** ☎ 703-30-28. ● dublinsightseeing.ie ● Point de départ officiel sur O'Connell St, mais on peut l'intercepter à chacun des 23 arrêts du parcours. Circule tlj sf dim 8h30-18h. Le tour complet dure 1h20. Tarif : 18 €. À bord, commentaire live des chauffeurs, plutôt drôles d'ailleurs, ou audioguide en français. Propose de surcroît des réductions pour l'entrée de certains lieux desservis.

Où dormir ?

À moins de loger en AJ ou d'avoir de gros moyens, la meilleure solution consiste à choisir un logement dans les quartiers résidentiels comme Glasnevin ou Ballsbridge. Calmes et verdoyants, ils s'avèrent également moins excentrés qu'il n'y paraît. Si l'on souhaite être dans le centre, il reste à choisir entre la rive sud et la rive nord, la Liffey coupant la ville en 2. À savoir : dans la plupart des établissements, on profite d'événements tels que la Saint-Patrick, Bloom's Day ou des matchs

internationaux de rugby pour afficher une nette majoration. Autre formule possible : la location d'appartements, proposée par exemple par Dublin City Apartments (☎ 443-39-20 ; ● dublincityapartments.ie ●).

CAMPINGS

⚊ **Camac Valley Tourist Caravan & Camping Park :** Corkagh Park, Naas Rd, à **Clondalkin,** Dublin 22. ☎ 464-06-44. ● camacvalley.com ● À 15 km au sud-ouest de Dublin, sur la N 7. Bus n° 69 depuis Aston Quay (une vingtaine de départs 6h35-23h15) ; demandez au chauffeur de vous arrêter à Camac Valley : prévoir près de 1h de trajet. Ouvtte l'année. Résa conseillée. Compter 20-24 € pour 2 avec tente et voiture, selon saison et taille de la tente. Douches payantes. 📶 En pleine campagne, un camping de 160 places environ (mais prévu pour seulement 70 tentes), assez venté et parfois bruyant à cause de la route. Demander une place au fond. En revanche, belle herbe pour se poser. Pas mal d'espace. Accueil sympa. À proximité, belles balades à pied.

⚊ **North Beach Caravan Park :** à **Rush.** ☎ 843-71-31. ● northbeach.ie ● À env 20 km au nord de Dublin. Bus n° 33 d'Eden Quay ou train de Connolly Station pour Rush-Lusk (à 2,5 km de Rush). En voiture, quitter la N 1 à la pancarte « Rush » (en face de la station Esso de Blake Cross). De l'aéroport, prendre le n° 41 jusqu'au supermarché Londis de Swords, puis le n° 33. Ouv avr-fin sept. Compter env 20 € pour 2 avec tente et voiture. CB refusées. Douches payantes. 64 emplacements bien tenus, coin cuisine à dispo, sanitaires propres et accès direct à la plage. Propriétaire serviable.

AUBERGES DE JEUNESSE

Il n'est pas toujours très facile de s'y retrouver dans les tarifs des AJ : ils varient énormément en fonction de la capacité du dortoir, de la saison, du jour de la semaine, des événements (un week-end de match à domicile de l'équipe nationale de rugby dans le cadre du Tournoi des six nations, ce sera plus cher). Bien consulter les sites des AJ et ne pas oublier qu'il y a souvent des réductions pour des réservations en ligne : avec la crise, jamais les tarifs n'ont été plus flexibles. Bon à savoir également, toutes offrent gratuitement un accès wifi.

Dans le centre, rive sud

▲ **Four Courts Hostel** (zoom détachable C4, **30**) : 15-17, Merchant's Quay. ☎ 672-58-39. ● fourcourtshostel.com ● Selon saison, grand dortoir 12-26 €/pers ; dortoir 4-10 pers 17-34 €/pers ; doubles 22,50-40 €/pers ; petit déj compris. 🛜 Dans un élégant édifice fort bien rénové et décoré de fresques amusantes. Chambres (avec carte magnétique), dortoirs, sanitaires corrects. Eau chaude 24h/24 et chauffage central. Laverie, cuisine équipée, consigne à bagages, garage à vélos et beaucoup d'autres services (BBQ offert le jeudi).

▲ **Kinlay House** (zoom détachable D4, **31**) : 2-12, Lord Edward St (dans le prolongement de Dame St), Dublin 2. ☎ 679-66-44. ● kinlaydublin.ie ● Dortoir 12-20 lits 15-18 €/pers ; chambres 4 lits 18-25 €/pers ; doubles 25-33 €/pers sans ou avec sdb, petit déj compris. 🛜 Installé dans un bel immeuble victorien en brique rouge (Harding House), coincé entre Christ Church Cathedral et Temple Bar. Chambres basiques (les douches privées se résument à une poire et un rideau) mais nickel, dortoirs bien tenus, ambiance joyeuse et fraternelle autour de la TV ou de la machine à café. Nombreuses prestations : petite cuisine à disposition (peu de matériel), lave-linge, consigne à bagages, lockers pour les papiers... Nouvelle salle commune. Location de vélos. Navette de et vers l'aéroport. Gros inconvénient : la majorité des chambres donnent sur Dame Street... mieux vaut avoir le sommeil lourd.

▲ **Avalon House** (zoom détachable D4, **32**) : 55, Aungier St. ☎ 475-00-01. ● avalon-house.ie ● Bus nº 16 A (liaisons avec l'aéroport). Desservi également par la compagnie Aircoach de l'aéroport. Ouv 24h/24. Résa conseillée. En hte saison, 16-20 €/pers en dortoir 6-12 lits ; quelques doubles à partir de 30 €/pers, petit déj léger compris.

Promos sur Internet. 🛜 Dans un édifice en grès rose du début du XXᵉ s. Belle façade avec colonnes torsadées, mais c'est un peu l'usine le week-end, avec sa capacité d'accueil de près de 300 personnes ! Certaines chambres commencent d'ailleurs à mal supporter ce va-et-vient. Bonnes prestations : cuisine aménagée, lockers, laverie, garage à vélos, bureau de change, billard, ping-pong... Et possibilité de se restaurer au Bald Barista, un café intégré à l'AJ dans lequel sont projetés tous les soirs des films sur grand écran. Accueil dynamique et francophone.

▲ **Abigail's Hostel** (zoom détachable D4, **33**) : 7-9, Aston Quay. ☎ 677-93-00. ● abigailshostel.com ● À partir de 10 €/pers en dortoir 10 lits, 18 €/pers en chambre de 4 et 50 € pour 1 double ; ttes en suite, petit déj inclus. 🛜 Encore une grande AJ idéalement située sur les bords de la Liffey et à l'entrée de Temple Bar. Impec avec son mobilier en bois blond ou compressé, ses peintures fraîches et ses multiples services : cuisine, bureau de change, parking à vélos et salle commune avec TV. En haute saison, ça grouille à toute heure, ça braille dans un mélange de langues trépidant. En revanche, en basse et moyenne saison, beaucoup moins de monde. Peut-être que c'est pour ça qu'en hiver, ce n'est pas souvent chauffé !

▲ **The Oliver St John Gogarty's Hostel** (zoom détachable D4, **34**) : 18-21, Anglesea St. ☎ 671-18-22. ● gogartys.ie ● À partir de 12-22 € en dortoir selon nombre de lits, j. de la sem et saison ; doubles 44-62 € ; petit déj compris. 🛜 Une adresse gérée par l'énorme pub et le restaurant du même nom en plein cœur de Temple Bar, où débarquent les touristes par vagues successives. Assez bruyant du coup, vous vous en doutez. Chambres pas trop grandes mais toutes en suite, et ensemble agréable et confortable, alliance harmonieuse de l'alu et de la brique. Cuisine équipée. Parking (payant) à proximité et garage à vélos. Quelques appartements à louer aussi, avec 1 à 3 chambres.

▲ **Barnacles Temple Bar House** (zoom détachable D4, **35**) : 19, Temple Lane South. ☎ 671-62-77. ● bar nacles.ie ● Ouv tte l'année, 24h/24. Compter 12-24,50 €/pers en dortoir de 11 lits, 18-30,50 € avec 6 lits, 20-32,50 € en chambre 4 lits selon saison ; doubles 60-87 € ; ttes avec sdb et petit déj inclus. 🛜 Difficile de faire plus central ! Malheureusement, cette situation de quasi-monopole n'incite pas la direction à faire du zèle. Il n'est pas rare de constater une dégradation des conditions générales (accueil, propreté, difficultés lors de la réservation...) en haute saison. Sinon, nombreuses prestations : cuisine bien équipée, laverie, coffres de sécurité, local pour les vélos (et location), agréable salon ensoleillé sous les toits.

🏠 **Ashfield House** (zoom détachable E3, 36) : 19-20, D'Olier St. 🕿 679-77-34. ● ashfieldhouse.ie ● À partir de 9 €/pers en dortoir de 18 lits et de 12-14 €/pers en chambre de 6-8 lits ; doubles avec douche à partir de 30-35 €/pers. Dans une artère bruyante. Youth hostel bien tenue, mais qui mériterait toutefois un petit rafraîchissement. Lits en bois clair et tissus colorés pour les chambres les plus chères. Certaines avec grand lit. Petits coffres personnels, consigne à bagages, petite cuisine équipée.

Dans le centre, rive nord

🏠 **Dublin International Youth Hostel** (plan détachable D2, 37) : 61, Mountjoy St North, Dublin 7. 🕿 830-17-66. ● anoige.ie ● Pas de curfew (« couvre-feu »). Selon saison, compter 13-20 € en dortoir ; doubles 48-50 € ; triples 72,50-75 € ; quadruples 90-94 € ; petit déj léger compris. Possibilité de dîner. C'est l'AJ officielle, établie dans un ancien couvent immense d'une capacité de 320 lits environ. Au moins, on ne s'y sent pas seul ! Prestations à la mesure de la taille : nombreux sanitaires, vaste cafétéria installée dans une ancienne chapelle annexe (si vous péchez par gourmandise, subsistent encore les confessionnaux), billards, chauffage central, cuisine, téléphone international, lockers, parking gratuit... et carte magnétique pour les fêtards ! Accueil dynamique.

🏠 **Generator Hostel** (plan détachable C3, 38) : 28, Smithfield St. 🕿 901-02-22. ● generatorhostels. com ● 🔵 Smithfield Square. À partir de 15 €/pers en dortoir, plus singles et doubles ; petit déj-buffet 4 €. 🖳 (payant). 🛜 Ouverte en 2012, toute pimpante, c'est la dernière génération des AJ (540 lits !). Elle est déjà en train de détrôner toutes les autres ! Fort bien située, accolée à la distillerie Jameson, pas loin de Temple Square. Immenses espaces et volumes, accueil pro. Noter ces curieuses et originales lampes-bouteilles Jameson. Chambres à la blancheur immaculée avec belle salle de bains, lumière et grand coffre personnel (prévoir son cadenas). Hall, immense bar (décor port industriel), cafétéria lumineuse sous atrium, espaces communs vraiment accueillants, confortables canapés. Cherry on the cake : une chambre de filles avec jacuzzi !

🏠 **Mount Eccles Court** (plan détachable D2, 39) : 42, North Great George's St. 🕿 873-08-26. ● eccleshostel. com ● À côté du James Joyce Centre. Compter 9 € en grand dortoir mixte de 16 pers, 10 € en dortoir de 10 (mixte), 12-13,50 € en dortoir de 6 (filles slt ; en suite) ; chambres 4 pers 13,50-15 €/pers ; enfin, doubles 25-29 € selon confort (certaines avec mezzanine) ; petit déj (léger) compris. Ajouter 3 € ven-sam. 🖳🛜 Vaste AJ dans une rue à l'allure très américaine, aux maisons en brique, installée dans une belle demeure georgienne (cage d'escalier avec stucs). Accueil plutôt sympa et staff serviable. Grands dortoirs clairs et calmes donnant sur la rue peu passante ou sur l'arrière (école). Bonne literie. Garage à vélos, cuisine équipée, bureau de change, billard, table de ping-pong.

🏠 **Globetrotters** (zoom détachable E3, 40) : 47-48, Lower Gardiner St. 🕿 873-58-93. ● globetrottersdublin. com ● À deux pas de Busáras et de Connolly Station. Pas de couvre-feu. Compter 15-28 €/pers en dortoir 6-12 lits, petit déj compris. Une belle maison georgienne convertie en hostel. Voilà donc une bonne adresse pour ceux qui veulent un peu plus de confort que d'habitude (salle de bains dans le dortoir) et surtout un intérieur digne d'un petit hôtel de charme. Dortoirs (parfois petits) impeccables, donnant sur la rue ou sur l'arrière, agréable pièce commune et petit jardin. Pas de repas, mais *Irish breakfast* copieux servi dans une salle lumineuse. Un très bon rapport qualité-prix.

▲ *Abbey Court* (zoom détachable D3, *41*) : 29, Bachelors Walk. ☎ 878-07-00. ● abbey-court.com ● Compter 15-26 €/pers en dortoir de 12, 6 ou 4 lits, ou prévoir jusqu'à 80 € pour 1 double en suite, *petit déj compris ; moins cher en sem* (hors événements). Également des apparts. 🖥 🛜 Très central et bien conçu, avec un système de carte magnétique impeccable pour les noctambules. On a un a priori favorable pour cette adresse à cause de son concept. Le patron a voulu une AJ totalement originale, avec la volonté de rendre le séjour de chacun agréable, tout en garantissant confort, propreté et sécurité. Résultat : une débauche de couloirs, coursives, escaliers ornés de fresques colorées (parfois surprenantes) menant aux divers dortoirs et chambres. Certes, certains dortoirs sont plutôt petits (préférez ceux donnant sur l'arrière, plus calmes), mais les sanitaires communs sont impeccables. Superbe cuisine équipée, plaisante salle à manger et des tas d'autres petits avantages, comme cette adorable petite salle de cinéma (près de 1 000 films), le nouveau bar style cottage, le *hamac room* et la salle de jeux, une super salle d'ordinateurs, etc. Casiers personnels, consigne à bagages. Staff pro.

▲ *Abraham House* (zoom détachable E3, *43*) : 83, Lower Gardiner St. ☎ 855-06-00. ● abraham-house.ie ● À deux pas de Busáras et de Connolly Station. Pas de couvre-feu. Dortoirs 20 lits 10 €/pers, 8-12 lits 10-12 €/pers ; chambre 4 pers 18 €/pers ; doubles à partir de 25 €/pers ; petit déj compris. Parking gratuit. 🖥 (payant). 🛜 AJ dans une maison georgienne en brique, au cœur d'un quartier populaire. Les dortoirs, fonctionnels et confortables (tous *en suite*), sont malheureusement dotés de cloisons un peu trop minces. Chauffage central. Cuisine bien équipée, coffres individuels et consigne à bagages.

▲ *Jacob's Inn* (zoom détachable E3, *44*) : 21-28, Talbot Pl. ☎ 855-62-15. ● jacobsinn.com ● À côté de Connolly et Busáras. Dortoirs 10-12 lits

à partir de 12 €/pers, 4-6 lits 16-18 €/pers ; doubles 25-40 €/pers selon saison. 🛜 Caractéristique principale de cette AJ : elle est la seule à Dublin à avoir été entièrement conçue et construite dans ce but. Moderne donc, avec un hall et un accueil dignes d'un hôtel. Chambres spacieuses. Belle cuisine équipée. Terrasse avec vue. À deux pas, l'*Isaac Hostel* (même direction), installée dans un ancien entrepôt en brique, une des plus « vieilles » AJ de Dublin (assez bruyante, en dépannage).

LOGEMENTS À L'UNIVERSITÉ

Prix moyens

▲ *UCD Village* : Belfield, Dublin 4. ☎ 716-13-33. ● ucd.ie ● À 4 km au sud de Dublin. Pour s'y rendre, bus n° 10 (départs ttes les 10 mn) depuis O'Connell St ; sinon, bus n° 46 A de D'Olier St jusqu'à UCD ou Aircoach depuis l'aéroport. Ouv 15 juin-15 sept. Résa très conseillée ! Singles 45-62 €/pers. 🖥 Sur le campus de l'University College of Dublin, possibilité de louer d'agréables appartements de 1 à 4 chambres. 2 sites : Merville et Roebuck Hall. Très confortable et idéal pour les familles. Cuisine aménagée (avec tout le matériel). Possibilité de louer à la semaine. Intéressant, car à 3 km de la mer (baie de Killiney).

▲ *Trinity College Accommodation* (zoom détachable E4, *45*) : Accommodation Office, Trinity College. ☎ 896-11-77. ● tcd.ie/accommodation ● Au cœur de la ville. Bureau ouv lun-ven 9h-12h45, 14h-17h. Slt de fin mai à mi-sept. Résa conseillée. Singles 58-71,50 € (avec sdb) ; doubles 78-120 € ; petit déj continental compris. Plusieurs formules d'hébergements là aussi, allant de la petite chambre d'étudiant dans un bâtiment historique à l'appartement de 3-4 pièces dans un édifice contemporain.

BED & BREAKFAST, HÔTELS

De prix moyens à chic

Rive nord (dans le centre)

▲ *Hazelbrook House* (zoom détachable E3, *46*) : 85, Lower Gardiner

St. ☎ 836-50-03. • hazelbrook house.ie • Doubles 60-70 € ; familiale (4 pers) 99 € ; petit déj compris. ☜ Un immeuble de style georgien récemment rénové. Certes, pas le grand luxe, mais très correct pour le prix et plutôt mieux que la plupart de ses concurrents dans la même rue. Chambres en général hautes de plafond (le georgien a du bon), TV câblée, parking gratuit (si vous avez réserver à temps).

🛏 **Celtic Lodge** (zoom détachable E3, 47) : 81-82, Talbot St. ☎ 878-88-10. • celticlodge.ie • Doubles 60-80 € selon saison, petit déj inclus (et bus aéroport gratuit). Au-dessus d'un pub sympa (le Celt Bar) et d'un bon resto (même maison), un p'tit hôtel sans histoire offrant une trentaine de chambres propres et de bon confort.

Dans le centre, au sud de Saint Stephen's Green

🛏 **The Leeson** (plan détachable E5, 48) : 24, Lower Leeson St, Dublin 2. ☎ 662-20-02. • leesoninndowntown. com • Beaucoup de bus. Arrêt Harcourt du LUAS à proximité. Doubles env 69-79 € en sem et 139 € ven-sam, petit déj inclus. Parking à dispo. Idéalement situé à deux pas de Saint Stephen's Green. Cette belle demeure de style georgien abrite une quinzaine de chambres à la déco moderne et chaleureuse dans les tons brun et violine. Quelques tableaux ici ou là offrent une touche contemporaine qui change des sempiternels rideaux à fleurs et des peintures naturalistes. Certes, l'espace est optimisé et les salles de bains sont un peu exiguës, mais on s'y sent bien.

🛏 **Kilronan House** (plan détachable D5, 49) : 70, Adelaide Rd, Dublin 2. ☎ 475-52-66. • kilronanhouse.com • Un peu au sud de Saint Stephen's Green. Accès par le LUAS (arrêt Harcourt) et à 5 mn de l'arrêt du Blue Air Coach. Selon saison, doubles 79-109 € en sem et 99-129 € le w-e avec petit déj. Promos sur Internet. Parking. Voici le mariage réussi de l'élégance d'une maison bourgeoise du XIXe s et d'une guesthouse contemporaine. Des cheminées aux moulures originales, jusqu'au moindre petit détail le charme opère. Sans compter sa localisation proche du centre, mais déjà dans un quartier résidentiel bien calme. Charmant salon, élégant Kobra Bar et petit déj copieux à base de produits frais et bio.

À Ballsbridge

Pour les B & B de Pembroke Park : bus nos 39 A, 46, 46 A et 46 B, et l'Air Coach ne passe pas loin.

🛏 **Aaron Court** (hors plan détachable par G6, 50) : 144, Merrion Rd. ☎ 260-26-31. 📱 086-252-70-21. • aaroncourt ballsbridge.com • À 5 mn du DART (Sydney Parade). Arrêt de bus devant (nos 4, 5, 7 et 8), Air Coach à 300 m. Doubles 70-90 € selon saison, petit déj compris. Parking privé. Au cœur du quartier des ambassades. Au fond d'un vaste jardin, une grande demeure familiale pas trop séduisante de l'extérieur, mais où, une fois à l'intérieur on se sent tout de suite bien. Mobilier de caractère, chambres méticuleusement tenues. Accueil adorable de Leslie, toujours prête à aider, à donner la meilleure info, à faire plaisir. Copieux breakfast, avec des petites recettes perso, servi dans une salle à manger de charme (superbe vaisselier de famille). Le meilleur de l'hospitalité irlandaise, c'est dit !

🛏 **Oaklodge** (plan détachable F6, 51) : 4, Pembroke Park, Ballsbridge, Dublin 4. ☎ 660-60-96. • oaklodge. ie • Bus nos 10 et 46 A ; arrêts Donnybrook et Morehampton Rd. Ouv tte l'année sf autour de Noël. Doubles 70-80 €, petit déj compris. CB refusées. Slt 2 places de parking, pensez à réserver. ☜ Adorable maison en brique rouge dans une rue tranquille et un agréable environnement, entre Herbert Park et Wellington Place. Petit B & B de 4 chambres, confortable et joliment décoré dans les tons clairs. Excellent accueil.

🛏 **Elva** (plan détachable F6, 52) : 5, Pembroke Park, Ballsbridge, Dublin 4. ☎ 660-54-17. • smatthewstx@ eircom.net • Doubles 85-90 € ; petit déj compris. CB refusées. Parking privé. ☜ Seulement 2 doubles et 1 single. Belle chambre côté rue, minuscule, avec salle de bains attenante tout aussi petite. Celles à l'arrière sont plus modernes mais agréables et bien équipées. Déco très classique, entretien nickel et accueil chaleureux de Sheila Matthews.

🛏 **Adare B & B** (plan détachable F6, 53) : 20, Pembroke Park, Ballsbridge, Dublin 4. ☎ 668-30-75. ● darraghfoy. wix.com/adarehouse ● Bus n° 10 depuis O'Connell St et n° 46 A depuis Grafton St. Ouv tte l'année. Compter 70-90 €, petit déj compris. CB refusées. Parking privé. 🛜 Les chambres sont décorées avec goût et sobriété, toutes avec TV, téléphone et salle de bains. Une adresse classique dans ce quartier résidentiel où fourmillent les B & B.

🛏 **Donnybrook Hall** (hors plan détachable par F6, 54) : 6, Belmont Ave. ☎ 269-16-33. ● donnybrookhall. com ● Doubles env 70-100 € (surveiller les promos sur Internet). 🛜 Dans une rue calme, juste au sud de Ballsbridge, encore proche du centre. Entre B & B et hôtel, une petite dizaine de chambres confortables, dont 3 donnent sur un jardin. Certaines pas trop grandes, d'autres communiquent pour former des familiales. Accueil sympathique du patron, très serviable. Si vous dînez chez O'Connell (voir « Où manger ? ») à deux pas (un de nos restos préférés), un Irish coffee vous est offert.

🛏 **Andorra B & B** (plan détachable G6, 55) : 94, Merrion Rd. ☎ 668-96-66. ● andorrabb.com ● Bus n°s 4, 5, 7, 7 A, 8 et 45. Arrêt de l'Air Coach pour l'aéroport à quelques mn ; station Sandymount du DART pas très loin. Compter 60-90 €, petit déj inclus. Parking privé. En face de l'ambassade de Grande-Bretagne, une grosse demeure à colombages style Cabourg. Intérieur cosy comme tout, chambres de bon confort, assez spacieuses, avec salle de bains. TV et possibilité de faire son thé ou café. Accueil aimable et bon breakfast.

À Glasnevin (nord de Dublin)

De nombreux bus pour s'y rendre : sur Botanic Road, n°s 19, 19 A et 13 ; sur Drumcondra Road, n°s 3, 11, 16 et 41 ; les n°s 41 A et 41 B vont, en outre, à l'aéroport. Pour s'y rendre en voiture du centre-ville : Philsborough Road (plan détachable B1), traverser le Royal Canal, puis continuer dans la

Botanic Road que coupe Iona Road sur la droite.

🛏 **Egan's House** : 7, Iona Park, Glasnevin, Dublin 9. ☎ 830-36-11. ● eganshouse.ie ● Perpendiculaire à Iona Rd. Doubles à partir de 70-80 € ; familiales 100-125 € ; petit déj inclus. Parking 7 €. 🛜 Dans un quartier résidentiel et calme à moins de 10 mn en voiture du centre-ville. Pas loin à pied du jardin botanique. Une grande demeure (façade en brique rouge) avec un petit jardin qui abrite une trentaine de chambres classiques mais tout confort. Petit hôtel donc plutôt que B & B. Quelques-unes sont des familiales. Très élégant Dublin lounge avec cheminée en cuivre et céramique, flanquée d'un joli piano ciselé.

Au sud de la Liffey, plus loin du centre

🛏 **Teresa Tomkins B & B** (hors plan détachable par C6) : 123, Coolamber Park, Dublin 16. ☎ 406-95-53. ● tere satomkins@eircom.net ● En voiture, prendre la N 81 sur Dame St (ou depuis l'autoroute M 50) et la suivre sur 8 km jusqu'au quartier de Templeogue. Traverser la River Dodder et demander son chemin. Le bus n° 15 (le n° 5 B bifurque 500 m plus tôt), qui mène à College St en 30 mn, s'arrête à la station-service de Knocklyon Rd, à 250 m du B & B. Ouv 1er mars-31 oct. Doubles 55-65 €, petit déj compris. CB refusées. 🛜 Des chambres simples et bien tenues, certaines avec salle de bains, dans une habitation typique de quartier résidentiel middle class. Idéal pour rayonner au sud de Dublin et pas trop délaissé par les bus (Nitelink le week-end). Et puis, en plus d'être une hôtesse amène, Mrs Tomkins connaît bien la région et (surtout !) sert un breakfast irlandais complet et copieux.

Chic

Dans le centre, rive sud

🛏 **Central Hotel** (zoom détachable D4, 56) : Exchequer St, Dublin 2. ☎ 679-73-02. ● centralhoteldublin.com ● À partir de 80 € pour 2 lun-jeu, petit déj compris ; env le double le w-e. 🛜 Idéalement situé au cœur de Dublin, ce bel hôtel à la déco raffinée accueille des visiteurs depuis 1887. L'atmosphère des salons rappelle un peu celle des années 1920 ! Et que dire du bar à l'étage avec ses grands fauteuils et ses élégantes bibliothèques tout droit sorties d'un roman d'Oscar Wilde ? À l'inverse, les chambres (doubles, triples et familiales), assez spacieuses, jouent la carte de la modernité, avec une déco des plus épurée. Excellent confort : TV câblée, sèche-cheveux, possibilité de faire le café, etc. Accueil agréable.

À Ballsbridge

🛏 **Pembroke Townhouse** *(plan détachable F5, 57)* **:** *90, Pembroke Rd, Ballsbridge, Dublin 4.* ☎ *660-02-77.* ● *pembroketownhouse.ie* ● *Congés : 3 sem autour de Noël. Compter 99 € pour 2 ; petits déj 10-15 €. Promos sur Internet. Ascenseur. Parking à dispo.* Jolie maison de style georgien convertie en hôtel de charme aux lignes intérieures contemporaines qui ne manquent pas de séduire. Toutes les chambres ont une décoration cosy, des tons doux et on s'y sent particulièrement bien. Les plus chères avec TV écran plat. Quelques minisuites également. Excellent *Irish breakfast.* L'accueil ne l'est pas moins !

Dans le centre, rive nord

🛏 **The Townhouse** *(zoom détachable E3, 58)* **:** *47-48, Lower Gardiner St, Dublin 1.* ☎ *878-88-08.* ● *townhouseofdublin.com* ● *À deux pas de Connolly Station et Busáras. Doubles 80-120 € selon saison, petit déj compris.* 🛜 Une vaste maison georgienne où les écrivains Dion Boucicault et Lafcadio Hearn ont séjourné. Certaines chambres portent le nom d'une de leurs œuvres. Atmosphère agréable, avec petit salon et feu de cheminée en hiver et mobilier d'époque. Environ 70 chambres de tailles diverses (certaines petites) mais confortables et bien décorées, avec TV, téléphone et salle de bains. Et, comme les rues environnantes sont plutôt bruyantes, préférez les chambres donnant sur la cour intérieure fleurie. Même maison que l'AJ à côté.

À Glasnevin (nord de Dublin)

Pour l'accès, voir plus haut dans « De prix moyens à chic ».

🛏 **Maples House Hotel :** *79-81, Iona Rd, Glasnevin, Dublin 9.* ☎ *830-42-27.* ● *mapleshotel.com* ● *Fermé autour de Noël. Doubles 69-150 € selon saison et confort, petit déj en plus (continental ou Irish).* 🖥 🛜 Que l'animation des ruelles de Temple Bar semble loin dans ce quartier résidentiel de Dublin ! Dans cette belle demeure de brique rouge du début du XXe s, raffinement et charme sont les maîtres mots, des chambres épurées au petit salon avec cheminée jusqu'au restaurant aux tables impeccablement dressées. Le tout dans une certaine intimité, puisque l'hôtel ne compte qu'une vingtaine de chambres. TV écran plat, sèche-cheveux, etc. Restaurant et bar.

Plus chic

À Ballsbridge

🛏 **Ariel House** *(plan détachable G5, 59)* **:** *50-54, Lansdowne Rd, Ballsbridge, Dublin 4.* ☎ *668-55-12.* ● *ariel-house.net* ● *Au pied du Rugby Stadium. Le bus Aircoach de l'aéroport s'arrête à deux pas. Par le DART, s'arrêter à la station Lansdowne Rd. Doubles standard 59-160 € ; junior suites 99-250 € ; petit déj en sus. Parking gratuit.* Dans le quartier verdoyant et calme (sauf les soirs de match) de Ballsbridge, une belle et grande demeure victorienne en brique rouge gérée par un Irlandais affable et plein d'humour. Une quarantaine de chambres décorées avec goût par la maîtresse de maison, pourvues d'un beau mobilier de style. Les plus « économiques », plus petites, se trouvent derrière la maison principale, dans une annexe moderne. Parmi les plus belles chambres, la n° 228, avec une adorable salle de bains chinoise, ou bien la n° 239, donnant sur le jardin et équipée d'une baignoire-jacuzzi. *Junior suites* vraiment chouettes avec leur lit à baldaquin, les beaux tissus et les lustres en cristal de Waterford. Copieux petit déj, continental ou irlandais, qu'on prend sous une agréable véranda. Une adresse de charme, proche du centre-ville, qui conviendra à nos lecteurs en lune de miel à Dublin.

Très, très chic

À Ballsbridge

🛆 **Aberdeen Lodge** (hors plan détachable par G6, 60) : 53-55, Park Ave, Ballsbridge, Dublin 4. ☎ 283-81-55. ● aberdeen-lodge.com ● Prendre le DART jusqu'à l'arrêt Sandymount. Doubles 149-289 €, petit déj compris. La porte à peine entrouverte, un flot de sérénité submerge le visiteur. Et pour cause, cet établissement membre des « Relais du silence », entièrement couvert de vigne vierge, fait de la tranquillité son cheval de bataille ! Chambres à l'avenant, reposantes et décorées avec goût, beaux salons cossus au rez-de-chaussée. Grand jardin. Une adresse de charme.

🛆 **Merrion Hall** (plan détachable G6, 61) : 54-56, Merrion Rd, Ballsbridge, Dublin 4. ☎ 668-14-26. ● aberdeen-lodge.com/merrion-main.html ● Dans le quartier (très résidentiel) de l'ambassade américaine. Doubles env 150-300 € et plus selon saison, petit déj compris. Belles promos sur Internet. Dans une belle demeure de style edwardien (voilà qui change du style georgien), une trentaine de chambres de haut standing ainsi que quelques suites. AC, TV satellite, bains avec jacuzzi, bref, tout le confort que procure ce genre d'hôtel de charme aux 5 étoiles. Même propriétaire que l'Aberdeen Lodge.

Où manger ?

Dublin est devenue une véritable capitale gastronomique, et l'offre se révèle d'une très grande richesse. Une chose vous étonnera : certaines superbes adresses connaissent un incroyable niveau sonore... allègrement supporté par les convives !

Manger le midi à Dublin ne coûte pas trop cher, car beaucoup de restos servent des lunch specials autour de 10-13 € ; le soir, les tarifs augmentent avec l'heure. Dans la plupart des restos, il vous coûtera moins cher de dîner avant 18h30 ou 19h (early bird). Attention, le vendredi et le samedi soir, il est préférable de réserver la veille. Pas mal de restos pratiquent le brunch dominical, en principe de 11h-12h à 15h-16h. Ne pas hésiter à réserver, même en dehors de ces jours, malgré la crise, les établissements ayant le plus de succès ne désemplissant pas !

■ **Fabulous Food Trails :** 44, Oakley Rd, Ranelagh. ☎ 497-12-45. ● fabulousfoodtrails.ie ● Ven-sam à 10h ; mai-sept, jeu soir vers 17h30. Résa obligatoire. Compter 45 €/pers. Pendant environ 2h30, découvrez les meilleures boutiques de produits : fromagers, boulangers, bouchers, petits salons de thé, food stalls, certaines cafétérias de musée, toutes dans la philosophie bio ou slow food. Souvent, bien sûr, avec dégustation (vous découvrirez avec surprise que l'Irlande est l'autre pays du fromage !). Une façon gourmande donc de découvrir la vitalité de la gastronomie dublinoise et la visite avec Roisin Fallon est un vrai bonheur !

De bon marché à prix moyens

Rive sud, sous Dame Street

|●| **La Cocotte** (zoom détachable E4, 22) : 1, Kildare St. ☎ 676-17-32. C'est la cafétéria de l'alliance française. Tlj sf dim 8h30-19h30 (17h30 ven, 14h30 sam). Fermé un été en été. Plat 10 € ; menus 3 plats 17 € et 2 plats 15 €. Salle spacieuse égayée par d'intéressantes expos temporaires (peinture, photo). Bonne cuisine, des plats simples bien troussés et qui tournent chaque semaine : bœuf bourguignon, saucisse de Toulouse, baguettes garnies, quiches, soupes, beaux gâteaux (plus une journée cuisine de province française par semaine)... Idéal quand on fait les musées du quartier.

|●| **Lemon Crepe** (zoom détachable D4, 90) : 66, South William St. ☎ 672-90-44. Tlj jusqu'à 19h30 (21h jeu, 18h30 dim). Crêpes 6-8 €. Plébiscitée par les étudiants de Trinity, cette crêperie de poche aux allures de cafétéria ne désemplit pourtant pas de la journée. Crêpes sucrées ou salées bien garnies, mais également un panel intéressant de sandwichs chauds. Quelques tables ensoleillées (entre deux nuages !) en terrasse.

IOI Blazing Salads (zoom détachable D4, 91) : 42, Drury St. ☎ 671-95-52. Lun-sam 9h-18h (17h30 sam). Petits plats 6-10 €. Une sorte de pâtisserie-salon de thé un tantinet écolo, où l'on s'applique à pétrir du pain bio fourré de bons produits frais. De bonnes salades au poids, des soupes et des petits plats exclusivement végétariens riches en saveurs, comme le caribbean stew, le sheperd's pie ou la lasagne aux légumes, la ratatouille au parmesan frais... Une enclave militante dans le pays du beef et Guinness stew. Leur cookbook fait fureur. Pas de places assises.

IOI Leo Burdock (zoom détachable D4, 92) : 2, Werburgh St. ☎ 454-03-06. Tlj 12h-minuit. Plats 6,50-10 €. Populaire fish & chips (on dit que c'est l'un des meilleurs d'Irlande !), en activité depuis 1913. Léo, le fondateur, se levait tous les jours à 5h pour être sûr d'avoir le poisson le plus frais. Vraies frites (au choix : nature, au curry, à l'ail, au fromage...) et grosse part de haddock (arrosé de vinaigre maison), à déguster dans les jardins de Saint-Patrick (à emporter uniquement). Il faut voir la liste affichée et très exhaustive de toutes les célébrités (show-biz et politiciens) qui y sont passées. Tom Cruise, qui avait cru ne pas devoir faire la queue, s'est vu prier d'y retourner comme tout le monde ! Dommage, on n'y emballe plus le haddock dans une feuille de journal (les gens adoraient lire les nouvelles en même temps). Succursale dans Temple Square (4, Crown Alley).

IOI Cornucopia (zoom détachable D4, 93) : 19, Wicklow St. ☎ 677-75-83. Lun-sam 8h30-21h (22h15 mer-sam), dim 12h-20h30. Soupes et salades env 4,50-10 €, plats 11-13 €. Cadre d'une certaine sobriété, salles spacieuses, confortables et aérées. On s'y sent vraiment bien. Malgré la concurrence, ce végétarien cool comme tout continue de faire recette. On y sert dans la bonne humeur force soupes, assiettes de pâtes, gratins de légumes, petits plats exotiques élaborés (ah, le sweet potato et brocoli Brazilian cake) et autres copieuses tartes à une population à tendance estudiantine sans le sou. Menu inscrit à la craie sur une

grande ardoise et plats qu'on choisit directement au fond de la salle. Absolument savoureux. Bons petits déj également. Comptoir en bois et tabourets pour manger sur le pouce.

IOI Cafétéria de la National Library (zoom détachable E4, 94) : Kildare St. Tlj sf dim 9h30-18h30 (17h jeu-sam). Le 2e ven du mois, concert de jazz à 19h. Une cafèt' classique qui a cependant décidé de sortir de l'ordinaire et qui propose une savoureuse cuisine à base de produits frais ou élaborés par des producteurs du circuit « organic ». Vrai saumon d'Irlande, agneau du Connemara, délicieuse terrine de porc aux prunes de Cork et salaisons de chez McGeogh (de Oughterard dans le Connemara), avec chutney maison. Le chef adore décliner à sa manière toutes ces bonnes petites choses et élaborer des plats personnels et goûteux, suivant saison et marché. Comme son roastbeef aux minitomates marinées au vin rouge, crème de radis noir (horseradish) et ses copieux open sandwiches au poisson fumé provenant de la Burren Smokehouse.

IOI South Street Cafe (zoom détachable D4, 95) : South Great George's St (en face d'Exchequer St). ☎ 475-89-71. Tlj 11h-minuit. Plats env 13-22 €. Vin au verre 5 €. Au cœur de cette rue gastronomique, un p'tit caboulot sympa, sans prétention. Cadre assez banal et musique funky supportable. Rempli de clients à petit budget, ravis de déguster de bonnes pizzas et des pâtes correctes pour 10 €. Lunch pas cher également (chicken Milano, T-bone garlic potatoes). Le soir, mêmes prix et, à la carte, de bonnes viandes à des prix qui se tiennent encore. Accueil affable.

IOI Yamamori Noodles (zoom détachable D4, 96) : 7, South Great George's St. ☎ 475-50-01. Tlj 12h-23h (23h30 ven-sam). Lunch, ramen et wok fried noodles à moins de 10 € (plus cher le soir), house specials 9-12 € (17-20 € le soir) ; excellent vegetable bento 16,50 €. Cadre sobre, tables et longs bancs en bois pour l'une des meilleures cuisines japonaises de la ville. Quelques tableaux égaient les murs. Le midi, très fréquenté vu le remarquable rapport qualité-prix. Le soir, clientèle franchement plus *trendy* (conseillé de réserver) se régalant de sushis et autres makis... Goûter aussi au *teppan beef teryaki*. Service efficace et agréable, parfois un poil dépassé quand c'est l'affluence. Même maison, **Yamamori Sushi**, au 38-39, Lower Ormond Quay.

⍟ Cafe Kylemore (*zoom détachable D4, 97*) : au 1er étage du centre commercial situé à l'angle de King St South et de Saint Stephen's Green West. ☎ 478-16-57. Tlj sf j. fériés 8h-18h (20h jeu). Compter 6-12 €. Indication discrète au niveau rue. Pas mal pour le petit déj. Cafétéria vaste et lumineuse, où l'on peut manger des sandwichs, des salades, le menu du jour *(daily lunch)* ou le *chef special* à des prix démocratiques. Bon et copieux.

⍟ Bewley's Oriental Cafe (*zoom détachable D4, 98*) : 78-79, Grafton St. ☎ 672-77-20. Lun-sam 8h-22h (23h jeu-sam), dim 9h-22h ; petit déj irlandais servi jusqu'à 11h30, lunch jusqu'à 18h. Le soir, intéressant menu 15 € (salades, soupes, 12 sortes de pizzas, pâtes, pâtisseries). Les Bewley, premiers négociants de thé en Irlande, établirent leur commerce en 1835. Leur haut fait d'armes fut d'avoir réussi, cette année-là, à introduire 2 099 ballots de thé, cassant ainsi le monopole de l'*India Tea Company*. Ensuite, ils créèrent une chaîne de cafés connue sous le nom de *Bewley's Oriental Cafés*. Celui de Grafton Street, ouvert en 1927, l'un des plus beaux de style Art déco et dont les somptueux vitraux ont été dessinés par Harry Clarke, a joué un rôle important dans la vie littéraire irlandaise. Fréquenté assidûment par Joyce (qui le mentionne dans *Dublinois*), Beckett, Patrick Kavanagh, Sean O'Casey... Sur le point de disparaître en 2005, il a finalement été divisé en plusieurs salles. Avec 400 places, il reste cependant le plus grand café d'Irlande. On continue d'y torréfier le café suivant la tradition, un 100 % arabica issu du commerce équitable.

Rive sud, dans Temple Bar

⍟ The Bad Ass Cafe (*zoom détachable D4, 100*) : 9-11, Crown Alley, Temple Bar Sq. ☎ 671-25-96. Tlj de 9h until late. Ven-sam, live music ou stand up comedy vers 20h30. Pizzas et burgers 12-14 €, plats 12-18 €. En plein cœur de Temple Bar, une sorte d'ancien entrepôt réaménagé en restaurant branché spacieux, lumineux et moderne. Décor reprenant des éléments de pub. Bien pour avaler de bonnes pâtes, un crémeux *seafood chowder*, un *beef and Guinness stew* ou un *chorizo chicken*, des salades, pizzas ou *burgers*... Cuisine correcte donc et on y est bien. Toujours beaucoup de monde, des artistes du quartier sans le sou, des flâneurs et des voyageurs avec enfants. En sortant, jeter un coup d'œil (sur le mur d'entrée) au logo en forme de disque 33 tours. Il rappelle que Sinead O'Connor fit ses débuts alors qu'elle arrondissait ses fins de mois comme serveuse au *Bad Ass Cafe*.

Rive sud, Christ Church et les Liberties

⍟ Bull & Castle (*zoom détachable D4, 101*) : 5-7, Lord Edward St, Christchurch. ☎ 475-11-22. Tlj midi et soir, jusque tard. Menus early bird (17h-19h) 20-24 €. Ceux qui ne supportent pas de faire la queue chez *Burdocks* (ou désirent manger assis) échouent généralement ici et ne le regrettent pas. Immense gastro-pub et *beer hall*, avec salles sur plusieurs niveaux, longues tables et bancs rugueux. Bref, garantie de toujours y trouver de la place. On s'y restaure superbement à tous les prix. Viandes provenant de la ferme familiale. Grand choix de poisson et fruits de mer. Onctueux *seafood chowder*, moules, haddock frais, coquilles Saint-Jacques, *lamb stew*, frites maison... Le dimanche, poulet entier pour 2 plus dessert à 26 €. Imbattable ! Grand choix de *craft beers* (bières artisanales). Les vendredi et samedi surtout, atmosphère tellurique (avec DJ)...

⍟ Mannings (*plan détachable C4, 102*) : 40, Thomas St West. ☎ 454-21-14. Tlj sf dim jusqu'à 18h. Prix incroyables, grandes tartes aux pommes familiales pour seulement 5 € ! Le samedi, la foule ! Grande boulangerie-pâtisserie-salon de thé régalant les gens des Liberties depuis plus de 60 ans. Familles, employés du coin, touristes se repaissent de gâteaux crémeux, *cupcakes*, choux *buns*, goûteuses salades composées, gros sandwichs très frais, soupes maison avec du bon pain, *roast beef*...

Rive nord

|●| **Beshoff** *(zoom détachable D3, 103)* : 6, O'Connell St Upper. ☎ 872-44-00. *Dim-mer 9h-21h, jeu-sam 11h15-22h. Plats env 5-8 €.* Depuis plus de 3 générations, ce *fish & chips* est l'un des plus populaires de Dublin avec sa façade noir et blanc. Les classiques des *fish & chips* : *cod & chips, haddock meal, fish burger*, raie, saumon et *lemon sole*, mais aussi poulet, saucisses à prix raisonnables. Frites fraîches maison, ça va de soi ! Il peut y avoir une grosse affluence en soirée. Le fondateur, Ivan Beshoff, qui était l'un des mutinés du Potemkine en 1905, vécut 104 ans !

De prix moyens à plus chic

Dans cette catégorie entrent un grand nombre de restaurants aux prix très variables en fonction du moment auquel on s'y rend – ça peut aller du simple au double, méfiez-vous.

Rive nord

|●| **The Oval** *(zoom détachable D3, 104)* : 78, Abbey St Middle. ☎ 872-12-64. *Plats env 10-14 €.* Depuis 1820, un pub se tient ici et il a acquis son nom actuel en 1904. Il fut détruit en 1916 pendant l'Easter Rising et reconstruit avec cette belle façade qu'on lui connaît. Clientèle de journalistes, fonctionnaires, quelques politiciens et gens du quartier. Ce fut aussi l'une des étapes de Leopold Bloom dans *Ulysse*. Fréquenté surtout le midi pour déguster plats traditionnels (*Irish stew* renommé, *bacon & cabbage*), soupe du jour, lasagnes, sandwichs, paninis, sole grillée, *Thaï green curry*, salades, etc.

|●| **The Winding Stair** *(zoom détachable D3, 105)* : 40, Lower Ormond Quay. ☎ 872-73-20. À l'étage. *Tlj 12h-17h (15h30 ven-sam), 17h30-22h30. Résa indispensable le soir. Menus le midi env 20-28 € (avec un verre de vin) ou plats* env 23-27 € ; *également menus* pre theatre 26-31 € *(table libérée à 20h).* Il porte bien son nom, ce restaurant auquel on accède par un escalier onduleux. Et il vaut bien la grimpette en surplomb de la Liffey encadrée par d'immenses baies vitrées. Mais si le succès perdure, c'est avant tout grâce à sa cuisine, respectueuse des produits et des saveurs, subtilement assaisonnée et régulièrement renouvelée. Ajoutez à cela un cadre chaleureux (murs de brique, rangées de bouteilles, des livres), un accueil charmant, une carte des vins bien mûrie et vous ne regretterez pas l'ascension.

|●| **101 Talbot** *(zoom détachable E3, 106)* : 101, Talbot St. ☎ 874-50-11. À l'étage. *Tlj sf dim-lun 12h-15h et 17h-23h. Menu 22 € avt 20h ; plats 16-22 €.* Il s'agit d'un resto réputé un peu branché, à la déco sobre. On y sert une excellente cuisine à tendance méditerranéenne, avec une large proportion de plats végétariens. Savoureux canard aux prunes et gingembre, poulet de ferme grillé au charbon de bois, pommes de terre à la graisse de canard, tomates et chorizo... Le chef irlandais change le menu selon son humeur et la saisonnalité des produits. Carte des vins variée et au verre.

|●| ♟ **L. Mulligan Grocer** *(plan détachable B3, 108)* : 18, Stoneybatter St. ☎ 670-98-89. *Lunch slt sam-dim ; dîner 17h-21h30 (22h ven-sam, 21h dim). Plats 13,50-21,50 €.* Un des meilleurs gastro-pubs de la ville, qui a eu la bonne idée de se nicher dans ce vénérable établissement au long passé populaire et, surtout, d'en avoir conservé le cadre. Long comptoir de bois et banquettes séparées par de petites cloisons. Le vrai must ici, c'est le choix de bières artisanales (plus d'une centaine), dont des cervoises de garde originales. En outre, comme pour les vins, ils conseillent les bières en accord avec les plats (ainsi la super *Friar Weiss*, une bière de franciscains, pour les moules). Superbe et américaine *Wild Barrel Aged* (9,5°) également. Question cuisine, on est ici dans la mouvance *slow food*, garantie de se voir servir les meilleurs produits : poulet farci au *black pudding, lamb burger*, poisson de Howth, boudin de sir Jack McCarthy, saumon bio du Burren...

Rive sud

⏮ *Coppinger Row* (*zoom détachable D4, 109*) : Coppinger Row (et South William St). ☎ 672-98-84. Lun-sam 12h-15h, 18h-23h ; dim 12h30-16h, 18h-21h. Lunch 10 € (lun-jeu), plats le soir 17-24,50 €. Petite cuisine de brasserie l'après-midi. D'abord, c'est un cadre plaisant, un accueil des plus aimable, l'une des cuisines les plus fraîches et sincères qu'on connaisse et, surtout, le meilleur lunch à 10 € de Dublin ! Des p'tits plats aux connotations méditerranéennes et à base de produits sélectionnés. Goûtez au *wild mushrooms in filo pastry, truffle and pecorino* ou à l'agneau rôti pommes de terre à l'ail... C'est parfois tout simple, mais servi généreusement. Judicieuse sélection de fromages fermiers et très beaux desserts (ah, le *vanilla pannacotta, rhubarb & biscotti* !). Quant au brunch du dimanche...

⏮ *Green Nineteen* (*plan détachable D5, 110*) : 19, Camdem St Lower. ☎ 478-96-26. Lun-sam 11h-23h, dim 12h-22h. Compter max 15 €. Vin au verre 4,50 €. Brunch populaire (plat 10 €). On est accueilli par un portrait d'Obama qui semble dire : « *Yes, we can* vous offrir une fraîche, éclectique et goûteuse cuisine à des prix du temps d'Éamon De Valera. » Cadre coloré, intime, lumineux. Clientèle jeune et alternative... Sandwichs généreux, mais surtout des plats picorant avec talent dans toutes les cultures gastronomiques : *Irish burger,* tajine marocain à l'agneau, *corned beef, Mexican chili bean burrito...* Le tout à partir de bons produits locaux, bio pour la plupart. Même le ketchup est fait maison, succulent cheese-cake du jour. Propose une bière excellente : la *Belfast Blonde.* Service jeune et alerte. On a bien failli en faire notre cantine !

⏮ *Gallagher's Boxty House* (*zoom détachable D4, 111*) : 20-21, Temple Bar. ☎ 677-27-62. Tlj ; petit déj 9h-12h30, déj jusqu'à 16h et dîner jusqu'à 23h. Résa conseillée. Plats principaux env 15-24 € ; menu 3 courses 25,50 € (early bird *jusqu'à 18h : 17,75 €*). Un resto réputé, comme en témoignent ses distinctions affichées à l'entrée. Déco rustique et belles cheminées entre lesquelles trônent de grandes tables familiales. On y sert de bons plats irlandais copieux (*Irish stew, corned beef and cabbage, poached smoked haddock, boxties...*) et de la cuisine végétarienne. Le *boxty,* c'est une galette de pommes de terre ; ça ressemble à une crêpe et on la garnit comme on veut. Petite curiosité : on n'y sert que de la Murphy de Cork et pas de *Guinness.* Sacrilège !

⏮ ♟ *Fallon & Byrne* (*zoom détachable D4, 112*) : 11-17, Exchequer St. ☎ 472-10-12. Établissement fonctionnant sur 3 formules : bar à vins au sous-sol, lunch sur le pouce au rdc et resto classique au 1er étage midi et soir. Bar à vins ouv lun-sam 12h-21h (22h jeu-sam), dim 12h30-18h30. Chaleureux espace, tonneaux servant de table, comptoir et des centaines de bouteilles proposées (plus de 600 !) à nos papilles exigeantes. Service agréable pour de très belles planches de fromages fermiers (goûter au *smoked gubbeen* !) ou de charcuteries artisanales. Sinon, saumon fumé artisanalement, salade de canard, 12 sortes de sandwichs élaborés, cheese-cake. Sélection de bons vins. À signaler, une petite carte de bières originales, comme la *James Boag's Prem* de Tasmanie et la *Ola Dubh Reserve* écossaise (8°)... Pour lutter contre le « *Monday's blues* », ce jour-là, on peut se choisir une bonne bouteille au prix cave (avec seulement 1 € de droit de bouchon !). Au 1er étage, le resto : sans plus et très bruyant. On préfère le *deli* au rez-de-chaussée. Possibilité de manger sur place également (soupe, sandwich, salade, vraie *mozzarella di buffala,* bons gâteaux).

⏮ *The Chameleon* (*zoom détachable D4, 113*) : 1, Lower Fownes St, Temple Bar. ☎ 671-03-62. Mar-sam 18h-23h. Menus 25-35 € (6 plats) ; early bird jusqu'à 18h30 mar-jeu et dim 16,95 € (4 plats) ; plats 15-20 €. Ce minuscule restaurant indonésien fait la joie des amoureux. Une fois passée la porte jaune, oubliez imperméables et parapluies, l'intérieur réchauffe avec sa déco exotique d'un goût exquis et ses bougies partout. Côté cuisine, les gastronomes ne laisseront pas passer les excellents *rijsttafel* (terre, mer ou végétariens), raisonnablement épicés.

|●| **Elephant and Castle** (zoom détachable D4, **114**) : 18, Temple Bar. ☎ 679-31-21. Tlj 8h-23h30 ; brunch sam-dim 10h30-16h30. Résa impérative en fin de sem. Burgers et salades 10-15 €, plats 12-26 €. Cuisine américaine. Grande salle au cadre clean, décor bois orné de photos noir et blanc, tables et banquettes en bois, clins d'œil à Big Apple. Populaire chez les jeunes et apprécié aussi par les familles qui forment de grandes tablées. Réputé pour ses gros et juicy burgers, sa dizaine d'omelettes, les New York sandwiches, mais aussi pour ses guacamoles, tagliatelles au fromage de chèvre, large house salads, etc.

|●| **The Mongolian Barbeque** (zoom détachable D4, **115**) : 7, Anglesea St, Temple Bar. ☎ 670-41-54. Tlj 12h-22h (23h le w-e). Le soir, buffet 16-24 € ; formules plus économiques le midi : buffet 1 voyage slt 5 €, avec dessert 8 €, illimité 10 €... Verre de vin 5 €. Une adresse originale, de qualité et où l'on mange à volonté pour pas trop cher, avouez que ce serait une faute que de vous en priver. Menu tout compris midi et soir. Alors, comment ça marche ? La formule est simple : on emplit un bol d'émincé de viande (bœuf, agneau, porc), volaille ou poisson, on garnit le tout de légumes divers, puis on nappe d'une des sauces proposées et on donne l'ensemble au cuistot qui le fait cuire à l'aide de longues baguettes. On recommence l'opération autant de fois qu'on le souhaite et on accompagne ces mets variés de riz ou nouilles. Intéressant, non ?

|●| **Osteria Il Baccaro** (zoom détachable D4, **116**) : Meeting House Sq (accès par un passage sur Eustace St). ☎ 671-45-97. Ts les soirs, ainsi que le midi ven-dim. Résa conseillée. Plats le soir 15-25 € ; lunch menu 10 € dim-jeu 12h30-15h ; early bird dim-jeu jusqu'à 19h ; pre theatre menu 18 € dim-jeu 16h-19h. Dans une ancienne cave médiévale, une vraie taverne italienne : pasta point bâclée, viande de bonne qualité, vins italiens et accueil chaleureux. Bourré de clients réjouis appréciant l'atmosphère animée, joyeusement bruyante.

|●| **El Bahia** (zoom détachable D4, **117**) : 37, Wicklow St. ☎ 677-02-13. Tlj 17h-23h30, ainsi que le midi ven-dim. Couscous 15-20 €, tajines 14-16,50 € ; early bird 15 € (2 plats)-20 € (3 plats) ; pour 2, mezze 70 € (50 € végétarien) avec cuvée du patron. Belle déco marocaine sur plusieurs étages, fenêtres drapées de tissus soyeux et lumières tamisées, tente berbère pour siroter un thé à la menthe. Les entrées sont délicieuses, surtout le ladas, savoureuse mixture de lentilles. Pour les plats principaux, les pastillas et les couscous sont copieux mais parfois un peu secs. Ce restaurant est victime de son succès – c'est le seul restaurant marocain de Dublin –, les serveurs sont vite dépassés. Recommande d'arriver tôt pour bénéficier d'un service plus attentionné.

|●| **La Péniche** (plan détachable E5, **118**) : Grand Canal, Mespil Rd Jetty. ☐ 087-790-00-77. Tlj sf lun, midi et soir jusqu'à 23h. Résa indispensable le soir pour savoir à quelle heure précisément la péniche largue les amarres (horaires variables). Lunch menus 21,50-27,50 € ; dinner menus 27,50-34,50 € (ajouter 5 € de cruise contribution) ; carte 40 € le soir. Construit spécialement pour le canal selon des plans d'origine, ce restaurant flottant offre un air de vacances. Servi par un personnel souriant et francophone en tenue de marin, on peut déguster un verre de vin sur le pont, avant de descendre se rassasier au chaud. Cuisine traditionnelle française, du confit de canard au bœuf bourguignon.

|●| **Saba** (zoom détachable D4, **119**) : 26-28, Clarendon St. ☎ 679-20-00. Tlj 12h-23h (22h dim-mar). Lun-ven, express lunch 14 € ; dim-mer, menu 24,35 € ; le soir, plats 19,75-24,50 €. Probablement le meilleur resto de cuisine dans le registre thaï-vietnamien. Très élégant cadre contemporain, brillant et tamisé tout à la fois (bougie sur la table). Au mur, une pittoresque expo photo de motos de transport au Vietnam et de leur incroyable chargement. Clientèle 30-40 ans semblant s'accommoder du niveau sonore élevé. Service souriant et efficace. Remarquable menu 3 plats le soir. À la carte, le bo, filet de bœuf mariné dans la bière Chang et, bien sûr, woks savoureux, curries aux fragrances subtiles, noodles suaves, etc.

|●| *The Kitchen* (zoom détachable D4, **99**) : 3, South Anne St. ☎ 677-42-05. Tlj midi et soir. Le midi, plats 8-13 € et formules 13-14,50 € ; le soir, menus early bird (17h-19h jeu-sam, tte la soirée les autres j.) 20-25 €. Que ce soit en terrasse, sur la rue piétonne, dans la petite salle au rez-de-chaussée ou à l'étage, ambiance conviviale et décontractée dans cette adresse qui ne cherche pas à en mettre plein la vue mais propose une cuisine simple, abordable (et plutôt relevée côté papilles). Beaucoup de plats à partir de poulet comme l'excellent *Cajun Creole jambalaya*.

|●| *Camdem Kitchen* (plan détachable D5, **120**) : Grantham St (et Camdem St). ☎ 476-01-25. Tlj sf dim-lun ainsi que sam midi (dim, brunch 11h-15h30). Résa très conseillée le soir. Menus midi 16-19 €, early bird (17h30-18h30) 18 €. Dans une rue peu passante du quartier de Camdem (un des quartiers qui bougent pas mal). 2 petites salles discrètes au cadre sobre. Ici le contenu de l'assiette domine avant tout. Cuisine d'influence française particulièrement soignée. Certes classique mais concoctée avec une touche vraiment personnelle. Remarquables *lunch menus*.

|●| *The Green Hen* (zoom détachable D4, **121**) : 33, Exchequer St. ☎ 670-72-38. Tlj 12h-15h (16h mer-dim), 17h30-22h (23h ven-sam, 21h dim). Early bird (17h30-19h) 19,50-22 € ; *intéressants* lunch menus 17-19 € ; le soir, plats 16-25 €. Agréable salle tout en longueur décorée sur le thème du cinéma, accompagnée d'une belle et discrète bande-son jazz de qualité. Bar lumineux et long comptoir pour les pressés. Cuisine française aux envolées irlandaises.

|●| *The Izakaya* (zoom détachable D4, **125**) : 12-13, South Great George's St. ☎ 645-80-01. Tlj 12h-22h30 (0h30 ven-sam). Plat env 15 € ; early bird menu (17h-19h) 20 €. Même maison que *Yamamori Noodles* en face, mais version chic. Cadre ravissant, voire précieux. Comptoir de marbre pour les pressés ou ceux qui ont négligé de réserver, longues tables pour les autres. Au tableau noir, cocktails et poissons du jour. Spécialité de « *creative sushis* », *dim sum platter*... Sur grand écran, de vieux films japonais.

|●| *Jaipur* (zoom détachable D4, **122**) : 41, South Great George's St. ☎ 677-09-99. Tlj 17h-23h. Early bird (jusqu'à 19h) 20 € ; plats 15,50-26,50€. Cadre particulièrement séduisant. Style contemporain dans les tonalités blanc, rouge et or. Cuisine indienne traditionnelle, subtilement raffinée. Goûter au *goan seafood curry*, au *kadhai jhinga* (grosses crevettes cuites au beurre et ail rouge, épices, mangue et tomate), au *rogan josh* (agneau cuit lentement, tomates, oignons, safran et fenouil), sans oublier le classique mais savoureux *tandoori murgh* (poulet fermier désossé et mariné dans le yoghourt et l'ail, puis passé au four)... Pour les végétariens, le raffiné *shakahari thali*. Vrai complice de ces agapes, un *naan* bien sûr et l'onctueux *lassi*.

|●| *Lgueuleton* (zoom détachable D4, **123**) : 1, Fade St. ☎ 675-37-08. Tlj 12h30-15h (13h dim), 18h-22h. Le midi, plat du jour 13,90 € ; le soir, plats 18,50-26,50 €. Vin au verre 6,50 €. Ne pas se laisser influencer par ce nom, ici, vous dégusterez une des plus belles cuisines *Frenchies* de Dublin. Cadre conforme au genre, la brique rouge y domine mais le niveau sonore est élevé. Quelques plats emblématiques comme le canard rôti, cerises et porto et gratin dauphinois ; le *slow pork belly*, choucroute et patates à la lyonnaise. Terrasse. Pour déjeuner, du très classique et abordable : sandwichs, salades, plats du jour plutôt plus élaborés qu'ailleurs.

Chic

Rive sud

|●| *Trocadero* (zoom détachable D4, **124**) : 3, Saint Andrew's St. ☎ 677-55-45. Tlj sf dim 17h-minuit. Dîner pre theatre 25 € avt 18h30 ; sinon plats 17-32 €. Le resto favori des théâtreux, artistes, musicos de toutes sortes. Chic et élégant, bien sûr ; vastes salles dans les tons de rouge et de noir tapissées de photos d'artistes, bordées de box intimes. Cuisine soignée : poissons bien apprêtés ou viandes nappées d'étonnantes sauces sucrées-salées. Steak au charbon de bois (vieilli 21 jours) et *sole on the bone*.

Dommage cependant que la musique soit si forte !

|●| Sixty Six (zoom détachable D4, **126**) : 66, South Great George's St. ☎ 400-58-78. Tlj 11h-21h30 (23h ven-sam). Le midi, plats 10-16 € ; menu 3 courses 33 € ; à la carte, plats 17-27 € ; sunday brunch avec jazz 11h-15h. Il a fallu peu de temps au Sixty Six pour se faire une solide réputation. Tout en longueur, avec cuisine ouverte. Son cadre branché, ses vastes espaces à la déco contemporaine éclectique et surtout sa cuisine soignée attirent une clientèle vraiment variée. Essayer l'agneau irlandais cuit doucement ou le bar entier sans arête (pour 2).

Rive sud, dans le quartier du port et du Grand Canal

La crise a pas mal freiné les ambitions de ce quartier moderne édifié à la place du vieux quartier portuaire et des gazomètres. Quelques restos et bars ont ouvert cependant, proches bien sûr du Bord Gais Energy Theatre (une architecture d'avant-garde vraiment stupéfiante !).

|●| Ely Gastro Pub (plan détachable F4, **127**) : Grand Canal Sq. ☎ 633-99-86. Lunch 12h-17h, dîner 17h-22h ; brunch sam-dim 12h-16h. Pre theatre menus (17h-19h30) 23,50-27,50 € ; le soir, plats 16,50-27,50 €. Salle immense et aérée au décor contemporain, tables bien séparées, long comptoir, coins et recoins. Bref, on est assuré d'y trouver de la place. Le midi, burgers (viande de bœuf du Burren bio), poulet au chutney de cranberries, fish pies, salades, sandwichs au pain maison... Le soir, on retrouve les burgers (au même prix) et des plats élaborés et consistants : saucisse de cerf sauvage, Irish haddock, Burren pork belly cuit 12h, etc. Grande terrasse aux beaux jours, face au canal.

Rive sud, à Ballsbridge

|●| O'Connell's (plan détachable F6, **132**) : 133-135, Morehampton Rd, Donnybrook. ☎ 269-61-16 ou 61-25. Lun 17h-21h, mar-dim 12h-22h. Résa fort recommandée. Menu 25,65 € ; menus early bird le soir 20-30 €. Un temple de la gastronomie traditionnelle, dans

cette chaleureuse salle à manger rétro. Le resto a été sacré en mai 2012 « Best Casual Dining Restaurant » d'Irlande. Le patron, francophone et animé d'un humour jovial, est l'un des piliers de la slow food. Son prime rib recueille tous les suffrages et le très généreux menu du dimanche est plébiscité par tous les Dublinois. Tarte à la rhubarbe sublime.

Très chic

Rive sud

|●| Dobbins Wine Bistro (plan détachable F5, **128**) : 15, Stephen's Lane, Dublin 2. ☎ 661-95-36. Bien planqué derrière Merrion Sq, dans une ruelle entre Upper et Lower Mount St. Lunch 12h30-14h30 (12h30-16h dim), dîner 18h-21h (22h ven-sam) ; fermé sam midi, dim soir et lun. Résa fortement conseillée. Menus le midi 24,50 €, le soir 38,50 € ; early bird mar-sam (18h-19h) 27,50 € ; express lunch : plats 10,50-13,50 € ; à la carte, plats 23-30 €. Ce wine bistro, à la déco moderne et chic, est devenu une institution en matière de bons vins et de mets d'une grande fraîcheur, comme ce crispy confit of duck servi depuis 30 ans, ou encore de fameuses paupiettes de sole et autres poissons du jour.

|●| La Mère Zou (zoom détachable E4, **129**) : 22, Saint Stephen's Green North. ☎ 661-66-69. Tlj sf dim 12h-14h30, 17h30-22h30. Le midi, menus 18-22 € ; le soir, early bird en sem (17h30-19h) env 26,50 € ; table d'hôtes 35 € ; carte min 40 €. D'abord, c'est un ravissant décor à l'éponge jaune-orange, rehaussé de fresques qui donnent un petit air Renaissance italienne à une belle cuisine franco-irlandaise. Atmosphère chic mais pas guindée. Éclairage bien ajusté et parfois de vrais musiciens de jazz. Cadre fort plaisant, donc, pour déguster le délicieux filet de saumon en blanquette, le saint-pierre et risotto à la langoustine ou le magret sauce bière cerise. Service impeccable. Vin au verre et riche carte des vins.

|●| Ely Wine Bar (plan détachable E5, **131**) : 22, Ely Pl. ☎ 633-99-88. Lun-ven 12h-23h30 (0h30 ven – 22h cuisine), sam 17h-0h30 (23h cuisine). Fermé dim et j. fériés. Early bird (17h-19h)

20-25 € ; menus 35-45 €. Dans une demeure georgienne, à peine visible de l'extérieur. On oublie la salle de restaurant trop calme au rez-de-chaussée pour se noyer dans le brouhaha de la cave. Les clients s'entassent dans ces petites salles basses de plafond. On vient ici avant tout pour l'incroyable choix de vins du monde entier : il y en a pour tous les palais. Certains ont la belle idée de les accompagner de petits plats bien troussés : le traditionnel *Ely's organic Burren beef burger,* le *pea and organic ham risotto,* l'agneau bio de Craggy Island... Le *bar menu,* avec ses huîtres, ses pizzas maison et sa planche de fromages, a ses adeptes.

Très, très chic

Rive nord

I●I ***Chapter One*** *(plan détachable D2, 107)* : 18, Parnell Sq. ☎ 873-22-66. Tlj sf dim-lun 12h30-14h, 19h30-22h30. Congés : 1re quinzaine d'août et 2 sem Noël-Jour de l'an. Résa conseillée. Lunchs 29-36,50 € ; pre theatre menu *(18h-19h40)* 36,50 € ; 4 course dinner 65 €. Au sous-sol du *Writers Museum.* Une des plus belles adresses de Dublin, collectionnant les Awards (pour 2012, meilleur chef, meilleur resto). Cadre très élégant, accueil un tantinet rigide (ne pas espérer une table sans réserver !) et atmosphère chicos. Quelques fleurons de la carte : les ravioles au parmesan de 36 mois, la venaison au foie gras, gelée de canard, le *halibut* aux épices japonaises, le lapin farci aux artichauts de Jérusalem et sa saucisse de Morteau... Cuisine créative et carte des vins sublime.

Rive sud

I●I ***L'Écrivain*** *(plan détachable E5, 130)* : 109, Baggot St Lower. ☎ 661-19-19. Ts les soirs sf dim, ainsi que le midi jeu-ven. Menus 35 € *(le midi)*-55 € et 65 € *(le soir)* ; carte env 75 €. Seuls les gastronomes avertis connaissent le chemin de ce temple du goût, discrètement installé dans une cour intérieure, qui a reçu de nombreux prix ces dernières années. Cadre moderne et atmosphère feutrée, qui siéent à mer-

veille à une cuisine riche et inventive. Le chef fit ses classes au *Man Friday* à Kinsale, c'est une référence ! Une table de choix pour une addition de poids.

Où déguster une bonne pâtisserie ?

I●I ***The Cake Cafe*** *(plan détachable D5, 150)* : Daindree Building, Pleasants Pl. ☎ 478-93-94. Lun-ven 8h30-20h *(18h lun),* sam 9h-17h30. Fermé dim. Certes, un poil excentré, mais dans le chouette quartier de Camdem... Probablement le meilleur salon de thé-pâtisserie de Dublin. Un adorable petit jardin à la déco originale (noter celle du garage à vélos), une cuisine ouverte et une salle fraîche, colorée, pour une merveilleuse cuisine « éthique » ! Tous les produits proviennent de l'agriculture durable et, le café, du commerce équitable. Délicieux *cupcakes* et *lemon slice,* mais aussi de belles salades composées et quelques plats goûteux. Appétissants fromages fermiers. Un vrai coup de cœur !

I●I ***Queen of Tarts*** *(zoom détachable D4, 151)* : 4, Cork Hill, Dame St. ☎ 670-74-99. Tlj 7h *(9h dim)-19h.* Petit salon de thé en face du *City Hall* réputé pour ses délicieuses pâtisseries : crumble aux cerises, muffins aux myrtilles, tartes au citron, *plum tart* à la crème anglaise, etc. On se régale, mais ça a un prix, autant le savoir... Annexe un peu plus grande avec terrasse à 200 m à l'ouest sur Cow's Lane.

I●I ***Butlers Chocolate Cafe*** *(zoom détachable D4, 152)* : 24, Wicklow St. ☎ 671-05-99. Tlj 8h *(9h ven-sam, 10h30 dim)-19h (21h jeu).* Minuscule salon de thé au cadre élégant, pour déguster l'un des meilleurs cafés de la ville et acheter de délicieux chocolats. Nombreuses annexes en ville, comme sur Grafton Street.

Pubs intéressants

Sans vouloir être exhaustifs, voici une bonne vingtaine de pubs parmi les plus célèbres de Dublin. Songez qu'on en répertorie officiellement au moins 60 présentant un intérêt (pour une visite virtuelle, consultez ● *dublinpubscene. com* ●). Sans compter tous ceux qui, sans proposer une atmosphère, une tradition ou un décor particuliers, savent souvent réserver des surprises, leurs moments magiques et privilégiés survenant toujours sans prévenir, dépendant de l'instant, de la clientèle, etc. Voilà pourquoi nous les indiquons dans un savant désordre... ! D'ailleurs, la réflexion de Leopold Bloom, héros du roman *Ulysse* de Joyce, résume parfaitement la situation : « Un bon casse-tête : traverser Dublin sans passer devant un zinc. »

– *Un conseil :* en Irlande de manière générale, les pubs ferment tôt (selon la loi, 23h en hiver, 23h30 en été) ; y venir, donc, en début de soirée. Bon, ça, c'est pour les pubs traditionnels. Il y a tous les autres, les pubs-discos, qui sont des *late bars* fermant à 2h ou 2h30. À notre avis, bien mieux au niveau ambiance que les boîtes classiques.

�y Brazen Head *(plan détachable C4, 170)* : *20, Bridge St Lower (perpendiculaire à Merchant's Quay).* ☎ 677-95-49. Classé Monument historique, le plus vieux pub de la ville a fêté ses 800 ans en 1998 ! Robert Emmett, leader de la rébellion de 1803, n'aurait aucune difficulté à reconnaître cet ancien *coach inn* (relais de poste) bas de plafond, aux murs et planchers de guingois. D'ailleurs, son bureau est toujours là ! Il y a tout toujours, ici, un incroyable mélange de genres : politiciens, espions, chanteurs et poètes. Le plus célèbre bourreau de la ville y avait ses habitudes. Pendant de nombreuses années, son verre fut utilisé, les clients demandant à boire dans le *hangman's glass* ! Musique folk tous les soirs à partir de 21h30. Venez vers 19h si vous voulez être assis. Un bémol pourtant : cette véritable institution est aujourd'hui victime de son succès. La dérive touristique est palpable...

Ⲩ O'Donoghue's *(plan détachable E4-5, 171)* : *15, Merrion Row.* ☎ 660-71-94. Au début des années 1960, ce fut le berceau de la renaissance de la ballade irlandaise. Les *Dubliners* s'y

rencontrèrent. Murs tapissés de vieux miroirs piqués, de dessins et de photos imbibés de nicotine. Aujourd'hui, ce n'est plus seulement un *singing pub*, mais le pub le plus célèbre de Dublin tout simplement. Musique traditionnelle presque tous les soirs à partir de 21h30. Vous vous en apercevrez vite : certains soirs, il est impossible d'y entrer, et si, par miracle, vous y parvenez, peu de chance que vous trouviez un endroit pour poser votre pinte ! Et pourtant, l'espace ne manque pas. Beaucoup de *Yanks*, c'est leur point de chute habituel...

Ⲩ MacDaid's *(zoom détachable D4, 172)* : *3, Harry St.* ☎ 679-43-95. *Ruelle donnant sur Grafton St.* Des vieux livres, des malles anciennes et des portraits d'écrivains (dont Beckett) aux murs. Le rendez-vous de la jeunesse *trendy*. 3 grands qui y avaient leurs habitudes : Brendan Behan, Patrick Kavanagh et Brian O'Nolan. Behan y apportait sa machine à écrire portable et tapait dans un coin, disparaissant dans l'épais brouillard de ses cigarettes. Le patron des années 1950, Paddy O'Brien, leur refusait souvent l'entrée quand ils arrivaient déjà passablement éméchés. Un jour, l'auteur de *Borstal Boy*, fauché comme l'avoine, offrit de repeindre les w-c contre quelques pintes (Behan était peintre-décorateur de formation). Il s'en acquitta d'ailleurs fort bien. O'Nolan n'aimait pas Kavanagh à qui il jeta un jour : « De toute façon, vous n'êtes qu'un poète mineur ! » Kavanagh répliqua : « Depuis Homère, nous le sommes tous ! »

Ⲩ Cobblestone *(plan détachable C3, 173)* : *77, King St North.* ☎ 872-17-99. Surplombe légèrement l'immense place pavée (d'où le nom) sur laquelle on vend des chevaux le 1er dimanche de chaque mois, à l'ancienne (dépêchez-vous, il y en a de moins en moins !). Encore un pub authentique (cadre bien vieillot), qui survit depuis des années dans un bloc d'immeubles complètement *derelict*. Il s'est fait une belle place dans la musique traditionnelle (mais aussi le rock et le blues). Grande salle au 1er étage et moult recoins au rez-de-chaussée : 2 groupes de musiciens peuvent y jouer sans se gêner. Clientèle locale et patron ouvert et sympa. Programmation de concerts quasiment tous les jours moyennant un petit droit d'entrée. Un bout de tradition, une heureuse anomalie pour ainsi dire, dans ce quartier, Smithfield Village, entièrement rénové durant les années 2000.

Kehoe's *(zoom détachable D4, 174)* : *9, South Anne St.* Vieux pub patiné, avec des cloisons en bois à carreaux biseautés. Petite salle plus « tranquille » au fond et très beau meuble de bar. Un endroit surtout fréquenté par les écrivains et les musiciens. Ici, la clientèle donne tout son charme au lieu. Incroyablement bruyant et chaleureux, mais sans musique. Y aller pour l'ambiance, surtout pas pour une soirée intime en amoureux !

The Quays *(zoom détachable D4, 175)* : *12-13, Temple Bar.* ☎ 671-39-22. Un des passages obligés de Temple Bar, classique à souhait avec ses boiseries patinées, ses vieux trucs aux murs (grandes glaces ovales sur lambris) et ses jeunes qui se dandinent sur le plancher. Dans la journée, les locaux préfèrent rester en bas, tandis que les touristes apprécient le calme et l'espace de l'étage. Tous les soirs, lors des concerts de musique traditionnelle, animation démente, et on a du mal à ne pas renverser sa *Guinness*.

The Porterhouse *(zoom détachable D4, 176)* : *16-18, Parliament St.* ☎ 679-88-47. *Ne ferme généralement pas avt 1h.* En plus d'être un pub aussi chaleureux qu'imposant, cet établissement est une vraie *brewery*. Voilà donc une dizaine de bières maison, comme la *Wrasslers*, bière brune « d'homme » et breuvage préféré de Michael Collins. Pour un bon aperçu, prendre un plateau de dégustation. Mais, loin de s'arrêter là, la carte propose plus d'une centaine de bières en provenance de toutes les régions du monde. Prix tout à fait corrects. Concerts folk ou blues tous les soirs et *sessions* le samedi. L'agencement ingénieux de la scène (un petit balcon suspendu) permet d'entendre cette musique depuis tous les recoins des 3 étages, toujours bondés bien que vastes.

Doheny and Nesbitt *(plan détachable E5, 177)* : *4-5, Lower Baggot St.* ☎ 676-29-45. La plaque en cuivre à l'extérieur

« *Tea Wine Merchant* » est belle mais démodée, car si l'on trouve encore thé et vin ici, c'est sous des litres de bière, *of course !* C'est un pub fréquenté par les cols blancs, après le bureau, mais aussi par les amateurs de 3e mi-temps de rugby. La décoration en acajou n'a pas bougé depuis 1867. Petites cloisons en bois pour les conversations intimes, salle ventilée à l'arrière, et même une nouvelle salle à l'étage, ce qui donne pas moins de 3 zincs à éponger...

The Long Hall *(zoom détachable D4, 178)* : *51, South Great George's St.* ☎ 475-15-90. La décoration intérieure est très belle, exemple typique des vieux pubs irlandais. Plafond avec moulures polychromes, vitraux et lustres de cristal. Décor vraiment sophistiqué pour un pub. À voir résolument. Une anecdote : *The Long Hall* date de 1880. Il fut construit à l'emplacement d'un pub qui avait fait faillite en 1866. En effet, fréquenté par les *fenians,* qui composaient l'essentiel de la clientèle, le pub dut fermer quand ils furent tous arrêtés et emprisonnés. Son chiffre d'affaires s'était effondré !

The Temple Bar *(zoom détachable D4, 179)* : *47-48, Temple Bar.* ☎ 672-52-86. Superbe bar à whiskeys avec sa magnifique façade rouge et pub ultra-fréquenté, avec plein de coins et de recoins pour siroter l'un des 200 whiskeys proposés. Musique en principe tous les jours de 14h30 à 2h30. Une des étapes incontournables de Temple Bar, mais pas pour les pintes les meilleur marché de Dublin.

James Toner *(plan détachable E5, 180)* : *139, Lower Baggot St.* ☎ 676-30-90. Comptoir bas en acajou, ventilos épuisés, glaces biseautées, vieille pendule et séparations de comptoir en bois, comme dans une écurie. Une anecdote : les écrivains du XIXe s fréquentaient très peu les pubs. Ainsi, on n'y avait jamais vu Yeats. Un jour, un de ses amis, Gogarty, un chirurgien, entraîna Yeats chez *Toner.* Il s'assit dans le *snug* à la gauche de la porte, but un cherry, se leva et dit à son ami : « Je sais ce qu'est un pub maintenant, seriez-vous assez gentil de me raccompagner chez moi ? »

The Palace Bar *(zoom détachable D4, 181)* : *21, Fleet St.* ☎ 671-73-88.

Pub très populaire chez les jeunes. Entre 18h et 20h, c'est le moment le plus intéressant, car le plus vivant. Dans les années 1940 et 1950, l'un des rendez-vous les plus populaires des journalistes et écrivains. Aujourd'hui, beaucoup d'étudiants et de touristes. Encore plus sympa si l'on arrive à temps pour squatter les fauteuils en moleskine rouge du petit salon au fond. Concerts à l'étage les mercredi et dimanche.

The Madigan's (zoom détachable D3, 182) : 25, North Earl St. ☎ 874-06-46. Rue perpendiculaire à O'Connell St. Fondé en 1919, son décor rappelle celui des vieux trains : une verrière, des boiseries superbes, une pendule imposante sous laquelle est inscrit « Tempus fugit »... D'autres diront un brin désuet. Très long bar et débauche de marbre et acajou. Concerts traditionnels les jeudi et samedi.

⌖⃝ The Stag's Head (zoom détachable D4, 183) : 1, Dame Court. Caché dans une ruelle entre Grafton St et South Great George's St. Tlj : lunch 12h30-15h30, dîner 17h30-19h. C'est, là aussi, un bel exemple de pub victorien demeuré intact. Il fut le premier à être éclairé à l'électricité. Long bar en marbre rouge du Connemara et acajou, décoration raffinée. Envahi au moment du lunch, car son pub grub est réputé comme l'un des meilleurs de la ville. En dehors des busy hours, il y règne une étrange et calme atmosphère d'église de quartier.

Ryan's (plan détachable B3, 184) : 28, Parkgate St. ☎ 677-60-97 ou 671-93-52. Situé sur la rive nord de la Liffey, en face de la gare de Heuston. Célèbre pour son très beau décor victorien, ordonné autour d'un comptoir central circulaire (assez rare) qui occupe les trois quarts de l'espace. Décor en bois sculpté, vitraux, quelques snugs. Les vendredi et samedi soir, bourré à craquer et remarquable atmosphère. Très bonne bar food le midi et à partir de 17h. Il est dit qu'ici la Guinness est peut-être encore meilleure qu'ailleurs. À cause de la proximité de ses (si belles) usines ?

O'Shea's Merchant (zoom détachable C4, 185) : 12, Bridge St Lower. ☎ 679-37-97. On sent la maison pleine de bons vieux souvenirs. Sur les murs, photos passées, articles de journaux jaunis, caricatures, beaux dessins au trait de grands écrivains irlandais... Une clientèle assez âgée à laquelle se mêlent de plus en plus de jeunes. S'est agrandi récemment, a perdu un peu de son côté pub de quartier, dommage. Dans la semaine, de façon irrégulière, musique traditionnelle ou irlando-country, avec petite piste de danse. Set-dancing officiel le lundi soir à 21h30 ; d'autres, plus improvisés, du mardi au jeudi et le samedi.

Brogan's (zoom détachable D4, 186) : 75, Dame St, peu après l'intersection avec Parliament St. Un pub discret masqué par une jolie devanture en bois remplie de bibelots. Mais, plus que la déco (et pourtant, on y voit des affiches Guinness plutôt rares), c'est sa bonne ambiance et ses bières peu chères pour le quartier qui attirent le chaland. Attention, les assoiffés connaissent l'adresse et c'est vite plein.

The Celt (zoom détachable E3, 187) : 81, Talbot St. ☎ 878-86-55. Petit pub charmant, irlandais de la porte aux poutres. Un brin militant avec ses coupures de journaux où les revendications d'indépendance font les gros titres. Chaque soir à 21h, des groupes ou des chanteurs locaux honorent la musique traditionnelle, à la grande joie d'une clientèle (majoritairement autochtone) qui reprend les refrains en chœur. Une des adresses les plus sympas parce que modeste et productrice d'une ambiance véritable : tous les yeux pétillent.

The Swan (zoom détachable D4, 188) : angle Aungier et York. ☎ 475-27-22. Voilà l'un des 12 pubs à avoir conservé quasi intégralement son cadre originel (1897). En 1916, fut l'un des PC des insurgés républicains. Des détails émouvants : l'un des très rares à posséder derrière le bar les grandes barriques servant au verre whiskey, porto, brandy et cherry (hélas, vides aujourd'hui !). Comptoir en marbre d'Écosse et pompes d'origine. De-ci de-là, de beaux lambris ciselés. Une curiosité, le long du mur côté rue, des grattoirs pour allumettes d'époque intégrés dans le mur. Et puis des tas de témoignages et photos historiques.

🍸 **The International Bar** (zoom détachable D4, 189) : 23, Wicklow St. ☎ 677-92-50. Ouv tlj. Malgré sa belle façade noire, son nom viendrait du Tournoi des six nations, dont il accueille les fervents. Beau décor en acajou sculpté ornant les anciennes barriques de whiskey. Comptoir en marbre, miroirs, etc. L'équivalent du bon café parisien, mais en version irlandaise : le vrai bar pas branché avec la TV allumée et les clients accoudés au comptoir. Au 1er étage, soirées Comedy Club (tlj à 20h30).

🍸 **Mulligan's** (zoom détachable E3, 190) : 8, Poolbeg St. ☎ 677-55-82. Entre Trinity College et la Liffey. Vieux pub populaire qui n'a pas une déco extraordinaire mais le charme des murs noircis par le temps et des planchers usés par les ouvriers de la presse, les journalistes et les busmen. L'un des journalistes qui l'appréciaient le plus, en 1945, était un certain John Fitzgerald Kennedy, travaillant à l'époque pour William Randolf Hearst. Mulligan's abrita aussi les réunions de la Société pour la préservation de l'accent dublinois. On rassure nos lecteurs : elle a effectué du bon boulot !

🍸 **The Glimmer Man** (plan détachable B3, 191) : 14-15, Stoneybatter. ☎ 677-45-60. Pub immense. Plusieurs salles, mais cloisonnées, avec des atmosphères différentes. On aime beaucoup celle du bar. Un des plus décorés de Dublin aussi : vitraux, Tiffanies, photos, documents, objets familiers... Même le vénérable comptoir possède sa petite frise de céramique. Vraiment chaleureux. Grande salle derrière avec son propre comptoir, coins et recoins (plutôt pour ceux suivant les matchs sur grand écran). Une douzaine de bières à la pression.

Où boire un verre encore ?

Une petite sélection de pubs tout aussi intéressants mais moins traditionnels, plus originaux... et peut-être également un peu plus jeunes !

🍸 **Turk's Head** (zoom détachable D4, 200) : à l'angle d'Essex Gate et Parliament St. ☎ 679-26-06. Tlj 16h (12h w-e)-2h. Bar superbe avec ses colonnes torsadées recouvertes de mosaïque à la Gaudí. Musique à tue-tête. Les groupes de jeunes s'écrasent sur le comptoir qui se tortille au milieu. En semaine, sélection pas trop rigoureuse à l'entrée. Beaucoup d'étudiants. Piste de danse au fond.

🍸 **The Mezz** (zoom détachable D4, 201) : 23-24, Eustace St. ☎ 670-76-55. Le temple du jazz parmi les tenants de l'Irish music, loin d'une provocation, une intégration réussie (parlons même de fusion puisqu'il sort pas mal de rock des amplis). Chaque soir, d'excellentes formations donnent le meilleur d'elles-mêmes devant un public averti, électrisant l'atmosphère tamisée d'un bar rapidement bondé. Mais, Irlande oblige, c'est bien la Guinness qui abreuve ces joyeux mélomanes ! Bonne cuisine de pub, à partir de 17h30.

🍸 **The Globe** (zoom détachable D4, 125) : 11, South Great George's St. Lun-sam 17h-2h30 (4h sam), dim 16h-1h. Peut-être pas l'endroit le plus typique, mais, à coup sûr, le rendez-vous arty et rebelle de la ville. Tout en longueur, décor un peu baroque. Bonne ambiance, très bruyante le soir. Superbe bar en bois foncé sculpté, éclairage intimiste et, aux murs, des toiles d'artistes contemporains. Ici, on a troqué les vieux snugs contre de grandes tables en bois, où il n'est pas rare de finir la soirée en papotant avec ses voisins. Impossible d'atteindre le bar aux heures d'affluence. Bons sets de DJ le week-end. Communique avec la boîte Rí-Rá (voir plus loin « Où assister à des concerts ? Où danser ? »), qui prend donc le relais à 23h30.

🍸 🎵 **Lost Society Lounge** (zoom détachable D4, 203) : 59, South William St. ☎ 611-17-98. Tlj jusque tard. Niché dans la superbe Powerscourt Town House. À l'intérieur, hauts plafonds georgiens et mezzanine. Clientèle trendy à mort. Le week-end, bourré à craquer et conversations aux plus hauts décibels ! Autre bar et piste de danse au sous-sol.

🍸 **The Church** (zoom détachable D3, 204) : angle de Mary St et Jervis

St. ☎ 828-01-02. Alléluia ! Enfin une église où le breuvage qui jaillit des bénitiers contient du houblon, où les enfants de chœur vous toisent d'une tête. Mais surtout une reconversion étonnante où la nef centrale s'est transformée en immense bar, les galeries supérieures en restaurant, le chœur en scène de concert et la crypte en night-club. Mais rien de très étonnant lorsque l'on sait qu'Arthur Guinness célébra son mariage ici même en 1761.

🍸 *No Name Bar* (zoom détachable D4, 123) : 3, Fade St. ☎ 764-56-81. Tlj 16h30-23h30 (1h jeu, 2h30 ven-sam, 23h dim). Pas de nom, mais facile à trouver (la porte à côté du resto *Lgueuleton*). Au 1er étage. Vaste appartement aux pièces spacieuses avec du mobilier de récup', profonds fauteuils et vieilleries diverses (coffre-fort antique, glacière sans âge, etc.). Les trentenaires, genre hype un poil désabusés, y traînent leur spleen... 2 bars et 1 fumoir dehors.

🍸 *Odessa Club* (zoom détachable D4, 205) : 13, Dame Court. ☎ 670-30-80. Tlj 12h-0h30 (2h30 ven-sam, minuit dim). Au 3e étage. Là aussi, grand appartement au cadre élégant et aux fauteuils confortables pour enfin entamer une conversation paisible loin des atmosphères fort bruyantes des restos branchés du coin...

🍸 *Dice Bar* (plan détachable C3, 206) : 79, Queen St. ☎ 633-39-36. À l'angle de Benburb St. Tlj, slt à partir de 20h. Néopub de quartier à la clientèle bien chébran. DJ chaque soir ou presque, pour les oiseaux de nuit nostalgiques de blues et de ska (le mercredi) ou... de rap français (le mardi).

🍸 *Fitzsimons* (zoom détachable D4, 207) : 23, East Essex St. ☎ 677-93-15. Ici, ça défile dans tous les sens, surtout le samedi soir où c'est bondé. Pourtant, s'il y a des grands espaces (4 niveaux), ça manque quelque peu de personnalité. Bonne musique pop anglaise et irlandaise les soirs, ou presque. Resto au 1er étage (assez cher) et agréable terrasse sur le toit. Tout de même « contournable » le week-end, d'autant plus facilement qu'il a envahi tout le pâté de maisons et est longé par 3 rues...

🍸 *The Port House* (zoom détachable D4, 208) : 64 A, South William St. ☎ 677-02-98. Lun-mer 16h-23h, jeu-sam 11h30-minuit, dim 11h-23h. Sympathique bar espagnol où les matériaux modernes jouxtent les vieilles pierres des murs. Atmosphère confinée de cave. On y grignote à la lumière de petites bougies de délicieuses tapas froides ou chaudes accompagnées d'un verre de vin à prix raisonnable.

🍸 *Café en Seine* (zoom détachable D4, 209) : 39, Dawson St. ☎ 677-45-67. Tlj 11h30-23h30 (2h30 jeu-sam). Atmosphère chic, on vient surtout ici pour admirer le décor impressionnant et totalement éclectique, mixant style Art déco et kitsch baroquisant, sur 2 étages. Surtout, le bar assez époustouflant, avec son long comptoir en acajou, les énormes luminaires, les grandes glaces au cadre doré, les faux palmiers en plastique, les vitraux Art nouveau... En fin de semaine, les jeunes branchés viennent se trémousser sous la gigantesque verrière d'où tombent des plantes aux bras tentaculaires. Mais les consommations sont chères.

🍸 *Dandelion* (zoom détachable D4, 210) : 130-133, Saint Stephen's Green West. ☎ 476-08-70. Tlj 12h-2h (21h30 resto). Là aussi, un des hauts lieux de la société hype ! Endroit immense à la déco contemporaine originale, 3 bars, 3 salles, coins et recoins, profonds canapés et mobilier cossu, lumières tamisées à souhait, mais musique à tue-tête. Normal, il y a aussi une piste de danse, des DJs, des soirées à thèmes (*Mojito Mondays, Sexy Salsa Night* le mercredi, *Swinging 60's Party* le jeudi, quant au vendredi...). Possibilité de se restaurer, petite cuisine de brasserie abordable.

🍸 *Pantibar* (zoom détachable D3, 211) : 7-8, Capel St. ☎ 874-07-10. Tlj 17h-23h (0h30 sam-dim). L'un des lieux branchés de la rive nord, typique du revival de ce quartier. Belle esthétique, jeux de lumières et de formes. Soirées animées par différents DJs. Clientèle furieusement tendance, assez *trendy*, mi-*straight* mi-gay et globalement pas très catholique... ni protestante, d'ailleurs.

Où assister à des concerts ? Où danser ?

Salles de concerts

La musique irlandaise possède une sacrée santé. Et pas seulement le folk et la musique traditionnelle, mais aussi la country, le rock, le blues. Jusqu'à la soul, dépoussiérée de façon superbe dans le film *The Commitments*.

Dans le quartier de Merchant Arch, la musique jaillit des studios d'enregistrement sur les trottoirs. Il y avait les pubs spécialisés dans le *traditional* (comme *Brazen Head, O'Donoghue's*), il y a désormais les temples du rock et du blues. Vous noterez l'étonnante énergie dégagée par cette ville : plus de 1 000 groupes de rock répertoriés. Scène musicale particulièrement vivante, donc. Et cet art d'accommoder, de mélanger les styles de façon géniale, toujours renouvelé... Depuis quelques années, la vraie scène nocturne s'est déplacée de Temple Bar (quand même sacrément touristisé !) vers Wexford Street et Camdem Street.

Voici quelques adresses, mais ne pas oublier que les pubs plus classiques, cités plus haut, proposent souvent d'intéressants concerts. Enfin, dans le magazine *In Dublin*, panorama complet chaque semaine. Vous pouvez aussi consulter *The Event Guide*, gratuit et très complet.

♚ ♪ ***Whelan's*** (plan détachable D5, **242**) : 25, Wexford St. ☎ 478-07-66. ● whelanslive.com ● *Concerts payants mais plutôt abordables.* En général, on débute la soirée par une pinte dans ce charmant pub rustique, toujours plein à craquer, avant de se diriger vers la salle de concerts. Au programme, les meilleurs groupes traditionnels de l'île et de world music, devant un public enthousiaste et chaleureux. Une institution de la scène dublinoise. Attention : acheter les tickets de concert assez tôt, on fait souvent la queue. Fait office de discothèque certains soirs, selon la programmation des concerts.

♚ ♪ ***The Village*** (plan détachable D5, **240**) : 26, Wexford St. ☎ 475-85-55. *Un peu plus cher que le Whelan's (15-25 €).* Une salle de concerts très en vogue chez les jeunes branchés, à dominante rock. On peut regretter le cadre un peu froid, ou au contraire apprécier le design épuré du lieu. Salle de concerts au 1er étage et bar au rez-de-chaussée. Boîte quand il n'y a pas de groupes. Pour les concerts, pointez-vous suffisamment tôt, sous peine d'écouter la musique depuis le trottoir.

♚ ♪ ***The Place of Dance*** (hors plan détachable par E6) : Old Harcourt St Train Station, soit la grande bâtisse en pierre à côté de l'arrêt de tram Harcourt. ☎ 476-33-74. ● pod.ie ● *Tlj à partir de 20h env.* Le POD devait sa réputation à sa bonne musique et aux prestations de DJs talentueux dans un cadre moderne et original. Divisé en plusieurs *venues,* dont le ***Tripod*** (grande salle de concerts) et le ***CrawDaddy*** (plutôt bar musical), c'est devenu un lieu où se produisent des vedettes (ou non) internationales. Parfois de pas mauvais DJs au *CrawDaddy.* Le reste du temps, tendance soupe pour teenagers...

♚ ♪ ***J. J. Smyth's*** (zoom détachable D4, **241**) : 12, Aungier St. ☎ 475-25-65. ● jssmyths.com ● *Ts les soirs sf lun à partir de 21h env. Entrée : 5-10 €.* Bons groupes de jazz et de blues dans une salle à l'étage.

♚ ♪ ***Button Factory*** (zoom détachable D4, **243**) : Curved St, Temple Bar. ☎ 670-92-02. ● buttonfactory. ie ● *Gros complexe dédié à la création musicale.* Ne pas confondre avec le café en bas du même nom. Plusieurs studios d'enregistrement, mais, ce qui nous intéresse plus, c'est la salle de concerts qu'il abrite et son excellente acoustique. Accueille de nombreux musiciens et chanteurs reconnus, à des prix d'entrée élevés. Pas d'autre soirée régulière que les dimanches dédiés au reggae à 23h. Sinon, se renseigner.

Discothèques

Peu de discothèques, mais celles qui existent sont pleines à craquer le samedi soir, enfin jusqu'à 2h au plus tard. Les « lieux de perdition » ferment tôt en Irlande. Les nuits de Dublin sont « chaudes ». Dans les boîtes, on ne fait pas que danser.

♫ *Rí-Rá* (zoom détachable D4, **205**) : 1-5, Exchequer St (et Dame Court). ☎ 677-48-35. Tlj sf dim. Gratuit lun-jeu ; 10 € ven-sam. La boîte branchée par excellence. C'est là que se mélangent les jeunes artistes de Dublin et les fils à papa. Musique rap, trip-hop, funk, avec parfois des soirées à thème. Et toujours beaucoup de monde.

♫ N'oubliez pas les pubs et les salles (voir plus haut), comme le *Whelan's, The Village,* le *Button Factory,* ou encore *The POD,* qui, en l'absence de groupes, se transforment rapidement en boîtes. Le *Fitzsimons* a un étage spécialement night-club.

Achats

Bien entendu, concernant les cardigans, pulls d'Aran, casquettes et vestes de tweed, c'est souvent mieux et moins cher de les acheter pendant votre périple dans le Connemara ou le Donegal. Cependant, nous vous donnons ici quelques bonnes adresses pour vous rattraper.

Les magasins chic s'échelonnent le long de Grafton Street, devenue piétonne, ainsi que dans les rues adjacentes. En revanche, vous trouverez, rive nord, les grands magasins populaires, ainsi qu'un tas de petites boutiques de soldes, sur Henry Street et Talbot Street. Vous n'y effectuerez pas de grandes affaires, mais animation assurée.

Rive sud

⚜ *Kevin and Howlin* (zoom détachable E4) : 31, Nassau St. ☎ 633-45-76. Dans une rue qui part de Grafton et longe Trinity College. La meilleure boutique de Dublin depuis 1936 pour les costumes, vestes, casquettes de tweed. Un choix et une qualité inégalés. Belles écharpes à prix doux.

⚜ *Centre commercial de Powerscourt* (zoom détachable D4) : South William St et Clarendon St. Grande maison georgienne datant de 1774, abritant près de 80 boutiques et restos de toutes sortes.

⚜ *Market Arcade* (zoom détachable D4) : passage entre Drury St et Great George's St. Dans l'axe de *Powerscourt Townhouse Centre,* un petit passage couvert où se succèdent des boutiques de fripes, produits bio, disquaire, etc. Animé.

⚜ *Centre commercial Saint Stephens* (zoom détachable D4) : angle Grafton St et Saint Stephens West. Tlj 9h-18h (20h jeu). Dans le style victorien, immense galerie organisée sous une vaste verrière, décorée en vert et blanc. Fringues, boutiques de luxe et de gadgets.

⚜ *Avoca* (zoom détachable D4) : 11-13, Suffolk St. ☎ 677-4215. Lun-sam 9h30-19h, dim et j. fériés 11h-18h. Grand bric-à-brac de produits design et tendance sur 3 niveaux. Fringues, jouets pour enfants, bibelots, produits alimentaires du terroir, etc. Petite cafétéria au sous-sol et restaurant bon marché au 3e étage (ferme 1h plus tôt).

⚜ *Claddagh Records* (zoom détachable D4) : 2, Cecilia St, Temple Bar. ☎ 677-02-62. Petite rue débouchant sur Temple Lane. Tlj sf dim 12h-17h30. Une boutique de disques entièrement consacrée au folk, à la country, à l'*Irish traditional...* Des trouvailles et de judicieux conseils.

⚜ *Jenny Vander* (zoom détachable D4) : 50, Drury St. ☎ 677-04-06. Tlj 10h-17h30. Une boutique de fringues vraiment folle. Aussi bien des robes que des moumoutes, des bijoux rétros et des chapeaux fous. Surtout un paradis pour les filles. Malheureusement, assez cher !

⚜ *Greene's Bookshop* (plan détachable E4) : 16, Clare St. ☎ 676-25-54. À l'angle avec Merrion St Upper West. Tlj sf dim 9h-17h30 (15h sam). Ouvert en 1917, peu de choses ont changé depuis. Surtout des livres sur l'Irlande.

⚜ *Sandyz Boutique* (plan détachable C4) : 35, Meath St. Dans les Liberties. ☎ 141-78-20. Tlj sf dim jusqu'à 17h30. On adore le quartier, on adore cette boutique spécialisée dans les vêtements vintage de fêtes et de mariage. Une explosion de couleurs et paillettes, des robes d'un kitsch total, des chaussures absolument démentes, des ceintures incroyables, des chapeaux fous. En prime, une insolite collection de *Barbies* jeunes mariées...

Rive nord

🌱 **The Winding Stair Bookshop and Coffee** (zoom détachable D3-4) : 40, Lower Ormond Quay. ☎ 873-32-92. Lun-sam 10h-18h (19h jeu-sam), dim 12h-18h. Des quintaux de livres

d'occase et neufs. Une vraie mine. Atmosphère sympa. Extrêmement populaire.

🌱 **Walton's Musical** (zoom détachable D4) : 69-70, South Great George's St. ☎ 475-06-61. Lun-sam 9h-18h, dim 12h-17h. Immense magasin dédié à la musique avec nombreux instruments, partitions et un peu de disques folk. Personnel compétent et affable. Autre boutique rive nord : 2, North Frederick St ; ☎ 874-78-05 ; fermé dim.

Petite balade *rock and folk* dans Dublin

À Dublin, la musique est donc omniprésente, donnant à la ville sa résonance particulière, sa fièvre (tempérée, jamais démente), une sorte d'éternelle jeunesse de l'esprit et des sens. De jeunes musiciens tentent leur chance sur les pavés de Temple Bar. Des joueurs de violon, des guitaristes, des groupes de folk irlandais, de pop, de rock, de blues (connus ou débutants) remplissent à la nuit tombée des pubs où règne un amical brouhaha. En ce début du XXIe s, Dublin ressemble au Liverpool ou au Detroit des années 1960. En outre, il flotte quelque chose de spontanément chaleureux dans l'air qui rappelle le New York des années 1970.

Pour aider les visiteurs passionnés de musique à mieux s'y retrouver dans ce merveilleux univers sonore à taille humaine, l'office de tourisme de Dublin a eu la bonne idée de créer un *itinéraire Rock'n Stroll* accompagné d'un petit guide *(Dublin's Music Trail)*, en vente à l'office de tourisme, où tous les grands noms dublinois de la musique *rock and folk* (des Chieftains à U2, des Dubliners à Bob Geldof, de Paul Brady à Chris de Burgh) sont associés à des lieux tangibles de la capitale (ils y sont passés à un moment de leur carrière). Exemples : le *Bad Ass Cafe,* dans Crown Alley, où Sinead O'Connor travaillait comme serveuse avant de connaître la gloire en 1990, la pâtisserie-salon de thé-salle de concerts *Bewley's,* dans Grafton Street, où les Boomtown Rats se réunissaient régulièrement sous la houlette de Bob Geldof.

Cet itinéraire a le mérite d'être instructif, clair et motivant. Au cours de la balade, un logo représentant un disque 33 tours balise les lieux de l'itinéraire et raconte brièvement l'histoire de la star qui y est passée.

À voir

On le rappelle, l'office de tourisme propose un *Dublin Pass*, donnant accès à 34 « attractions ». À vous de calculer, en fonction des prix d'entrée, si l'offre est valable *(35 €/j. ; réduc enfants ; tarif dégressif pour plusieurs journées : par exemple, 95 € pour 6 j. ; ● dublinpass.ie ●).*

Rive sud, vers Temple Bar et Old City

Il reste peu du Moyen Âge dublinois. Les deux cathédrales (toutes deux protestantes !), pourtant construites au XIIe s, ne possèdent pratiquement plus rien d'origine. Au-delà de Temple Bar, le Dublin georgien, avec ses édifices du XIXe s (brique, colonnes à chapiteaux, porte d'entrée à imposte en éventail...), forme alors le quartier à la fois le plus ancien (d'où son appellation d'Old City) et le plus homogène de la ville.

🎭🎭🎭 *Le quartier de Temple Bar* *(zoom détachable D4) :* à ne pas rater, car c'est le quartier de Dublin qui bouge le plus. Drôle de nom quand même ! Temple Bar ! Son nom vient d'un dénommé William Temple, recteur de Trinity College, qui s'y fit construire une maison au XVIIIe s. Ce très vieux quartier est une sorte de grand rectangle mesurant 500 m de long sur environ 300 m de large, délimité au nord par la Liffey et au sud par Dame Street.

Là se concentrent aujourd'hui un nombre impressionnant de pubs à la mode, de restaurants branchés, de galeries d'art avant-gardistes, de centres d'exposition, de lieux culturels animés, le tout quadrillé par un réseau de rues étroites.

Ce fut, à l'origine, le quartier des métiers et des artisans, réputé aussi (jusqu'au XIXe s) pour son insécurité nocturne, ses bouges, ses cachots et ses bordels miteux. Son activité commença à décliner sérieusement dans les années 1950. Il fut squatté dans les années 1970 par une poignée d'alternatifs hyper créatifs et d'allumés sympathiques. Mais la situation se dégradait rapidement, et de vastes projets pas toujours bien intentionnés virent le jour (notamment une plate-forme de bus !). Au début des années 1990, à l'initiative du gouvernement, un projet constructif et ô combien sympathique sortit des cartons : les anciens bâtiments ne seraient pas rasés mais rénovés. Bien sûr, les prix augmentèrent, mais ce fut le début d'un renouveau culturel de qualité. Temple Bar a évidemment perdu son air vagabond et bohème qui faisait une grande partie de son charme et c'est devenu un quartier de pointe, animé, respectable en somme, donc envié... et très visité par les touristes.

Mais, trêve de nostalgie, cette vaste réalisation urbaine a aussi ses nobles aspects, car on a merveilleusement intégré les structures existantes et l'ensemble a fière allure. Peu de villes européennes peuvent s'enorgueillir d'avoir aussi bien réussi la mutation d'un quartier tout entier, sans le livrer entièrement aux boutiques de fringues et aux fast-foods.

La rénovation est une réussite architecturale, sociale et culturelle indéniable : priorité totale aux piétons, abandon du goudron pour les pavés, rénovation systématique des immeubles et des entrepôts abandonnés, interdiction de construire des tours défigurant le paysage, construction de centres culturels parfaitement bien intégrés au style architectural d'ensemble : un *Children's Cultural Centre (The Ark),* un *Music Centre* (maison de la musique fonctionnant désormais sous le nom de *Button Factory*), qui forme des techniciens, offre des studios, mais surtout propose d'excellents concerts (voir « Où assister à des concerts ? Où danser ? »), un centre multimédia (*Arthouse,* sur Curved Street), une galerie d'art (*Temple Bar Gallery and Studios,* ancienne usine désaffectée où travaillent des artistes), un centre de la photographie et un centre national du film *(Irish Film Centre)*... et la liste n'est pas close. Au milieu de cet ensemble culturel, la *Meeting House Square,* une place où se déroulent tout l'été plein de concerts gratuits et où se tient le samedi un marché de petits producteurs. Ajoutez à cela des *sessions* dans la plupart des bars (vers 21h), et vous aurez une petite idée de la révolution culturelle de ce vénérable quartier dublinois.

– *Temple Bar Cultural Trust :* voir « Adresses et infos utiles » plus haut.

– *Irish Film Institute :* 6, Eustace St. ☎ 679-34-77 ou 57-44. ● ifi.ie ● Abrite une librairie spécialisée dans le septième art et deux salles de cinéma. Programmation internationale assez large, rétrospectives, etc. sur le mode des cinés « art et essai ». Également un restaurant et un bar.

– *Gallery of Photography :* East Essex St, entrée sur le Meeting House Sq. ☎ 671-46-54. Mar-sam 11h-18h, dim 13h-18h. Toutes sortes d'expos, de tous niveaux, mais le bâtiment en lui-même vaut le détour. En été, projection de films en plein air sur la façade de la *gallery* transformée en écran.

– 🧒 *The Ark :* 11, Eustace St. ☎ 670-77-88. Lun-sam 10h-16h. Le premier centre culturel d'Europe consacré aux enfants. La façade avant du bâtiment a été entièrement rénovée, tandis que la façade arrière s'ouvre sur la *Meeting House Square,* laissant place à une scène. Spectacles en plein air pendant la haute saison et parfois des concerts gratuits. Vérifiez la programmation au *Temple Bar Cultural Trust.*

🦶🦶 *Les fresques murales de Temple Bar* (zoom détachable D4) : intéressante balade sur *Adair Lane* et *Bedford Lane*. Ces deux ruelles ont été livrées à des artistes et autres graffeurs pour mettre en images, avec souvent de beaux textes, toute la richesse de la culture irlandaise : de la littérature à la musique rock, l'histoire, le cinéma, le sport et on en oublie... Prendre son temps pour savourer la qualité de certaines représentations, les aphorismes, les poèmes, l'humour (parfois critique) irriguant nombre de textes et situations...

🦶 *National Photographic Archive* (zoom détachable D4) : Meeting House Sq. ☎ 603-02-00. Lun-sam 10h-17h. Gratuit. Ce musée abrite le plus grand fonds photographique d'Irlande (plus de 600 000 clichés !). Les expositions sur des thèmes souvent historiques se renouvellent environ tous les trimestres.

🦶 *Dublin's Castle* (zoom détachable D4) : Dame St. ☎ 645-88-13. ● dublincastle. ie ● Visite lun-sam 10h-16h45, dim 12h-16h45. Entrée : 4,50 €. Visite guidée de 45 mn, slt en anglais ; départ ttes les 20 mn. Brochure payante disponible en français. Heritage site.
Là encore, il ne subsiste pas grand-chose de l'édifice médiéval, si ce n'est deux tours et un pan de mur. Le reste date du XVIIIe s. Le château fut la résidence des vice-rois d'Angleterre et le symbole de l'autorité britannique. La visite guidée des appartements n'est pas inintéressante. Une quinzaine de salles et salons. Noter surtout les salles 3 et 5 pour leurs plafonds aux stucs délicats, la salle 9 pour son style XVIIIe s, la salle 10 pour sa conception en forme de temple grec et l'ancienne salle de bal, *Saint Patrick's Hall,* au remarquable plafond décoré. C'est ici qu'est investi chaque nouveau président de la République.
À l'extérieur, on verra la chapelle royale, aujourd'hui rendue au culte catholique sous le nom d'*église de la Sainte-Trinité*. Elle fut édifiée tout au début du XIXe s. De très nombreuses sculptures de têtes représentant des personnages illustres de l'Irlande (souverains anglais, Swift, saint Patrick...) en décorent l'extérieur.
Pour terminer, on accède en sous-sol aux fondations vikings et normandes.
Masquant en partie le château, au bout de Parliament Street, s'élève le **City Hall**, construit entre 1769 et 1779 et de style néoclassique, avec ses colonnes corinthiennes. Ancienne bourse du commerce aujourd'hui mairie de la ville. ☎ 222-22-04. ● dublincity.ie ● Lun-sam 10h-17h15. Entrée gratuite, mais expo sur l'histoire de la capitale payante (4 € ; réduc).

🦶🦶🦶 *Chester Beatty Library* (zoom détachable D4) : Clocktower Building, à l'arrière du Dublin's Castle. ☎ 407-07-50. ● cbl.ie ● Lun-ven 10h-17h. Fermé lun oct-avr, ainsi que 1er janv, Vendredi saint et 24-26 déc. Entrée gratuite (mais don possible pour la conservation des ouvrages).
L'Américain sir Alfred Chester Beatty, d'ascendance anglaise et irlandaise, fit fortune dans les mines d'Afrique et constitua, à l'occasion de ses nombreux voyages, une très rare et fabuleuse collection d'objets d'art et manuscrits, principalement d'Orient et d'Extrême-Orient. À sa mort, il légua sa collection à l'État irlandais. À noter qu'avant d'entrer dans le bâtiment on traverse l'ancien jardin du château, avec quelques éléments intéressants d'architecture médiévale.
– La visite commence au *rez-de-chaussée* par un petit film sur la vie d'Alfred Chester Beatty.
– Le *1er étage* s'intéresse principalement à l'univers du livre. D'habiles vidéos familiarisent le visiteur aux différentes techniques de fabrication et d'ornementation, avant de le confronter aux chefs-d'œuvre provenant d'Occident, d'Orient ou d'Extrême-Orient. La collection regroupe de subtiles estampes japonaises, à la calligraphie si délicate, de magnifiques manuscrits persans, des gravures de Dürer ou de Jacques Callot et de rares livres de jade chinois...
– Le *2e étage* est entièrement consacré aux religions. Il recèle des œuvres exceptionnelles, comme la vie du Bouddha en miniature ou une peinture cosmographique hindoue du XVIIe s. Superbes *tangka* du Tibet et remarquable bronze du XIIIe s incrusté de pierres. Remarquer également une biographie de 600 soufis

écrite par un poète persan du XIVe s, un coran égyptien de 1366 et *The Poem of Inner Meaning* du XIXe s, chef-d'œuvre d'enluminure. La chrétienté n'est pas en reste, avec des icônes superbes, des bibles en éthiopien, en arabe, en chinois, ou encore des papyrus des IIe et IIIe s contenant des fragments des Évangiles selon saint Jean, saint Matthieu et saint Marc. Une visite au caractère intimiste totalement fascinante.

Rive sud, à l'est de Temple Bar : le quartier de Trinity College

🌂🌂🌂 *Trinity College* (zoom détachable D-E4) : College St.
L'université fut fondée en 1592 par Elizabeth Ire et représenta un symbole de la culture anglo-protestante jusqu'en 1873, date à laquelle les catholiques y furent admis. Parmi ses élèves les plus prestigieux figurent Edmund Burke, Oliver Goldsmith, Swift, Grattan, Thomas Davis, Oscar Wilde, Synge, Bram Stoker (l'auteur de *Dracula*, brrr...). La plupart des bâtiments datent des XVIIIe et XIXe s. Très agréables cours intérieures pavées et garnies de pelouses. Dans la première cour, à gauche, la *chapelle* et, à droite, l'*Examination Hall*, de la même époque. La partie la plus ancienne remonte à 1700 : ce sont les *Rubrics*, bâtiments en brique rouge avec pignons qui abritaient les étudiants.
Mais la plupart des visiteurs se déplacent principalement pour **The Old Library**, où sont précieusement conservés de remarquables manuscrits et psautiers irlandais depuis 1732. (☎ 896-23-20. ⚒ Lun-sam 9h30-17h, dim 9h30 (12h oct-avr)-16h30. Dernière entrée 15 mn avt fermeture. Entrée : 9 € ; réduc. Doc en français. En principe, de mi-mai à mi-sept, des étudiants assurent des visites guidées, 9 fois/j., dont certaines en français, à 10h45 et 11h45.) En guise de mise en bouche, une exposition très intéressante décrypte les méthodes de fabrication des ouvrages (reliure, calligraphie, utilisation des pigments, etc.).
– **The Book of Kells :** voici le plus précieux livre d'Irlande (certains disent même d'Europe, et d'autres du monde !), un monument de 340 feuilles en vélin (peau de veau), présenté en quatre volumes. Il s'agit du Nouveau Testament écrit en latin par des moines irlandais vivant au VIIIe s au monastère de Kells (70 km au nord-ouest de Dublin). Commencé sur l'île d'Iona (Écosse), puis embelli et achevé par les moines de Kells, il fut d'abord conservé à l'église de Kells, fut volé en 1007 puis retrouvé enfoui sous une couche de tourbe ! À ce moment-là, il était bien parti pour finir au feu ! Il resta à Kells jusqu'en 1654, date de son transfert à Dublin, pendant les troubles causés par Cromwell. En 1661, il arriva miraculeusement au Trinity College grâce à l'évêque de Meath. C'est un livre unique par son âge, par la richesse de sa calligraphie, par la beauté de ses lettrines et de ses dessins très élaborés. Les moines ne manquaient pas de fantaisie ni d'humour, car ils égayèrent le texte des Évangiles d'innombrables enluminures et de clins d'œil pleins de drôlerie.
– **The Long Room :** la vieille bibliothèque est située à l'étage. Il s'agit d'une immense galerie de 65 m de long et d'une quinzaine de mètres de haut, qui fut longtemps la plus grande d'Europe. Voilà le type même des grandes bibliothèques à l'anglaise, encyclopédique, méthodique, une des plus impressionnantes du monde, pure merveille, où le visiteur se déplace quasi religieusement. Bustes en marbre de quelques illustres, celui de Jonathan Swift étant le plus réussi.
Ne pas manquer la harpe, la plus ancienne d'Irlande (elle date probablement du XVe s). Maintenant, cherchez un euro irlandais dans le fond de votre poche et regardez : cette harpe y figure bien. On l'appelle couramment la harpe de Brian Boru (fameux roi irlandais au XIe s). Dans la galerie toujours, on peut remarquer une des dernières affiches originales de la proclamation de la république d'Irlande en 1916.
🍴 De l'autre côté de la cour principale, une belle vieille **cafétéria**. L'entrée qui se trouve au sous-sol a nettement moins de classe que le *dining hall*. Musique irlandaise parfois le midi. Théâtre certains soirs vers 20h. Avoir sa carte d'étudiant sur soi.

🔥 *Bank of Ireland* (zoom détachable D4) : c'est le bâtiment pesant (et sans fenêtres !) en face du Trinity College. De style georgien, il date de 1729 et fut le siège du parlement irlandais jusqu'à ce que, en 1804, des banquiers s'en emparent. Jetez un œil à la *House of Lords* pour sa décoration intéressante (visites guidées mar 10h30, 11h30 et 13h45). C'est la salle où les parlementaires s'assemblaient. C'est aussi là que Grattan (dont on peut voir la statue devant, sur College Green) se battit pour l'indépendance du parlement par rapport à Londres. Bien que protestant, Grattan se révéla un farouche défenseur du nationalisme irlandais.

Rive sud toujours : le quartier de Saint Stephen's Green

🔥🔥🔥 *Saint Stephen's Green* (zoom détachable D-E4 et plan détachable D-E4-5) : grilles ouv de 8h (10h dim) à 20 mn avt la nuit.
Très belle place georgienne entourée de jolies demeures aux façades toutes simples mais aux tons différents et parfois recouvertes de lierre. Hélas, l'appétit féroce des promoteurs a cassé la belle unité architecturale de la place et des jardins.
Le jardin sera toujours, en revanche, le havre de paix des étudiants du Trinity College. Promenade agréable dans les petites allées entre les parterres de fleurs, les pelouses et les canards. À l'angle nord-ouest, monument consacré à Wolfe Tone. Dans l'angle de Grafton Street s'élèvent une arche célébrant les morts irlandais de la guerre contre les Boers en Afrique du Sud (en 1901) et, à quelques mètres, le mémorial dédié à O'Donovan Rossa, le célèbre leader fenian qui passa 15 années hallucinantes dans les geôles britanniques (mis aux fers et contraint de laper sa soupe à genoux, comme un chien). Au milieu du parc se trouve un buste de Constance Markiewicz, l'une des héroïnes de l'insurrection de Pâques 1916.
Saint Stephen's Green, aux beaux jours, est souvent le lieu de bons concerts (se renseigner à l'office de tourisme).
– Au sud du parc, on trouve les anciens bâtiments du *University College* où étudièrent Daniel O'Connell et James Joyce. Face au coin nord-est, très vieux cimetière huguenot (1692). Ne se visite pas, mais on l'aperçoit bien.

🔥🔥 *Mansion House* (zoom détachable E4) : *Dawson St.* Belle demeure avec toit à balustrade, fronton triangulaire aux armes de la ville et auvent orné d'élégants lampadaires. Construite en 1710 et résidence du maire de la ville. Sur sa gauche, le bâtiment en forme de rotonde fut édifié en 1821 pour recevoir le roi George IV. C'est là qu'en 1919 fut adoptée la Déclaration d'indépendance par les députés du Sinn Féin. Aujourd'hui s'y tiennent congrès et grandes réunions politiques.

🔥 *Leinster House* (plan détachable E4) : entre Kildare St et Merrion St. Possibilité de visite sam à 10h30 et 14h15. Ticket à récupérer à la National Gallery (40 mn le tour, aucun sac encombrant). C'est le *Dail Eireann*, le parlement de la république d'Irlande depuis 1922. Ce bâtiment servit de modèle, dit-on, à James Hoban, l'architecte irlandais de la Maison-Blanche. Construit à l'origine, en 1745, pour être la résidence du duc de Leinster, ce fut, à l'époque, la plus belle maison particulière de Dublin. La visite comprend le bureau du Premier ministre, l'escalier de cérémonie et la salle de travail du cabinet.

🔥🔥🔥 🏃 *National Museum of Archaeology* (zoom détachable E4) : *Kildare St.* ☎ 677-74-44. ● museum.ie ● Tlj sf lun 10h (14h dim)-17h. Fermé Vendredi saint et Noël. Prévoir une ½ journée pour le voir. Entrée gratuite.
Il était une fois l'Irlande, ou l'histoire de l'île déclinée en plusieurs chapitres... La première section remonte aux origines du peuplement humain en Irlande, avec une belle collection d'armes et d'outils. La suivante couvre la période de l'âge du bronze (2000 av. J.-C.) à environ 700 av. J.-C. La section intitulée « Le trésor » retrace l'histoire de l'art en Irlande depuis l'âge du fer celtique (300 av. J.-C.) jusqu'au haut Moyen Âge. Intéressant audiovisuel d'une quinzaine de minutes.

À l'étage

Une grande exposition évoque la période viking, avec une sélection d'armes et d'objets en cuir bien préservés. Notamment un chapeau de paysan dans un état parfait, un chausson décoré, une veste, conservés grâce à la tourbe.

Reconstitution d'un bateau de pêche viking du IXe s. Nombreux vestiges d'armes, éléments de bouclier, outils, superbes fibules ciselées... Noter la taille du guerrier retrouvé dans une tombe avec son épée et sa dague. Maquettes d'habitations, os gravés, objets religieux (crosses ciselées) des Xe et XIe s, reliquaire de saint Manchan's. Quelques vestiges lapidaires ornés des fameux motifs celtiques.

– Collection de sceaux, monnaies anciennes, débris de poterie, jolis carreaux de céramique, orfèvrerie religieuse. Une pièce magnifique : le *Stowe Missal* (VIIIe-XIIIe s) au décor filigrané serti de pierres précieuses. Également, le joli *reliquaire de Domhnach* en cuivre ciselé, puis bijoux, ivoires gravés, statuaire polychrome. Pathétique Christ aux liens...

– Période médiévale richement présentée : casques, pointes de flèches, épées, masses d'arme. *Croix de Ballylongford* (remarquer le travail tout en finesse sur le Christ). Quelques pièces d'art chypriote (2500-300 av. J.-C.) : poterie peinte, petits verres... Robe découverte dans un bog en 1843 où l'on constate à nouveau les vertus incroyables de la tourbe pour préserver même les tissus !

Au rez-de-chaussée

Le must du musée, le trésor ! Une expo exceptionnelle. Les pièces les plus sublimes, représentatives de l'art irlandais (de l'âge de fer au XIIe s apr. J.-C.) : un petit bateau en or et ses rames d'une finesse absolue, des colliers du IIIe s av. J.-C., de ravissants petits reliquaires, des ceintures de bronze et argent du VIIIe s apr. J.-C. remarquablement travaillées... On demeure scotché par la merveille du trésor : la célèbre *broche de Tara,* symbole de l'âge d'or de l'Irlande (VIIe-IXe s). Puis d'autres fibules et broches, une main reliquaire de 1120, des crosses d'évêque ciselées, une croix de procession richement filigranée, la trompette de Loughnashade, des bracelets et disques (2200-1800 av. J.-C.)... Petite salle avec ses Évangiles enluminés du XIVe s, mais surtout le Livre de psaumes de Faddan More, là encore découvert dans un bog en 2006 et miraculeusement conservé grâce à la tourbe, et cette pierre ogham et sa mystérieuse écriture...

– Retour dans la grande salle : objets domestiques, moyens de transport et outils n'en sont pas moins chargés d'intérêt et d'émotion : rare et très rustique roue en bois du Ve s, chaudron en bois (200 av. J.-C.) et immense barque datant de 2 500 ans av. J.-C. Longue de 15,25 m, taillée dans un seul tronc de chêne !

Autre grand moment : admirer le produit des fouilles de Mooghaun en 1854. La plus grosse découverte de bijoux, pas moins de 146 pièces dont des colliers en or superbement travaillés (800-700 av. J.-C.).

🍴 *National Library (zoom détachable E4) :* Kildare St ; à l'opposé du Musée national. ☎ 603-02-00. Lun-mer 9h30-21h, jeu-ven 9h30-17h, sam 9h30-13h. Entrée gratuite. Possibilité de visiter la salle de lecture au 1er étage. Demander un badge visiteur au rdc. D'abord, au rez-de-chaussée, noter la superbe cheminée en bois sculpté, puis grimper le bel escalier au décor sculpté style Renaissance et ses vitraux. Élégante salle avec ses stucs d'angelots et boiseries de chêne sculptées. À l'entrée de la salle s'alignent les longues rangées de catalogues des auteurs avec leurs couvertures usées et patinées. Les cheminées sont l'œuvre d'un artiste italien de Sienne. Au rez-de-chaussée, expos temporaires.

I●I Pour se restaurer, excellente cafétéria aux petits plats et sandwichs sortant de l'ordinaire (voir « Où manger ? »).

🚶🚶 *National Gallery (zoom détachable E4) :* Clare St et Merrion Sq West. ☎ 661-51-33. ● nationalgallery.ie ♿ Tlj 9h30 (12h dim)-17h30 (20h30 jeu). Fermé Vendredi saint et 24-26 déc. Entrée gratuite (don souhaitable). Visites guidées gratuites sam à 14h et dim à 13h et 14h ; davantage de visites guidées en juil-août (lun, mer et ven à 14h). Audioguide gratuit en français.

Inauguré en 1864, ce musée compte aujourd'hui 54 salles pour environ 11 000 œuvres d'art, réparties par époques et par thèmes. Mais il est en travaux de rénovation au moins jusqu'à fin 2013, courant 2014. Présentation limitée des chefs-d'œuvre dans deux salles du niveau 1 seulement (cela dit, ça vaut quand même le coup !).

Niveau 1
– Accueil par le très sombre *Opening of the Sixt Seal,* chef-d'œuvre du romantisme ! Puis le *Saint Patrick's Day* d'Erskine Nicol. Avec sa fête paysanne, clin d'œil à Brueghel l'Ancien. Puis Roderic O'Connor, avec sa *Jeune Bretonne,* où, comme pour ses collègues Gauguin et Sérusier, la couleur devient de plus en plus vibrante et expressive. *Grief* de Jack B. Yeats, peut-être le tableau qui exprime le mieux son horreur de la guerre ; puis *Kathleen ni Houlihan* de sir John Lavery, le mythique visage qui orna longtemps les billets de banque irlandais. Louis le Brocquy peignait à la manière de Picasso et laisse une insolite *Olympia* (pour le coup, clin d'œil aussi à Manet).
– Quelques remarquables œuvres d'art religieux comme *Saint Côme et saint Damien survivant au bûcher* de Fra Angelico, plus une *Déposition du Christ* du Perugin, *Judith et Holopherne* de Mantegna (fasciné par l'Antiquité, il imite à la perfection le marbre), *Ecce Homo* de Titien, *Vierge à l'Enfant* de Paolo Uccello, les *Quatre Saisons* de Simon Vouet, puis un remarquable paysage de Claude Lorrain qui rend admirablement la beauté et la sérénité de la campagne... et encore Vélasquez, Poussin, Zurbarán. Dans l'*Arrestation du Christ* (le baiser de Judas) du Caravage, dramatisation de la scène, bien sûr renforcée par le clair-obscur et sa légendaire diffusion de la lumière (le personnage à droite tenant la lanterne serait l'artiste). Dans le *Mariage paysan,* Brueghel le Jeune se moque de façon un poil désobligeante de ces paysans rustres et moches. De Rembrandt, un petit mais sublime *Repos pendant la fuite en Égypte,* une des rares toiles de nuit de l'artiste.
– Admirez *Femme écrivant une lettre,* un des 40 Vermeer connus au monde, considéré, pour sa précision et son sens de la lumière, comme une œuvre majeure de l'artiste. On retrouve d'ailleurs ce style chez Gabriel Metsu *(Homme écrivant une lettre).* Pour les fans, quatre Bellotto importants *(Venise,* bien sûr !) et *Fête sur la piazza Navona* de Panini. Quelques superbes Anglais quand même, sir Josuah Reynolds, Thomas Lawrence, puis le charme, la touche, la délicatesse de Gainsborough dans la *Cottage Girl...* Pour une fois, Goya serein avec le portrait de l'actrice Dona Antonia Zarate.
– Pour finir, quelques impressionnistes, Monet *(Le Bassin d'Argenteuil),* Sisley... Puis Juan Gris, le *Stella* de Van Dongen, *Toit à Paris* de Van Gogh et la célèbre *Nature morte avec mandoline* de Picasso. On se surprend à aimer Meissonnier (un des « pompiers » les plus fameux du XIXe s) avec son groupe de cavaliers dans la neige : grande précision des paysages, des rigueurs de l'hiver, des attitudes, finesse d'exécution... Bon, s'il vous reste un peu de temps, détailler donc *Dublin Secrets, le vendeur de livres,* de Walter F. Osborne : vision juste, sincère, positive de la vie de tous les jours dans la capitale de l'Irlande. Tendresse pour cette petite fille aux pieds nus, gracieuse, fragile...
I●I Très agréable cafétéria au rez-de-chaussée, à prix fort raisonnables.

🦌🦌 ♁ ***Natural History Museum*** *(zoom détachable E4)* : Merrion St Upper West. ☎ 677-74-44. ● *museum.ie* ● *Tlj sf lun 10h (14h dim)-17h. Entrée gratuite.* Inauguré en 1857 par l'explorateur David Livingstone, ce vieux bâtiment victorien renferme une impressionnante collection d'animaux naturalisés rapportés des quatre coins de la planète, témoignage émouvant d'espèces parfois éteintes. Les vitrines de bois sombre, le côté un peu vieillot, les étiquettes vintage donnent une touche romantique à la visite. Dioramas fort bien réalisés (avec des scènes d'une grande tendresse). On déambule parmi d'invraisemblables squelettes de cerfs géants irlandais, des crocodiles et leurs cousins, une araignée de mer géante du Japon, ou encore des spécimens hallucinants d'insectes tropicaux (vitrines protégées de la lumière). Certains d'entre eux imitent à la perfection une branche, tandis que d'autres ressemblent à s'y méprendre à des feuilles (les carapaces sont tachées comme de vrais végétaux !). Pour couronner le tout, le squelette de 20 m de long d'une baleine achève d'émerveiller les visiteurs. Au 1er étage, là aussi, muséographie d'origine. Animaux étranges comme les *armadillos* (tatous), les fourmiliers, plus les impressionnants hippopotames, lions de mer, grizzlis... Dommage, pour des raisons financières (plus d'argent pour réparer), les mezzanines (avec les serpents notamment) sont fermées au public. Pour les gamins (et leurs parents itou !), une visite vraiment passionnante.

🏛🏛 **Merrion Square** *(plan détachable E4)* **:** bel exemple de place georgienne. Élégance et très grande simplicité de l'architecture. Les façades sont du même style, plates et un brin austères, avec les célèbres portes aux vives couleurs. Le jeune Oscar Wilde vécut au n° 1 (angle de Lower Merrion Street). Son père était un docteur spécialisé dans la chirurgie des yeux et l'oculiste de la reine Victoria. Au n° 58 habita Daniel O'Connell ; au n° 82, W. B. Yeats ; au n° 84, George Russell.

🏛🏛 **Number Twenty-Nine** *(plan détachable E5)* **:** 29, Fitzwilliam St Lower. ☎ 702-61-65. ● esb.ie/no29 ● *À deux pas de Merrion Sq. Tlj sf lun 10h (12h dim)-17h. Fermé 2 sem à Noël. Visite guidée slt (en anglais) 6 € ; gratuit moins de 16 ans ; durée env 1h. Petite vidéo en introduction.* Une belle demeure georgienne déroulant tous les fastes de la vie dublinoise de la fin du XVIIIe s. De la cave au grenier, la maison présente un superbe ameublement, décor, tapis, tentures, et donne aujourd'hui le reflet exact de ce qu'était le cadre d'une famille de la *Dublin middle class.* Visite guidée bien faite. Cuisine, garde-manger, salle à manger au beau mobilier, *dining room.* Intéressante chambre à coucher avec son grand lit carré et, dans un coin, une chaise percée qui en dit long sur l'intimité à l'époque. Et puis encore quelques pièces qu'on vous laisse découvrir. À ne pas manquer !

🏛 **Grafton Street** *(zoom détachable D4)* **:** c'est la rue piétonne la plus commerçante de la ville. Boutiques de luxe, musiciens de rue... C'est là que les ados traînent le samedi après-midi pour acheter des fringues à faire hurler leurs parents.

Le quartier de Portobello

🏛🏛 **Irish Jewish Museum** *(plan détachable D5-6)* **:** 3, Walworth Rd. ☎ 490-18-57. *Donne dans Victoria St, au sud de la ville, avt le Grand Canal. Bien indiqué de Richmond St. Pour s'y rendre : bus nos 19, 19 A, 16 et 16 A. Mai-sept, mar, jeu et dim 11h-15h30 ; oct-avr, slt dim 10h30-14h30. Fermé les j. de fêtes juives. Entrée gratuite (don souhaitable).*

Sympathique, familial et émouvant, ce petit musée occupe le rez-de-chaussée d'une simple maison, tandis qu'une petite synagogue (discrète) se cache au premier étage. Les innombrables documents, souvenirs, objets exposés proviennent, pour la plupart, des albums de famille de la communauté, une des plus réduites d'Europe, car elle ne compte plus aujourd'hui à Dublin qu'un millier de membres. L'*Irish Jewish* le plus connu est sans conteste Chaïm Herzog. Né à Belfast, fils de rabbin, il vint très jeune à Dublin et y vécut avant de s'établir en Israël, où il devint président de la République.

D'autres vitrines racontent avec moult détails l'histoire des juifs en Irlande et exposent les nombreuses traditions et cérémonies religieuses. Une vitrine évoque l'antisémitisme, qui n'a jamais fait beaucoup de victimes en Irlande, où ce sentiment n'a jamais été aussi virulent que sur le reste du continent européen.

Vers le quartier des Liberties

À l'origine, c'était le quartier compris entre les cathédrales Christ Church et Saint-Patrick. Situé « hors les murs » de la ville et donc de sa juridiction, il y gagna le nom de *Liberties.* Une population catholique très pauvre s'y entassa. Aujourd'hui, c'est toujours un quartier populaire, intégrant celui de Saint-James autour de la brasserie *Guinness.* Peu visité par les touristes, il reste cependant caractéristique du Dublin historique, et ses habitants tentent d'en préserver l'esprit.

Ce secteur de Christ Church et de Saint-Patrick s'appelait autrefois *The Four Corners of Hell,* car il y avait un pub à chaque angle.

Flânez autour des rues Saint-James, Thomas, Meath, The Coombe. Marché et bazar populaire sur Meath. Francis Street s'est spécialisée dans les antiquités et la brocante. Attention, *gentrification* oblige, c'est assez cher !

Simple précaution : il arrive que, dans le quartier, les véhicules soient visités ; ne tentez pas le diable, ne laissez rien traîner. Mieux, ne venez pas en voiture. Prenez le bus (nᵒˢ 77 A ou 77 B) à Ashton Quay, dans le centre, ou venez à pied, ce n'est vraiment pas loin.

🎯🎯🎯 *Christ Church Cathedral* (zoom détachable C4) : tt en haut de Lord Edward St. ☎ 677-80-99. ● cccdub.ie ● *Juin-août, lun-sam 9h30-19h, dim 12h30-14h30, 16h30-18h15 ; avr-mai et sept-oct, lun-sam 9h30-18h, dim 12h30-14h30 ; le reste de l'année, lun-sam 9h30-17h, dim 12h30-14h30. Entrée : 6 €. Billet combiné avec Dublinia : 11 €. Doc en français.* Construite au XIIᵉ s par les Normands, elle subit en 1878 une restauration de type néogothique assez lourde (également construction de l'arche qui traverse la rue). Les rares vestiges anciens se résument à quelques pierres dans le jardin, au transept de style roman et à la longue crypte. À l'intérieur, tombe de « Strongbow », Richard de Clare, qui conquit Dublin au XIᵉ s et ordonna la construction du sanctuaire. Christ Church passa au culte protestant au XVIᵉ s. De part et d'autre, les *pews* sculptés (Civic Pews et State Pews), les bancs des notables. Jetez donc également un coup d'œil à la crypte, posée sur d'énormes piliers carrés. Quelques vestiges de pierres sculptées et tombales, et petite exposition d'objets liturgiques. Le jeudi à 18h et le samedi à 17h, chœurs superbes.

🎯🎯 👫 *Dublinia* (zoom détachable C4) : Saint Michael's Hill, Christchurch. ☎ 679-46-11. ● dublinia.ie ● *Avr-sept, tlj 10h-17h ; hors saison, tlj 10h-16h30. Dernière entrée 45 mn avt fermeture. Entrée : 7,50 € ; réduc. Billet combiné avec Christ Church Cathedral : 11 €. Commentaires en français.* Un parcours multimédia présentant 4 siècles de l'histoire de Dublin, depuis l'arrivée des Normands jusqu'à l'avènement d'Henry VIII. Au rez-de-chaussée, consacré à la vie dublinoise sous les Vikings, on défile devant une série d'habiles reconstitutions, comme une rue, une demeure de marchand. Ludique et très pédagogique. La visite se poursuit au 1ᵉʳ étage avec le Dublin médiéval (grande maquette) et des sections thématiques, comme les foires ou les maladies. Intéressant : lire attentivement les détails d'un testament de 1476, qui révèlent beaucoup de choses sur la vie économique et sociale de l'époque. Le 3ᵉ étage présente les métiers de l'archéologie, en relation avec les découvertes faites sur place.

🎯 *Tailor's Hall* (zoom détachable C4) : Back Lane. C'est le seul édifice à subsister en face de Christ Church, sur High Street. Dernière maison de corporation existant à Dublin. Construite en 1706 pour les tailleurs, groupes et associations pouvaient y louer la grande salle afin de s'y réunir. Wolfe Tone et les *United Irishmen* s'y rassemblaient souvent, et le Tailor's Hall finit par acquérir le surnom de *Back Lane Parliament.* Ne se visite pas. Un nouveau bâtiment s'est construit devant et il faut se tordre un peu le cou pour l'apercevoir. Notamment, au niveau du porche à moitié brisé, on distingue bien les hautes fenêtres plein cintre.

🎯🎯🎯 *Saint Patrick's Cathedral* (zoom détachable C4) : ☎ 453-94-72. ● stpatrickscathedral.ie ● *Lun-ven 9h-17h ; sam 9h-18h (17h nov-fév) ; dim 9h-10h30, 12h30-14h30, 16h30-18h (9h-10h30, 12h30-14h30 nov-fév). Entrée : 5,50 € ; réduc.*

Fondée en 1191, là même où saint Patrick se convertit au catholicisme au Vᵉ s, la cathédrale fut construite en 1255 puis élargie (c'est la plus grande église d'Irlande) et restaurée plusieurs fois. Elle fut cependant moins restaurée que Christ Church – notez au passage qu'il est très rare de voir deux cathédrales si proches l'une de l'autre. Dès 1320, la première université du pays s'y installa. Elle y restera près de deux siècles. Cromwell, toujours aussi délicat, l'utilisa comme écurie pour son armée.

Elle eut un doyen célèbre : Jonathan Swift. On peut y voir sa tombe à côté de son plus grand amour, Esther, qu'il chanta sous le nom de Stella. Swift, Anglais né en Irlande, souffrit beaucoup dans sa carrière de n'être pas né en Angleterre. C'est donc, tout au moins au début, plus par dépit que par conviction qu'il dénonça le sort atroce des Irlandais en ce temps-là. L'auteur des *Voyages de Gulliver* produira des écrits féroces contre la corruption de l'Église et l'exploitation des Irlandais.

À l'intérieur, nombreux monuments funéraires. Chœur imposant qui abrite les étendards et les armoiries des chevaliers de Saint-Patrick. Une curiosité : le trou dans une vieille porte du transept sud. Il fut percé pour célébrer, en 1492, la réconciliation des seigneurs de Kildare et d'Ormond, et leur permettre de se serrer la main, car aucun des deux ne faisait confiance à l'autre !

🏛️🏛️ ***Marsh's Library*** (zoom détachable D4) : *Kevin St et Saint Patrick's Close.* ☎ 454-35-11. ● *marshlibrary.ie* ● *Sur la gauche en sortant de la cathédrale. Lun et mer-ven 9h30-13h, 14h-17h ; sam 10h-13h. Fermé mar et dim. Entrée : 2,50 € ; gratuit pour les enfants.* Fondée en 1701 et première bibliothèque publique d'Irlande, elle renferme plus de 25 000 ouvrages et 200 manuscrits. L'intérieur n'a guère changé depuis le XVIIIe s.

🏛️🏛️ ***Guinness Storehouse*** (plan détachable B4) : *Saint James's Gate.* ☎ 408-48-00. ● *guinness storehouse.com* ● *À 2 km du centre. Pour y aller : bus nos 51 B et 78 A d'Aston Quay ou 123 d'O'Connell St. Tlj 9h30-17h (19h juil-août). Entrée : 16,50 € (réduc de 10 % pour une résa en ligne). Même le tarif famille décoiffe : 40 € pour 2 adultes et jusqu'à 4 enfants (qui ne boiront pas de bière au bar...).* Aménagé en 2000 dans une partie de cette bras-

> ### A GUINNESS, PLEASE!
>
> Ce monument historique doit être servi à 6 °C. Au pub, elle est tirée en deux fois, afin que la mousse, dense et crémeuse, puisse redescendre. On dit que cette tradition est d'origine religieuse : Arthur Guinness, le fondateur, aurait commencé à servir une pinte quand l'heure de la messe retentit. Il s'arrêta pour se recueillir et continua quand la cloche finit de sonner.

serie gigantesque construite en 1904, ce musée se visite en suivant un itinéraire fléché intelligent et une scénographie très bien ficelée. On déambule dans un univers à la *Brazil,* sur sept étages, parmi les cuves géantes, pour découvrir les secrets de fabrication d'une des fiertés de l'Irlande. Tout en haut, un bar vitré offre la plus belle vue qui soit de Dublin, sur 360°. On y boit, devinez quoi... offerte (ouf !) sur présentation de votre ticket d'entrée. Bien évidemment, passage par l'énorme boutique en sortant... *no comment !* (sauf pour signaler que les produits *Guinness* sont souvent moins chers dans les boutiques du centre-ville).

➤ ***Petite balade architecturale dans les Liberties*** (zoom détachable C4 et plan détachable A-B4)

Intéressant point de départ : les ***Iveagh Buildings*** (HLM du XIXe s). Délimités par *Bride Street, Bride Road* et *Nicholas Street,* c'est un superbe ensemble de brique rouge de 1904, avec corniches, lucarnes, petits dômes oxydés et frontons assez élaborés. À l'époque, certains patrons ne se moquaient pas des ouvriers ! Voir, sur *Bride Road,* l'élégant porche sculpté des *Public Baths* (maintenant un *Fitness Club*...). Côté Saint Nicolas Street, sur la façade, des petites plaques de cuivre racontent en termes simples la vie de certains habitants. Émouvante, l'une des dernières, intitulée « *They have seven children and decided it was enough* » (ou le poids du religieux à l'époque)... ***Thomas Street*** est l'épine dorsale du quartier (éviter cependant les dimanche et lundi, peu animés !). Au passage, *Market Place* (au n° 72), petit marché aux puces tout en longueur (du jeudi au dimanche de 11h à 18h : vêtements vintage, vieux vinyles, bijoux, un peu d'artisanat...). D'ailleurs, on trouve pas mal de *trift shops* et *discount stores* (pour les fringues extra !) dans cette rue, ainsi que des boutiques à l'ancienne et les dernières Molly Malone... **Meath Street,** encore plus populaire, résiste vaillamment aux assauts bobos. À côté de l'église Sainte-Catherine, une *grotte de l'Immaculée Conception* bien ringarde, mais encore bien fréquentée. Au n° 35, l'étonnante *Sandyz Boutique* qui plaira beaucoup à nos lectrices. **Thomas Court,** vieille rue populaire avec maisons basses en brique, suivi de **Meath Place** aux demeures ouvrières minuscules, dernier témoignage du XIXᵉ s dublinois. Sur **Pimlico Street,** les *Watkins Buildings,* un autre petit ensemble d'habitat populaire à l'architecture soignée et bien entretenu. Dans **The Coombe,** l'ancien porche de l'hôpital-maternité témoigne des terribles conditions de vie du petit peuple des Liberties. En 1825, deux femmes qui avaient accouché chez elles, moururent de froid avec leur bébé dans une tempête de neige, en tentant de gagner un lointain hôpital. Grosse émotion publique et, l'année suivante, une maternité fut enfin construite sur le *Coombe* même (démolie en 1967). Plus loin, même trottoir, autre clin d'œil, une façade préservée avec en lettres sculptées « *Widows House of the Parish of St Nicolas* »... Pour oublier les veuves et se reposer les gambettes, une *Guinness* fort bien tirée au *Lamplighter* (en face Meath Street), un pub avec sa clientèle hors du temps et bavarde. Enfin, paysage urbain typique des Liberties, *Reginald Street* menant à une placette paisible, avec un christ polychrome veillant sur ses ouailles en un kiosque assez kitsch... Après, détour par *Back Lane* pour évoquer le grand Wolf Tone !

🏃 **Steeven's Hospital** *(plan détachable B4)* : *Steeven's Lane (rue perpendiculaire à la Liffey et liant James's St à Heuston Station).* C'est le plus ancien hôpital irlandais (1720). Il possède donc une architecture néogeorgienne typique de l'époque. Superbement repeint en gris et jaune. Sa tour-horloge octogonale lui donne un certain charme. Cour intérieure ayant des allures de cloître.

🏃🏃🏃 **Kilmainham Jail** *(prison de Kilmainham ; hors plan détachable par A4)* : *Inchicore Rd, Dublin 8.* ☎ *453-59-84. Pour s'y rendre : bus n° 69, ou 79 (le seul à s'arrêter juste devant) d'Aston Quay, nᵒˢ 13 et 40 depuis O'Connell. Avr-sept, tlj 9h30-18h ; oct-mars, tlj 9h30-17h30 (18h dim). Visites guidées slt (en anglais, bon niveau demandé), max ttes les 30 mn. Entrée : 6 €.* Heritage site.

Un peu d'histoire
Prison construite au XVIIIᵉ s. Cette visite passionnante intéressera les amoureux de l'histoire de l'Irlande. La majorité des grands hommes qui contribuèrent à l'histoire du pays y séjourna ou y mourut. Dès 1796, les *United Irishmen,* dont Henry Joe McCracken, leader d'Ulster (et pendu à Belfast), et Robert Emmet. Les *Young Irelanders,* Thomas Francis Meagher, W. S. O'Brien, Patrick O'Donoghue y séjournèrent en 1848 avant de partir comme forçats en Australie. En 1867, ce sont les *Fenians* qui remplirent les cellules. Celles-ci n'eurent pas le temps de moisir avec l'arrivée, en 1882, des militants de la Land League (Parnell, Michael Davitt...). En 1883, cinq des Invincibles qui assassinèrent lord Cavendish à Phoenix Park et furent pendus. Au lendemain de l'insurrection de Pâques, Connolly fut arraché de son lit d'hôpital et exécuté dans la cour sur une chaise, car blessé et souffrant d'une jambe déjà prise par la gangrène. En 1920-1921, la prison ne désemplit pas de membres de l'IRA. En 1922-1923 leur succédèrent les militants antitraité, parfois c'était les mêmes ! Quatre d'entre eux y furent fusillés. De Valera y séjourna également. Il fut le dernier prisonnier de Kilmainham, qui ferma ses portes en 1924.

Visite de la prison
Une visite émouvante, qui rend compte de la cruauté des conditions de détention au XIXᵉ s. On n'y internait pas que des prisonniers politiques : les couloirs humides résonnent encore des pleurs d'enfants accusés d'avoir volé un quignon de pain !

Le circuit commence par la projection d'un diaporama (15 mn) très bien fait sur l'histoire du mouvement national irlandais, du XVIIIᵉ s jusqu'à l'indépendance. Puis arrêt dans l'immense *hall central* sur trois étages de cellules, où certaines scènes du film *Au nom du père* ont été tournées. On accède ensuite à différentes *cellules de détenus,* comme celle de Robert Emmet ou celle de Parnell (il eut droit à un meilleur traitement que les autres), avant de marquer une pause dans la chapelle. La visite s'achève dans la sinistre *cour intérieure,* qui porte encore les traces de l'exécution des insurgés de 1916.

Le musée
Très intéressant. Il regroupe de nombreux souvenirs et documents exceptionnels, comme des lettres, photos, journaux de l'époque, objets personnels, etc. On a même conservé le billet de bois qui servit à l'exécution de Robert Emmet !

🏃 *Irish Museum of Modern Art (plan détachable A4) : dans le Royal Hospital ; entrée sur South Circular Rd ou sur Military Rd, Dublin 8.* ☎ 612-99-00. ● imma. ie ● Entre Kilmainham Jail et Heuston Station. Mêmes bus que pour Kilmainham Jail. Mar-sam 10h (10h30 mer)-17h30, dim et j. fériés 12h-17h30. Entrée gratuite. Construit en 1684, le plus ancien bâtiment civil d'Irlande abrita jusqu'en 1922 les vétérans et invalides de guerre. À l'intérieur, on découvre trois galeries à arcades et, sur le quatrième côté, la chapelle et le grand hall. Harmonieuses proportions de l'ensemble. La chapelle offre un étonnant décor baroque, quasi unique en Irlande. Le bâtiment accueille aujourd'hui de nombreuses expositions temporaires très inégales. Petite collection permanente. Cafétéria au sous-sol.

Rive nord : le quartier d'O'Connell Street

🏃🏃🏃 *General Post Office (GPO pour les intimes ; zoom détachable D3) : O'Connell St.* Monument de style néoclassique, construit en 1818 sur les plans de Francis Johnson, le plus célèbre architecte de la période georgienne. En 1916, à Pâques, la poste servit de quartier général à l'insurrection. C'est là que Padraig Pearse, le poète, et James Connolly, le syndicaliste, proclamèrent l'indépendance de l'Irlande avec 1 000 hommes des *Irish Volunteers.* Contretemps et contrordres firent que peu de villes de province suivirent le mouvement et que celui-ci resta circonscrit à Dublin. Les insurgés résistèrent une semaine au pilonnage de l'artillerie britannique avant de se rendre. Une canonnière sur la Liffey ne cessa de bombarder le quartier, causant de nombreuses destructions et victimes civiles. Le général Maxwell, chef des troupes anglaises, comptait terroriser les Dublinois et les retourner contre les insurgés. La répression fut sauvage et tous les leaders furent fusillés, sauf De Valera qui était de nationalité américaine. Bien lui en prit, car plus tard il devint... président de la République. Constance Markiewicz échappa également de justesse au poteau d'exécution parce que femme ! Elle lança à ses juges : « J'espérais que vous auriez au moins la décence de me fusiller ! » Avant d'être exécuté, Pearse eut ce mot : « Au moins l'Irlande se débarrasse-t-elle d'un mauvais poète. » L'opinion publique irlandaise, peu favorable jusqu'à 1916 à l'idée de l'indépendance, fut bouleversée par la mort de ces héros et bascula massivement dans leur camp.
La GPO fut reconstruite en 1929 et est devenue le lieu de la plupart des manifestations politiques et le symbole de l'esprit républicain. Une plaque et une statue commémorent cet événement historique.

🏃🏃 *O'Connell Street (zoom détachable D3) :* les Champs-Élysées de Dublin, d'une largeur étonnante pour la ville. D'ailleurs, le pont qui lui succède, O'Connell Bridge, possède la particularité d'être plus large que long ! L'overdose de fast-foods et d'immeubles modernes ne doit cependant pas faire oublier quelques-uns de ses attraits. Les statues du terre-plein central, par exemple : le monumental *Daniel O'Connell* trouve ici la place qu'il mérite comme émancipateur des catholiques, suivi de *William Smith O'Brien,* chef des Young Irelanders de 1848. *Jim Larkin,* le syndicaliste – à qui l'on doit « Les Grands ne sont grands que parce que nous sommes à genoux. Debout ! » – a été remplacé par une fontaine à l'occasion du millénaire et relégué au fond de O'Connell Street. Enfin, devant le Rotunda Hospital, le mémorial dédié à *Parnell.*

Yeats ironisa sur le fait que la prude Irlande catho se permettait d'honorer trois adultérins célèbres : O'Connell, Parnell et... Nelson. À propos, où est-il passé le Nelson sur sa gigantesque colonne de 40 m de haut et son lourd piédestal ? Élevée entre Henry et Earl Streets, en 1808, pour commémorer le vainqueur de Trafalgar, la colonne avait un maximum de détracteurs. Les nationalistes d'abord, qui n'appréciaient guère cet hommage au représentant de la puissance impériale anglaise. Mais également, plus tard, les automobilistes qui, tout simplement, trouvaient que le monument gênait la circulation. Le 8 mars 1966, à 1h32 du matin, pour fêter le cinquantenaire de l'insurrection de Pâques 1916, l'IRA fit sauter la statue. Tout le monde dut admettre l'exploit technique. Pas un carreau cassé dans le voisinage ! Cependant, comme il restait encore deux tiers de la colonne debout, l'armée fut chargée de terminer le travail. Mais, en tentant de faire sauter le ridicule moignon, celle-ci réussit, en revanche, à briser toutes les vitres aux alentours... sans pour autant finir la besogne ! Les gens en rigolèrent pendant de longs mois. D'ailleurs, les Dublinois en firent une chanson qui fut numéro 1 au hit-parade ! En revanche, peu de chances que le centenaire soit aussi explosif...

À propos de colonne, le nouveau millénaire a donné l'occasion aux architectes d'élever au cœur d'O'Connell Street une flèche de 120 m, soit sept fois la hauteur du GPO, *The Spire.* Résolument moderne, sans fioritures, elle symbolise l'esprit entreprenant de l'Irlande, mais n'a pas échappé à son lot de railleries : elle a notamment été surnommée « *The erection at the intersection* »...

🏹🏹 *Moore Street* (zoom détachable D3) : *petite rue parallèle à O'Connell et donnant sur Henry St.* Marché extrêmement vivant qui se tient tous les jours, toute la journée. C'est ici que vous entendrez encore le véritable accent dublinois. Les *Molly Malone,* ces petites vendeuses de rue avec leurs landaus bourrés d'oranges ou de friandises, appartiennent depuis toujours au folklore dublinois (mais il y en a de moins en moins). Nombre d'écrivains irlandais vinrent ici autant pour faire leurs achats que pour y trouver quelques-uns de leurs personnages. Une anecdote : à Pâques 1916, les commerçantes et marchandes des quatre-saisons de Moore Street furent au début très hostiles aux rebelles ayant établi leur quartier général à la poste principale, car l'insurrection avait interrompu complètement le business. Elles les conspuèrent au moment de la reddition.

🏹🏹 *Custom House* (zoom détachable E3) : *sur les bords de la Liffey, près de Connolly Station.* Considérée par beaucoup comme le plus beau monument civil de Dublin. Élégant portique central à colonnes doriques. Remarquables statues de la façade symbolisant l'océan Atlantique et les 13 fleuves irlandais. Cette représentation « hydraulique » n'a pu empêcher l'incendie qui, en 1921, ravagea pendant 5 jours l'intérieur du bâtiment. Elle a été restaurée plusieurs fois et son dernier lifting date de 1990. Ne se visite pas.

➤ *Balade rive nord :* la rive nord, nous l'avons vu, ne renferme que peu de grandes beautés architecturales. Les bulldozers ne chôment guère, notamment dans l'ancien quartier ouvrier de *Smithfield Village,* mais le passé n'a pas encore complètement disparu.

On peut flâner dans le « *Bloomsland* », autour de **Parnell Square** (plan détachable D2-3), où « vécurent » les principaux héros de Joyce. Parnell Square renferme aussi le *jardin du Souvenir (Garden of Remembrance)* et un monument de bronze dédié à tous ceux qui donnèrent leur vie pour l'Irlande. Autour de Parnell Square, des demeures georgiennes, la *Municipal Gallery of Modern Art* et le *musée des Écrivains.* Au sud, le *Rotunda Hospital* (1750), qui fut la première maternité d'Europe. La rotonde qui lui est accolée servait à organiser des fêtes de charité pour financer l'hôpital. C'est aujourd'hui un cinéma. À côté, le *Gate Theatre.*

Tout ce quartier fut, au XVIIIe s, le symbole brillant de l'*ascendancy* anglo-irlandaise. Aujourd'hui, ruines, taudis et demeures georgiennes cohabitent bizarrement. Malgré les destructions nombreuses, certaines rues ou places n'ont pas été totalement défigurées et laissent deviner une ordonnance harmonieuse. *Upper Gardiner Street, Gardiner Place, Mountjoy Square.* La promenade s'achève à *Henrietta Street,* la rue la plus élégante du XVIIIe s, jusqu'à ce que, en 1800, l'Acte d'union, en supprimant le parlement irlandais, déplace le centre d'intérêt vers Londres et y ramène toute la bourgeoisie anglo-irlandaise.

★★★ *Dublin City Gallery, The Hugh Lane* (plan détachable D2) : *Charlemont House, Parnell Sq North.* ☎ 222-55-64. ● hughlane.ie ● Bus nos 3, 4, 7, 10, 11, 13, 19 et 46 A. Mar-sam 10h-18h (17h ven-sam), dim 11h-17h. Entrée gratuite pour la galerie et l'atelier de Bacon.

Fondé en 1908 grâce au legs de la collection de sir Hugh Lane. Il occupe la magnifique *townhouse* du comte Charlemont (XVIIIe s). Il a été superbement rénové, admirer notamment la salle d'apparat ovoïde, avec colonnes, stucs et verrière... Toutefois, en raison de ses fréquents échanges avec la *National Gallery* de Londres, le musée ne propose qu'une petite collection permanente. Cela dit, œuvres toujours de qualité, à l'image de ces délicats petits Corot, *La Barque, Le Pêcheur, Marseille* ou la *Femme méditant.* Elle porte beaucoup sur l'impressionnisme français, avec quelques œuvres remarquables comme *Waterloo Bridge* de Monet. Il y en eut pas moins de 41 versions, Monet souhaitant capturer l'essence même de Londres, le poids de l'industrie, la foule, la lumière malgré le smog. *La Musique aux Tuileries* de Manet, *Scène de plage* de Degas, ou encore *La Plage de Trouville* de Boudin. Extraordinaire *Tempête de neige* de Courbet. Sinon, on y découvre par roulement un panorama de l'art moderne et contemporain irlandais. Notamment Franck O'Meara, sir John Lavery et surtout, Walter Osborne, génial peintre de la rue et de son petit peuple (il travaillait avec un véritable œil de photographe). On est frappé par le nombre d'enfants *(Fishmarket, Patrick Street).* De l'école de Pont-Aven, Roderic O'Connor (ami de Gauguin). Salle consacrée au fantastique Jack B. Yeats *(Talkers ; There is no Night).* Puis toute une série de mignons Constable (son *Brighton* évoque Turner). Œuvres de Louis Le Brocquy (décédé en 2012), peu connu en France, mais un grand ici, dont on admire *Isolated Being, Child in a Yard, Bacon Kneeling Figure...* Et bien sûr, l'atelier de Bacon.

L'atelier de Bacon

En mai 2001, le musée a acquis une « pièce » exceptionnelle... le légendaire atelier de Francis Bacon, situé 7, Reece Mews, South Kensington à Londres. Cette acquisition tient du miracle. En effet, après la mort de Bacon (1992), qui fut à une certaine époque le peintre vivant le plus cher du monde, John Edwards, son légataire universel, proposa de léguer son atelier à la célèbre Tate Gallery. Elle ne refusa pas formel-

BACON CRU

Isolé, autodidacte (et alcoolique), Bacon ne suivait aucun courant artistique. En 1944, il renie son travail et détruit ses œuvres pour s'intéresser à un seul et unique thème, la figure humaine écrasée, torturée, afin de rappeler une évidence : l'homme n'est que de la viande qui souffre. Et dès 1945, il devient célèbre !

lement ce cadeau, mais tergiversa, fit traîner les choses en longueur, au point que le légataire finit par le proposer à la galerie municipale d'Art moderne de Dublin, ville qui vit naître Bacon. Cette dernière accepta avec enthousiasme. Musée, ville, État prirent en charge le coût très important du transfert. L'atelier de Bacon, c'est peu de le dire, était un véritable capharnaüm, un chaos incroyable qui n'avait pas bougé depuis 30 ans. Des dizaines de kilos de journaux, esquisses, revues, photos, documents, pinceaux encrassés, tubes écrasés, objets et ordures de toutes sortes recouverts d'une épaisse couche de poussière. Les murs servaient de palette. Hors de question pour le musée de transporter le tout en vrac et de reconstituer l'atelier approximativement. On fit appel à une vraie équipe d'archéologues qui travailla comme sur un site traditionnel. On put reconstituer également les habitudes, les tics, les manies, les déplacements de Bacon dans l'atelier. Chaque objet, papier froissé, mégot de cigarette fut répertorié, photographié et numéroté. Reconstitution à un poil de pinceau près ! Tout simplement génial. Comme beaucoup de créateurs, Bacon avait besoin de ce désordre intérieur, véritable défense, rempart indispensable contre l'Ordre (avec un grand « O ») qui sévissait dehors. À côté, on trouve une formidable « mise en pièces » audiovisuelle de l'atelier. Interactivité totale donc, pédagogie, didactisme pour expliquer ses techniques de travail (voir comment il tordait les photos pour obtenir ses corps déstructurés). Extraordinaire hommage. Merci la Tate !

🏃🏃 *Dublin Writers Museum* (plan détachable D2) : 18, Parnell Sq North. ☎ 872-20-77. ● writersmuseum.com ● Tlj 10h (11h dim)-17h. Entrée : 7,50 € ; réduc. Audioguide gratuit en français. Abritée dans une magnifique demeure georgienne, cette émouvante collection permet de mesurer la richesse du patrimoine littéraire dublinois et irlandais. La ville de Dublin à elle seule comptabilise à ce jour quatre Prix Nobel de littérature, talonnés par un bon paquet d'autres hommes de lettres. Le musée offre par conséquent un large panorama de la littérature irlandaise, étayé par une foule d'objets personnels. La collection comprend notamment *The Work of Edmund Spencer* (1679), un des ouvrages les plus anciens, un manuscrit de 1733 signé de Jonathan Swift et l'original de *A Tale of Tube* (1704), les poèmes d'Oliver Goldsmith, la version la plus ancienne de *Molly Malone*, des lettres de Thomas Moore, la première édition du *Dracula* de Bram Stoker (1897). D'Oscar Wilde, l'original de la *Ballad of Reading Gaol* (1899) et le programme d'un *Mari idéal*. Même époque émouvante, la renaissance littéraire irlandaise et le renouveau du gaélique avec lady Gregory, puis histoire de l'Abbey Theatre et le célèbre poème de Yeats : *1916*. Autres « pièces », les *Îles d'Aran* de Synge (illustrée par Jack Yeats) et la « une » historique du journal annonçant l'exécution de James Connolly et de McDermott, un exemplaire d'*Ulysse* de 1930 dédicacé par James Joyce, des lettres de Sean O'Casey, la *Remington* de Patrick Kavanagh et son journal littéraire, le téléphone en bakélite de Beckett à Paris, la machine à écrire de Brendan Behan (qu'il envoya à travers la vitrine d'un pub un jour de détresse), sa carte syndicale de l'Union des peintres en bâtiment et tant d'autres souvenirs poignants... De Flann O'Brien, la première édition de *At Swim-Two Birds*, et de Beckett, le programme original d'*En attendant Godot* et un vieux livre de poèmes. Ne pas rater la *Gorham Library* et le *Hall of Fame*, à l'étage, avec le piano de Joyce.

🌀 *Librairie* où vous trouverez tous les livres de vos auteurs préférés.

🍽 Très agréable *Chapter House Coffee Shop* sur le principe du self avec des salades, des tartes, de très bons scones. Beaucoup de monde sur le coup de 12h. Intéressante formule à 9 €, avec 2 petites salades, une quiche ou un sandwich, un dessert et un café (ou un thé).

🏃🏃 *National Leprechaun Museum* (zoom détachable D3) : Twilfit House, Jervis St. ☎ 873-38-99. ● leprechaunmuseum.ie ● Tlj 10h-18h30. Entrée : 12 € ; réduc. L'idée était au départ sûrement bonne : créer un musée dédié aux *leprechauns*, les célèbres lutins des légendes irlandaises et toutes ces sortes de choses. Cependant, c'est raté, parcours vraiment peu emballant et décor assez pauvre. Si en outre, vous ne comprenez pas l'anglais *fluently*, c'est l'ennui assuré ! Enfin, pour ceux qui comprendraient la présentation, malgré le talent du conteur, un vrai p'tit goût de bâclé, quand même !

Rive nord, plus à l'ouest (Stoneybatter)

🏃🏃🏃 *National Museum of Decorative Arts* (plan détachable B3) : Collins Barracks, Benburb St. ☎ 677-74-44. ● museum.ie ● Bus n° 90 depuis Aston Quay, arrêt de tram Museum. Tlj sf lun 10h (14h dim)-17h. Entrée gratuite. Grand parking.

Cette vaste et ancienne garnison militaire de style néoclassique est l'œuvre de Thomas Burgh, à qui l'on doit aussi la bibliothèque de *Trinity College* et le *Dr. Steven's Hospital*. Elle fonctionna de 1706 à 1994. C'est ici que fut emprisonné et mourut en 1798 le grand leader des *United Irishmen,* Wolf Tone. En 1922, après la guerre civile, les Anglais rendirent ce site militaire aux Irlandais. Une partie de cet ensemble a donc été transformée en ce superbe musée. Espaces larges et agréables, très modernes, sur trois niveaux. Conception muséologique originale, parfois déconcertante.

Rez-de-chaussée
– *The Easter Rising : Understanding 1916.* De 1913 (grande grève générale) à 1923 (fin de la guerre civile), les 10 années les plus importantes de l'histoire de l'Irlande. Remarquable développement historique de l'insurrection de Pâques 1916 et de ses conséquences. Nombreux émouvants témoignages et documents exceptionnels : entre autres, un ordre signé de la main de Connolly, les certificats de décès originaux des fusillés de 1916, une lettre de Patrick Pearse, une autre du général anglais Lowe lui répondant qu'il n'acceptait qu'une reddition inconditionnelle, le traité de paix original de 1921, armes diverses, uniformes de la Citizen Army...

Premier étage
– *Out of Storage :* dans plusieurs salles, expo d'objets d'art divers : argenterie, bronzes, vaisselle, instruments de mesure et scientifiques, balances, compas, montres, armures de samouraï, ivoires ciselés, objets cultuels des Indes, bijoux persans, statues, vases japonais et porcelaines (et de beaux Delft, il faut admettre)... Manque le raton laveur. Tout cela présenté de façon fourre-tout où chacun reconnaîtra éventuellement ses objets préférés !
– On y découvre les *Curator's Choice,* c'est-à-dire les choix personnels des responsables du musée. Environ 25 pièces variées, comme la *William Smith O'Brien Gold Cup,* une superbe robe de cérémonie, le *Fleetwood Cabinet* tout en bois précieux, argent, peintures et bois précieux (cadeau de mariage de Cromwell à sa fille), le *Fonthill Vase,* un vase du XIVe s, une des premières porcelaines chinoises à parvenir en Europe...
– Sur le même niveau, l'autre aile abrite une importante collection d'argenterie irlandaise de tous styles et de différentes périodes (baroque, rococo, victorienne, néoceltique...) et de l'orfèvrerie religieuse. Ne pas manquer l'imposant sceptre de James Hewitt, lord Chancellor d'Irlande (1767-1789).

Rez-de-chaussée et premier étage
Une très importante section est consacrée à l'histoire militaire de l'Irlande... ou plutôt en quoi guerres et conflits (en particulier sous domination britannique) affectèrent le peuple irlandais.
Notamment l'utilisation de la Royal Irish Constabulary (RIC) dans son rôle répressif au service des Anglais : lutte contre les militants républicains, expulsion des paysans. Puis la vie dans une caserne anglaise, armes, uniformes...
Tout sur les grandes guerres qui affectèrent l'Irlande (toutes quasi liées à la lutte pour l'indépendance) : 1594-1603 (première défaite de la résistance irlandaise), 1641-1653 (Cromwell met l'Irlande à feu et à sang), 1689-1691 (les guerres jacobites, l'alliance avec la France). Défaite de la Boyne et fuite des Wild Geese de Patrick Sarsfield. On rappelle que la célèbre bataille de Fontenoy fut en grande partie gagnée grâce à l'Irish Brigade (drapeau original du Dillon Regiment). Irlandais dans la guerre d'Indépendance américaine, puis ceux engagés dans la guerre de Sécession où ils pesèrent significativement dans la victoire de leur camp. Guerre de 1914-1918 où des dizaines de milliers d'Irlandais moururent dans la bataille de la Somme. Guerres sud-africaines (1898-1902), comme pour la guerre de Sécession, ils s'engagèrent dans les deux camps. Épopée du bateau Asgard livrant des armes aux *Irish Volunteers,* révolte de 1916 et prise de la Grande Poste à Dublin. Émouvant hommage à James Connolly (chemise qu'il portait au moment de l'attaque, drapeau républicain). Vous apprendrez comment cacher un revolver

dans une bible. Tragique épisode de la guerre civile entre pro et antitraité de paix en 1921-1922. Poignant symbole de l'amitié séculaire entre la France et l'Irlande : une barque appartenant à une frégate française, capturée par les Anglais à Bantry Bay en 1796 (expédition de Hoche pour soutenir les insurgés irlandais).

Deuxième étage
Place au mobilier avec la section *Period Furniture,* où les styles les plus marquants sont répertoriés par périodes, de 1690 à nos jours. Là encore, baroque, rococo, néoclassique, néoceltique... Reconstitution de pièces des XVIIe et XVIIIe s (chambre à coucher et salle à manger meublées d'époque). Jolie harpe en bois de 1700. Riche collection de coffres anciens (peints, incrustés de nacre, bois ciselé...). Puis mobilier de la période contemporaine : Art nouveau, Art déco, années 1950, etc. Intéressante également, cette série d'instruments scientifiques (microscopes, bel astrolabe, baromètres, appareils photographiques...).

Troisième étage
– Dans l'aile sud, *Irish Country Furniture* dédié au mobilier rural. Collection de meubles paysans, garde-manger ancien, vaisselier... Reconstitution d'une cuisine. Curieux lits (lit d'enfant en osier). Également des *Penal Crosses,* nœuds de moisson (marques d'amour de jeunes gens entre eux), de très beaux os sculptés (crucifix), assez rares, ainsi que des croix de sainte Brigitte et des empreintes de beurre, propres à chaque fermier. L'autre aile passe en revue les différentes modes vestimentaires de ces trois derniers siècles en Irlande, et ses rapports avec les costumes et bijoux du continent. En particulier, de séduisants exemples de robes de l'aristocratie et de la bourgeoisie. Enfin, dernière section consacrée à la célèbre architecte d'intérieur Eileen Gray (1878-1976) qui eut tant d'influence au XXe s.
– Section d'art asiatique : superbes tangkas, tissus brodés, estampes (Tibet), objets d'art, figures de temple Ming...
I●I Au rez-de-chaussée, cafétéria agréable et pas chère.

🎖🎖 *Old Jameson Distillery* (plan détachable C3) : Bow St, Smithfield, Dublin 7. ☎ 807-23-55. ● *tours.jamesonwhiskey.com* ● Bus nos 68, 69 et 79 depuis Aston Quay ; arrêt LUAS Smithfield. Lun-sam 9h-17h30 (dernière entrée), dim 10h-17h30. Visite guidée (obligatoire) ttes les 30 mn. Entrée : 14 € (réduc de 10 % pour les résas en ligne) ; tarif famille : 35 €.
Dans les anciens entrepôts et distilleries Jameson, qui existent depuis 1780, un petit musée à la gloire du whiskey Jameson retraçant de façon extrêmement vivante les différentes étapes de sa fabrication : photos, documents, outils, alambics, panneaux explicatifs très parlants, etc. Ici, on ne brasse plus depuis 1971, mais toutes les étapes ont été reproduites à l'identique.
Le circuit commence par un audiovisuel (commercial) retraçant l'histoire du *Jameson.* Plus convaincante, la visite des entrepôts à grain puis de la *malt house* où l'on séchait l'orge dans des fours fermés. Au deuxième étage, une roue à aubes entraînait des meules qui broyaient les grains avant que l'eau soit ajoutée. C'est le *wort,* qui résulte du *mashing process.* Ce mélange, très sucré, est ensuite pompé dans de grandes cuves où il fermente. C'est alors qu'intervient la triple distillation dans de grands alambics en cuivre. Puis vient la maturation dans des fûts de porto ou de bourbon.
En fin de visite, dégustation (générale), avec un petit test comparatif sympathique pour les volontaires (choisis au début de la visite).

🎖 *Saint Michan's Church* (plan détachable C3) : Church St. ☎ 872-41-54. L'été, lun-sam mat 10h-12h45, 14h-16h45 ; fermé sam ap-m et dim. Entrée : 5 € (visites guidées) ; réduc. On peut y voir les restes de l'orgue sur lequel Haendel joua *Le Messie* en 1743, un tabouret de pénitence du XVIIIe s et trois momies fort bien conservées dans les catacombes, dont celle d'un assassin qui eut les pieds et une main coupés. Dans le style, sachez qu'on dit que l'église a inspiré Bram Stoker pour *Dracula...*

⚜️ Four Courts *(plan détachable C3-4) : Inns Quay, sur la Liffey. Entrée gratuite.* Bâtiment de style un peu pesant. C'est dans les Four Courts que se barrica-dèrent les opposants au traité de partition de l'Irlande, sous la direction de Ruairi O'Connor, en 1922. Les troupes de « l'État libre » bombardèrent le bâtiment pen-dant 8 jours (les Britanniques fournirent gracieusement canons et munitions). Et ce fut le début de la guerre civile entre partisans du traité et opposants, qui fit plus de morts que la guérilla de 1919 à 1921.
Les séances ont lieu généralement de 9h à 13h et de 14h à 16h. Possibilité d'assister à un procès et de voir toute une assemblée, juges et avocats, portant perruque.

⚜️ Arbour Hill Cemetery *(plan détachable B3) : Arbour Hill. Rue passant derrière les Collins Barracks, quelques centaines de mètres avt d'arriver au Phoenix Park. Lun-ven 8h-16h, sam 11h-16h, dim 9h30-16h.* Pour ceux qui veulent compléter leur circuit historique de Dublin : c'est ici que reposent les dirigeants de l'insurrection de Pâques 1916, fusillés après la prise de la Grande Poste.

Rive nord, encore plus à l'ouest

⚜️ Phoenix Park *(plan détachable A3 et hors plan détachable par A2, A3) : entrée principale sur Parkgate St, à 3 km à l'ouest d'O'Connell St. Bus n°s 25, 25 A, 66, 69... Les bus n°s 10 et 10 A mènent à l'extrémité nord-ouest du parc.*
Un des plus grands parcs de ville au monde, bien sectionné par des rues : deux fois plus grand que Hampstead Heath à Londres. On y trouve la résidence du président de la République et celle de l'ambassadeur des États-Unis. De l'entrée, on aperçoit l'obélisque Wellington commémorant toutes ses victoires.
Le parc est aussi célèbre pour ses daims qui se mêlent tranquillement aux pas-sants. On y trouve de nombreux terrains de sport, des jardins, des lacs, ainsi qu'un zoo au sud-est. Créé en 1830, c'est un des plus vieux zoos d'Europe *(prix d'entrée élevé : adulte env 15 €, enfant ½ tarif).* Le célèbre lion de la *MGM,* qui rugit sur les écrans du monde entier, y aurait été élevé.
Attention, éviter les zones trop isolées, le parc n'est pas très sûr la nuit venue (le lion n'a rien à voir là-dedans), mais, dans les zones fréquentées, aucun problème.
Le **Visitor's Centre** se trouve au nord du parc, près d'Ashtown Gate. Depuis l'entrée principale du parc, n'y aller que pour une balade, car il y en a bien pour 45 mn de ligne droite. Les bus n°s 37, 38 et 39, qui partent de Middle Abbey Street ou de Hawkins Street, s'arrêtent à Ashtown, sur la N3. Abrite une petite exposition sur Phoenix Park, son histoire et son écosystème (gratuit). Inté-ressant et bien fait pour les enfants. À côté, la tour médiévale, Ashtown Castle, se visite.

Rive nord, mais en direction du nord-est

⚜️ Croke Park et GAA Museum *(musée des Sports gaéliques ; plan déta-chable E2) : Saint Joseph's Ave.* ☎ *819-23-23 (musée).* ● *crokepark.ie/gaa-museum* ● *Accès par les bus n°s 3, 11 et 16 A depuis O'Connell St ou à pied (slt 15 mn depuis Connolly Station). Lun-sam 9h30-17h (18h juil-août), dim 11h30-17h. Dernière entrée 30 mn avt fermeture. Entrée : 6 € (12 € avec la visite du stade) ; réduc.* Le stade, de 80 000 places, appartient à la Fédéra-tion des sports gaéliques ; on y joue donc au *hurling* et au football gaélique. Le musée retrace, évidemment, l'histoire de ces sports (voir « Sports, jeux » dans « Hommes, culture, environnement » en début de guide). Si vous voulez assister à un match, préférez le printemps ou l'été (les finales en septembre se jouent à guichets fermés).

À *Glasnevin* (nord de Dublin)

🗽 *National Botanic Gardens* (hors plan détachable par C1) : entrée sur Botanic Rd. ☎ 857-09-09. À 3,5 km du centre-ville. Bus nos 4, 13 et 19 (arrêt devant l'entrée du parc). Mars-oct, tlj 9h-17h (10h-18h w-e) ; de mi-nov à mi-fév, tlj 9h (10h w-e)-16h30. Entrée libre. Un très beau parc qui ravira évidemment les amateurs de plantes en tout genre, mais pas seulement. L'aménagement des jardins avec ses sous-bois et ses points d'eau offre une balade bien relaxante. Créé à la

TERRAIN DE GUERRE

Le 20 novembre 1920, pendant la guerre d'indépendance, Croke Park fut le cadre d'un massacre perpétré par les milices paramilitaires britanniques, les terribles Black and Tans. À l'occasion d'un match de football, ces soldats s'étaient livrés à un véritable massacre, tirant sur la foule et tuant 12 spectateurs. Dès lors, les républicains irlandais promirent de ne plus jamais accueillir un sport britannique à Croke Park, et encore moins d'y entendre résonner l'hymne britannique. C'est pourquoi le rugby y fut interdit... jusqu'en 2007.

fin du XVIIIe s, ce parc s'est constamment enrichi et a su conserver ses serres d'origine abritant des végétaux du monde entier.

🗽🗽 *Glasnevin Cemetery* (plan détachable C1) : Finglas Rd. ☎ 882-65-50. ● glasnevincemetery.ie ● Bus nos 13 A, 19 et 40 depuis le centre. Tlj, tte la journée. Visites guidées (6 €/pers) à 11h30 et 14h30, les mois d'été slt. Ici sont enterrés de nombreux grands hommes de l'histoire irlandaise : O'Connell, Parnell... Étrange impression que donne ce vaste cimetière parfaitement au calme, avec ses tombes à moitié défoncées. On peut suivre une intéressante visite commentée du cimetière, restituant très précisément le contexte social et politique. Une balade dans l'histoire extrêmement enrichissante !

🍸 Après, vous aurez bien mérité de boire un verre au pub *John Kavanagh's,* surnommé aussi *Gravediggers* (« creuseurs de tombes ») à cause de sa proximité avec le royaume des morts... C'est là que les fossoyeurs venaient écluser un gorgeon. Le pub n'a pas bougé depuis qu'il a ouvert, c'est-à-dire depuis... on ne sait plus. Ah ! si... 1833. Tout est en bois usé, raboté, patiné, poussiéreux, noir de nicotine. Un véritable voyage dans le temps. Attention, il y a 2 portes d'entrée, celle de droite donne sur la partie la plus récente dans laquelle il est possible de se restaurer à petits prix.

Loisirs et culture

– *Abbey Theatre* (zoom détachable E3) : 26, Lower Abbey St. ☎ 878-72-22. ● abbeytheatre.ie ● Fondé en 1904 par lady Gregory et Yeats, et reflet du bouillonnement culturel de l'époque. Y furent créés la plupart des chefs-d'œuvre du théâtre irlandais moderne et contemporain. Pour les auteurs, d'ailleurs, il ne fut pas toujours facile d'exprimer une démarche personnelle et originale. *The Playboy of the Western World,* pièce de Synge, montée en 1907, choqua nombre de républicains et provoqua des émeutes. Le théâtre brûla en 1951 et dut être reconstruit. En 1966, il repartit pour une nouvelle carrière, alliant un répertoire désormais classique avec les créations. Le bâtiment abrite également le *Peacock Theatre,* une salle plus petite destinée au théâtre expérimental.
– *Gate Theatre* (plan détachable D3) : 1, Cavendish Row, Parnell Sq. ☎ 874-40-42. ● gate-theatre.ie ● Au bout d'O'Connell St, près du cinéma Ambassador. Résas lun-sam 10h-19h30. Pour les étudiants, selon disponibilités, tickets moins chers lun-jeu, mais venir 1h avt. Célèbre rival de l'Abbey Theatre, qui a gardé le charme des théâtres d'antan. Et puis c'est ici qu'a débuté Orson Welles.

– *Olympia Theatre* (zoom détachable D4) : 72, Dame St. ☎ 679-33-23. Jolie salle de spectacle que l'on remarque par sa façade et son auvent rouge. Si les comédies musicales vous indiffèrent, vous avez encore une chance d'admirer le décor, dans une ambiance en complet décalage avec le ton habituel assez guindé. En effet, les vendredi et samedi soir, c'est l'heure de *Midnight at Olympia,* à partir de minuit comme son nom l'indique (après la fermeture des pubs) : le théâtre accueille des groupes de rock, jazz ou autres, se transforment en salle de concerts. On sirote ses pintes au milieu des rangées, devant les panneaux « Interdit de fumer ». Très bonne ambiance, mais, évitez les places du haut si vous voulez voir la scène.

– *O2* (plan détachable G3) : East Link Bridge. ☎ 676-61-44. ● theo2.ie ● *Au bout de North Wall Quay. Billetterie lun-ven 10h-18h.* Le dernier-né des temples dédiés à l'*entertainment.* Immense salle de 14 000 places, ultra moderne, avec une excellente acoustique. Programmation assez éclectique, qui va de Bob Dylan à des combats de catch.

Courses de lévriers

Une des distractions favorites des Irlandais. À voir au moins une fois, pour l'atmosphère bien particulière. Les dates des courses sont annoncées dans les journaux locaux ou sur le site de l'*Irish Greyhound Board* (● igb.ie ●).

– *À Shelbourne Park* (plan détachable G4) : ☎ 1890-269-969. Bus n° 3 depuis O'Connell St. En fait, il s'agit du stade Greyhound Race Track. Il se trouve au nord de Ballsbridge, sur South Lotts Rd, entre Bath Ave et Pearse St, à l'est de la ville. En principe mer-jeu et sam à 20h. Entrée : 10 € ; réduc. Le meilleur des 2.

– *À Harold's Cross* (hors plan détachable par C6) : ☎ 497-10-81. Bus n°s 16 et 16 A d'O'Connell St. Au Harolds Cross Greyhound Stadium, au sud de la ville par la N 81, peu après le Grand Canal. En principe lun-mar et ven à 20h. Même prix qu'à Shelbourne.

Le déroulement d'une course de lévriers a quelque chose d'insolite. Une quinzaine de preneurs de paris *(bookmakers)* sont alignés le long d'une palissade face à un stade de forme ovale mesurant 525 yards, soit environ 479 m. Rien que l'observation de ces *bookmakers* affairés est un régal : visages concentrés, yeux sans cesse en mouvement, oreilles tendues vers la foule... Juste avant la course, les éleveurs aidés d'assistants amènent les lévriers et les font entrer dans une sorte de boîte sur la ligne de départ, comme les chevaux à l'hippodrome.

Chaque chien porte un numéro. Ils sont présentés devant une tribune avant la course et vont se dégourdir les jambes, enfin... les pattes sur la pelouse avant de pénétrer dans les boîtes. Puis c'est une course effrénée (un tour de stade) à la poursuite d'un faux lapin. Vitesse impressionnante ! En moyenne, plus de 80 km/h. Après chaque tour de stade, les bêtes rentrent au bercail, essoufflées, contrariées, puis on les remplace par d'autres lévriers plus frétillants. Et ainsi de suite jusqu'à la fin de la soirée (celle-ci se termine habituellement vers 22h, jamais plus tard). Il y a une course toutes les 15 mn environ.

Les règles de ces courses n'ont pas changé depuis belle lurette, ni la passion effrénée des adeptes pour les paris. Les Dublinois y viennent, le soir après le boulot, pour se changer les idées et retrouver la bonne humeur du clan... C'est aussi, bien sûr, l'occasion d'écluser un gorgeon au bar, sous les tribunes.

À l'intérieur de cette grande salle, près des guichets des paris officiels, les mordus de lévriers peuvent suivre les courses sur des écrans de TV sans affronter la pluie et le vent (les bonnes manières se perdent, monsieur !).

Pour parier soi-même, bien se renseigner avant sur la qualité des chiens en consultant vos amis ou voisins irlandais, voire le livret édité spécialement pour chaque compétition. De toute manière, le spectacle vaut vraiment le déplacement pour ce qu'il est.

DANS LES ENVIRONS DE DUBLIN

🎭🎭 *James Joyce Museum* (dans l'une des nombreuses tours Martello de la côte, connue sous le nom de *James Joyce Tower*) : à *Sandycove Point.* ☎ 280-92-65. ● jamesjoycetower.com ● *À 2 km au sud de Dún Laoghaire (prononcer « Dounne Liri ») et à 11 km de Dublin sur la côte. Prendre le DART jusqu'à Sandycove & Glasthule Station (puis marcher 1 bon km) ou bus n° 7 ou 7 A. Avr-sept, ouv tlj 10h-16h (18h juil-août). Entrée libre.*
Cette tour faisait partie des tours Martello édifiées en 1804 sur la côte afin de prévenir une éventuelle invasion napoléonienne. L'écrivain Oliver Saint John Gogarty choisit de s'y installer avec d'autres artistes et proposa à James Joyce de les rejoindre en août 1904. Celui-ci n'avait que 22 ans et commençait sa carrière d'écrivain. Il ne resta qu'une semaine dans la tour ! Gogarty, que Joyce avait traité de snob dans l'un de ses poèmes, ne lui avait pas pardonné pareille offense. Au cours de la sixième nuit du séjour, Gogarty s'empara brusquement d'un pistolet en hurlant : « Je me charge de lui ! » Il tira sur une batterie de casseroles accrochées au-dessus du lit de Joyce, qui détala sur-le-champ. Un mois après cette scène, il quitta l'Irlande avec sa compagne Nora pour l'Europe.
C'est dans cette tour que l'écrivain situe la première scène d'*Ulysse,* où Dedalus (alias Joyce) prend le petit déjeuner en compagnie de Buck Mulligan (alias Gogarty) et d'un Anglais. Dedalus décide alors de quitter la tour et ses amis pour s'en aller vivre seul...
Sylvia Beach, l'éditrice d'*Ulysse,* décida en 1962 de transformer la tour en un musée joycien. À l'intérieur ont été rassemblés quelques souvenirs, comme sa cravate offerte à Samuel Beckett, la première édition d'*Ulysse* publiée à Paris en 1922 ou différents documents et photos. Remarquer notamment la photo d'un banquet littéraire en l'honneur de Joyce en juin 1929 dans les environs de Paris. Et bien sûr Nora Joyce et son génial époux, qui semble si réjoui d'être enfin reconnu par un prestigieux cénacle de gens de lettres...

🎭 *Pearse Museum :* Saint Enda's Park, Grange Rd, Rathfarnham, Dublin 14. ☎ 493-42-08. *Tt au sud de la ville. Bus n° 16 d'O'Connell St. Tlj sf mar 9h30-17h (16h nov-janv). Entrée gratuite.* Heritage site. Maison georgienne où vécut Patrick Pearse, poète et leader de la rébellion de 1916. Les amoureux de l'histoire irlandaise découvriront avec émotion le bureau, les objets et les souvenirs du grand patriote.

🎭 *Bray :* prendre le DART de Dublin en direction du sud. Le Brighton irlandais s'est développé au XIXᵉ s, le long de la grande plage de sable. Aujourd'hui, il a perdu beaucoup de son charme. On peut toutefois effectuer une très chouette balade de Bray à Greystones, entre mer et montagne. On débouche sur un petit port désolé, très pittoresque. À Greystones, le pub propose quelques remèdes bien réconfortants, comme l'*Irish whiskey* ou le *hot whiskey*. Ensuite, on rejoint en bus soit Dublin, mais le trajet est long, soit Bray avant de reprendre le *DART* pour la capitale.

🎭🎭🎭 *Malahide Castle :* à Malahide, à 12 km au nord de Dublin. ☎ 816-95-38. ● malahidecastle.com ● *Bus n° 42 depuis Beresford Pl et train DART. Avr-sept, tlj 10h-17h ; hiver, dim et j. fériés 11h-17h. Entrée : 12 € ; réduc. Visites guidées en français.* Un des plus vieux châteaux d'Irlande. Fondé par la famille Talbot au XIIᵉ s et habité jusqu'en 1973, lorsque le dernier descendant de l'honorable famille s'est éteint. Collections de beaux meubles et portraits historiques. Resto. Jardins botaniques *(Talbot Botanic Gardens)* ouverts au public.
– 🎭 Sur le domaine du château, possibilité également de visiter le *Fry Model Railway,* pour les amoureux de modèles réduits de chemins de fer (☎ 846-37-79 ; *avr-sept, mar-sam 10h-13h, 14h-17h, dim 13h-17h ; entrée : 6 €, réduc).* On

y trouve une collection assez originale de maquettes de trains, des premiers engins aux modèles les plus récents.

⌇ Charmante *plage* de sable fin, peu fréquentée, près du port de Malahide.

⚔ *Howth* : à 12 km au nord-est de Dublin, sur une petite péninsule. Pour s'y rendre : bus n°s 31 et 31 B, que l'on prend sur Abbey St Lower, ou DART *direction Howth* (c'est un terminus).

– On y visite les *Howth Castle Gardens* : ouv tte l'année, de 8h au coucher du soleil. Entrée gratuite ; éventuellement une petite contribution avr-juin. Du haut de la colline, belle vue sur les environs et Dublin. Sur 12 ha, environ 2 000 variétés de plantes, dont un paquet de rhododendrons. Meilleure époque pour voir l'éclosion des fleurs : de mai à mi-juin.

– Sinon, petit *port* sympa où, en 1914, Erskine Childer réussit à débarquer de son yacht près de 1 000 fusils qui serviront au moment de l'insurrection de 1916 (épopée de l'Asgard).

➤ Possibilité de faire le *tour de la péninsule* en 3h. Belle balade, ainsi qu'une excursion sur *Ireland's Eye*, une réserve d'oiseaux restée assez sauvage. Navette constante pour rejoindre l'île.

|●| *The House* : 4, Main St. ☎ 839-63-88. Dans le village, pas loin du terminus. Tlj midi et soir. Plats du soir 17-22,50 € ; early bird (mar-ven 18h-19h, sam 17h30-18h30) 20-25 € (3 plats). Cadre d'une lumineuse sobriété, accueil délicieux et l'une des meilleures cuisines qui soient ! Goûter à l'entrée des 3 poissons fumés (chairs délicates, fondent dans la bouche), moules de Cork, petits pois et chorizo et des petits plats imaginatifs comme les saucisses au poulet et pomme, accompagnant boudin noir fumé... *Live jazz* le mercredi à 19h30 (réserver impérativement) et, le mardi, possibilité d'apporter son propre vin. Bien agréable terrasse dans le jardin l'été.

– Le long du quai, les restos s'étirent les uns à côté des autres... Ils ont pour noms, *Brass Monkey, Oar House, Ivans*... Corrects dans l'ensemble !

DUBLIN ET SES ENVIRONS

⚔ *Newbridge House and Traditional Farm* : à Donabate. ☎ 843-65-34. • new bridgehouseandfarm.com • À 19 km au nord de Dublin. En marge de la route de Belfast. Avr-sept, mar-sam 10h-17h, dim et j. fériés 11h-18h ; oct-mars, tlj sf lun et j. fériés 11h-16h. Entrée : 7 € pour la demeure et 5 € pour la ferme. Élégante demeure du XVIIIe s., au milieu d'un grand parc. Une des plus jolies décorations georgiennes du pays. Et grande ferme traditionnelle, avec les animaux et tout et tout... *Coffee shop*.

QUITTER DUBLIN

En train

À l'office de tourisme de Suffolk Street, un téléphone (gratuit) est à disposition pour ttes infos détaillées concernant les horaires des trains du réseau *Irish Rail* (Iarnród Eireann). Renseignements également sur • irishrail.ie •

🚆 *Connolly Station* (plan détachable E3) : Amiens St. ☎ 703-23-58. Consigne à bagages, cafétéria.

➤ *Pour Belfast-Central* : 8 trains/j. lun-sam ; 5 trains dim. Trajet : env 2h.

➤ *Pour Sligo* : lun-sam 7 trains ; dim 6 trains. Trajet : env 3h.

➤ *Pour Rosslare-Europort* : en sem, 3-4 départs ; 3 le dim. Trajet : 3h.

🚆 *Heuston Station* (plan détachable A-B4) : Kingsbridge. ☎ 703-21-31. Située à 20 mn de marche du centre-ville, vers l'ouest. Bus n° 90 depuis Busáras ou n° 79 d'Aston Quay, ou ligne rouge du tram LUAS. Consigne à bagages et petit snack.

➤ *Pour Limerick* : 8 trains/j. lun-sam 7h-21h env ; 10 le dim 8h30-21h. Trajet : env 2h.

➤ *Pour Cork* : env 10 départs/j. lun-sam ; 7 le dim. Trajet : env 2h30.

➤ **Pour Killarney** (changement à Cork, puis direction Tralee) **:** 6 trains/j. (4 le dim). Trajet : env 3h30.

➤ **Pour Waterford :** 5-6 trains/j. (4 le dim). Trajet : env 2h30.

➤ **Pour Westport :** 3 trains/j. Trajet : env 3h10.

➤ **Pour Galway :** 7 trains/j. lun-sam, 5 le dim. Trajet : env 3h.

En bus

🚌 **Terminal des bus CIE et Bus Eireann** (zoom détachable E3) : à Busáras, Store St. Bureau d'info : ☎ 836-61-11 ou 0830-19-00. ● buseireann.ie ● **À deux pas de Connolly Station.** Bus Eireann publie une brochure gratuite avec des horaires très complets (la demander à l'office de tourisme). Consigne à bagages.

– **Bureaux de vente :** à Dublin Bus, 59, Upper O'Connell St ; ainsi qu'au terminal des bus (tlj 7h-18h30).

➤ **Pour Rosslare :** 13 bus/j. en moyenne (10 le dim), avec des arrêts à Arklow, Gorey et Wexford. Trajet : 3h.

➤ **Pour Waterford et Tramore :** 10 bus/j. (7 le dim). Arrêt Kilkenny. Trajet : env 3h pour Waterford, un peu plus pour Tramore.

➤ **Pour Kilkenny :** 6 bus/j. Trajet : 2h.

➤ **Pour Cork :** via Cahir, 6 bus/j. Trajet : 4h30.

➤ **Pour Limerick et Ennis :** l'été, départs ttes les heures 7h30-20h. Trajet : 3h50 pour Limerick.

➤ **Pour Killarney :** 5 bus/j. via **Limerick.** Trajet : env 6h.

➤ **Pour Galway via Athlone :** ttes les heures 7h-21h. Trajet : 3h45.

➤ **Pour Clifden via Galway :** 5 bus de Dublin, 2 le dim. Trajet : 5h30.

➤ **Pour Westport via Athlone :** 3 bus/j., 2 le dim. Trajet : 5h15.

➤ **Pour Mullingar, Longford et Ballina :** 4-6 bus/j. Trajet : 3h50 pour Ballina.

➤ **Pour Sligo via Mullingar et Longford :** 6 bus/j. Trajet : 4h.

➤ **Pour Donegal via Cavan :** 5-6 bus/j. Trajet : env 4h.

➤ **Pour Letterkenny via Monaghan :** 6 bus/j., 5 le dim. Trajet : 4h.

➤ **Pour Belfast :** départs ttes les heures. Trajet : env 2h30.

🚌 **Go Bus** (zoom détachable E3) : arrêt sur George's Quay, juste 200 m à l'est de Tara Station (on peut aussi partir de l'aéroport 30 mn plus tôt). ☎ 091-56-46-00. ● gobus.ie ● Les billets se prennent directement dans le bus. Ligne Dublin-Galway. Plusieurs bus/j. Bus moderne avec accès wifi.

🚌 **City Link :** rens et résas au ☎ 091-56-41-64 (d'Irlande slt). ● citylink.ie ● Bus modernes et confortables, service ponctuel.

➤ **Pour Galway :** tlj, une quinzaine de bus. Départ de Busáras. Les billets peuvent se prendre dans le bus.

🚌 **Mac Geehan Coaches :** rens et résas au ☎ 074-954-61-50 (lun-ven 9h30-17h30). ● mcgeehancoaches. com ●

➤ **Pour le Donegal :** 1-2 liaisons/j. l'ap-m. Départs du Royal Dublin Hotel, O'Connell St. De là, correspondance pour Glencolumbkille et Letterkenny.

🚌 **J. J. Kavanagh** (zoom détachable E4) : 33, Pearse St. ☎ (01) 679-15-49 ou ☎ 0818-333-222. ● jjkavanagh.ie ●

➤ Lignes pour **Limerick, Waterford, Carlow, Kildare** et **Kilkenny.** Une vingtaine de bus quotidiens pour **Shannon.**

En avion

➤ **Pour se rendre à l'aéroport** (hors plan détachable par C1) **:** depuis Heuston Station, O'Connell St ou Busàras par exemple, bus n° 747. Airlink : ttes les 15-20 mn 5h-23h env. Également avec Aircoach et les lignes de bus classiques (voir « Arrivée à l'aéroport »).

En bateau

■ **Irish Ferries :** au port de Dublin. ☎ 607-57-00 ou 0818-300-400. ● irishferries.com ● Liaisons avec Holyhead (pays de Galles).

■ **Stena Line :** au port de Dublin ou à Dún Laoghaire. ☎ 204-77-77. ● stenaline.ie ● Liaisons avec Holyhead (pays de Galles).

AU NORD DE DUBLIN

DROGHEDA [dROICheAd átha]   30 400 hab.   IND. TÉL. : 041

À la frontière des comtés de Meath et de Louth, Drogheda est marquée par l'histoire. C'est en effet ici, en 1649, que Cromwell et ses « Côtes de fer » démontrèrent leur cruauté et leur volonté de soumettre l'Irlande, en massacrant toute la garnison et en vendant femmes et enfants survivants aux Barbades.

Où dormir ?

🛏 **Windsor Lodge :** The Court, North Rd. ☎ 98-41-966. ● barwindsorlodge. com ● À 1 km à peine au nord du centre. Ouv tte l'année. Double 70 € ; family room 90 €. 🖵 📶 Grande maison, à proximité de la route (ce qui en dissuadera certains), mais question confort, rien à redire. Chambres spacieuses, petit déj bien copieux dans une agréable véranda, salon avec cheminée.

À voir

🎯 Il subsiste peu de témoignages architecturaux de la ville médiévale. Cependant, au bout de la rue principale (en direction de Baltray) s'élève **Saint Laurence's Gate,** énorme porte de la ville, vestige des remparts. En haut, sur la colline, ce qui reste de l'**église de la Magdalen** porte encore les traces des boulets des canons de Cromwell. Tout comme le **fort de Millmount,** édifié sur un ancien tumulus celte, sur les bords de la Boyne, où l'on trouve un intéressant petit **Musée régional** (maisept, mar-dim 14h-18h ; oct-avr, mer et w-e 15h-18h).

🎯 **Saint Peter's Church :** West St. Dans la rue principale. On peut y voir la tête embaumée de saint Oliver Plunkett, archevêque d'Armagh, exécuté en 1681 par les Anglais après l'un des procès les plus truqués de l'histoire de la justice britannique. Vieille porte de prison également exposée.

LA VALLÉE DE LA BOYNE

Dans la région où se déroula la célèbre bataille de la Boyne se trouve surtout le plus important ensemble préhistorique mégalithique d'Europe, qui figure sous l'appellation d'« ensemble archéologique de la vallée de la Boyne » (Brú na Bóinne), dans la liste du Patrimoine mondial établie par l'Unesco. Bon fléchage d'un lieu à l'autre.

Où dormir ?

🏕 🛏 **Slane Farm Hostel :** Harlinstown House, à **Slane.** ☎ 98-84-985. ● slanefarmhostel.ie ● En venant de Navan, prendre à gauche à hauteur du château de Slane, 1 km avt le centre du village. Fermé nov-janv. Compter 20 €/pers en dortoir 8-12 lits ; double 50 € ; 35 €/pers pour 1 appart en cottage (½ tarif moins de 12 ans). Possibilité de camping : 10 €/pers. 🖵 📶 Une vraie bonne adresse à la campagne à des prix défiant toute concurrence. Cet ancien corps de ferme entièrement rénové dispose de 2 dortoirs avec cuisine. Laverie à disposition. Idéal pour les familles : également 6 cottages aménagés dans les anciennes écuries avec tout le confort. Location de vélos. Accueil attentionné et de bon conseil.

⛴ *Crannmór* (chez Anne O'Regan) : *Dunderry Rd*, **Trim**, *Co. Meath.* ☎ *(046) 94-31-635.* ● *crannmor.com* ● *À 1,5 km au nord de Trim. Fermé déc-fév. Double 76 €.* 📶 Sympathique *B & B* dans une jolie demeure, style *georgian country house*, entourée d'un agréable jardin. Pas de demi-mesure question déco avec des meubles bien imposants, des bibelots parfaitement astiqués et une dominante de couleurs vives.

Où manger ? Où boire un verre ? Où écouter de la musique ?

🍴 *The Old Post Office Bistro :* Main St, à Slane. ☎ 98-24-090. Tlj sf dim soir. Plats env 10-15 €. Les postiers de Slane n'avaient pas à se plaindre ! Pour preuve : moulures, cheminée et carrelage d'origine habillent ce sympathique resto sorti de nulle part dans ce village coupé par la N 51. À quelques kilomètres de l'ensemble archéologique de la vallée de la Boyne, voilà une bonne option.

🍸 ♪ *Berningham's :* 7, Ludlow St, à **Navan.** ☎ *(046) 90-29-829.* Un des plus beaux pubs d'Irlande. Entièrement réarrangé par Mick, le patron, avec toutes les superbes boiseries d'origine, vous vous retrouvez dans un pub du début du XXe s. Et, pour les connaisseurs, une très grande variété de bons vins est en vente. Certains soirs de la semaine, *session* traditionnelle.

À voir

◎ 🚶🚶🚶 *Brú na Bóinne – ensemble archéologique de la vallée de la Boyne :* ☎ *(041) 98-80-300. À 8 km à l'ouest de Drogheda. Newgrange : ouv tte l'année sf 24-27 déc. De juin à mi-sept, tlj 9h-19h ; mars-avr et oct, tlj 9h30-17h30 ; mai et 2de quinzaine de sept, tlj 9h-18h30 ; enfin, nov-fév, tlj 9h30-17h. Venir très tôt ; en hte saison, compter 1h-1h30 d'attente. Entrée : 6 € pour le tumulus de Newgrange, 5 € pour le tumulus de Knowth (incluant l'entrée au Visitor's Centre) ; réduc étudiants. Billets en vente slt au centre d'accueil Brú na Bóinne, d'où l'on vous conduit en bus jusqu'aux sites.* Heritage site.

En attendant la visite, le centre d'accueil propose une exposition sur l'histoire du site, un diorama présentant les scènes de la vie au Mésolithique dans la vallée et des vidéos traduites en français, ainsi qu'une grande cafétéria.
– Le tumulus de Newgrange, de 85 m de diamètre et couvrant 0,5 ha, est loin d'avoir révélé tous ses mystères. Sa fondation remonterait à 5 000 ans, mais il n'a été fouillé qu'à partir des années 1960. À l'intérieur, grand couloir avec des pierres dressées, chambre funéraire, roches ornées de volutes et spirales. Tous les ans, au moment du solstice d'hiver, le soleil pénètre jusqu'au cœur de l'édifice. Pour assister à cette visite unique, pensez à déposer votre nom à la loterie du centre. Une cinquantaine de noms est tirée au sort chaque année !
– Le tumulus de Knowth *(tlj, de Pâques à mi-sept, 9h-18h30 ; de mi-sept à fin oct, 10h-17h),* moins spectaculaire, est tout de même la plus grande tombe à galerie de la vallée de la Boyne, et elle présente d'intéressantes pierres gravées (3000 av. J.-C.).

🚶🚶🚶 *Monasterboice Cemetery :* en marge de la N 1 et de la N 2, à 5 km à l'est de Collon et 6 km au nord de Drogheda (bien signalé). Entrée gratuite.
Dans ce petit cimetière perdu dans la campagne s'élève la *croix de Muiredach (Muiredach Cross),* probablement la plus belle croix sculptée d'Irlande. Vestige d'un monastère du VIe s. Remarquable environnement, puisque l'on découvre également deux autres croix sculptées d'un grand intérêt et une tour ronde bien conservée. La croix de Muiredach (appelée aussi *South Cross),* la plus proche de l'entrée, date du Xe s. Véritable B.D., elle présente la particularité d'être sculptée sur toutes ses faces. Sur la face est (côté entrée), sur la « tête », on reconnaît nettement le *Jugement dernier.* Sur la face ouest (côté tour), une *Crucifixion* orne la

« tête ». En dessous, trois scènes : le *Christ entre Pierre et Paul* (clé et livre comme symboles), puis l'*Incrédulité de saint Thomas* et, tout en bas, l'*Arrestation du Christ.* Sur les tranches, festival d'entrelacs et graphismes gaéliques.

Entre la South Cross et la tour s'élève la *West Cross.* Très haute, elle présente une grande variété de scènes à personnages, hélas assez effacées par les outrages du temps. Là aussi, elle est surmontée d'un reliquaire (en forme de châsse). Côté ouest (face à la tour), *Crucifixion* également.

Enfin, un peu isolée au fond du cimetière, la *North Cross* qui présente une ornementation beaucoup moins riche.

🎱🎱 *Old Mellifont Abbey :* à 6 km au sud-ouest de Monasterboice. ☎ (041) 98-26-459. Visites guidées mai-sept, tlj 10h-18h. Entrée : 3 € ; réduc. Heritage site. Cette abbaye cistercienne fut fondée au XIIᵉ s par Malachy, archevêque d'Armagh. C'est à Mellifont que se rendit, en 1603, le grand Hugh O'Neill à lord Mountjoy (la première véritable défaite qui signait la fin de l'Irlande gaélique). Les ruines, ici, ne sont pas très spectaculaires, mais le lavabo, de forme octogonale, a encore belle allure. Quelques arches romanes du cloître subsistent également.

🎱🎱 *Kells* (Ceanannas) : à 15 km à l'ouest de Newgrange. Rens à l'Heritage Centre : ☎ (046) 92-47-840. Mai-sept, lun-sam 10h-17h30, dim 14h-18h ; en hiver, lun-sam 10h-17h. Entrée libre. Lieu de naissance du célèbre livre de poche enluminé (dont on ne voit qu'un fac-similé), on y trouve aussi une superbe croix sculptée, la *South Cross* (près de la tour ronde). Datée du IXᵉ s, elle fut dédiée à saint Patrick et à saint Colomba (ou Columbkille). Scènes bibliques et *Crucifixion.*

🎱🎱 *Trim Castle :* à l'ouest de Drogheda. Ouv tte l'année : de mi-mars à sept, tlj 10h-18h ; oct, tlj 10h-17h ; en hiver, slt le w-e. Entrée (visite guidée) : 4 € ; réduc. Pour les amoureux de beaux châteaux médiévaux. Situé sur la Boyne, c'est le plus important édifice anglo-normand d'Irlande. Construit aux XIIᵉ et XIVᵉ s. Cromwell s'en empara en 1649. Donjon (avec tourelles d'angle) dont les murs font plus de 3 m d'épaisseur. De l'autre côté de la Boyne, le château de Talbot et les vestiges de l'abbaye Sainte-Marie (haute tour).

– Intéressant **Heritage Town Centre,** où l'on peut découvrir l'histoire de la vallée de la Boyne et de la ville. Également une cafétéria.

🎱 *Tara :* non loin de Trim. Tara est la colline où se réunissaient les rois d'Irlande jusqu'au début du XIᵉ s. Daniel O'Connell, qui avait le sens des symboles, y organisa en 1843 un immense meeting de près de 1 million de personnes. Possibilité de visiter le site *(de fin mai à mi-sept ; 3 €),* mais rien de bien spectaculaire. À l'entrée, plan pour s'y retrouver dans les divers tertres et tumulus.

🎱 *Battle of the Boyne Visitor's Centre :* à 4 km à l'ouest de Drogheda. ☎ (041) 98-09-950. ● battleoftheboyne.ie ● Mars-avr, tlj 9h-17h30 ; mai-sept, tlj 10h-18h ; oct-fév, tlj 9h-17h. Entrée au Visitor's Centre : 4 € (accès libre au site). La bataille de la Boyne (1690) est l'un des événements les plus importants de l'histoire irlandaise. La défaite de la coalition de 25 000 soldats irlandais catholiques et français conduits par Jacques II face aux partisans protestants de Guillaume III (Guillaume d'Orange) imposa la domination anglaise en Irlande et réduisit du même coup les prétentions françaises sur la couronne d'Angleterre. Ce coup de force est retracé au travers d'une petite mise en scène et d'un court-métrage bien ficelé sur le site même des affrontements.

LES MONTS WICKLOW

Dans cette région magnifique sont concentrés tous les paysages et les couleurs d'Irlande : collines dénudées ou couvertes de bruyère, tourbières, forêts, lacs, cascades spectaculaires et sentiers secrets se succèdent, parfois entrecoupés de vertes prairies. C'est le paradis des randonneurs.

GLENDALOUGH

IND. TÉL. : 0404

La beauté romantique et paisible de Glendalough, « la vallée des deux lacs », à l'écart et à l'abri du monde (à environ 50 km de Dublin), comme protégée par son écrin de montagnes, attira dès le VIe s un pieux ermite, saint Kevin. Il fit sa maison dans une caverne sur les bords du lac Supérieur *(Upper Lake)*, jetant ainsi malgré lui les bases d'une grande et glorieuse cité monastique. On raconte de bien belles histoires sur ce saint ermite. La plus jolie relate comment Kevin, surpris dans sa prière par une noire corneille, demeura pendant des jours et des nuits immobile pour ne pas effrayer l'oiseau venu pondre dans sa paume. Il ne bougea plus, bras tendu, main ouverte, jusqu'à ce que, les œufs éclos, la mère et sa nichée s'envolent dans la forêt toute proche !

Devenu l'abbé du monastère de Glendalough, Kevin mourut vers 618. Pendant six siècles, l'endroit continua à rayonner dans toute l'Irlande. Mais les raids vikings, l'invasion des troupes anglo-normandes au XIIe s, puis celle des armées anglaises précipitèrent le déclin de ce haut lieu du christianisme celtique. À partir du XIVe s, la lumière de Glendalough était déjà éteinte, laissant à leur solitude ces formidables pierres sculptées et ces croix si énigmatiques.

Arriver – Quitter

Glendalough se trouve à environ 50 km au sud de Dublin.

➤ **En bus :** infos au ☎ *(01) 281-81-19.* ● *glendaloughbus.com* ● 2 bus/j. avec la compagnie *Saint Kevin's Bus.* Billets à acheter dans le bus : 13 € l'aller ou 20 € l'A/R. Départs de Dublin, du haut de Dawson St, quasiment en face de la *Mansion House,* à 11h30 et 18h (19h sam, dim et j. fériés mars-sept). Retour à 7h15 et 16h30 (17h40 sam, dim et j. fériés), au départ du *Visitor's Centre.* En juil-août, lun-ven retour supplémentaire à 9h45. Trajet : 1h-1h30. Arrêts à Bray et à Roundwood. Autre possibilité avec les bus *Eireann* à partir de la gare routière Busáras de Dublin (☎ *(01) 836-61-11).* Enfin, les tours organisés par *Wild Wicklow Tour* (voir ci-dessous « Adresses utiles »).

➤ **En voiture :** la route la plus chouette est la « route militaire » (la R 115), construite par les *British* pour mater les rebelles irlandais du Wicklow. Cette route débute au sud de Dublin après Rathfarnham, monte jusqu'au Sally Gap (un col balayé par les vents, d'une beauté à couper le souffle !) et redescend sur le versant en longeant de splendides cascades pour aboutir à Laragh, petit village où l'on bifurque à droite pour Glendalough. Superbe itinéraire.

Adresses utiles

🛈 *Glendalough Visitor's Centre :* à l'entrée du site. ☎ 45-325 ou 352. *Tlj 9h30-17h (18h l'été).* Pour 3 €, le *Centre* propose une petite exposition et une vidéo (en anglais) intéressantes sur la vie monastique, suivies d'une visite guidée du site. Sinon, l'accès aux lacs est complètement libre. Cartes détaillées de toutes les balades à faire dans la région et une brochure en français (payante).

🛈 *Information Office :* au bord du lac Supérieur de Glendalough. ☎ 45-425. ● *wicklowmountainsnationalpark.ie* ● *Mai-fin sept, tlj 10h-18h ; le reste de l'année, w-e de 10h à la tombée de la nuit.* Un petit centre d'information sur le parc où l'on trouve différentes cartes pour les randonnées et des infos sur la faune et la flore des monts Wicklow.

■ *Wild Wicklow Tour :* ☎ *(01) 280-18-99.* ● *wildwicklow.ie* ● *Départ vers 9h (Saint Stephen's Green et Suffolk St), retour à Dublin à 17h30. Tarif : 28 €.* Propose un tour organisé de 1 journée dans la région, au départ de Dublin.

500 m — HOLLYWOOD — NORD — LARAGH — Tour ronde — Maison du prêtre — Église Sainte-Marie — Lac Inférieur — Croix — Glendassan — Cathédrale — Glenealo — Église Saint-Kevin — Prieuré Saint-Sauveur — Croix — Fort — Lac Supérieur — Église de Reefert — Cellule de St Kevin — Temple na Skellig — Lit de St Kevin

GLENDALOUGH

Très bien fait et sympa, parfait quand on manque de temps.

■ **Wicklow County Tourism :** *Saint Manntan's House, Kilmantin Hill, Wicklow (la ville).* ☎ 200-70. ● *wicklow.ie/ tourism* ● Toutes les infos concernant les balades à faire dans la région.

Où dormir ?

Camping

⛺ **Roundwood Camping Park :** *à Roundwood.* ☎ *(01) 281-81-63.* ● *dublinwicklowcamping.com* ● *À la sortie nord du village, à côté de la supérette* Connollys. *Ouv mai-août. Résa conseillée. En hte saison, 26 € pour 2 avec tente et voiture. CB refusées. Douches tièdes payantes.* Un camping aux emplacements bien délimités mais relativement peu nombreux (environ 70) ; mieux vaut téléphoner avant. Sanitaires bien tenus. Chiens acceptés si tenus en laisse. Beaucoup de monde en juillet.

Bon marché

🏠 **Glendaloch International Youth Hostel :** *1 km après le Visitor's Centre.* ☎ *45-342.* ● *anoige.ie* ● *Ouv tte l'année. Arriver avt 22h30. En hte saison, nuitée 20-22 € en dortoir 6-8 lits, 48-54 € pour 1 double ; petit déj non* compris *(tarifs majorés le w-e et l'été). Réduc sur présentation de la carte internationale des AJ.* AJ officielle. Pourtant située au cœur du site, cette vaste bâtisse de 120 lits environ n'a rien de monacal ! Impersonnelle certes, mais fonctionnelle et bien tenue. Cuisine à disposition.

🏠 **Youth Hostel Glenmalure :** ☎ *(01) 830-17-66 (bureau de Dublin).* ● *anoige.ie* ● *Perdue dans les monts Wicklow, à 4h de marche de Glendalough pour les randonneurs, mais possibilité de s'y rendre en voiture. Ouv slt juil-août ainsi que le w-e tte l'année. Résa obligatoire. Compter 14-15 €/ pers.* AJ officielle. Pas de téléphone, ni d'électricité, ni d'eau, c'est un refuge de montagne. Seulement 16 lits, en 2 dortoirs. Très peu fréquenté, car loin de tout, ce qui fait son charme. Bien pour randonneurs solitaires cherchant un simple abri pour la nuit ou une immersion complète dans la nature. Fin août, la vallée regorge de mûres.

Prix moyens

🏠 **Carmels B & B :** *à Annamoe.* ☎ *45-297.* ● *carmelsofglendalough. com* ● *À 3 km de Laragh, sur la droite de la route peu avt Annamoe. Fermé nov-mars. Double 70 €. CB refusées.* 📶 Une maison de plain-pied moderne, en contrebas de la route. Seulement 4 chambres... mais quelles chambres ! Déco froufrouteuse à souhait, imprégnée de la coquetterie de la maîtresse de maison du sol au plafond. Tout est d'une propreté helvétique, et le petit déj est à l'image de la générosité de l'adorable hôtesse, Carmel Hawkins. Bref, on s'y sent comme un coq en pâte !

🛏 **Bracken B & B :** Annamoe Rd, à **Glendalough.** ☎ 45-300. 📱 086-874-01-13. ● brackenlodge.com ● À 3 km de Laragh. Ouv tte l'année. Doubles 66-70 €. CB refusées. 🛜 Voilà encore une famille qui ne remettra pas en cause le fameux accueil irlandais. Judy et Jim Doyle sont aux petits soins avec leurs invités, auxquels ils proposent 3 chambres : 2 spacieuses et une aux allures de chambre d'ado de passage. Alors, soyez précis lors de votre réservation. Prêt de vélos.

🛏 **Butterfly Hill Farm :** Kilmullen Lane, Newtown-Mount Kennedy. ☎ (01) 281-92-18. ● bedandbreakfastwicklow.com ● Entre Bray (15 km) et Ashford. Venant de Dublin, sortir de la N 11 à Newcastle et suivre les panneaux. Fermé nov-fin fév. Double 65 €, petit déj compris. Dégressif à partir de 3 nuits. CB refusées. 🛜 Si la rumeur de la N 11 a définitivement noyé le bruissement des papillons, les chambres coquettes et confortables (dont les family rooms) justifient une halte dans cette petite ferme céréalière. Accueil très chaleureux.

Plus chic

🛏 **Wicklow Way Lodge :** Oldbridge. ☎ (01) 281-84-89. ● wicklowwaylodge.com ● Depuis le centre de Roundwood, suivre la route du lough Dan : c'est indiqué. Congés : de déc à mi-janv. Doubles 90-100 €, petit déj compris. 🛜 Une vaste maison moderne aux allures de chalet de montagne. Chambres confortables et lumineuses (dont une familiale, accueillant jusqu'à 5 personnes), parfois dotées d'un balcon avec vue plongeante sur la vallée. Également un nouveau cottage « romantique » (location minimum 4 nuits). Excellent point de départ pour des randonnées que l'hôtesse de maison ne manquera pas de vous indiquer.

🍽 **Roundwood Inn :** Main St, **Roundwood.** ☎ (01) 281-81-07. Service tlj 12h-21h. Plats 10-16 €. Cette grande bâtisse blanche reconnaissable à ses bois de cerf attire tous les randonneurs des environs. Réfugiés à côté de la cheminée ou solidement arrimés au comptoir, ils y évoquent dans la bonne humeur les péripéties de la journée. Nourriture solide de pub, propre à ragaillardir n'importe quel marcheur. À quelques mètres près, le plus haut pub d'Irlande (derrière le Vartry House du haut de la rue).

🍽 **Byrne & Woods :** dans le village de **Roundwood.** ☎ 281-70-78. Le soir, plats 14-26,50 €. Cadre très confortable pour une bonne cuisine traditionnelle à prix raisonnables. Box, banquettes, tables bien séparées. Quelques plats réguliers : linguine aux champignons sauvages, pork belly chutney d'abricot, tarte au haddock fumé, etc.

🍽 **Anne's Coffee-House :** en plein cœur du village de **Laragh,** derrière le Lynham's. ☎ 45-454 ou 45-398. Mai-sept, tlj ; oct-avr, le w-e slt. Plats 6-12 €. Un petit salon de thé accueillant, émaillé de petites tables colorées. Salades mixtes copieuses et fraîches, sandwichs, très bonnes tartes et gâteaux, thé et café. Propre et bon service. Toujours plein en été.

🍽 **Wicklow Heather Restaurant :** à Laragh. ☎ 45-157. Dans le centre du village, en direction des lacs. Service tlj jusqu'à 21h (21h30 sam, 22h dim). Lunch à partir de 10-14 € ; plats principaux entre 15-28 €. Vaste resto beaucoup plus agréable qu'il n'y paraît depuis l'extérieur. On s'installe dans l'une des 3 grandes salles, mais néanmoins chaleureuses, aux murs de brique et plafonds en bois, décorées, entre autres, d'éditions rares. Cuisine variée et plutôt copieuse. Irish corned beef and cabbage, navarin d'agneau du Wicklow, délicieuses lasagnes maison. Toute la région, ou presque, s'y retrouve le dimanche midi.

🍷 *Lynham's :* *en plein cœur du village de Laragh.* ☎ *45-345.* Un chouette pub traditionnel, plein de coins et recoins, boiseries, feu qui crépite dans la cheminée et personnes prêts pour un casting de Ken Loach... Concerts traditionnels ou rock le samedi soir. Quelques chambres d'excellent confort. En revanche, oubliez le resto de l'hôtel, pas du tout bon marché.

À voir

🎭🎭🎭 Le *Wicklow Mountains National Park* est un site extraordinaire qui attire beaucoup de monde le week-end... Venir tôt, ou tard pour le magnifique coucher de soleil sur Upper Lake, très attendu par les photographes. Se garer de préférence au parking (gratuit) du *Visitor's Centre,* puis rejoindre le *lac Supérieur* (parking payant) en suivant la *Green Road Walk.* Très jolie balade fléchée d'une vingtaine de minutes. Pour marcher, beaucoup de choix : une dizaine de circuits balisés sillonnent le pourtour des lacs et les pentes du mont Mullacor. Itinéraires variés, tant par leur paysage que par leur difficulté : de 2 à 11 km, plats ou pentus. Difficile de rater la *tour ronde,* la première curiosité que l'on remarque dans le romantique cimetière. Il s'agit d'une tour-clocher en granit, de 30 m de haut, destinée autrefois à servir de repère aux voyageurs et aux chevaliers errants (dans la brume !). Elle servait aussi de tour de guet. En cas d'attaque, la petite communauté se réfugiait à l'intérieur à l'aide d'une échelle donnant accès à la petite porte située à 3 m du sol. Et la légende veut que, lors des invasions vikings, les moines y enfermèrent leur or. Le toit conique a été reconstruit en 1876. Dans un joyeux désordre libertaire, beaucoup de pierres tombales très anciennes ornées de belles calligraphies. À côté, la *cathédrale* se résume aux ruines d'une nef du XIIe s, à l'origine l'une des plus vastes d'Irlande. En revanche, la petite *église Saint-Kevin* force l'admiration avec sa toiture entièrement constituée de pierres et surmontée d'une petite tourelle ronde. Charmant.

Les derniers vestiges s'échelonnent le long du *lac Supérieur,* un superbe disque moiré frangé de falaises boisées. On y déniche notamment la *cellule de saint Kevin,* la retraite de l'ermite dont il ne reste, à vrai dire, pas grand-chose ou le *temple Na Skellig,* les traces d'une église construite par le saint. Située sur la rive sud du lac, elle n'est accessible qu'en bateau.

DANS LES ENVIRONS DE GLENDALOUGH

🎭🎭🎭 *Luggala Lake* (appelé aussi *lough Tay* ou *loch Té*) : sur la route de Roundwood à Sally Gap. À une vingtaine de km au nord de Laragh. À VTT, emprunter la *Wicklow Way à Glendalough qui est cyclable.* En voiture, prendre la R 115 partant de Laragh en direction de Sally Gap, puis revenir par Roundwood.

Cette boucle permet de découvrir l'un des plus grandioses paysages d'Irlande. Y aller de préférence à l'aube ou au crépuscule. Le lac s'étend au fond d'un cirque de hautes collines, âpres et sauvages. Sa forme évoque une vague harpe. Sur la rive nord, derrière un gros bouquet d'arbres se cache un manoir, le *Luggala Lounge,* l'ancien pavillon de chasse de la famille Guinness. Le plus drôle, c'est que les eaux noirâtres du lac (couleur de la bière brune) se terminent par une plage de sable crème (couleur de la mousse), évoquant ainsi une *pint de Guinness* !

En 1951, le cinéaste John Huston (*Le Faucon maltais, The Misfits...*) vint en Irlande pour la première fois, invité par l'une des trois sœurs Guinness. Il fut particulièrement impressionné. « Le lendemain, à l'aube, j'allai à la fenêtre et vis un spectacle que je n'ai jamais oublié. À travers les pins je découvris, au bord d'un ruisseau, une vaste étendue couverte de soucis orange et au-delà – surprise ! – une plage de sable blanc bordant un lac noir. J'ai su par la suite que le sable avait été amené d'un rivage de la mer d'Irlande. Le lac était dominé,

LES MONTS WICKLOW

vertigineusement, par une montagne de roc sombre que drapait, comme un châle, une retombée de bruyères pourpres. Je suis retourné souvent à Luggala, mais cette première impression est restée en moi à jamais. Dès cet instant, l'Irlande m'avait conquis. »

C'est là également que furent tournés le début (l'épée qui sort de l'eau) et la fin d'*Excalibur*, de John Boorman (quand Perceval la jette dans les eaux sombres du lac).

🏃🏔 *Russborough House* : à 30 km de Glendalough et à 5 km au sud de Blessington. Rens : ☎ (045) 865-239. ● russborough.ie ● Bus n° 65 de Dublin à Blessington. Mai-sept, tlj 10h-17h ; avr et oct, slt dim et j. fériés. Entrée : 10 € ; réduc. L'un des plus beaux châteaux d'Irlande, construit entre 1740 et 1750 par l'architecte du Powerscourt Castle. Il est impressionnant, pas tant par son architecture extérieure de style palladien, assez austère, que par la prodigieuse décoration intérieure : stucs, fresques, tapisseries, meubles, objets d'art rares... Mais sa véritable richesse demeure la collection de peintures réunie par sir Alfred Beit, avec de grands maîtres européens comme Rubens ou Gainsborough. Également un labyrinthe *(maze),* auquel on peut accéder indépendamment *(3 €).*

Balades dans le coin

À Glendalough, descendre vers les lacs et prendre les *nature trails.* Une carte est nécessaire, bien que les sentiers soient bien balisés, car il y a plusieurs pistes.

➤ De l'autre côté de la montagne Mullacor se trouve la **vallée** très perdue **de Glenmalure,** avec une AJ minuscule au bout de la route (voir plus haut).

➤ Pour les marcheurs, un must : la **Wicklow Way,** de Marlay Park à Clonegal ; 132 km bien balisés. Altitude maximale : 661 m. Compter 5 à 7 j. pour tout faire. Mais, marcheur confirmé ou néophyte, il y en a pour tous les niveaux. D'autant plus que les itinéraires sont variés et les paysages vraiment très différents.
– *Documentation :* carte East West Mapping *Wicklow Way Map Guide.* Renseignements au bureau du parc national des monts Wicklow, entre Laragh et Glendalough (☎ (0404) 45-656 ; tlj 10h-18h). Plus de 20 000 ha de parc créés en 1991 pour préserver un site et un écosystème uniques reposant sur un imposant socle de granit. L'érosion et le climat ont fait le reste, sculptant ainsi la pierre, creusant des lacs. Pas beaucoup de végétation, hormis les forêts de chênes autour de Glendalough. En revanche, on y trouve représentée la majeure partie des espèces animales vivant sur le territoire irlandais : *red sikas, red deers,* renards, écureuils, chauves-souris et plus de 80 espèces d'oiseaux.

POWERSCOURT GARDENS ET POWERSCOURT WATERFALL

🏃🏔 *Powerscourt Gardens :* à une vingtaine de km de Dublin, au pied des monts Wicklow. Rens : ☎ (01) 204-60-00. ● powerscourt.ie ● Bus n° 44 de Dublin à Enniskerry (puis marcher 2 km) ou bus n° 185 depuis Bray ; bus de la compagnie Alpine Coaches également. Tlj 9h30-17h30 (jusqu'à la tombée de la nuit en hiver). Entrée (pour les jardins et le château) : 8,50 €. L'une des promenades dominicales préférées des Dublinois, sensibles à la beauté des ruines du château du XVIIIᵉ s drapé dans ses magnifiques jardins en terrasses. L'ensemble est superbe, harmonie élégante entre les styles italien et japonais, avec de très belles grilles en fer forgé et quelques statues majestueuses. Pas moins de 200 espèces d'arbres et d'arbustes. Préférer mai et juin, lors de la floraison des rhododendrons et des azalées.

– À 5 km des jardins, une jolie route conduit à la **Powerscourt Waterfall** : *navette payante entre les 2 sites. L'été, tlj 9h30-19h ; l'hiver, tlj de 10h30 au crépuscule. Entrée : 5,50 € ; réduc.* Venir si possible en semaine, un jour de crachin, pour éviter la foule et goûter pleinement à ce site magnifique. La plus haute cascade d'Irlande dégringole avec force sur plus de 120 m, avant de continuer son chemin sous les arbres. Un endroit bucolique et puissant, qui ne laisse pas indifférent. D'ailleurs, ce cadre très photogénique a servi de décor à John Boorman. Il y tourna le combat entre Arthur et Lancelot, un des moments forts de son film *Excalibur* (1981). Bien avant lui, le cinéaste américain John Huston y avait tourné les premières scènes de *Moby Dick* (1956). Le héros, Ismaël, marche seul près de la cascade et le long de la rivière, se dirigeant vers le port de New Bedford où il doit embarquer pour une chasse à la baleine à bord du *Pequod*.

Où dormir dans les environs ?

🏠 **Knockree Youth Hostel** (Lacken House) : à **Knockree**. *Résas :* ☎ (01) 276-79-81. ● *anoige.ie* ● *À 6 km à l'est d'Enniskerry. De Dublin, prendre le DART jusqu'à Bray, puis le bus n° 185 jusqu'au Shop River Terminus. En dortoir (8 lits), 17,50-19 € ; doubles 50-65 € en hte saison.* 📶 *(limité).*

Superbe AJ récemment rénovée selon les normes de haute qualité environnementale. Les chambres et les dortoirs sont spacieux et, à l'exception de ceux de 6 lits, ont leur propre salle de bains. Couleur vive, déco design, le contraste avec la nature environnante donne au lieu un vrai brin de fantaisie. Nombreux services : location de vélos, billards, laverie, cuisine, et même des *packs lunch* pour les pique-niques. Accueil dynamique.

RATHDRUM   1 600 hab.   IND. TÉL. : 0404

Un gros village-rue recroquevillé autour de son église et d'une poignée de pubs rustiques. Peu visité par manque de monuments d'envergure, il a conservé une authenticité qui fait défaut à ses homologues du secteur de Glengalough.

Où dormir ?

🏠 **The Old Presbytery Hostel :** The Fairgreen. 📠 087-919-78-30. ● *theold pres@eircom.net* ● *De la rue principale, prendre la rue à l'angle du supermarché Centra. C'est à 300 m. Ouv tte l'année. Compter 16-20 € en dortoir 6-12 lits ou 22-25 €/pers pour une double.* La couleur rose de cette vaste bâtisse ne parvient pas vraiment à faire oublier la rigueur toute militaire de la déco. En revanche, l'ambiance un tantinet colo, la cuisine à dispo et la laverie en font

un camp de base fort pratique pour les randonneurs.

🏠 **Saint Bridgets B & B :** Corballis. ☎ 46-477. 📱 086-367-69-72. ● *stbrid gets@eircom.net* ● *À env 2 km au sud de Rathdrum, sur la R 753 en direction de Ballinaclash. Fermé à Noël. Doubles 70-80 €, petit déj compris. CB refusées. Parking sûr.* Papiers peints colorés, moquette chamarrée, bibelots astiqués, voici l'univers de Maeve Scott, une charmante dame qui met tout son cœur dans l'accueil de ses hôtes. Chambres spacieuses et calmes dans les tons beige et mordoré.

DANS LES ENVIRONS DE RATHDRUM

🎯🎯 *La maison natale de Charles Stewart Parnell* (Avondale House) : à 1,5 km au sud de Rathdrum, sur la R 752 en direction d'Avoca. ☎ 46-111. ● coillteoutdoors.ie ● Pâques-fin oct, tlj 11h-18h (dernière admission à 17h) ; fermé lun mars-avr et sept-oct. L'accès au parc coûte 5 € par voiture (prévoir les pièces), et la visite 7,50 €/pers ; réduc. Charles Stewart Parnell, qui se battit pour l'autonomie de l'Irlande (Home Rule), vivait avec une femme séparée depuis 10 ans de son mari. Le mari demanda cependant très tardivement le divorce en accusant Parnell d'adultère. Évidemment, cette affaire manigancée par les ennemis de Parnell prit un aspect de scandale, la très prude hiérarchie catholique ne manquant pas de mettre de l'huile sur le feu. Le parti du Home Rule se divisa sur la question, et Parnell, mortifié, épuisé, mourut quelque temps après, à l'âge de 45 ans. Sa maison natale, dissimulée au cœur d'un grand parc ombragé, rappelle certaines maisons américaines du Sud... ce qui se comprend assez bien, car la mère de Parnell était américaine ! La vidéo permet de mieux saisir sa personnalité. Sa bibliothèque renferme de beaux meubles, et notamment un secrétaire Chippendale de 1740 et un bureau Wooton de 1874. Au premier étage, on visite sa chambre, avec vue superbe sur le parc, les prés bien verts, les massifs d'arbres.

WICKLOW (cill mhantáin)   6 800 hab.   IND. TÉL. : 0404

Le chef-lieu du comté du Wicklow est une petite ville tranquille au bord de la mer, située à la lisière des collines. Une longue plage de galets s'étend sur une vingtaine de kilomètres au nord de la ville.

Adresse utile

🛈 *Office de tourisme :* Fitzwilliam Sq. ☎ 69-117. ● visitwicklow.ie ● Dans le centre-ville. Juin-sept, tlj sf dim 9h-13h, 14h-18h ; oct-mai, tlj sf sam-dim 9h30-13h, 14h-17h15. Bonne documentation sur la région, cartes détaillées, etc.

Où dormir ? Où manger dans les environs ?

Camping

⛺ *River Valley Holiday Park :* à *Redcross.* ☎ 41-647. ● river valleypark.ie ● À env 15 km au sud de Wicklow. Ouv de mi-mars à fin oct. Env 22-24 € pour 2 avec tente et voiture. Vaste complexe parfaitement équipé et qui conviendra très bien aux familles. Aires de jeux pour enfants, terrain de sport, bar-restaurant. Le tout sur les premiers versants des monts Wicklow, au calme et à mi-chemin entre mer et montagne. Et, pour encore plus de tranquillité, demander une place dans le *Secret Garden*.

Très chic

🛏 |●| *Hunter's :* à *Rathnew,* Newrath Bridge. ☎ 40-106. ● hunters. ie ● À env 5 km au nord de Wicklow et 2 km d'Ashford. Ouv tte l'année, sf 24-26 déc. Résa conseillée. Doubles à partir de 130 €. Lunch 18,75 € (33,50 € dim) ; dîner 29,50-36,50 €. Une des plus anciennes auberges d'Irlande, tenue par la même famille depuis 5 générations. Beaucoup de charme et de classe, avec d'élégants salons et un magnifique jardin fleuri. Chambres spacieuses, aménagées avec du mobilier d'époque, certaines avec cheminées, lit *king size*. Le roi de Suède et son épouse y ont séjourné, c'est dire ! Cuisine de premier ordre et service stylé.

Où boire un verre ?

🍷 *Philip Healy :* Main St. ☎ 67-380. *Près de l'office de tourisme.* Immense pub où se retrouvent toutes les générations du coin. Pas de musique traditionnelle, mais une agréable ambiance bon enfant.

À voir

🎭🎭 *Wicklow's Gaol :* Kilmantin Hill. ☎ 61-599. ● *wicklowshistoricgaol.com* ● *Avr-oct, tlj 10h-18h (dernière admission à 16h30). Visite en partie guidée : 7,30 € ; réduc.* Une prison transformée en musée où l'on découvre, entre autres, les conditions de détention inhumaines pratiquées jusqu'à la fin du XVIIIe s. Tout un jeu interactif, des personnages de cire et des guides-comédiens alimentent le sentiment de malaise. Bonne explication de la rébellion de 1798, de la famine et de l'histoire tragique des 50 000 Irlandais expédiés en Australie. Pas gai, mais très instructif et bien fait.

🎭🎭 *Mount Usher Gardens :* à Ashford. ☎ 401-16. ● *mountushergardens.ie* ● *Mars-oct, tlj 10h30-18h (dernière admission à 17h20). Entrée : 7,50 € ; réduc.* Les fleurs bleues ne manqueront d'aller humer les fragrances subtiles distillées par les 5 000 espèces végétales du Mount Usher, un superbe jardin à la Robinson étendu le long de la rivière Vartry.

LES MONTS WICKLOW

ARKLOW (an tInbhear Mór)   12 800 hab.   IND. TÉL. : 0402

La région d'Arklow peut être une base pour découvrir les monts Wicklow, si l'on préfère séjourner près de la mer. Hélas, des usines dissuasives se sont installées près de cet ancien port de pêche. Si le centre-ville demeure actif et souriant, il faudra faire quelques kilomètres pour trouver de jolies plages...

Où dormir ?
Où manger à Arklow et dans les environs ?

De prix moyens à plus chic

🏠 *The Gables : Ballygriffin.* ☎ 33-402. 📱 086-835-91-48. ● *arklowbandb.com* ● *En quittant le centre d'Arklow par la route de Coolgreany, tourner à droite peu après* le 1er rond-point (panneaux). C'est ensuite à 3 km à l'est. Ouv marsoct. Double env 70 €. 📶 Dans une grande maison moderne (la 1re à avoir reçu, dans le Wicklow County, 4 étoiles), des chambres classiques et confortables parfaitement tenues. Jardin immense, tennis, vaste salon pour les hôtes et pain maison pour le petit déj. Excellent accueil des propriétaires.

🍴 *Royal Hotel – Sally's Pub :* 25, Main St. ☎ 32-524. *Tlj 12h-minuit (resto jusqu'à 21h). Plats 10-15 €.* Dans une classique déco façon pub, on sirote sa *Guinness* en avalant quelques bons petits plats. Même les simples burgers sont apprêtés et goûteux. Menu *early bird* particulièrement avantageux.

À L'OUEST DES MONTS WICKLOW

KILDARE (cill dara) — 8 100 hab. — IND. TÉL. : 045

Petite capitale d'une riche région agricole, fameuse pour ses élevages de chevaux de course. C'est également ici qu'Arthur Guinness inventa son fameux breuvage et eut une petite brasserie, avant de s'installer à Dublin. Kildare est également la « patrie » de sainte Brigitte, patronne de l'Irlande avec saint Patrick. Elle serait venue y fonder un monastère, dont seule la tour subsiste près de la cathédrale.

À voir

🍴🏛 *Tully National Stud :* à 1 km de Kildare. ☎ 52-16-17. ● *irishnationalstud.ie* ● *De mi-fév à nov, tlj 9h30-18h (dernière admission à 17h). Entrée : 12,50 € ; réduc. Visites guidées (35 mn) à 12h, 14h30 et 16h.*
Le *National Stud* abrite le haras national d'où sortent de nombreux champions irlandais.
– *Le musée du Cheval :* toute l'histoire du cheval irlandais. On y trouve le squelette de Arkle, le plus grand pur-sang qui ait jamais existé dans le pays.
– *Les jardins japonais : même billet, mêmes horaires que le musée.* Créés par lord Wavertree et œuvre de Thassa Eida, paysagiste japonais, en 1906. Le jardin symbolise l'existence de l'homme, dont on peut suivre le cours de la naissance jusqu'aux derniers jours. *Jardin de l'Éternité* dans le style *Karesansui.*
– *Saint Fiachra's Garden : même billet, mêmes horaires que le musée.* Jardin bucolique, concentré des paysages vallonnés de cette région d'Irlande, émaillés de cours d'eau tumultueux, de roches millénaires et de lacs enchanteurs.

DANS LES ENVIRONS DE KILDARE

🍴🏛🏛 *Castletown House :* à Cellbridge. ☎ *(01) 628-82-52.* ● *castletown.ie* ● *Au nord du comté, juste au-dessous de Maynooth et à 21 km à l'ouest de Dublin. De mi-mars à fin oct, mar-dim 10h-18h (dernière visite à 16h45). Fermé lun sf j. fériés. Visite guidée : 4,50 € ; réduc.* Heritage site. La plus belle et la plus grande demeure palladienne d'Irlande : 365 fenêtres (autant que de jours dans l'année). Construite en 1722 pour le speaker du Parlement irlandais, William Connolly, et œuvre d'un architecte italien, Alessandro Galilei avec l'aide de sir Edward Lovett Pearce, fameux architecte irlandais.

🍴 *The Curragh :* ce gigantesque champ était jadis connu sous le nom de « pâturage de sainte Brigitte », car c'est l'un des endroits les plus fertiles de la région. C'est aussi un terrain militaire qui en a vu défiler des troupes... des Celtes aux régiments de la république. Aujourd'hui, l'hippodrome accueille, le dernier dimanche de juin, l'*Irish Derby,* ainsi que les *Irish Oaks* mi-juillet. On y fait toujours des manœuvres militaires, et l'armée donne parfois un coup de main aux cinéastes, comme à Mel Gibson, venu y tourner les scènes de batailles de *Braveheart.*

LA CÔTE SUD À L'EST DE CORK

ROSSLARE [ROS LÁIR]   1 600 hab.   IND. TÉL. : 053

Rosslare Harbour se situe à l'extrême sud-est du pays, dans un vrai cul-de-sac, à environ 10 km de la populaire station balnéaire de Rosslare Strand, un peu plus animée (mais assez morne en basse saison). C'est ici qu'arrivent les ferries venant de Cherbourg, Roscoff, Fishguard ou Pembroke (pays de Galles). Bien entendu, à peine arrivé, vous aurez plutôt envie de partir faire connaissance, le plus vite possible, avec le pays profond. D'autant que le coin ressemble à un vaste quartier pavillonnaire. Voici quand même quelques infos pour ceux attendant un bateau ou arrivant tard.

Arriver – Quitter

– Pour bénéficier de tarifs réduits, pensez aux forfaits autocar-train (voir « Transports intérieurs » dans « Irlande utile »).

En bateau

3 compagnies maritimes sévissent à Rosslare : *Irish Ferries* (☎ 91-33-158 ; ● irishferries.com ●), *Celtic Link Ferries* (☎ 91-62-688 ; ● celticlinkferries. com ●) et *Stena Lines* (☎ 91-61-560 ; ● stenaline.ie ●).

➢ *De/vers la France :* Irish Ferries assure 3 bateaux/sem pour Cherbourg, sf en janv-mars, et 1-2 bateaux/sem pour Roscoff de mi-mai à la 3ᵉ sem de sept. Celtic Link Ferries assure 3 liaisons/sem tte l'année entre Cherbourg et Rosslare.

➢ *De/vers le pays de Galles :* tte l'année (sf 25-26 déc), Irish Ferries relie Pembroke 2 fois/j. et *Stena Lines* joint Fishguard 2 fois/j.

En train

🚆 *Gare ferroviaire :* à 500 m du terminal maritime. ☎ 91-79-34. ● irishrail.ie ●

➢ *De/vers Dublin :* 4-5 départs/j. (3 le dim) via Wexford, Enniscorthy, Arklow, Wicklow. Trajet : env 3h.

➢ *De/vers Limerick ou Cork :* bien plus pratique et direct en bus.

En bus

🚌 *Station de bus :* à la sortie du terminal maritime. ☎ (051) 879-000. ● buseireann.ie ●

➢ *De/vers Dublin :* tlj, départ le mat. Trajet : env 3h30. Dessert au passage Wexford (trajet : 25 mn), Enniscorthy et Arklow.

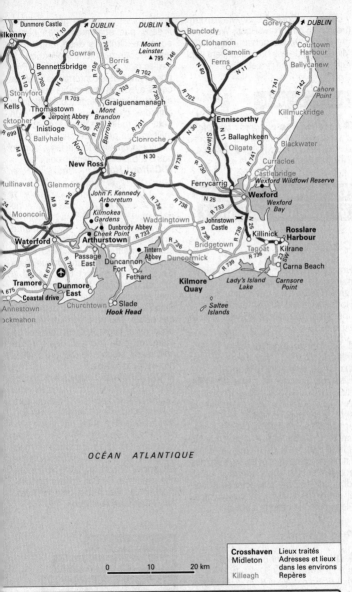

OCÉAN ATLANTIQUE

Crosshaven	Lieux traités
Midleton	Adresses et lieux dans les environs
Killeagh	Repères

0   10   20 km

LA CÔTE À L'EST DE CORK

➤ **De/vers Cork :** 5 bus/j. via Wexford (trajet : 25 mn), New Ross, Waterford (trajet : 1h30), Dungarvan, Youghal et Midleton. 4 de ces bus continuent vers Killarney et Tralee. Trajet : 4h.

Adresse utile

■ **Locations de voitures :** comptoirs dans la gare maritime (ouv selon arrivée des bateaux). **Budget :** ☎ (051) 843-747. ● budget-ireland.com ●

Où dormir à Rosslare et dans les environs ?

Camping

Rosslare Harbour ne constitue vraiment pas l'endroit idéal pour planter sa tente. Préférer les rares campings de Rosslare Strand ou Carnesore Point, à une dizaine de kilomètres vers le nord ou le sud.

⚠ **St Margaret's Beach : Lady's Island.** ☎ 91-31-169. ● campingst margarets.ie ● À 15 mn de Rosslare Harbour. Prendre la route de Wexford, puis c'est fléché sur la gauche vers Carna Beach. Ouv de mi-mars à sept. Env 15-17 € pour 2 avec tente et voiture selon saison. Douches gratuites. 📶 Calme et plus intime que les autres campings de même standing. En pleine campagne et abrité, avec des équipements simples et convenables (dont une épicerie d'appoint en saison et des vélos à dispo). Accueil sympa. Plage presque déserte à 500 m.

Prix moyens

⌂ **O'Leary's Farmhouse B & B :** Killilane, à Kilrane. ☎ 91-33-134. ● olea rysfarm.com ● À env 6 km de Rosslare. Au 1er village après le port, prendre à gauche entre les 2 pubs, puis suivre les indications. Ouv tte l'année sf Noël. Doubles 76-90 € selon saison. CB refusées. 📶 Grande farmhouse bio, isolée dans une campagne de bord de mer, avec son lot de veaux, vaches, cochons et moutons grassouillets. À deux pas également d'un centre équestre. Drôle de déco fourre-tout, avec notamment une collection de vieilles radios et de gramophones. Propose 5 chambres confortables. Préférer celles avec vue imprenable sur la mer et le phare, au 1er étage (côté bâtiments agricole, c'est moins glamour). Bon petit déj (pain, confitures et scones maison) qui peut être servi dès 6h30 pour ceux qui prennent le ferry. L'un de nos B & B préférés dans le coin.

⌂ **Clifford House :** à Rosslare Harbour. ☎ 91-33-226. ● cliffordhouse. ie ● À 1,5 km du port, sur la gauche, tt au bout de la rue en impasse. Ouv tte l'année. Doubles 65-75 € ; familiales (5-6 pers) 110-130 €. 📶 Charmante propriété datant du début du XXe s, superbement située au bord d'une falaise qui surplombe une longue plage de sable. Chambres très soignées de grand confort, toutes différentes, avec cheminée et vue pour la plupart. Salon élégant et douillet à disposition des hôtes, équipé d'une lunette pour observer le large. Accueil souriant de Margaret et de Michael. Une adresse chic à prix moyen : le rapport qualité-prix est indiscutable !

⌂ **Old Orchard Lodge :** à Kilrane. ☎ 91-33-468. ● oldorchardlodgebe dandbreakfast.com ● À 2,5 km du port, au centre du village, dans une rue perpendiculaire à la N 25 (panneau). Ouv tte l'année. Doubles 65-75 €. 📶 Une adresse sans charme particulier mais bien pratique, car cette maison moderne est proche du port, au calme et propose des chambres de bon confort parfaitement tenues. Salon cosy pour les hôtes. Accueil aimable et efficace.

Où manger ? Où boire un verre dans les environs ?

De bon marché à prix moyens

|O| **Ye Olde Coopers Inn :** à Killinick, entre Rosslare Harbour et Wexford. ☎ 91-58-942. Au bord de la N 25,

à 8 km du port, à côté d'une station-service. L'été, ouv midi et soir ; l'hiver, lun-ven 16h-21h, w-e 12h30-21h. Plats 10-20 €. Auberge de bord de route où tout le monde se connaît. Bar style Old Tudor et cheminée. Cuisine de pub franche et pas compliquée. Rien d'incroyable, mais pratique pour avaler quelque chose sur la route du port.

|●| The Lobster Pot Seafood Restaurant : à Carna. ☎ 91-31-110. À 9 km de Rosslare. Depuis le port, prendre à gauche au village de Kilrane, direction Lady's Island, puis Carna Beach. Bien fléché. Tlj sf lun jusqu'à 21h. Plats 20-30 €. Vieille et adorable auberge de campagne spécialisée dans la seafood et, comme son nom l'indique, dans le homard. Pas donné donc. Les murs, comme le plafond, sont peinturlurés de vert, et les hublots, comme la déco, donnent l'impression d'être dans les entrailles d'un vieux galion, mais côté 1re classe.

|●| ♀ Culletons Bar : à Kilrane. ☎ 91-33-590. Sur la N 25 vers Wexford, à 2,5 km du port sur la gauche. Ouv à partir de 15h lun-jeu et à partir de 12h ven-dim. Sandwichs et salades env 7-9 €, plats 10-20 €. Un grand pub assez sobre, le rendez-vous du coin. Bar food et plats typiques pour se mettre en bouche à la descente du ferry. Sert également des repas le soir et le dimanche midi à prix raisonnables. Faites donc une partie de billard s'il pleut ou réchauffez-vous près de la cheminée. Musique traditionnelle le week-end.

WEXFORD [loch garman]   19 900 hab.   IND. TÉL. : 053

LA CÔTE SUD À L'EST DE CORK

Jolie petite ville, fondée par les Vikings au Xe s, c'est la capitale de ce qu'on nomme ici le « comté modèle ». À Wexford, tout s'organise autour du quay et des commerces de Main Street. Nombre de monuments, vestiges et plaques commémoratives témoignent d'un passé mouvementé. À la fin du XVIIIe s, l'insurrection des United Irishmen y fut particulièrement réprimée.

Arriver – Quitter

🚌 🚃 Gare routière et gare ferroviaire (plan A1) : Redmond Pl. ☎ 91-22-522. ● buseireann.ie ● irishrail.ie ● À la sortie de la ville vers Enniscorthy.

En train

➤ **De/vers Dublin :** 4-5 départs/j. (slt 3 le dim). Dessert également Enniscorty, Arklow et Wicklow. Trajet : env 2h30.
➤ **De/vers Rosslare :** 3-4 départs/j. (3 le dim). Trajet : 25-30 mn.

En bus

➤ **De/vers Dublin via Enniscorthy, Arklow :** tlj, env 15 bus. Trajet : env 2h30.
➤ **De/vers Cork :** 5 bus/j. via New Ross, Waterford (trajet : 1h), Dungarvan, Youghal et Midleton. 3 de ces bus (slt 2 le dim) continuent vers Killarney et Tralee. Trajet : 3h30.
➤ **De/vers Roslare Harbour :** bus fréquents. Trajet : 25 mn.
➤ **De/vers Kilmore Quay :** tlj sf dim, 4 bus/j. (slt 2 bus le sam).

Adresses utiles

🛈 **Office de tourisme** (plan B2) : Quay Front. ☎ 91-23-111. ● discoverireland. ie/southeast ● Lun-sam 9h-17h (l'été, ouv en principe un peu plus tard ainsi que parfois le dim). Bien documenté, très compétent. Infos sur la région, nombreux guides et cartes (payants).
✉ **Poste** (plan B2) : Anne St. Lun-ven 9h (9h30 mar)-17h30, sam 9h30-13h.
@ **Cafe Net** (plan B2) : 26, Henrietta St. ☎ 91-52-901. Lun-sam 10h-20h, dim 14h-18h.

■ *Location de vélos : Hayes Cycles* (plan B3, **1**), 108, South Main St. ☎ 91-22-462. Lun-sam 10h-18h. Compter 15-20 €/j.

Où dormir ?

Prix moyens

🏠 **Ferrycarrig Lodge** (hors plan par A1, **10**) : Park, Ferrycarrig Rd. ☎ 91-42-605. • ferrycarriglodge.ie • À env 2 km du centre par la route qui longe la rivière. Ouv tte l'année. Doubles 60-80 €. 📶 Emplacement stratégique pour cette belle maison contemporaine à la fois proche du centre et profitant d'un environnement de choix, avec la *Round Tower* de l'*Heritage Centre* en ligne d'horizon, et la rivière largement déployée de l'autre côté de la petite route et de la voie ferrée (passage des trains plus qu'anecdotique !). Côté confort, c'est le top : chambres impeccables, douillettes et dotées de salles de bains efficaces et de TV satellite. Excellent petit déj servi dans une salle lumineuse pleine de charme. Parfait, comme l'accueil !

🏠 **Saint George Guesthouse** (plan A2, **12**) : Upper George's St. ☎ 91-43-474. • stgeorgeguesthouse.com • Ouv tte l'année. Doubles 60-70 €. 📶 Petit établissement très convivial organisé autour d'une cour servant de parking. Chambres classiques un tantinet démodées, mais bien tenues et de bon confort. Une adresse d'un bon rapport qualité-prix, où l'on se sent vite à l'aise grâce à l'excellent accueil du propriétaire, tout sourire et très serviable.

🏠 **Faythe Guesthouse** (hors plan par B3, **11**) : The Faythe. ☎ 91-22-249. • faytheguesthouse.com • À 5 mn à pied du centre dans le prolongement de South Main St (prendre Barrack St, puis Kevin Barry St, qui donne dans The Faythe). Ouv tte l'année. Doubles 60-80 €. 📶 Grande maison victorienne blanche, dont le parking occupe une cour fermée par un pan de remparts. Insolite ! À l'intérieur, des chambres classiques de bon confort, et un agréable salon sous une verrière. Une bonne option, d'autant que l'accueil est sympathique.

Où dormir dans les environs ?

Camping

⛺ **The Trading Post : Ballaghkeen.** ☎ 91-27-368. • wexfordcamping. com • ♿ À 14 km au nord de Wexford, sur la R 741 direction Gorey. S'adresser à la station-service mitoyenne. Ouv avr-sept. Compter 20 € pour 2 avec tente. Douches gratuites. Camping en bord de route (tranquille cela dit), pas bien grand avec sa vingtaine d'emplacements. Équipements basiques mais propres. La plage est à 5 km et les randos à portée de godillots. Épicerie d'appoint dans la station-service.

De plus chic à chic

🏠 **Killiane Castle :** à **Drinagh.** ☎ 91-58-885. • killianecastle.com • À 4 km de Wexford. Prendre la N 25 vers Rosslare, c'est fléché à gauche 1 km après le rond-point. Ouv de mars à mi-nov. Double 100 € ; familiales 125-150 €. 📶 Belle *farmhouse* accolée à un donjon normand du XIIe s. Cadre élégant à l'ancienne mode où Jack et Kathleen Mernagh reçoivent courtoisement dans 8 chambres spacieuses avec TV et salle de bains, toutes différentes. Bon petit déj. Tennis, croquet (!), équitation à proximité et balades à faire dans les environs.

🏠 |●| **The Slaney Manor :** à **Ferrycarrig.** ☎ 91-20-051. • slaneymanor. ie • Du centre, direction Cork par la N 25 ; entrée sur la droite de la N 25 peu après le grand rond-point pour Dublin (embranchement de la N 11). Ouv tte l'année. Doubles 90-110 € dans l'annexe, 130-170 € dans le manoir, avec petit déj. 🖥 📶 Manoir de 1820, isolé au milieu d'une grande et belle propriété dominant la rivière Slaney. Il renferme des parties communes élégantes (salon cosy, salle à manger de style) et une quinzaine de chambres spacieuses, meublées à l'ancienne (lits à baldaquin...), avec jolie vue sur la campagne. Changement de registre dans les vastes dépendances, où les

WEXFORD

LA CÔTE SUD À L'EST DE CORK

WEXFORD

■	**Adresses utiles**
🛈	Office de tourisme
@	Cafe Net
1	Hayes Cycles

🏠	**Où dormir ?**
10	Ferrycarrig Lodge
11	Faythe Guesthouse
12	Saint George Guesthouse

|O|	**Où manger ?**
20	Thomas Moore Tavern
21	Riverbank House Hotel
22	Cistin Eile

♼ ♪	**Où boire un verre ? Où écouter de la musique ?**
30	Wexford Centenary Stores
32	The Undertaker

⚒ ■	**À voir. À faire**
40	Wexford Arts Centre
41	Place du marché
42	Statue du commodore John Barry
43	West Gate
44	Wexford Opera House

chambres sont à l'inverse très modernes, mais tout aussi confortables et au final bien agréables. Possibilité de dîner sur commande. Un cadre vraiment pas commun et un accueil très sympathique.

Où manger ?

|O| *Cistin Eile* (plan B2-3, **22**) : South Main St. ☎ 91-21-616. *Ouv le midi lun-sam, plus le soir mer-sam. Le midi, plats env 6-12 € ; le soir, menu-carte 25 €.* C'est l'adresse préférée des locaux. Pour son atmosphère décontractée, pour son cadre de bistrot gai et sans chichis (salle en longueur, toiles cirées colorées et quelques toiles aux murs), mais surtout pour sa cuisine irlandaise revisitée. Car en VF, *cistin eile* veut dire « l'autre cuisine » ! Qu'il s'agisse des sandwichs ou des grands classiques du terroir comme le *bacon and cabbage*, il y a toujours un petit quelque chose pour moderniser le tout ! Bon, pas cher et tenu par une équipe souriante : le trio gagnant !

|O| *Riverbank House Hotel* (plan B1, **21**) : juste de l'autre côté du pont. ☎ 91-23-611. *Tlj ; sert jusqu'à 21h (22h ven-sam). Plats et en-cas env 8-12 € le midi, 10-15 € le soir ; menus (le soir) env 22-25 €.* L'hôtel n'est pas bien beau, mais l'intérieur très agréable avec ses banquettes et sa cheminée, et la cuisine fort correcte. On mange soit au bar central, soit dans la grande salle façon brasserie. Service diligent. Un bon rapport qualité-quantité-prix.

|O| *Thomas Moore Tavern* (plan A1-2, **20**) : Cornmarket. ☎ 91-74-688. *Bistrot ouv mar-dim 18h-21h (20h30 dim) ;* *pub ouv mar-dim midi et soir jusqu'à 21h (20h30 dim). Plats env 16-30 € au bistrot, 11-13 € au pub.* Une adresse qui satisfait tout le monde : d'un côté, le bistrot au cadre cosy et soigné (banquettes moelleuses, fer forgé...) ; de l'autre, la taverne, classique et pleine d'habitués. Selon le budget et l'envie, on s'oriente vers une cuisine de brasserie chic bien tournée ou vers des plats de pub costauds. Dans tous les cas, la qualité est au rendez-vous, de même que le sourire de l'équipe. Très sympa, surtout les soirs de concert traditionnel !

Où boire un verre ? Où écouter de la musique ?

🍸 *The Undertaker* (plan A1-2, **32**) : Bull Ring. Un des derniers pubs « du fossoyeur » qui survivent en Irlande à une ancestrale tradition. L'*undertaker* utilisait fréquemment les fraîches caves à bière comme annexe pour conserver les corps, avant de noyer le deuil dans une sombre pinte de *Guinness*. Le nuage de fumée toxique dans les pubs ne tuant plus son monde, notre croque-mort a quitté les lieux en laissant juste son chapeau sur une étagère au-dessus du bar. Restent la clientèle locale et quelques bonnes bières.

🍸🎵 *Wexford Centenary Stores* (plan A1, **30**) : Charlotte St. ☎ 91-24-424. ● thestores.ie ● *Dans une petite rue joignant le quay à North Main St.* Vieil édifice noir et vert. Terrasse couverte. Le soir, excellente atmosphère et concerts fréquents, surtout en été. Staff sympa.

À voir. À faire

➤ Balade sympa dans le *centre-ville* le long des commerçantes South et North Main Street. Quelques vieilles boutiques subsistent.

🏹 *La place du marché* (plan A2, **41**) : connue comme le *Bull Ring*, car les Normands y affectionnaient les courses de taureaux. Un monument y honore les insurgés de 1798.

🏹 *La statue du commodore John Barry* (plan B2, **42**) : Crescent Quay. Cet Irlandais de Wexford (1745-1803) dut émigrer en Amérique et créa la première flotte américaine qui lutta contre la marine anglaise lors de la guerre d'indépendance.

🍴 À la sortie (vers Enniscorthy), la **West Gate** (plan A1, **43**), l'ancienne porte fortifiée, est un vestige des remparts disparus de la ville. À côté, les belles ruines de la **Selskar Abbey,** bâtie au XIIIe s sur le site d'un ancien temple dédié à Odin.

– **Festival d'Opéra** : au **Wexford Opera House** (plan A2, **44**), High St. ☎ 91-22-400. ● wexfordopera.com ● Pdt 2-3 sem, fin oct. Depuis plus de 60 ans, très célèbre pour la qualité de ses productions. L'une des meilleures scènes du pays dans un bâtiment du début du XIXe s. Remanié et très moderne à l'intérieur. Pendant le festival, *lunch time concerts.*

– **Wexford Arts Centre** (plan A2, **40**) : Cornmarket. ☎ 91-23-764. ● wexfordartscenter.ie ● Lun-sam 10h-17h30, dim 11h-17h. Installé dans les anciennes halles, construites en 1775, il accueille expos, danse, théâtre, etc.

– **Centres équestres** : rens auprès de l'office de tourisme (voir « Adresses utiles »). Autour de Wexford, plusieurs centres proposent des randonnées à cheval dans la campagne ou en bord de mer.

DANS LES ENVIRONS DE WEXFORD

🥾🥾 🚶 **Irish Agricultural Museum et le parc du Johnstown Castle** : à 6 km au sud-ouest de Wexford. ☎ 91-84-671. ● irishagrimuseum.ie ● Prendre la route de Rosslare (N 25) puis suivre le fléchage. Ouv tlj 9h-16h30 (17h30 en été). Accès au parc : mai-sept, 3 € ; gratuit le reste de l'année. Entrée musée : 6 € (en sus du parc) ; billet combiné : 8 € ; réduc ; gratuit moins de 4 ans. Brochures en français pour le musée.

> ## UN RÉGIME DE POIDS
>
> *En Irlande, au début du XIXe s, un homme consommait en moyenne 6,4 kg de pommes de terre par jour, une femme 5,1 kg, et un enfant environ 2,2 kg ! Une dépendance qui eut des conséquences catastrophiques lorsque les plants de pomme de terre furent atteints par le mildiou, déclenchant la Grande Famine.*

Magnifique parc de 20 ha où il fait bon se promener le long du lac et dans des sous-bois riches de près de 200 variétés d'arbres (pourquoi ne pas sortir *the picnic* ?). Le château, fermé au public, possède une tour de 1652. Le reste est une folie aristocratique du XIXe s.
– Le très intéressant *musée* occupe les anciennes dépendances. Très vaste, il rassemble au rez-de-chaussée une excellente exposition sur la Grande Famine (parfaitement documentée), ainsi que des reconstitutions d'ateliers (charpentier et charron, forgeron, fabricant de harnais, etc.) et d'importantes collections de charrettes, vieux tracteurs et buggys. Au premier étage : mobilier paysan, outils en pagaille, reconstitutions de cuisines en fonction de différentes époques, et nombreux objets domestiques anciens.

🥾🥾🥾 🚶 **National Heritage Park** : à Ferrycarrig. ☎ 91-20-733. ● inhp.com ● À 3 km de Wexford, sur la route d'Enniscorthy (N 25). Mai-août, tlj 9h30-18h30 (17h30 hors saison). Dernière entrée 1h30 avt fermeture. Entrée, audioguide en français inclus : 9 € ; réduc ; gratuit moins de 4 ans.
Dans un parc de 12 ha, une fascinante rétrospective historique de l'Irlande, animée en saison par des guides en costumes. Idéalement situé sur l'estuaire de la rivière Slaney où l'on retrouve toutes les conditions géographiques de l'époque : collines, bois, marécages et lacs.
Parcours chronologique de 1h30 à 2h environ, dont les différentes étapes sont autant de jalons marquant les grandes périodes clés du pays depuis le Mésolithique. Génial ! Toutes les reconstitutions sont grandeur nature, qu'il s'agisse des

habitats (meublés), des lieux de culte ou des sépultures de l'époque des premiers habitants de l'Irlande à ceux de l'époque médiévale. Ferme du Néolithique (6000 av. J.-C.), dolmen, sépultures de l'âge du bronze, pierre oghamique, monastère paléochrétien avec son église et ses dépendances, ou encore un impressionnant *crannog* (île artificielle du VIIIe s abritant un village protégé par une palissade), un chantier naval viking et même un petit château normand. Un must pour les familles.

✹✹ ⁂ Wexford Wildfowl Reserve : à *North Slob*, à 6 km au nord-est de Wexford. ☎ 91-23-406. ● *wexfordwildfowlreserve.ie* ● Par la R 741 (direction Gorey), 3 km après le pont, tourner à droite, c'est fléché. Tlj 9h (10h d'oct à mi-avr)-17h. Entrée gratuite. Isolé au cœur d'une vaste zone protégée, ce petit centre d'interprétation comprend un plan d'eau où barbotent toutes sortes d'animaux

LE CULTE DU RECORD

En 1951, à la suite d'une partie de chasse dans le North Slob, sir Hugh Beaver, patron des brasseries Guinness, cherchait à déterminer avec ses amis quel pouvait être l'oiseau le plus rapide du monde. C'est la difficulté à trouver la réponse qui lui donna l'idée, en 1955, de publier l'archicélèbre Guinness Book of Records !

sédentaires, un minimusée, et une tour d'observation pour surveiller confortablement les alentours. Un paradis pour les mordus d'ornithologie. Des dizaines de milliers d'oiseaux font en effet halte dans les *slobs* (paysage de petites digues et de marais) de Wexford et peuvent y être observés. Durant la période des migrations, d'avril à octobre, les guides sont intarissables sur les limicoles, canards et autres oies du Groenland. Un tiers de la population mondiale de ces oies à front blanc transite en effet par ici.
– La plage de *Curracloe*, où fut tournée la scène du débarquement d'*Il faut sauver le soldat Ryan* de Spielberg, est toute proche.

ENNISCORTHY [ɪnɪs córthaɪd]   9 500 hab.
IND. TÉL. : 053

Gentille ville, la deuxième du comté, accrochée à son flanc de colline, est à 23 km au nord de Wexford. Les amateurs d'histoire y trouveront un petit château normand très bien conservé et un centre culturel passionnant retraçant la tentative révolutionnaire des *United Irishmen*.

Arriver – Quitter

En bus

🚌 **Arrêt de bus :** Temple Shannon Quay, au bord du fleuve. Compagnies **Eireann** (☎ 879-000 ; ● *buseireann. ie* ●) et **Wexford Bus** (☎ 91-42-742 ; ● *wexfordbus.com* ●).

➤ *De/vers Rosslare, Wexford ou Dublin (avec les 2 compagnies) :* bus très fréquents, tlj.

➤ *De/vers New Ross et Waterford (Wexford Bus) :* 4 bus/j. (slt 3 le dim).
➤ *De/vers Cork (Eireann) :* 4-5 bus/j.

En train

🚆 **Railway Station :** ☎ 873-403. ● *irishrail.ie* ● Sur la rive opposée au château, traverser le pont de pierre, direction Blackwater.
➤ *De/vers Rosslare-Wexford (au sud), Arklow-Wicklow-Dublin (au nord) :* dans les 2 sens, 4-5 trains/j. (slt 3 le dim).

Adresses utiles

🛈 Office de tourisme : dans le château. ☎ 92-37-596. Mêmes horaires que le musée.

✉ Poste : au rond-point du château. Lun-ven 9h (9h30 mar)-17h, sam 9h-13h.

Où dormir à Enniscorthy et dans les environs ?

Prix moyens

🏠 Lemongrove House : Blackstoops. ☎ 92-36-115. ● lemongrovehouse. ie ● À 1,5 km du centre par la route de Dublin ; au rond-point de la N 11, prendre à droite. Congés : 2de quinzaine de déc. Compter 70-80 € pour 2. 💻 🛜 Belle demeure récente renfermant 6 chambres impeccables, toutes en suite. Particulièrement confortables, bien équipées et élégantes. Jardin soigné. Accueil vraiment chaleureux d'Ann et de Colm.

🏠 Kilbora : Camolin. ☎ 93-67-089. ● kil borabandb.com ● À 12 km d'Enniscorthy par la route de Dublin (N 11), 2 km après Ferns sur la gauche. Congés : de mi-déc à mi-janv. Doubles env 60-70 €. 🛜 Belle maison de famille posée sur la colline, environnée de champs où paissent les innombrables moutons du domaine. Intérieur élégant et cosy, à l'image de la salle à manger chic (beau service pour le petit déj) et des chambres tout confort. Une excellente étape, d'autant que la dynamique propriétaire est très chaleureuse, prépare de savoureux breakfasts et n'est pas avare en bons conseils.

Où manger ? Où boire un verre ?

🍴 Cotton Tree Cafe : Slaney Pl. ☎ 92-34-641. En contrebas du château, sur le quai au niveau de l'Enniscorthy Bridge. Tlj 8h30 (11h dim)-17h. En-cas et plats env 4-10 €. Un café-salon de thé gai et chaleureux, à l'image de ses machines à coudre qui font office de tables et de ses bibelots insolites, comme cet antique séchoir de coiffeur reconverti en luminaire ! La cuisine n'est pas en reste, colorée et goûteuse, qu'il s'agisse des plats du jour ou des sandwichs tout simples préparés avec de bons produits. Super !

🍴 🍷 The Bailey Café-Bar : Barrack St. ☎ 92-30-353. Au bord de la rivière, dans le centre. Cuisine tlj 10h-20h (21h ven-sam ; plus tard pour le bar). Plats 11-15 €. Snacks variés et plats du jour, grillades... Cadre de brasserie, avec mezzanine, TV écrans plats aux murs et serveurs vêtus de noir comme une *Guinness*. Cuisine honnête et à prix doux. Et puis, avantage indéniable, c'est l'un des rares endroits de la ville pour dîner ! Concerts le week-end.

🍷 The Antique Tavern : 14, Slaney St. ☎ 92-33-428. Près du pont de pierre. Tlj 17h (11h le w-e)-23h30 (0h30 ven-sam). Une des plus belles maisons de la ville, à colombages. Tout petit et intime, dans un cadre ancien, décoré d'antiquités. Bonne ambiance. Quelques tables en terrasse (chauffée en hiver) donnant sur la rivière.

À voir. À faire

🧗 Enniscorthy Castle : dans le centre. ☎ 92-34-699. ● enniscorthycastle.ie ● Avr-sept, tlj 9h30-17h ; hors saison, tlj 10h-16h. Entrée : 4 € ; réduc. Billet combiné avec le National 1798 Rebellion Centre : 8 € ; réduc. Bâti au début du XIIIe s par Philippe de Prendergast et restauré au XIXe s. Il reste de la forteresse initiale un gros donjon qui abrite un *musée* hétéroclite où l'on peut admirer quelques salles meublées, ainsi que de courtes expositions sur l'historique du château et sur le soulèvement de 1916.

🧗🧗 National 1798 Rebellion Centre : Millparkroad. ☎ 92-37-596. ● 1798centre. ie ● À 500 m du centre, à droite sur la N 30 vers New Ross. Mêmes horaires que le château. Entrée : 5,50 €. Plaquettes en français disponibles à l'accueil. Musée captivant bénéficiant d'une muséographie interactive moderne et efficace consacrée à la rébellion des *United Irishmen*. Très ludique. Rappels historiques illustrés par des extraits de films, un accompagnement sonore, différents documents accessibles via des écrans tactiles et des mises en scène originales, comme la salle de l'Échiquier, qui symbolise la stratégie politique des différents courants révolutionnaires. La visite se termine par une reconstitution de la bataille de Vinegar Hill, moment charnière de la rébellion.

– **Greyhound Track :** ☎ 92-33-172. Courses de lévriers lun et jeu à 20h.

Manifestations

– **Fête de la Fraise** (Strawberry Fair) : en juin, sur 3 j. ● wexfordstrawberryfestival. com ● Concerts dans les rues et pubs : théâtre, jeux pour les enfants, etc. Le dernier soir, élection de la Strawberry Queen !
– **Street Rythm Danse Festival :** mi-août, sur 3 j. ● enniscorthystreetrythms. com ● Musique et danse traditionnelles dans les rues de la ville.
– **Blues Festival :** généralement le 2e w-e de sept. ● blackstairsblues.com ● Grande concentration de musiciens américains qui improvisent des concerts dans les pubs et lieux publics.

KILMORE QUAY [ce na cille móire]   420 hab. IND. TÉL. : 053

À une vingtaine de kilomètres au sud-ouest de Wexford. Ravissant petit port de pêche tranquille, qui a conservé de nombreuses maisons à toit de chaume. Le soir, les bateaux partis taquiner le *trigger fish* rentrent au port, suivis par une myriade de mouettes gourmandes, voire de phoques qui se donnent en spectacle pour quelque poisson.

Adresse et infos utiles

✉ **Poste :** rue principale. Lun-ven 9h-12h30, 13h30-17h30 ; sam 9h-13h.
🚌 **Arrêt de bus :** à côté de la poste.
➤ **De/vers Wexford :** 3-4 bus/j., sf dim.
– Pas de **banque** à Kilmore Quay.

Où dormir ?

🏠 **Quay House :** rue principale, près de la poste. ☎ 91-29-988. ● quayhouse.net ● Fermé à Noël. Doubles 75-80 € , avec petit déj. Parking. 🖥 📶 Dans une grande maison, ancien relais de poste, 10 chambres avec, pour la plupart, vue sur la mer. Spacieux et agréable, avec parquet et meubles de bois clair. Joli salon avec cheminée. Dans la cour, une annexe façon motel avec 4 autres chambres de plain-pied prisées des pêcheurs de passage (il y a même une salle commune avec congélo et évier pour écailler le poisson !). Accueil très sympa.

Où manger ?

🍽 **Kehoe's Pub :** face à l'église. ☎ 91-29-830. Resto slt ven-dim midi et soir. Plats env 12-15 € . Resto-pub populaire, décoré d'objets découverts sur des épaves locales (de bateaux !). Cuisine simple à base de *seafood* : home soup, sandwichs, *crab and salmon salad*, etc. Certains soirs (19h-23h), musique traditionnelle.
🍽 **Silver Fox :** à 50 m du port. ☎ 91-29-888. Tlj midi et soir. Résa conseillée. Plats env 10-30 € ; menus early bird *(tlj jusqu'à 19h)* 23-25 € ; menu dim midi 25 € . Notre coup de cœur pour sa cuisine de la mer, fine et onctueuse. La carte très étendue et à tous les prix satisfera tout le monde.

Service parfait, dans un cadre sobre et élégant. Goûter au *Kilmore crab,* au haddock, au poisson du jour, aux huîtres (pas en été). Carte des vins fournie.

À voir. À faire

– *L'île aux oiseaux de Saltee :* on y observe parfois des phoques. Se renseigner au port pour trouver un pêcheur disponible pour une balade.

Manifestation

– *Seafood Festival :* 1 sem en juil.

SUR LA ROUTE DE WATERFORD (PAR BALLYHACK)

ARTHURSTOWN [ƁAILE ARTÚIR]   IND. TÉL. : 051

Charmant petit port d'estuaire, bien situé pour approfondir la découverte de cette côte, dont la tour du Ballyhack Castle, l'abbaye cistercienne de Dunbrody (voir plus loin « Entre New Ross et Waterford ») et la Hook Head, restée sauvage et dotée de l'un des plus anciens phares d'Europe. Et puis, grâce au traversier, Waterford n'est pas loin.

LA CÔTE SUD À L'EST DE CORK

Où dormir à Arthurstown et dans les environs ?

🛏 *Marsh Mere Lodge :* ☎ 389-186. ● *marshmerelodge.com* ● *Sur le front de mer. Ouv tte l'année. Double 95 €.* 🖥 📶 *Vue superbe sur la baie depuis le salon, qui justifie peut-être les tarifs élevés. Surprenante maison, ordinaire en apparence mais dont l'intérieur aux chaudes boiseries a été arrangé avec beaucoup de goût et de soin par Maria McNamara. Élégant salon avec son piano, son sofa, sa cheminée et ses vieux tableaux. Couloirs émaillés* de curiosités diverses. *En tout, 5 chambres coquettes, personnalisées, mais une seule dispose de la vue et la mer.*

🛏 *The Haven Lodge :* Rochestown, à Wellingtonbridge. ☎ 561-319. ● *the havenlodge.com* ● *À env 15 km à l'est d'Arthurstown. De Wellingtonbridge, R 733 vers Arthurstown, puis à droite par la L 3037 pdt env 2,5 km. Ouv tte l'année. Double 60 €.* 📶 *En pleine campagne, un petit B & B convivial tenu par une propriétaire sincère et chaleureuse (thé et scones offerts dès l'arrivée !), qui propose à l'étage de sa maison 3 chambres simples avec salle de bains et TV, au style champêtre agréable. Parfait pour une étape reposante.*

DANS LES ENVIRONS D'ARTHURSTOWN

🍴 *Ballyhack Castle :* sur l'estuaire, à 2 km à l'ouest d'Arthurstown. ☎ 389-468. *De fin juin à fin août, tlj 10h-18h. Entrée gratuite.* Heritage site. Tour fortifiée du milieu du XVe s, bâtie par les hospitaliers de Saint-Jean-de-Jérusalem.

🏃 *Tintern Abbey :* à 2 km à l'est d'Arthurstown par la R 733. ☎ 562-650. De mi-mai à fin sept, tlj 10h-18h. Entrée gratuite. Heritage site. Belles ruines d'une abbaye cistercienne du XIIIe s. Édifiée à la suite d'un vœu du comte de Pembroke sauvé d'une violente tempête. En Irlande, Dieu a toujours su s'y prendre ! Belle tour carrée et crénelée. Tout autour, une superbe forêt offre des balades enchanteresses. C'est là que les moines venaient cueillir baies, fruits et plantes médicinales !

🏃🏃 *Ducannon Castle :* à env 10 km au sud d'Arthurstown. Juin-début sept, tlj 10h-17h30 ; le reste de l'année, lun-ven 10h-16h30. Entrée : 5 € (visite guidée). Très beau panorama sur la baie, de Hook Head à Passage East, depuis les défenses de ce bastion en étoile, genre Vauban. Il abrite un petit Musée militaire, avec une section sur la Première Guerre mondiale.

🏃🏃 *Hook Lighthouse :* à env 18 km au sud d'Arthurstown. ☎ 397-055. ● hook heritage.ie ● Tlj 9h30-17h (17h30 mai et sept, 18h juin-août). Entrée : 6 € (visite guidée). Bâti par les Normands au XIIIe s puis largement modernisé, mais ses deux premiers niveaux sont bien conservés avec leurs trois chambres voûtées. Tout en haut, terrasse panoramique (les lanternes toujours en activité ne se visitent pas). La légende veut qu'au VIIIe s des moines guidaient déjà ici, à la lanterne, les navires vers le Paradis ou l'Enfer, suivant le cas...

Ferry Ballyhack – Passage East

🚢 *Rens :* ☎ (051) 382-480. ● pas sageferry.ie ● Traversées en continu, tlj 7h (9h30 dim)-22h (20h oct-mars). Cher : 8 € l'aller simple et 12 € l'A/R. Sur la rivière Suir, permet de rejoindre Waterford directement (gain de 45 mn environ).

NEW ROSS [ros mhic thrúin]   8 150 hab.   IND. TÉL. : 051

Bourgade commandant la Barrow, à une trentaine de kilomètres au nord-est de Waterford. Port fondé par les Normands au XIIIe s, très actif jusqu'au début du XXe s. L'une des plus violentes batailles de l'insurrection de 1798 s'y déroula. L'hôtel de ville servit de quartier général aux troupes anglaises assiégées par les 20 000 insurgés. De l'église Saint Mary, il ne subsiste que le chœur et le transept du XIIIe s. En haut de Goat Hill, quelques vestiges des remparts. Plus haut, *Irishtown* avec sa croix, qui marque l'endroit où les serfs irlandais se louaient aux riches fermiers au moment de la *Hiring Fair*.

Adresses utiles

Où dormir ?

Bon marché

🏢 *Office de tourisme :* sur le quai (dans le Visitor Centre attenant au Dunbrody Ship). ☎ 421-857 ou 425-239. Tlj 9h-18h (17h en hiver).

✉ *Poste :* Charles St. Presque en face du pont, au centre-ville. Lun-ven 9h-17h30, sam 9h-13h.

🏠 *MacMurrough Cottages :* à 3 km de New Ross. ☎ 421-383. ● macmur rough.com ● Du centre-ville, monter la rue face au pont sur 700 m. Au feu, tourner à gauche puis, à la station-service, à droite, sur un chemin de campagne. *Ouv avr-sept. Résa conseillée. En cottage 20-30 €/pers (loc possible à la sem). CB refusées.* Perdue en pleine campagne, une adresse un peu hors du temps à l'atmosphère rustico-bohème, tenue par un couple charmant. Ils ont aménagé dans les dépendances de leur ancienne ferme 2 cottages très vastes et personnalisés (bibelots, mobilier de famille...). Le 1er *(Kielthy's Cottage)* dispose d'une chambre double et d'une *family room* (avec 2 lits superposés), ainsi que d'une cuisine-*living room*. Le 2d *(Stable Cottage)* est conçu pour 2 personnes. Beaucoup de cachet, qui compense un entretien parfois brouillon (un peu de poussière ici ou là).

Prix moyens

🏠 **Killarney House B & B :** *The Maudlins, à 2 km du centre.* ☎ *421-062.* 📱 *087-125-75-06.* ● *homepage.eircom. net/~killarneyhouse* ● *Du centre-ville, monter la rue face au pont sur 700 m. Au feu, continuer tt droit sur env 2 km, puis repérer à gauche un carrefour comprenant 2 petites routes secondaires, l'ensemble (avec la route principale) formant un « trident » : prendre la petite route du centre, c'est à 200 m. Ouv d'avr à mi-oct. Compter 60-70 € ; réduc à partir de la 2e nuit.* 📶 Accueil franchement sympathique, à l'image de cette petite maison moderne dont les chambres à louer, au rez-de-chaussée, donnent sur le jardin. Toutes disposent d'une salle de bains privée, mais l'une

d'entre elles est située sur le palier. Très clean et moquetté à souhait. Un endroit on ne peut plus calme.

Où manger ?

|●| Peu de solutions gastronomiques ici. Sur South Street, on garde la frite chez **M & J** *(ouv le midi slt ; pork and chips, lamb and chips, fish & chips... à petits prix)*, on cultive santé et fraîcheur dans le café-épicerie fine **Nutshell** *(mar-sam le midi slt ; salades, sandwichs, plats du jour, roulés aux légumes tendance bio env 7-15 €).*

|●| **Dunbrody Cafe :** *sur le quai, à l'étage du Visitor Centre. Tlj jusqu'à 17h30. En-cas env 5-7 €.* Situé à l'angle du *Visitor Centre,* une structure de verre largement ouverte sur l'extérieur, ce café profite d'une vue imprenable sur le Dunbrody, notamment depuis sa terrasse déployée sur la galerie surplombant la rivière. Dans l'assiette, sandwichs, soupes et salades simples et frais, à prix doux. Rien d'incroyable, mais très pratique.

|●| **Et Voilà French Bistro and Restaurant :** *Irishtown.* ☎ *421-307. Entre la N 39 et la rivière Barrow. Mar-dim midi et soir (sf sam midi). Menu déj 25 € ; menu early bird (sf ven-sam) 25 €. le soir, carte env 35 €.* Un restaurant français élégant et cosy, apprécié pour la qualité et la présentation soignée de ses plats. Les viandes, en particulier, sont à l'honneur. Bonne sélection de vins également. Service attentionné.

À voir

🎭 **Dunbrody Famine Ship :** ☎ *425-239.* ● *dunbrody.com* ● ♿ *(pont supérieur slt). Avr-sept, tlj 9h-18h (17h oct-mars). Entrée : 8,50 € ; réduc. Visite guidée obligatoire, en anglais (env 40 mn), 10h-17h (16h en hiver). Brochure détaillée en français.* Superbe réplique d'un 3-mâts, sur lequel embarquaient les candidats à l'émigration pour fuir la famine qui ravagea le pays de 1845 à 1850. Construit sur place entre 1996 et 2001, ce navire rappelle avec réalisme les conditions dans lesquelles des millions d'Irlandais ont fait le voyage pour l'Amérique. Beaucoup n'ont d'ailleurs jamais atteint le Nouveau Continent. Après un film sur le contexte historique et économique (sous-titré en français sur demande), c'est un guide en costume qui prend le relais, et entraîne les visiteurs à travers les décors d'un quai reconstitué et des bureaux de la compagnie, avant d'embarquer pour de bon sur le Dunbrody. On passe tout en revue, de la cambuse aux cales où s'entassaient les familles, avant de rencontrer certains passagers en chair et en os, des comédiens très convaincants ! Vraiment bien fait dans son genre.

ENTRE NEW ROSS ET WATERFORD

🏃🏃 *Kennedy Homestead* : à 6 km au sud de New Ross, en allant vers Dunganstown ; suivre la R 733 sur 3 km, puis prendre à droite, c'est fléché. ☎ 388-264. ● kennedyhomestead.com ● Contacter le site pour les horaires. Entrée : 5 € ; réduc. Cette ferme a vu naître en 1820 l'arrière-grand-père du célèbre président des États-Unis. Toujours propriété de ses descendants, elle accueille un musée à la gloire de la « dynastie ». L'ancêtre alla chercher outre-Atlantique une vie meilleure. La pauvreté, la modestie, la banalité même de cette ferme contrastent avec John Fitzgerald Kennedy, devenu le numéro un de la nation la plus puissante du monde, qui n'était, lui, ni pauvre, ni modeste, ni banal, de même que les maisons qu'il habita. En juin 1963, JFK revint sur la terre de ses ancêtres et visita la ferme. L'occasion de retrouver des cousins issus de branches oubliées du clan...

🏃🏃🏃 *John F. Kennedy Arboretum* : entre Ballyhack et Dunganstown, à 12 km au sud de New Ross. ☎ 388-171. ♿ Tlj 10h-20h (18h30 avr et sept, 17h oct-mars). Entrée : 3 € ; réduc. Heritage site. Pour les amoureux de grands parcs et de fleurs, une magnifique promenade à travers les 252 ha des collines de Slieve Coillte. Plus de 4 500 variétés d'arbres et arbustes à découvrir. Belle sélection de rhododendrons et d'azalées. Lac avec des canards et point d'observation. Petit centre touristique qui propose un audiovisuel.

🏃🏃 *Kilmokea Gardens* : Great Island, *Campile*, à env 15 km au sud de New Ross. ☎ 388-109. ● kilmokea.com ● Bien fléché depuis la R 733. Mars-nov, tlj 10h-18h. Entrée : 7 € ; réduc. Immense et superbe jardin paysager réputé dans tout le pays depuis sa création par un passionné d'horticulture en 1947. Des murs de pierre entourent un jardin à l'anglaise et un potager. Plus de 150 espèces de plantes, d'arbustes et de fleurs, parmi lesquelles d'étonnants spécimens exotiques (provenant d'Australie, du Chili, de Chine, du Brésil). Nos lecteurs fortunés pourront dormir et dîner dans une des magnifiques chambres du manoir géorgien de 1794.

🏃 *L'abbaye cistercienne de Dunbrody* : à 10 km à l'est de Waterford. De mi-mai à mi-sept, tlj 11h-18h. Entrée : 3 €. Fondée au XIIe s. L'abbatiale date du XIIIe s et la tour lanterne, à la croisée de transept, est du XVe s.

WATERFORD (PORT LÁIRGE)   51 500 hab.   IND. TÉL. : 051

Cette ville portuaire, la plus vieille cité d'Irlande, va chercher loin ses origines au IXe s : les Danois fondèrent alors Vedrarfjord en 914, vite capitale d'un petit royaume viking qui se maintint près de deux siècles. Les Anglo-Normands Raymond le Gros et Richard Fitzgilbert de Clare, dit Strongbow, y mirent fin. Ce dernier ravit Waterford puis la fille du roi irlandais Dermott McMurrough. La ville est désormais devenue un centre industriel dynamique, en plus d'être la capitale du fameux cristal de renommée internationale.

LA FABLE DU COQ ET DU TRÈFLE

En 1848, à Waterford, républicain zélé, le général Meagher fête le retour de la république en France. Il brandit notre drapeau offert par des Françaises amies de la cause républicaine irlandaise. Et voilà, le drapeau tricolore irlandais est né, inspiré du drapeau français. Le vert pour les nationalistes gaéliques, l'orange pour les partisans de Guillaume d'Orange et le blanc en guise de paix entre les deux camps. Ils pourraient nous laisser gagner au rugby !

Arriver – Quitter

En bus

🚌 **Gare routière** *(plan A1) : The Quay, face à l'office de tourisme.* ☎ 879-000 *(lun-sam 8h15-18h). Dessertes nationales avec* Eireann *(● buseireann. ie ●). Dessertes locales avec* Suirway *(*☎ 382-209 ; ● suirway.com ●).*

➢ **De/vers Dublin :** *8 bus express/j. via Carlow. Trajet : 2h30. Également 4 bus/j. via New Ross, Enniscorthy et Gorey. Trajet : 3h30.*

➢ **De/vers Cork :** *bus env ttes les heures (8h-21h), dim compris, via Dungarvan et Youghal. Trajet : 2h-2h30.*

➢ **De/vers Rosslare :** *5-6 bus/j. via New Ross, Wexford. Trajet : 1h30.*

➢ **De/vers Limerick :** *8 bus/j. (6 le dim) via Carrick, Clonmel et Cahir. Depuis Limerick, correspondance pour Galway. Trajet : 2h30.*

➢ **De/vers la plage de Tramore :** *départs ttes les 30 mn-1h (6h20-23h) ; dim, ttes les heures (8h-23h).*

➢ **De/vers Dunmore East :** *en été, 8-10 bus/j. ; hors saison, slt 7 bus/j. sf dim.*

➢ **De/vers Passage East :** *3 bus/j. sf dim.*

En train

🚆 **Gare ferroviaire** *(hors plan par A1) :* ☎ 873-401. *De l'autre côté du pont (Plunkett Station).*

➢ **De/vers Dublin :** *7 trains/j. (4 le dim) via Kilkenny.*

➢ **De/vers Limerick :** *2 trains/j. sf dim, avec changement à Limerick Junction.*

En avion

✈ **Waterford Regional Airport :** *Killowen, sur la route de Dunmore East.*

☎ 846-600. ● *flywaterford.com* ● Compagnie *Aer Lingus* et *Flybe.*

Par le bac

⛴ À **Passage East,** *env 10 km à l'est sur la route de Dunmore East.* ☎ *(051) 382-480.* ● *passageferry.ie* ● *Traversées tlj 7h (9h30 dim)-22h (20h oct-mars). Env 5 mn de traversée. Gain de temps (45 mn) sur la route vers Wexford, mais perte d'argent (8 € l'aller simple, 12 € l'A/R).*

Adresses utiles

ℹ **Tourism Information Office** *(plan C2) : Parade Quay.* ☎ 875-823. ● *dis coverireland.ie/southeast* ● *Juil-août, lun-sam 9h (10h sam)-18h, dim 11h-17h ; le reste de l'année, lun-sam 9h30-17h30 (17h oct-avr).* 🛜 *Bonne doc sur la région.*

✉ **Poste** *(plan C2) : Parade Quay et Keyser St. Lun-ven 9h (9h30 mar)-17h30, sam 9h-13h.*

✚ **Santé :** *Waterford Regional Hospital, à 15 mn du centre sur la route de Dunmore East (*☎ 848-000). *Côté pharmacie,* **Mulligan's Chemists** *(plan B2, 3), 41, Barronstrand St.* ☎ 875-211. *Tlj sf dim 9h-18h.*

Où dormir à Waterford et dans les environs ?

Pour passer la nuit, on préfère Dunmore East sur la côte ou les *farmhouses* de la campagne environnante. Voici toutefois quelques adresses.

■ **Adresses utiles**
ℹ Tourism Information Office
3 Mulligan's Chemists

â **Où dormir ?**
11 Mayor's Walk House
12 Hazelbrook House B & B

|●| **Où manger ?**
21 Berfranks
22 Munster Bar
23 L'Atmosphère
24 La Bodega

30 T. H. Doolan
31 Geoff's

🍴♪ **Où boire un verre ?**
Où écouter de la musique ?
30 T. H. Doolan
31 Geoff's

✹ **À voir. À faire**
40 Garter Lane Arts Centre
41 The House of Waterford Crystal
42 French Church

LIMERICK, WEXFORD **A** **B**

RICE BRIDGE

Suir River

Mary St. St.

Merchants

Summer Hill

Bridge

Anne

Penrose Lane

St.

Quay

O'Connell

Meagher Quay

1

Gladston St.

Barronstrand St.

Thomas

Barker

St.

George St.

40

30

Jenkin's Lane

Carrigeen Park

St Patrick Terrace

2

Broad St.

Ballybricken
Green

Patrick St.

Alexander St.

Michael

11

Stephen St.

Green

Five Alley Lane

Mayor's Walk

TRINITY
SQUARE

New St.

31

John

Shortcourse

St.

Brown's Lane

St.

3

Barrack

Convent Hill

Castle St.

Manor

St.

A **B** CORK **12**

WATERFORD

Bon marché

🏠 *Mayor's Walk House* **(plan B2, 11) :** *12, Mayor's Walk.* ☎ 855-427. ● mayorswalk.com ● *Tt près du centre-ville. Ouv mars-oct. Double 50 €.* 📶 Maison de ville simple et fonctionnelle. Au 2ᵉ étage, les 4 chambres basiques au style vieillot partagent 2 salles de bains sur le palier. Bon accueil. Plus beaucoup d'adresses de ce style en Irlande !

🏠 *Hazelbrook House B & B* **(hors plan par B3, 12) :** *Cork Rd.* ☎ 379-815. ● hazelbrook.ie ● *À 2 km du centre (sur la R 680). Doubles 50-60 €. Parking.* 📶 Maison récente et joliment aménagée qui propose des chambres claires et très agréables. Par chance, elles tournent toutes (sauf 1 *single*) le dos à la très passante route. Véranda pour les hôtes à l'arrière, donnant sur un jardin de curé avec terrasse. Une bonne adresse où l'on est reçu avec le sourire.

Prix moyens

🏠 *Blenheim House : Blenheim Heights,* *à 6 km à l'est de Waterford.* ☎ 874-115. ● homepage.eircom.net/~blenheim ● *Depuis Waterford, prendre la R 683 vers Passage East. 5 km plus loin, c'est fléché à gauche. Double 76 €. Parking privé.* 📶 Cette belle et vénérable demeure de 1763 est plantée dans un beau parc agrémenté d'une pelouse, d'arbres et d'un enclos pour les daims. Les antiques papiers peints, le mobilier ancien de style et l'accueil souriant des Fitzpatrick en font un lieu chic et de charme. Ajoutons-y la tranquillité, des prix très raisonnables pour le lieu, et vous aurez saisi que c'est notre *B & B* favori dans le coin.

🏠 *Diamond Hill Country House :* *à Slieverue, à 3 km au nord-est de Waterford.* ☎ 832-855. ● diamondhill.ie ● *Depuis le centre-ville, traverser le pont, prendre à droite en direction de Slieverue, puis après env 2 km, à gauche vers Mile Post Village (panneau). Ouv tte l'année. Double 70 €.* 🖵 📶 Une quinzaine de chambres pimpantes niche dans cette longue bâtisse rouge. Confortables sans être spacieuses. Agréable salon pour les hôtes. Un bon choix, au calme, avec un accueil sympathique.

Où manger ?

De bon marché à prix moyens

🍴 *Berfranks* **(plan C2, 21) :** *86, The Quay.* ☎ 306-032. *Tlj sf dim 8h30-17h. Plats 6-10 €.* Un *deli* chaleureux, où l'on s'attable avec plaisir face au comptoir débordant de bonnes choses, à moins de préférer l'atmosphère plus intimiste du salon du fond, avec son mobilier hétéroclite. Au menu, des sandwichs soignés, des *ploughmans plates* (assortiments de charcuteries et de fromages artisanaux) et le plat du jour, comme le *shepherd's pie.* Simple et bon.

🍴 *Munster Bar* **(plan C2, 22) :** *Bailey's New St.* ☎ 874-656. *Tlj jusqu'à 20h pour le bar food. Plats 10-13 €.* Avec sa belle verrière surplombant le bar, sa cheminée et ses fauteuils club cosy, ce pub vénérable ne manque pas d'allure. Mais ce qui le distingue, c'est sa bonne cuisine. Très classique, certes (du genre *beef and guinness pie* et *fish & chips*), mais soignée et élaborée avec des produits locaux. Impeccable pour se requinquer.

🍴 *Geoff's* **(plan B3, 31)** et *T. H. Doolan* **(plan B2, 30) :** voir ci-dessous « Où boire un verre ? Où écouter de la musique ? ». *Plats env 10-15 €.*

Plus chic

🍴 *L'Atmosphère* **(plan C2, 23) :** *19, Henrietta St.* ☎ 858-426. *Lun-ven midi et soir ; w-e, dîner slt. Formule déj env 15 € ; le soir, plats 19-30 € ou menus 20-35 € ; menu early bird (jusqu'à 18h45) 20 €.* Poisson selon arrivage, cassoulet, tartiflette, bœuf bourguignon... Ah ! ça change du *fish & chips* ! La cuisine maison, élaborée avec de beaux produits au maximum bios, connaît un succès largement mérité. Carte des vins bien fournie. Cadre chaleureux et intime, avec pierres apparentes, tables en bois et éclairages savamment distillés. Une excellente adresse.

l●l La Bodega (plan B3, **24**) : 54, John St. ☎ 844-177. Tlj sf dim. Le soir, plats 18-28 € ; menus early bird (lun-ven 17h-19h) 20-25 € et slow food 29,90 €. La Bodega joue à fond la carte ensoleillée : tables de bois, sièges confortables et déco très colorée pour une cuisine fusion franco-irlandaise (agneau, Kilmore Quay fish pie, moules-frites) qui s'additionne souvent de belles saveurs méditerranéennes. Large choix de vins.

♫ T. H. Doolan (plan B2, **30**) : George St. Connu sous le nom de Tee and Haitches, c'est le pub le plus ancien de la ville. Pub grub et snacks le midi, et menu à la carte le soir (sauf le dimanche), dont le fameux Irish stew. Mais la vraie spécialité, c'est la musique : concerts presque tous les soirs, parfois par des vedettes de la chanson.

♈ Geoff's (plan B3, **31**) : 9, John St. ☎ 874-787. Cuisine jusqu'à 21h (19h dim). L'un des pubs les plus populaires de la ville. Vaste, sombre à souhait, avec son parquet qui craque, ses cheminées, ses bancs de bois et toutes sortes de recoins qui accueillent jeunes et moins jeunes autour d'une pinte et de plats simples, bien costauds et pas mal fichus dans leur genre. Super atmosphère.

**Où boire un verre ?
Où écouter
de la musique ?**

Liste des concerts de musique traditionnelle disponible à l'office de tourisme.

À voir. À faire

Le **Waterford Museum of Treasures** est une entité comprenant en réalité trois sites distincts (le Bishop's Palace, le Medieval Museum dans Chorister's Hall et la Reginald's Tower), chacun spécialisé dans une époque définie.

Bishop's Palace (plan C2) : The Mall. ☎ 304-500. ● waterfordtreasures.com ● À deux pas de la cathédrale. Juin-août, lun-sam 9h-18h, dim 11h-17h ; sept-mai, tlj 10h (11h dim)-17h. Visite guidée (45 mn) ou audioguidée (en anglais) : 5 € ; réduc ; gratuit moins de 14 ans. Billet combiné avec le Medieval Museum : 8 €. Visite guidée intéressante d'une vaste demeure de 1743, caractéristique de l'architecture georgienne. Les salles à nouveau meublées sont autant de prétextes pour évoquer différents sujets comme la religion, la cristallerie de Waterford (voir la plus ancienne pièce du monde datant de 1780), ou encore Bonaparte. Changement de registre au second étage, où l'on quitte les XVIIIe et XIXe s pour s'intéresser à l'histoire contemporaine de la ville : la guerre d'indépendance, l'évolution de l'Irlande et de la cité... Un beau musée d'histoire.

Medieval Museum (plan C2) : Chorister's Hall. ☎ 304-500. ● waterfordtreasures.com ● À deux pas de la cathédrale. Juin-août, lun-sam 9h-18h, dim 11h-17h ; sept-mai, tlj 10h (11h dim)-17h. Entrée : 5 € ; réduc ; gratuit moins de 14 ans. Billet combiné avec le Bishop's Palace : 8 €. Passionnant musée où est présentée avec la manière l'histoire médiévale de Waterford. Après avoir arpenté des cryptes du XIIe s et des caves du XVe s, prétexte à l'évocation du commerce du vin à Waterford, direction les étages pour découvrir l'évolution de la ville depuis la conquête normande au gré d'une muséographie très soignée mettant en scène des pièces remarquables : objets du quotidien (sandales, broches), armes, statues religieuses, collections d'habits ecclésiastiques, parchemins enluminés, ou encore cette superbe charte de 1373 de 4 m de long. Différents films permettent encore d'approfondir le sujet.

Garter Lane Arts Centre (plan B1-2, **40**) : 5, O'Connell St. ☎ 855-038. ● garterlane.ie ● Mar-sam 11h-18h pour les expos. Installé dans deux élégantes demeures georgiennes. Programme à l'office de tourisme (concerts, danse, films, théâtre).

The House of Waterford Crystal (plan C2, **41**) : The Mall. ☎ 317-000. ● waterfordvisitorcentre.com ● Avr-oct, tlj 9h (9h30 dim)-16h15 ; nov-mars, tlj

9h30-15h15. Visites guidées obligatoires : départs ttes les 20 mn l'été ; en fonction de l'affluence le reste de l'année (téléphoner pour connaître les horaires du jour). Tarif : 12,50 € ; réduc. L'âge d'or du cristal de Waterford se situe dans la première moitié du XIXe s. L'usine a ensuite fermé, avant de reprendre sa production 100 ans plus tard. Elle a déménagé une partie de ses ateliers en plein centre de Waterford en 2010, dans un beau bâtiment contemporain évidemment très vitré pour mettre en valeur les dernières créations de la maison (l'impressionnant *showroom* présente aussi bien des objets très classiques, que des commandes spéciales comme la coupe de Wimbledon). Les visites guidées évoquent les origines de la fabrique (créée en 1783), son évolution et permettent surtout de pénétrer dans les ateliers pour voir les maîtres cristalliers à l'œuvre. Après un passage dans la menuiserie où sont conçus les moules, première halte chez les souffleurs où le verre adopte la forme de l'objet désiré, avant de suivre chaque étape, toutes plus délicates les unes que les autres, de la gravure. L'intérêt, c'est que les artisans se prêtent au jeu et montrent bien volontiers leurs créations, avec tous les commentaires à la clé. Fascinant.

🏛 Les vestiges des remparts et autres monuments se pressent sur le Mall. Notamment, le **City Hall**, aux belles proportions, œuvre de l'architecte Roberts (1788).
– La **Council Chamber** présente quelques superbes productions en cristal de Waterford (comme les chandeliers). Possibilité de visite à certains moments (se renseigner à l'office de tourisme). Le **Théâtre royal** date de la même époque.
– À l'orée du People's Park, sur Catherine Street, s'élève la **Court House** (palais de justice), à la sévère et classique architecture. Façade à colonnes de 1849.

🏛 **French Church** (plan C2, 42) **:** *Greyfriar's St. En suivant le quay. Pour visiter, s'adresser à la* Reginald's Tower. Ancienne abbaye franciscaine du XIIIe s, aujourd'hui en ruine. Elle fut offerte par la municipalité aux réfugiés huguenots à la fin du XVIIe s. Belle tour crénelée et quelques pierres tombales gravées.

🏛 **Reginald's Tower** (plan D2) **:** ☎ 304-220. *Au bout du quay. Mars-mai, tlj 10h-17h30 ; de juin à mi-sept, tlj 10h-18h ; le reste de l'année, mer-dim 10h-17h30. Entrée : 3 € ; réduc.* Heritage site. Tour édifiée en bois par les Danois au Xe s puis en pierre par les Normands au XIIe s pour défendre les quais. Elle abrite aujourd'hui une exposition retraçant l'implantation des Vikings depuis leur arrivée en 914 dans le secteur de Vedrarfjord (qui deviendra Waterford avec le temps), sous la conduite du chef Regnall. Au premier étage, quelques vitrines renferment les équipements découverts dans la sépulture d'un chef, le deuxième propose une sélection d'objets du quotidien, le troisième est principalement consacré à la diffusion d'un film.

🏛 **Les vestiges des anciens remparts :** de-ci, de-là, quelques restes des murailles vikings ou normandes, notamment sur le Mall et Spring Garden Alley *(plan C2-3)*. Au bout de Castle Street, la *French Tower (plan B3)*. Au débouché de Manor Street, la *Watch Tower* circulaire et la *Double Tower (plan B3)*.

Manifestations

– **Waterford Spraoi :** *1er w-e d'août. Rens :* ☎ 841-808. ● *spraoi.com* ● Festival majeur de spectacles de rue en Irlande, avec de nombreux concerts, pièces de théâtre et une grande parade colorée dans le centre-ville pour clore les festivités. Chaque année, plus de 50 000 visiteurs y assistent. Ambiance garantie !
– **Concerts :** riche programmation de musique classique dans la cathédrale (● *christchurchwaterford.com* ●) ; classique, jazz et variétés au *Théâtre royal* (☎ 874-402 ; ● *theatreroyal.ie* ●).

DUNMORE EAST [an dún mór thoir]

1 660 hab.   IND. TÉL. : 051

Petit port au charme breton (comme par hasard jumelé avec Clohars-Carnoët dans le Finistère), enclavé entre de pittoresques falaises, avec de jolies maisons au toit de chaume et des villas dominant de petites criques de sable fin.
➢ Pour s'y rendre en bus, voir plus haut « Arriver – Quitter » à Waterford.

Adresse utile

■ **Dunmore East Adventure Centre :** Stoney Cove. ☎ 383-783. ● dunmoreadventure.com ● À l'extrémité gauche du port en faisant face à la mer. Ouv tte l'année. Cours, stages, location de windsurfs, canoës ou encore skis nautiques, y compris pour les gamins. Plus que l'exploit sportif, la balade au pied des falaises vaut vraiment le coup.

Où dormir ? Où manger ?

Prix moyens

▲ **The Beach Guest House :** face à la plage. ☎ 383-316. ● dunmorebeachguesthouse.com ● ♿ Ouv mars-nov. Doubles 70-80 € selon saison ; triples 90-110 €. Parking. ☐ 🛜 Dans une grande maison récente, 9 belles chambres contemporaines, spacieuses et parfaitement équipées, dont 5 avec vue sur la mer (2 d'entre elles disposent même de balcon !). Bon accueil des propriétaires.

▲ **Creaden View B & B :** Main St. ☎ 383-339. ● creadenvw@eircom.net ● À côté de la poste. Ouv tte l'année. Doubles 65-75 € selon saison. CB refusées. ☐ 🛜 Petite maison de village très coquette, tenue avec soin par l'adorable Kathleen. Si l'on préfère les 2 chambres en suite avec vue sur la mer et les falaises, celle avec vue sur rue est également fort agréable. Elles ne sont pas bien grandes, mais le confort est au rendez-vous.

|●| **The Spinnaker :** dans la rue donnant sur la plage. ☎ 383-133. Tlj midi et soir jusqu'à 22h (slt 15h-21h30 oct-avr). Sandwichs env 8-10 €, plats env 14-25 €. L'adresse préférée des locaux et des touristes. La déco nautique très chaleureuse y est pour quelque chose (maquettes de bateaux et une ribambelle d'objets marins), l'accueil sympa aussi, mais ce qui fidélise les foules, ce sont les plats classiques bien réalisés, notamment les spécialités de poisson. Un bon rapport qualité-prix.

TRAMORE [trá mór]

10 300 hab.   IND. TÉL. : 051

Grande station balnéaire très populaire, avec, en plein village et face à la mer, un parc d'attractions qui met de l'animation dans le coin. Sa plage de 5 km de sable fin est fort prisée des surfeurs, surtout à marée basse (les vagues s'y creusent mieux) et malgré le vent souvent onshore. Sinon, Tramore n'offre pas une attractivité majeure.

Arriver – Quitter

➢ **De/vers Waterford :** bus ttes les 30 mn (ttes les heures dim).
➢ **En voiture :** la splendide Coastal Drive vers **Dungarvan** s'impose.

Adresses utiles

✉ **Poste :** The Cross, près du Grand Hotel. Lun-ven 9h (9h30 mar)-17h30, sam 9h-13h.

LA CÔTE SUD À L'EST DE CORK

■ **T Bay Surf & Wildlife Visitor's Centre :** sur la plage. ☎ 391-297. Petit centre d'infos sur la vie marine, doublé d'une école de surf et d'une boutique pour louer planches et combis (prix raisonnables).

Où dormir ?

Bon marché

🛏 **Beach Haven Hostel & House :** Tivoli Terrace. ☎ 390-208. ● beachhavenhouse.com ● Sur la rue en direction de Waterford. Ouv tte l'année. Côté AJ, en dortoir (4-8 lits), 15-20 €/pers ; double ou triple 25 €/pers. Côté B & B, doubles 60-80 €. Parking gratuit. 🛜 AJ privée classique gérée avec un super esprit par Niamh et Avery. Les dortoirs (mixtes ou non) et sanitaires sont propres, même si les événements prennent parfois le dessus à la haute saison. Cuisine, salon TV, aire de barbecue, location de vélos. On peut aller prendre le petit déj au B & B voisin pour 7 €. Ce dernier comprend 8 agréables chambres en suite, dont quelques familiales, plus calmes à l'arrière que sur la rue. Jeux et concours de dessin pour les enfants. Infos sur la région. Également des studios self-catering (3 nuits minimum en été). Une adresse tip-top.

De prix moyens à chic

🛏 **Cliff House :** Cliff Rd. ☎ 381-497. ● cliffhouse.ie ● Bien indiqué, à 1 km sur les hauteurs de la ville. Ouv avr-oct. Doubles avec sdb 70-80 €. 🖳 🛜 Dans un quartier pavillonnaire agréable et paisible, un B & B soigné profitant d'une vue rasante sur la mer. Grand jardin avec allée de yuccas. Salle à manger lumineuse prolongée par une véranda cosy, et 6 chambres impeccables et confortables, la plupart avec vue sur la mer. 2 d'entre elles possèdent un balcon, tandis que la familiale est composée de 2 chambres communicantes. Très pratique.

🛏 **Glenorney By The Sea B & B :** Newtown. ☎ 381-056. ● glenorney. com ● À 1,5 km du centre sur les hauteurs de la ville. Ouv mars-oct. Doubles avec sdb 70-90 €. 🖳 🛜 Maison blanche récente, proposant 6 belles chambres spacieuses et très confortables, dont 2 familiales (vastes, elles disposent d'une chambre pour les adultes et d'une autre pour les enfants). Très cosy. Accueil énergique et sympathique.

Où manger ?
Où boire un verre ?

🍴 🍷 **Raglan Road :** Cross Market St. ☎ 381-324. Tlj 11h-22h (resto jusqu'à 20h). Plats 10-15 €. Tant pis pour la vue sur la mer ! On entre ici dans un cocon fermé sur lui-même, peuplé de vieilleries du sol au plafond. Une sorte de pub-brocante pour casser une croûte bien copieuse et sans chichis.

VERS LES COMTÉS DE KILKENNY ET DE TIPPERARY

KILKENNY [cɪll chaɪnnɪɣh]   8 700 hab.   IND. TÉL. : 056

Adorable ville médiévale, Kilkenny jouit d'un véritable écrin environnemental fait de forêts, de rivières enchanteresses et de grands espaces. La ville propose d'intéressants monuments, dont une importante concentration d'églises, et elle a su préserver son charme par une subtile politique de rénovation. Les boutiques présentent une pittoresque et ravissante homogénéité.

La culture irlandaise y tient également le haut du pavé. Et les musiques traditionnelle ou contemporaine y mêlent leurs notes, surtout lors de l'*Arts Week* (mi-août). Or, en Irlande, qui dit musique dit forcément... pub ! La ville en compte près d'une centaine pour déguster la *Smithwick's,* une bière ambrée réputée. Ou, plus connue chez nous, la... *Kilkenny.*

UN PEU D'HISTOIRE

La ville fut bâtie, comme bien d'autres, autour d'un monastère, fondé au VIe s par saint Canice. L'église de Canice, en gaélique, devint donc *Kilkenny.*
En 1366, la ville fut choisie pour être le siège du Parlement anglo-irlandais. En 1642, Kilkenny fut le siège de la confédération de Kilkenny, tentative de création d'un Parlement irlandais par la hiérarchie catholique, les chefs irlandais et la plupart des vieilles familles anglo-irlandaises qui voulaient faire cesser la colonisation de l'île et obtenir la liberté religieuse. Ce beau rêve échoua et Cromwell paracheva le travail

QUAND LA ROSE SE FAIT LYRE

Au XIVe s, l'Angleterre s'alerte de la gaélisation des Anglais d'Irlande. Les statuts de Kilkenny sont alors érigés en véritables lois d'apartheid avant la lettre, proscrivant tout mariage anglo-irlandais, la pratique du gaélique, les vêtements traditionnels et même les noms irlandais. Les Irish, chassés de la ville, s'exilent à côté, dans un quartier qui se nomme toujours Irishtown. Mais, ô ironie du sort, ces mesures en vigueur jusqu'au XVIIe s n'empêcheront pas bien des Anglais de devenir plus irlandais que les natifs eux-mêmes.

en 1650 en attaquant la ville, lui infligeant des dommages considérables et expulsant dans le Connaught nombre de familles de la ville.

Arriver – Quitter

En bus

🚌 *Bus Eireann* (plan D2) : McDonagh Station. Rens : ☎ (051) 879-000. ● buseireann.ie ● Devant la gare.
➤ *De/vers Dublin :* 8 bus/j. (7 le sam et 6 le dim). Trajet : 2h.
➤ *De/vers Carrick-on-Suir et Clonmel :* 9-10 bus/j. (6 le dim).
➤ *De/vers Cahir et Cork :* 3 bus directs/j. jusqu'à Cork (1 seul le dim). Sinon, correspondance à Clonmel. En tout, 3h de trajet.
➤ *De/vers Waterford :* 2 bus/j. (1 bus tard le dim).
➤ *De/vers Limerick :* 8 bus/j. en changeant à Clonmel (6 le dim). Trajet : env 3h.

En train

🚆 *Gare ferroviaire* (plan D2) : à la McDonagh Station. ☎ 77-22-024. ● irishrail.ie ●
➤ *De/vers Dublin :* 6 trains/j. (4 le dim), via Carlow et Kildare. Trajet : 1h30.

➤ *De/vers Waterford :* 6 trains/j. (4 le dim). Trajet : 40 mn.

Adresses utiles

🛈 *Office de tourisme* (plan C3) : Shee Alms House, Rose Inn St. ☎ 77-51-500. ● discoverireland.ie/southeast ● Mai-sept, lun-sam 9h30-17h30 (juil-août, ouv jusqu'à 18h ainsi que dim 11h-13h, 14h-17h) ; oct-avr, lun-sam 9h15-13h, 14h-17h. Hébergé dans une belle demeure du XVIe s.
✉ *Poste* (plan B2) : High St. Lun-ven 9h (9h30 mar)-17h30, sam 9h-13h.

Où dormir ?

Campings

⛺ *Tree Grove* (hors plan par C3) : Danville House, New Ross Rd. ☎ 77-70-302. 📱 086-830-88-45. ● treegrovecamping.com ● À env 1,5 km du centre-ville. Direction New Ross par la R 700, jusqu'au rond-point ; c'est tt droit, à 150 m. Pas de bus depuis

VERS LES COMTÉS DE KILKENNY ET DE TIPPERARY

VERS LES COMTÉS DE KILKENNY ET DE TIPPERARY

100 m

NORD

☖ 12 ↑ *FRESHFORD, R 693*

Green St.

GREEN'S BRIDGE

Loretto View

Church Lane

Vicar Street

St Canice's Cathedral

15 ☖

Coach Rd

Saint Canice's Pl.

Irish Town

16 ☖

Water Gate

Smithwic Brewer

Butt's Green

Thomas Street

Street

Dean Street

34 🍴
31 🍴

☖ 10

Parliament Street

25 ◉🍴

Black Abbey

Abbey Street

New Buildings Lane

Rothe House & Gardens

Evan's Lane

21 ◉🍴🍷

Tilbury Place

Street

24 ◉🍴
20 ◉🍴🍷

⊠

James's

High Street

Dominic Street

Black Mill Street

Kickham Street

Chapel Lane

Collier's Lane

Poyntz's Lane

23 ◉🍴

William St.

Garden Row

Parnell Street

Stephens Street

↓ ☖ 14

Friary Street

Pennyfeather

◁ *KILMANAGH*

A   B

KILKENNY

VERS LES COMTÉS DE KILKENNY ET DE TIPPERARY

le centre. Ouv de mars à mi-nov. Env 16-21 € pour 2 avec tente (majoration possible certains w-e). 🛜 *Petit camping simple et bien tenu, aménagé sur une butte en surplomb de la route. Sanitaires basiques mais propres, machine à laver, salon TV avec billard, location de vélos, etc. Accueil sympathique.*

Bon marché

🏠 *Kilkenny Tourist Hostel (plan B2, 10) : 35, Parliament St.* ☎ 77-63-541. ● *kilkennyhostel.ie* ● *Ouv tte l'année sf vers Noël. Dortoir (6-12 lits) 15-18 €/ pers ; doubles avec sdb 36-45 €. CB refusées.* 🖥 🛜 *Petite AJ privée aménagée dans une belle maison ancienne. Bonne ambiance générale, assez festive et chahuteuse, mais sanitaires (en commun pour tout le monde) et dortoirs pas toujours nickel en fonction de l'affluence. Préférer ceux donnant sur l'arrière (vue sur la brasserie), nettement plus calmes. Pas de couvre-feu. Beaucoup d'infos et service de pressing. Coffres (payants). Pas de petit déj, mais possibilité d'utiliser la cuisine.*

🏠 *Mac Gabhainns Backpackers Hostel (plan B1, 15) : Vicar St.* ☎ 77-70-970. ● *macgabhainnsbackpachers. com* ● *Dortoir (4-6 lits) 15-18 €/pers. CB refusées.* 🖥 🛜 *L'entretien est parfois brouillon et les hébergements côté rue plutôt bruyants (préférer l'arrière), mais les routards les plus exigeants trouveront dans cette minuscule AJ de quoi passer 1 nuit ou 2 à prix doux et dans des conditions encore correctes : dortoirs avec ou sans salle de bains acceptables, cuisine convenable et salon à dispo. Accueil très sympa.*

Prix moyens

🏠 *Dunboy B & B (hors plan par A-B1, 12) : 10, Parkview Dr, Freshford Rd.* ☎ 77-61-460. 📱 087-617-60-20. ● *dunboy.com* ● *À env 1 km du centre. Prendre la R 693 en direction de Thurles ; au rond-point, juste avt l'hôpital, tourner à gauche et tt de suite à droite. Ouv de mi-avr à fin sept. Doubles avec sdb 60-70 € selon saison. CB refusées.* 🛜 *B & B situé en impasse*

dans une résidence pavillonnaire calme qui propose 4 chambres agréables et bien équipées. Excellent accueil de la maîtresse de maison, pétillante et passionnée de danse irlandaise. Elle connaît par ailleurs la région comme sa poche et a toujours de bons conseils d'adresses et de visites à partager.

🏠 *Kenmur House (hors plan par A3, 14) : 45, Father Murphy Sq.* ☎ 77-22-956. ● *kenmurkk@gmail.com* ● *De Kickham St, prendre Stephen St, puis à droite Saint Francis Terrace et 1ʳᵉ à droite Father Murphy Sq. Double env 70 €. CB refusées.* 🛜 *La maison paraît toute simple, mais une fois la porte poussée, on découvre des chambres impeccables, lumineuses et d'un bon niveau de confort (TV à écran plat, bonne literie, salles de bains fonctionnelles...). Ajoutez à cela un parking et un petit déj copieux servi par des hôtes très sympathiques et vous obtenez un excellent point de chute à environ 15 mn à pied du centre, dans un quartier tranquille.*

🏠 *Bregagh House (plan B1, 16) : Dean St.* ☎ 77-22-315. ● *bregagh house.com* ● *Double env 70 €. CB refusées.* 🛜 *Qu'il s'agisse de l'accueil (efficace et neutre) ou de l'organisation générale de l'établissement, cette grande maison en retrait de la rue est définitivement plus proche d'un hôtel que d'un B & B. Vaut toutefois la peine pour ses chambres impeccables et de bon confort, son parking privé et sa situation très stratégique.*

Chic

🏠 *Rivercourt Hotel (plan C3, 13) : Saint John St.* ☎ 77-23-388. ● *rivercourtho tel.com* ● *Face au château, de l'autre côté du pont. Doubles avec sdb 150-190 € selon confort. Promos sur Internet. Parking gratuit.* 🛜 *Un hôtel chic idéalement placé, avec une très bonne qualité de prestations. Vue sur le château pour un tiers des chambres, décoration moderne et agréable, chambres de taille honorable, très bien équipées, à une enjambée de pont de la vieille ville. Et, que demande le peuple, un accueil pro, sympa et pas guindé. Les prix élevés se justifient parfaitement.*

Où manger ?

De bon marché à prix moyens

|O| ☛ *Café du Kilkenny Design Centre* (plan C3, **40**) : face au château. ☎ 77-22-118. Tlj 8h30-18h (21h ven-sam). Le midi, en-cas et formules env 6-10 € au café et plats env 10-15 € au resto ; le soir, plats env 18-25 € au resto. Ces beaux bâtiments abritent un charmant café au rez-de-chaussée, joliment décoré dans un style champêtre frais et pimpant, où l'on propose chaque jour de bonnes sélections de sandwichs élaborés avec des produits de qualité. Parfait pour une courte pause gourmande. Au restaurant situé à l'étage, l'ambiance est tout aussi décontractée, mais les plats du jour plus soignés.

|O| ☛ *Nostalgia Cafe* (Dore's Restaurant ; plan B2, **20**) : 2 entrées, au 66, High St et sur Saint Kieran's St (face au Kyteler's Inn). ☎ 77-63-374. Tlj 8h-22h. Petits déj 8-10 € ; plats 9-11 €. À l'extérieur, un antique vélo et une camionnette vintage annoncent la couleur : cet amusant resto façon boutique de souvenirs est bourré à craquer d'objets divers (poupées, enseignes, sculptures...) ! Cadre chaleureux, sympathique mezzanine dans le genre chalet suisse ainsi qu'une terrasse (chauffée) à l'étage. Sans prétention, mais accueil et service très prévenants. Correct le midi pour une petite faim avec ses salades, sandwichs ainsi que ses plats à base de poulet. Fait aussi *tea room* et *delicatessen*.

|O| *Riverview Bar* (plan C3, **13**) : Saint John St. ☎ 77-23-388. Tlj midi et soir jusqu'à 20h. Plats 11-14 €. Voilà un lieu qui vaut pour sa vaste véranda ou sa belle terrasse en bord de rivière, pile poil face au château. Par ailleurs, même si l'on mange ici avec les yeux, l'assiette est bien garnie et l'on ne paie pas plus cher que dans un pub du centre.

Plus chic

|O| *Chez Pierre* (plan B2, **25**) : 17, Parliament St. ☎ 77-64-655. Ouv le midi tlj sf dim, plus le soir jeu-sam. Env 7-10 € le midi, menu fixe le soir 25 €. Ce tout petit café à la déco on ne peut plus sobre se distingue par son rapport qualité-prix indiscutable. Le midi, on déjeune léger de sandwichs et de bonnes tartines, et le soir, on se régale d'une vraie soupe (servie dans la soupière si l'on est plusieurs !), d'un bœuf bourguignon ou du poisson du moment (joliment présenté, avec de délicieux légumes apportés dans une cocotte) et du dessert du jour. Simple, bien fait, goûteux et à prix raisonnable pour le coin : impeccable.

|O| *Cafe Sol* (plan B3, **23**) : 6, William St. ☎ 77-64-987. Tlj 11h30-21h30 (22h ven-sam, 21h dim). Plats le midi 11-15 € ; dîner env 35 € ; menus early bird (servis dim-jeu 17h30-21h, ven-sam jusqu'à 18h45) 23-27 €. Un sympathique café à l'atmosphère décontractée et au cadre lumineux et chaleureux. Cuisine irlando-méditerranéenne à base de produits colorés et goûteux, soigneusement sélectionnés. Quelques plats végétariens.

|O| *Marble City Bar* (plan B2, **24**) : 66, High St. ☎ 77-61-143. Plats env 10-15 € le midi, plus chers le soir. Vaste pub sur 2 niveaux ayant remporté le prix de meilleur gastro-pub du coin. La cuisine, copieuse et honnête – à défaut d'être fine et originale –, draine une clientèle de fidèles, surtout au déjeuner, où il est bondé avec tous les employés du coin qui y déboulent comme un seul homme. Service rapide.

|O| *Victor's* (plan C3, **26**) : 22, Patrick St (dans le Club House Hotel). ☎ 77-21-994. Tlj midi et soir. Le midi, plats 10-15 € ; le soir, 10-20 €. C'est le doyen des restos de Kilkenny. L'intérieur ne déçoit pas : chic *a little bit*, mais pas guindé *at all*. Un accent de vieille Irlande. Et pourtant, la cuisine est dépoussiérée et sans complexe. Porc au cidre ou parfait de canard sont sans couac. On dépose les armes avec un *Death by chocolate cake. Glorious !*

Où dormir ? Où manger dans les environs ?

△ *Nore Valley Park* : Annamult, Bennettsbridge. ☎ 77-27-229. ● nore valleypark.com ● ♿ Prendre la R 700 vers New Ross ; après env 7 km, à l'entrée de Bennettsbridge, tourner à droite direction Stoneyford ; c'est 3 km plus loin. Ouv mars-oct. Compter 16,50 € pour 2 avec tente. 🛜 Un super camping à la ferme, aménagé dans un esprit très convivial. Part belle aux caravanes et camping-cars, et emplacements agréables pour les tentes, dispersées dans un environnement superbe. Calme. Aire de jeux géniale pour les enfants, notamment un golf, un jeu d'échecs géant et un immense labyrinthe sur 2 étages, aménagé en intérieur. En plus, vos bambins seront sûrement ravis de donner le biberon aux agneaux et de caresser les p'tits lapins. Cuisine bien équipée à dispo, laverie et sanitaires nickel (chauffés en hiver). Salle TV, billards. Épicerie où l'on vend pain, confitures et *scones* maison. Parfois aussi pizzas, tartes et quiches fraîches. Excellente adresse !

🏠 |●| *Cullintra House :* The Rower, Inistioge. ☎ (051) 423-614. ● cullintra house.com ● À 30 km de Kilkenny, sur la route de New Ross. Continuer pdt 7 km après le beau village d'Inistioge. Ouv tte l'année. Résa conseillée (2 nuits min demandées). Doubles env 75-90 €/pers, dîner inclus. Belle maison campagnarde 2,5 fois centenaire, située au pied du mont Brandon. Environnement bucolique à souhait, avec de séduisantes balades à faire dans le coin. Mais ce qui rend cette adresse unique, c'est la décoration très personnalisée, façon bonbonnière, composée par la propriétaire, une artiste peintre. Elle dispose de chambres très différentes, toutes joliment meublées. 2 d'entre elles sont mansardées, agréables mais petites. Les autres sont bien plus spacieuses (la grande est idéale pour une famille) et possèdent leur propre salle de bains, tandis qu'une vaste suite et une chambre plus champêtre ont été aménagées dans les dépendances. À l'arrière, jardin d'hiver charmant où l'on peut aussi préparer son thé ou son café. Délicieuse cuisine de l'hôtesse, avec des produits locaux, dans une atmosphère chaleureuse.

🏠 |●| *Croan Cottages :* à Dunnamagan. ☎ (056) 77-66-868. ● croan cottages.com ● Depuis Kilkenny, prendre la N 10 vers Waterford. Une fois à Knocktopher, tourner à droite direction Callan (R 699) et se diriger vers Dunnamagan. Ensuite, c'est fléché. De l'autoroute M 9, sortie Knocktopher. Maisons 4-6 pers 295-650 €/sem selon saison ou 275-395 € la w-e (sf juil-août), ménage, électricité et draps inclus. 🛜 En pleine campagne, tenu par une famille très accueillante, une poignée de beaux gîtes modernes organisés autour d'un jardin. Maisons tout confort : cuisine équipée, machine à laver, lave-vaisselle, salon TV avec lecteur DVD, cheminée... Et si vous avez la flemme de cuisiner, vos hôtes peuvent vous livrer des plats de leur facture *(compter 12 €/pers)*. L'électricité provient d'énergies renouvelables. Dans la propriété, chiens, poules, paons et moutons gambadent librement. Les proprios vous montreront aussi des variétés d'arbres rarissimes.

Où boire un verre ? Où écouter de la musique ? Où danser ?

Riche vie nocturne dans les pubs de Kilkenny, même en basse saison (liste des spectacles et soirées traditionnelles à l'office de tourisme).

🍸 🎵 |●| *Kyteler's Inn* (plan B2, **21**) : Saint Kieran's St. ☎ 77-21-064. Service tlj sf lun soir 12h-21h. Plats 8-15 €. Dans cette splendide maison historique du XIIIe s (lire plus loin « À voir. À faire »), envoûtante salle à manger au sous-sol, voûtée d'ogives sur colonnes de pierre. Super cadre pour boire un verre, voire profiter d'un bon concert dans la vaste salle attenante (musique presque chaque soir, traditionnelle les vendredi et samedi). Côté assiette, la cuisine, certes copieuse, n'est pas vraiment ensorcelante.

🍸 🎵 *Pump House* (plan B2, **31**) : 26, Parliament St. ☎ 77-63-924. L'un des classiques de Kilkenny, apprécié pour son ambiance conviviale et ses concerts *(dim tte l'année, plus fréquents l'été)*.

🍸 🎵 *O'Faolain's* (plan D2, **30**) : John St Upper. ☎ 77-61-018. Bar food.

Disco ts les soirs jusqu'à 2h30 (payant ven-sam). Un pub hors du commun, bâti autour des ruines d'une ancienne église importée en morceaux du pays de Galles et reconstituée comme si de rien n'était. On sirote donc, contemplatif, sa pinte de *Smithwick's*, adossé à des pans d'église, avant de partir à la découverte de ce *late bar* avec nombre de salles et recoins aux ambiances variées. Très calme en journée, mais de plus en plus animé au fil des heures ! Jardin pour les jours de beau temps et pour les fumeurs.

♼ *Bridie's General Store (plan C2, 35) : 72, John St.* ☎ 77-65-133. Un petit air de nostalgie flotte sur cette charmante adresse créée de toutes pièces. Derrière une étroite devanture à l'ancienne, on découvre d'abord une épicerie vintage très photogénique qui

fait mieux que de la figuration (tout est à vendre !), puis un pub vieille école avec ses banquettes et son carrelage à damiers, et enfin le *beer garden*. Atmosphère décontractée-chic (c'est le voisin d'un bel hôtel). Vaut le coup d'œil.

♼♪ *Matt The Miller's (plan C3, 32) : John St Lower, à côté du John's Bridge.* ☎ 77-61-696. *Musique live tlj.* Bar food *tlj 9h-21h.* Une grande bâtisse haute en couleur, immanquable en bordure de la River Nore. Pub sur 3 niveaux, avec autant de bars très animés lorsque débarquent DJs et groupes de rock.

♼♪ *John Cleere's Pub (plan B2, 34) : 28, Parliament St.* ☎ 77-62-573. ● cleeres.com ● *Musique traditionnelle lun à 21h30 ; blues, jazz et folk certains jeu et dim.* Pour ceux qui « *speak fluent* », parfois des pièces de théâtre.

À voir. À faire

➤ *Tynan Walking Tours :* en saison, 3-4 départs/j. (slt 2 le dim) ; le reste de l'année, rens à l'office de tourisme. *Durée : 1h. Coût : 7 €.* Tour du vieux Kilkenny à pied, commenté en anglais.

🎎 *Kilkenny Castle (plan C3) :* ☎ 77-04-100. *Tlj 9h30 (9h juin-août)-17h30 (16h30 oct-fév, 17h mars). Dernière entrée 1h avt fermeture. Entrée : 6 € ; réduc. Feuillet en français. Audioguide en anglais : 5 €.* Heritage site.

Le premier fort en bois fut construit en 1172 par le Normand Richard de Clare, dit Strongbow, sur une position stratégique commandant un gué sur la rivière. Un château en pierre conséquent le remplaça très vite, occupé à partir de 1391 par l'une des plus puissantes familles anglo-normandes, les Butler of Ormond, qui l'agrandit au fil des siècles, le transforma en château à vivre et le conserva jusqu'en 1967. Il fut alors vendu à l'État pour la somme symbolique de 50 £, et le mobilier fut définitivement dispersé. Une vidéo présentant l'his-

CES REBELLES MANQUENT VRAIMENT D'ÉDUCATION...

Les Butler, grands aristocrates anglais en Irlande, ne comprirent pas au début du XXe s que l'histoire changeait. Lord Ossory écrivit à l'un de ses amis : « Ce fut au matin du 2 mai 1922 qu'à l'heure tout à fait irraisonnable de 5h30, je fus réveillé par mon valet qui m'annonça : "Excusez-moi de vous déranger, your Lordship, mais les républicains irlandais ont pris d'assaut le château !" » Shocking, isn't it?

toire tumultueuse de ce vaste et imposant château est diffusée gratuitement, dans la tour à droite en passant la porte d'enceinte.

– La visite commence par une escapade dans les sous-sols, pour découvrir les fondations du château et une salle voûtée d'époque médiévale.

– *Rez-de-chaussée :* salon des dames et salle à manger à nouveau meublés (superbement pompeux dans leur style XIXe s), ainsi que le vestibule, entièrement occupé par une colossale table en marbre du XVIe s qui fait partie du mobilier d'origine (trop lourde, elle ne put être vendue !). C'est là qu'on exposait les corps des Butler à leur mort.

– *Premier étage :* après une halte dans la salle des tapisseries qui renferme des documents précieux (les chartes garantissant aux Ormond titres et privilèges), on pénètre tour à tour dans la bibliothèque, très raffinée avec sa soie murale reconstituée, et dans une série de chambres. Étonnant escalier de type mauresque du XIXᵉ s en pierre de Caen.

– *Grande galerie :* longue de 45 m. On y trouve tous les portraits de la famille au fil des siècles. Cheminée originale à deux foyers en marbre de Carrare avec des scènes de la vie des Butler. Poutres peintes et sculptées.

– *Cuisine :* pour finir la visite, on passe à table, puisque les anciennes cuisines abritent désormais un café... Belle collection de dinanderie. On y trouve encore le panneau d'appel des serviteurs et les vieux fourneaux. Un souterrain reliait la cuisine aux communs, de l'autre côté de la cour, pour éviter à la famille et à ses nobles visiteurs le spectacle du p'tit personnel !

➢ *Promenade* très romantique dans le parc *(ouv tlj ; accès libre).*

🎨 *Kilkenny Design Centre (plan C3, 40) :* face au château. ● kilkennydesign. com ● Tlj 9h (10h dim)-18h. Fermé dim en hiver. Dans les anciennes écuries et maisons des palefreniers du château. Élégante cour semi-circulaire de 1760. Centre de design et de création réputé dans tous les domaines, ateliers et boutiques de vêtements, tissus et objets d'art.

🎨 *The Tholsel (plan B3, 41) :* High St. Construction sur arcades surmontée d'un pittoresque clocher, c'est l'hôtel de ville édifié en 1761. Il conserve les archives de la ville. À côté, le *Butter Slip,* ruelle médiévale reliant High Street à Saint Kieran's Street. Tout au long de cet étroit passage se tenait, aux XVIIᵉ et XVIIIᵉ s, le marché au beurre et aux œufs.

🎨 *Kyteler's Inn (plan B2, 21) :* Saint Kieran's St. La plus vieille maison de Kilkenny (XIIIᵉ s) en pierre grise, où résida Alice Kyteler qui pleura quatre maris, ce qui finit à la longue par la désigner à la population comme sorcière et empoisonneuse. Elle s'enfuit, et son infortunée servante, Petronella, étrenna le bûcher qui lui était destiné. Belle cheminée au rez-de-chaussée et cave joliment voûtée.

🎨 *Shee Alms House (plan C3) :* Rose Inn St. Édifiée par un riche bourgeois en 1582 pour loger 12 pauvres, sa façade à pignon avec fenêtre en pierre, blasons sculptés abrite aujourd'hui l'office de tourisme.

🎨🎨 *Rothe House & Gardens (plan B2) :* Parliament St. ☎ 77-22-893. ● rothe house.com ● Avr-oct, lun-sam 10h30-17h, dim 15h-17h ; nov-mars, lun-sam 10h30-16h30. Entrée : 4,80 € ; réduc. Brochure en français. Jardins 9h-18h (prix modique). C'est l'un des rares bâtiments civils du XVIᵉ s (1594) subsistant encore en Irlande. Demeure du marchand John Rothe. Élégante architecture sur arcades, balcon central et pignon. Parmi les curiosités les plus significatives, une grande salle avec de beaux meubles, la charte de Charles II (de 1607) et le portrait de Mrs Lavery qui servit de modèle aux anciens billets de 1 £ et 5 £. Au dernier étage, très belle charpente, quelques objets et documents (lettre d'O'Connell, souvenirs sur Parnell). Un acte curieux : une autorisation d'utiliser un vélo, délivrée par les Anglais durant la guerre d'indépendance (1921), et des ouvrages de couture « éducatifs » réalisés par les jeunes filles. Beau jardin médiéval reconstitué selon le modèle d'époque.

🎨🎨 *Saint Canice's Cathedral (plan A1) :* juin-août, tlj 9h (14h dim)-18h ; sinon, lun-sam 10h-13h, 14h-17h (16h oct-mars), dim ap-m slt. Entrée : 4 € ; réduc. Round Tower en sus (ap-m slt) : 3 € ! Ticket groupé : 6 €. Brochure en français. Construite au XIIIᵉ s sur l'emplacement de l'église édifiée par Canice, le saint patron de la ville, et dont il subsiste à l'extérieur une fine et haute tour ronde tronquée. La tour centrale carrée est du XIVᵉ s, nef et absides sont bordées de créneaux. À l'intérieur, belle ampleur de la nef rythmée par de larges arcades gothiques. Le bras nord du transept forme la partie la plus ancienne. On y trouve le trône d'origine en pierre de l'archevêque. Le baptistère au fond de la nef servit d'abreuvoir aux chevaux de Cromwell... Dans le bras sud du transept, tombes ornées de gisants de la famille Butler. Dans le bas-côté de droite, un autre tombeau avec de nombreux symboles de la Passion sculptés (1571). Dans la nef de gauche, belles pierres tombales rapatriées du cimetière. Possibilité de grimper dans la tour située dans le cimetière (accès pas évident). Panorama magnifique.

🏃 *Black Abbey* (plan A2) : on y distingue les trois étapes de la construction, qui a débuté en 1225. La nef du XIIIe s, le transept du XIVe s et la tour du XVIe s (largement reconstruite au XIXe s).

🏃🏃 *Smithwick's Brewery* (plan B2) : *Saint Francis Abbey.* • smithwicks.ie • *Visites avec dégustation à la clé (compter env 1h30) : en principe mar-sam 12h30, 13h, 15h et 15h30 (vérifier, car les horaires peuvent varier en fonction de l'activité de la brasserie). Entrée : 10 €/pers.* Fondée en 1710, c'est la plus vieille brasserie d'Irlande, aujourd'hui rachetée par *Guinness*. Elle produit la fameuse bière rousse *Kilkenny* et sa cousine brune *Smithwick's* (plus forte et plus amère), prononcée ici « smiticks ». Les moines franciscains furent longtemps associés aux traditions des brasseurs, aussi la brasserie fut-elle érigée près de l'abbaye Saint Francis. Détruite en grande partie (par devinez qui ?) en 1650, on en admire cependant toujours la grande baie du chœur et la haute tour à la croisée du transept. Après un tour d'horizon sur l'historique de la maison, les guides introduisent les visiteurs dans le site en activité, avec ses odeurs et ses bruits qui la caractérisent (du moins en semaine, le week-end c'est relâche) : de la *tasting room* (où les dégustateurs évaluent la qualité du produit) aux immenses cuves de fermentation, on passe en revue tout le processus de fabrication, avant d'aller savourer une pinte dans le pub du site.

DANS LES ENVIRONS DE KILKENNY

🏃 *Les vallées des rivières Barrow et Nore :* ces paisibles cours d'eau très poissonneux musardent entre de douces collines et traversent des villages pittoresques. Randonnées très agréables à pied comme à vélo.

🏃 *Inistioge :* village mignon comme tout, dans la vallée de la Nore. Coin de toute beauté, cerné de forêts, aux paysages vivifiants. Si une bouffée d'oxygène vous dit, visitez les fameux *Woodstock Gardens* (• woodstock.ie • ; *tlj de potron-minet au crépuscule ; entrée 4 € par auto*). On y trouve séquoias géants, cèdres du Liban et autres pins mexicains.

🏃 *Graiguenamanagh :* à 31 km au sud-est de Kilkenny. Village pittoresque paumé au bord de la rivière Barrow. On y trouve un bel exemple de pont en pierre bombé à sept arches et une écluse dominée par les ruines d'un probable moulin du XVIIIe s. Nombreux spots de pêche non loin de là. Juste après le pont, plusieurs itinéraires fléchés de balades le long de la rivière.

🍸 Après avoir constaté que le bonheur est bien dans le pré, voir qu'il est aussi dans le pub au *F. J. Murray's Bar,* dans la rue principale. Bel étalage de brocantes en vitrine et intérieur resté dans son jus (décor et clients) avec son plafond bas, sa vieille bibliothèque et ses consommateurs du cru... le bonheur, on vous dit !

🏃🏃 *Dunmore Caves* (grottes de Dunmore) : à 11 km au nord de Kilkenny, sur la route de Castlecomer par la N 78. ☎ 77-67-726. *Avr-oct, tlj 9h30-17h (18h30 juin-sept) ; nov-mars, mer-dim slt. Dernière entrée 1h avt. Entrée : 3 € ; réduc. Visite guidée slt.* Heritage site. Après un audiovisuel de présentation de 15 mn, plongée dans les entrailles de la terre, à la découverte d'une série vastes grottes réparties le long d'un parcours totalisant près de... 700 marches (mieux vaut le savoir) ! Intéressantes concrétions, stalagmites et autres stalactites, notamment la *Market*

VERS LES COMTÉS DE KILKENNY ET DE TIPPERARY

Cross, stalagmite de 5 m de haut et 1,30 m de diamètre. Le lieu fut aussi le théâtre d'un massacre perpétré par les Vikings au Xe s.

🏹 *Jenkinstown Wood :* à 11 km de Kilkenny, fléché à gauche 1 km avt les grottes de Dunmore. *Entrée gratuite.* Arboretum expérimental et parc animalier avec de nombreux cerfs. Agréable promenade. Aire de pique-nique.

🏹 *Thomastown :* à 18 km au sud de Kilkenny. La bourgade, encaissée dans un méandre de la rivière Nore, possède encore de gros moulins abandonnés, une église en ruine, un château et les vestiges d'une tour médiévale.

🏹🏹 *Kells :* à 15 km au sud de Kilkenny (par la N 10). *Accès gratuit.* En bordure d'une rivière traversée par un beau pont s'élève ce vaste prieuré augustinien en ruine, doté de très impressionnantes fortifications (six tours bien costaudes, épaulées par de longs remparts de belle pierre). Un superbe site.

🏹🏹 *Jerpoint Abbey :* ☎ 77-24-623. À 25 km env au sud de Kilkenny, en allant vers New Ross par la R 700. À Thomastown, prendre la direction Waterford. Mars-oct, tlj 9h-17h30 (17h oct) ; nov, tlj 9h30-16h ; le reste de l'année, lun-ven sur résa. Entrée : 3 €. Brochure en français (payante). Heritage site. Ruines d'une séduisante abbaye cistercienne. Fondée à la fin du XIIe s, elle resta en activité jusqu'en 1541. L'église remonte à l'époque romane, mais la grosse tour carrée à la croisée du transept date du XVe s. À l'intérieur de l'église, beaux monuments funéraires. Dans le chœur, élégante grande fenêtre percée plus tardivement (traces d'anciennes baies romanes). Cloître en partie restauré doté de jolies petites colonnes géminées, décorées de personnages, ecclésiastiques, chevaliers ou encore quelques créatures étranges. À vous de les reconnaître ! Dans les bâtiments conventuels adjacents, deux salles, dont celle du chapitre, renferment de petites collections lapidaires composées d'éléments découverts sur le site.

CASHEL [caiseal mumhan]   2 300 hab.   IND. TÉL. : 062

Bourgade dominée par un piton rocheux flanqué d'un impressionnant ensemble d'édifices ecclésiastiques médiévaux, dont la plus ancienne chapelle romane d'Irlande. Cashel fut un temps capitale du pays, et Brian Borù s'y fit couronner en 977 avant de vaincre les Vikings.
La ville est aussi connue à travers tout le pays pour son fameux fromage, le *Cashel blue cheese.*

CHERCHE PAS DES CROSSES À SAINT PATRICK

C'est à Cashel que saint Patrick aurait expliqué à ses disciples le mystère de la Trinité par la métaphore du trèfle. Trèfle qui serait ainsi devenu le symbole national. Chanceux pays que l'Irlande !

Adresses utiles

🛈 *Office de tourisme :* Main St. ☎ 62-511. ● cashel.ie ● Tlj 9h30-17h30 (fermé le w-e d'oct à mi-mars). Pas mal de doc, commentée par un personnel informé. Petite expo à côté, relatant l'histoire du comté.

✉ *Poste :* Main St. Lun-ven 9h-13h, 14h-17h30 ; sam 9h-13h.

Où dormir ?

Offre pléthorique de *B & B* tout autour du château.

VERS LES COMTÉS DE KILKENNY ET DE TIPPERARY

De bon marché à prix moyens

🏠 *Rockville House :* Dominic's St. ☎ 61-760. ● *rockvillehse@eircom. net* ● *En plein centre, presque au pied du Rock of Cashel. Ouv tte l'année. Doubles env 50-60 €.* 🖥 📶 Bien située, bien tenue et d'un confort suffisant, cette adresse comprenant 2 maisons enserrant un parking clos (bien pratique) doit beaucoup à l'accueil hors norme de son propriétaire. Patrick accueille ses hôtes comme s'il les connaissait depuis toujours, et, entre 2 blagues (minimum !), allume les feux dans les cheminées des salons, prépare un bon petit déj, bref, est aux petits soins pour tout le monde. Très sympa.

🏠 *Cashel Lodge :* ☎ 61-003. ● *cashel-lodge.com* ● *À la sortie de la ville sur la route de Dundrum (R 505), à 5 mn à pied du Rock of Cashel et du centre. Ouv tte l'année. Double env 65 €, avec petit déj. Camping (avr-sept slt) 20 € pour 2 avec tente ; douches gratuites. CB acceptées.* 📶 Séduisante ferme, style longère bretonne en granit, transformée par les proprios en *B & B* nickel avec de vastes chambres élégantes et de très bon confort. L'agréable coin camping dispose de sanitaires bien tenus. Excellente hospitalité de Tom et de Brid. Vue remarquable sur le Rock of Cashel en prime. Juste en face, jolies ruines de l'abbaye de Hore. Une belle adresse.

🏠 *Cashel Holiday Hostel :* 6, John St. ☎ 62-330. ● *cashelhostel.com* ● *Dans une rue perpendiculaire à Main St, face à l'office de tourisme. Ouv tte l'année. Env 15-18 €/pers en dortoir 8-10 lits ; doubles 40-46 €.* 🖥 📶 Dans une vieille demeure joliment rénovée. Cuisine correctement équipée, salle commune très conviviale avec cheminée et TV, agréable cour avec terrasse et BBQ. Côté hébergement, c'est classique et convenable (dortoirs et chambres simples).

🏠 *Cashel Town B & B :* contigu au Cashel Holiday Hostel *(mêmes proprio et tél).* ● *cashelbandb.com* ● *Doubles 60-70 € avec ou sans sdb privée (moins cher sans petit déj).* 🖥 📶 Plus de confort qu'à l'AJ voisine, dont il est en quelque sorte le prolongement en version « catégorie supérieure ». Ce qui signifie qu'on est plus proche d'une structure hôtelière que d'un *B & B.* Les murs des couloirs et des chambres sont émaillés de gravures, documents et citations historiques parcheminées, souvent édifiantes. Le patron, féru d'histoire, vous en apprendra de belles ! Chambres agréables, avec dans la cour commune aux 2 hébergements 2 studios équipés d'un frigo et d'un micro-ondes. Et on jouit de la cuisine de l'*hostel* pour faire son petit frichti.

🏠 *Ashmore House :* John St. ☎ 61-286. 📱 086-103-70-10. ● *ash morehouse.ie* ● *Dans une rue perpendiculaire à Main St, face à l'office de tourisme. Ouv tte l'année. Double 70 €, petit déj compris. Parking privé.* 🖥 📶 Élégante maison georgienne bien patinée. En bas, déco un peu surchargée, dans le genre joyeuse accumulation désordonnée de bibelots chinés. En haut, ça se calme un peu, les chambres sont toutes différentes, et de bon confort. Agréable salon commun pour les hôtes. Bon accueil.

Où dormir dans les environs ?

De bon marché à prix moyens

🏠 *Derrynaflan B & B :* Ballinure. ☎ (052) 91-56-406. ● *derrynaflan house.ie* ● *Sur la R 691 vers Kilkenny, à env 10 km de Cashel. Ouv avr-sept. Double env 70 €.* 📶 Superbe ferme du XVIIIe s en pleine campagne, dans un environnement verdoyant et calme. Chambres très plaisantes donnant sur la campagne. Grande salle à manger colorée et pleine de charme, où tout le monde prend son petit déj autour d'une table imposante. Pain, confiture, yaourt et fromage : tout est *homemade* ! Déco chaleureuse, jolis meubles de famille et accueil merveilleux de délicatesse. Excellent rapport qualité-prix.

🏠 *White Villa :* Mantle Hill, Golden. ☎ 72-323. ● *whitevilla.ie* ●

À 4 km de Cashel, route de Tipperary. Ouv avr-sept. Double env 50 €. CB refusées. 🖥 📶 Bien au calme, une grande maison moderne à la déco sortie de l'imagination de Lewis Carroll. Grand jardin avec une rotonde, peuplé de statues de déesses grecques et d'animaux en tout genre. Intérieur dans le même esprit, avec un salon très kitsch doté d'une immense TV, et des chambres tout confort et nickel aux couleurs variées : violet, turquoise ou rose. Tout ça bien à l'image de l'adorable couple de propriétaires, Eileen et Peter, qui se feront un plaisir de vous accueillir. Que demander de plus ?

🏠 **Saint Joseph's B & B :** The Mall, à **Thurles,** sur la N 62. ☎ et fax : (0504) 24-211. 📱 087-968-27-63. À 800 m du centre en allant vers Cashel. Ouv tte l'année sf 10 déc-10 janv. Env 70 € pour 2. CB refusées. Adresse qui intéressera ceux qui remontent vers le nord : Thurles se trouve à moins de 20 km de Cashel. Ce B & B prodigue un accueil hors pair (un grand bravo à Helen Buggle-Sheahan) et offre un superbe petit déj détaillé dans un menu très complet (pain et scones maison). Hébergement cosy, avec un salon pour les hôtes et des chambres douillettes (TV, peignoirs...) donnant toutes sur l'arrière, au calme. Bien dans la tradition des B & B irlandais, donc !

Où manger ?

Très peu de choix, et rien de bon marché, hormis 1 ou 2 take-away.

Prix moyens

🍽 **Cellar Bar du Bailey's Hotel :** Main St. ☎ 61-937. Face à la poste. Tlj 12h-21h30. Plats env 7-10 € le midi, 10-18 € le soir. Dans une maison de 1709, modernisée sans nuance. Le bar façon pub occupe l'entresol et propose dans une atmosphère décontractée une cuisine classique bien tournée (viandes bien cuites, poisson du jour, mais aussi le sempiternel fish & chips ou le burger).

🍽 **The Bakehouse Coffee-Shop :** 7, Main St. ☎ 61-680. Face à l'office de tourisme. Tlj 8h (10h dim)-17h30. Env 6-7 €. Petit salon de thé propret installé à l'étage d'une boulangerie. Bien pratique pour se sustenter rapidement et confortablement d'un sandwich ou d'une salade simples et sans prétention, mais corrects. Bondé le midi, le service est alors un peu débordé.

Chic

🍽 **Chez Hans :** Moor Lane. ☎ 61-177. Sur la rue menant au Rock of Cashel. Tlj sf dim-lun : café ouv 12h-17h30, resto ouv slt le soir. Au café, env 13-18 € le plat. Au resto, 25-40 € le plat à la carte ; menus early bird (mar-ven 18h-21h30 – 19h ven) 2-3 plats 27-33 €. Cette église érigée au milieu du XIXe s a cédé sa chaire pour la chère d'un restaurant très chic. Séduisant décor avec vitraux, poutres apparentes, murs décorés de toiles. Le chef, d'origine allemande, a reçu moult distinctions internationales pour sa cuisine classique très soignée, préparée avec les meilleurs produits. Cher, mais justifié. Très belle carte des vins et service raffiné. Hans tient également le café attenant au restaurant : plus abordable, il est très prisé, mais cela vaut la peine d'essayer d'obtenir une table dans sa petite salle contemporaine et élégante.

Où boire un verre ?
Où écouter
de la musique ?

🍸 🎵 **Brian Boru :** Main St. À côté de la poste. Pub moderne qui accueille des concerts presque chaque dimanche soir. Bier garden à l'arrière.

🍸 **M. Ryan Bar & Grocery :** 76, Main St, juste derrière l'office de tourisme. Tlj 11h-23h (plus tard le w-e). Curieux pub installé dans les rayonnages d'une ancienne épicerie. Décor original et chaleureux pour siroter son Irish coffee. La musique live du lieu, c'est le « bavassage » des gens du coin, à toute heure !

À voir

ת ת ת *Rock of Cashel :* au sommet du gros piton rocheux dominant la ville, nommé aussi « rocher Saint-Patrick ». ☎ 61-437. Tlj sf 24-26 déc 9h-19h (17h30 de mi-sept à mi-oct et de mi-mars à début juin ; 16h30 de mi-oct à mi-mars). Derniers billets 45 mn avt fermeture. Entrée : 6 € ; réduc. Visites libres ou guidées (gratuites) env ttes les heures en hte saison. Brochure détaillée en français vendue à l'accueil, expliquant l'histoire tumultueuse, guerrière et complexe des lieux. Documentaire de 20 mn existant en français. Heritage site.

Difficile de rester insensible à la force qui se dégage de cette véritable forteresse, puissamment fortifiée par les évêques successifs.

– La visite débute par la *grand-salle de la chorale des chantres* (XVe s) joliment restaurée, avec sa charpente peinte, sa cheminée monumentale et sa tribune en bois surplombant la salle. Au sous-sol, parmi les différentes pierres sculptées et quelques objets médiévaux (cloches du IXe s), la croix de saint Patrick (celle à l'extérieur est une copie). À l'extérieur, l'ancien dortoir de la chorale accueille désormais la salle de vidéo.

– *Cormac's Chapel* (début du XIIe s) est probablement la chapelle romane la plus ancienne du pays. Une des plus belles aussi avec une architecture nettement plus sophistiquée que ses cousines, (influences germaniques et anglaises). Par exemple, les tympans sculptés au-dessus de certaines portes sont rarissimes en Irlande.

– Un siècle plus tard, on y accola une *cathédrale* de style gothique, caractérisée par de hautes et étroites fenêtres. Aujourd'hui sans toit, elle a beaucoup souffert des innombrables batailles et d'une violente tempête au XIXe s. Cela explique les modifications successives et les insertions d'arcs postérieures à la construction.

– À l'angle du transept nord, la haute *tour ronde* de 28 m date vraisemblablement du XIe s et constitue la partie la plus ancienne de l'ensemble.

Pour avoir une belle vue d'ensemble du Rock of Cashel, prenez la route de Dundrum. Vous passerez juste à côté de la très belle ruine cistercienne de *Hore Abbey*, fondée par les bénédictins au XIIe s.

ת *Brù Bórù Heritage Centre :* ☎ 61-122. ● bruboru.ie ● Au pied du Rock, au niveau du parking. De mi-juin à août, lun-sam 9h-23h (17h lun) ; le reste de l'année, lun-ven 9h-17h. Entrée : 5 € ; réduc. Spectacle de danse et musique folk juin-août (voir le programme) ; env 20 €, réduc. Pour en savoir plus sur l'histoire de Cashel et de ses rois. Exposition permanente consacrée à la musique irlandaise. Également un show en soirée presque tous les jours en période estivale.

ת *Cashel Folk Village :* dans Dominik St, 100 m derrière l'office de tourisme. ☎ 63-601. De mi-juin à mi-sept, tlj 9h30-19h ; sinon ferme à 17h30, voire 16h30 en hiver (sonnez !). Entrée : 5 € ; réduc. Brochure en français. Drôle de musée qui contient une collection très hétéroclite, mais riche et intéressante : menhir, objets provenant de fouilles archéologiques, tête d'élan géant, éléments d'uniformes, matériel de chirurgie datant de la guerre... Dans la cour, une roulotte de *tinkers* (gitans), une chapelle, un puits à vœux ou encore un mémorial et une reconstitution de forge. Grande salle consacrée à la guerre d'Indépendance (armes, documents...). Espace vidéo avec films sur la famine et la guerre d'Indépendance. Un joli voyage dans le passé.

DANS LES ENVIRONS DE CASHEL

ת ת *Holycross Abbey :* à *Holycross*, env 15 km sur la R 660 en direction de Thurles. Accès libre. Abbaye cistercienne bâtie vers 1180. Brillant travail de rénovation effectué en 1969, alors que l'édifice était en ruine. Notez la finesse architecturale. Abrite une *relic of the cross* qui a attiré les pèlerins en masse pendant des siècles.

CAHIR [cathair dún iascaigh]   3 400 hab.   IND. TÉL. : 052

Prononcer « Ka-her », nom venant de *Cathair*, signifiant « fort de pierre ». Le château de Cahir, impressionnant, superbe et très bien préservé, a d'ailleurs tapé dans l'œil de nombreux réalisateurs de cinéma. Sinon, la bourgade est une petite cité commerçante, avec son classique alignement de pubs. L'Irlande profonde, quoi !

CAHIR, HOLLYWOOD IRLANDAIS

En 1973, pour Barry Lindon, *Kubrick filma une scène de combat dans l'escalier en spirale du donjon. D'autres scènes furent filmées dans le château de Moorestown et sur la montagne de Knockmealdown. Pour* Excalibur, *Boorman séjourna 3 semaines dans le Glen of Aherlow. Plusieurs scènes y furent tournées : l'attaque du château, le roi Arthur blessé à mort dans la rivière, la rencontre de Lancelot et Guenièvre... Le dernier en date à avoir succombé à Cahir fut Mel Gibson, pour son film* Braveheart.

Arriver – Quitter

🚌 **Station de bus :** *près du château.*
➤ **De/vers Dublin via Cashel :** 6 bus/j. Trajet : 3h (15 mn pour Cashel).
➤ **De/vers Cork :** 6 bus/j. Trajet : 1h10.
➤ **De/vers Galway :** 4 bus/j. (slt 3 le dim) ; changement à Limerick. Trajet : env 3h30.
➤ **De/vers Kilkenny :** 4 bus/j. (slt 3 le dim). Trajet : 1h40.
➤ **De/vers Waterford :** 8 bus/j. (slt 6 le dim), dont 3-5 bus continuent sur Wexford puis Rosslare. Trajet : 1h20.

Adresse utile

🛈 **Office de tourisme :** *Castle St.* ☎ 74-41-453. *Près de l'entrée du château. Ouv slt en saison, lun-sam 9h-17h.* Bon accueil.

Où dormir ?

Prix moyens

🏠 **Silver Acre :** *Clonmel Rd.* ☎ 74-41-737. 📱 086-192-07-67. ● *hoconnor315@eircom.net* ● *Du centre-ville, prendre la route de Clonmel ; après 500 m, 1re à gauche après le poste de police, puis aussitôt à gauche dans une impasse, c'est tt au fond. Ouv avr-sept. Doubles 60-65 €. CB refusées.* Maison moderne dans une paisible résidence pavillonnaire. Jolies chambres, claires, cosy et très agréables, avec salles de bains impeccables. Accueil sympa. Copieux breakfast avec brown bread maison.

🏠 **Hollymount House :** *Upper Cahir Abbey.* ☎ 74-42-888. ● *hollymounthouse.net* ● *Du château, passer le pont, prendre à droite la route de Limerick, puis la 1re à gauche (panneau). Ouv tte l'année. Doubles 60-65 €. CB refusées.* 🛜 Maison moderne de plain-pied posée à flanc de colline, à 1,5 km de la ville. Vue superbe sur les environs, malgré la présence de la M 8 que l'on aperçoit loin en contrebas. Chambres simples parfaitement tenues, toutes avec salles de bains privées, mais situées sur le palier pour 2 d'entre elles. Excellent accueil.

Plus chic

🏠 **Cahir House Hotel :** *The Square, en plein centre.* ☎ 74-43-000. ● *cahirhousehotel.ie* ● *Doubles env 70-90 €, avec petit déj.* 🖥 *(payant).* 🛜 Chambres tout confort, à la déco classique et agréable. Moquette écossaise tout le long de l'escalier. Demandez une chambre donnant sur le château (plus calme que sur la rue). Spa, massages, etc. Restaurant en bas (voir « Où manger ? »).

Où manger ?

|●| The Lazy Bean Cafe : *The Square.* ☎ 74-42-038. *À 200 m du château. Tlj 9h-18h. Plats 7-10 €. Coffee shop* très en vogue, surtout parmi les jeunes filles et les dames de Cahir. Et pour cause ! Il propose des menus diététiques à base de produits frais et bio. Café en grains, jus pressés, salades composées agrémentées de croûtons et de pignons de pin, sandwichs et bagels toastés ou non... De quoi garder la ligne dans un pays où l'alimentation n'est pas toujours des plus saine. Petite terrasse sur la rue.

|●| Cahir House Hotel Restaurant et Bistro : *restos du* Cahir House Hotel *(voir « Où dormir ? »), The Square. En plein centre. Plats env 6-12 € au pub, env 10-22 € au resto ; menu le soir env 25 € au resto.* En fonction du budget, on s'attable au pub avec vénérable bibliothèque, ou dans la salle moderne et chicos. Bonne cuisine, simple au pub (sandwichs et soupes, plats du jour), plus élaborée au resto, couronnée par des desserts que ne renieront pas les gourmands.

Où dormir ? Où manger dans les environs ?

Campings

⚊ Parson's Green : *à Clogheen.* ☎ 74-65-290. ● parsonsgreen.ie ● *À 13 km au sud de Cahir, à l'entrée du village à gauche. Ouv tte l'année. Env 18 € pour 2 avec tente.* 🛜 Camping complètement atypique et absolument génial, pas tant pour ses emplacements (agréables et verdoyants) que pour ses services et animations. Situé en bord de rivière, au pied des Knockmealdown Mountains, dans

une très belle nature propice aux balades à pied, à vélo ou en bateau (canot sur place). Rigolo, on peut voir aussi l'ancien « sauna » viking et plein d'animaux pour vos bambins. Ces derniers seront aussi très intéressés par l'immense salle de jeux couverte (un hangar réhabilité avec balançoires, toboggans, baby-foot...), ou par l'amusant Musée agricole (nombreuses charrettes, reconstitution de la forge...). *Coffee shop,* cuisine à dispo et machines à laver. Un coup de cœur.

⚊ Powers the Pot : *Harney's Cross, à Clonmel.* ☎ 61-23-085. ● power sthepot.com ● *Depuis Clonmel, prendre la R 678 ; traverser la rivière direction Dungarvan ; tt droit au rond-point ; puis fléché sur 9 km. Ouv mai-sept. Env 15 € pour 2 avec tente.* Cuisine (sinon, plats préparés au bar). Parfois, musique traditionnelle. C'est le camping à la ferme pur jus où règnent les chats perchés et où les moutons tondent la pelouse. Le confort est rustique et basique, mais l'accueil sincère et plein d'humour compense l'absence de wifi, d'autant qu'il y a un bar sympa aménagé dans une dépendance. Un petit terrain familial sans chichis, idéalement placé pour les randonnées dans les monts Comeragh. Le bonheur est ici dans le pré.

⚊ 🏠 |●| Ballinacourty House : *à Glen of Aherlow.* ☎ (062) 56-559 *(camping)* ou 56-224 *(B & B).* ● cam ping.ie ● ballinacourtyhse.com ● *Au nord-ouest de Cahir. Emprunter la N 24 direction Tipperary sur 14 km ; à Bansha, prendre à gauche la R 663, puis rouler 8 km. B & B de mi-janv à mi-déc ; camping mars-sept. Env 21-23 € pour 2 avec tente ; doubles en B & B 60-70 €. Au resto, menus 20-30 € ; plats 15-25 €.* Un camping superbement situé, dans l'une des plus belles vallées de la région, entre les Galtee Mountains et les Slievenemuck Hills. Calme assuré. Bon confort, emplacements bien entretenus. Également une poignée de chambres très agréables, aménagées dans une très belle maison restaurée du XVIIIe s en grosse pierre grise. Resto très convenable sur place.

Où boire un verre ?

Où écouter de la musique ?

♥ ♪ *W. H. Irwin Pub :* The Square, à côté du Lazy Bean Cafe. ☎ 74-42-633.

Tlj 10h-23h (plus tard en fin de sem). Sandwichs et soupes servis jusqu'à 15h. Musique folk dim à 17h. Pub chaleureux avec ses murs de bois et pierre. Derrière, un jardin agréable... entre 2 averses !

À voir

🏃🏃🏃 *Cahir Castle :* ☎ 74-41-011. Tlj sf 24-30 déc : de mi-juin à août, 9h-18h30 ; le reste de l'année, 9h30-17h30 (16h30 de mi-oct à fév). Entrée : 3 €. Visite guidée incluse d'env 1h (en anglais) sur demande. Film de 15 mn (existe en français). Heritage site. D'origine normande, il date des XIIIe et XVe s. Bâti sur un îlot rocheux naturellement fortifié, il a fière allure avec ses huit tours, rondes et carrées, ses longs remparts défendus par une barbacane et son imposant donjon normand flanqué d'une souricière protégée par une herse. Possession des Butler de 1375 à 1961, il avait la réputation d'être imprenable. Même Cromwell fut impressionné, c'est dire ! Ce qui ne l'empêcha tout de même pas de l'investir, mais sans trop de dégâts... pour une fois. Le dédale d'escaliers, de couloirs biscornus et de petites salles cachées est saisissant de complexité. Vous ne pouvez pas manquer, dans la salle des banquets, les énormes bois d'un *Megaceros giganteus* (élan géant pour les intimes), d'une envergure de 1,83 m. Retrouvés dans une tourbière, ils datent vraisemblablement de 10500 av. J.-C.

🏃🏃 *Swiss Cottage :* situé à 2 km au sud de Cahir, par la R 670. On peut aussi y aller à pied en longeant la rivière Suir. ☎ 74-41-144. De fin mars à mi-oct, tlj 10h-18h. Fermé le reste de l'année. Visite guidée obligatoire : 3 € ; compter 30 mn. Heritage site. Cette adorable chaumière du début du XIXe s n'a de suisse que le nom. Elle servait de gentilhommière et de résidence de pêche à lord Butler. À l'intérieur, meublé d'époque, 2 chambres, un salon de musique et un salon décoré d'un papier peint panoramique français en excellent état, très en vogue dans les demeures bourgeoises du XIXe s.

DANS LES ENVIRONS DE CAHIR

🏃🏃 *Ormond Castle :* Castle Park, à **Carrick-on-Suir.** ☎ (051) 640-787. À 40 km à l'est de Cahir par la N 24, au centre de Carrick. Avr-sept, tlj 10h-18h. Visite guidée (obligatoire) gratuite. Heritage site. Le manoir a été construit au XVIe s sur les ruines d'un ancien château des Butler, comtes d'Ormond. Il subsiste deux tours massives et carrées de la vieille forteresse du XVe s, ainsi qu'un large pan de remparts. Les passionnés d'architecture élisabéthaine trouveront dans ce manoir un des plus beaux exemples de ce type en Irlande. La visite guidée permet de découvrir dans la partie XVIe la salle à manger, une chambre, le bureau, les impressionnantes combles (superbe charpente) et la grande galerie parfaitement restaurée.

🏃🏃 *Comeragh Mountains :* de Carrick-on-Suir, prendre la R 676 balisée avec des panneaux indiquant « Comeragh Drive ». Ce superbe petit massif montagneux barre l'horizon au sud de Clonmel et Carrick. Complètement dénudé, il présente un paysage de crêtes déchiquetées et de cirques érodés. Étonnante impression de moyenne montagne, alors que le sommet du massif ne culmine qu'à 791 m. Nombreux sentiers pour de splendides randonnées sauvages. Pour les amateurs d'oiseaux, les falaises du cirque de *Knockanaffrin* (à l'ouest du massif) abritent une colonie de corneilles mantelées.

RETOUR SUR LA CÔTE

DUNGARVAN [dún GaRBHáin]   8 000 hab.   IND. TÉL. : 058

Gentille bourgade entre Youghal et Tramore, avec un petit port protégé au loin par les falaises de Helvick Head (joli point de vue). On peut visiter le King John's Castle, donjon d'une forteresse anglo-normande. Dans les faubourgs (Abbeyside), tour du XIIIe s, vestige d'une ancienne abbaye. À 5 km, belle plage de sable de Clonea Strand.

Adresses utiles

🅸 Office de tourisme : Courthouse Buildings. ☎ 41-741. • dungarvantourism.com • Ouv tte l'année, lun-sam 9h (10h sam)-17h (pause déj hors saison). Bon accueil.

@ Sip'n Surf : The Quay. ☎ 41-231. Lun-sam 8h30-19h, dim 14h-17h.

Où dormir ?

Camping

⚐ Bayview : Gold Coast Golf Resort. ☎ 45-100. • bayviewcaravancamping.com • À 5 km du centre. Traverser le pont vers Tramore, puis tourner à droite après la longue digue, au bout de la lagune ; fléché. Ouv fév-oct. Env 18-26 € pour 2 avec tente selon période. Douches payantes. 🛜 La route pour y accéder est très belle, mais on ne voit pas la baie depuis le terrain, celui-ci étant légèrement en retrait de la berge. Emplacements propres, séparés des mobile-homes par une haie, et équipements classiques de base. Agréable, calme, mais confort simple. On vient donc surtout pour apprécier le site, voire pratiquer le golf à deux pas.

De prix moyens à chic

🛏 Gortnadiha Lodge : Ring. ☎ 46-142. 📱 087-241-54-56. • gortnadihalodge.com • Prendre la N 25 direction Cork. Après env 3 km, tourner à gauche avt la grande côte. Ensuite fléché sur 2 km. Ouv 15 janv-15 déc. Doubles 80-90 €. 🛜 La maison trône au sommet d'une colline, au milieu d'un miniparc où coule un ruisseau. Environnement superbe. Eileen, hôtesse des lieux, fait rayonner sa gentillesse sur le salon cosy réservé aux hôtes et les 3 adorables et très élégantes chambres en suite à la décoration personnalisée. Une petite terrasse surplombe le parc et domine la baie. Petit déj composé de produits locaux. Formidable.

Où manger ? Où écouter de la musique ?

🍴 Nude : 86, O'Connell St. ☎ 24-594. Tlj sf dim 9h15-18h (21h30 jeu-sam). Sandwichs et salades env 6-13 € ; plats env 10-15 €. L'adorable devanture est un appel irrésistible pour les gourmands, aussitôt confirmé par les effluves s'échappant des cuisines. Car chez Nude, on sait choisir le produit. La propriétaire a longtemps travaillé dans les marchés fermiers et connaît les meilleurs fournisseurs ! Et comme sa seconde passion, c'est la cuisine, elle mitonne chaque jour de bons plats de saison aux saveurs irlando-méditerranéennes et toutes sortes de savoureux sandwichs élaborés avec son pain maison. Une halte gourmande, dans un cadre de salon de thé coquet aux meubles chinés.

🍴 The Shamrock Coffee-Shop : 4, O'Connell St. ☎ 42-242. À deux pas

VERS LES COMTÉS DE KILKENNY ET DE TIPPERARY

de la place centrale. Lun-sam 8h-20h30. En-cas et plats env 5-15 €. Vaste salle très quelconque façon cafèt', mais très populaire pour son rapport qualité-prix-quantité avantageux. Carte très étendue, avec de quoi satisfaire tout le monde : salades, *open sands,* burgers, tartes, plats du jour.

♪ *Marine Bar :* sur la N 25, à 8 km de Dungarvan en direction de Cork. ☎ 46-520. Tlj dès 17h. Longue tradition de musique irlandaise et de conteurs. En été, *musicos* tous les soirs.

À voir

🗡 *La stèle aux victimes de la Grande Famine :* à 8 km sur la N 25 vers Cork (fléché). Monument érigé à l'emplacement où ont été enterrées en 1847, sans tombes et en groupe, des victimes de la famine.

YOUGHAL [ɛochaill] 6 400 hab. IND. TÉL. : 024

Youghal (prononcer « Yaul ») est un croquignolet petit port. Il garde de son passé de ville de garnison sous Cromwell quelques jolis bâtiments anciens et de superbes paysages de plages. Le port est vivant : la liste des aventuriers qui appareillèrent pour des horizons lointains en atteste. Sans compter son passé de star de cinéma (voir ci-dessous).
– Et pour voir Youghal tout émoustillé, venir en juin pour le *Rock'n Roll Festival* ou en juillet pour le *Marine Time.*

RALEIGH, FUMEUX PERSONNAGE

*Sir Walter Raleigh, l'un des favoris de la reine Elizabeth I*re *et grand aventurier, fut un temps maire de Youghal. De l'un de ses voyages, il rapporta une plante bizarre qui se fumait : le tabac. Il aurait importé ce végétal d'Amérique. Cela lui vaudra de se faire traiter de « stupid git » dans un tube des Beatles où John Lennon râlait, le tenant pour responsable de sa dépendance à la clope !*

HOLLYWOOD DÉBARQUE À YOUGHAL

Le film *Moby Dick* (tiré du célèbre roman de Melville) fut en partie tourné à Youghal en juillet 1954. Pour donner au port irlandais l'apparence d'une petite ville de Nouvelle-Angleterre, il fallut repeindre toutes les façades d'une rue. « Un habitant, un seul, refusa de changer sa façade ; c'était celle d'un pub », écrit John Huston dans ses mémoires. Pour marquer leur désapprobation, les habitants cessèrent de fréquenter ce bar. Huston avait installé son QG au premier étage d'un autre pub, aujourd'hui rebaptisé *Moby Dick's* (voir plus loin « Où boire un verre ? »).
C'est dans ce Youghal maquillé de frais que furent tournées nombre de scènes : l'arrivée d'Ismaël à l'auberge *Spouter Inn,* sa rencontre fortuite avec l'étrange Queekeg, l'Indien baroudeur au visage scarifié, et bien sûr l'embarquement sur le *Pequod* pour la chasse à la baleine sur des mers lointaines. Pour la petite histoire, ce superbe trois-mâts ne put être mis à quai du fait de son fort tirant d'eau. Ainsi le *Pequod* ne pouvait-il entrer ou sortir du port que 1h par jour, à marée haute...

Arriver – Quitter

En bus

➤ **De/vers Cork :** bus fréquents (au moins chaque heure) 7h30-22h45. Trajet : moins de 1h.
➤ **De/vers Waterford :** 1 bus/h, du mat au soir.
➤ **De/vers Ardmore :** 1-2 bus/j.

Adresses utiles

🛈 **Office de tourisme :** ☎ 20-170. Au port. Mai-sept, tlj 9h30-17h30 (10h-17h w-e) ; l'hiver, lun-ven 10h-15h. Petit Heritage Centre sur place.
✉ **Poste :** Main St. Lun-ven 9h-17h30, sam 9h-13h.
@ **Internet :** Cyberoom, Main St. À côté de la poste. Lun-sam 10h30-20h, dim 14h-18h.

Où dormir ? Où manger ?

Prix moyens

🏠 **La Petite Auberge B & B :** 2, The Mall. ☎ 85-906. ● lapetiteauberge. ie ● Sur le quai, direction Cork, 300 m après le port, dans la partie historique de la ville. Doubles 70-80 €. 📶 La jolie façade et ses luminaires donnent le ton. La belle porte espagnole de bois brut renforce la 1re impression. Et la déco soignée de l'intérieur confirme qu'on est ici chez des proprios de goût... voyageurs dans l'âme. Ces Irlandais (ne vous fiez pas au nom !) ont un accueil charmant, à l'image du lieu, avec ses chambres en suite ouvrant sur le quai, le vieux town hall et, au-delà, la mer. Petit déj soigné pour prolonger le séjour en beauté.
🍽 **Coffee Pot Restaurant :** 77, Main St. ☎ 92-523. Tlj (sf dim hors saison) 9h-17h30. Petit déj et snacks 7-12 €, lunch complet env 15 €. Self-service très apprécié des familles. Rien de merveilleux, mais pratique, rapide et abordable.

Chic

🏠🍽 **Aherne's :** 163, North Main St. ☎ 92-424. ● ahernes.net ● En plein centre-ville. Tlj sf 24-29 déc. Bar food 12h-22h. Doubles 115-130 € ; promos sur Internet. Formule lunch special env 10 € ; plats 16-28 € ; menus 24-29 € servis jusqu'à 21h. Un resto fort réputé pour son poisson. Déco élégante. Au seafood bar, délicieux sandwichs, saumon fumé, huîtres. Le soir, large carte où les plats (coquilles Saint-Jacques, praires farcies, poisson) sont plus soignés, mais bien plus chers. Quant aux 12 chambres tout confort, leurs décor et ameublement raffinés font monter les prix. La belle adresse de la ville.

Où boire un verre ?

🍸 **Pub Moby Dick's :** Market Sq. ☎ 92-756. Face au port. Vieille auberge de 1770, naguère tenue par des quakers, qui servit de quartier général à John Huston durant le tournage de Moby Dick. L'intérieur, banal de prime abord, vaut par ses nombreuses photos du film : notre favorite est cette dédicace « Mort à Moby Dick ! » de Gregory Peck en capitaine Achab. Les anciens qui se souviennent du tournage se raréfient, mais on peut toujours trinquer avec eux au bar. Les acharnés du génie hustonien pourront consulter les 3 dossiers de presse de l'époque, conservés comme des reliques. Mais la pièce la plus rare, cachée, c'est l'un des 8 exemplaires du scénario du film signé en début de carrière par Ray Bradbury himself. Bref, Moby Dick a laissé un sillage durable dans ce pub.

VERS LES COMTÉS DE KILKENNY ET DE TIPPERARY

À voir. À faire

➤ **Balade dans la ville :** itinéraire à l'office de tourisme. Voir la belle tour d'horloge de 1777, ancienne prison abritant aujourd'hui les archives et un petit musée. On trouve aussi les vestiges de remparts médiévaux (derrière Saint Mary's Church, église du XIIIᵉ s). Quelques vieilles bâtisses du XVIᵉ s aussi, comme la *Red House*, dans le style Renaissance hollandaise. Dans South Main Street, l'*Almshouse* (1610), ancien hospice. Voir enfin le *Tynte's Castle,* tour du XVᵉ s transformée en demeure par un négociant, puis utilisée comme entrepôt.

🦎 *Myrtle Grove :* à côté de l'église. C'est dans le jardin de cette *Walter Raleigh House* que le célèbre aventurier aurait planté la première pomme de terre. Fermé au public, mais on peut l'apercevoir depuis le cimetière de l'église.

DANS LES ENVIRONS DE YOUGHAL

🦎 *Le village d'Ardmore :* petite station balnéaire à quelques brasses de Youghal d'où le héros local, saint Declan, évangélisa la région avant même saint Patrick. Dominant le village, la *cathédrale* et sa *Round Tower.* Impressionnante tour de guet en grès du XIIᵉ s, haute de 30 m. Sa porte d'entrée surplombe le sol de 4 m. Les moines de l'époque y gardaient précieusement livres et reliques. Juste à côté, les restes de la cathédrale, construite entre le IXᵉ et le XIVᵉ s. Notez l'arche en pointe du chœur, et surtout les arcs romans joliment sculptés. Des tombes tout autour donnent à ces ruines esseulées un aspect vraiment romantique.

CORK [CORCAIGH]   198 600 hab.   IND. TÉL. : 021

▶ Pour le plan I de Cork, se reporter au cahier couleur.

La fière cité de Cork est la troisième de l'île après Dublin et Belfast. Grosse ville active, elle déroule des faubourgs plutôt industriels, située sur deux affluents de la rivière Lee et quadrillée par quelques canaux. Si la comparer à Venise est franchement exagéré, cette ville a le mérite d'avoir gardé un caractère bien trempé. À une quinzaine de kilomètres de la côte, Cork est située au fond d'une vaste rade très bien

JEU DE MAIN, JEU DE VILAIN !

Après le fameux match France-Irlande, gagné par les Français en 2009... haut la main (surtout celle de Thierry Henry), le plus gros bookmaker irlandais n'a pas manqué d'humour. Il a largement affiché une campagne de pub dans la zone de récupération des bagages de l'aéroport de Cork... « Paddy Power vous souhaite la bienvenue en Irlande, sauf si vous vous appelez Thierry »...

abritée (*Cork Harbour,* le deuxième plus grand port naturel du monde après Sydney) à côté de Cobh, où de grands navires de croisière font encore escale aujourd'hui.
Jeune et dynamique, Cork mérite qu'on y traîne à pied (en voiture, c'est la panique) et qu'on déambule dans son réseau de rues animées.

UN PEU D'HISTOIRE

Ville ouvrière, Cork est une rebelle : après la défaite de 1691 contre les orangistes à Limerick, c'est de Cork que Patrick Sarsfield embarqua ses troupes pour la France. Ces soldats irlandais, les *Wild Geese,* s'illustrèrent notamment à la bataille de Fontenoy. Au XIXᵉ s, les habitants de la région participèrent aux grandes luttes paysannes et à l'insurrection feniane de 1865. Puis, lors de la guerre d'indépendance de 1919 à 1922, la brigade de l'IRA de Cork fut des plus héroïque. Terence McSwiney, maire de la ville, embastillé pour appartenance à l'IRA, mourut après 76 jours de grève de la faim en 1921. Engagement qu'on trouve aujourd'hui encore sur des T-shirts et autocollants qui vantent la « république populaire de Cork »... opiniâtre contre vents et marées, si souvent détruite qu'elle aligne difficilement des quartiers anciens homogènes. Le XIXᵉ s y est cependant très présent. La fin du XXᵉ s, marquée par un déclin de l'activité économique, a donné place à une politique de dumping social dans les années 1990. Résultat : des géants économiques comme Apple, Amazon ainsi que des industries chimiques ont été attirés par les conditions fiscales et sociales très avantageuses qui leur étaient faites par le gouvernement. Même Pfizer est venu fabriquer ici (à Ringaskiddy) ses petites pilules de Viagra pour revitaliser cette économie en déroute...

Arriver – Quitter

En bus

🚌 **Gare routière** (plan II, D1) : Parnell Pl. ☎ 45-08-188. Rens tlj 9h-18h. Guichets ouv lun-sam 9h-17h30 ; sinon, billetteries électroniques. On y trouve la compagnie des bus Eireann.

➤ **De/vers Dublin via Cahir :** tlj, ttes les 2h 8h-18h. Trajet : 3h30. Après le centre-ville, le bus continuent jusqu'à l'aéroport de Dublin : arrivée 20 mn plus tard.

➤ **De/vers Limerick et Galway :** tlj, ttes les heures 7h30-16h. Trajet : 2h.

➤ **De/vers Waterford :** tlj, ttes les heures 8h40-20h40. Trajet : env 2h30.

➤ **De/vers Youghal :** tlj, ttes les heures 7h (9h40 dim)-23h (certains, rares, continuent sur **Ardmore**). Trajet : 1h.

➤ Pour les liaisons locales, se reporter aux villes et sites des environs concernés.

En train

🚆 **Gare ferroviaire** (plan couleur I, D1) : Kent Station, Lower Glanmire Rd. ☎ 45-06-766. ● irishrail.ie ●

➤ **De/vers Dublin :** lun-sam, ttes les heures 7h-21h ; 12 trains le dim. Trajet : env 3h.

➤ **De/vers Limerick :** lun-sam, ttes les heures 7h-18h30 ; 7-10 trains avec changement à Limerick Junction. Trajet : 2h.

➤ **De/vers Tralee, Rosslare Harbour, Waterford, Kilkenny :** préférer le bus.

➤ **De/vers Cobh :** env 1 départ/h, 6h (8h dim)-23h. Trajet : 25 mn.

En bateau

⛴ **Port de Ringaskiddy** (hors plan couleur I par C2) : à 20 km au sud-est de Cork (bien fléché depuis le centre).

En bus (nº 223), env 15 départs/j. (7-8 bus le w-e) ; trajet : 30-45 mn. Compter 500 m de l'arrêt de bus au terminal des bateaux.

➤ **De/vers Roscoff :** avec Brittany Ferries (résas au 42, Grand Parade, à côté de l'office de tourisme ; ☎ 42-77-801 ; ● brittanyferries.com ●). 1 liaison/sem, sam depuis Cork, ven depuis Roscoff, fin mars-début nov.

En avion

✈ **Aéroport de Cork** (hors plan couleur I par C2) : ☎ 43-13-131. ● cork-airport. com ● À 6 km du centre par la N 27 en direction de Kinsale. Comptoir d'informations (ouvert en fonction des vols), distributeur de billets, bureau de change, compagnies de location de voitures, etc.

➤ **De/vers l'aéroport :** bus très fréquents. Avec les compagnies Eireann (depuis/vers le terminal des bus de Cork) et CityLink. Compter 25 mn et env 5 €. Un taxi coûte env 15 €.

➤ **De/vers Paris :** 1 vol/j.

➤ **De/vers Londres :** nombreux vols/j.

➤ En été, vols également **de/vers Bordeaux, Carcassonne, Rennes, Nice** et **La Rochelle**.

Adresses et infos utiles

Infos touristiques

ℹ **Office de tourisme** (plan couleur I et plan II, C2) : Monument Buildings, 42, Grand Parade. ☎ 42-55-100. ● discoverireland.ie/southwest ● Lun-sam 9h-18h (17h30 en demi-saison), dim 10h-17h ; en basse saison, tlj sf dim 9h15-17h. Bien documenté, efficace.

– *WhazOn :* ● whazon.com ● Mensuel gratuit disponible un peu partout en ville. Tous les bons plans, manifestations culturelles, festivals et sorties nocturnes.

Poste et télécommunications

✉ *Poste centrale (plan II, C2) :* Oliver Plunkett St et Pembroke. Lun-sam 9h (9h30 mar)-17h30.

@ *Wired to the World (plan II, C1 et D1, 52) :* sur McCurtain St (tlj 8h-minuit) et sur North Main St (tlj 9h-minuit).

@ *PC Services (plan couleur I, B2, 53) :* 5, Wood St. ☎ 42-54-666. Tlj 9h (11h w-e)-19h.

Représentations diplomatiques

■ *Agence consulaire de France :* Patricia Mallon, 38, South Mall. ☎ 42-75-244. Sur rdv slt.

■ *Agence consulaire de Belgique :* Dominic Daly, Pembroke House, Pembroke St. ☎ 42-77-399. Lun-ven 9h15-13h, 14h-17h.

Transports

■ *Location de vélos : Cycle Scene* (plan II, C1, 51), 396, Blarney St. ☎ 43-01-183. Tlj sf dim 8h30-17h. Env 15 €/j.

■ *Location de voitures :* les grands loueurs classiques ont tous un bureau à l'aéroport. *Hertz, Avis, National, Budget.*

Où dormir ?

De bon marché à prix moyens

🛏 *Sheila's (Cork Tourist Hostel ; plan II, D1, 61) :* Belgrave Pl, Wellington Rd. ☎ 45-05-562. ● sheilas hostel.ie ● Dans une rue parallèle à McCurtain St. Ouv tte l'année. Dortoirs de 4-8 lits 15-18 €/pers ; doubles env 40-50 €. Parking. 🖥 🛜 Sur les hauteurs de la ville, grande demeure transformée en *hostel*. Propose un

max de services : *lockers* (coffres), laverie, sauna, salle vidéo et Internet. Cuisine bien équipée à disposition. Agréable terrasse sur le toit. L'accueil est excellent et les prestations très correctes (chambres et dortoirs classiques avec ou sans salle de bains privée).

🛏 *Brú (plan II, D1, 64) :* 57, McCurtain St. ☎ 45-01-074. ● bruhostel.com ● Dortoirs de 3-6 lits 16-18 €/pers ; double env 35 € ; petit déj continental inclus. 🖥 🛜 Le *Brú*, c'est d'abord et surtout un bar très festif, avec son billard et ses concerts tous les soirs ! Autant dire que c'est impeccable pour socialiser, mais qu'on n'y dort pas des masses ! Tant mieux, car les dortoirs et les chambres (avec ou sans salle de bains privée) sont du genre rudimentaires et pas toujours très nickel. Cuisine basique et salle TV à dispo. Pour se faire des amis, donc !

🛏 *Cork International Youth Hostel* (plan couleur I, A2, 11) : 1-2, Redclyffe, Western Rd. ☎ 45-43-289. ● anoige. ie ● À 1,5 km à l'ouest du centre-ville. Bus n° 208 de la gare routière ; descendre à l'arrêt University. Ouv tte l'année (sf Noël). Résa conseillée en juil-août. Dortoirs de 6 lits 12-17 €/ pers ; doubles 40-55 €. Sdb dans chaque chambre et dortoir. Parking gratuit à l'arrière. 🖥 🛜 Cette AJ officielle occupe une vaste bâtisse de style victorien en brique rouge bien rénovée et réaménagée. Propre, confortable (salon TV cosy avec cheminée), pas de couvre-feu. Infos sur les transports. Cuisine. Possibilité de petit déj. Seul bémol : l'absence de *lockers* dans les dortoirs.

🛏 *Kinlay House (plan II, C1, 62) :* à Shandon, 200 m plus bas que la cathédrale. ☎ 45-08-966. ● kinlayhou secork.ie ● Descendre Roman St et, au feu, prendre les escaliers sur la droite. Ouv tte l'année, 24h/24. Dortoirs 15-18 €/pers ; doubles 44-54 € avec ou sans sdb, petit déj léger compris. 🖥 🛜 Bon, au-delà de la cuisine équipée, de la laverie et d'une ambiance plaisante, les chambres et dortoirs sont un poil exigus et austères. Les sanitaires partagés par tous souffrent en période de rush. Terrasses pour prendre l'air.

CORK (PLAN II)

■	**Adresses utiles**
🛈	Office de tourisme
	51 Cycle Scene
@	52 Wired to the World

🛏 **Où dormir ?**

61 Sheila's
62 Kinlay House
64 Brú
65 Auburn House

|○| **Où manger ?**

32 Lennox
70 Gourmet Burger Bistro
71 Isaac's Restaurant et Greenes
72 Farmgate Cafe
73 Nash 19 Cafe
74 Buttercup Cafe
75 Quay Co-op Restaurant
76 Scoozi !

77 Market Lane
78 Liberty Grill
79 Bodega

🍸 **Où boire un bon café ?**

97 Cork Coffee Roasters

🍸♪ **Où boire un verre ?**

92 The Franciscan Well
93 The Mutton Lane
95 Bierhaus
96 The Hi-B

🍸♪ **Où écouter de la musique ?
Où sortir ?**

90 An Spailpín Fánac
91 An Bodhran
94 The Sin E

🍴 **À voir. À faire**

72 English Market

De prix moyens à plus chic

Attention, en été, les *B & B* sont vite complets : réservez donc. Bien des maisons de la Western Road *(plan couleur I, A-B2)* versent dans le *tourist business* façon mini-hôtels plutôt que dans l'accueil familial. On vous a concocté une sélection.

▲ *Fernroyd House (plan couleur I, B2, 15)* : 4, O'Donovan Rossa Rd. ☎ 42-71-460. ● *fernroydhouse. com* ● *À 100 m de l'entrée nord-est de l'université. Ouv tte l'année. Doubles 69-85 € selon saison. Parking.* 🖵 📶 Dans la brochette des *B & B* de Western Road, pourquoi celui-ci plus qu'un autre ? D'abord parce qu'il n'est pas sur la route passante, mais se niche au calme derrière un bras de la rivière. Ensuite parce que la maison principale et son annexe disposent de petits jardins agréables, sont décorées avec goût, et renferment de très belles chambres tout confort. Enfin parce que l'accueil enlevé d'Avril, la proprio, suscite l'entrain pour toute la journée. Un des meilleurs choix du coin.

▲ *Acton Lodge (plan couleur I, A2, 16)* : Western Rd. ☎ 43-44-161. ● *actonlodge.com* ● *Ouv tte l'année. Doubles avec sdb 70-80 €. Parking.* 📶 La maison principale, décorée sobrement mais avec chic dans les parties communes, possède une dizaine de chambres classiques un peu datées, mais fonctionnelles et de bon confort. Celles situées sous le toit sont un peu moins agréables, peut-être. La dépendance avec 5 chambres et un jacuzzi est très calme (car éloignée de la route et donnant sur l'arrière sur des terrains de sport), et profite d'un vaste salon commun très cosy et d'aménagements plus récents dans les chambres. Accueil enjoué et atmosphère tranquille.

▲ *Auburn House (plan II, D1, 65)* : 3, Garfield Terrace, Wellington Rd. ☎ 45-08-555. ● *auburnguesthouse. com* ● *Face au Sheila's. Congés : 2 sem autour de Noël. Doubles 60-80 € selon période. Parking.* 📶 Dans une rue calme plantée d'arbres, à flanc de colline, cette bonne maison a l'avantage d'être à deux pas de l'animation de McCurtain Street sans en recevoir le bruit. Chambres à la déco contemporaine, certaines assez petites mais bien arrangées, toutes de bon confort avec salle de bains privée. Bon accueil d'Olive et de Kieran, un couple dynamique.

▲ *Avondale B&B (plan couleur I, B2, 13)* : 1, St. Marys Villas, Western Rd. ☎ 49-05-874. ● *avondalebb.com* ● *Ouv tte l'année. Double avec sdb 80 €. Parking.* 📶 Ce petit *B & B*, situé pas trop loin du centre-ville, propose à ses hôtes des chambres, certes pas immenses, mais parfaitement aménagées et agréables. Rien à redire côté confort (TV à écran plat, salles de bains bien conçues, literie convenable...) et propreté irréprochable. Une bonne adresse tenue par des gens sympathiques.

▲ *Travelodge (hors plan couleur I par C2, 12)* : Black Ash, au rond-point de Kinsale. ☎ 43-10-722. ● *trave lodge.ie/cork-hotel* ● ♿ *À env 3 km au sud du centre-ville, sur la route de l'aéroport. Doubles env 50-60 €, sans petit déj. Promos sur Internet. Parking.* 🖵 📶 Une très bonne affaire, vu les tarifs pratiqués à Cork. Le prix payé par chambre est le même à 2 ou à 4 personnes (parfait pour les familles) ! Cet hôtel de chaîne sans charme, à la situation peu engageante car en surplomb d'un vaste échangeur (calme la nuit), est finalement très pratique, pour un confort plus que correct : chambres modernes propres et bien équipées. Une excellente option, surtout si on loge sur l'arrière ou le côté.

Chic

▲ *Garnish House (plan couleur I, B2, 17)* : Western Rd. ☎ 42-75-111. ● *garnish.ie* ● *Selon confort et saison, 78-130 € pour 2.* 📶 Version plus luxueuse du *B & B*, à la limite de l'hôtel, compte tenu du nombre d'hébergements répartis dans 3 maisons voisines. Chambres spacieuses avec tout le tralala côté confort (3 catégories, de *standard* à *luxury*, ces dernières ayant été rénovées dans un style contemporain actuel). Petits salons avec cheminée au rez-de-chaussée. Accueil très pro, à l'image du thé (avec des *scones* !) offert à chaque nouvelle arrivée.

À L'UNIVERSITÉ

🏠 **Appartements d'étudiants :** *ouv en été. Résa obligatoire. Compter env 500-900 €/sem pour 1 appart 4-8 pers.* 2 organismes louent des appartements pour étudiants autour de l'université : **UCC Campus Accomodation** (● ucccampusaccomodation.com ●) et **Brookfield Lodge Hotel** (● brookfield cork.ie ●). Pour ce dernier, les résidents accèdent gratuitement au centre de loisirs (jacuzzi, piscine, sauna...). Les prix sont élevés, et c'est intéressant en partageant un appart à 4 au minimum. Des chambres doubles sont aussi dispo, mais à des prix équivalents aux *B & B* et moins sympas. On vous donne quand même le tuyau...

Où dormir dans les environs ?

Campings

⛺ **Blarney Caravan and Camping Park :** *à Stone View.* ☎ 45-16-519. ● *blarneycaravanpark.com* ● ⚡ *À 8 km de Cork, à 2,5 km de Blarney (indiqué depuis Blarney). Ouv fin mars-fin oct. Env 20 € pour 2 avec tente.* 📶 Un petit camping simple, mais bien propre et agréable, aménagé dans un secteur calme. Équipements très convenables : salon TV, machines à laver, cuisine et modeste épicerie. Cerise sur le gâteau, le golf attenant (pas cher, location de clubs) avec vue sur le château de Blarney. Notre préféré dans le coin, d'autant que l'accueil est sympathique.

⛺ **Jasmine Villa :** *à Carrigtwohill.* ☎ 48-83-234. *À 12 km de Cork, sur la route de Waterford (N 25). Situé sur la gauche à la sortie de Carrigtwohill, en direction de Midleton. Ouv avr-oct. Env 19-20 € pour 2 avec tente. Douches payantes.* Tout petit camping caché derrière un pavillon, avec vue sur les champs. Certes proche de la route (on ne la voit pas mais on l'entend !), mais pour une nuit, il offre une bonne situation proche du parc de Fota et de Cobh (même s'il faut faire le détour par Midelton). Bon accueil.

De prix moyens à plus chic

La plupart de ces adresses se trouvent autour de Blarney, à 8 km au nord-ouest de Cork. En voiture, prendre la N 20 direction Limerick. En bus, à peu près toutes les heures depuis la gare routière.

🏠 **Maranatha Country House :** *Tower, à Blarney.* ☎ 43-85-102. ● *maranatha countryhouse.com* ● *À 2,5 km à l'ouest de Blarney, direction Killarney. Ouv de mars à mi-oct. Doubles 70-100 € ; suite 120 €.* 🖥 📶 Vaste et imposante *Country house* possédant pas mal de charme, isolée au milieu d'un parc. Propose 6 belles chambres avec salle de bains, dont la *Regal Suite*, immense et très aristocratique, qui dispose d'un jacuzzi. Style romantique avec lits à baldaquin, ciels de lit et œuvres d'art, à l'image des salons meublés d'ancien. Accueil très sympathique. N'ayez pas peur des gentils molosses qui gardent la maison ! Petit déj servi dans une véranda fleurie.

🏠 **Vienna Woods Hotel :** *à Glanmire.* ☎ 45-56-800. ● *viennawoodshotel. com* ● *À 10 km à l'est de Cork par la N 25 (direction Waterford), puis à gauche (R 639) direction Glanmire et presque aussitôt à gauche une petite route en épingle à cheveux. C'est fléché. Doubles env 65-130 € selon j. de la sem (attention, ça grimpe parfois exagérément le w-e).* Si proche de Cork, si tranquille dans son écrin de bois, cet hôtel moderne est une excellente solution pour échapper au rapport qualité-prix assez moyen des hébergements de Cork. Parties communes et service dignes d'un 3-étoiles. Les chambres, de taille moyenne mais à la déco chic, sont très bien équipées.

Où manger ?

Bon marché

🍴 Plusieurs cafés et sandwicheries bio dans le *marché anglais* (English

Market), dont l'incontournable **Farmgate Cafe** (plan II, C2, **72**). ☎ 42-78-134. Lun-sam 9h-17h. Env 6-15 € pour 1 sandwich ou 1 plat copieux. Au 1er étage, on s'installe en terrasse sur la galerie courant en surplomb du marché, ou dans une salle plus cosy pour profiter d'une bonne cuisine de saison dont les ingrédients proviennent des étals voisins.

I●I **Buttercup Cafe** (plan II, C1, **74**) : 19, Dominick St. ☎ 45-51-888. Lun-sam 10h-17h. En-cas 5-7 €. Le décor est du genre minimaliste avec son sol en béton brut et son mobilier à la suédoise, mais ce petit café lumineux est parfait pour une pause déjeuner ou un goûter : qu'il s'agisse des soupes, des sandwichs, des scones ou des cupcakes, tout est fait maison avec des produits locaux au maximum bio. Très simple mais bon, et au final bien agréable si l'on s'installe en terrasse sur la placette.

I●I **Quay Co-op Restaurant** (plan II, C2, **75**) : 24, O'Sullivan's Quay. ☎ 43-17-026. Au bord de la Lee. Tlj 8h (12h dim)-21h. Plats 10-12 €. Au rez-de-chaussée : magasin de produits bio. Aux 1er et 2e étages : self végétarien au cadre très plaisant (2 salles avec cheminée) donnant sur la rivière et atmosphère détendue. Carte variée : lasagnes, tartes, soupes et salades... Idéal le midi ou pour un petit déj équilibré – histoire d'éviter le trop riche Irish breakfast !

I●I **Nash 19 Cafe** (plan II, C2, **73**) : 19, Prince's St. ☎ 42-70-880. Lun-ven 7h30-17h, sam 8h30-16h. Sandwichs et salades env 7-10 €, plats env 10-15 €. À la fois épicerie fine, salon de thé et restaurant, le Nash a de quoi satisfaire tout le monde. Pour un repas rapide et léger, direction le comptoir où l'on commande des sandwichs à composer soi-même, des salades, ou la soupe du jour. Pour quelque chose de plus consistant, consultez le menu qui aligne de bons plats de saison. Dans tous les cas, les produits sont frais et locaux, la réalisation soignée, et le tout se déguste dans une salle cosy joliment décorée. Super, comme l'accueil !

I●I **Lennox** (plan couleur I, B2, et plan II, C1, **32**) : 137, Bandon Rd et 41,

McCurtain St. Tlj jusqu'à 1h (4h ven-sam). Pour une petite faim de nuit, voici le très populaire champion du fish & chips poulet frit, scampi, etc. de Cork... après ou avant votre pub crawling...

Prix moyens

I●I **Bodega** (plan II, C1, **79**) : Cornmarket St. ☎ 42-73-756. Tlj 10h-22h pour la cuisine. Plats env 10-16 €. La déco soignée de ce pub ne laisse pas indifférent : vaste hauteur sous plafond, des lustres imposants, un mur de bouteilles derrière le séduisant bar, mon tout divisé par de belles colonnes. Très classe ! Et pour une fois, la pub food se défend bien. Rien d'exceptionnel non plus, mais des plats classiques solides et bons, à prix raisonnable (notamment grâce aux offres spéciales le soir du lundi au jeudi).

I●I **Market Lane** (plan II, D1, **77**) : 5-6, Oliver Plunkett St. ☎ 42-74-710. Tlj 12h-22h (21h dim). Formule déj 10 € ; plats env 10-15 € le midi, 13-25 € le soir. Un genre de grande brasserie chic et aérée, où l'on peut voir s'activer une palanquée de chefs dans la cuisine ouverte. Bon accueil, bonne atmosphère : de quoi se mettre en appétit pour apprécier les sandwichs et salades le midi, ou les spécialités préparées avec soin à base de bons produits de saison (porc braisé dans sa cassolette, haddock sur son gâteau de légumes...). Du beau travail à prix raisonnable.

I●I **Liberty Grill** (plan II, C2, **78**) : 32, Washington St. ☎ 42-71-049. Tlj sf dim 8h-21h (22h ven-sam). Plats 11-20 €. Une adresse qui marche fort ! La résa est donc plus que recommandée pour obtenir l'une des tables de ce petit bistrot aux murs de briques chaulés et profiter de ses plats de brasserie simples (grillades, burgers), mais copieux (fish & chips en format XXL !) et préparés avec des produits locaux. Atmosphère décontractée.

I●I **Scoozi !** (plan II, C1, **76**) : 2-5, Winthrop Ave. ☎ 42-75-077. Tlj 8h (12h dim)-22h (21h dim). Pizzas et pâtes 10-15 €. Avec sa déco chaleureuse et son menu étendu qui s'adresse à tous, ce restaurant d'obédience italienne plaît autant aux couples qu'aux familles. Cuisine sans prétention mais copieuse, et desserts maison à prix raisonnable.

l●l Gourmet Burger Bistro (plan II, C1, 70) : 8, Bridge St. ☎ 45-05-404. Tlj 12h-22h (14h-21h dim). Burgers 10-14 €. Des burgers surtout, mais pas seulement. Et pas ce que vous imaginez. On sert là du bon matos à base de viande irlandaise bio, dont un burger à l'agneau (rare, non ?), au blue cheese local (de Cashel) et autre chutney à l'oignon maison. Simple, bon et servi dans une salle sobre largement investie par une clientèle jeune et décontractée.

Plus chic

l●l Isaac's Restaurant (plan II, C-D1, 71) : 48, McCurtain St. ☎ 45-03-805. Tlj sf dim midi. Le midi, plats env 14-18 € ; le soir, tlj sf dim, early bird menu 22 € ou plats 17-30 €. Très bonne adresse où l'on se bouscule au portillon (venir en début de service). On resterait bien des heures dans ces grandes salles hautes de plafond, aux murs égayés de photos et peintures. Cuisine internationale aux influences italiennes, thaïe ou indienne : seafood chowder, madras lamb curry, aubergines with tomatoes...

l●l Cafe Paradiso (plan couleur I, B2, 31) : 16, Lancaster Quay, Western Rd. ☎ 42-77-939. Mar-sam 17h30-22h, plus ven-sam 12h-14h30. Plats env 12-15 € le midi, 23-25 € le soir ; menus 33-40 € le soir. Le meilleur végétarien de la ville, connu de longue date pour la qualité de ses plats souvent inventifs, à tendance méditerranéenne. Beaux produits, belle réalisation, tout le monde adhère... même les carnivores ! Atmosphère décontractée et cadre de café sobre et coloré.

Chic

l●l Greenes (plan II, C-D1, 71) : 48, McCurtain St. ☎ 45-52-279. Dans une ancienne usine en brique, au fond d'une impasse, à côté de l'Isaac's. Ouv le soir sf dim. Plats 18-30 € ; value menu 27 €. L'une des valeurs sûres de

Cork. Cuisine très bien préparée d'inspiration française aux saveurs méditerranéennes. Cadre élégant dans le calme d'une ruelle pavée qui débouche sur un flanc de colline où ruisselle une inattendue petite cascade. Très prisé, surtout pour les tables en terrasse.

Où boire un bon café ?

♟ Cork Coffee Roasters (plan II, C1, 97) : 2, Bridge St. ☎ 73-19-157. Avant même d'apercevoir cette charmante échoppe, vous serez happé par les arômes de café qui s'en échappent ! Car ici, on choisit les grains avec soin et on les torréfie sur place avant de les servir à une foule d'amateurs avides. Impeccable pour une petite pause, installé confortablement à table, ou perché sur un tabouret haut entre les machines et les rayonnages courant le long des murs en brique.

Où boire un verre ?

Difficile de ne pas trouver bière à sa lèvre, car Cork a la réputation de posséder le plus de pubs au mètre carré de l'île. En voici une sélection, mais, comme dans toutes les grandes villes, les lieux à la mode changent bien vite. N'hésitez pas à faire du hors-piste. Et n'oubliez pas qu'ici on boit avant tout de la Murphy, une brune moins amère que la Guinness, ou de la Beamish, production locale plus légère et moins chère.

♟ The Mutton Lane (plan II, C1-2, 93) : Mutton Lane, dans une ruelle donnant sur Saint Patrick's St. Coincé au fin fond d'une venelle en impasse, un pub légendaire pour sa déco de carte postale (plafonds bas, recoins sombres et bougies) et son atmosphère conviviale. Vite plein, mais il y a toujours suffisamment de fûts de bières dans la ruelle pour s'asseoir !

♟ The Hi-B (plan II, C1-2, 96) : 108, Oliver Plunkett St, face à la poste. Au 1er étage. Tout petit pub bas de plafond et qui ressemble à un vieux salon fatigué. On y côtoie une faune du cru, cadres, étudiants, clochards, artistes, sains ou un peu amochés, joyeux ou en perdition... Le *Hi-B*, c'est tout un monde ! Juste une poignée de banquettes et un petit comptoir où les habitués s'agrippent à leur pinte. Le patron ne fait pas de concessions : portables et chewing-gums interdits, boissons sans alcool regardées d'un œil accusateur... vous êtes prévenu ! Concert chaque mercredi soir.

♥ ♪ The Franciscan Well (plan II, C1, **92**) : 14, North Mall. ☎ 42-10-130. Tlj 15h-23h30 (0h30 ven-sam). *Musique lun.* Blonde *Blarney*, brune *Shandon*, *Rebel* rousse, *Friar* la blanche et la mordante *Purgatory* : voilà 5 bières tellement locales qu'elles sont brassées ici même. On peut même voir les cuves de fermentation depuis le *bier garden*. Et pour ceux qui ont écluse le tout venant, il reste le *Shandon Orchad Cider*... y a d'la pomme !

♥ ♪ Bierhaus (plan II, C1, **95**) : Pope's Quay. ☎ 45-51-648. Petit pub archipopulaire chez les étudiants, qui investissent sans façon la salle, sa terrasse et le quai en face. Ambiance festive.

♥ ♪ The Sin E (plan II, C1, **94**) : Coburg St. Concerts mar, ven et dim. L'un des pubs préférés des locaux, pour son atmosphère fraternelle, sa déco bien surchargée (un bric-à-brac de drapeaux, de vieilles gravures, de photos dédicacées...) et ses concerts traditionnels qui rassemblent les foules.

♥ ♪ An Spailpín Fánac (plan II, C2, **90**) : 29-30, South Main St. ☎ 42-77-949. Pub défendant le gaélique et proposant d'excellents concerts de musique traditionnelle. Façade toute noire et intérieur sombre, avec un plafond bas. Bon accueil et atmosphère chaleureuse. Si c'est complet, le *Oval* juste à côté est également un bon spot pour siroter sa pinte en bonne compagnie. Atmosphère assez jeune, bonne déco, bonne ambiance.

♥ ♪ An Bodhran (plan II, C2, **91**) : 42, Oliver Plunkett St. ☎ 42-74-544. Musique traditionnelle plusieurs fois par semaine. Assez étroit. Vite plein. Belle verrière dans la minuscule salle au fond.

À voir

♣ Shandon Church (Saint Ann's Church ; plan II, C1) : église protestante, sur la colline du quartier de Shandon. ☎ 45-05-906. Lun-sam 10h-16h (17h en été), dim 11h30-15h30 (16h30 en été). Accès au clocher : 5 € ; réduc.
Érigée en 1722 à la place d'une église détruite lors du siège de 1690, avec force de grès rouge et de calcaire provenant des deux carrières qui contribuèrent à l'édification de Cork.
Son pittoresque clocher en poivrière est presque l'image de marque de Cork. Ne pas manquer de grimper au sommet (fin de parcours sportive avec escaliers étroits et charpente à enjamber). Superbe panorama sur la ville. Au passage, on peut même se taper la cloche. À deux, c'est plus efficace ; l'un tire les ficelles, l'autre lit la partition (fournie). La tour (affectueusement surnommée *Four-Face Liar*) est célèbre pour ses quatre pendules menteuses qui ne donnent jamais la même heure. Dans l'église, belle collection de livres anciens et architecture sobre des sanctuaires protestants (plafond dit en forme de tonneau).

♣ Cork Butter Museum (plan II, C1) : ☎ 43-00-600. ● corkbutter.museum ● En contrebas de Shandon Church. Mars-oct, tlj 9h-17h (18h août) ; nov-fév, slt le w-e 10h-17h. Entrée : 4 €. Brochure en français. Dès la seconde moitié du XVIIIe s, la ville devint célèbre pour son commerce de beurre salé (500 000 tonneaux embarqués jusqu'aux Indes en 1892). Le marché ferma en 1924. Ce petit musée retrace cet âge d'or et présente les outils liés à la collecte du lait, à la fabrication de la crème et du beurre.

🎭🎭 *Le quartier de Shandon* (plan couleur I, C1) : *Shandon* vient de *Sean Dun* (« vieux fort »). Quartier populaire qui a gardé son authenticité. Vieilles ruelles prolétaires autour de la cathédrale Sainte-Marie (Lower Barrack View, Cathedral Avenue...) et au sud du Cork Butter Museum (Dominick Street, Widderling's Lane). Pittoresque Shandon Street avec ses anciennes boutiques colorées.
Prolonger la promenade vers la gare. Au n° 19 de Coburg Street, la maison où fut capturé John Lynch, fameux leader fenian (en 1865). De Saint Patrick's Hill, belle vue sur la rivière Lee et le centre-ville.

🎭🎭 *Crawford Art Gallery* (plan II, C1) : Emmet Pl. ☎ 42-73-377. Lun-sam 10h-17h (20h jeu). Entrée gratuite. La partie la plus ancienne, de 1724, appartenait à la *Custom House.* On y trouve désormais des sculptures au rez-de-chaussée, des galeries de peintures du XIXe s, principalement locales, dans les étages, et des expos temporaires contemporaines.

🎭🎭 *Saint Patrick's Street* (plan II, C1) : la rue la plus animée, relookée en 2005. C'est, en fait, un canal recouvert à la fin du XVIIIe s, devenu le cœur commerçant de la ville. De Grand Parade avec ses vieilles maisons au Saint Patrick's Bridge qui enjambe la Lee, les boutiques nichent dans de beaux bâtiments du XIXe s.

🎭 Dans le prolongement de Grand Parade, Cornmarket Street (plan II, C1) mène au **marché populaire** de **Coal Quay**. À l'ouest du marché s'étend la plus vieille partie de la ville, toujours appelée **The Marsh** (« le marais »), en référence à son passé tourbeux.

🎭 *Cork Vision Centre* (plan II, C1) : North Main St. ☎ 42-79-925. ● corkvisioncentre.com ● Mar-sam 10h-17h. Entrée gratuite. Il a investi les murs d'une ancienne église. Une maquette maousse, un film et des petites expos temporaires de photos donnent un aperçu rapide de Cork à travers les âges.

🎭 Sur Grand Parade (proche de l'office de tourisme), imposant et pompeux **monument aux Patriotes irlandais** (plan couleur II, C2) de 1798, 1803, 1848 et 1867.

🎭 *English Market* (plan II, C2, 72) : entrées sur Grand Parade et Prince's St. Lunsam 8h-18h. Date de 1780. Reconstruit en 1862 et 1981. Il brûla en 1980, mais subsistent toujours la pittoresque façade de brique de style romano-corinthien et, à l'intérieur, la fontaine kitsch. C'est l'occasion d'acheter saumon et poisson fumé.

🎭 De l'autre côté du canal, sur O'Sullivan's Quay (plan II, C2), quelques élégantes demeures du XVIIIe s aux façades bombées. Mary Street mène à la **Red Abbey**, dernier vestige du Cork médiéval. Puis les quais longeant la Southern Canal mènent au *City Hall* (plan couleur I, D2). Façade classique à colonnes doriques.

🎭🎭 *Saint Fin Barre's Cathedral* (plan II, C2) : Dean St. Au sud-ouest de la ville. Avrsept, lun-sam 9h30-17h30 ; le reste de l'année, lun-sam 9h30-12h45, 14h-17h. Dim, ouv si on assiste à l'office. Entrée : 4 €. Bâtie en 1865, dans le style gothique français, sur l'emplacement de la petite chapelle érigée au VIe s par le fondateur de Cork.

🎭🎭 *Cork Public Museum* (plan couleur I, A2) : Fitzgerald Park, Mardyke Parade. ☎ 42-70-679. ● museum@corkcity.ie ● Lun-sam 11h-13h, 14h15-17h (16h sam) ; plus dim avr-sept 15h-17h. Entrée gratuite. Au milieu d'un parc, un très intéressant musée d'Histoire de la ville installé depuis 1909 dans l'ancienne demeure du brasseur Beamish. Les différentes sections recouvrent toutes les périodes de la préhistoire à nos jours, en s'intéressant plus particulièrement au Moyen Âge et au XIXe s. Superbes objets d'art, argenterie, souvenirs historiques : bannières syndicales, affiches originales de la Land War, estampes et peintures. Au premier étage : exposition de photos sur la guerre d'indépendance. C'est aussi un bon prétexte pour aller se promener dans le parc.

🎭🎭 *Cork City Gaol* (plan couleur I, A1) : Convent Ave, Sunday's Well. ☎ 43-05-022. ● corkcitygaol.com ● Suivre Blarney St vers l'ouest ou longer les rives de la Lee via le Fitzgerald Park. Mars-oct, tlj 9h30-17h ; nov-fév, tlj 10h-16h. Fermé 23-26 déc. Entrée : 8 € ; réduc. Audioguide en français inclus. Inaugurée en 1824 et fermée

en 1923, cette vaste prison presque jolie avec ses créneaux décoratifs ne laisse pas deviner les dures conditions de vie des prisonniers. C'est ce que s'efforce de retranscrire l'habile muséographie, qui met en scène différents mannequins de surveillants et de détenus au gré de reconstitutions soignées (bureau du directeur, cellules, salle des gardes...). Plein d'anecdotes, comme ce premier directeur qui avait fait creuser un tunnel pour se faire la belle chaque soir vers sa famille, de l'autre côté de la rue !
– *Radio Museum Experience : même endroit, mais ouv slt à la demande en fonction de la disponibilité du personnel.* Retrace les balbutiements de la radiodiffusion en Irlande et ses conséquences sur la vie quotidienne.

🎭🎭 *University College (plan couleur I, B2) : Western Rd. Tlj jusqu'à 23h30.* Bâtiments du XIXe s, certains de style Tudor, au milieu d'un superbe parc, inaugurés en 1849 par la reine Victoria. Dans le *Stone Corridor,* expo de pierres (préhistoriques, oghamiques, etc.). Dans la *Aula Maxima,* joli décor intérieur : bibliothèque, panneaux de bois sculptés, poutres en chêne, galerie, vitraux, etc. Parfois s'y déroulent des concerts *(durant l'année universitaire ; entrée gratuite).* Enfin, le bâtiment design tout en verre et bois de la *Lewis Glucksman Gallery* renferme des expos temporaires d'art contemporain *(mar-sam 10h-17h, dim 14h-17h ; entrée gratuite).*

Manifestations, culture

– *International Choral Festival : fin avr-début mai, pdt 4-5 j.* ● corkchoral.ie ● Résas auprès de l'Opera House *(voir ci-dessous).* Chant lyrique du monde entier.
– *Live at the Marquee : 2de quinzaine de juin.* ● ticketmaster.ie ● Festival pop-rock qui voit se dérouler de nombreux concerts et théâtre de rue.
– *Guinness International Jazz Festival : fin oct, sur 3-4 j.* ● guinnessjazzfestival.com ● De grande réputation, il investit plus de 40 pubs, des hôtels et même l'opéra. *Sessions* gratuites ou pas. Superbe atmosphère, presque un carnaval de Rio à l'irlandaise. Réserver son logement bien à l'avance.
– *Opera House (plan II, C1) : Emmet Pl.* ☎ 42-70-022. ● corkoperahouse.ie ● Résas en ligne possibles. Programme varié toute l'année.
– *Courses de lévriers* (Greyhound Stadium ; *hors plan couleur I par A2) :* Curraheen Park, **Bishopstown.** ☎ 45-43-095. À 3 km du centre. Prendre par la Western Rd. Bus n° 8. Jeu-sam à 20h. Entrée : 10 € ; *réduc étudiants.* Pour le topo sur les courses, voir « Courses de lévriers » à Dublin.

DANS LES ENVIRONS DE CORK

🎭🎭🚶 *Blarney Castle :* ☎ 43-85-252. ● blarneycastle.ie ● *À 8 km au nord de Cork, par la N 20 direction Limerick. Bus ttes les heures (moins le w-e) de la gare routière. Mai-sept, lun-sam 9h-18h30 (19h juin-août), dim 9h-18h ; le reste de l'année, tlj 9h-18h (jusqu'au crépuscule en hiver). Manoir : visite guidée slt en juil-août. Fermé 24-25 déc. Entrée : 12 € ; réduc.* C'est surtout par l'énorme donjon du XVe s que l'on est impressionné, comme le furent Guillaume d'Orange, Cromwell et compagnie quelques siècles auparavant. Posé sur un socle massif de roche et de courtes falaises dans lesquelles fut creusé un réseau labyrinthique de galeries (gare à la tête si vous vous y aventurez !), il

UNE PIERRE SOUS HAUTE SURVEILLANCE

En 1940, on offrit jusqu'à 1 million de dollars pour emporter la pierre de Blarney aux États-Unis. Depuis le refus, tout le monde s'inquiète d'un éventuel vol, jusqu'à en imaginer les conséquences ! C'est notamment le thème du film Top o'Morning *avec Bing Crosby en 1949, ainsi que celui d'un épisode du dessin animé* Inspecteur Gadget *en 1984 !*

dresse sa silhouette altière largement au-dessus de la cimes des arbres. Ne ratez pas la grimpette pour profiter d'une superbe vue sur les environs, d'autant qu'on en profite pour visiter différentes salles bien restaurées. C'est également sur le chemin de ronde qu'on teste sa souplesse en embrassant la fameuse pierre qui donne le don d'éloquence. Certes, il n'y a pas grand-chose d'autre à voir et le prix du ticket peut rester en travers de la gorge. Promenade tout de même bien agréable le long de la rivière et des berges du lac, et très intéressante dans l'intrigant sous-bois parsemé de rocs déchiquetés qui borde le château, The Rock Close, qui serait un ancien cercle druidique. Le manoir (toujours habité) se visite lorsque les proprios prennent le large. Sur place, aire de jeux pour les enfants, tables de pique-nique et restaurant.

🎭🎭 *Fota House & Arboretum :* à **Carrigtwohill.** ☎ 48-15-543. ● *fotahouse.com* ● *Sur la route de Cobh (en quittant la N 25). Lun-sam 10h-17h, dim 11h-17h. Accès aux jardins gratuit, mais parking payant (3 €). Visite guidée de la maison avr-sept à 11h, 12h30, 14h et 15h30 : 8 €.* Heritage site. Au sein du Fota Wildlife Park, le microclimat local a permis de faire pousser des arbres d'Asie, de l'Himalaya et d'Australie... Un des plus beaux arboretums d'Irlande, qui abrite aussi un zoo (entrée chère) et un golf. La *Fota House* est une belle demeure bourgeoise du XVIIIe s, agrandie au XIXe s. Des salons de réception aux chambres à coucher, en passant par les pièces de service des nombreux employés de la maison, la visite de 45 mn permet de se faire une idée précise du quotidien de l'époque, en découvrant le beau mobilier et toutes sortes d'objets qui paraissent aujourd'hui bien insolites.

🎭🎭 *The Jameson Experience :* dans le centre de **Midleton.** ☎ 46-13-594. ● *tours. jamesonwhiskey.com* ● *À 20 km à l'est de Cork, sur la N 25. Depuis Cork, trains tlj ttes les 1-2h, trajet 20 mn. Avr-sept, visites tlj 10h-16h30 en continu ; le reste de l'année, à 11h30, 13h15, 14h30, 16h. Durée de la visite : 1h. Entrée : 13 € ; réduc. Visite guidée en anglais (parfois en français l'été) mais dépliant bien fait en français.* Les amateurs ne rateront pas la visite de cette institution fondée en 1867, siège des *Irish Distillers* qui produisent les célèbres whiskeys *Paddy, Jameson, Powers...* L'ancienne distillerie ayant cessé toute activité en 1975, lorsque les unités de production flambant neuves construites juste derrière ont pris le relais, ses nombreux bâtiments sont désormais entièrement dévolus à la visite. Après un film de présentation, on se balade par conséquent dans le site en suivant toutes les étapes de la fabrication du whiskey, de l'arrivée de l'orge au produit fini : impressionnants magasins à grains, salles de fermentation, alambics... Vous y verrez d'ailleurs le plus grand du monde (144 000 l !). Visite très instructive conclue par un verre.

🍴 *Farmgate Restaurant :* Coolbawn. ☎ 46-32-771. *Dans une rue perpendiculaire à Main St, presque en face de celle conduisant à Jameson. Ouv le midi mar-sam, plus le soir jeu-sam. Le midi, plats env 11-17 € ; le soir, plats env 19-30 €.* Ceux qui connaissent le *Farmgate Cafe* de Cork ne seront pas dépaysés, car cette adresse est en réalité la maison mère. Le décor est toutefois plus soigné (une épicerie gourmande donnant sur la cuisine ouverte précède une jolie salle champêtre) et les plats classiques de saison plus aboutis. Pour les petites faims, possibilité le midi de se contenter d'un sandwich.

CROSSHAVEN   1 300 hab.   IND. TÉL. : 021

À 18 km au sud-est de Cork, charmant petit port enclavé dans une crique pittoresque. En face, la baie et Cobh au fond.
Francis Drake, poursuivi par la flotte espagnole, se réfugia ici en 1585. Siège du plus ancien yacht-club au monde, le *Royal Cork Yacht Club,* fondé en 1720. Le *Gipsy Moth,* sur lequel sir Francis Chichester fit son fameux tour du monde, fut bâti ici. On y trouve aussi les plages de Cork : *Fountainstown, Weaver's Point, Church Bay* et celle, très jolie, de *Myrtleville.*

Arriver – Quitter

➤ *De/vers Cork :* bus n° 222. 14 bus/j. (8-10 le w-e). Trajet : 40 mn.

Adresse utile

🛈 *Office de tourisme :* baraque à l'entrée du village en venant de Cork. Lun-ven 9h15-13h15 (plus, en principe, 14h15-16h en été).

Où dormir ? Où manger ?

🏠 ⭤ *Bellevue B & B :* Myrtleville. ☎ 48-31-640. ● bellevuebb.com ● À 3 km de Crosshaven. Doubles 75-110 € selon standing et saison. Table d'hôtes sur résa env 25 € (apporter son vin, ils n'ont pas la licence). 🛜 Maison récente avec un petit jardin bien entretenu, située face à la mer, à 300 m de la plage (toutes les chambres, de facture classique, n'ont pas vue sur la mer !). Tout confort et tenu par des hôtes chaleureux. De surcroît, Gaby Neff prépare une bonne cuisine, elle fait elle-même son pain et plein d'autres (bonnes) choses. Pour prendre le petit déj, agréable véranda avec son pied de vigne. Également 1 studio indépendant pour 4 personnes, accueillant et bien équipé (cuisine séparée), situé à l'arrière de la maison. On y parle parfaitement le français.

⭤ *Cronin's Pub :* sur le port. ☎ 48-31-829. Bar food servie lun-sam 12h-14h45, dim 13h-16h. Plats 9-12 €. Peu d'autres solutions pour déjeuner ici que ce lieu plein de nostalgie avec sa déco surchargée de vieilles photos et autres souvenirs nautiques. Bonne ambiance locale et bonne chère tendance familiale. Accueil très sympa.

CORK ET SES ENVIRONS

COBH [an cóbh]　　　6 800 hab.　　　IND. TÉL. : 021

À 24 km de Cork, au sud de Great Island. Jadis village de pêcheurs, Cobh (prononcer « Cove ») devint à la fin du XVIIIe s une importante base navale anglaise. C'est de là qu'embarquèrent, dans des conditions dramatiques, les Irlandais candidats à l'émigration pour le Nouveau Monde. Le célèbre *Titanic* y fit sa dernière escale (l'embarcadère d'origine existe encore !).

La ville, plaisante à parcourir, se donne des allures de station balnéaire, avec son avenue bordée d'arbres exotiques, ses aménagements pour piétons et ses hôtels avec vue. Dominées par l'imposante cathédrale, les rues dévalant vers le port et celle du quai proposent d'élégants alignements de coquettes demeures colorées. Le coin est éminemment touristique, et l'accueil général s'en ressent quelque peu en saison. Dommage également que l'horizon soit en partie barré par des industries un poil encombrantes pour le regard.

Arriver – Quitter

➤ *De/vers Cork :* pas de bus mais des trains ttes les heures, du mat au soir. Trajet : 25 mn.

➤ *De/vers Kinsale, en bateau :* rens au ☎ 48-11-485. À la sortie nord de Cobh, un traversier vers Glenbrook permet de raccourcir en évitant Cork. Trajet : 5-7 € par auto, aller simple ou A/R.

Adresse utile

🛈 *Office de tourisme :* The Old Yacht Club. ☎ 48-13-301. ● info@cobhhar bourchamber.ie ● En plein centre-ville, sur le quai. Lun-ven 9h-17h30, w-e 11h-17h. Propose de nombreuses activités : visite de la ville, balades en bateau, etc.

Où dormir ? Où manger ? Où boire un verre ?

Cobh attire de nombreux groupes de rock, de musique traditionnelle ou encore de jazz. Arpenter le centre-ville à la recherche du meilleur son.

🛏 *Ard Na Laoi B & B :* 15, Westbourne Pl. ☎ 48-12-742. ● ardnalaoi.ie ● Face à l'office de tourisme. Fermé en déc. Résa conseillée. Doubles 60-66 €. CB refusées. 🛜 Situation stratégique pour ce petit *B & B* tenu par des gens sympathiques. Les chambres sont classiques et agréables, surtout pour celles donnant sur le port (ce sont les plus chères, réservez-les à l'avance). Le *guest lounge,* à l'étage, dispose également d'une belle vue panoramique.

🍽 🍸 *The River Room :* 15, West Beach. ☎ 48-13-293. Sur le quai, mitoyen de la poste. Snacks env 5-7 €.

Petit *coffee shop* bien pratique pour avaler entre 2 balades de copieux sandwichs à composer soi-même, des tartes et des salades. Soupes du jour et plusieurs plats selon les saisons. Rien d'exceptionnel, mais ça dépanne et ce n'est pas ruineux.

🍽 🍸 *The Quays :* 17, Westbourne Pl. ☎ 48-13-539. Sur le quai, à côté de l'office de tourisme. Tlj 12h-21h. Le midi, sandwichs env 6-8 € et plats 8-13 € ; le soir, plats env 14-21 €. En fonction du climat, 2 options : abrité à l'intérieur d'une petite salle à la déco classique, ou sur la terrasse superbement située face à la baie. À la carte, choix de plats classiques ou plus originaux. C'est bon sans être dispendieux. Bonne pioche !

🍸 *The Roaring Donkey :* Hilton Park. ☎ 48-11-739. Dans la rue qui monte depuis la cathédrale (à 200 m). L'un des plus fameux pubs de la ville. Musique traditionnelle en principe chaque mercredi soir.

À voir

🎬🎬 *Cobh Heritage Centre :* gare ferroviaire de Cobh. ☎ 48-13-591. ● cobhheritage.com ● Avr-oct, tlj 9h30 (11h dim)-18h (17h nov-avr). Dernière entrée 1h avt fermeture. Entrée : 7,50 € ; réduc.
De cette ancienne gare victorienne, entre 1800 et 1950, 3,5 millions d'Irlandais embarquèrent sur des transatlantiques vers le Nouveau Monde ou l'Australie. Un monde parfois meilleur, mais parfois pire. Cette expo narre l'histoire de Queenstown (le nom de la ville entre 1849 et 1920), son rôle stratégique et militaire.
– *Section consacrée à l'émigration des Irlandais :* elle expose au moyen de reconstitutions soignées les raisons de ces départs en masse (la Grande Famine surtout) et évoque en détail l'embarquement (l'agent du port énumérant le nom des passagers, les scènes d'adieu...), les effroyables conditions de vie à bord, maladies, tempêtes. Quant aux forçats, près de 40 000 hommes et femmes furent déportés vers l'Australie entre 1791 et 1853 à bord de « bagnes flottants » : beaucoup étaient condamnés pour leurs activités politiques contre les Britanniques.

En un siècle, 1,5 million d'Irlandais gagnèrent les États-Unis pour former aujourd'hui une diaspora forte de près de 40 millions d'*Irish Americans.* Un panneau recense les plus célèbres d'entre eux, descendants de misérables migrants : gens de cinéma (voir encadré), constructeurs de voitures (Henry Ford), milliardaires (J. P. Getty), champions de la raquette (Jimmy Connors et John McEnroe), chantres de la chasse aux sorcières

STAR ACADEMY

Rien que dans le cinéma, l'Irlande et sa diaspora ont fourni une ribambelle de stars ! Les acteurs James Cagney, Jack Nicholson, Tyrone Power, Maureen O'Hara, John Wayne, Grace Kelly, Gene Tierney, Mel Gibson... Les cinéastes John Ford et John Huston complètent cette impressionnante liste.

(McCarthy), et bien sûr présidents (John F. Kennedy et Ronald Reagan).

– *La guerre, les bateaux à vapeur :* cette section montre le rôle du port de Cobh durant la guerre de l'indépendance des États-Unis (1775-1781), les guerres contre la France et bien d'autres conflits (Crimée, Boers, Première Guerre mondiale).

– *Le Titanic :* le dernier port d'escale du célèbre paquebot fut Cobh, le 11 avril 1912. 3 jours plus tard, celui qu'on disait « *practically unsinkable and absolutely fireproof* » heurta un gros iceberg à environ 640 km au sud-est de Terre-Neuve et coula à pic, entraînant dans la mort près de 1 500 passagers. Il n'y eut que 700 survivants environ. Petit film documentaire (en anglais), photos et vitrines renfermant quelques objets d'époque.

– *Le Lusitania :* coulé le 7 mai 1915 par une torpille allemande. Il assurait la liaison Liverpool-Cork-New York et sombra à 16 km au large de Kinsale : 1 198 morts et 761 survivants. Ce qui poussa les États-Unis à déclarer la guerre à l'Allemagne. Très visuelle, cette section est constituée notamment de reconstitutions d'intérieurs et propose un film dans une minisalle de cinéma « d'époque ». Plutôt réussi dans son genre.

🏹 *Titanic Experience :* White Star Line Building, 20, Casement Sq. ☎ 48-14-412. ● titanicexperiencecobh.ie ● Tlj 9h-18h. Dernière entrée 45 mn avt fermeture. Entrée : 9,50 € ; réduc. Un parcours interactif bien ficelé qui a comme principal atout d'occuper les bâtiments d'origine de la *White Star Line,* d'où embarquèrent les 123 derniers malheureux passagers pour la funeste traversée du *Titanic.* On suit leur itinéraire, qui commence au kiosque où l'on prend son ticket, se poursuit par l'accueil de l'officier de pont sur le quai (à l'extérieur, le ponton est toujours en bonne place), avant de monter à bord du mastodonte (répliques de cabines) jusqu'à son naufrage. Une salle interactive détaille les causes et les conséquences de la catastrophe (ce qui aurait pu être évité, les procès...), avant de s'intéresser au sort de certaines familles de passagers. Un peu court, mais intéressant.

🏹🏹 *La cathédrale Saint-Colman :* elle trône, imposante, au sommet de la colline qui domine la ville. De style néogothique, cet édifice fut construit entre 1868 et 1915 et largement financé par la communauté américano-irlandaise. Fameux carillon de 47 cloches, dont la plus grande pèse 3,5 t. Châsse contenant les reliques d'Oliver Plunkett, martyrisé en 1681. Pour les fans de chœurs, récital chaque dimanche (en été seulement) vers 16h30, 17h30.

Manifestation

– En été (juin et mi-août), Cobh est le théâtre de célèbres *régates.*

LA CÔTE SUD À L'OUEST DE CORK

KINSALE (ceann tsáile)   2 500 hab.   IND. TÉL. : 021

C'est l'un des plus jolis ports irlandais et un centre populaire de yachting, à une trentaine de kilomètres au sud de Cork. Se loger à Kinsale coûte cher, aussi peut-on envisager de dormir dans les environs et de visiter la ville dans la journée. On peut y voir le *Giant's Cottage,* minuscule maison bleue, ainsi que de nombreuses maisons bariolées. Au centre du village, certaines sont de vraies œuvres d'art.

UN PEU D'HISTOIRE

Kinsale symbolise le début de la fin de l'indépendance de l'Irlande. C'est ici, en effet, que furent écrasés en 1601 les chefs gaëls et leurs alliés espagnols. Un véritable désastre : ce fut la célèbre « fuite des comtes » *(Flight of the Earls),* qui conduisit une large part de la noblesse irlandaise à émigrer sur le continent. Les Anglais firent de Kinsale l'une de leurs plus importantes bases navales, et, jusqu'à la fin du XVIIIᵉ s, les Irlandais ne purent y séjourner.

Arriver – Quitter

Arrêt des bus (plan A1) : Pier Rd. Avec les bus *Eireann* :
> **De/vers Cork :** un peu plus de 10 bus/j. env 7h30-22h30 ; moitié moins le dim. Trajet : 50 mn. Passent par l'aéroport.
> **De/vers Clonakilty :** 1 bus/j. (le mat depuis *Kinsale,* l'ap-m depuis *Clonakilty).* Trajet : 1h15.
> **Vers Ballinspittal et Garrettstown :** 2 bus le jeu slt (le mat et en début d'ap-m) ; 1 le dim en milieu d'ap-m. Compter respectivement 20 et 30 mn.

Adresses utiles

Tourist office (plan A1) : entre Pearse St et The Pier. ☎ 47-72-234. ● kinsale. ie ● Tlj sf dim (plus lun nov-avr) 9h15-17h. Bonne doc sur la ville et la région.
✉ **Poste** (plan A1) : Pearse St. Lun-ven 9h-13h, 14h-17h30 ; sam 9h-13h.
@ **Internet : Elasnik Web Cafe** (plan A1), à côté du musée. Lun-ven 8h30-17h30. Ainsi que **Finishing Services** (plan A1), 71, Main St. Lun-ven 9h-17h30, sam 10h-14h. Plus cher.
■ **Banque** (plan A1, **1**) : AIB Bank, Pearse St. Lun 10h-17h, mar-ven 10h-16h. Distributeur.

■ *Location de vélos : Mylie Murphys* (plan A1, **1**), 8, Pearse St (à côté de l'AIB Bank). ☎ 4772-703.

■ *Galerie Giles Norman* (plan A1, **2**) : 45, Main St. ☎ 47-74-373. ● giles norman.com ● Tlj 10h (12h dim)-18h. De très belles photographies en noir et blanc de Norman, qui a également une galerie à Paris et en Italie.

▩ *Farmer's Market* (plan A1) : Church Sq (Carpark). Derrière le poste de police. Ts les mer (sf janv) 9h-15h. Tous les bons produits des environs de Kinsale.

Où dormir ?

Attention, en août, pendant la période des régates, réservation indispensable. Si nos adresses sont *full,* allez voir dans Main Street, il y a plusieurs autres *B & B.*

Bon marché

🏠 *Dempsey's Hostel* (plan B1, **10**) : Eastern Rd. ☎ 47-72-124. ● hostel

Légende de la carte :

Kinsale	Lieux traités
Old Head	Adresses et lieux dans les environs
Lispatrick	Repères

10 km

LA CÔTE À L'OUEST DE CORK

kinsale.com ● À la sortie de Kinsale, sur la route de Cork. Ouv tte l'année. Dortoir (6-8 lits) 18 € ; double 44 €. CB refusées. Parking. 🖥 📶 Une AJ privée au sein d'une maison bleue sans charme et dans un environnement pas génial (en bord de route et à côté de la station essence). Mais c'est la seule AJ de Kinsale. Salles de bains à partager. Un lit double dans un dortoir au rez-de-chaussée. Literie pas géniale. Cuisine à disposition (pas de petit déj). Un endroit qui reste convivial mais un poil négligé, pour routards désargentés et peu exigeants.

📱 *Jo's Cafe and Rooms* (plan A1, 12) : 55, Main St. 📱 087-948-10-26. ● joskinsale.com ● Ouv avr-oct. Double 45 €, sans petit déj. 📶 Reconnaissable à sa belle devanture en pierre sculptée. 4 chambres doubles à l'étage, toutes en suite. Pas le grand luxe, peu spacieuses, mais rénovées et bien tenues. On peut prendre le petit déj dans la salle du restaurant, au rez-de-chaussée (bonnes pâtisseries faites maison). Équipe jeune et sympa.

De prix moyens à plus chic

🛏 **Ashgrove B & B** (hors plan par A1, **11**) : au début de Bandon Rd, non loin du centre. ☎ 47-74-127. ● ashgrove kinsale.com ● Ouv mars-oct. Doubles env 70-80 € selon saison. Parking privé. 🖥 📶 Ce joli B & B géré avec professionnalisme propose 5 chambres impeccables, sobres et élégantes, avec salle de bains. Le tout dans une maison moderne entourée d'un jardin propret. L'endroit est calme. Très bon petit déj servi dans une salle lumineuse.

🛏 **Danabel** (plan A1, **13**) : Featherbed Lane. ☎ 47-74-087. ● danabel.com ● Prendre la route de Cork, puis 1re à gauche (fléché). Ouv tte l'année. Doubles 60-80 € selon saison. 📶 Dans un quartier résidentiel et calme, ce B & B propose 5 chambres en suite. Meubles et gravures anciennes en guise de déco donnent un côté classique et raffiné à l'adresse. Les chambres ne sont pas très spacieuses mais parfaitement confortables. Bon accueil.

🛏 **The Olde Bakery** (plan A2, **14**) : 56, Lower O'Connell St. ☎ 47-73-012. ● theoldebakerykinsale.com ● Ouv tte l'année. Doubles 70-80 € selon saison. 📶 Maison de 1850 qui abrita une boulangerie qui travaillait surtout pour l'armée anglaise retranchée dans son fort. Après l'indépendance, en 1922, elle dut, bien sûr, mettre la clé sous le paillasson. Aujourd'hui, vous ne serez cependant guère dans le pétrin, c'est, dans un coin discret, l'un des meilleurs B & B de la ville. 6 chambres cosy, et superbe petit déj avec scones et confiture maison. Accueil charmant d'un couple de retraités.

🛏 **Landfall House** (hors plan par A1, **11**) : Cappagh, Bandon Rd. ☎ 47-72-575. 📱 087-248-02-82. ● landfallhouse. com ● Dans les hauts de Kinsale ; suivre les panneaux. Ouv avr-nov. Chambres 70-90 € pour 2. CB refusées. Parking privé. 📶 Superbe et spacieuse demeure très propre avec les chambres à l'étage, toutes en suite. 3 triples et 1 double. Déco sobre et

élégante. Grand jardin, calme assuré. Belle vue sur le large et le port. Super accueil de Margo Searls.

De plus chic à chic

🛏 **Desmond House** (plan A1, **16**) : 42, Cork St. ☎ 47-73-575. ● des mondhousekinsale.com ● Ouv avr-oct. Double 140 €. 🖥 📶 Un B & B au charme d'autrefois dans une maison du XVIIIe s, au bord d'une rue calme. 4 chambres vastes, avec mobilier ancien, moquette à fleurs, jacuzzi. Accueil à bras ouverts. Pour un séjour chic en centre-ville.

🛏 **The Blue Haven Hotel** (plan A1, **17**) : Pearse St. ☎ 47-72-209. ● bluehavenkinsale.com ● Ouv tte l'année. Selon saison, doubles dim-jeu 70-120 €, ven-sam 100-150 €, petit déj compris. Intéressants « 2 Day Specials » incluant le dîner (voir le site internet). 📶 Chambres luxueusement meublées, beaux tissus, un côté élégant et sophistiqué. Accueil pro et souriant.

🛏 🍴 **Trident Hotel** (plan A2, **18**) : Pier One, au bout du quai. ☎ 47-79-300. ● tridenthotel.com ● Doubles 90-190 € selon standing. Parking. 🖥 (payant). 📶 De style typiquement « Celtic Tiger », et, du coup, pas le plus beau bâtiment du port ! Chambres cependant confortables, comme il sied à un hôtel de cette catégorie. Et 2 atouts quand même : la vue sur la baie et le port (pour les executives principalement) et un restaurant de très bonne réputation.

Où dormir dans les environs ?

Camping

⛺ **Garrettstown House Holiday Park** : à 10 km au sud-ouest de Kinsale (par la R 604) et à 3 km au sud de Ballinspittle. ☎ 47-78-156. ● garrettstown house.com ● Ouv de mai à mi-sept. Selon saison, compter 17-20 € pour 2 avec tente ; marcheurs et cyclistes 7-8 €. Douches payantes. Dans un parc de 8 ha, autour d'une vieille demeure

KINSALE

■	**Adresses utiles**		16	Desmond House		♈ ♪	**Où boire un verre ?**
ⓘ	Tourist office		17	The Blue Haven Hotel			**Où écouter**
1	AIB Bank et Mylie Murphys		18	Trident Hotel			**de la musique ?**
	(location de vélos)					17	Blue Haven Bar
2	Galerie Giles Norman		|◉|	**Où manger ?**		40	Greyhounds et Su'Bar
			17	Blue Haven		41	The Spaniard
⌂	**Où dormir ?**		30	Mother Hubbar		42	Tap Tavern
10	Dempsey's Hostel		31	Jim Edwards			
11	Ashgrove B & B et Landfall		32	The Bulman et Toddies		�殺	**À voir**
	House			at the Bulman		50	Kinsale Regional Museum
12	Jo's Cafe and Rooms		33	Hobys Restaurant			
13	Danabel		34	Man Friday			
14	The Olde Bakery		35	Max's			

(XVIIIᵉ s), à 800 m de la plage. Épicerie, laverie, salle de jeux, tennis, billard. Présence massive de mobile homes. Bon accueil.

À Sandycove

Sandycove est une petite anse rocheuse à 5 km au sud de Kinsale, accessible par la route de Clonakilty (R 600 : passer le pont, puis à droite ; ensuite, prendre la 1ʳᵉ à gauche, c'est indiqué). Des champs cultivés et des prés à moutons descendent presque jusqu'au bord de la falaise. La mer sinue entre des collines couvertes de landes et ce damier bien vert, formant une sorte de monde à part qui rappelle un peu les abers du Finistère nord.

🏠 **Walyunga B & B :** à 1 km de l'anse de Sandycove. ☎ 47-74-126. ● walyunga.com ● Bien fléché. Ouv de mi-avr à oct. Chambres 70-75 € (la moins chère est la chambre standard, avec sanitaires à l'extérieur). CB refusées. 📶 En pleine campagne, avec des promenades superbes tout autour. L'une des chambres possède une vue plongeante sur la baie (avec même un lit en biais pour être exactement dans l'axe !). L'adorable proprio est une jardinière hors pair : vous jouirez d'un magnifique jardin et d'une maison envahie de plantes vertes en pleine santé ! Une de nos adresses les plus fidèles.

Où manger ?

Kinsale a la réputation d'être la capitale gastronomique de l'Irlande. Chaque année, mi-octobre, se tient un festival des gourmets. En dehors de cette fête culinaire, on peut se faire une idée de la qualité de la cuisine locale en s'attablant chez l'un des 10 restaurateurs réunis dans la chaîne *Good Food Circle* (● food.kinsale.ie ●).

Bon marché

|●| **Mother Hubbar** (plan A1, **30**) : Market Sq. ☎ 47-72-440. Tlj slt 8h30-14h (15h w-e). En-cas 4-6 €, ploughman lunch env 6-7 €. Dans une maison ancienne. Une déco où le bleu domine et une atmosphère populaire, avec ses faïences kitsch au mur et ses tables recouvertes de nappes à carreaux. Peu de tables, on y est parfois serrés comme les sardines ! La cuisine est faite devant vous avec des produits bien frais. Quelques tables dehors quand il fait beau. Très bien aussi pour un petit déj.

De prix moyens à plus chic

|●| **Blue Haven** (plan A1, **17**) : Pearse St. ☎ 47-72-209. Dans le centre. Service tlj 9h-22h (bar food jusqu'à 17h). Plats 8-15 € au Bistro le midi, 15-25 € le soir ; 15-30 € au resto ; menu table d'hôtes env 38 €. Cet hôtel de luxe présente une offre pour toutes les bourses. Très populaire dans la région. D'abord, *The Bistro* : dans un cadre de petite cafét' proprette, petit déj de 9h à 12h. Puis snacks, bagels, paninis, sandwichs, salades, jus de fruits frais, sélection de thés et cafés de 12h à 17h. Propose une excellente *bar food* (le soir, sa carte recoupe en partie celle du resto de luxe). Le midi, prix acceptables, délicieuses spécialités locales comme les *seafood soup, whole seabass,* moules marinière, *seafood platter,* etc. Bons et substantiels sandwichs et desserts maison. Le soir (de 18h à 22h), on peut aussi s'attabler au *Fishmarket Restaurant,* plus cher, cadre luxueux et tellement bon... Service efficace et souriant.

|●| **Jim Edwards** (plan A1, **31**) : Market Quay. ☎ 47-72-541. Tlj midi et soir jusqu'à 21h30. Menus le soir 20-25 € ; bar food 11-15 € le midi, 13-19 € le soir ; au resto, plats 16-30 €. 2 salles : celle du resto, au cadre classique un peu chic et *stiff* malgré ses belles reproductions de bateaux aux murs, et celle du pub. Plus chaleureux, avec ses maquettes en vitrine, son plancher mi-bois mi-carrelage, ses box et vénérables banquettes. Au tableau noir, les *specials* du jour. Atmosphère relax, service souriant et efficace. Une valeur sûre de Kinsale.

|●| 🍷 **The Bulman** (plan B2, **32**) : Summer Cove. ☎ 47-72-131. Sur la route du fort Charles, à 2,5 km du centre-ville

(face à un petit parking). Ouv tlj. Bar food 10-16 €. Vieux pub romantiquement situé face à la baie. Cadre hyper chaleureux, cheminées qui crépitent lorsqu'il fait froid. Soupes maison, *seafood chowder,* sandwichs, moules de la baie, burgers, *fish & chips...* À l'étage, le resto *Toddies* (voir plus loin « Plus chic »).

I●I Hobys Restaurant *(plan A1, 33) :* 5, Main St. ☎ 47-72-200. *Tlj sf dim 18h-21h (un poil plus tard en été). Résa conseillée. Plats 18-30 €.* Petite salle un poil classieuse et accueillante (quelques aquarelles pour la couleur) pour une cuisine exquise, préparée à partir de produits d'une fraîcheur absolue. Plats aux accents franchement inspirés, avec de fines associations sucrées-salées, comme les seiches caramélisées sur un frais mesclun de salade ou le succulent filet de sole fourré aux épinards, avec une légère crème citronnée. Enfin, ne pas manquer la meringue maison à la crème et fruits frais !

Plus chic

I●I Man Friday *(plan A1, 34) : Scilly Walk.* ☎ 47-72-260. *À 1 km env du centre-ville, sur la colline menant à Summer Cove. Tlj 17h-21h30 (12h30 dim). Résa conseillée. Plats 20-31 € ; early bird menu (lun-ven 18h-19h30, sam 17h30-18h30, dim 16h-18h30) 25 € ; menu 37,50 € ; sans oublier le sunday lunch.* Cadre assez sophistiqué dans les tons blanc et ivoire. Décor composé de jolies peintures et d'une superbe collection de porcelaines. Terrasse face à la baie. On y déguste huîtres chaudes, sole Colbert, turbot grillé au crabe, sauce poivron rouge, *hot Kinsale seafood platter...*

I●I Toddies at the Bulman *(plan B2, 32) : Summer Cove.* ☎ 47-72-131. *Sur la route du fort Charles, à 2,5 km du centre-ville (face à un petit parking). Tlj sf dim-lun 12h30-15h, 18h-21h. Résa obligatoire. Plats env 18-30 €.* Pour le dîner, on se précipite au *Toddies* à l'étage, élu meilleur *gastro pub* du comté de Cork en 2010. Cadre très élégant, avec ses pans de mur en pierre sèche, ses tableaux modernes et son mobilier cossu. Atmosphère chic. Très belle cuisine à base de produits d'une grande fraîcheur, plats finement élaborés : délicieux *fish cakes, dromeland estate wood pigeon, pan roasted scallops...*

I●I Max's *(plan A1, 35) :* 48, Main St. ☎ 47-72-443. *De mars à mi-déc, tlj sf dim 18h-21h (22h sam). En basse saison, conseillé de téléphoner. Intéressants early eating menus (avt 19h30) 24,50-30 € ; le soir, plats 22-30 €.* Cadre sobre et élégant, plancher de bois verni et impressionnante cheminée en pierre. Cuisine française de haute volée à partir des meilleurs produits du coin.

Où manger dans les environs ?

On peut soudain avoir envie de déjeuner dans le coin de The Old Head, sans avoir à revenir à Kinsale.

I●I The Speckled Door : *sur la route de The Old Head, à 10 km env au sud-ouest de Kinsale.* ☎ 47-78-243. *Plats 10-22 €.* Pub de campagne, avec grande salle à manger panoramique attenante et un *beer garden.* Belle vue sur la baie et cuisine de qualité. Poisson, moules de la baie, *seafood chowder, fish & chips* et le classique *corned beef and cabbage.*

I●I Hurley's : *à Ballinspittle, sur la place principale.* ☎ 47-78-019. *À 10 km env au sud-ouest de Kinsale. Tlj service 12h30-19h30.* Du classique bien servi : *steak sandwich, creamy seafood chowder, T-bone...* Également des sandwichs.

Où boire un verre ? Où écouter de la musique ?

♈ Greyhounds *(plan A1, 40) : dans la petite rue partant de Market Sq et du musée. Ouv tlj.* L'un des plus anciens pubs de la ville (300 ans). Minuscule, bas de plafond. Encore dans son jus,

LA CÔTE SUD À L'OUEST DE CORK

avec son comptoir et ses vieux box en lattes de bois, ses 2 cheminées crachant encore ses odeurs de tourbe en mai... Clientèle un peu plus jeune que celle des autres pubs de la ville.

🍸 ♪ **The Spaniard** (plan B1, 41) : ☎ 47-72-436. À 1 km env du centreville, sur la colline menant à Summer Cove. Ouv tlj. Bar food 12h-15h pas trop chère. L'un des plus célèbres pubs de la région, vieux de plus de 300 ans et édifié sur les ruines d'un château (il garda d'ailleurs le nom de Castle jusqu'en 1960). Ses murs abritaient autrefois une étable dont il a conservé les rustiques pierres sèches et les grosses dalles au sol. L'antique cheminée réchauffe les frileux. Tellement connu que les gens viennent de loin y boire une Murphy's en poussant la chansonnette. Le midi, bons fish cakes. Terrasse tout en longueur. Musique traditionnelle (sf mar-jeu). Également un resto, beaucoup plus cher.

🍸 **Tap Tavern** (plan A1, 42) : Guardwell St. Tlj jusqu'à 23h30. Un pub tenu par la même famille depuis plus de 100 ans et une vraie petite institution ! La déco patinée témoigne des années qui ont passé : l'ancienne pendule ne suit plus la course du temps et il y a belle lurette que le téléphone noir accroché au mur ne reçoit plus d'appel. Mais la Tap Tavern reste toujours dans le cœur des habitants de Kinsale et les habitués sont nombreux. Dans la cour à l'arrière, jeter un coup d'œil au puits du XVe s dans lequel on a retrouvé des os. La rumeur raconte qu'il serait hanté...

🍸 ♪ **Blue Haven Bar** (plan A1, 17) : Pearse St. ☎ 47-72-125. Tlj jusqu'à 23h30. Cadre un brin cossu, dans les tons rose et rouge enrichis de tableaux aux couleurs pimpantes. Mobilier confortable, profonds fauteuils, animation garantie et tous les jours de la musique live de qualité. Bons cocktails et possibilité de se restaurer (voir « Où manger ? »). Un endroit qui sied à une clientèle la quarantaine passée.

🍸 **Su'Bar** (plan A1, 40) : Bohemian Quarter. Un bon bar à jus de fruits et smoothies. Rien d'artificiel. D'originales combinaisons à partir de fruits bio. Quelques tables dehors.

À voir. À faire

🎴 **Kinsale Regional Museum** (plan A1, 50) : Market Sq. ☎ 47-77-930. Installé dans l'ancien tribunal (Court House). Se renseigner au tourist office pour les horaires d'ouverture, en principe très limités (mai-sept, mer-sam 10h30-13h30). Entrée libre. L'édifice date de 1600. On admirera la jolie façade d'inspiration flamande de 1706 et le clocher avec weather-fish. À l'intérieur, un fourre-tout curieux, un peu ringard, parfois émouvant. Souvenirs historiques et maritimes, photos et illustrations sur la ville, cartes, livres, etc. Parmi les pièces les plus intéressantes : la charte d'Elizabeth Ire donnée à Kinsale en 1590, la charte de Jacques Ier avec d'exquises enluminures, de très fines dentelles. En fin de visite, voir la vieille salle du tribunal. C'est là que se déroula l'enquête sur le torpillage du Lusitania. L'ambassadeur d'Allemagne à Dublin a offert au musée le rapport du capitaine qui coula le bateau. Il corroborerait la thèse qui courait à l'époque sur le fait que le Lusitania transportait un gros stock de munitions en plus des passagers...

🎴 **Saint Multose Church** (plan A1) : Church St. Elle date de la fin du XIIe s et possède toujours sa grosse tour carrée d'origine normande. À l'intérieur, quelques monuments funéraires du XVIe s.

🎴 **Desmond Castle ou French Prison** (musée du Vin ; plan A1) : dans Desmond Castle, Cork St. ☎ 47-74-855. De mi-avr à sept, tlj 10h-18h ; dernière admission 45 mn avt fermeture. Entrée : 3 € ; réduc. Heritage site. Cette ancienne résidence seigneuriale du XVIe s fut longtemps appelée French Prison (de nombreux soldats français y périrent dans un incendie). Bâtie par Maurice Fitzgerald, Earl of Desmond, comme maison des Douanes, puis utilisée comme prison. La vocation carcérale de la demeure perdura jusqu'à la guerre d'Indépendance américaine, pendant laquelle un certain nombre de marins rebelles y furent également détenus. Aujourd'hui, la bâtisse renferme un petit musée consacré à l'étonnante histoire de la ville et du gouleyant nectar. Au XVe s, Kinsale, qui prospère déjà dans le commerce du vin, importe du bordeaux. Deux siècles plus tard, « la fuite des comtes » disperse les nobles familles irlandaises dans le monde entier. Certains se réfugient dans le sud-ouest de la France et fondent des propriétés désormais célèbres (comme Hennessy). D'autres s'installent en Australie, en Amérique, et même en Martinique, où la famille Dillon distille le fameux rhum qui porte son nom.

🦅🦅 **Charles Fort** (plan B3) **:** sur l'éperon de Summer Cove, à 3 km env du centre-ville. ☎ 47-72-263. De mi-mars à fin oct, tlj 10h-18h ; de nov à mi-mars, mar-dim 10h-17h. Dernière admission 45 mn avt fermeture. Entrée : 4 € ; réduc. Tours guidés. Heritage site. Construit au XVIIe s par le même architecte que le Kilmainham Royal Hospital à Dublin. C'est aujourd'hui la plus importante fortification en Irlande, conçue en forme d'étoile. Occupé par Jacques II, le fort fut pourtant pris par les troupes williamites en 1690. Ensuite, une caserne à l'intérieur abrita une garnison anglaise jusqu'à la libération du sud de l'Irlande en 1922. Pour y aller, route charmante par la colline de Scilly, son quartier de pêcheurs et ses vieux cottages. De la route dominant le fort, superbe panorama sur la baie. En face, sur la presqu'île de Castlepark, datant de la même époque et témoin des mêmes péripéties, **James Fort** (fort James ; plan B2), qui garde également l'entrée du port depuis 1602 et qui est tout aussi impressionnant. Une balade à faire en partant du fort Charles : descendre derrière ce dernier et longer la mer jusqu'au port de Kinsale.

■ **Promenades guidées dans la ville :** avec **Historic Stroll in Old Kinsale,** tlj avr-nov. En principe à 11h15, ainsi qu'à 9h15 mai-sept (sf dim). Rens : ☎ 47-72-873. ▯ 087-250-07-31. ● historicstrollkinsale.com ● Compter 6 €/pers. Également avec **Dermot Ryan's,** tte l'année à 10h30 et 15h sur résa.

☎ 477-27-29. ▯ 086-826-76-56. ● kinsaleheritage.com ● Départs devant le tourist office. Tarif : 5 €/pers. Pour les balades nocturnes (Ghost Tours), contacter **Brian O'Neill :** ▯ 087-948-09-10. En été slt, départ tlj sf sam à 21h, depuis la Tap Tavern (plan A1, **42**).

DANS LES ENVIRONS DE KINSALE

➤ Belles **balades à vélo ou à pied** à faire en boucle, sur la Compas Hill Walk (30 mn) et la Scilly Walk. Merveilleuse promenade sur un chemin romantique qui longe la mer. Brochure gratuite disponible au tourist office.

⌔ **Castle Park Beach** (plan B3) **:** à 3 km env du centre-ville. Petite crique au sable fin, familiale, avec vue sur le fort Charles. On peut y faire du canoë et longer la côte. Rens : **Sea Kayaking Tours,** ☎ 47-78-884. ▯ 086-311-62-62. ● h2oseakayaking.com ●

🦅 **Old Head of Kinsale :** à 10 km env au sud ; prendre la route de Ballinspittle (R 600), puis fléché sur la gauche. Grosse falaise escarpée d'où l'on profite d'un joli panorama. Ruines d'un château du XVe s édifié à l'emplacement d'un des grands forts de l'Irlande des Gaëls. Hélas, cette bonne « vieille tête » a été livrée aux pelleteuses pour construire un golf, et l'accès y est aujourd'hui bien entendu réservé ! Tout fout l'camp... Aurez-vous toujours l'occasion d'y apercevoir quelques pingouins, guillemots et mouettes tridactyles ? Sur le flanc ouest de la falaise, belle plage de Garrettstown.

LA CÔTE SUD À L'OUEST DE CORK

DE KINSALE À SKIBBEREEN

Un parcours enchanteur, truffé de ports croquignolets, de villages assoupis, de petits estuaires, nichés au creux de douces collines.
– Pour faire du stop vers Clonakilty, se placer après le pont à 2 km de Kinsale.

TIMOLEAGUE [tigh molaige]   560 hab.   IND. TÉL. : 023

Pour se rendre à Timoleague, emprunter la route côtière entre Kinsale et Clonakilty (R 600). Avant d'y arriver, on aperçoit, de l'autre côté de la baie, *Courtmacsherry,* gentil port de plaisance tout coloré dans un environnement boisé. Location de bateaux pour la pêche en haute mer.
➤ *De/vers Cork :* 2 bus/j. tlj sf w-e, dans l'ap-m. Trajet : 1h15.

Où dormir ? Où manger ?

⚎ **Sexton's Caravan & Camping :** à *Carahue.* ☎ 88-46-347. 📱 087-220-80-88. ● sextonscamping.com ● À 3 km de Timoleague, route de Clonakilty. Ouv de mi-mars à mi-oct. Selon saison, compter 18-20 € pour 2, tt compris ; 10 € pour marcheurs et cyclistes. 📶 Un petit camping familial et sans prétentions, situé sur une butte bien aérée, avec une jolie vue dégagée sur la campagne. Très bon accueil. Sanitaires corrects. Laverie et cuisine (dans la même pièce !). Points électriques partout. Ravitaillement (corn flakes, sucre, œufs, lessive) à la réception. Location de vélos et petite salle de billard. Barbecue. En cas de grosse pluie, possibilité de louer une caravane.
|●| **Grainnes Pub :** Mill St. ☎ 88-46-458. Dans la rue principale. Pub grub 12h30-15h, 18h-21h. Plats 10-12 € le midi ; un peu plus cher le soir. Un pub aux murs de pierre qui tombe à point nommé pour caler une faim le midi. La salle de resto à l'arrière est plus quelconque.

Où manger chic dans les environs ?

|●| *The Pink Elephant Harbour View :* à *Kilbrittain.* ☎ 88-49-608. Sur la très belle route côtière de Kinsale, à env 8 km. En été, tlj midi et soir ; en basse saison, tlj sf lun-mar : le soir mer-sam 18h-21h (20h dim), plus le midi le w-e. Prévoir 20 € au déj, min 30 € au dîner ; sunday lunch 28 €. Couleurs roses très irlandaises, on ne peut le rater. Maison dominant la baie. Intérieur cossu. De tout, *seafood* bien sûr, mais aussi agneau de Timoleague à l'ail et romarin succulent, lotte à l'ananas et avocat et turbot aux moules, beurre blanc au safran. Grosses tables en terrasse, vue superbe. Grande pelouse idéale pour les enfants.

À voir. À faire

🏛🏛 Superbe *abbaye* franciscaine en ruine du XIVe s, qui fut l'une des plus importantes d'Irlande *(entrée libre).* Tombes à l'intérieur et romantique cimetière au bord d'un bras de mer.

➤ Belle promenade jusqu'à Courtmacsherry, le long de l'estuaire (environ 3 km). De là, *Millenium Walk* avec plusieurs itinéraires pour tous les mollets vers les *Seven Heads* (sept criques encaissées). Superbes vues et tranquillité totale.

➤ Beau circuit entre Timoleague et Clonakilty, en prenant la *Coast Road* (30 km). Ça vaut la peine d'y prendre son temps.

➤ *Promenades en bateau :* contacter **Mark Gannon** (après le teatime) à Court-macsherry. ☎ 88-46-427. ▤ 086-825-09-05. ● courtmacsherryangling.ie ● Jour-nées de pêche et observation des oiseaux.

Manifestation

– *Festival de la Moisson* (Harvest Festival) **:** 10 j. en août.

CLONAKILTY [cloich na coillte]   3 500 hab.   IND. TÉL. : 023

Bourg paisible situé dans une région fertile à une cinquantaine de kilomètres à l'ouest de Cork, sur la N 71. Il présente plein de devantures colorées de magasins. Pour se loger, on trouve dans les environs proches une poignée de *farmhouses.*
Michael Collins, organisateur de l'IRA pendant la guerre d'indépendance et négociateur de la partition de l'île, est originaire du coin. L'anniversaire de sa mort est généralement l'occasion d'une grande fête annuelle qui dure toute la semaine, autour du 22 août. Autre personnalité (presque) de la région : Henry Ford, dont l'arrière-grand-père était originaire du village de Ballinascarthy, à 8 km au nord de Clonakilty.

Arriver – Quitter

En bus

Avec les bus *Eireann* :
➤ *De/vers Cork :* lun-sam, env 8 bus 7h30-19h ; dim 6 bus 9h-19h. Trajet : 1h10.
➤ *De/vers Kinsale :* 1 bus/j. (le mat depuis Kinsale, l'ap-m depuis Clona-kilty). Trajet : 1h15.
➤ *De/vers Skibbereen :* env 8 bus/j. ; 6 le dim. Trajet : 1h15. 2 bus dans l'ap-m continuent jusqu'à la *péninsule de Mizen Head* (Schull, Goleen) ; 1 seul le dim.

Adresses utiles

🛈 *Tourist office :* Ashe St (rue princi-pale). ☎ 88-34-051 ou 88-33-226. ● clonakilty.ie ● Tte l'année, tlj sf dim 9h15 (10h j. fériés)-13h, 14h-17h. Bien documenté et accueil sympa (en fran-çais). Plan de la ville.
✉ *Poste :* Bridge St. Lun-ven 9h (9h30 mar)-17h30, sam 10h-13h.

■ *Banques :* Pearse St (rue principale).
@ *Clon Business Solutions :* Pearse St (rue principale), en face de la banque AIB. ☎ 88-345-15. Lun-sam 9h-18h. Connexion Internet, téléphone.
■ *Location de vélos : Murphy* (MTM Cycler), 33, Ashe St. ☎ 88-33-584. Lun-sam 9h-19h ; dim en été 9h-12h. Prévoir 12 €/j.
■ *Laundry :* Collins Laundrette, au 50, Pearse St. Également **On the Wash Basket,** dans la galerie Spiller's Lane couverte (à gauche de la poste).

Où dormir ?

Camping

⋏ *Camping Desert House :* sur la route de Ring. ☎ 88-33-331. ● deser thouse@eircom.net ● À 1,5 km du centre ; au rond-point à la sortie de la ville (en direction de Cork), prendre à droite la route qui longe le bras de mer, puis fléché sur la gauche. Ouv mai-sept. Env 15 € pour 2 avec voiture et tente ; marcheurs et cyclistes 10 €. Douches payantes. Camping à la ferme assez rustique, installé sur un versant qui offre une petite vue sur le bras de mer. Accueil bourru. Salle pour la vaisselle et salon TV. Terrain entouré par les vaches dans le pré, le bonheur !

De prix moyens à plus chic

🛏 *An Sugán* : 41, Strand Rd. ☎ 88-33-719. ● ansugan.com ● *Ashe St, à deux pas du tourist office. S'adresser au pub du même nom (voir « Où manger ? »). Fermé nov-janv. Doubles 70-90 € selon saison.* 📶 *Un établissement de très bon confort, à mi-chemin entre le B & B et l'hôtel. Chambres plutôt spacieuses et restaurées dans un esprit moderne (pans de murs colorés ou couverts de tapisseries aux reflets satinés). Le pub se trouve à proximité, mais pas souci en matière de bruit. Un bon rapport qualité-prix.*

🛏 *O'Donovan's Hotel* : Pearse St. ☎ 88-33-250. ● odonovanshotel. com ● *Fermé à Noël. Double 90 €, petit déj compris. Parking.* 🖥 📶 *Au cœur de la ville, vénérable hôtel plein de charme et de souvenirs, dirigé par la 6ᵉ génération de proprios. Charles Parnell, Guglielmo Marconi, Michael Collins y séjournèrent. Tout l'hôtel est empreint de cette atmosphère historique. Faites-vous raconter l'enterrement du singe en 1943 (avec les honneurs militaires). On adore le bar, son comptoir sculpté, ses box chaleureux. Chambres de bon confort. Là encore, un rapport qualité-prix fort honorable.*

▶ Où manger ?

De bon marché à prix moyens

🍽 *Betty Brosnans* : 58, Pearse St. ☎ 88-34-011. *Tlj sf mer ap-m et dim 9h-17h. Snacks et petits plats 4,50-10 €.* Un *coffee shop*, pas plus grand qu'un mouchoir de poche, comme on en voit beaucoup en Irlande. Sauf qu'ici les plats changent tous les jours et que tout est fait maison. À noter : on peut y prendre un *full Irish breakfast* en

matinée. Expos temporaires de photos pour accompagner tout ça.

🍽 *An Sugán* : Ashe St. ☎ 88-33-719. *À proximité du tourist office. Env 12-18 € le midi ; plats 13-30 € le soir.* Très populaire. Clientèle mélangée (tendance *middle class*, vu les prix... *middle*). Noter les kilos de cartes de visite au-dessus du bar. Bonne atmosphère, patron sympa. Décor chargé d'histoire. Aux premiers frimas, cheminée avec un bon feu. Fameux pour sa *bar food* qui change régulièrement. Le soir, à la carte, c'est plus cher mais plus copieux et toujours délicieux : *lobster, Atlantic seafood basket*, etc.

🍽 *La Brasserie – Teach Òsta Restaurant* (O'Donovan's Hotel) : Pearse St. ☎ 88-33-250 ou 88-33-883. *Ouv tlj 8h-21h30. Fermé la sem de Noël. Env 10-14 € le plat principal le midi ; le soir, plats 13-18 € ; set dinner 25 €.* Recommandée pour son *full lunch* le midi. Poulet farci au jambon, *home made cheese and potato cake*, porc crème et champignons. Le soir, viandes et grillades, c'est plus cher. Très correct, mais ambiance de banale cafétéria à laquelle on peut trouver un petit charme désuet.

De prix moyens à plus chic

🍽 *Malt House Granary* : 30, Ashe St. ☎ 88-34-355. *Tlj sf dim-mar hors saison, le soir slt 17h-21h30. Plats 17-26 € ; early bird menus 20-25 €.* Entre quelques murs de schiste, cadre assez classieux pour une cuisine aux inspirations bien maîtrisées, à base de produits bio principalement. Des plats bien séduisants : le filet de lotte farci au crabe, *seafood platter*... Une adresse à réserver pour un repas en toute intimité.

▶ Où dormir ? Où manger ? dans les environs ?

De prix moyens à plus chic

🛏 🍽 *An Garrán Cóir* : Rathbarry, *Castlefreke*. ☎ 88-48-236. ● angar

rancoir.com ● À env 8 km de Clonakilty ; sur la route de Skibbereen
(N 71), bifurquer à gauche 1 km après
Lisavaird (fléché ensuite). Ouv tte
l'année. Doubles en suite 70-80 € selon
saison. Possibilité de dîner. ☎ Sympathique *farmhouse* tenue avec professionnalisme. Salon et salle à manger aux décor et mobilier élégants et
chaleureux. 5 chambres immenses et
de grand confort avec baignoire (jets
massants). Bonne cuisine utilisant les
produits bio de la ferme. Petit déj extra.
Barbecue. Sorties en bateau organisées. L'accueil est exceptionnel.

▲ *Kilkern House* : Rathbarry, **Castlefreke**. ☎ 88-40-643. ● kilkernhouse.
com ● À env 11 km de Clonakilty ; sur
la route de Skibbereen (N 71), bifurquer
à gauche 1 km après Lisavaird (fléché
ensuite). Doubles 70-80 € selon saison.
CB refusées. ☎ La ferme des O'Donovan domine un lac. Très chouette campagne environnante et superbe jardin
descendant vers le lac. 4 chambres à la
déco quelque peu chargée ; 3 d'entre
elles regardent la mer. Plage de sable à
environ 1 km. Une bonne adresse pour
couples avec enfants (service de baby-
sitting), récompensée par plusieurs
Best home stay awards.

▲ *Ballard House* : **Ballymacowen**.
☎ 88-33-865. ● ballardhouseclo
nakilty@gmail.com ● À 6 km de Clonakilty : prendre la N 71 en direction
de Bandon ; 1 km plus loin, bifurquer
à droite sur la R 600, en direction de
Timoleague, puis fléché sur la gauche. En été slt, car dans l'année, elle
reçoit les étudiants du collège à côté.
Double 70 €. ▭ ☎ Dans la campagne.
Demeure de style contemporain.
Chambres *en suite* classiques et bien
tenues. Immense véranda pour se
détendre. Bon accueil.

▲ I●I *Ard Na Greine* : à **Ballinascarthy**. ☎ 88-39-104. ● ardnagreine.
com ● À 10 km env de Clonakilty ;
prendre la N 71 (direction Bandon) ;
1 km après Ballinascarthy, indiqué sur
la gauche. Ouv avr-oct. Doubles en
suite 70-80 € et chambres pour 4 pers.
Dîner 20-30 €. ☎ Grande *farmhouse*
agréable avec les vaches au pied de
votre lit. 5 chambres à la blancheur
éclatante. Accueil chaleureux de la
famille Walsh. Possibilité de dîner :

plats copieux et excellente cuisine
familiale, préparée par Norma (si c'est
le jour de l'*Irish stew*, hmm !). Breakfast
dans la lignée.

I●I *Deasy's Harbor Bar :* à **Ring**, à
2 km de Clonakilty. ☎ 88-35-741. Au
rond-point à la sortie de la ville (en
direction de Cork), prendre à droite la
route qui longe le bras de mer. Résa
conseillée le w-e. Light lunch tlj (slt
w-e hors saison) ; le soir, mer-dim 18h-
21h30. Plats 20-30 €. Face à la baie,
tout seul, un adorable vieux pub dans
son traditionnel décor marin prodiguant
une bonne et fraîche cuisine à base de
poisson et fruits de mer.

Où boire un verre ?
Où écouter
de la musique ?

♀ ♪ *De Barra* : 55, Pearse St.
☎ 88-33-381. Pour connaître le programme : ● debarra.ie ● Sandwichs
servis tlj sf dim 12h-16h, à partir de
6 €. Pub mythique au décor hétéroclite. Plein de souvenirs, photos et
cartes postales brunies par des années
de tabagie. Un pub pour mélomanes,
tenu jusqu'il y a peu par Noel Redding,
musicien pop-rock que l'on voit en
photo avec Jimi Hendrix, Ray Charles,
Sting, Paul McCartney, David Bowie…
Instruments accrochés un peu partout.
Salle spacieuse pour les concerts à
l'arrière : musique traditionnelle ou plus
rock quasiment tous les soirs, vers 21h
(parfois payant). Incontournable !

♀ ♪ *Shanley's* : Connoly's St.
☎ 88-33-790. Dans la même famille
depuis 1904. Pub fameux pour son
ambiance et son cadre classique.
Beaucoup de musiciens s'y retrouvent.
Concerts en fin de semaine. Pas la
peine d'y aller en journée, c'est mort.
Cour à l'arrière.

♀ ♪ *An Teach Beag* (prononcer
« Tchioc Bioc », la « petite maison »
en gaélique)**:** 5, Recorder's Alley.
☎ 88-33-250. Prendre sous le porche
à gauche de O'Donovan's Hotel ; c'est
au fond de la cour. Pub récent aménagé à l'ancienne dans une chaumière,
avec vrai feu de bois dans la cheminée,

murs blancs et recoins confidentiels. On peut y écouter des concerts de musique folk chaque vendredi et samedi dès 21h30 (quasiment tous les soirs en saison, au moins 4 soirs). Dans la même allée (même maison), *The Venue,* quant à lui, propose un *beer garden* animé et des concerts de plus grande ampleur.

À voir

🥾 *La poste : Bridge St ; en face de l'église catholique et d'Emmet Sq.* L'une des plus curieuses d'Irlande : elle occupe une ancienne église presbytérienne.

🥾 *Emmet Square : dans le centre.* Place entourée de jolies maisons georgiennes. Voir aussi, à l'angle (côté poste), la statue de l'enfant du pays, Michael Collins, inaugurée en 2002 par l'acteur Liam Neeson (qui joua le rôle magnifiquement dans le film sur sa vie). Sur la gauche de la poste, **Spiller's Lane,** une galerie marchande sympa.

🥾 🚶 ***West Cork Railway Model Village :** à la sortie de la ville, sur la route de la baie d'Inchydoney.* ☎ 88-33-224. ● *modelvillage.ie* ● *Tlj 11h-17h (10h-18h juil-août). Entrée : 8 € ; 12 € avec le trajet en p'tit train ; enfants ½ tarif.* Reconstitution des villages de la région à échelle réduite (au 1/24). Possibilité de visiter le coin en train touristique, pour ceux qui aiment...

🥾 ***West Cork Regional Museum :** Western Rd.* ☎ 88-33-115. *En face de l'école. Mai-oct, mar-ven 11h30-16h ; le reste de l'année, se renseigner auprès du tourist office. Entrée libre, mais petite participation appréciée.* Consacré en partie au mouvement indépendantiste local et aux brigades de patriotes dans les années 1900-1920. Souvenirs des héros de l'ombre tels que Dick Barrett, Mary Jane Irwin, Sean Hayes... Petite vitrine sur Eamon De Valera (photos, son stylo à plume). Ne pas manquer l'émouvante lettre de Dick Barrett écrite à sa famille depuis sa prison, la veille de son exécution : « Je vais mourir mais digne et sans regrets, ma mission est accomplie... »

🥾 ***Birthplace of Michael Collins :** prendre la direction de Rosscarbery. Après 3 km, tourner à droite.* C'est indiqué, mais pas très facile à trouver quand même. Deux maisons en pleine campagne dont une en ruine où vécut la famille Collins. Celle encore debout n'est pas la plus ancienne. La première fut en fait incendiée en 1921 par les *Black and Tans.*
– Ceux qui s'intéressent au personnage visiteront le **Michael Collins Centre** : *à Arigideen (à 2 km sur la route de Timoleague).* ☎ 88-46-107. ● *michaelcollins centre.com* ● *De mi-juin à mi-sept, lun-ven 10h30-17h, sam 11h-14h. Entrée : 5 €.* Toute la vie du célèbre rebelle (1890-1922) racontée en vidéo et en diapos. Dehors, reconstitution d'une embuscade !

Manifestations

– ***Clonakilty Waterfront festival :** 1ᵉʳ w-e d'août.* Musique dans de nombreux pubs.
– ***Clonakilty Guitar festival :** 2ᵈᵉ quinzaine de sept.* Plusieurs concerts dans les rues.

DANS LES ENVIRONS DE CLONAKILTY

🏖 ***Plage :** à **Inchydoney,** à 5 km au sud du bourg, sur le pittoresque promontoire qui s'avance dans la baie.* Curieusement, la plage était entrecoupée de collines couvertes d'herbe. Malheureusement, les pelleteuses ont fait leur office et la plage est beaucoup moins chouette qu'avant. Sur le promontoire, un hôtel (très cher).

⌯ Autre *plage* très populaire, celle *d'Owenahincha,* si longue que, le jour de la Saint-Patrick, on y fait des courses de trot.

🎥🎥 *Galley Head :* à 15 km env au sud de Clonakilty, par la N 71 (direction Skibbereen), puis en passant par Ardfield, petite route qui longe la côte. À Galley Head, des criques à l'eau transparente où les plus courageux iront taquiner les poissons.

🎥🎥 *Rosscarbery :* à 15 km au sud-ouest de Clonakilty, par la N 71 (direction Skibbereen). Niché au fond de son aber. Cathédrale protestante de 1612. À côté, quelques vestiges d'un monastère du VIe s. Sur la route Rosscarbery-Glandore, on aperçoit *Coppinger's Court,* ruines d'un château du XVIIe s.

GLANDORE [cuan dor]

Un très joli petit bourg où les maisons s'alignent sagement face à la baie. On y accède par une route étroite et vallonnée. En venant de Clonakilty, 2 km avant d'arriver à Glandore, on découvre l'un des plus beaux cercles de pierres du comté, celui de *Drombeg.* Il daterait de 1 000 ans av. J.-C. Vestiges d'un puits de cuisson à proximité. Juste avant le bourg, on trouve le *château de Kilfinnan* (ne se visite pas). Certains de ses murs ont 4 m d'épaisseur. Vue superbe sur le port et plus loin les deux îlots Adam et Ève.

Où dormir ? Où manger ? Où boire un verre ?

⌖ *The Meadow Camping Park :* à 1 km de Glandore en direction de Rosscarbery (R 597). ☎ 332-80. ● meadowcamping@eircom.net ● Ouv de mai à mi-sept. Compter 20 € pour 2 ; 10 € marcheurs et cyclistes. Douches chaudes payantes. 📶 Familial et calme : moins de 20 emplacements ! Situé en pleine campagne. Sanitaires propres. Laverie (il y a même un sèche-linge), mais pas d'épicerie de dépannage. Propriétaires très gentils.

⌂ *Bay View B & B :* au centre du village. ☎ 331-15. Doubles 70-80 € selon saison. Construction simple, mais c'est hyper bien situé et au bord de l'eau même. 4 chambres lumineuses et de bon confort (dont 2, la n° 1 et la n° 3, avec vue plongeante). Bon accueil.

|●| ⛾ *The Glandore Inn :* dans le village. ☎ 334-68. Plats 10-15 € servis 12h-18h ; 11-25 € le soir (19h-21h). Pub ouvert toute l'année en service continu, qui installe des tables de jardin dès les beaux jours, face au port d'Union Hall, sur la route, côté baie. Très recherché ! Mais l'intérieur, cosy, est très bien aussi avec ses 2 cheminées. Assiette de crudités, *pasta,* moules, *cod* au gratin, crevettes ou saumon.

LA CÔTE SUD À L'OUEST DE CORK

UNION HALL [BRÉANTRÁ]

Un vrai « port de poupée ». Arrivée des chalutiers vers 20h. Le climat est réputé pour sa douceur et ses effets bénéfiques pour l'inspiration. Swift venait souvent ici. Il y écrivit de beaux poèmes.

Où dormir ? Où manger ? Où boire un verre ?

🏠 **Seascape B & B :** *dans le village.* ☎ 339-20. • *seascape.ie* • *Face au bassin du port. Ouv avr-nov. Doubles 60-70 € avec sdb privée ou commune. CB refusées.* 📶 Une vénérable bâtisse de schiste, décorée de façon superbe par Julie (beaucoup de bois à l'intérieur). La maison est un délice de goût. 4 chambres cosy tout plein. Seules celles *en suite* bénéficient d'une vue sur le port. Adorable salle de petit déj dotée d'une grande baie vitrée. Accueil charmant.

🏠 **Shearwater Country House B & B :** *Keelbeg.* ☎ 331-78. • *shearwaterbandb. com* • *Grande maison en hauteur, indiquée à partir du port. Ouv avr-fin oct. Compter 70 € pour 2. Parking.* 📶 4 grandes chambres *en suite* à la déco sobre, avec baignoire pour certaines et balcon pour l'une (à réserver tôt). Vue panoramique sur la baie et les collines de Glandore depuis la salle où est servi le breakfast. Une adresse lumineuse.

|●| 🍽 **Casey's Bar :** *dans le village.* ☎ 335-90. *Tlj 12h30-20h30 ; cuisine fermée nov-fév sf dim (mais on peut y prendre un verre). Plats 11-16 €.* La maison est spécialisée dans les poisons et fruits de mer. Déco marine (logique !) et cadre cosy. Plaisante terrasse donnant sur l'eau aux beaux jours.

|●| **Dinty's Bar and Restaurant :** *dans le village.* ☎ 333-73. *Tlj 12h-21h. Plats 13-22 €.* Reconnaissable à sa façade rose. À mi-chemin entre le resto et le pub. *Seafood,* steak, pâtes, burgers... certes du classique, mais plutôt bien exécuté et généreusement servi.

🍸 Au **Malloney's,** on joue au billard, et chez **Nolan's,** *Guinness* super bien tirée !

CASTLETOWNSHEND [Baile an Chaisleáin]

141 hab.   IND. TÉL. : 028

Un petit port caché à quelques kilomètres au sud-ouest de *Union Hall.* Pour l'atteindre, on traverse une succession de prairies et de vallées profondes. Modeste, simple, coloré... et peuplé d'habitants chaleureux ! Ses maisons s'alignent le long de l'unique rue pentue se terminant dans la mer. Belle plage à Tragumna, tout près.

Où dormir ? Où manger ?

Prix moyens

🏠 **Sandycove House B & B :** ☎ 362-23. • *sandycovehouse.com* • *À 3 km, direction Tragumna, indiqué sur la droite en arrivant au village. Ouv de mi-mars à fin oct. Chambre env 70 €. CB refusées.* 📶 Breda et John, absolument adorables, possèdent une jolie maison qui domine les falaises, l'océan et ses rouleaux d'écumes. 6 chambres *en suite,* dont 3 ont vue sur la mer (à demander lors de la réservation). Salon avec grande baie vitrée pour admirer la vue d'anthologie. Plage de Sandy à 10 mn de marche. Une excellente adresse pour se reposer et respirer l'air du large, le rêve pour les amateurs de paix, de nature et de solitude.

|●| **Mary Ann's Bar :** *dans la rue principale.* ☎ 361-46. *Tlj en été ; ven-dim slt hors saison. Fermé janv. Bar food 12h-14h30 ; resto 18h-21h. Résa vivement conseillée. Plats 15-30 €.* Cuisine de qualité régulière servie dans un cadre de vieux pub patiné et une bonne ambiance. Cave de choix.

Chic

🏠 **The Castle Guest House & Holiday Homes :** *Main St.* ☎ 361-00. • *castletownshend.com* • *Fermé de mi-déc à mi-janv. Chambres 90-120 € pour 2 selon taille, vue et saison.* Une demeure seigneuriale du XVIIᵉ s, restaurée avec maestria. Jonathan Swift y a séjourné. Calme total. Beaux jardins surplombant le port. À l'intérieur, mobilier d'époque, toiles et nombreuses curiosités. Les chambres sont très différentes, chacune avec sa personnalité. Petit déj copieux servi dans une salle à manger aristocratique. 2 petits défauts cependant : d'abord, ce n'est pas le grand luxe, on paie pour un cadre unique. Ensuite, accueil et rapports, disons-le, parfois peu aimables. Également des cottages. Pour ceux qui n'y résident pas, possibilité de visiter le jardin *(5 €/pers)* et le château *(10 €/pers),* mais seulement d'avril à juin et en septembre.

À voir. À faire

🎥 Visite du **parc** et du **château,** au bout de la rue principale. Voir *The Castle* ci-dessus.

➤ Possibilité de **balade en mer** (avec ou sans pêche) avec un pêcheur très sympa, Collin Barnes. Pour le trouver, s'adresser au *Mary Ann's Bar* ou demander sur le port. Sinon, plusieurs contacts de pêcheurs affichés à l'intérieur du *Mary Ann's Bar.*

🎥 Pour les amateurs de châteaux, voir aussi celui de **Glenbarrahane.** Également un ancien fort préhistorique avec des murs de 3 m d'épaisseur.

SKIBBEREEN [an SCIOBAIRÍN]   2 000 hab.   IND. TÉL. : 028

Un nom rendu populaire par la célèbre chanson des Dubliners et l'une des plus importantes bourgades du comté, entre Clonakilty et Baltimore. Assez touristique, car très souvent choisi comme « camp de base » pour la visite de la région. Sur la rive de la Llen, à l'ouest de la ville, ruines d'une abbaye cistercienne. À l'intérieur, quelques tombes datant de la Grande Famine.

Arriver – Quitter

🚌 **Arrêt des bus :** sur Bridge St, en face du Cahalanes Bar.
➤ **De/vers Cork** (via Clonakilty) **:** une petite dizaine de bus/j. (un peu moins le dim). Trajet : 1h50.
➤ **De/vers Bantry :** 1 bus/j. en sem slt avec la compagnie *West Cork Rural Transport* (☎ 027-52-727 ; ● ruraltransport.ie ●). Départ le mat de Skibbereen ; retour de Bantry l'ap-m. Hors saison, dépend de la demande. Trajet : 1h.
➤ **De/vers Schull et Goleen :** 2-3 bus/j. (1 bus le dim). Trajet : respectivement 45 mn et 1h10.
➤ **De/vers Baltimore :** 2-3 bus/j. sf dim. Trajet : 20 mn.

Adresses utiles

🛈 **Tourist office :** Town Hall North St. ☎ 217-66. ● skibbereen@failteireland.ie ● Ouv tte l'année, tlj sf dim et 1 autre j. variable d'une sem à l'autre, 9h15-17h avec lunch break. Bonne doc sur la ville.
✉ ■ **Poste et banques :** dans Market St et Main St.
@ **Skibbereen Computer Solutions :** entrée par le parking à côté du supermarché Super Value (à l'arrière de Main St). Lun-ven 9h30-18h, 10h-17h.
■ **Location de vélos :** Roycroft, Heron Court. ☎ 212-35. Au centre-ville. Tlj sf dim 9h30-18h (14h jeu). Accueil rugueux au premier abord.

■ *West Cork Arts Centre :* North St. ☎ 220-90. • westcorkartscentre. com • Lun-sam 10h-17h. C'est la maison rose à côté de la cathédrale (Cork Rd). Association destinée à promouvoir l'art dans la région. Expos temporaires. On y a vu des trucs sympas.

Où dormir à Skibbereen et dans les environs ?

Camping

⨯ *The Hideaway Camping :* à 500 m de la ville, sur la route de Castletownshend. ☎ 222-54 ou 332-80 (hors saison). • skibbereencamping@eircom. net • Ouv de mai à mi-sept. Compter env 20 € pour 2 ; marcheurs et cyclistes 10 €. Douches chaudes. CB refusées. Petit camping familial bien tenu. Surtout des caravanes. Prendre un emplacement le plus éloigné de la route (parfois passante en été).

Prix moyens

⌂ *Bunalum Farmhouse :* à 4,5 km env du centre-ville ; au rond-point sur la N 71, à la sortie de la ville, suivre la direction de Cork ; 1 km plus loin, tourner à gauche, direction Bantry (R 593), puis fléché. ☎ 215-02. • bunalunfarm. com • Ouv mai-oct. Double 70 €. En pleine campagne, dans un coin bien tranquille, une maison attenante à la ferme. 4 chambres avec d'anciens meubles de famille. Petit déj avec produits de la ferme et pain maison. Bon accueil.

Où manger ? Où boire un verre ? Où écouter de la musique ?

|●| *The Church :* Bridge St. ☎ 236-25. Lun-jeu 12h-18h, ven-sam 9h-21h, dim 12h-20h. Plats 12-25 € ; menus early-bird (18h-20h) 25-30 €. Mes bien chers frères, mes bien chères sœurs, ne vous étonnez pas de découvrir ici une atmosphère à la fois joyeuse et recueillie : le resto s'est installé dans une ancienne église méthodiste détruite à la suite d'un violent incendie. L'église fut reconstruite et, du coup, certains éléments de décor proviennent d'ailleurs, comme l'escalier récupéré d'un manoir du nord de la France, le balcon en fer d'une chapelle du pays de Galles et les doubles portes de l'hôpital de Cork... Superbes vitraux prodiguant une douce ambiance, nimbée d'une lumière colorée. Et, comble de bonheur, on y sert une généreuse cuisine traditionnelle. C'est la cantine de nombreux employés locaux. Le *seafood chowder* se révèle presque un plat à lui tout seul, viandes tendres et légumes cuits juste ce qu'il faut. On vous confesse, après cette belle messe culinaire, qu'on renouvellerait bien ce péché de gourmandise !

|●| *An Chistin Beag :* 46, Bridge St. ☎ 220-19. Lun-mer 9h-18h, jeu-sam 9h-21h. Fermé dim. Le midi, salades et petits plats genre snack 5-9 € ; le soir, plats 11-15 €. Un petit resto aux murs de pierre enduits d'une couleur crème, à la déco sobre et qui n'a rien de tapageur. La cuisine est à l'image du lieu. Réjouissante, préparée avec soin. Très simple le midi (sandwichs, burgers, salades), plus mijotée le soir à l'image de cet excellent crabe en gratin. Service aimable. Un très bon rapport qualité-prix.

|●| *Kalbo's Bistro :* 26, North St. ☎ 215-15. À deux pas du tourist office. Tlj sf dim 9h-18h (21h ven-sam). Le midi, plats env 11-12 € ; le soir, env 12-20 €. Petite salle, toiles cirées pour un excellent *beef stew*, pâtes du jour, gâteaux maison. Plats au tableau noir. Monsieur cultive des légumes bio et madame les cuisine. Bon et frais, une vraie recherche dans la préparation des plats. Une adresse bienvenue également pour une pause à l'heure du *tea time*.

♉♪ *Baby Hannahs :* 42, Bridge St. ☎ 227-83. Au centre-ville, un pub qui n'a pas la patine des vieux pubs, mais bien sympa lors des concerts qui ont lieu, généralement, les mardi et vendredi, sans oublier les *beer garden* du dimanche à partir de 18h, sous une tente. Bonne ambiance.

À voir

⚡ **Heritage Centre :** Upper Bridge St. ☎ 409-00. ● skibbheritage.com ● Fléché au centre-ville. Ouv de mi-mars à fin oct, tlj sf dim-lun 10h-18h (fermé dim slt de mi-mai à mi-sept). Dernière admission à 17h15. Entrée : 6 € ; réduc. Panneaux explicatifs en anglais (demander une brochure en français à la réception). Installé dans les anciens bâtiments de la compagnie de gaz, un musée à la mémoire des victimes de la Grande Famine. Pour mieux comprendre une période déterminante de l'histoire de l'Irlande. Skibbereen fut l'une des régions les plus touchées (10 000 victimes, dans des fosses communes autour de la ville). Également une expo sur l'histoire et l'intérêt écologique du lough Hyne (voir « Dans les environs de Skibbereen ») avec projection d'un film (sous-titrage en français, sur demande).

DANS LES ENVIRONS DE SKIBBEREEN

⚡⚡ **Inish Beg Estate Gardens :** à 6 km sur la route de Baltimore, fléché sur la droite. ☎ 221-21. Tlj 10h-18h. Entrée : 5 €. Chiens interdits. Sentiers embaumés par les azalées, rhododendrons, camélias, fuchsias, magnolias, etc.

⚡⚡ **Le lough Hyne** (lough Ine) : sur la route de Baltimore, à 3 km de Skibbereen, après le golf, fléché sur la gauche. Une superbe balade, idéale à vélo. Le lough Hyne est un lac salé, alimenté seulement par l'eau de mer, à marée haute. Au niveau du lac, départ d'un nature trail qui gravit une petite montagne (compter 1h30 aller-retour) pour un beau point de vue. Au niveau de la Glannaeen House, le chemin descend vers une petite crique de pêcheurs à l'eau transparente. La route continue ensuite vers Baltimore. S'y rendre avec une carte (au 1/120 000, c'est suffisant). En prenant la route sur la gauche avant d'arriver au lac et au « cul-de-sac » (en anglais dans le texte), on découvre des criques encore plus sauvages.

⌒ **Les plages de Tragumna** (7 km), **Tralispeen** (6 km) et **Sandycove** (10 km).

DE SKIBBEREEN À GLENGARRIFF

BALTIMORE [dún na séad]   200 hab.   IND. TÉL. : 028

À 15 km de Skibbereen, la route qui mène à cet adorable village de pêcheurs longe une baie splendide. Baltimore, en plus de la pêche et de la construction de bateaux, est devenu l'un des plus importants rendez-vous de la navigation de plaisance du pays. En mai, lors du festival de musique traditionnelle Fiddle Fair, l'affluence bat des records. Le reste de l'année, ce petit port retrouve son calme et accueille une petite communauté saisonnière de

LES RAFLES ARABES

Baltimore connut en 1631 l'une des rares incursions arabes en Irlande : à la suite d'une attaque menée par le pirate Murat Reis (un renégat d'origine hollandaise qui s'était mis au service de différents sultanats d'Afrique du Nord), 200 Irlandais furent emmenés comme esclaves à Alger (d'où le nom du pub Algiers Inn). Le vieux château en ruine des O'Driscoll reste l'un des témoignages de ce terrible épisode de cette époque agitée.

Français. C'est le port d'embarquement pour Sherkin et Cape Clear, îles à l'entrée de la baie, qui le protègent de bien des tempêtes.
– *Pour y aller :* 2-3 bus/j. sf dim de/vers *Skibbereen*. Trajet : 20 mn.

Adresses et infos utiles

🛈 Infos touristiques : *sur le port, dans un magasin de souvenirs* Island crafts. ● baltimore.ie ● Infos sur la région, l'île de Cape Clear. Horaires des bateaux. Vu les horaires restreints de cet office, on vous indique également une borne d'info située dans le hall de l'hôtel *Casey's* (voir « Où dormir ? »).

■ Épicerie : *sur le port, à côté de la boîte aux lettres.*
– Il n'y a plus de poste et toujours pas de banque à Baltimore (seulement un distributeur de billets à l'épicerie).

⚓ Ferry de Baltimore à Schull qui fait gagner 35 km aux cyclistes. ☎ 391-53. ● westcorkcoastalcruises.com ● *De mi-juin à mi-sept.*

Où dormir ?

Bon marché

🏠 Top of the Hill : *1, Freke Terrace, sur la droite en arrivant au centre-ville.* ☎ 206-24. 📱 087-743-15-85. ● topof thehillhostel.ie ● *Compter 15-18 €/pers en dortoir ou 44 € en chambre double ; familiales 54-78 € ; petit déj en sus.* 📶 24 lits répartis dans un dortoir pour garçons, un pour filles et une poignée de chambres doubles et triples. Murs tout blancs, genre hôpital : on est loin du bazar animé de certaines AJ ! Basique mais propre, draps fournis, couette douillette, salle de bains dans le couloir. Cuisine à disposition.

Prix moyens

🏠 Slipway B & B : *The Cove, traverser le village jusqu'à la baie, vers Beacon ; à 500 m des pubs.* ☎ 201-34. ● thes lipway.com ● *Ouv mai-sept. Chambres 72-80 €. CB refusées.* 📶 Une vénérable demeure joliment rénovée en bois, cordes et matériaux marins chauds au regard. Belles chambres avec vue sur la baie. Bien au calme. Wimie n'apprécie pas trop les fumeurs, peut-être parce que tout est en bois. En tout cas, accueil délicieux. Pièce commune panoramique. Possibilité de prendre le petit déj en terrasse, au bord du jardin aux beaux jours. Petit cottage à louer juste à côté. Une adresse douillette.

🏠 Fastnet House B & B : *dans la rue principale qui descend au port.* ☎ 205-15. ● fastnethouse.com ● *Ouv mars-oct. Chambre en suite 70 €. CB refusées.* 📶 Grande maison familiale de 1820. Les proprios l'ont joliment rénovée, tout en respectant soigneusement le caractère. Escalier, planchers en bois, murs en pierres apparentes, cheminées traditionnelles contribuent à créer une chaleureuse atmosphère. Les 2 chambres qui donnent sur la rue sont vraiment spacieuses (on peut y ajouter un lit d'enfant) mais plus bruyantes en saison, surtout le week-end. Les chambres à l'arrière sont plus petites mais assurément plus calmes. Accueil sympa de la famille Carthy.

🏠 Rathmore House : *à 3 km du centre en venant de Skibbereen.* ☎ 203-62. ● baltimorebb.com ● *Ouv tte l'année. Chambres en suite 60-70 € selon saison.* 📶 La maison surplombe des pâturages qui descendent vers la baie. Cadre agréable et vue splendide. Attention, si les chambres devant sont de bonne taille, ne pas s'en faire refiler une derrière, elles sont vraiment minuscules pour le même prix (avec vue sur le hangar !). Les autres regardent la mer. Petit déj copieux et accueil chaleureux.

🏠 The Stone House B & B : *à l'entrée du village, sur la droite (fléché).* ☎ 205-11. 📱 087-796-14-56. ● aquaventures.ie ● *Ouv tte l'année. Doubles 70-80 € selon saison (59-65 € sans le petit déj) ; réduc pour les plongeurs.* 📶 Dispose de 4 chambres avec salle de bains. C'est la maison d'un club de plongée ; organise aussi des tours d'observation des baleines et dauphins, ainsi que du snorkelling (masque et tuba !). Plongeurs et terriens apprécieront l'ambiance décontractée du lieu.

De plus chic à chic

⌂ *Rolf's Country House :* Baltimore Hill. ☎ 202-89. ● rolfscountryhouse.com ● *À 500 m de l'entrée du bourg, fléché sur la gauche. Fermé quelques j. à Noël. Doubles 80-100 € selon saison, avec petit déj. Possibilité de louer un cottage (4-5 pers) pour 1 w-e ou 1 sem (500-650 € selon saison).* 🛜 Intérieur chaleureux tout en bois clair et à l'atmosphère assez nordique. Confortable et tenu par une famille franchement sympathique. Excellents resto et *wine bar* (voir plus bas). Presque un petit complexe touristique, mais managé sur un mode familial. Cottages avec 2 chambres chacun, vraiment plaisants, d'un fort bon rapport qualité-prix. Jardins tout autour.

⌂ *Casey's of Baltimore :* à l'entrée du village, sur la droite. ☎ 201-97. ● caseysofbaltimore.com ● *Tte l'année sf 20-27 déc. Doubles 150-175 € selon saison ; prix majorés les w-e d'affluence. Surveiller les promos sur Internet. Au resto, plats 14-30 € ; bar food très correcte servie midi et soir ; menu env 25 € (midi et soir).* 🛜 Établissement assez touristique regroupant un hôtel, un *seafood restaurant* et un *traditional pub.* Propose une quinzaine de chambres de petit luxe avec tout le confort. Certaines profitent d'une vue imprenable sur la mer. Lits *king size.* Également des cottages à l'écart. Au resto, bonne cuisine.

Où manger ?

De bon marché à prix moyens

|●| *Síbín :* à Rath, à 4 km de Baltimore ; hameau fléché sur la gauche avt d'arriver à Baltimore. ☎ 203-83.

Tlj 12h30-20h30 (21h hte saison). Résa conseillée le dim midi, ou venir de bonne heure. Seafood platter env 25 €. En dehors des sentiers battus, au fin fond de la campagne, on aime bien ce pub qui a su conserver une âme et propose une cuisine faite avec cœur et les bons légumes du jardin. *Seafood platter* copieux et d'une belle fraîcheur. Sinon, *daily specials* et plats traditionnels. Beaux desserts maison. Accueil sincère, service efficace. Musique live le week-end et cours de cuisine.

|●| *La Jolie Brise :* sur le port. ☎ 206-00. *Tlj 8h30-23h. Plats 13,50-20 € ; pizzas 12-13 €.* Horaires et situation bien pratiques, et on peut manger, à l'intérieur ou en terrasse, pizzas, poisson du jour, moules marinière, steak...

|●| *Bushe's Bar :* sur le port. Voir « Où boire un verre ? ».

De plus chic à chic

|●| *Rolf's Restaurant Cafe Art & Wine Bar :* voir « Où dormir ? ». ☎ 202-89. *Tlj sf lun-mar hors saison 12h30-14h30, 18h-21h. Le midi, sandwichs et salades env 10 € ; le soir, plats 22-29 € ; special value menus 25,50-29,50 €.* En tout, 3 salles dont 1 à l'étage. Cuisine d'une grande finesse. Bonne carte de salades, pâtes, poisson et viande, accompagnée par une chouette carte des vins (italiens, français, sud-africains), dont certains au verre. Le tout dans un cadre artistique (expos) et servi par une équipe décontractée.

Où boire un verre ?

🍷 *Bushe's Bar :* sur le port. ☎ 201-25. *Bar food 9h30 (12h dim)-17h30.* Soupes et bons sandwichs pour vraiment pas cher. Pub fréquenté par les pêcheurs et les *ferrymen,* sans oublier les nombreux touristes. Atmosphère amicale à l'heure du coucher du soleil. Fait aussi *B & B* (3 chambres rénovées avec salle de bains).

LA CÔTE SUD À L'OUEST DE CORK

À voir. À faire

↟ *Le château de Dún na Séad :* *dans le village.* ☎ 207-35. *Juin-sept, tlj 11h-18h. Entrée :* 4 €. Construit à la fin du XVIe s, il fit partie du système de défense du clan O'Driscoll contre les Anglais. Après la défaite de Kinsale, il passa aux mains des occupants. Cromwell en fit une caserne pour ses troupes en 1649, puis il fut abandonné. Une expo sur les pirates occupe les lieux ; on peut voir le drapeau noir flotter sur la tour.

➤ Petite *balade* au coucher du soleil, après dîner, jusqu'à *Beacon Point* (un amer bien connu des marins). Jolie route bordée de murs de pierre. Belles falaises.

Plongée

■ ***Aquaventures :*** *juste à côté de* The Stone House B & B *(voir « Où dormir ? »).* ☎ 205-11. ▯ 087-796-14-56. ● *aquaventures.ie* ● Aucun problème pour ceux qui ne sont pas PADI, mais plutôt délicat pour les frileux. Quelques épaves fameuses à explorer, dont celle du cargo *Kowloon Bridge,* la plus longue du monde avec ses 300 m ! Également des sous-marins autour du Fastnet (les célèbres U260 à 36 m). Propose également des *snorkelling tours* (observation des poissons en surface).
■ ***Baltimore Diving :*** *à deux brasses du précédent, sur le port.* ☎ 203-00. ● *baltimorediving.com* ● Propose également des observations de dauphins, des *evening cruises,* etc. Possède aussi des chambres.

Stage de voile

■ ***Glenans Irish Sailing Club :*** *après le port de pêche. Rens à la Old Sta-* tion House : ☎ 206-30. ● *glenans. asso.fr* ●

Manifestations

– ***Fiddle Fair :*** 1re *quinzaine de mai.* ● *fiddlefair.com* ● *Se déroule en partie au Harbour Hotel et dans certains pubs.* Festival de musique traditionnelle qui connaît un franc succès.
– ***Seafood festival :*** *fin mai, dans les rues et les pubs de la ville.* Couplé avec le *Baltimore Wooden Boat Festival.*
– En août, un certain nombre de manifestations : ***régates*** au début du mois ; ***pêche au requin*** et ***pêche de fond*** la dernière semaine.

L'ÎLE DE SHERKIN   85 hab.   IND. TÉL. : 028

Située juste en face de Baltimore. Peu touristique, tranquillité assurée.
➤ ***Pour s'y rendre depuis Baltimore :*** *juin-sept, 8-10 bateaux/j. 7h45 (9h sam, 10h30 dim)-20h30 (retours 8h-20h45 ; à partir de 9h45 sam et 10h45 dim). En hiver, 8 bateaux/j. 7h45-17h30 (dim 5 bateaux). Se renseigner sur place car les horaires peuvent changer :* ☎ 20-218. ▯ 087-244-78-28 ou 087-911-73-77. ● *sherkinferry.com* ● *10 €/adulte, 4 €/enfant ; tarif famille. On peut également s'adresser au Bushe's Bar (voir Baltimore, « Où boire un verre ? »).*

Info utile

– Un site pour découvrir les richesses insoupçonnées de l'île : ● sherkinis land.ie ●

Où dormir ? Où manger ? Où boire un verre ?

🛏 |●| 🍸 2 pubs sympas, le *Jolly Roger* et le *Murphy's* (loue des chambres aussi : ☎ 201-16).

À voir. À faire

🏹 *Les ruines* d'un *château* victime des raids de pirates au XVIe s, ainsi que celles d'une *abbaye* franciscaine.

⌒ Belle *plage* à *Silver Strand,* derrière l'église.

L'ÎLE DE CAPE CLEAR [oiléan chléire]

120 hab.   IND. TÉL. : 028

▶ Pour le plan de l'île, se reporter à la carte
Les péninsules de Mizen Head, Durrus et Beara.

C'est un *Gaeltacht,* c'est-à-dire que ses habitants y parlent principalement le gaélique et que l'île accueille de jeunes citadins venus se perfectionner dans la langue. À part le Fastnet Rock et son phare, il n'y a pas de point plus au sud en Irlande. Sur l'île, très vallonnée, peu de routes, bien sûr. Quelques maisons éparpillées de-ci, de-là. Côté solitude, c'est vraiment super, du moins si vous évitez les grands week-ends et la saison estivale. Ne pas hésiter à couper à travers champs pour explorer l'extrême sud de l'île, sur les rochers du Sud-Ouest.
– En principe, les deux épiceries de l'île vendent à peu près tout ce qu'il faut, mais rien ne vous empêche de faire des provisions.
– Infos sur ● oilean-chleire.ie ●
– Économisez l'eau, précieuse sur Cape Clear.

OBSERVATION DES OISEAUX

Cape Clear offre quelques belles possibilités d'observation d'oiseaux. En juin et en juillet, on peut observer des *manx* en bandes qui passent dans le ciel de l'île à raison de 10 000 oiseaux par heure. Mais leurs sorties sont plutôt nocturnes. D'août à mi-septembre, c'est l'époque des *bonxies* et des phalaropes. Et de septembre à novembre, avec une pointe en octobre, la migration d'oiseaux du continent américain vers la Sibérie. Les meilleurs points d'observation sont Bullig Blannan, The Bill of Clear. Prévoir une bonne paire de jumelles et s'armer de patience. Infos, de Pâques à novembre, au *Cape Clear Bird Observatory (à droite du port, quand on débarque sur l'île ;* ☎ *391-81).* Fait aussi dortoir pour les ornithologues (voir plus bas).

Arriver – Quitter

En bateau

➤ *Au départ de Baltimore :* ☎ 391-53. 📱 087-268-07-60. ● capeclear

ferry.com ● De fin mai à mi-sept, 3-4 bateaux/j. (le reste de l'année, 2 bateaux/j.). Bien se renseigner au port, pour ne pas manquer le bon départ ! Également avec la compagnie *Cailín Óir (*☎ *419-23 ;* ● *capeclearis* *landferry.com* ●). En avr, 2 liaisons/j. ; mai-oct, 3-4 bateaux/j. Trajet : 50 mn. Autour de 16 € l'A/R ; réduc. Ne pas jeter le billet qu'on achète à bord du bateau, il reste valable pour le retour.

➤ *De/vers Schull :* normalement, en juin et sept, 1 départ/j. ; en juil-août, 3 départs/j. avec le *Karycraft* (☎ 282-78 ; ● *capeclearferries.com* ●). Se reporter à La péninsule de Mizen Head « Arriver – Quitter » à Schull, plus loin.

Adresses utiles

ℹ *Tourist office (Biuro Oifige) :* proche du débarcadère. ☎ 391-00 (en été) ou 19 (le reste de l'année). Ouv slt en été. Plan de l'île disponible. Infos sur les bateaux.

✉ *Poste :* lun-ven 9h-13h, 14h-17h30 ; sam 9h-13h.

@ *Internet :* à la bibliothèque, installée dans une cabane de chantier sur le port. Mer-sam, l'ap-m slt. Gratuit, à condition de prendre la carte de membre.

■ *Épicerie (Grocery Shop ou An Siopa Beag) :* sur le port. ☎ 390-99. Tlj 10h-20h. Snacks le midi ; le soir, plats chauds à prix modérés (*roast-beef*, saumon)...

Où dormir ? Où manger ? Où boire un verre ?

Camping

⚌ *Camping Cuas an Uisce :* à South Harbour. ☎ 399-82. ▯ 086-197-19-56. ● *chleire-haven.com* ● Ouv avr-sept. Arriver le mat ou en fin d'ap-m, car il n'y a souvent personne à la réception. Env 20 € pour 2 avec tente ; tipi 20 €/pers. Également des yourtes. Il s'agit d'un pré en pente, dominant une baie : vue superbe sur la mer. Mais le site est très venteux. Yourtes et tipis à louer. Sanitaires impeccables. Infos sur les balades.

Bon marché

▲ *Cape Clear Hostel :* à South Harbour. ☎ 419-68. ● *capeclearhostel. com* ● Accessible à pied par un chemin qui traverse l'île du nord au sud (10 mn de marche depuis le débarcadère). Ouv mai-sept (le reste de l'année, peut ouvrir sur résa). Env 20 €/pers en dortoir (réduc à partir de la 2e nuit), simple mais propre et coloré ; quelques family rooms. ▯ Grande bâtisse face à la mer. Cuisine à disposition. Location de kayaks, de masques et de tubas. Infos sur l'île, les randos, l'observation des oiseaux et des baleines.

▲ *Bird Observatory Hostel :* sur le port, à droite en débarquant. ☎ 391-81. ● *birdwatchireland.ie* ● Ouv Pâques-nov. Compter 20 €/pers. Une petite maison rénovée qui propose 7 lits à l'étage. Réservé aux ornithologues. Cuisine à disposition et douche commune.

Prix moyens

▲ *B & B Cluain Mara :* South Harbour, à 200 m du port. ☎ 391-53. ● *capeclearisland.eu* ● En plein centre de l'île. Ouv Pâques-début oct. Résa indispensable. Chambre 70 €. Possibilité de dîner au bar (voir plus bas) et de louer des cottages à la sem. ☎ Maison tenue par un couple adorable, Mary et Ciaràn O'Driscoll. Une bonne adresse, donc, avec 5 chambres dont 2 jouissent d'une belle vue sur la mer. Endroit très calme. Ciaràn organise aussi des balades en bateau autour des îles pour observer les oiseaux.

▲ *Ard Na Gaoithe B & B :* après l'AJ, suivez le fléchage, ça monte dur ; téléphonez chez Eileen Leonard pour qu'on vienne vous chercher à l'embarcadère. ☎ 391-60. ● *ardnagaoithe.ie* ● Chambre 70 €. Belle petite maison rénovée et indépendante de celle des proprios, perdue dans la lande. 6 chambres et un joli jardin pour se relaxer.

|●| ▼ *Ciaràn Danny Mike's Pub & Restaurant :* au centre de l'île. ☎ 391-53 ou 72. Snacks le midi env 6-8 € et dîner (19h-21h) 15-20 €. Le seul endroit où l'on peut trouver à manger à coup sûr, toute l'année, midi et soir. Tenu par Mary, dont on vous parle plus haut (B & B Cluain Mara). Grande salle de billard, animation musicale le week-end et bancs d'église dans le pub. Belle terrasse avec vue sur South Harbour.

|●| ☗ *Pub Club Chléire* : *sur le port, près du débarcadère. Ouv slt en été, ts les soirs*. Snack au rez-de-chaussée et pub au 1er étage. Simple et pas cher.

☗ ♪ *Cotter's Bar* : *sur le port, en hauteur. Ouv tte l'année, tlj en soirée.* Soirées musicales.

À voir. À faire

☗ *Heritage Centre* : *à 20 mn à pied du port, sur le chemin menant au nord-est de l'île, juste avt une petite chapelle.* ☎ *391-19.* ● *capeclearmuseum.ie* ● *Juin-août, tlj 12h-16h ; le reste de l'année, sur rdv. Entrée : 3 € ; réduc.* Petit musée installé dans l'ancienne école et consacré à l'ethnographie de l'île : photos, objets traditionnels... Un vieux foyer de ferme a été reconstitué avec un drôle de fauteuil en paille tressée à côté de la cheminée. Voir aussi le vieux standard téléphonique.

☗☗☗ *Les falaises* de l'île offrent de merveilleux points de vue sur la péninsule de Dunmanus et les autres îles. Sur le versant nord-ouest de l'île, le *château de Dunamore.* Observatoire des oiseaux.

➤ *Le tour Cape Clear-Schull-Baltimore* : *West Cork Coastal Cruises, voir au Mike's Pub.* ☎ *391-53.* ● *capeclearisland.com* ● Balades au Fastnet Rock et autour des îles.

Randonnées

Se munir tout d'abord d'un plan de l'île.

➤ Toutes les pointes extrêmes de l'île sont belles à découvrir à pied, notamment la *pointe nord-est* qui se distingue par ses grandes éoliennes dressées au sommet d'une colline battue par les vents ainsi que le site du vieux phare *(the Old Lighthouse)*, au sud.

➤ *Le tour de l'île* se fait aisément en 1 journée. En 2h seulement, on peut faire une petite balade très sympathique, au départ du port. En voici l'itinéraire résumé : du port, prendre la direction de l'AJ située à South Harbour ; puis emprunter un chemin à gauche de l'AJ qui monte vers le nord-est. Avant d'arriver au site de découverte de la pierre de Cape Clear *(Cape Clear Stone)*, prendre sur la gauche un sentier qui grimpe sur un monticule d'où l'on a un super panorama de l'ensemble de l'île. Le sentier débouche de l'autre côté sur la chapelle, non loin de l'*Heritage Centre*. De là, la route bitumée descend vers le port.

Manifestation

– *Festival Storytelling* : *1er w-e de sept.* ● *capeclearstorytelling.com* ● Contes et chansons.

LA PÉNINSULE DE MIZEN HEAD   IND. TÉL. : 028

La pointe sud-ouest de l'Irlande. À ne pas rater, de préférence le matin de bonne heure. Falaises abruptes, criques noyées dans un brouillard mystique, troupeaux en liberté, le temps semble s'écouler différemment.
– Une précision plus terre-à-terre : au bout de la péninsule, aucun établissement n'accepte de carte de paiement. Alors, soyez prévoyant : le dernier distributeur de billets se trouve à Schull (voir « Adresses et infos utiles »).

LA CÔTE SUD À L'OUEST DE CORK

Portmagee
Kilpeacan Cross Roads
Mastergeehy
I V E R A G H
R 568
R 567
Sneem
Tahilla
Waterville
Lough Currane
Craiques
N 70
Parknasilla
Lehic Harbo
Ballinskelligs
Ballinskelligs Bay
Ballybrack
Kilmakilloge Harbour
B
Bolus Head
Hog's Head
N 70
Caherdaniel
Westcove
Castlecove
Kenmare
River
Ardgroom Harbour
R 571
Lau
Scariff Island
Deenish Island
Lamb's Head
Ardgroom
R 571
Glamo Lake
C
Eyeries
B E A R
Travara Br.
Hungry Hill
Der
R 575
R 571
Curryglass
R 572
Cod's Head
R 575
Castletownbere
R 572
Allihies
Dunboy Castle
Rerrin
Garnish Point
Cahermore
Bere Island
Dursey Island
Firkeel
Kilmichael
Black Ball Head
Dursey Head
Crow head

Ballyro

SCHULL (liaisons saisonnières)
BALTIMORE
Muntervary (Sheep's Head)
Coosadoughlas
Foilcoo
Marriage Stones
Donncha Hamish
Three Castle Head
De
Débarcadère
Sally Garden
Bird Observatory Hostel
Heritage Centre
Mizen Head
Cluain Mara B&B
Barleyce
Camping
Old Lighthouse
The Bill of Cape Clear
Cape ClearHostel
Ard Na Gaoithe B&B
Bullig
1 km
Blannan

NORD

KILLARNEY

Kenmare

Reen

Killabunane

Ballingeary

Coornagillagh

Gougane
Barra

Bonane
Heritage Park

Togher

Gleninchaquin
Park

Cloonee
Loughs

Barley
Lake

Glengarriff

Kealkill

Mountain

Lake
Derreenadavodia

Garinish
Island

Ballylickey

Surgarloaf
Moutain 573

Adrigole

Whiddy
Island

Bantry

Trafrask

Bantry
House

Adrigole
Harbour

R 586

Drimoleague

Gerahies

R 591

SHEEP'S
HEAD

Aghaville

Durrus

Gouladoo

Ahakista

R 594

R 583

R 593

Kilcrohane

R 591

MIZEN
HEAD

Ballydehob

R 592

Church
Cross

N 71

Skibbereen

Dunmanus

Schull

R 595

R 596

Toormore

R 592

Lowertown

Castletownshend

R 591

Garranes

Tragumma

Roaringwater Bay

Crookhaven

long
Island

Calf
Islands

Baltimore

Lough
Ine

Toe
Head

Sherkin
Island

Clear
Island

Fastnet
Rock

Cape
Clear

0   5   10 km

OCÉAN
ATLANTIQUE

Durrus	Lieux traités
Aghaville	Adresses et lieux dans les environs
Ballydehob	Repères

LES PÉNINSULES DE MIZEN HEAD, DURRUS ET BEARA

SCHULL (1 050 hab.)

Prononcer « Scole ». Village de pêcheurs plein de charme qui préserve sa tranquillité entre port et montagne. Si vous passez une nuit dans la péninsule, c'est sans conteste le meilleur endroit. Le mont Gabriel (440 m) offre un panorama superbe depuis son sommet. Là encore, une étape privilégiée de la navigation de plaisance. Tous les gens du coin connaissent le nom du producteur de cinéma, aujourd'hui décédé, Daniel Toscan Du Plantier, car le meurtre de sa femme en 1996, dans leur villa à quelques kilomètres, a fait pas mal causer dans les pubs.

Arriver – Quitter

En bateau

➤ **De/vers Cape Clear :** avec le Karycraft. ☎ 282-78. ▯ 086-237-93-02. ● capeclearferries.com ● Billet : 15 € ; réduc et family ticket. Juin-août, 3 bateaux/j., à 10h30, 14h30 et 16h30 ; retours à 11h30, 15h30 et 17h30. Sept, 1 bateau/j., vers 14h30 ; retour à 17h30. Compter 45 mn de traversée. Gratuit pour les vélos. Également, balade vers le Fastnet (20 €) : juil, jeu à 19h ; août, mar et jeu à 19h ; juin et sept, 1 fois/sem.
➤ **De/vers Baltimore :** ☎ 391-53. ● westcorkcoastalcruises.com ● De mi-juin à mi-sept.

En bus

🚌 **Arrêt des bus :** Main St. Presque en face de The Bunratty Inn. Plusieurs liaisons avec la compagnie West Cork Rural Transport (☎ 027-527-27 ; ● ruraltransport.ie ●).
➤ **De/vers Skibbereen et Cork :** slt 2 bus/j., le mat et l'ap-m ; 1 bus le dim pour Cork dans l'ap-m (départ de Cork en fin de matinée) avec Bus Eireann. Trajet : env 30 mn pour Skibbereen, 2h15 pour Cork. Passe aussi par Clonakilty. Également avec West Cork Rural Transport : mer, Schull-Skibbereen à 10h50 (14h depuis Skibbereen).
➤ **De/vers Goleen :** 2 bus/j. avec Bus Eireann ; 1 bus le dim. Trajet : 20 mn. Bus également le mar avec West Cork Rural Transport.
➤ **De/vers Bantry :** 1 bus mar et ven, avec West Cork Rural Transport. Trajet : 45 mn. Passe par Durrus.

Adresses et infos utiles

– Pas d'office de tourisme, mais un guide d'infos pratiques que l'on trouve dans la plupart des magasins du village. Consulter également ● schull.ie ●
■ **Distributeur de l'AIB :** dans Main St. En face de l'arrêt de bus.
■ **Location de vélos : West Cork Bike Hire,** 14, Ard Chleire. ▯ 087-356-62-80. ● westcorkbikehire.com ● À droite au niveau du distributeur AIB, puis à 500 m, bien indiqué. Près de 20 €/j.
■ **Schull Watersport Centre :** The Pier. ☎ 285-54. Lun-ven 9h30-17h30, sam 10h-17h30. Location de petits voiliers, bateaux gonflables et kayaks.
✺ **Country Market :** sur le Pier Rd Car Park. Pâques-fin sept, dim 10h-14h. Tous les bons produits locaux et un peu d'artisanat.
– **Festival Art in Schull :** 10 j. début juil.

Où dormir ?

🏠 **Stanley House B & B :** Colla Rd. ☎ 284-25. ● stanley-house.net ● À la sortie du village en direction de Mizen Head, bifurquer à droite (c'est la route qui part en face du cimetière ; fléché). Ouv mars-oct. Doubles 70-76 € selon saison ; family room (avec 2 chambres) 110 €. ▯ 📶 Maison coquette, un peu à l'écart du village et qui surplombe la baie. Hôtesse absolument charmante. Préférer les chambres à l'étage, plus spacieuses ; 3 d'entre elles donnent sur la mer. Également un cottage pour 2 personnes, loué à la semaine (très cosy, avec cuisine équipée et véranda). Petit déj avec des produits du coin. Jolie véranda et jardin en pente douce. Une de nos meilleures adresses.

⌂ *Sea View B & B* : Cooorydorigan. ☎ 283-73. 📱 086-076-30-45. ● *sea viewschull.com* ● En venant de Skibbereen, tourner à droite juste avt l'église ; c'est 600 m plus loin. Ouv tte l'année sf Noël et 1ᵉʳ janv. Compter 70 €. CB refusées. Parking. �ù Sur les hauteurs du village, un *B & B* qui propose 3 chambres *en suite*, au calme, lumineuses, toutes avec vue sur mer. Déco qui n'en fait pas trop. Salon pour les hôtes et très belle vue sur le large depuis la salle des petits déjeuners. Très bon accueil.

Où manger ?

Pour un si petit village, Schull compte un nombre conséquent de pubs au mètre carré. Tous servent une *bar food* classique, midi et soir. Vous trouverez certainement votre bonheur en arpentant la rue principale !

|●| *The New Haven Restaurant* : Main St. ☎ 286-42. En face de l'église. Tte l'année, tlj sf mer (tlj mai-août) 17h (16h sam-dim)-21h30, plus le midi le w-e. Plats 13-15 €. Resto populaire où l'on se nourrira correctement sans attentat au portefeuille. Longue banquette de moleskine, grosses tables de bois. Accueil convivial, atmosphère animée. Steaks tendres et bien garnis, *seafood pasta*, pizzas craquantes et le tradi *fish & chips*.
|●| ♟ *The Waterside Inn* : Main St. ☎ 282-03. Tlj sf jeu hors saison. Bar food *env 12-13 € le midi ; au resto, plats 14-25 €*. Pub-restaurant moderne qui se divise en 2 parties : le *Waterside Cafe* et l'*Evening Restaurant*. Ici se cache un vrai cuistot, dont la soupe de poisson est un délice, le sandwichsteak et le poisson à la bière un régal, et on n'a pas essayé toute la carte ! Bon choix de desserts.
|●| *Paradise Crêpe* : Main St. 📱 087-743-74-27. Ouv juin-sept. Crêpes 5-12 €. Une sympathique crêperie française où l'on dégustera des crêpes originales. Décor de bois brut, agréable terrasse sur *deck* derrière. Accueil cordial. Goûter la *Frenchy* (brie, lard et concombre), la *Maya Bee* et tant d'autres bien appétissantes.

Où boire un verre ?
Où écouter de la musique ?

♟ |●| ♪ *Hackett's Bar* : Main St. ☎ 286-25. Tlj jusque tard pour le pub. Bar food *12h-15h, env 7-8 €*. Un des plus vieux *joints* de la ville et un des plus intimes. Vénérable comptoir de bois, sol en pierre et, aux murs, nombre de souvenirs : dessins patinés, photos, textes... La mémoire d'une clientèle locale, fidèle et exubérante. Possibilité de se restaurer de bons sandwichs, soupes maison, salades ou de plats plus consistants comme le *Guinness stew*. Le week-end, en été, au 1ᵉʳ étage, parfois une *Indian night* culinaire (agneau au gingembre, légumes curry, salade et riz basmati pour 15 €). *Live music* parfois le week-end à partir de 21h30.
♟ |●| *The Black Sheep* : Main St. Le petit voisin du Hackett's. Ouv tlj. Bonne bar food *12h-21h ; plats 11-14 € et sandwichs moins chers*. Totale capillarité de la clientèle entre les 2 pubs. Toute l'année, excellente musique (traditionnelle et autre) le samedi à partir de 21h (également le vendredi en été). Accueil jeune et sympa.
♟ |●| ♪ *The Bunratty Inn* : Main St. En haut du village, vers Mizen Head. ☎ 283-41. Bar food *12h30-20h (16h dim)*. Pub traditionnel. *Music sessions* régulières en été. *Beer garden*, bar food correcte.

À voir. À faire

🔦 🚶 *Schull Planetarium* : Colla Rd. ☎ 285-52. ● *schullcommunitycollege.com* ● Dans l'école. Ouv variable en fonction des mois. Star shows *lun à 20h en juin, lun et sam à 19h, mer et ven à 17h en juil-août ; les 2 premiers dim à 18h30 en sept*. Durée : env 45 mn. Visite possible en dehors des heures officielles, avec les scolaires, par exemple (sur rdv). Entrée : 5 € ; réduc. Le seul planétarium d'Eire.

LA CÔTE SUD À L'OUEST DE CORK

🏃🚶 **Excursions vers le Fastnet :** de Schull, plusieurs petites compagnies proposent de s'approcher du célèbre phare, situé à 7 km de la côte. Rens à l'embarcadère. Construit en 1849 sur un rocher, le Fastnet fut agrandi au début du XXe s pour accueillir jusqu'à quatre personnes à la fois. Aujourd'hui, il fonctionne automatiquement.

➤ Sur le port, petite **balade** à faire le long de la côte en suivant la pancarte « Foreshore Walk » jusqu'au cimetière. Après un bon repas, pour attaquer la *Guinness.* Retour des chalutiers vers 21h.

➤ Pour les plus aguerris, impressionnante **ascension du mont Gabriel** (440 m). Compter 3h aller-retour. Départ du parking situé au-dessus du distributeur *AIB.* Après quelques centaines de mètres, la route se transforme en chemin en terre. Du sommet, magnifique panorama. Attention, toutefois, aux caprices de la météo avant de partir.

CROOKHAVEN *(250 hab.)*

Ensuite, la route musarde un maximum. Crookhaven apparaît enfin, petit bout du monde coloré : une épicerie, une poste, une poignée de restos, des mouettes placides que le touriste venu se perdre là n'effraie pas. Petite plage de sable juste avant le village.

Où dormir ? Où manger ?

🏠 **Galleycove House B & B :** chez Mrs Newman. ☎ 351-37. ● galleyco vehouse.com ● À 600 m à gauche avt d'arriver à Crookhaven. Ouv mars-nov. Prévoir 75-90 € selon saison. 📶 Longue demeure de pierre en surplomb dans un coin sauvage. 4 chambres *en suite* avec TV, et surtout une vue sur l'océan et le Fastnet. Celles à l'étage sont plus petites mais charmantes. Jardin et terrasse. Bon accueil. Un peu cher quand même, mais seule, donc en position dominante dans le coin.

🍴 **Billy O'Sullivan :** sur le port. ☎ 353-19. Bar food *12h-18h (19h en été).* Pub extra où toute la famille est francophile. Excellents sandwichs, *sea-food chowder* (avec les crabes locaux), *scones* maison et paniers de crevettes fraîches en saison à prix modérés. Chaleureux au possible : murs de schiste, vieille cheminée, carte de la Bretagne au mur, chouettes gueules en noir et blanc, photos de tournage de films... Tables sur le quai au bord du bras de mer quand le *sun is shining.*

MIZEN HEAD

🏕 En allant vers Mizen Head, on passe par **Barleycove,** l'une des plus belles plages de sable de l'Ouest. Superbe, surtout hors saison.

Où dormir ? Où manger dans la péninsule de Mizen Head ?

Camping

⛺ **Barleycove Holiday Park :** ☎ 353-02. 📱 087-279-61-24 ou 087-227-72-07. ● barleycoveholidaypark@gmail. com ● À 5 km de Goleen par la R 591, en direction de Crookhaven et à 3 km de la plage de Barleycove. Ouv de juin à mi-sept. Env 25 € pour 2 avec tente ; marcheurs et cyclistes 8-10 €. Douche gratuite. Un vrai parking à caravanes... sans oublier les mobile homes ! Cela dit, pas mal de verdure alentour et confort correct. Épicerie, salle de jeux. Très fréquenté en été mais calme en mi-saison.

De prix moyens à plus chic

🏠 |●| *The Heron's Cove :* à *Goleen,* entre Schull et Crookhaven. ☎ 352-25. ● heronscove.com ● *Resto ouv le soir avr-sept (hors saison, slt sur résa). Fermé 1 sem à Noël. Doubles 70-80 € en B & B selon saison ; familiales 90-100 €. Menu 27,50 € ; plats* 20-30 €. 📶 Propose 5 chambres, dont 4 avec vue un bras de mer, toutes *en suite* et avec TV. Spacieuses, lumineuses et vraiment plaisantes. Salle à manger panoramique, terrasse. Très agréable de manger au-dessus de l'eau (enfin, à marée haute !). Cuisine réputée : *crab cakes,* plateau de saumon, canard à la pékinoise... Une bonne adresse, assurément.

À voir

🏃🏃🏃 🏃 *Mizen Head et le Visitor's Centre :* tt au bout de la péninsule. ☎ 352-25 ou 351-15. ● mizenhead.ie ● *Juin-août, tlj 10h-18h ; de mi-mars à mai et sept-oct, tlj 10h30-17h ; de nov à mi-mars, w-e slt 11h-16h. Dernière admission 1h avt fermeture. Compter 1h-1h30 de visite. Entrée : 6 € ; réduc.*
Le point le plus au sud d'Irlande, dans un paysage de falaises découpées et de rouleaux d'écume. Un pont franchissant une large faille mène à un *phare,* aujourd'hui automatisé. Impressionnant ! Marconi, pour ses travaux, a pas mal fréquenté le coin au début du XXe s. Le cap est souvent envahi de brouillard, si bien que, pour guider les bateaux, il n'y a pas si longtemps, on n'avait qu'un moyen : faire sauter des charges de dynamite. S'il fait beau, on jouit de la meilleure vue sur le mythique *Fastnet* (le phare, pardi !), distant d'une douzaine de kilomètres. En revanche, si le temps est comme d'habitude, vous ne verrez que vos pieds...
Le *Visitor's Centre* (par lequel on passe pour accéder au site même) relate l'histoire du phare et du *Fastnet Rock,* la géologie, la faune et les traditions locales. Impressionnante liste des naufrages dans le coin depuis... 1379. Reconstitution d'une grande cabine de pilotage de navire, avec simulateur. Possibilité de s'initier au pilotage pendant 3 mn. Vidéo sur l'œuvre de Marconi. Depuis le *Visitor's Centre,* un chemin conduit (en 20 mn de marche) au phare, qui se visite, et à plusieurs plates-formes d'où l'on bénéficie d'inoubliables points de vue (par beau temps, *of course*). L'un des chemins mène à une terrasse qui permet d'admirer une arche naturelle sous laquelle s'engouffrent les vagues. Cafétéria au *Visitor's Center.*

🏃 Possibilité d'aller voir les vestiges des *châteaux* de la famille O'Mahony. Leurs ruines ont désormais fusionné. Pour y aller, après avoir passé le lac de Lissygriffin (sur la gauche), tourner sur la droite au carrefour et continuer jusqu'au bout de la route.

LA COAST ROAD

L'une des routes les plus sauvages de la région. Elle débute quelques kilomètres après avoir quitté le cap de Mizen Head (fléché sur la gauche, en allant vers Durrus). En se perdant, on peut se retrouver à *Toor Point,* le plus adorable cul-de-sac que nous ayons jamais visité. Superbe route côtière par Dunkelly. On a même droit à un fier donjon en chemin. En face se profile la côte de la péninsule de Durrus, plus paisiblement campagnarde, moins rude, moins accidentée. Le long de la route côtière passant par Dunmanus, possibilité d'apercevoir parfois des phoques dans les rochers. Par la route intérieure depuis Toormore, on croise l'adorable cimetière primitif de *Kilheangul,* à l'ombre d'une minuscule chapelle en ruine. Romantique en diable !

DURRUS [dubh ros]   850 hab.   IND. TÉL. : 027

Village très agréable. Point de départ de la balade de la péninsule de Sheep's Head. Location de bateaux pour la pêche côtière. Noter, sur la route de Schull, à quelques centaines de mètres du bourg, les restes du grand hangar à grain.

Où dormir ? Où manger ? Où écouter de la musique ?

Pas grand-chose pour dormir dans le coin, mais on peut faire la visite en l'espace d'une journée. On y trouve quelques bonnes adresses pour se restaurer.

Prix moyens

|●| ♪ *The Sheep's Head : dans le centre de Durrus.* ☎ 628-22. Lun-sam 12h-23h30 (voire plus tard), dim 12h30-22h. *Bar food* servie tte la journée ; *daily specials* env 10-12 € ; plats 13-23 € ; *sunday lunch* 25 €. Pub restauré qui n'a rien de patiné mais cadre accueillant malgré tout. Plats cuisinés fort corrects pour se sustenter dans le coin. *Live music* le week-end, en principe.

De chic à très chic

🏠 |●| *Blairs Cove Restaurant and B & B :* ☎ 611-27 ou 629-13 (resto). ● blairscove.ie ● À 2 km au sud de Durrus sur la route de Mizen Head. Ouv tte l'année sf 3 sem en janv (et les autres mois d'hiver, téléphoner). Resto ouv de mi-mars à fin oct, ts les soirs sf lun (ouv lun en juil-août), plus dim midi. B & B 150-260 € selon confort et saison (tarif max appliqué ven-sam). Menus 46-58 € pour le dîner, 30 € pour le *sunday lunch*. 📶 Dans un coin splendide et isolé dominant la baie. Grand jardin. Une maison georgienne de 250 ans, tenue par un couple germano-belge, qui abrite 4 appartements superbes pour plusieurs personnes dans ses anciennes écuries restaurées. Resto tout aussi impressionnant. Intérieur de caractère : chandelles, feu de bois dans l'âtre, etc. Clientèle très chic.

|●| *The Good Things Cafe :* à 1 km du centre de Durrus, vers Ahakista-Kilcrohane. ☎ 614-26. Juil-août, ouv le midi tlj, plus le soir jeu-lun ; de mi-mars à oct, ouv ven soir (Friday Nights), sam soir et dim midi sur résa. Menu ven soir et w-e hors saison slt 35 € ; sinon, à la carte, plats 20-30 €. Carmel Somers tient l'une des plus fameuses écoles de cuisine de l'Ouest. 2 fois par an, elle cesse ses cours et accorde son talent aux gastronomes. Quand on pénètre chez elle, on sent de suite qu'on se trouve dans un lieu magique. Cette femme à la passion de la cuisine et, avec la complicité des meilleurs producteurs du coin, elle vous concocte des petits plats d'une sincérité et d'une authenticité totales. Merveilleux desserts. Et, bien sûr, les anglophones repartent avec son livre...

LA PÉNINSULE DE SHEEP'S HEAD   IND. TÉL. : 027

Coup de cœur pour cet endroit bien préservé, dont les paysages vallonnés feront la joie des randonneurs et des cyclistes. Emprunter la jolie route de Durrus à Kilcrohane. À *Ahakista,* émouvant monument commémorant une catastrophe aérienne au large de Mizen Head en 1985. À *Kilcrohane*, village qui existait déjà au VIIIᵉ s, on fait pousser des centaines de maisonnettes aussi moches les unes que les autres. Festival fin juillet-début août (tout comme à Ahakista). La *Sheep's Head Road*, sinueuse et particulièrement étroite, mène au bout de la péninsule (modeste parking avec un petit salon de thé pour se poser). Pour revenir vers Bantry, emprunter la pittoresque route du Nord, appelée *Goat's Path* (« sentier de la chèvre »). Beau panorama sur les deux baies depuis le petit col, peu après Kilcrohane.

– *Infos sur la péninsule (sur les randos notamment) :* ● thesheepsheadway.ie ●

Où dormir ? Où manger ?

Bon marché

⚐ 🏠 *Carbery View Hostel :* The Paddock, **Kilcrohane.** ☎ 670-35. *Au centre du village, sur la gauche en venant d'Ahakista, indiqué « Hostel ». Ouv tte l'année. Env 15 €/pers en dortoir ; compter 7 €/pers pour planter la tente.* Une petite dépendance au fond d'un jardin avec seulement 8 lits dans une pièce, un coin cuisine et une salle de bains. Tout simple, mais bien tenu. Les campeurs profitent des sanitaires de l'*hostel*.

Prix moyens

🏠 |●| *Reenmore Farmhouse* (Mrs Jenny Barry) : à 2 km d'Ahakista. ☎ 670-51. ● reenmore.com ● *Vers Kilcrohane, en contrebas de la route (500 m). Ouv avr-oct. Double 64 €. Possibilité de dîner, sur résa : env 22 €. CB refusées.* 📶 Belle ferme au bord de l'eau. Tenue par une gentille famille. 6 chambres colorées, dont 4 avec bains, mais une seule bénéficie de la vue sur la mer. Dans un paysage sauvage à souhait, pour nos lecteurs romantiques, un p'tit bout du monde ! En outre, fidèle comme tout dans l'hospitalité, c'est l'une de nos plus anciennes adresses !

🏠 |●| *Sea Mount Farmhouse* (Mrs Julia McCarthy) : Goat's Path Rd Glenlough West. ☎ 612-26. ● seamountfarm.com ● *À 11 km de Kilcrohane et à 12 km de Bantry, sur la route nord de la péninsule. Ouv de mi-mars à sept. Chambre 64 €. Dîner 20-25 €.* 🖵 📶 Bien situé. Accueil très chaleureux avec thé et *scones* : la famille est particulièrement prévenante. Propose 6 chambres agréables avec salle de bains dont 2 bénéficient d'une vue sur le large. Déco soignée et réussie. Cuisine soignée. Une de nos meilleures adresses, qui organise aussi des marches, guidées ou pas, dans Sheep's Head (journée, demi-journée). Le soir, ils vous ramènent en voiture à la ferme et vous reconduisent le lendemain à l'endroit où vous vous étiez arrêté ! Un excellent rapport qualité-prix.

🏠 *Hillcrest Farm :* à Ahakista. ☎ 670-45. 🖰 087-944-29-13. ● ahakista.com ● *Indiqué dans le village. Ouv avr-oct. Doubles 66-74 €. CB refusées.* 🖵 📶 *Farmhouse* en haut d'une colline, surplombant la baie de Dunmanus, à 5 mn de la mer et de la plage. Bien tenue par un gentil couple de retraités (ça fait un petit moment qu'il n'y a plus de vaches à la ferme). 4 chambres confortables, toutes avec salle de bains, sans oublier leur petit lot de *kitscheries*. Une partie de la maison peut être louée à la semaine (7 places, cuisine équipée).

|●| *Arundels :* à Ahakista. ☎ 670-33. *En face du petit port. Bar food et cuisine : juin-sept, tlj 12h-20h30 ; hors saison, slt ven et w-e (autres j. selon demande). Daily specials env 11-12 € ; sinon plats jusqu'à 20 €.* Un établissement qui ne paie pas de mine de l'extérieur, mais qu'on aurait tort d'ignorer. On y sert une cuisine fort honorable et à prix sages. Pas mal de poisson, forcément. Quelques tables au bord de l'eau lorsqu'il fait beau. C'est top ! En été, les vendredi et samedi, groupes de musique à partir de 21h30-22h qui mettent parfois le feu...

Où boire un verre ?
Où écouter
de la musique ?

♪ Ahakista Bar (ou Tin Pub) : à l'entrée d'*Ahakista*, côté Durrus. ☎ 673-37. Juin-sept, tlj midi et soir.

Amusante baraque en tôle peinte. Terrasse sur un superbe jardin. Des groupes musicaux s'y produisent assez souvent, dans des shows parfois mémorables. Ambiance très chaleureuse. Soupes et *pies* servis toute la journée.

♪ Arundels : à Ahakista. Voir « Où dormir ? Où manger ? » plus haut.

BANTRY [Beanntraí]   3 150 hab.   IND. TÉL. : 027

Bourgade nichée au creux d'une rade attachante au nord de la péninsule de Durrus, qu'on traverse plus souvent qu'on y réside. Ne pas manquer la célèbre *Bantry House* et ses jardins suspendus. Moins esthétique, un port pétrolier s'est installé à la fin des années 1960 sur une île en face entourée d'eaux profondes. Mais l'explosion du bateau *Betelgeuse*, il y a quelques années, qui fit une cinquantaine de victimes, provoqua la fermeture de la raffinerie.

UN PEU D'HISTOIRE

En 1689, une flotte envoyée par Louis XIV vint en aide au roi Jacques II et affronta celle de Guillaume d'Orange en baie de Bantry. En 1796, une autre flotte, avec à bord Hoche et Wolfe Tone, vint soutenir les *United Irishmen* en lutte contre l'Angleterre. Une poisse incroyable poursuivit l'expédition. Une violente tempête aux abords de Bantry dispersa l'armada, et une quinzaine de bateaux seulement, sur 45, purent se réfugier dans la baie. En l'absence de Hoche, les troupes françaises ne débarquèrent pas. Une occasion ratée qui aurait peut-être permis de faire gagner plus de 100 ans à la cause de libération nationale !

Arriver – Quitter

🚌 Arrêt des bus : sur le quai, au niveau de la statue de saint Brendan. Compagnies *Bus Eireann* ou *West Cork Rural Transport* (☎ 027-52-727 ; ● ruraltransport.ie ●).

➤ **De/vers Cork :** 5-6 bus/j. tte l'année ; 4 bus le dim. Trajet : 2h.

➤ **De/vers Glengarriff, puis Killarney :** 1 seul bus/j., juin-août slt. Départ en fin de matinée.

➤ **De/vers Skibbereen :** 1 bus/j. en sem slt avec *West Cork Rural Transport*. Départ le mat de Skibbereen ; l'ap-m de Bantry. Hors saison, dépend de la demande. Trajet : 1h.

➤ **De/vers Schull :** 1 bus mar et ven, avec *West Cork Rural Transport*. Trajet : 45 mn.

➤ **De/vers Kilcrohane :** 1 bus mar et jeu, avec *West Cork Rural Transport*. Trajet : 1h.

➤ **De/vers Castletownbere :** 1 bus/j. Trajet : 1h10.

Adresses utiles

🛈 Tourist Office : Old Courthouse, Wolfe Tone Sq. ☎ 502-29. ● bantry@ failteireland.ie ● Avr-sept, lun-sam 9h15-17h. Fermé oct-mars. Nombreuses infos disponibles sur le coin.

✉ Poste : William St. Tlj sf dim 9h-17h30 (13h sam).

@ Fast.Net : Bridge St. ☎ 516-24. Lun-ven 9h-18h, sam 10h-17h. Accès gratuit. Également au resto-salon de thé Organico Health Food & Bakery, voir « Où manger ? » (connexion payante).

■ *Banques :* The Square et New St. Distributeur à côté du resto O'Connors.
■ *Location de vélos : Nigel's Bicycle Shop,* route de Glengarriff. ☎ 526-57. Tlj sf dim-lun 10h30-13h, 14h-17h. Compter 15 €/j.

Où dormir ?

Bon marché

▲ *Barry's B & B – Harbour View :* Town Sq. ☎ 511-40. Ouv tte l'année. Compter 15-25 €/pers selon confort. CB refusées. C'est un peu le principe d'une auberge de jeunesse mais avec le standing et l'atmosphère d'un *B & B*. Dans une première maison, une mamie propose 5 chambres doubles avec ou sans salle de bains, et au mobilier d'autrefois. L'ensemble est ancien, mais très correct pour le prix. Dans la maison mitoyenne, chambres *en suite* récemment restaurées, avec parquet flottant. La plupart offrent une vue sur le port. Cuisine à disposition pour préparer le petit déj (vous y trouverez thé, café, fruits et toasts).

Prix moyens

▲ *Atlantic Shore B & B :* à env 1 km sur la route de Glengarriff, tourner à droite (panneau discret). ☎ 513-10. 📱 086-156-81-79. ● *atlanticshorebandb. com* ● Ouv de mars à mi-oct. Compter 64-70 € pour 2 selon saison. CB refusées. 📶 Cette belle maison blanche qui se dresse devant une vaste pelouse abrite 6 chambres élégantes, spacieuses et lumineuses, avec salle de bains et literie douillette. Petit déj somptueux : Maggie n'a pas son pareil lorsqu'il s'agit de confectionner du pain et des *scones* ! Confiture maison aussi. Super accueil.
▲ *The Mill :* ☎ 502-78. ● *the-mill. net* ● À 800 m env à la sortie de la ville, à gauche, sur Glengarriff Rd. Ouv mars-nov. Compter 70 € pour 2. CB refusées. Parking. 📶 À bonne distance de la route et présentant une architecture chaleureuse. 6 chambres agréables avec bains. Fort bien tenu et décoré avec goût, ce qui est loin d'être le cas dans tous les *B & B* ! Dans la salle à manger, tableaux peints par Tosca

Kramer, le mari de la patronne hollandaise. Dans la déco, on note une petite pointe d'excentricité bienvenue. Pour se poser, agréable véranda qui ressemble à une petite bonbonnière. Petit déj copieux. Cuisine à disposition pour se préparer un thé ou un café. *Laundry service.* Accueil adorable.

De plus chic à très chic

▲ *Bantry House :* ☎ 500-47. ● *bantryhouse.com* ● À l'entrée de la ville en venant de Skibbereen. Ouv fin mars-oct. Compter 169 € pour 2. Bien sûr, entrée gratuite pour le château. Parking. 🖥 📶 Pour le plaisir de s'offrir une nuit dans un Monument historique (lire « Bantry House » plus loin, dans « À voir »). Seulement 8 chambres, dont 2 familiales. Toutes possèdent une vue sur le jardin, et 2 d'entre elles donnent aussi sur la mer. Déco superbe, bien entendu, avec mobilier moderne, tissus précieux et objets d'art. Et le plus indispensable : un miroir chauffant (antibuée) dans la salle de bains ! Copieux petit déj avec café équitable, s'il vous plaît ! Salle de *snooker. Tea room* ouverte toute la journée.
▲ *The Maritime Hotel :* juste à l'entrée sud de Bantry. ☎ 547-00. ● *themaritime. ie* ● Ouv tte l'année. Doubles 89-130 € selon saison, petit déj compris. Tarifs intéressants en milieu de sem et si l'on réserve sur Internet. 📶 Pour ceux qui veulent du luxe et du moderne, un 4-étoiles de 110 chambres... Typique des années « Celtic Tiger », écrasant de sa lourde architecture l'entrée de ville. Cependant, cadre intérieur superbe et chambres au décor moderne et mobilier raffinés. Terrasse avec *deck* surplombant le port, pour des couchers de soleil d'anthologie. Propose également un spa (en supplément), avec une magnifique piscine (accès libre).

Où manger ?

De très bon marché à bon marché

|●| *Floury Hands :* Main St. Tlj sf dim 8h-17h. Lunch special 5 € ; snacks 6-8 €. Boulangerie très populaire pour

déjeuner sur le pouce. Salle en bas et à l'étage.

I●I Organico Health Food & Bakery : Glengarriff Rd. ☎ 559-05. Dans la rue sur la gauche du tourist office. Tlj sf dim 10h-17h. Pas de carte, consulter le tableau noir à l'entrée ; repas env 12-13 €. ☎ Grimper à l'étage pour découvrir ce resto-salon de thé un poil alternatif, où l'on sert des salades composées, tartes, sandwichs et petits plats cuisinés à partir de produits bio principalement. Également de bons gâteaux auxquels il est bien difficile de résister. On peut juste y siroter un jus de fruits frais en consultant un bouquin sur le yoga, la sophrologie, la culture des légumes bio, etc., installé sur des canapés.

De prix moyens à plus chic

I●I The Fish Kitchen : New St. Au 1er étage. ☎ 566-51. Tlj sf dim-lun, midi et soir jusqu'à 21h. Résa conseillée. Plats le midi 8-11,50 €, le soir 15-28 €. Un des meilleurs restos de poisson et pour cause, c'est une création de la poissonnerie au rez-de-chaussée (et le frais, ils en connaissent un rayon !). Conseillé de réserver, car la salle aux beaux murs de schiste n'est pas trop grande. Au tableau noir, les specials du jour. Huîtres, excellent haddock, moules marinière, tajine de monkfish (lotte) et même, caché dans la carte, un sirloin pour ceux qui se seraient trompés de resto. Accueil gentil, service efficace. Une adresse qui fait l'unanimité.

I●I ♪ The Waterfront : The Quay, à côté du Snug. ☎ 539-33. Tlj 9h (12h dim)-21h. Plats copieux env 11-17 €, midi et soir. Genre de self-cafétéria, bien pratique le midi, fort populaire le soir et à prix tenus. Cadre sympathique avec pas mal de bois blanc. Viande et poisson. Musique certains soirs, en été.

I●I The Brick Oven : The Quay. ☎ 525-01. Tlj service en continu jusqu'à 22h. Plats 11-16 € le midi, 16-24 € le soir. Carte très étendue, mais la pizza domine ici (servie en 2 tailles), cuite au feu de bois dans un four artisanal que le proprio a ramené des USA. Goûter la populaire « Heart Stopper » ! Atmo-

sphère bistrot traditionnel, casual, relax, grandes tables pour les joyeuses bandes ou les familles. Une valeur sûre de Bantry.

I●I ♪ The Snug : The Quay. ☎ 500-57. Tlj 12h-15h, 18h-21h. Plats 12-22 € ; également des sandwichs le midi. Dans un cadre chaleureux aux murs en pierre sèche, bois verni et lumières bien ajustées. Un peu cher pour une cuisine assez classique mais hyper copieux ! On vous défie de finir votre assiette. Viandes diverses, moules, lasagnes, burgers, seafood platter... Ambiance conviviale et animée. En principe, concerts le week-end.

Où dormir ? Où manger dans les environs ?

Camping

⋏ Eagle Point Camping Park : à Ballylickey, à 7 km de Bantry, sur la route de Glengarriff. ☎ 506-30. ● eagle pointcamping.com ● En venant de Bantry, prendre le chemin à gauche, juste en face de la station-service Texaco. Ouv fin avr-fin sept. Compter 26-29 € pour 2 ; marcheurs et cyclistes 12 €. Douches gratuites. Chiens non admis. ☎ Tout le confort, mais prix plus élevés que la moyenne. Au bord de la mer, un camping tout en longueur, dans un joli cadre. Sanitaires propres. Tennis. Pas d'épicerie mais petit supermarché à 200 m. Préférer un emplacement au bout du terrain pour bénéficier de la vue superbe.

Prix moyens

🏠 Drom Cloc House : à Dromcloc. ☎ 500-30. ● dromclochouse.com ● À 4 km de Bantry ; suivre la N 71 en direction de Skibbereen, puis à 2 km (juste après le Westlodge Hotel), bifurquer à droite (fléché). Ouv mars-oct. Double 64 €. ☎ Farmhouse au calme parfait, surplombant la baie. Un des plus chouettes environnements qui soient. Balades au bord de l'eau à faire en fin d'après-midi. 6 chambres sympas, toutes en suite. Quelques-unes avec vue. Bon accueil par une mamie discrète et adorable.

🏠 *La Mirage B & B :* Droumdaniel, à **Ballylickey.** ☎ 506-88. ● lamirage@ eircom.net ● À 5 km de Bantry. Suivre la N 71 en direction de Glengarriff, puis à 4,5 km (avt Ballylickey), bifurquer à droite (fléché). Ouv avr-sept. Doubles 60-70 €. CB refusées. 📶 Une grande maison moderne dans la campagne, construite par Val, le propriétaire *himself* ! Belle vue alentour. Propose 2 chambres *en suite* et 2 standard avec salle de bains privée, mais extérieure. Celle située au rez-de-chaussée avec entrée indépendante est idéale en familiale. Accueil très soigné et, quand il fait froid dehors, Siobhan vous met une bouillotte dans le lit. Au petit déj, jus d'orange pressée, confiture maison et grand choix de céréales... Une bonne adresse pour se sentir comme chez soi.

De plus chic à très chic

🏠 ▮●▮ *Sea View House Hotel :* à Bal- **lylickey.** ☎ 500-73 ou 504-62. ● sea viewhousehotel.com ● À 5,5 km de Bantry, sur la N 71, en direction de Glengarriff. Ouv de mi-mars à mi-nov. Resto ouv aux non-résidents 19h-21h. Chambres standard avec petit déj 70-95 € ; minisuites plus chères. Sunday lunch 30 € ; dîner 45 €. For- mules ½ pens. 📶 Une imposante demeure toute blanche, genre manoir au milieu d'un noble jardin. Décoration et ambiance raffinées. Chambres de poupée. Celles du rez-de-chaussée

avec entrée indépendante. *Lounge* avec cheminée. Accueil et service impeccables. Cuisine excellente dans une salle à la déco d'autrefois.

Où boire un verre ? Où écouter de la musique ?

🍸 🎵 *The Anchor Tavern :* à l'angle de William St et New St. ☎ 500-12. Pub populaire, au joli cachet. Décoré d'émouvants souvenirs de la mer (vieux harpons à baleine). Intime et cha- leureux, fauteuils confortables. Soirée folk (ou autres) de temps en temps (en principe, le vendredi à partir de 21h, le dimanche à partir de 18h). Ne pas man- quer de lire les dictons affichés dans la salle !

🍸 *The Quays :* The Quay. ☎ 509-00. Ouv tlj. Bar food servie midi et soir. Pub neuf, pas vraiment authentique mais aménagé comme si. Ambiance plutôt jeune. Noter les vieilles photos de la région et celles, parfois très artistiques, de... rugby.

🍸 *Murphy's :* New St. Authentique pub bien vieux, bien patiné où la Guin- ness coule à flots. Décor hétéroclite où cohabitent objets marins, cuivres, cari- catures et d'insolites souvenirs de la guerre de Sécession. Noter les petites maximes gravées dans le laiton derrière le comptoir. À l'arrière, *beer garden* vraiment sympa qui ressemble à une ruelle pavée.

À voir

🪧 Sur la place, face à la mer, la *statue de saint Brendan,* le célèbre moine navi- gateur, qui, dit-on, découvrit en l'an 1000 l'Amérique.

🪧🪧🪧 *Bantry House :* à la sortie de la ville, sur la N 71 en direction de Skibbereen. ☎ 500-47. ● bantryhouse.com ● Début avr-fin oct, tlj sf lun 10h-17h. Entrée : 11 € (ce qui fait chérot...) ; 3 € 6-16 ans ; forfait famille. Jardins seuls : 5 €. Visite guidée mar à 14h (tarif : 15 €).
Immense demeure georgienne du XVIIIe s, agrandie au XIXe s. Les *earls* (« comtes ») de Bantry, dont Richard White était le premier, l'occupèrent à partir de 1750. Le second *earl* la meubla et la décora de toutes les œuvres d'art et objets collectés lors de ses voyages. Cela lui donne une atmosphère baroque particulièrement originale. Les descendants de ces fameux comtes habitent toujours les lieux !

LA CÔTE SUD À L'OUEST DE CORK

Rez-de-chaussée

– *Salle de réception :* peintures, porcelaines, objets d'art. Superbes cheminées sculptées, bustes en marbre.

– *Chambre rose :* tapisserie d'Aubusson fabriquée pour Marie-Antoinette, tables Boulle, estampes enluminées soie et or, objets insolites (collections d'œufs d'oiseaux, jeux d'échecs, etc.).

– *Salle des Gobelins :* tapisserie Louis XVI *(Noces de Vénus et Mars),* pianoforte anglais en bois d'érable.

– *Antichambre :* ravissantes gravures de Tiepolo et Piranese (vues de Rome). Une pièce : une lettre originale de l'amiral Nelson de 1786. Belle comtoise marquetée.

– *Salle à manger :* le summum du kitsch anglo-hitchcockien ! Quelques pièces uniques comme le vaisselier-buffet sculpté de *putti* et de motifs végétaux (et qui occupe tout le mur du fond). Les dessertes avec pied de lion sont pas mal non plus. Intéressant *Marché aux fruits* par Snyders (visages réalisés par Rubens).

– *Palier :* portes recouvertes de cuir espagnol peint du XVIe s. Remarquer les deux grosses consoles Empire, avec pieds en forme d'aigle.

– *Grand salon :* majestueuse bibliothèque donnant sur le jardin. Grand *lobby* aux colonnes corinthiennes et cheminées ornementées. Beau mobilier dont un piano, cadeau d'anniversaire pour le comte.

– *Grand escalier :* ne pas manquer ces « adresses » somptueusement enluminées, signes d'allégeance offertes au maître par les locataires, les employés, l'église locale, etc.

Premier étage

– *Chambres en rotonde :* à droite. Lit à baldaquin en acajou sculpté (1755). Entre les deux petites pièces, anciens cabinets de toilette, avec un petit cabinet de curiosités religieux (icônes peintes et argent), ainsi qu'une maison de poupée.

– Enfin, beaux *jardins* à l'italienne. Grimper le grand escalier dans la colline pour la perspective de la *Bantry House* se détachant sur la baie, et admirer l'ordonnancement des parterres de fleurs et de buis, les vases et statues à l'antique, pelouses, etc.

🍵 Salon de thé ouvert toute la journée *(10h-17h),* au rez-de-chaussée de la demeure. Non-fumeurs, même en terrasse.

🎿 *Bantry Historical Museum :* derrière la caserne des pompiers, en plein centre. ☎ 555-64. Mai-sept, mar-sam 10h30-12h, 14h-16h30. Gratuit. Tout petit et succinct !

Manifestation

– *West Cork Chamber Music Festival :* 1 sem fin juin-début juil, à la Bantry House (voir plus haut), en coopération avec Cork. ● westcorkmusic.ie ● Résa conseillée. Un festival de musique de chambre de très haute qualité.

DANS LES ENVIRONS DE BANTRY

🎿🎿 *Gougane Barra :* à env 20 km au nord-est, sur la R 584 ; prendre la N 71 en direction de Glengarriff, puis à Ballylickey, fléché sur la droite. C'est dans cet endroit retiré que la Lee (rivière de Cork) prend sa source. Le village (hameau isolé comprenant un hôtel, un *coffee shop* et un magasin), blotti au creux de trois montagnes aux versants accidentés, possède un lac et une forêt magnifiques. Cet ensemble est protégé par un parc national, le premier créé en Irlande. Pas étonnant que saint Finbarr, fondateur de Cork, ait choisi d'y implanter son monastère (un ermitage). Aujourd'hui, une chapelle se détache d'un bouquet d'arbres sur une petite île. Aux beaux jours, les jeunes mariés font quasiment la queue pour s'y faire photographier. Sentiers balisés, pêche à la truite (avec permis), nombreuses activités liées à la nature. Plus loin, pour rejoindre Glengarriff, on franchit le pittoresque *Keimaneigh Pass*, qui signifie le « col du cerf » en gaélique.

GLENGARRIFF (an Gleann Garbh) 900 hab. IND. TÉL. : 027

C'est ici que se manifestent le plus les effets bénéfiques du Gulf Stream. Tout autour et sur les îles, forêts luxuriantes, collines et jardins abondamment fleuris. Pas étonnant que dans ce décor idyllique se bâtirent de nombreux hôtels et villas, et que le coin soit éminemment touristique. Mais, miracle irlandais, pas de foules bruyantes, ça reste tout petit, calme et familial ! Cela dit, une

LES TROPIQUES EN IRLANDE !

Autour de cette baie hyper protégée pousse une végétation subtropicale étonnante (on y aperçoit même des palmiers et des bambous), une véritable oasis. Merci le Gulf Stream ! Et pourtant, le nom gaélique de Glengarriff, An Gleann Garbh, signifie « vallon rocailleux » !

fois effectuées les principales balades du coin, vous risquez de vous ennuyer un peu.

– Noter qu'il n'y a pas de banque à Glengarriff, ni de distributeur : les plus proches sont à Bantry, Castletownbere et Kenmare.

Arriver – Quitter

➢ *De/vers Bantry et Cork :* lun-sam, 3 bus/j. ; dim, slt 2 bus. Trajet : respectivement 15 mn et 2h.
➢ *De/vers Castletownbere :* lun-sam, 2 bus/j. ; 1 bus le dim. Trajet : 45 mn. Passe par *Adrigole.*

Adresses et infos utiles

– Pas d'office de tourisme, mais infos sur le site : ● glengarriff.ie ● Sinon, infos auprès du *tourist office* de Bantry.
✉ *Poste :* dans le supermarché Spar, à la sortie du village, côté Kenmare.
@ ■ *Internet et location de vélos : The Black Cat, Main St. Tlj en saison ; ouv plus aléatoire le reste de l'année.*

Où dormir ?

Campings

On voit pas mal de *camping-cars* se garer sur le parking du magasin *Quills* (voir « Achats », plus loin).

⚑ *O'Shea Camping :* Castletownbere Rd. ☎ 631-40. À 2 km, sur la route de Castletownbere (la R 572). Ouv de mi-mars à oct. Prévoir 18 € tt compris pour 2 avec tente et voiture ; marcheurs et cyclistes 15 €. CB refusées. Un tout petit camping dans un jardin verdoyant. Sanitaires corrects. Emplacements bien délimités par de hautes haies et belles pelouses. Petite serre dans laquelle le papy qui tient le camping fait pousser toutes sortes de plantes. Possibilité de stocker ses boissons au frais, de laver son linge et de se faire la cuisine. Ne pas oublier sa bombe antimoustiques.

⚑ *Glengarriff Caravan & Camping Park :* à côté d'O'Shea Camping. ☎ 631-54. ● glengarriffccp@gmail.com ● Ouv avr-oct. Prévoir 23-27 € pour 2 avec tente et voiture ; marcheurs et cyclistes 10 €. Plus grand et plus « pro » que le précédent. Musique traditionnelle dans le pub du camping, mais seulement pour les résidents, nous a bien précisé la proprio ; message reçu !

Bon marché

🛏 *Murphy's Village Hostel :* dans le centre. ☎ 635-55. 📱 086-172-59-65. ● murphyshostel.com ● *Ouv tte l'année. Dortoir 15 €/pers ; double 40 €.* Auberge comportant 3 dortoirs de 6 à 8 lits et 5 chambres avec sanitaires à partager. Draps fournis. Cuisine équipée avec terrasse. *Common room* avec cheminée. Horaires des bus et plein d'infos, c'est le rendez-vous des sacs à dos de la ville.

Prix moyens

🛏 *Beechwood House :* Inchintaggart. ☎ 632-92. 📱 086-804-19-20. ● beechwood-glengarriff.com ● *À 2 km env de Glengarriff, sur la route de Casteltownbere. Ouv avr-sept (parfois oct). Chambres avec sdb 66-70 € selon saison. Parking.* 📶 Un *B & B* dans un coin calme et dans un environnement d'étranges collines rocheuses. En tout, 4 chambres bien tenues et confortables. Les 2 chambres mansardées à l'étage ont un petit supplément d'âme. Grande véranda en forme de bow-window pour le petit déj. Jardin. Très bon accueil.

🛏 *The Heights Farmhouse :* Carrigrour. ☎ 630-88. *À env 1,5 km du village. En venant de Bantry, c'est à droite à l'entrée de Glengarriff, juste avt l'hôtel* Eccles *(fléché). Ouv mai-sept. Compter 70 € pour 2 (60 € sans le petit déj).* Petite route qui grimpe sec pour déboucher au sommet d'une colline. En tout, 4 petites chambres agréables *en suite.* Mais l'atout majeur de l'adresse, c'est la vue stupéfiante sur la baie. Collection particulièrement bien fournie d'animaux empaillés de Mrs & Mr Harrington, le couple de retraités qui habite sur place.

🛏 *Island View House :* ☎ 630-81. ● islandviewhouse.net ● *En venant de Bantry, à droite à l'entrée de Glengarriff, fléché depuis l'hôtel* Eccles. *Ouv avr-oct. Doubles en suite 70-80 € selon saison (un peu cher en hte saison).* 📶 À l'écart du centre du village, et donc au calme, 6 chambres classiques, sans charme particulier mais confortables. Une déco un peu

plus soignée dans la salle des petits déjeuners ne serait pas de refus. Une adresse fonctionnelle et pratique si tout est complet ailleurs.

De plus chic à chic

🛏 *Eccles :* ☎ 630-03. ● eccleshotel. com ● *En léger retrait de la N 71, sur la droite à l'entrée du village, en venant de Bantry. Ouv mars-oct. Compter 100-135 € pour 2 selon saison et vue. ½ pens possible. Loue aussi des apparts à la sem. Formules spéciales et promos sur Internet.* 📶 Bel hôtel face à la mer et à l'île Garinish. L'un des plus anciens d'Irlande (1745). Élégante façade avec balcon et auvent en fer forgé. Intérieur meublé en style anglais ancien avec colonnes sculptées, cheminée, gravures, etc. Restauré en 1988, mais a conservé en grande partie son charme. Yeats, Synge, George Bernard Shaw honorèrent les lieux de leur séjour. Les romantiques demanderont la belle chambre où Yeats écrivait ses poèmes. Attention, on ne retrouve pas le même charme partout ; certaines chambres sont banales. TV et téléphone. Tennis, canots pneumatiques et planches à voile mis à la disposition des clients. Restaurant et pub avec musique le week-end (voir « Où manger ? Où boire un verre ? Où écouter de la musique ? »).

🛏 *Glengarriff Park Hotel :* Main St. ☎ 630-00. ● glengarriffpark.com ● *Au centre du village. Ouv tte l'année. Doubles 90-120 € selon saison et standing, petit déj compris. Promos parfois intéressantes sur Internet. Parking.* 📶 Une vingtaine de chambres restaurées, de belle tenue. Les coloris sont chauds, la déco moderne et soignée. Moquette cosy au sol. Un rapport qualité-prix honnête.

Où manger ? Où boire un verre ? Où écouter de la musique ?

🍴 *Mac Carthy's Bar et The Park Bistro :* Main St. ☎ 630-00. *Le bar et le resto du* Glengarriff Park Hotel. Bar food tlj 12h30-21h ; resto tlj en saison, slt ven et w-e le reste de l'année. Bar food 7-9 €, daily specials env 11-12 € ; au resto, plats (servis aussi au pub) env 18-25 €. Boiserie et banquettes au pub, cadre plus classique au resto. De part et d'autre, on sert une cuisine qui se défend bien. Il y a de l'idée dans la préparation. Autant de viande que de poisson.

|●| *Casey's Hotel :* Main St. ☎ 630-10. Tlj 12h-21h. Bar food 11,50-15 € (sandwichs servis jusqu'à 18h). C'est le bar de l'hôtel qui nous intéresse ici (le resto est beaucoup plus cher). Dans un cadre cosy et conventionnel (boiserie, banquettes, tapisserie à rayures), bonne *bar food* variée. Plaisante terrasse au bord de la route pour les beaux jours.

|●| ♪ *Eccles :* voir « Où dormir ? ». Ouv tlj ; bar food servie 16h (12h en été)-21h et resto plus chic à partir de 18h. Au bar food, sandwichs 7-9 €, plats 12-22 € ; au resto, menu 35 €. Lunch pas si cher que ça pour un hôtel de cette classe. Un dessert diabolique se nomme curieusement « *Death by chocolate* »... Animations musicales certains week-ends.

♈ ♪ *Blue Loo :* Main St. ☎ 631-67. Rien de particulier en semaine. En revanche, bons concerts folks le week-end. Voir l'*Ideal European* sous la TV, les fameuses « lettres à la maman » reprenant les clichés anglais de l'Irlandais un peu limité et la collection de cartes postales machos au-dessus du comptoir... Billard.

Achats

⊛ *Quills :* Main St. ☎ 634-88. À l'entrée du village, en venant de Bantry. Tlj 10h30-17h30 (18h dim) ; pause pour le lunch break. Magasin spécialisé dans la laine.

⊛ *Glenaran Irish Centre :* en face de Quills. ☎ 632-01. Ouv tlj grosso modo 9h30-20h (10h-18h en hiver). Pulls en laine, carpettes en peau de mouton... De l'ovin sous toutes ses formes !

À voir. À faire

🎬 *Bamboo Park :* ☎ 639-75 ou 630-07. ● bamboo-park.com ● À l'entrée du village, côté Bantry. Tte l'année, tlj 9h-19h. Entrée : 6 € ; gratuit pour les enfants. *Chiens acceptés.* Ce parc est la concrétisation du projet d'une famille belge de faire pousser des bambous sur le sol irlandais. Les premières pousses ont d'ailleurs été plantées en coopération avec la bambouseraie d'Anduze, dans les Cévennes. Depuis l'ouverture du parc en 1999, les 30 espèces de bambous et les 12 espèces de palmiers ont eu le temps de pousser, et ils ont désormais une taille très respectable. Mais il y a aussi l'ancien jardin, et on peut faire une jolie balade dans le calme avec superbe vue sur la baie de Glengarriff. De même, accès à une petite plage privée. Avec de la chance, peut-être un (ou deux) phoques séjournant au soleil ! Sur place, *coffee shop* pour une pause gourmande (laissez-vous tenter par le *carot cake*, vous ne le regretterez pas).

➤ On vous recommande une promenade tranquille d'une vingtaine de minutes au bord de l'eau, dans le centre du village : la *balade de « Poulgorm ».* Criques intimistes, sous-bois bien frais et barques esseulées, le tout dans un silence requinquant. Le sentier commence derrière le grand magasin *Quills* et rejoint l'embarcadère près de la *Old Church Coffee House.*

DANS LES ENVIRONS DE GLENGARRIFF

🎬 *L'île Garinish (Ilnacullin) :* sur un îlot rocheux furent créés, en 1910, de superbes jardins à l'italienne. Ancien terrain militaire anglais où avait été édifiée une tour Martello, suite à la tentative de débarquement de Hoche en 1796. Racheté par *John Annan Bryce* (député au Parlement britannique) pour en faire sa résidence. À défaut du manoir projeté, il y construisit un cottage. Parmi ses invités figura George Bernard Shaw en 1923 qui, le climat semblant décidément favorable, y écrivit une pièce. Nombreuses et rares essences subtropicales favorisées par le Gulf Stream, qui n'a jamais flirté si près avec la côte.

➢ Pour s'y rendre : de mi-mars à oct slt. Jardins ouv tlj sf dim en mars ; lun-sam 9h30 (10h mars-juin et sept-oct)-17h ; dim 11h (12h mai et sept, 13h avr et oct)-17h15. Bateaux aux horaires d'ouverture des jardins slt, ttes les 20-30 mn au départ du Wooden Pier (vers l'hôtel Eccles) avec la compagnie Harbour Queen Ferry (☎ 631-16 ; ● harbourqueenferry.com ●) ; depuis le centre du village (embarcadère en léger retrait de la rue principale) avec la compagnie Blue Pool Ferry (☎ 633-33 ; ● bluepoolferry.com ●). Prix : env 10 € l'A/R avec Blue Pool Ferry ; 12 € l'A/R avec Harbour Queen Ferry ; gratuit moins de 12 ans. Trajet : 15 mn env. Vous l'aurez noté, le « plus petit voyage en bateau » est aussi le plus cher d'Irlande, car on paie, en supplément, un droit d'entrée sur l'île (env 4 € ; réduc). Bien coûteux, tt ça... On rencontre parfois des phoques en cours de route (penser à apporter des jumelles). Heritage site.

Venir dès l'ouverture, pour profiter de l'endroit et faire la promenade pratiquement seul. Plus tard, lorsque 200 personnes se promènent sur 15 ha, ça gâche un peu le plaisir !

🎬🎬 En revanche, gratuite est la balade dans la **forêt de Glengarriff.** Si vous tombez à la bonne saison, vous aurez tout au long de votre route des rhododendrons géants et des propriétés aux jardins superbes. On arrive bientôt à des collines dénudées qui entourent un lac très beau *(Barley Lake).* Tout y est : village typique, rivière qui glougloute... À ne pas manquer.

La forêt commence à 3 km de Glengarriff sur la route de Kenmare. La balade jusqu'au lac fait 17 km aller-retour. Route extrêmement étroite, avec beaucoup de virages et peu d'endroits pour dépasser. Le lac lui-même est inaccessible à tout véhicule, même aux vélos, mais on peut en parcourir un bon bout par une petite route.

LA PÉNINSULE DE BEARA

IND. TÉL. : 027

Une des moins fréquentées de toute la côte ouest. On a parfois l'impression de déranger le mode de vie tant les habitudes semblent immuables. Au centre de la péninsule, deux belles chaînes de montagnes : les Caha Mountains et les Slieve Miskish Mountains.

Trouver absolument le moyen de passer par le *Healy Pass,* un col situé sur la route d'Adrigole à Lauragh. La route est

L'HÉCATOMBE DU *HEALY PASS*

Cette route fut commencée pendant les années de la Grande Famine (1845-1850) pour donner du travail aux chômeurs. Les ouvriers touchaient, à l'époque, 2 pence par jour pour 12h de labeur. Le chantier dut vite être arrêté, étant donné le taux élevé de mortalité. Il ne reprit qu'en 1928, et la route du col fut enfin ouverte 3 ans plus tard.

complètement perdue dans la montagne, tortueuse à souhait. La vue sur les deux versants est tout simplement époustouflante, surtout sur celui du nord. Tout en bas, encaissé au creux des montagnes, on aperçoit le superbe *Glanmore Lake,* au milieu d'une riche nature préservée, chaos de rochers et belle végétation.

– Remarque : pour les stoppeurs, c'est tellement isolé qu'ils risquent de faire la moitié du trajet à pied. En revanche, génial à vélo avec la *Beara Cycle Way*.

ADRIGOLE (500 hab.)

Où dormir ? Où manger ?

⌂ |●| *Ocean View Farmhouse :* Faha, Bayview House. ☎ 600-69. ● oceanviewadrigole@gmail.com ● *Fléché sur la droite à l'entrée d'Adrigole en venant de Glengarriff. Ouv mai-oct. Doubles 58-60 € selon vue. Possibilité de dîner (sur résa ; plats 12-15 €). CB refusées.* ▱ Sur les hauteurs, ce *B & B* propose 4 chambres fort simples. La déco n'est plus de toute première jeunesse, il faut bien le reconnaître, mais l'ensemble est correct, et puis Margaret, une sympathique retraitée, prodigue un excellent accueil. Belle vue sur la baie de Bantry depuis la plupart des chambres.

Achats

⊛ *Adrigole Arts :* ☎ 602-34. *Face au terrain de foot. Pâques-oct, lun-sam 10h-18h (plus dim mai-sept 11h-18h).* De très beaux bijoux, poteries, pulls en laine, etc. Mais tout n'est pas produit sur l'île d'Émeraude.

À faire

– *West Cork Sailing Centre :* The Boat House. ☎ 601-32. ● westcorksailing. com ● *Juste après le terrain de foot (en venant de Glengarriff), sur la gauche.* Location de catamarans (également pour les enfants) et de kayaks pour aller visiter les côtes de l'île de Bere. Leçons de voile, du débutant au confirmé. Belle vue depuis la terrasse du « bistrot ».

CASTLETOWNBERE [ɓaile chaisléain ɓhéara]

Petit port bien abrité entre les Slieve Miskish Mountains et l'île de Bere, un des importants rendez-vous pour la pêche en haute mer. Possibilité de louer des bateaux pour se rendre à l'île de Bere ou pour aller voir baleines et dauphins qui séjournent fréquemment dans la baie.

Arriver – Quitter

En bus

➤ *De/vers Cork, Bantry et Glengarriff :* 1 bus/j. avec *Bus Eireann.* Trajet : respectivement 3h, 1h10 et 40 mn.
➤ *De/vers Allihies :* 1 bus le mar qui fait l'A/R avec la compagnie *West Cork Rural Transport* (☎ (027) 527-27 ; ● ruraltransport.ie ●). Passe par Garnish et Dursey.
➤ *De/vers Eyries :* 1 bus le mer avec *West Cork Rural Transport.*

Adresses utiles

🛈 *Tourist office :* Main St. ☎ 700-54. *À 50 m de la place principale (The Square), dans le jardin de l'église. Mai-sept, tlj sf w-e 9h30-17h.*
✉ *Poste :* Main St, *à 150 m de la place principale.*
■ *Banque AIB :* sur la place principale, avec distributeur.
@ *Business Services :* au Beara Action Group, The Square, *à côté de la caserne des pompiers.* ☎ 708-80. *Lunven 9h30-17h30.*

LA CÔTE SUD À L'OUEST DE CORK

Où dormir ?

Camping

⚏ **Camping Berehaven Golf Club & Amenity Park :** Filane, sur la route de Glengarriff. ☎ 719-57 ou 707-00. ● berehavengolf.com ● À 3,5 km de Castletownbere, face à l'île de Bere. Il faut traverser le terrain de golf. Ouvtte l'année. Si la réception est fermée, inscrivez-vous sur le registre et glissez votre dû dans la boîte prévue à cet effet. Env 15-18 € pour 2 selon saison. Réduc pour le golf. Quelques emplacements pour planter sa tente ou mettre son camping-car, face à la mer et au calme. Bar-restaurant du club de golf.

Bon marché

⌂ **Evergreen Cottage Hostel :** ☎ 703-02. ● go.reilly42@gmail.com ● À 2 km de Castletownbere, sur la route d'Allihies. Ouv fin avr-oct. Env 15 €/pers. Tenu par un couple sympathique. Propose, au fond du jardin, 2 cottages disposant chacun d'une chambre double, de 2 chambres avec 2 lits superposés, d'une cuisine et d'une salle de bains. L'endroit est bien tranquille. Conviendra aux groupes et aux familles.

Où manger ?

|●| **Cronin's Hideaway :** West End. ☎ 703-86. À 250 m de la place principale, en direction d'Allihies. Resto tlj 17h (16h dim)-minuit ; lunch lun-mar et jeu-ven 12h45-14h. Compter 10-15 € pour 1 plat principal. 2 formules : très bon take-away (ferme tard) ou resto classique avec chicken curry, poisson frit et viande, dans un cadre sans véritable importance.

|●| **Murphy's Restaurant :** Main St, à l'embranchement de la route conduisant au port. ☎ 702-44. Tlj 9h-21h. Plats 8-16 €. Jolie petite salle pimpante aux nombreuses photos noir et blanc accrochées aux murs. On y sert une bonne cuisine, simple et pas chère. Local seafood platter, camembert frit cranberry sauce, mixed grill, pinces de crabe au citron... Un resto apprécié des habitants de Casteltownbere.

|●| **Jack Patrick's :** Main St. ☎ 703-19. À 50 m de la place principale. Fermé dim hors saison. Special lunch et snacks (12h30-17h) 10-11 € ; plats 10-20 € ; menu le soir en été env 20 €. Pas mal de plats : lasagnes maison, moules farcies, smoked mackerel salad. L'adresse est surtout connue pour la qualité de ses viandes.

Où boire un verre ?

🍸 **MacCarthy's Bar :** Main St, sur la place centrale. ☎ 700-14. Pubépicerie dont la façade rouge et noir figure sur l'un des derniers bouquins à la mode au titre sans surprise : MacCarthy's Bar (des impressions d'Irlande par un routard plein d'humour). Le pub a été nommé d'après Aidan, un docteur épique qui a survécu à la Seconde Guerre mondiale grâce à la bombe atomique ! Et ce n'est qu'un extrait... Cadre ancien, plein d'atmosphère. Accueil sympathique.

À voir dans les environs

🏃 **L'île de Bere :** belles balades, beaux points de vue et une tour Martello à visiter. Pour s'y rendre, ferry avec Bere Island Ferry Service (☎ 750-09 ; ● bereislandferries.com ●) depuis le port. Fin juin-sept, 8 départs/j. (5 le dim) ; départs un peu moins fréquents le reste de l'année. Autre ferry à Pontoon, à 4 km sur la route de Glengarriff, avec Murphy's Ferry Service (☎ 750-14 ; ● murphysferry.com ●). Juin-août, 6-8 départs/j. ; slt 4-5 départs/j. le reste de l'année. Compter dans les 8 € l'A/R pour un piéton.

ALLIHIES

D'un seul coup, par la route du Sud, on découvre en arrivant sur Allihies un panorama somptueux sur la lande, le petit village s'étirant le long de sa Main Street, la belle plage de Ballydonegan et les montagnes environnantes.

Un peu d'histoire

Au XIXe s, on y exploitait d'importantes mines de cuivre, aujourd'hui désaffectées. Ouvertes en 1812, elles employèrent jusqu'à 1 200 personnes en 1850. À l'époque, un mineur commençant à travailler à 15 ans mourait 15 ans plus tard. Elle ferma en 1885. Au-dessus du village, quelques ruines et un bout de cheminée rappellent cette époque. Pour en savoir plus, faire un petit tour au musée.

Où dormir ?

Camping

⚂ **Camping** (The Strand) : possible dans un pré, devant la plage de Ballydonegan (à 1 km env du village), à côté des caravanes. ☎ 730-02. Env 8 €/pers (les proprios passent prendre leur dû le soir). Sanitaires sommaires, douche payante à la ferme (juste en face).

De bon marché à prix moyens

🛏 **Allihies Hostel** : dans le centre d'Allihies, à côté du pub O'Neill's. ☎ 731-07. ● allihieshostel.net ● Ouv avr-sept. Lits en dortoir 17-20 €/pers et chambre env 45-50 € pour 2 selon saison. CB refusées. Petite AJ privée. Différents types de logements qui donnent sur l'arrière (donc calme), du dortoir de 4 ou 8 lits à la chambre familiale en passant pas la double standard ou en suite. Salon très agréable, à l'atmosphère contemporaine. Cuisine. Laverie.
🛏 **Beach View** : Ballydonegan. ☎ 731-05. ● beachviewbandb.com ● À 1,5 km du village, en direction de l'île de Dursey. Ouv tte l'année. Double 60 €. CB refusées. 🖵 🛜 Un confortable B & B de 6 chambres dans un coin très calme et dont 3 bénéficient d'un panorama extra sur la baie. Belle petit déco. Sous le toit, une chambre familiale idéale pour 6 personnes. Grand jardin gardé par de gentils nains. Irène Harrington est une hôtesse adorable, aux petits soins pour ses hôtes. Copieux petit déjeuner.
🛏 **Sea View Guesthouse** : dans le centre du village. ☎ 730-04. ● sea

viewallihies.com ● Fermé à Noël. Une dizaine de chambres 60-70 € pour 2 selon saison. 🛜 Même maison que le supermarché. Atmosphère de petit hôtel familial plus que de B & B. Agréable (chambres spacieuses avec parquet restaurées dans un esprit assez moderne) et bon rapport qualité-prix. Les chambres qui regardent la mer donnent aussi sur la terrasse d'un pub (du coup, attention aux week-ends en été). Loue aussi 2 appartements dans le village pour 4 personnes et une belle maison à 1 km pour 6 personnes.

Où manger ? Où boire un verre ? Où écouter de la musique ?

|●| 🍷 ♪ **O'Neill's** : dans le village. ☎ 730-08. Tlj 10h-21h tapantes (20h lun-jeu hors saison). Sandwich env 5 €, plats 11-20 €. Accueil et clientèle à l'irlandaise, chaleureux et convivial. Cuisine simple mais copieuse. Surtout, poisson et fruits de mer ultra-frais. Même s'ils ne sont pas au menu, demander s'il y a de l'open crab ou de l'open salmon, délicieux ! Salle de bar food ou salle de resto, avec ou sans TV. Folk session le dimanche à partir de 18h hors saison, plusieurs soirs par semaine en été.

Où dormir ? Où manger dans les environs ?

🛏 **Garranes Hostel** : à Garranes. ☎ 730-32 ou 731-47. ● dzogchen beara.org ● À mi-chemin entre Castletownbere et Allihies. Ouv tte l'année. De 15 €/pers en dortoir à 40 € pour 2 en chambre privée. Jolie maison en pierre sèche en surplomb de la mer avec de superbes balades à faire en bord de falaise. C'est une auberge de jeunesse, mais aussi un centre qui organise des retraites sur la méditation et le bouddhisme tibétain. Ne conviendra donc pas à nos lecteurs les plus exubérants, mais personne ne vous forcera à y participer ! Intérieur en accès assez chaleureux, atmosphère très « fellow travellers ». Seulement 18 lits, répartis dans 2 dortoirs (1 pour les filles, 1 pour les garçons), vite complet donc. 1 chambre familiale également sous le toit. Propose également des cottages (minimum de 3 nuits) pour ceux qui envisagent des séjours prolongés au centre.

🏠 l●l **Windy Point House B & B :** chez Agnès Sheehan, Garnish. ☎ 730-17. ● windypointhouse.com ● Tt au bout de la presqu'île de Beara. Situé à 13 km d'Allihies, 200 m avt le terminus de la route et le point de départ du cable car pour Dursey. Ouv avr-oct. Un merveilleux bout du monde pour 70 € pour 2 (60 € à partir de la 2e nuit). Repas sur résa env 20 € (et à 18h pétantes !). CB refusées. 🛜 B & B avec une terrasse et 6 chambres en suite qui dominent toutes vraiment la mer ! On en prend plein les yeux ! On a un faible pour les 2 chambres avec balcon situées dans

une dépendance. Salle des petits déjeuners très plaisante. Le soir, Agnès mijote de bons petits plats pour ses hôtes. Les gâteaux et le pain sont faits maison. Très bon accueil. Une belle adresse.

🏠 l●l **Harbour View B & B : Garnish.** ☎ 731-39. ● harbourviewbandbgarnish.com ● À 12 km d'Allihies et 1 km env avt d'arriver au Dursey Cable Car. Ouv tte l'année. Doubles 60-65 €. Possibilité de dîner env 15 € (réserver à l'avance). CB refusées. 🛜 Une maison moderne sans caractère particulier et un accueil pas trop exubérant, mais les 4 chambres (dont 2 en suite) sont correctes ; vue sur le large pour 3 d'entre elles. Surtout, environnement sauvage et super vue sur le large. Une alternative si tout est plein ailleurs.

🏠 l●l **Reentrisk School House :** ☎ 730-42. 📱 087-323-85-50. À env 4,5 km d'Allihies, vers Eyeries. Ouv mai-sept. Slt 2 chambres 70-80 € selon saison. CB refusées. Dans un des coins les plus sauvages de la péninsule. Pour les plus romantiques de nos lecteur-(trice)s. Une maison d'artistes accrochée à la colline, aux chambres décorées avec beaucoup de goût. Sanitaires communs. Un immense lounge, avec baie vitrée et cheminée, donne sur la mer ; y manger est un plaisir à lui tout seul. D'autant qu'Annie, ancien cuistot sur un navire de pêche, vous prépare à manger (bio !) si vous avez réservé. Une excellente adresse, tout simplement.

Manifestation

– **Sports Day :** 15 août. Une tradition séculaire à Allihies : jeux, courses de chevaux, match de foot, etc. L'occasion de rencontrer tous les gens du coin et de partager leur joie.

À voir. À faire à partir d'Allihies

➢ Nombreuses possibilités de **randonnées** à pied. Se procurer le feuillet Discover Allihies. Fortins en pierre, standing stones, dolmens, holy wells, tours Martello, etc. baliseront vos itinéraires.

➢ Superbe balade de 10 km jusqu'à Eyeries (voir ci-dessous) par le **chemin des Copper's Mines.** Il se trouve sur la gauche, à la sortie du village.

🎣 **Le musée des Copper's Mines :** à la sortie d'Allihies, en direction de l'île de Dursey. ☎ 732-18. ● acmm.ie ● Tlj 10h-17h. Entrée : 5 € ; réduc. Intéressant petit musée, abrité dans l'ancienne église méthodiste construite en 1845 pour les mineurs originaires de Cornouailles. Un autre bâtiment abrite le café (sandwichs) et la galerie d'art (*ouv avr-oct slt*). Subsistent quelques machines et ruines de ce qui fut la plus grande mine d'Irlande au XIXᵉ s. Présentation didactique de l'histoire géologique, sociale et humaine de la région, ainsi que les techniques d'extraction du temps passé.

🏹 *L'île de Dursey :* à 13 km d'Allihies. L'une des balades les plus populaires dans le coin. Environ 25 km aller-retour. Prendre la route de Castletownbere. Après la traversée du gap de Barnes (petit col avec le panorama sur Allihies), tourner à la première route à droite vers Garnish Point, puis suivre la route jusqu'au point de départ du téléphérique, le *cable car* (installé en 1969 et long de 374 m). En saison, bus le mardi et le vendredi reliant le point de départ du téléphérique et Castletownbere (se renseigner à l'office de tourisme). *Le cable car fonctionne tte l'année lun-sam 9h-11h, 14h30-17h, 19h-20h ; dim 9h-10h, 13h30-14h30 (because la messe), 19h-20h ainsi que 16h-17h juin-août. Un conseil : arriver 30 mn avt le dernier départ, car la cabine ne contient que 6 places, elle peut donc se remplir très vite.* Compter 8 € l'A/R ; réduc enfants. Sur l'île (5 km²), intéressantes promenades, puits sacré. Nombreuses observations d'oiseaux, dauphins et baleines.

⛱ Si vous êtes en voiture, au retour, petit crochet vers la jolie *plage de Garnish* (indiqué « Garnish Pier »).

EYERIES

La très belle route Allihies-Ardgroom, sur la côte nord de la péninsule de Beara, passe par Eyeries, où les habitants rivalisent d'imagination dans le choix des couleurs des maisons. Et ça continue à l'intérieur même de l'église. Magnifique collection de vitraux, offerts par les familles à la mémoire de leurs défunts.

Où dormir ? Où manger ? Où boire un verre ?

🏠 *Inches House :* à 2,5 km du village. ☎ 744-94. ● *irelandseaangling.com* ● Prendre la route de Castletownbere, puis fléché sur la gauche. Cottages 300-460 €/ sem selon saison et taille (2-4 pers) ; selon disponibilité, peuvent aussi se louer pour 2-3 j. Maree et John, un jeune couple anglais dynamique et sympa, proposent 3 jolies maisons mitoyennes en pierre du pays. Des couleurs douces et fraîches, du confort et du charme, de la nature et du calme autour, une atmosphère reposante. On s'y sent vraiment bien. Pour ceux que ça intéresse, John organise aussi des balades en mer (pêche, observation des dauphins).

🏠 *Formanes House B & B :* ☎ 743-60. ● *formaneshouse.com* ● *Sur la route principale, presque en face du terrain de foot. Fermé à Noël. En tt, 4 chambres en suite, env 60 € pour 2. CB refusées.* 📶 Toute rose, en partie en pierre, comme la petite arche du jardin. Tout autour, la campagne. Déco au parfum des années 1960-1970, tendance kitsch. Au choix, chambre rose, blanche ou en bois blanc... Accueil sympathique. Dîner sur demande. Location de cottages, dont pour les robinsons, une mignonne maison sur l'île de Dursey *(250 €/sem, une vraie aubaine !).*

🍽 🍷 Quelques *pubs* à proximité de l'église. Au *Causkey's Bar,* remarquer l'enseigne (un pélican, fallait-il le préciser). À l'intérieur, somptueuse vue – à s'en faire tirer un stout – depuis la baie vitrée ou la terrasse. Snack en saison. Et un bon resto, *Auntie Mays,* dans Main Street (☎ 744-77).

Où dormir ? Où manger dans les environs ?

Autour de Lauragh

Campings

⛺ *Beara Camping & Hostel The Peacock :* Coomagillagh, à Tuosist. ☎ (064) 66-84-287. ● *bearacamping.com* ●

À 10 km de Lauragh, en direction de Kenmare (en bordure de la R 571). Ouv de mi-mars à mi-oct. Env 16 € la nuit pour 2 avec tente et voiture ; bungalow 40 € pour 2. 🛜 *Petit camping vieillot tenu par une gentille famille. Jolies balades tout autour. Bloc w-c rustique, on ne se casse pas la tête pour le confort ici ! Coffee shop. Possibilité de laver son linge. S'il pleut trop (comment serait-ce possible ?), location de petites* cabins *et* huts *bricolées (pas chères certes, mais demander à en voir plusieurs, car certaines sont un peu vétustes – les minicontainers en plastoc sont à éviter...). Abri de fortune avec coin cuisine sommaire. Plage à 500 m.*

⛺ *Creveen Caravan & Camping Park :* à 2 km de Lauragh sur le Healy Pass Rd. ☎ (064) 66-83-131. ● creveenlodge. com ● *Camping à la ferme ouv Pâquesfin oct. Compter 18-20 € pour 2 avec tente et voiture ; marcheurs et cyclistes 8 €. CB refusées. Douches payantes. Une quinzaine d'emplacements disposés en terrasse sur un versant. Superbe panorama et moutons en liberté dans la prairie. Bien tenu dans l'ensemble. Sanitaires simples et cuisine à disposition. Des cottages à louer également.*

Prix moyens

🏠 🍽 *Mountain View B & B :* Healy Pass Rd, *Lauragh.* ☎ (064) 66-83-143. ● oldstonecottage.com ● *1 km après le début du Healy Pass (fléché sur la gauche). Ouv de mi-mars à oct. Double 70 €. Repas env 20-25 €. CB refusées.* 🛜 *En pleine nature, maison ordinaire entourée par les moutons. Petite famille à l'accent du terroir et hôtesse affable. Demander une chambre avec vue sur la campagne pour éviter celle qui donne sur la citerne. Possibilité d'y manger (on peut apporter son vin !). Également un cottage à louer à la semaine.*

🏠 🍽 *Josie's :* Lakeview House, Clogherane, *Glanmore Lake (bien indiqué).* ☎ (064) 66-83-155. *À 5 km de Lauragh : fléché sur la droite 1 km avt Lauragh, en venant d'Eyeries. Tte l'année, tlj 10h30-21h (19h hors saison). Double 70 €. Plats le midi 10-15 €, le soir 15-26 € ; menus 19-25 €. Dans un environnement sauvage à souhait, une superbe salle à manger panoramique sur le lac où vous dégusterez une des meilleures cuisines régionales, savante fusion de la tradition française et des vrais produits irlandais. Grande réputation pour les steaks aussi. Fait salon de thé l'après-midi. Loue également 2 chambres de bon confort dans un genre de chalet, à l'écart du resto. Priez qu'il ne fasse pas beau, sinon on n'a plus envie de repartir du coin.*

À voir. À faire dans les environs

➤ Jusqu'à Kenmare, *route* très étroite, longeant des falaises déchiquetées. En particulier celle qui musarde le long de la côte, vers Kilkatherine Point. À 18 km de Lauragh, en direction de Kenmare (par la R 571), vous verrez un panneau sur la droite indiquant *Gleninchaquin Park* (☎ 842-38 ; ● oldstonecottage.com ● ; *entrée : 5 €, réduc).* Il s'agit d'un parc privé avec une cascade et plusieurs sentiers de randonnées. Le site est beau, mais la péninsule de Beara offre de nombreuses possibilités de balade dans des coins tout aussi remarquables et gratuits.

🎋 *Derreen Gardens :* à *Lauragh.* ☎ (064) 66-83-588. *Avr-oct, tlj 10h-18h. Entrée : 7 € ; réduc enfants.* Les amoureux des jardins et des arbres ne manqueront pas ce bel arboretum situé en bord de mer. La promenade au milieu des arbres (rhododendrons, cèdres, cryptomerias, etc.) dans ce cadre enchanteur est absolument féerique.

➤ En voiture, prendre la *Healy Pass Road* et aller au moins jusqu'au col. La vue sur le lac est magnifique. En venant de Lauragh, 200 m après le début de la Healy Pass Road, vieille pompe à essence avec, à côté, une drôle de maison miniature d'un *leprechaun,* ce gnome irlandais qui habite, paraît-il, au pied des arcs-en-ciel.

LE RING OF KERRY

Certainement la plus populaire des péninsules irlandaises. La beauté du paysage vient avant tout des contrastes ininterrompus offerts à chaque virage de la route. Les vallées couvertes de sapins succèdent à des landes immenses, descendant sur des kilomètres vers la mer sur un fond déchiqueté par les îles, les baies et lagunes, jouant sans cesse avec le soleil, changeant de couleur, de végétation, d'aspect... Un must pour randonneurs et cyclistes. Un conseil pour éviter aux automobilistes de rester coincés derrière un car bondé d'Américains en goguette : faire le tour dans le sens des aiguilles d'une montre (la majorité des bus le fait dans le sens inverse).

LA KERRY WAY

Une des plus belles randonnées irlandaises, en boucle (près de 220 km). Elle peut être suivie de n'importe quelle étape de son itinéraire : Killarney-Black Valley-Glencar-Glenheigh-Kells-Failmore-Mastergeehy-Windy Gap-Sneem-Kenmare-Killarney. Pour les bons randonneurs, doués d'un solide sens de l'orientation (de nombreux passages dans les tourbières, sans marque). Si l'on souhaite alterner marche et bus publics, voir « Se déplacer en bus », ci-dessous.
Le point culminant à 365 m, au Windy (« venteux » !) Gap, permet la traversée des montagnes sauvages de l'Irlande. Un frisson devant la beauté des rhododendrons mauves qui poussent partout, les lacs noirs de tourbe, les cercles de pierre des forts celtiques et les jardins du littoral sud, adoucis par le Gulf Stream. Une randonnée à monter soi-même si vous voulez n'en faire qu'une étape.
– **Documentation :** cartes *Ordnance Survey* n° 78 et n° 20 *Cork-Kerry Tourism Map Guide to the Kerry Way.* Balisage noir et jaune mais peu fréquent. On peut aussi se procurer sur place le dépliant *Ring of Kerry Cycle Route* avec la carte du parcours en sept sections. ● *kerryway.net* ●

Se déplacer en bus

Quelques bus au départ de Killarney desservent la péninsule.
➤ Tte l'année, 1-2 bus/j. (sf dim) relient Killarney à **Waterville**, via **Killorglin** et **Cahersiveen**. Fin juin-fin août, 2 bus/j. supplémentaires font le tour de la péninsule en passant par **Killorglin, Gleinbeigh, Cahersiveen, Waterville, Caherdaniel** et **Sneem.** Entre Killarney et Killorglin, 4-5 bus/j. en sem (fréquence réduite dim).
➤ Pour rejoindre **Kenmare,** 2 possibilités : changer à Sneem ou passer par Killarney. Voir « Arriver – Quitter » à Kenmare.

| 0   5   10 km |
| NORD |

Ballyferriter · Ballynana
Clogher Head · R 559 · Riasc
Inishtooskert
Dunquin · **Ventry** · Milltown · Lispole
Mount Eagle · R 559 · **Dingle** · N 86
Beginish · Fahan · Ventry Harbour · Dingle Harbour · Doonmanao
Blasket Islands · Blasket Sound · Bull's Head · Mine Hea
Dunbeg (Promontory Fort)
Tearaght Island · Great Blasket Island · Slea Head
Inishnabro
Inishvickillane
Dingle Bay

Kells E

Canglass Point · Kells

OCÉAN · Leacanabuaille Stone Fort · N 70
ATLANTIQUE · Doulus Head
Valentia Lighthouse · Renard Point · **Cahersiveen**
Knightstown
Valentia Island · Chapeltown · N 70
Clynacantan · Portmagee Channel · Kilpeacan Cross Road
The Skellig Experience · R 565
Bray Head · **Portmagee** · Masterge
Ballynahow · R 566 · R 567
Puffin Island · **Waterville** · Loug Curra
Killonecaha
Saint Finan's Bay · Ballinskelligs · Ballybrack
Great Skellig (Skellig Michael) · Little Skellig · Ballinskelligs Bay · N 70
Bolus Head · Hog's Head · **Caherda**
Derrynane House
Scariff Island · Lamb Hea
Deenish Island

| Ventry Milltown | Lieux traités Adresses et lieux dans les environs | ⊚ site inscrit au Patrimoine mondial de l'Unesco |
| Kells | Repères | |

KENMARE [an neidín]

2 700 hab.   IND. TÉL. : 064

Petit centre de pêche, point de départ du Ring of Kerry au sud. Animé en été. La ville est plutôt agréable, ordonnant ses demeures colorées sur les deux rues principales. Les gens font le plein, essuient lunettes et pare-brise, retiennent leur souffle... et en route pour une jolie excursion !
– *Foire aux bestiaux : 15 août.*

Arriver – Quitter

En bus

➢ *De/vers Tralee et Killarney :* 2 bus/j. lun-ven tte l'année ; 1 bus le w-e en été.

➢ *De/vers Sneem :* 2 bus/j. en été ; hors saison, 1 seul bus (ven). Compagnie *Teddy McCarty* (📱 087-231-50-14), basée à Sneem.

➢ *De/vers Bantry :* juin-août.

➢ *De/vers Cork :* passer par Killarney.

LE RING OF KERRY

Adresses utiles

🛈 **Tourist office :** *The Square.*
☎ *66-41-233.* ● *kenmare.ie* ● *Juin-sept, tlj 9h-19h ; hors saison, tlj sf jeu et dim 9h30-17h15 (pause le midi).*
✉ **@ Poste :** *Henry St.* ☎ *66-41-490. Dans une boutique. Lun-ven 9h-17h30, sam 9h-13h.* Accès Internet.
@ Internet : *O'Shea's,* en haut de *Main St.* ☎ *66-40-808. Tlj 9h (10h dim)-21h.* Dans un magasin de photos.
◼ **Location de vélos :** *Finnegan's Corner,* Henry St. ☎ *66-41-083. Tlj (sf dim hors saison) 10h-18h30 (21h30 en été).* Bien vérifier l'état des engins (les freins en particulier).

◼ **Kenmare Bay Diving :** *Bonane.*
▯ *087-699-37-93.* ● *kenmarebaydiving. com* ● *À 11 km, sur la route de Glengarriff.* Propose des plongées et cours tous niveaux.
◼ **Star Outdoor Kenmare :** *Dauros,* à *6 km de Kenmare, sur la route de Castletownbere (R 571).* ☎ *66-41-222.* ● *staroutdoors.ie* ● *Ouv tte l'année.* Propose du canoë-kayak, du raft, de la voile, etc. Également des croisières de 1h30 sur la Kenmare River.
◼ **Kenmare Coach and Cabs :** *Gortamullen.* ☎ *66-41-491.* ▯ *087-248-08-00.* ● *kenmarecoachandcab.com* ● Tours des péninsules de Beara ou Kerry et excursions sur Glengarriff. 60 ans d'expérience. Voyages de

groupes en minibus sur 1 journée (10h-17h). Prix en fonction du nombre de personnes.

Où dormir ?

Bon marché

🛏 **Kenmare Fáilte Hostel :** à l'angle de Henry St et Shelbourne St. ☎ 66-42-333. • kenmarehostel.com • Ouv de mi-mai à mi-oct. Compter 18 €/pers en dortoir ; doubles avec sdb commune ou privée 44-52 €. Également des triples et des quadruples. 🛜 Dans une ancienne demeure, une AJ remarquablement tenue et qui n'est pas dénuée de charme. Sanitaires impeccables. Chambres doubles plaisantes avec parquet. Cuisine bien équipée (avec une belle cuisinière d'époque). Excellent accueil. Location de vélos en face.

Prix moyens

🛏 **Water's Edge B & B :** à Muxnaw. ☎ 66-41-707. 📱 087-413-42-35. • watersedgekenmare.com • À 2 km env de Kenmare ; suivre la N 71 en direction de Glengarriff, puis prendre la 2e à droite après le pont (fléché ; c'est la dernière maison au fond du chemin). Ouv tte l'année. Doubles en suite 60-64 € selon saison. CB refusées. 🛜 Plaisante maison moderne au sommet d'un versant boisé qui surplombe la Kenmare River. Lors de la réservation, demander l'une des 2 chambres avec vue. Dans le salon, petit coin canapé pour bouquiner et de quoi préparer un café ou un thé. Très agréable terrasse au bord des arbres pour profiter de la vue lorsqu'il fait beau. Bon accueil de Noreen. Un excellent rapport qualité-prix.

🛏 **Druid Cottage :** ☎ 66-41-803. 📱 086-345-07-94. • druidcottagekenmare.com • À la sortie de Kenmare, sur la route de Sneem (N 70). Ouv fév-nov. Compter 60-70 € pour 2 selon saison. CB refusées. 🛜 Enfin un B & B dans une ancienne demeure du XIXe s (ça ne court pas les rues dans le coin) ! Tout en pierre, avec véranda. Pas mal de charme. Au calme, en retrait de

la route, jardin verdoyant. Au total, 4 chambres pas super spacieuses mais avec salle de bains privée, meublées à l'ancienne, murs de pierre dans certaines. Bernadette, la propriétaire, ne manquera pas de vous donner moult conseils pour vos escapades.

🛏 **Greenville B & B :** Killowen Rd, The Lodge. ☎ 66-41-769. • maureensayer sgreenville@gmail.com • À deux pas du centre-ville, sur la route de Cork. Ouv avr-oct. 6 chambres avec sdb, env 70 € pour 2. CB refusées. Parking privé. 🛜 En retrait de la rue, avec un jardin devant. Certes du classique, mais chambres spacieuses et plutôt agréables. Gentil accueil de Mrs et Mr Sayers. Bien tenu.

🛏 **Virginia Guesthouse :** Henry St. ☎ 66-41-021. 📱 086-372-06-25. • virginias-kenmare.com • Congés : autour de Noël. Doubles 65-90 € selon saison et type de chambre. 🛜 Un superbe B & B de ville à prix raisonnable. 8 chambres impeccables, douillettes et tout. Surtout, vous apprécierez l'accueil tout à la fois adorable et pro de Noreen. Ainsi que l'un des meilleurs petits déjeuners du Kerry, préparé uniquement avec des produits rigoureusement sélectionnés ou faits maison (comme le fruity muesli). Et pour que les plats soient cuisinés sans précipitation, les commandes sont prises la veille. La même attention se retrouve dans la qualité des autres prestations. Resto au rez-de-chaussée. Rue à pubs (une seule chambre donne à l'arrière).

Plus chic

🛏 **Sea Shore Farm Guest House :** à Tubrid. ☎ 66-41-270. • seashorekenmare.com • À env 2 km du centre-ville ; prendre la route de Sneem (N 70), puis fléché sur la gauche, à la sortie de Kenmare. Ouv de mi-mars à oct. Compter 90-100 € pour 2. 🖥 🛜 À mi-chemin entre le B & B et le petit hôtel familial, dans un environnement superbe, un établissement plein d'élégance qui propose 6 chambres spacieuses, lumineuses et très confortables (dont 1 familiale), toutes avec vue sur la Kenmare River. Accueil courtois et charmant du couple de retraités vraiment aux petits soins pour la clientèle. Plein d'infos utiles pour vos escapades dans le coin. Une de nos adresses coups de cœur.

🏠 **Foleys Guesthouse** : 16, Henry St. ☎ 66-42-162. ● foleyskenmare.com ● En plein centre. Ouv tte l'année. Doubles avec sdb env 80-100 €. Parking gratuit à proximité. 🛜 Un hôtel à prix encore abordable, avec de grandes chambres restaurées, à la déco modernisée, un poil clinquantes et confortables. Éviter simplement celles qui donnent sur le pub (le week-end hors saison, tous les soirs en été).

Où dormir dans les environs ?

🏠 **Greenwood Hostel** : Coomnakilla Rd, **Templenoe**. ☎ 66-89-247. 📱 089-475-64-51. ● greenwoodhostel.com ● À 10 km env de Kenmare, sur la route de Sneem (N 70) ; à 1,5 km de la sortie de Templenoe, bifurquer à droite, direction Coomnakilla, c'est à 100 m. Ouv tte l'année. Compter 16-20 € en dortoir selon saison ; doubles 40-54 €. Une AJ tenue par des Allemands et située en pleine nature. Dortoirs de 4 à 6 lits, chambres avec sanitaires privés ou communs. Bois blanc, couleurs pêchues, pas mal de charme. Salon avec cheminée et cuisine équipée à disposition. Grand jardin arboré. Atmosphère conviviale. Une AJ séduisante.

Où manger ?

Très bon marché

🍴 **Wharton's Fish & Chips** : en haut de Main St. Tlj jusqu'à 2h (4h sam). Du bon, du vrai : wild cod (cabillaud sauvage), frites coupées à la main et sauce tartare maison. L'été, longue table sur rue.

De bon marché à prix moyens

🍴 **Jam's Cafe-Bakery** : Henry St. ☎ 66-41-591. Tlj sf dim 8h-17h. Sandwichs 4-5 €, plat 10 €. Très couru pour une petite pause le matin ou pour le déjeuner. On est tout de suite accueilli par les délicats effluves de cuisine et de gâteaux. Grand choix de sandwichs. Quelques plats au hasard : beef lasagne, saumon frais... Quiches et cheesecake à se damner ! La bonne cantine connue de tous et fréquentée par tout le monde ! Si vous avez aimé, succursale à Killarney (Old Market Lane).

🍴 **Purple Heather** : Henry St. ☎ 66-41-016. Tlj sf dim 11h-17h. Plats 10-12 € ; également des sandwichs. Dans une grande maison en pierre, un bar-resto-lounge à la déco rustique et chaleureuse pour se sustenter dans une atmosphère tranquille. Cheminée qui crépite les mauvais jours. Bar food et restauration simple genre sandwichs au pain maison, salades et omelettes.

🍴 **O'Donnabháin** : Henry St. ☎ 66-42-106. Tlj midi et soir (service jusqu'à 21h). Plats 10-13 € le midi (également des sandwichs moins chers), 13-23 € le soir. Pub-resto très chaleureux avec ses snugs, son bar en bois verni et son vénérable parquet. On lui voue aussi une sympathie particulière pour sa présentation d'émouvants témoignages historiques, des « unes » originales de journaux (la campagne de boycott, le traité de paix de janvier 1922, le centenaire de la révolte de 1798 et de Robert Emmett), le tout enrichi de photos sépia et de documents de qualité. Un contexte culturel donc agréable pour manger une bonne cuisine de bistrot à prix modérés, copieuse et rapide. Quelques plats réguliers : poulet Kiev, beef Guinness stew, pizzas.

🍴 **Foley's** : Henry St. ☎ 66-42-162. Tlj midi et soir. Congés : janv. Plats 7-13 € le midi (quelques sandwichs également), 15-20 € le soir ; menu early bird (18h-19h) 20 €. Au choix, salle de resto assez conventionnelle ou pub à l'atmosphère cosy (même carte). Bon bar-menu, sandwichs, today's special, hot fisherman's platter, Irish stew, chicken curry, fish & chips, moules au vin blanc et seafood, bien sûr.

Chic

🍴 **Packie's** : Henry St. ☎ 66-41-508. Tlj sf lun 18h-21h30. Résa conseillée.

Plats 17-35 €. Le petit resto de luxe des notables locaux et de tous ceux souhaitant effectuer leur bonne bouffe de l'année. Le chef, Martin Hallissey, n'utilise quasiment que des produits bio. L'un des plats vedettes : le *roast monkfish garlic and ginger crust* (la lotte ail et gingembre en croûte). Cadre élégant, murs de pierre, feu qui crépite dans la cheminée, peintures. D'aucuns pourraient dire que les tables sont un peu serrées et que celles près du bar sont trop exposées au bruit, mais c'est à peu près les seules critiques !

Où boire un verre ? Où écouter de la musique ?

♥ ♪ **Crowleys :** Henry St. L'un des pubs les plus anciens et les plus pittoresques. Pas bien grand, mais attachant. Musique (traditionnelle la plupart du temps), les lundi et mardi ; de façon irrégulière les autres soirs.

♥ **Florry Batt's :** Henry St. ☎ 66-41-438. On y boit la meilleure *Guinness* de la ville (une question de tuyauterie, paraît-il). 2 parties : le bar pour regarder les matchs et la salle de billard avec cheminée. Un pub à l'ancienne, avec son vieux comptoir en bois ouvragé et sa barre de cuivre pour que les clients puissent s'accrocher (disposition désormais très rare !). Clientèle d'habitués plus très jeunes.

♥ ♪ **Bold Tady Quill Pub :** dans le Landsdowne Arms Hotel, *en haut de Main St.* ☎ 66-41-368. Intérieur assez classe avec cheminée. Atmosphère sympa lorsque des groupes s'y produisent, le week-end en général (plusieurs fois par semaine en été).

♥ ♪ **Atlantic Bar :** The Square, *à proximité de l'office de tourisme.* ☎ 66-41-094. Y pointer le bout de son nez le dimanche (groupes de musique et danse traditionnelle). Les autres soirs, l'ambiance s'avère souvent tristoune.

Où manger ? Où boire un verre dans les environs ?

|●| ♥ **Sailor Bar :** *route de Castletownbere (la R 571, vers Lauragh).* ☎ 66-42-684. À 5 km de Kenmare. Ouv avr-oct : ven et w-e le soir slt en basse saison, tlj 12h30-21h en été. *Plats 12-18 €.* En retrait de la route, avec une belle terrasse dominant la baie et super animée aux beaux jours. Excellents fruits de mer et belle ambiance.

|●| **The Boat House Bistro :** *Dromquinna Manor.* ☎ 66-42-889. À 5 km de Kenmare, sur la route de Sneem (juste avt le village de Templenoe). Avr et oct-nov, jeu-dim 12h30-21h ; mai et sept, fermé lun ; juin-août, tlj. *Plats 11-18 €* (même carte midi et soir). Plaisante salle lumineuse, à l'atmosphère marine, aménagée dans une ancienne dépendance du manoir, au bord de l'eau. On y sert une belle cuisine joliment concoctée, très orientée poisson. Le chef laisse court à son imagination en agrémentant les plats, ci et là, d'épices, de gingembre, etc. Excellents desserts. Terrasse lorsqu'il faut beau. Il y a la vue, le service, les saveurs, les prix raisonnables : *what else?* L'une des bonnes tables du coin.

Achats

⌘ **Quill's Woolen Market :** The Square. Tlj 9h (10h dim)-18h (plus tard en été). Pour acheter des pulls d'Aran à prix intéressants.

À voir. À faire

🔍 **Kenmare Heritage Centre :** The Square. ☎ 66-41-233. *Mêmes horaires que l'office de tourisme ; d'ailleurs, l'accès se fait par là. Gratuit.* Petite expo sur l'histoire de la ville et de la région, la famine, les personnages célèbres nés ou ayant séjourné ici.

🦾 **Kenmare Lace and Design Centre :** *juste à gauche* du tourist office. *Au 1er étage.* ☎ 66-41-491. *Pâques-oct, tlj sf dim 10h-17h (fermé parfois pour le lunch break).* Petite salle intime pour présenter ce qui fut une importante activité au XIXe s et pendant la première moitié du XXe s. Initié par les sœurs du *Convent of Poor Clares* en 1861. Donne un bon aperçu de cet art universel. Expo de dentelles du XIXe s. Démonstration régulière d'une dentellière et possibilité d'acheter la production récente.

🦾 👫 **Seafari :** *Kenmare Pier.* ☎ 66-42-059. ● seafariireland.com ● *Sur le port de Kenmare, à 1 km env du centre-ville ; suivre la N 71 en direction de Glengarriff, puis tourner à droite avt le pont. 1-4 départs/j. avr-oct.* Compter env 20 €/pers ; 15 € 12-18 ans. Croisière « éconature » sur la Kenmare River pour observer oiseaux et phoques. À la barre, un capitaine sans pipe, mais avec barbe, qui prête volontiers ses jumelles d'une main et organise un spectacle de marionnettes de l'autre. Thé ou café, distribution de bonbons... ambiance sympa évidemment. On en oublierait presque la note, un peu salée tout de même...

DANS LES ENVIRONS DE KENMARE

🦶 **Bonane Heritage Park :** *à Bonane, à 12 km de Kenmare, sur la route de Glengarriff.* ▯ 083-106-08-94. ● bonaneheritagepark.com ● *Accès permanent. Tarif :* 4 € *(à glisser dans une boîte à l'entrée) ; réduc. Pour les tours guidés, téléphoner.* Un ensemble de petits sites archéologiques datant de l'âge de la pierre, du bronze et du fer, disséminés le long d'un sentier bien aménagé. Rien de très impressionnant cependant (vestige d'une habitation fortifiée, pierres dressées, etc.). Le cercle de pierres est certainement le site le plus intéressant. Un phénomène surprenant se reproduit tous les 18 ans et demi : la lune, en se levant, semble alors escalader la crête de la montagne qui ferme l'horizon. Ce phénomène s'est produit la dernière fois en juin 2006 !

Balades à cheval

■ **Dromquinna Stables :** *Blackwater Bridge.* ☎ 66-41-043. ● dromquinnastables.com ● *Ferme située à 5 km de Kenmare, sur la route de Sneem. Juste avt le village de Templenoe. Y aller de préférence avt 10h. Fermé dim-lun hors* saison. Chevaux et poneys très bien soignés par la famille O'Sullivan. Tarifs assez élevés, mais jolis programmes et balade inoubliable le long de la Kenmare River, dans la forêt, en montagne ou en bord de mer.

SNEEM [an tsnaidhm]   650 hab.   IND. TÉL. : 064

LE RING OF KERRY

Coquet village, devenu très touristique en haute saison, aux nombreuses maisons peintes de couleurs vives. Une symphonie de vert gazon, mauve, toutes les tonalités de rose et de jaune. Une poignée de pubs en ville. Sur la place principale, une stèle rappelle la venue du général de Gaulle en juin 1969.
– **Fête du village :** *en août.*

Adresses utiles

■ **Distributeur de billets :** *dans le* supermarché Christian's Foodstore. *Ouv tlj 9h30-21h30.*
@ Internet : *Sneem Resource Centre, sur la place, côté Waterville.*

☎ 66-45-545. Lun-ven 10h30-14h30 (14h ven).

Où dormir ?

Prix moyens

🛏 **Bank House :** North Sq. ☎ 66-45-226. 📱 087-238-39-88. Une grande maison verte au centre du village, près du pont. Ouv avr-oct. Doubles 60-70 €. CB refusées. 📶 Cette demeure georgienne, pleine d'atmosphère, est habitée depuis près de 2 siècles par la famille Harrington, ce qui explique la décoration soignée. Plein de bibelots et objets en cristal, atmosphère chaleureuse et intime. Propose 5 chambres, certes un peu exiguës, mais des petits déj excellents. Très bon accueil.

🛏 **Derry East Farmhouse :** à 1,5 km de Sneem, en direction de Caherdaniel, à droite peu après le petit pont. ☎ 66-45-193. ● derryeastfarmhouse.com ● Ouv mai-oct. Chambre en suite 70 €. CB refusées. Le B & B à l'ancienne. La déco n'est pas des plus moderne, chambres parfois petites et salles de bains minuscules, mais confort correct et la maison, au milieu des landes, est bien située. Petit court de tennis. Possibilité de dîner. Accueil charmant.

Où manger ? Où boire un verre ? Où écouter de la musique ?

🍴 **The Village Kitchen :** dans le centre, à côté du pont. ☎ 66-45-281. Tlj jusqu'à 17h (21h en été). Daily specials autour de 8-9 €, sinon rien au-dessus de 11-12 €. Petite salle de resto populaire (toiles cirées, box) vite remplie le midi. Une carte de sandwichs, salades, quiches, burgers, quelques plats consistants (chicken curry, saumon pommes sautées) et de bons desserts faits maison.

🍴🍷🎵 **Blue Bull :** South Sq. ☎ 66-45-382. Tlj : lunch 12h-17h30, dinner 18h-21h30. Plats env 10 € le midi, 12-25 € le soir. Une salle de bar food à la belle déco (mélange d'ancien et de touches contemporaines). Vénérables photos du vieux Sneem, comptoir de bois et belle cheminée. Bonne cuisine avec quelques spécialités du cru (Irish stew, boiled bacon and cabbage, etc.). Atmosphère tranquille et plaisante terrasse derrière. Billard. Live music 3 fois par semaine en saison.

🍴 **O'Sullivan's, Sacré-Cœur Restaurant :** ☎ 66-45-186. À la sortie de Sneem, en direction de Waterville. Ts les soirs (jusqu'à 21h et en été 22h) et dim midi Pâques-fin oct. Plats 14-28 € ; early bird menu (18h-19h) 20 €. Un vrai resto. Bonne cuisine réputée. Propose de bon crus, disponibles en demi-bouteilles. Cadre un peu passe-partout.

🍴🍷🎵 **Danny O'Shea's :** North Sq. ☎ 66-45-515. En continu 12h-21h. Today specials env 12-13 €. Un pub-resto avec terrasse à l'arrière qui donne sur la rivière. Musique traditionnelle en été. Sympa, accueil jeune.

Où dormir ? Où manger chic dans les environs ?

🛏🍴 **Tahilla Cove Country House :** ☎ 66-45-204. ● tahillacove.com ● À 8 km, sur la route de Kenmare ; en venant de Seem, fléché sur la droite (c'est 300 m plus loin). Ouv de Pâques à mi-oct. Compter 80-150 € pour 2 selon saison et vue. Dinner sur résa 25 €. 📶 Très belle demeure, au milieu d'un parc, au bord de l'eau. L'un des coins les plus enchanteurs qu'on connaisse. Chambres de charme très confortables, accueil au diapason. Bar particulièrement cosy ouvert aux non-résidents. Excellente restauration délivrée dans une élégante salle à manger. Belles balades à partir du B & B.

DANS LES ENVIRONS DE SNEEM

🎋 **Staigue Fort :** à 14 km de Sneem, en direction de Caherdaniel. À la sortie de Castlecove, fléché sur la droite. Accès par une route étroite. Pâques-sept, tlj 10h-21h. Entrée : 1 €. Une boîte, près du portail, recueille les oboles. Au niveau de *la route principale,* exhibition centre *pour les plus motivés slt.* Merveilleusement situé. On comprend qu'il ait résisté au temps quand on voit l'enceinte circulaire de 2 m d'épaisseur et de plus de 5 m de haut. Pas de mortier, les pierres sont super ajustées et, à l'intérieur, des escaliers témoignent de la finesse de la construction. Rien de spectaculaire en soi : l'émotion est toujours, bien entendu, à hauteur des goûts et des motivations personnels...

CAHERDANIEL [cathair dhónaill]

350 hab.	IND. TÉL. : 066

Petit village sur la route de Waterville (à 50 km de Kenmare) ; pas grand-chose à y faire, sauf s'y arrêter et profiter du coin (et c'est déjà pas mal !). Belle plage, avec club de sports nautiques. Quelques balades à faire en canoë, de la plongée, et les passionnés d'histoire irlandaise iront se recueillir dans la maison d'O'Connell dans le parc national de Derrynane. Ne pas oublier aussi le lough Currane, avec son île (Abbey Island), où vivaient des moines, un endroit probablement unique. Les passionnés d'ornithologie iront faire un tour au *Bird's Sanctuary* près des dunes.

Où dormir ? Où manger ? Où boire un verre ? Où écouter de la musique à Caherdaniel et dans les environs ?

Camping

⛺ **Wave Crest Caravan Park :** à 1,6 km de Caherdaniel, sur la route de Sneem. ☎ 94-75-188. ● wavecrest camping.com ● Ouv tte l'année. Env 23 € pour 2 avec tente et véhicule ; randonneurs et cyclistes env 9 €. Douches payantes. 🖥 📶 (payants). En bord de mer, éparpillé parmi les rochers. Environnement vraiment sauvage. Excellente situation, confortable et esthétique nettement plus discrète que le camping voisin. Sanitaires corrects. Épicerie et petite cafétéria.

Prix moyens

🏠 **Moran's Seaside Farmhouse B & B :** à Bunavalla, à 7 km de Caherdaniel. ☎ 94-75-208. ● moransfarm house.ie ● À 4,5 km du village (en direction de Waterville), fléché sur la gauche (au niveau du resto panoramique) ; c'est au bout de la minuscule route qui descend vers la mer. Ouv avr-oct. Compter 74-80 € pour 2 selon saison. CB refusées. 📶 Posée sur le versant d'une verte colline blanche de moutons, une maison qui propose des chambres dans lesquelles règne une douce atmosphère. 3 bénéficient d'une vue panoramique époustouflante sur les îlots et les falaises léchées par de puissants rouleaux d'écume. Une vraie carte postale ! Accueil affable. Balades pédestres alentour (Kerry Way notamment). Une superbe adresse.

De bon marché à plus chic

🏠 **The Travellers Rest Hostel :** dans le centre de Caherdaniel, face à la station Texaco. ☎ 94-75-175. ● hostelca herdaniel.com ● Ouv mars-oct. Env 18 € en dortoir ; doubles 41-43 € selon saison. Petite maison en bord de route. C'est la proprio de la station-service qui s'occupe de la maison. 2 dortoirs de 4-5 lits et 3 petites chambres avec sanitaires communs. Très bien tenu. La déco est mignonne (meubles anciens, rideaux à carreau), l'atmosphère chaleureuse. Cuisine équipée et salon avec bibliothèque. Une adresse sympathique.

LE RING OF KERRY

⚓ **The Olde Forge :** à **Rathfield,** à 1 km du village, en direction de Sneem. ☎ 94-75-140. 🖥 087-227-71-05. ● theoldeforge.com ● Ouv tte l'année. 6 grandes chambres 60-70 € selon saison, ttes avec sdb. CB refusées. 📶 Maison des années 1960 avec une immense pelouse face à la baie. Demander, si possible, les chambres avec vue sur le large (l'atout majeur de l'adresse). Déco assez kitsch. Bon accueil.

🍴 🍷 ♪ **The Blind Piper :** ☎ 94-75-126. Dans le village, sur la route de la maison de Daniel O'Connell. Ouv tte l'année, tlj ; on peut y manger jusqu'à 20h (21h en été). Plats 11-20 € ; quelques sandwichs. Feu dans l'âtre et par-fois du jazz en sourdine. En principe, live music le jeudi et le samedi soir une bonne partie de l'année. Quelques tables dehors. Une bonne adresse locale.

🍴 **O'Carroll's :** à **Castlecove,** à 2 km du village, en direction de Sneem. ☎ 94-75-151. Ouv mars-oct ; le w-e slt hors saison, tlj en été 12h30-21h ; sandwichs servis 12h-18h. Plats 15-25 €. Se dit le seul resto de plage d'Irlande, et c'est bien possible. En tout cas, la plage de sable est mignonne (si on oublie l'inévitable parc de caravanes). Cuisine correcte, surtout poisson et fruits de mer : homards en vivier et huîtres. Terrasse, ça va de soi.

À voir

🎭🎭 **Derrynane House** (maison de Daniel O'Connell) : ☎ 94-75-113. Fléché depuis le centre de Caherdaniel. Avr et oct-nov, mer-dim et j. fériés 10h30-17h ; mai-sept, tlj 10h30-18h. Dernière admission 45 mn avt fermeture. Tarifs (pour la visite de la maison) : 3 € ; réduc. Entrée libre et permanente pour le parc. Demander la petite documentation en français (gratuite). Audiovisuel (en anglais). Heritage site.

La maison de ce grand homme politique irlandais du XIXe s est transformée en musée. Cet avocat, né à Cahersiveen, élu triomphalement député du comté de Clare alors que les catholiques étaient privés des droits civiques les plus élémentaires, imposa aux Britanniques, en 1829, l'Acte d'émancipation des catholiques, qui leur permit d'accéder à la fonction publique et leur accorda l'éligibilité. Il organisa ensuite une grande campagne contre l'Acte d'union avec l'Angleterre.

Grand brasseur de foules, O'Connell déplaçait des centaines de milliers de personnes à ses meetings. Au sommet de sa campagne, en 1843, craignant une épreuve de force avec les autorités britanniques, il annula un meeting non autorisé et en ressortit très déconsidéré. Nombre de ses jeunes partisans le quittèrent alors pour fonder Young Ireland, mouvement plus radical.

La maison, genre petit manoir de campagne, se situe dans un environnement idyllique. Pleine de souvenirs et d'objets d'époque ayant appartenu à O'Connell, elle est encore comme habitée.

– Rez-de-chaussée : dans la salle à manger, beaux portraits de famille, dont celui de O'Connell par J. P. Haverty. Mobilier d'époque. Petite vitrine dans une autre pièce où, parmi d'autres émouvants objets, on découvre le tromblon de Robert Emmet, héros national, leader de la révolte de 1803.

– Premier étage : dans l'élégant salon, le siège sculpté du Liberator (comme on appelait O'Connell) et une table massive en chêne et noyer qu'on lui avait offerte. Outre sa boîte à bijoux, son réveille-matin et un cadeau électoral après sa victoire à l'élection de 1828, on découvre dans une vitrine son pistolet avec lequel il tua un adversaire en duel (toute sa vie, il le regretta). Pièce rare : l'affiche historique de 1844 où O'Connell appelait à la non-violence. Enfin, dans la bibliothèque, son lit de mort.

– Dépendances : chapelle privée et l'incroyable char qui porta le politicien en triomphe (hyper kitsch, genre péplum à l'irlandaise) lorsqu'il fut libéré de prison.

🎭🎭🎭 Derrynane House se trouve au milieu d'un petit **parc national** superbe (120 ha sur 1,5 km de littoral) : plantes tropicales géantes et plages immenses protégées par les dunes, parmi les plus belles du Kerry. D'ailleurs, après les avoir vues de la route, vous ne pourrez résister à leur attrait (comme de Gaulle en 1969, les photos de ses promenades solitaires à cet endroit ont fait le tour du monde). Sur la route, entre les plages et la maison d'O'Connell, *pierre oghamique* qui remonterait aux IVe-VIIe s. Belles balades balisées dont un *nature trail*.

🏃‍♂️ *Abbey Island :* à 1 km de Derrynane House. Prendre la route à droite de l'entrée de Derrynane House ; au portail (avec une cloche), continuer la route principale sur la droite, c'est au bout. À marée basse, possibilité de rejoindre les ruines de l'abbaye d'Aghamore, un petit havre de paix. L'ancienne abbaye, en ruine, est toujours utilisée comme cimetière, ce qui suppose que les enterrements se font à marée basse !

WATERVILLE [an coireán]   700 hab.   IND. TÉL. : 066

La route depuis Caherdaniel mène au col de Coomakista où l'on découvre une chouette perspective du Kerry. Aux roches découpées succèdent des bords de mer sages et paisibles. On parvient à Waterville, station balnéaire au fond de la baie de Ballinskelligs, un long village étiré, peu défiguré par les signes agressifs propres aux stations balnéaires. Très beaux paysages aux alentours : des collines descendent vers la côte, des falaises couvertes de champs bien verts s'avancent dans la mer, donnant un aspect sauvage et fascinant à ce coin du Ring of Kerry. Les admirateurs de Charlie Chaplin iront voir la collection de photos que le patron de l'hôtel *Butler Arms* a constituée lorsque la famille Chaplin y vint en vacances dans les années 1960. Et on ne peut rater sa statue sur la promenade.
– Attention, pas de banque à Waterville (mais un distributeur dans le supermarché *Centra*). Pour surfer sur le Net, rendez-vous à la poste, à côté du *Butler Arms Hotel* (lun-ven 9h-14h, 15h-17h30 ; sam 9h-13h).
– Sur le front de mer, petit *office de tourisme (ouv en saison 9h-17h).*

Où dormir ?

Bon marché

🏠 *Peter's Place :* à l'entrée du village, à droite (venant de Caherdaniel). ☎ 087-995-01-99. ● facebook.com/Peterpla cewaterville ● Ouv de mi-mars à oct. Compter 15 €/pers en dortoir (petit déj compris) ; double 30 € ; familiale (4 pers) 50 €. 📶 Face à la mer, une grande maison se divisant entre le café et l'AJ. Les nostalgiques des années hippies retrouveront le joyeux capharnaüm d'antan, les fauteuils défoncés et le vieux piano, le désordre libertaire, poétique et coloré qui sied en de tels lieux... 4 chambres de 4 places chacune, rustiques, mais propres et bien tenues. Cheminées au bon feu de tourbe. Pas de TV et, en échange, de belles musiques. Quant à la salle du café, elle se révèle tout aussi chaleureuse, colorée et conviviale. Excellent petit déjeuner et moult bons gâteaux et *scones* (voir plus loin)... Tuyaux pour la balade aux îles Skellig. Accueil hors du commun de Peter.

🏠 *Silversands Hostel :* Main St. 🏠 086-369-22-83. ● silversandshostel. com ● Ouv tte l'année. Env 15 €/pers en dortoir ; doubles env 32-35 € ; petit déj compris. 📶 Face au front de mer, une auberge de jeunesse privée d'une petite dizaine de chambres, presque toutes avec salle de bains privée. Quelques dortoirs également de 5-6 lits. Déco tendance ethnique (tissu indiens, photo du grand Bob) et salon commun artistiquement bordélique. Ambiance bien cool. Cuisine à disposition. Bar-resto au rez-de-chaussée.

Prix moyens

🏠 *Clifford's B & B :* Main St. ☎ 94-74-283. ● cliffordbandb.com ● À l'entrée du village en venant de Caherdaniel.

Ouv mars-nov. Doubles en suite 64-70 € selon saison. 🛜 B & B de 6 chambres spacieuses dont 2 bénéficient de la vue sur l'océan, mais elles donnent sur la rue principale et, l'été, il peut y avoir du passage (celles à l'arrière sont forcément plus calmes). 1 chambre familiale. Bon service, idem pour l'accueil. Plein d'infos en ce qui concerne le golf, la pêche, la rando, le vélo et les sorties aux îles Skellig.

🏠 **Klondyke House :** New Line Rd. ☎ 94-74-119. 📱 087-994-50-73. ● klondyke-house.com ● À la sortie du village, vers Caheirsiveen. Ouv tte l'année. Doubles 60-70 €, dont 3 avec vue. 🛜 Maison moderne sans charme particulier mais à deux pas de la mer. Chambres à la déco simple, tout confort et fonctionnelles. Bon accueil.

🏠 **O'Grady's Townhouse :** Spunkane. ☎ 94-74-350. ● ogradyswaterville. com ● À la sortie du village en direction de Cahersiveen. Ouv mars-oct. Compter 64-70 € pour 2. 🛜 Grosse demeure en retrait de la route. Entrée à colonnes et intérieur cossu. 6 chambres en suite, agréables, bien tenues, mais pas de vue sur le large. Bon petit déj dans une salle lumineuse dès que le soleil brille. Du classique et du confortable.

🏠 ❘●❘ **The Old Cable House B & B :** Cable Station. ☎ 94-74-233. ● oldcablehouse.com ● À la sortie, vers Cahersiveen, indiqué. Ouv tte l'année. Chambres en suite 60-70 € selon saison. Dîner 15-20 € (menu early bird 18h-19h). 🛜 Une vieille bâtisse qui appartenait à la Compagnie transatlantique du télégraphe, celle qui relia l'Amérique à l'Irlande en 1856... Bref, toute une page d'histoire dans cette charmante maison. En revanche, pas de vue sur la mer. Au resto, carte mettant l'accent sur les produits locaux : poisson de l'Atlantique, agneau du Kerry, moules de la baie de Ballinskelligs...

Plus chic

🏠 ❘●❘ **The Smugglers Inn Gourmet Restaurant & Guesthouse :** Cliff Rd. ☎ 94-74-330. ● thesmugglersinn. ie ● À 2 km de Waterville, en bord de mer, vers le golf. Ouv avr-oct. Compter 70-110 € pour 2 selon saison et standing. 🛜 C'est la résidence des golfeurs de tous pays, car le 18-trous a une réputation mondiale, même des stars y sont passées... Donc, des chambres luxueuses dont certaines avec vue sur la mer (et ce ne sont pas forcément les plus chères !). Belle salle à manger devant la mer. Plage à côté. Resto (voir « Où manger ? Où boire un verre ? »).

🏠 **Brookhaven Guest House :** Newline Rd. ☎ 94-74-431. ● brookhavenhouse.com ● À 1,5 km du centre, vers Cahersiveen. Doubles 80-120 € selon taille et saison. Réduc à partir de 3 nuits. Parking privé. 🛜 Coin peu urbanisé, en retrait de la route. Calme et espace assurés. Grande demeure moderne offrant 6 chambres tout confort. Copieux petit déjeuner. Accueil affable.

Où dormir dans les environs ?

🏠 **Skellig Hostel :** à Ballinskelligs. ☎ 94-79-942. 📱 086-397-78-34. ● skellighostel.com ● À 12 km env de Waterville. Ouv tte l'année. Compter 12-16 €/pers en dortoir, doubles avec ou sans sdb 32-52 € selon saison. 🛜 AJ récente (même genre que celle de Portmagee), très bien située (coin vraiment extra). Cadre chaleureux en bois blanc. 7 dortoirs et une quinzaine de chambres, dont des familiales, avec sanitaires privés ou communs, correctement tenus. Grande cuisine commune (avec 2 frigos, 2 freezers). Draps fournis. Une des plus luxueuses AJ qu'on connaisse.

🏠 **Beach Cove B & B :** à Ballinskelligs, entre Waterville et Portmagee. ☎ 94-79-301. 📱 087-139-02-24. ● stayatbeachcove.com ● À 20 km de Waterville. Ouv avr-début oct. Compter 64-70 € pour 2 selon saison. 🛜 Dans une maison moderne joliment construite (murs de pierre) et blottie au fond de la Saint Finian's Bay, 3 chambres confortables en suite, bénéficiant d'un emplacement idéal (on a l'impression d'avoir la baie pour soi !). Et la déco est de bon goût. Salle des petits déj avec vue imprenable sur le large. Bon accueil de Bridie O'Connor. Plage tout à côté. Une adresse rare pour un excellent rapport qualité-prix !

🏠 *Atlantic View :* Sea View, à *Toor.* ☎ 94-74-335. ● joecurranelect@eircom.net ● À 5,5 km env de Waterville ; prendre la route de Kenmare, à 4 km env, tourner à droite (bien indiqué), puis suivre une route étroite à travers les champs. Ouv mars-oct. Doubles 60-64 € selon saison. 📶 Superbe environnement. Grande demeure moderne en partie en pierre du pays, avec un jardin. 3 chambres avec vue sur la mer et face au soleil couchant, dont 2 en suite. Là aussi, bonne adresse. La Kerry Way ne passe pas loin, pour les amateurs de balades.

🏠 ●I● *Currane Lodge B & B :* à *Tarmons.* ☎ 94-74-073. 📱 086-603-09-31. ● curranelodge.ie ● À 4 km de Waterville (fléché depuis la rue des supermarchés). Ouv tte l'année. Doubles en suite 60-70 € selon saison. Possibilité de lunch box ou de dîner sur résa, env 25 €. 📶 Maisonnette blanche posée en pleine campagne, avec le lac Currane en toile de fond. Plaisant salon orienté face au soleil levant avec parquet, cheminée et canapé. C'est aussi là que sont servis les petits déj. Rien de clinquant, juste 4 chambres, les unes à la déco classique, les autres un peu plus recherchées.

Où manger ? Où boire un verre ? Où écouter de la musique ?

De bon marché à prix moyens

●I● 🍴 🍸 *Peter's Place Cafe :* sur le front de mer, à l'entrée de Waterville en venant de Caherdaniel. En principe, avr-oct 11h-19h et wine bar juin-sept 17h-21h ; j. de fermeture selon l'humeur du patron. 📶 Un sympathique salon de thé avec une belle sélection de gâteaux maison et de boissons chaudes. Cadre on ne peut plus chaleureux. Petite terrasse avec vue sur mer.

●I● *An Corcán :* Main St. ☎ 94-74-711. Mars-oct, tlj midi et soir (jusqu'à 21h) ; le reste de l'année, mer-sam slt. Salades, sandwichs et plats 8-15 € le midi, plats 12-20 € le soir. Un resto au cadre simple et à la déco sobre. Rien de tapageur, juste une carte variée, des plats généreux à base de produits frais, un service aimable et des prix raisonnables. Quelques plats végétariens également. Le plus familial de nos restos.

●I● 🍸 🎵 *Lobster Bar Restaurant :* Main St, sur le front de mer. ☎ 94-74-629. Food bar tlj midi et soir, mai-sept slt (bar slt le reste de l'année). Snack env 5 € et plats 9-11 € servis midi et soir ; pour le dîner, la carte s'étoffe avec des plats jusqu'à 20 €. Intérieur bois, spacieux. Clientèle populaire et groupes. Cuisine plutôt rustique tout en restant très correcte. Chicken curry, burgers, bon seafood chowder... Billard. Musique traditionnelle certains soirs.

●I● *The Fishermen's Bar and Restaurant :* Main St. ☎ 94-74-144. Ouv tlj midi et soir jusqu'à 21h. Le midi (12h-14h30), plats 9-15 € ; le soir, plats 15-25 €. Dans une longue bâtisse traditionnelle en pierre. C'est le pub du Butler Arms Hotel. Cadre aux poutres apparentes, coins, recoins et banquettes confortables pour une bonne bar food. Cheminée pour les soirées fraîches.

Plus chic

●I● *The Smugglers Inn Gourmet Restaurant & Guesthouse :* voir « Où dormir ? ». Menu early bird (13h-14h30, 18h-19h) 25 € ; plats (servis midi et soir) 14-30 €. Vaste véranda panoramique pour une belle cuisine de la mer. Homard et langouste dans le vivier. Viande tendre, beau poisson, crabe au gratin, mais nous recommandons le seafood platter. Un savoureux assortiment de poisson frais et fumé, chair de crabe, pince de tourteau, avec coleslaw et un délicat petit mesclun... un repas à lui tout seul. Service gentil et efficace.

DANS LES ENVIRONS DE WATERVILLE

➢ Une belle *balade* à faire après le repas, sur la grande plage face au golf, au bout de la route. À 2 km du centre de Waterville.

🎎🎎🎎 *Skellig Ring :* de Waterville, prendre la route la plus tortueuse pour rejoindre Cahersiveen, en passant par Saint Finian's Bay. Route très étroite, très difficile pour les camping-cars. Paysages époustouflants ! C'est la suite naturelle du Ring of Kerry. Le crochet passe tout d'abord par *Ballinskelligs*, petit village au bord de l'eau qui offre, outre une AJ et quelques *B & B* (voir « Où dormir dans les environs ? »), une plage de sable fin et les ruines romantiques d'une ancienne abbaye. La lande et la prairie descendent en pente douce en s'évasant sur des kilomètres vers la mer. Au niveau de *Saint Finian's Bay*, les gourmands ne manqueront pas une petite pause à l'atelier de chocolats *Skelligs Chocolate* (☎ 94-79-119 ; ● skelligschocolate.com ● ; avr-sept, lun-ven 10h-16h30, w-e 12h-16h30 ; fermé le w-e le reste de l'année, et janv). Puis pittoresque petite route jusqu'à *Portmagee,* village de pêcheurs de caractère d'où partent la plupart des bateaux pour les îles Skellig. Nous sommes en plein *Gaeltacht,* les pancartes sont en gaélique. Peu de voitures et des pentes diaboliques : stoppeurs et cyclistes vont connaître des heures difficiles ! Arrivé au sommet, la récompense : un panorama fabuleux sur les deux baies et leurs îles, Valentia sur toute sa longueur, la péninsule de Dingle au loin, etc.

🎎🎎🎎 *L'intérieur de la péninsule :* pour se rendre à Killarney, de Waterville part une route plus étroite que la voiture rejoignant, en plein milieu de la péninsule, *Glencar.* La route passe par le magnifique *Ballagisheen Pass.* Sur un versant des forêts, sur l'autre des tourbières à perte de vue. On longe ensuite le lough Caragh, paradis des pêcheurs au pied du Carrantuohill, le sommet le plus élevé d'Irlande (1 040 m).

L'ÎLE DE VALENTIA [oiléan daiRbhRe]   IND. TÉL. : 066

Pour ceux qui ont un petit peu de temps, le tour de cette île très jolie et peu fréquentée vaut la peine. Les stoppeurs, en revanche, souffriront (mais ça vaut le coup !).
Valentia fut un temps très peuplée : 2 920 habitants en 1841, environ 650 aujourd'hui. Son port, Knightstown, est le plus à l'ouest de l'Europe, du moins sans compter l'Islande (et le plus proche de Terre-Neuve, C.Q.F.D.). L'île a servi de point de départ au premier câble transatlantique téléphonique. Le 18 août 1858 était transmis le message ainsi libellé : « L'Europe et l'Amérique sont unies par liaison télégraphique. Gloire à Dieu, paix sur la terre aux hommes de bonne volonté. » Aux dernières nouvelles, c'est resté un vœu pieux.
– *Tourist office :* sur le port. ☎ 94-76-995. ● valentiaisland.ie ● Juin-août, tlj sf lun 10h-16h30 (pause pour le lunch break) ; fermé le w-e le reste de l'année.
– Ni banque ni distributeur sur l'île.

Comment y aller ?

➢ L'île est reliée à Portmagee depuis 1971 par un pont gratuit. Également en bac au départ de *Renard Point* (à 2 km de Cahersiveen) env ttes les 10 mn (par beau temps, bien sûr !), très pratique si l'on se trouve de ce côté. Attention, il ne fonctionne que de mi-mars à mi-oct, 7h45-21h30 (9h-21h30 dim). 📱 087-241-89-73. Compter env 9 € l'A/R et env 6 € l'aller simple pour 1 voiture (3 € l'A/R à vélo).

Où dormir ? Où manger ? Où boire un verre ?

🏠 |●| **The Ring Lyne Private Youth Hostel** : à **Chapeltown**. ☎ 94-76-103. 📱 066-947-61-74. ● *ringlyne@yahoo.ie* ● *Juste au centre de l'île. Ouv mars-oct. Compter 15-18 €/pers en petit dortoir ; double en B & B 50 €. CB refusées.* Pas le grand luxe, mais bien tenu... Au rez-de-chaussée, pub qui fait resto (ouvert tous les jours, midi et soir, *Irish stew* renommé). Cuisine pour le petit déj. Lave-linge. Au pub, zicos certains soirs en été.

🏠 **Atlantic Villa** : à **Knightstown**. ☎ 94-76-839. 📱 087-212-67-98. ● *anirishexperience.com* ● *En venant du port, prendre la rue principale ; c'est au fond de la ruelle à droite avt le* Valentia Heritage Centre. *Fermé de mi-janv à mi-fév. Doubles 70-110 € selon confort et saison. Possibilité de repas le soir hors saison slt.* 📶 Après plusieurs années au Canada, Jackie et Brian ont acheté cette belle demeure construite en 1873 pour l'un des responsables du projet de câble transatlantique. Bien entendu, ils ont réalisé quelques aménagements, histoire d'assurer un plus grand confort, mais l'atmosphère originelle a été conservée. 3 chambres ont vue sur la mer (la moins chère donne sur le jardin bio, à l'arrière). Sauna. On y est très bien reçu. Loue également 2 cottages (pour 2 et 4 personnes), dans le jardin. Une adresse de charme.

🏠 |●| **The Royal Pier B & B** : à **Knightstown**. ☎ 94-76-144. ● *royalvalentia.com* ● *Ouv tte l'année. Doubles en suite 70-110 € selon confort. Bar food 13h-21h, plats 11-17 €.* 📶 L'ex-*Royal Hotel*, petit palace des années 1848, a été entièrement restauré, et la grande cage d'escalier a retrouvé son lustre d'antan. Aujourd'hui, on profite de grandes chambres bien confortables, à la déco contemporaine, un poil néobaroque. Les plus chères bénéficient d'un bow-window et d'une vue sur le port. Au rez-de-chaussée, grand bar avec *darts* et *pool*. Musique certains soirs. Bonne *bar food* à prix modérés (*Irish beef and Guinness stew, fish of the day*, etc.).

|●| 🍸 **Bostons Pub** : à **Knightstown**, en haut de la rue principale. ☎ 94-76-140. *Ouv tte l'année, midi et soir. Possibilité de manger mai-sept. Plats 10-15 €, sandwichs 4-6 €. Bar food correcte, sans plus.*

À voir. À faire

🍴🥾 **Skellig Experience** : de l'autre côté du pont de **Portmagee**. ☎ 94-76-306. ● *skelligexperience.com* ● *Mai-sept, tlj 10h-18h (19h en été) ; avr et d'oct à mi-nov, ouv 5 j./sem (téléphoner avt) 10h-17h. Entrée : 5 € ; réduc. Audiovisuel (en anglais). Fin avr-fin oct, en plus du centre d'interprétation, minicroisière de 1h45 (A/R) proposée. Départ du centre vers 15h. Les départs se faisant en fonction des conditions météo, pas de résa la veille ; téléphoner le j. même avt 12h. Compter 27,50 € ; forfait famille (2 adultes, 2 enfants) 71,50 € ; réduc.* Il s'agit d'un petit centre d'interprétation sur les îles Skellig. Une large place est consacrée à la vie des moines dans ces îles et dans la région du sud-ouest de l'Irlande. Également tout sur l'histoire du phare de 1820 à 1960 et sur la vie de la faune et des oiseaux du coin. Quelques émouvants souvenirs de la dernière guerre, comme ces neuf jeunes Américains qui périrent en se crashant sur *Skellig Michael*, avec leur *Liberator* (le 27 janvier 1944).

🥾 **Valentia Heritage Centre** : à **Knightstown**, School Rd (en face de l'église Saint-John). ☎ 94-76-411. ● *vhc.cablehistory.org* ● *Avr-sept, tlj (sf lun avr-mai) 11h-17h30 ; hors saison, sur résa (possible auprès du tourist office). Entrée : 3,50 € ; réduc.* Un petit musée un peu fourre-tout, un peu poussiéreux, mais qu'on aime bien pour son atmosphère hors du temps. Installé dans une ancienne école, il témoigne de ce que fut autrefois la riche vie sociale de l'île, le folklore, l'éducation, la religion, les activités humaines avec, entre autres, l'extraction de l'ardoise (elle servit notamment pour couvrir la Chambre des communes à Londres). Émouvant aussi, l'hommage rendu au télégraphe transatlantique. Les célèbres Samuel Morse, Cyrus Field ou encore Charles Bright vinrent sur l'île œuvrer à la première liaison télégraphique entre Europe et Amérique. Jusqu'à 200 personnes travaillèrent au terminus téléphonique et télégraphique de Valentia. Il ferma en 1966.

🐾🐾🐾 À la pointe de *Bray Head,* bifurquer sur la gauche en visant l'espèce de forteresse (une tour de guet napoléonienne), passer la barrière aux moutons et continuer jusqu'au bout du chemin caillouteux. Belle balade longeant les falaises.

🐾🐾 Sur la côte nord, à 5 km de Knightstown, le *Valentia Lighthouse* construit en 1851 est ouvert à la visite *(juin-août, tlj sf lun 11h-16h ; mai et sept sur demande ; entrée : 5 €).* Accès en suivant la route qui passe devant le *Valentia Heritage Centre,* puis 4 km plus loin, bifurquer à droite (direction Dohilla). De là, par beau temps, on bénéficie d'un panorama splendide sur *Beginish Island, Cahersiveen* et la pointe de *Doulus Head.* 1 km plus loin, sur la roche noire au bord de l'eau, on observe de curieuses traces de tétrapodes *(Tetrapod trackway).* Visiblement, un gros lézard se baladait dans le coin il y a 385 millions d'années ! Ce serait les traces animales les plus anciennes connues à ce jour sur la planète. Sur cette même côte, les mystiques rendront visite au *sanctuaire (The Grotto)* abrité dans une immense grotte d'où tombe une petite cascade, ancienne carrière d'ardoise rouverte en 1997.

🤿 Également des *stages de plongée* dans d'excellentes conditions techniques et de séjour. *Rens : Valentia Island Sea Sports & Adevntures, à Knightstown.* ☎ 94-76-204. ● *valentiaislandseasports.ie* ● *À deux pas du* tourist office. *Ouv juin-août (selon demande hors saison).* Ceux qui ne manquent pas d'air iront même explorer des épaves.

PORTMAGEE [an caladh]   600 hab.   IND. TÉL. : 066

On n'est plus sur l'île de Valentia mais juste en face, de l'autre côté du pont. Petit village de pêcheurs avec son bouquet de jolies maisons colorées et sagement alignées face au port. Une douce atmosphère. C'est de là que partent les bateaux pour les îles Skellig.

Où dormir ? Où manger ?

De bon marché à prix moyens

🏠 *Skellig Ring House (Portmagee Hostel) :* ☎ 94-80-018. 📱 087-962-81-00. ● *portmageehostel.com* ● *À 500 m du port, en direction de Ballynahow. Ouv tte l'année. Compter 12-15 € en dortoir, doubles 30-52 € selon confort et saison.* 🖥 📶 Une AJ récente et propreté nickel. Beaucoup de bois blanc, ce qui donne une certaine chaleur à cette structure moderne. Chambres avec salle de bains privée ou commune. Également des chambres familiales pour 4 personnes. Cuisine à disposition. Fourniture des draps.

🍽 *The Bridge Bar :* sur le port. ☎ 94-77-108. *Tlj midi et soir jusqu'à 21h. Plats 11-25 € midi et soir ; également des sandwichs.* Ici, pas de vieux murs patinés mais de la pierre, plus toutes les chaleureuses nuances de rouges et une agréable déco marine. Au milieu, un bon feu dans l'âtre. Bonne cuisine tournée vers le large (sole et chips, plateau froid de fruits de mer). Quelques tables en terrasse sur le port. Un bémol pour le service qui prend l'eau, parfois... Musique traditionnelle les vendredi et dimanché (avec danses irlandaises). *Irish night* le mardi.

Chic

🏠 🍽 *The Moorings :* sur le port. ☎ 94-77-108. ● *moorings.ie* ● *Resto*

ouv avr-oct, tlj sf lun (hors j. fériés)
18h-21h. Doubles 90-140 € selon sai-
son et standing, petit déj inclus. Plats
18-28 €. 📶 Une quinzaine de chambres lumineuses dans les tons blanc
et ivoire, de grand confort. Élégante
salle à manger, avec parquet et les
inévitables objets de la mer. Bonne
cuisine où poisson et fruits de mer
sont évidemment en bonne place.
Quelques plats originaux : l'agneau
séché au fromage fumé et chutney de
menthe-tomate ou le cabillaud frit aux
oignons rouges caramélisés... Sinon,
hot seafood platter et autres délices
de la mer.

LES ÎLES SKELLIG

◎ Ce sont deux îles à une quinzaine de kilomètres au large de Bolus Head,
les mieux préservées et les plus spectaculaires des îles irlandaises. L'une,
interdite d'accostage, n'abrite que des oiseaux ; l'autre, la plus grande, *Skellig Michael,* inscrite au Patrimoine mondial de l'humanité de l'Unesco, possède un phare datant de 1865. Il y a longtemps pourtant, sur ces 200 m² de
falaise abrupte, vivaient des moines, et des foules de pénitents venaient
s'y purifier. Nul doute que même les moins sincères en revenaient lavés et
pardonnés. Malgré l'isolement, des moines intrépides s'installèrent là vers
le VIᵉ ou le VIIᵉ s avant de retourner cinq ou six siècles plus tard sur la terre
ferme, à Ballinskelligs. Ni les rudes éléments ni les Vikings ne sont venus tout
à fait à bout du complexe monastique. Des centaines de marches, taillées
dans le roc par les moines, mènent aux ruines d'une petite chapelle, une plus
grande (de construction postérieure), six cellules, deux oratoires, quelques
croix et tombes... Stèles et croix en pierre illustrant la transition entre paga-
nisme et catholicisme. Ne pas rater le *Saint Brendan's Well* et les falaises au
bout. Fabuleux !
Sur la petite Skellig, plus de 20 000 couples d'oiseaux nichent (la deuxième
colonie de fous de Bassan au monde, pétrels tempêtes, macareux...). À l'évidence, ils sont source de viande pour les moines...

Comment y aller ?

Possibilité de s'y rendre en bateau avr-
oct, mais slt les jours de beau temps,
sinon impossible d'accoster. Même
en été, rien n'est sûr... Résa indispensable la veille, mais ce n'est que le
matin même que l'on est vraiment fixé.
Les bateaux partent de Portmagee
vers 10h ou 10h30. Certains sont plus
rapides que d'autres et permettent de
débarquer dans les premiers sur l'île,
ce qui est appréciable pour débuter
l'ascension. Compter 50 mn env de
trajet, 2h-2h30 sur place. Retour à
Portmagee vers 15h. Certains bateaux
partent du *Renard Point,* mais la traversée est plus longue. Une quinzaine
de bateaux sont autorisés à accoster,
1 seule fois/j. Nombre d'entre eux proposent donc l'ap-m de faire une simple
balade autour des îles sans mettre le
pied sur la terre ferme. La balade vaut
le coup, mais, dans ce cas, autant
s'adresser à *Skellig Experience* (lire
« À voir. À faire » au chapitre « L'île
de Valentia »), qui propose la même
excursion, moins chère, avec visite
du centre d'interprétation comprise !
N'oubliez pas vos jumelles, si vous en
avez. N'hésitez pas à demander des
infos dans votre lieu d'hébergement,
de nombreux *B & B* se chargeront d'ailleurs de faire la résa pour vous. Dernier
point : pas de resto, prévoir le pique-
nique (mais on ne peut manger que sur
la jetée d'arrivée, ne pas laisser des
déchets). Tarif : env 45 €.
Voici une liste (non exhaustive) de
contacts :

■ *Des Lavelles :* ☎ 087-237-10-17.
● skelligboattrips.com ●

■ *Casey's* : ☎ *(066) 94-72-437.* 📱 *087-239-54-70.* ● *skelligislands.com* ● Basé à Cahersiveen. Peut vous amener le matin gratuitement de Cahersiveen jusqu'à Portmagee.

2 compagnies basées à Waterville peuvent aussi vous emmener gratuitement jusqu'à Portmagee :

■ *Joe Roddy & Sons* : 📱 *087-120-99-24.* ● *skelligstrips.com* ● Bateaux rapides. Départs 10h-10h30 (durée : 45 mn). Plus de 40 ans d'expérience.

■ *Waterville Boats* : *rens au* Lobster Bar. ☎ *(066) 94-74-800.* 📱 *087-417-82-68.* ● *watervilleboats@gmail.com* ● Départ vers 9h15 en principe.

CAHERSIVEEN [cathair saidhbhín]

2 000 hab.   IND. TÉL. : 066

Petite bourgade située dans une longue vallée, au pied des Iveragh Mountains. Lieu de naissance de Daniel O'Connell, en 1775, et point de départ pour trois monuments intéressants : le *château de Ballycarbery* (il est très amusant de se perdre dedans), *Cahergal Fort* et *Leacanabuaille Fort* (ruines sur un rocher livrant une fort belle vue sur les environs). Pourquoi ne pas suivre le *O'Connell Heritage Trail*, un chemin de randonnée de 6 km autour du village ? Sinon, Cahersiveen est avant tout une ville de passage, mais, comme on vous salue amicalement dans la rue et que les pubs y sont si accueillants, on y reste parfois sans raison précise...

Adresses utiles

🛈 *Tourist office :* New St (la rue principale), dans le Cahersiveen Community Resource Centre. ☎ *94-72-589.* Ouv juin-sept.

✉ *Poste :* New St, en face de l'église.

@ *Internet :* à la bibliothèque municipale (library), New St (à côté de la station-service). Mar-sam 10h-13h30, 14h30-17h (20h jeu). Gratuit.

■ *Location de vélos : Casey Cycles,* New St. ☎ *94-72-474.* À la sortie de la ville, en direction de Waterville. Lun-sam 9h-18h tte l'année, plus dim mat en été. Près de 15 €/j.

■ *Banques : AIB* et *Bank of Ireland* dans la rue principale.

Où dormir ?

Camping

⚕ *Camping de Mannix Point :* ☎ *94-72-806.* ● *campinginkerry.com* ● *Venant de Waterville, il se trouve à l'entrée de Cahersiveen, sur la gauche. Ouv de mi-mars à* mi-oct. Env 23 € pour 2 avec une voiture, 8,50 € pour le routard à pied ou à vélo. CB refusées. Douches payantes. 📶 Situé au bord d'une plage de galets. Chaleureux accueil pour les routards de la part du proprio Mortimer Moriarty, qui connaît tous les sentiers de rando du coin. Bon feu de tourbe dans la salle commune, musiciens presque tous les soirs en juillet-août. Souvent, il y a une ambiance aussi forte qu'en ville. Très propre. Lave-linge. Possibilité de pêche en mer. Un de nos meilleurs campings, plébiscité par nos lecteurs (et pas seulement par eux puisque le camping a reçu de nombreux *awards*).

Bon marché

🏠 *Cahersiveen Sive Hostel :* 15, Newmarket St (East End). ☎ *94-72-717.* 📱 *087-275-45-61.* ● *sivehostel.ie* ● À la sortie du village, vers Killarney. Ouv tte l'année. Selon saison, prévoir 15-16 €/ pers en dortoir et 44-48 € en chambre double, avec ou sans sdb, petit déj inclus 📶 Petite maison de village colorée et hyper bien tenue. Cuisine équipée (certes un peu petite quand l'AJ est pleine). Une poignée de chambres pour 2 dans une maisonnette au fond du jardin, plus calmes (réserver en été). Une AJ à taille humaine et agréable. Excellent accueil de Mary, aux petits soins pour ses hôtes et qui organise le transfert (gratuit) pour Portmagee.

Où dormir dans les très proches environs ?

Bon marché

🏠 **Ferry View B & B :** Reenard Rd, Cahersiveen. ☎ 94-72-052. ● ferryview. com ● À env 4 km du village ; direction Waterville, puis prendre la route du ferry pour Valentia (fléché sur la gauche env 500 m avt d'arriver au port). Ouv tte l'année. Compter 52-60 € selon saison. CB refusées. 📶 En pleine campagne, une maison moderne aux moquettes vertes et au mobilier en bois blanc qui propose 4 chambres plaisantes dont une familiale pour 5 personnes. Vue sur la mer et Valentia Island pour 3 d'entre elles. Le petit déjeuner n'est pas le point fort de la maison, mais les tarifs sont vraiment raisonnables.

Prix moyens

🏠 |●| **Cúl Draíochta B & B :** Points Cross, Cahersiveen. ☎ 94-73-141. ▯ 087-765-71-06. ● culdraiochta.ie ● À 1,5 km du centre, en direction de Waterville, sur la droite, juste avt la route qui mène au ferry. Fermé pour les fêtes de fin d'année. Doubles 55-70 € selon saison. Dinner 17-20 €. 📶 B & B très confortable avec 5 chambres spacieuses en suite. Les proprios, Ian et Ann Nugent, ont le sens de l'accueil et connaissent une foule de choses sur la région. Belle vue sur la baie de Valentia Island (et sur le soleil couchant !) depuis certaines chambres. Repas possible le soir (réserver). Un bon rapport qualité-prix.
🏠 The **Final Furlong Farmhouse and Riding Stables :** Cahersiveen. ☎ 94-73-300. ● thefinalfurlong.com ● À 1,5 km env sur la route de Killarney. Ouv juin-août. Double env 60 € ; éga-

lement une room only option (sans le petit déj). CB refusées. 📶 Grande farmhouse rénovée avec 4 chambres aux différentes couleurs, toutes en suite. Certaines ont vue sur l'estuaire, la montagne et les vaches dans le champ. Possibilité de monter à cheval, les beach gallops sont inoubliables. Une belle adresse.
🏠 **Avoca Lodge :** Gurranearagh, Cahersiveen. ☎ 94-73-947. ● avocalodge. com ● À 1 km env du village. Prendre la route de Waterville, puis fléché sur la droite (petite route juste avt le carrefour pour le ferry pour Valentia). Ouv avr-sept. Double en suite 70 €. CB refusées. 🖳 📶 Une jolie maison récente avec des pans de murs en pierre, d'autres de couleur jaune comme les ajoncs épineux qui fleurissent dans la lande voisine. 3 chambres avec vue sur la baie, lumineuses, très confortables et à la belle déco plutôt moderne. C'est de la chambre rouge, à l'étage, qu'on a la plus belle vue. Un cadre reposant et un accueil sans fausse note.
🏠 **Sea Breeze B & B :** Reenard Rd, Cahersiveen. ☎ 94-72-609. ● sea breezebandb.com ● À 2 km du centre, juste au début de la route du ferry pour Valentia. Ouv mars-oct. Compter 60-70 € pour 2 selon confort et saison. CB refusées. 🖳 📶 Belle maison moderne avec véranda entourée de massifs de fleurs superbement entretenus. Propose 6 chambres aux couleurs fraîches mais un peu exiguës. La plupart avec salle de bains. Attention, toutes ne bénéficient pas de la même vue ! Accueil charmant et copieux petit déj à partir de produits frais et faits maison. Là encore, plein d'infos utiles pour préparer vos excursions.

Où manger ? Où boire un verre ? Où écouter de la musique ?

De bon marché à prix moyens

|●| Nombreux **coffee shops** offrant sandwichs, tartes et salades dans le

centre-ville (et même une pâtisserie française).

|●| ♥ ♪ *Craineen's Pub* : 5, Main St. ☎ 94-72-168. Tlj sf dim jusqu'à 15h. Plats env 8-11 €. Cadre chaleureux avec ses tableaux, gravures, collection de coupes d'*angling*. *Bar food* habituelle, mais une cuisine correcte pour pas cher (salade, poulet-frites...). Ambiance souvent assez bruyante. Musique traditionnelle principalement le week-end en été.

|●| *The Fertha* : 20, Main St. ☎ 94-72-023. Tlj sf dim jusqu'à 21h (18h hors saison). Pas de plats au-dessus de 12 €. Pas le pub possédant le plus de charme, mais excellente *bar food*. On vient plutôt pour manger que pour prendre un verre. Grande salle classique aux banquettes confortables. En particulier, délicieux *Irish stew* parfumé et servi généreusement, *catch of the day, homemade beef lasagne*, etc.

|●| ♥ *The Anchor Bar* : Main St. ☎ 94-81-935. Le petit voisin du Craineen's. *Bar food* correcte lun-ven jusqu'à 16h30 hors saison, tlj en été. Plats env 10-12 €. Un des plus anciens pubs de la ville, clientèle populaire. *Beef and Guinness pie*, moules de la baie, *fish of the day*...

|●| ♪ *An Bonnán Buí* : Main St. ☎ 94-81-731. Sur la gauche en venant de Waterville. *Bar food* 10h30-22h. Plat env 10 € ; set menu env 12 €, midi et soir. Sympa de se restaurer sous le portrait de James Connolly et de sa *Citizen Army*. *Live music* certains soirs. Billard et *beer garden*.

♥ ♪ *Mike Murts Bar* : New St (côté Killorglin). ☎ 94-72-396. Un pub entre épicerie et quincaillerie-magasin de pêche, avec un billard dans le fond. Fut le dernier des derniers à fabriquer des tonneaux. Certes, aujourd'hui, on n'y vend plus guère de clous, d'ustensiles et d'outils, mais il a su demeurer dans son jus et sa patine. Aux premiers frimas (ou aux derniers), le feu de tourbe crépite dans la cheminée. Un monument culturel de la ville. En principe, en été, *live music* le mercredi et certains vendredis soir. Musique au pub *Shebeen* également, juste à côté.

De prix moyens à plus chic

|●| ♥ *QC's Seafood Restaurant* : 3, Main St. ☎ 94-72-244. Tlj sf dim midi en été ; fermé lun-mar hors saison. Lunch 12h30-14h30, dinner 18h30-21h30. Menu early bird (17h-19h) 20 € ; plats 11-18 € le midi, 16-30 € le soir. Un des meilleurs restos de la ville dans un cadre plaisant et confortable. Murs en pierre sèche, grande cheminée, tableaux à tendance contemporaine. Intime et cosy. L'endroit est connu et couru pour ses poissons et fruits de mer. Les nombreux *awards* en témoignent.

Où manger dans les proches environs ?

|●| *The Point Bar* (O'Neills) : *Renard Point*. ☎ 94-72-165. À 3 km de Cahersiveen, à côté du ferry pour Valentia (bien indiqué sur la route de Waterville). Congés : nov-fév. Tlj sf dim midi en saison jusqu'à 21h30 ; ouv slt ven-sam hors saison. Plats 20-30 €. Une affaire dans la même famille depuis 150 ans, c'est du sérieux ! D'ailleurs, ce resto est considéré comme le meilleur de la région pour le poisson et les fruits de mer, et on est assez d'accord. Cadre chaleureux, décor marin, beau comptoir en bois, banquettes confortables pour une cuisine de la mer d'une fraîcheur absolue. Service adorable et, si les plats parfois tardent un poil à venir, c'est que tout est fait à la demande. Belle *sea food selection* (un plat à lui tout seul) et quelques plats vedettes comme la lotte *(monkfish)* spéciale maison, les *crab claws pil-pil* (pinces de crabe), le *fresh crab au gratin*... C'est tout simplement savoureux, bien servi.

À voir

⚒ *The Old Barracks* : Bridge St. ☎ 94-72-777. ● theoldbarracks.com ● Juin-sept, lun-ven 10h-16h30 (18h juil-août), sam 11h30-16h30, dim 13h-17h ; le reste *de l'année, horaires selon disponibilité des bénévoles qui le tiennent. Fermé déc-fév. Entrée : 4 € ; réduc.*

Musée sur l'histoire de la ville, installé dans l'ancienne caserne de la *Royal Irish Constabulary,* la police d'Irlande sous contrôle britannique. Elle brûla bien sûr pendant la guerre d'indépendance et resta longtemps à l'état de ruine. Beaucoup d'histoire, par panneaux et photos (en anglais seulement).

– *Rez-de-chaussée :* reconstitution de la petite gare de Cahersiveen qui fonctionna de 1893 à 1960. Section consacrée à la pêche, qui fut jusqu'aux années 1960 une importante industrie locale. Collection de « certificats de records » établissant le poids des poissons.

– *Premier étage :* petit aperçu de la vie de *O'Connell,* le héros national dont la maison se trouve à Caherdaniel. Émouvante section sur la Grande Famine... La région comptait 30 888 personnes en 1841... Aujourd'hui, trois fois moins ! Reconstitution d'une chaumière d'antan.

– *Deuxième étage :* géologie, botanique, ornithologie et faune régionale. « Gloires » locales, politiques, littéraires et sportives. Importants documents sur la guerre d'indépendance, l'insurrection de 1916, le Mouvement fenian (1867)...

🏛 *L'église Daniel O'Connell :* Main St. Difficile de louper cette église aux allures de cathédrale. De style néogothique, c'est l'une des trois seules au monde à porter le nom d'un laïc. Par ses proportions, son côté colossal, on mesure là vraiment le pouvoir de l'Église au XIXe s (et l'immense notoriété de O'Connell). Œuvre de l'architecte qui construisit la cathédrale de Cobh.

À faire

– **Tour de la baie et des îles environnantes** avec le bateau amphibie de *Valentia Harbour Tours.* ☎ 087-285-48-59. ● *valentiaharbourtours.com* ● En saison, jusqu'à quatre tours quotidiens. Au passage, *Beginish Island,* le *phare de Valentia,* la station du câble transatlantique, le *port de Knightstown* et les ruines du *château de Ballycarbery.* Durée : 1h30 environ.

– De nombreuses **activités sportives** peuvent être pratiquées à Cahersiveen et dans les environs. Rando pédestre, observation des baleines, *bird watching,* pêche (en mer, en rivière...), etc. *Résas auprès d'Yves Clees.* ☎ 086-323-15-64. ● *activeholidayskerry.com* ●

Festival

– **Celtic Festival :** 1er w-e d'août. ● *celticmusicfestival.com* ● Avec courses de chevaux et musique traditionnelle. Assez folklo, pas de barrières, bestioles de toutes les tailles ! On danse dans la rue et dans les pubs. Vaut le détour !

DE CAHERSIVEEN À KILLORGLIN

La route jusqu'à *Glenbeigh* est particulièrement jolie. *Kells Bay* est une petite plage peinarde ainsi qu'un coin extra pour souffler un peu : forêt plongeant dans la mer, jolie crique. Peu après, la route en corniche permet d'avoir une chouette vue sur la péninsule de Dingle. À *Rossbeigh,* grande plage de dunes (sur la gauche à l'entrée de Glenbeigh, en venant de Cahersiveen). Tout le coin est très fréquenté et assez touristique. Sur le chemin de Killorglin (N 70), en bifurquant à droite (juste avant le *Kerry Bog Village Museum*) on arrive au *lough Caragh.* La route va jusqu'à Glencar, paysage de forêts, de lacs, de torrents. Ensuite, descendre vers Killorglin au travers d'un immense désert de tourbe. Superbes contrastes.

KILLORGLIN [cill orglan]   2 100 hab.   IND. TÉL. : 066

Chaque année, mi-août, cette bourgade agricole est en fête : fermiers et marchands de bestiaux s'y retrouvent pour la *Puck Fair* (de *an Puca*, « bouc » en gaélique), qui accompagne la foire aux bestiaux. Un bouc est couronné roi de la fête ; on le hisse sur une estrade et, pendant 3 jours, nourri et abreuvé, il préside aux festivités ! Si vous êtes dans le coin, à ne pas louper. À signaler pour les amateurs d'abbayes, à 1 km de Miltown (direction Killorglin), celle offrant l'une des plus belles fenêtres gothiques du XIIIe s.

UN PEU D'HISTOIRE

On dit que le futur émancipateur des catholiques Daniel O'Connell fut à l'origine de la *Puck Fair*. En 1808, jeune avocat inconnu, il eut à défendre le *landlord* local, Harman Blennerhasset, que le vice-roi d'Irlande avait privé du droit de lever les taxes sur la vente des bêtes à la foire de Killorglin. O'Connell réussit à démontrer juridiquement que les chèvres n'étaient pas incluses dans le document d'interdiction du vice-roi. Une foire aux chèvres put alors se tenir, et un bouc fut exhibé sur une estrade. Le petit avocat qui avait « rendu chèvre » le vice-roi devait par la suite aller très loin... À l'évidence, le bouc est un symbole trop païen pour être réduit à cette anecdote. La coutume a donc probablement des origines préchrétiennes, d'où son surnom de fête celtique.

Adresses utiles

🛈 *Office de tourisme :* au rond-point, en haut de la rue principale. ☎ 97-61-451. Lun-ven 10h-16h (mai-sept 17h). Horaires de bus affichés à l'extérieur.
■ *Distributeurs automatiques de billets :* dans la rue principale.

Où dormir ?

Prix moyens

🏠 *Riverside House B & B :* près du centre. ☎ 97-61-184. ● riverside housebnb.com ● *Dans la rue qui longe l'église sur la droite. Ouv de mi-mars à oct. Doubles avec ou sans sdb 50-70 €. CB refusées.* 🖳 🛜 Une grande maison avec terrasse face à la rivière et aux collines. Accueil chaleureux de la famille, qui peut vous indiquer les randonnées à faire dans la région. Chambres un peu kitsch mais plutôt plaisantes ; la plupart avec vue. Très agréable salle pour le petit déj avec là encore une belle vue sur la rivière. Une adresse sympa.

Où manger ? Où boire un verre ? Où écouter de la musique ?

Prix moyens

🍽 🎵 *Kerry's Vintage Inn :* en haut de la rue principale. ☎ 97-62-337. Tlj midi et soir. Plats 11-15 € le midi, 13-20 € le soir. Un sympathique pub-resto à la déco hétéroclite. Cuisine traditionnelle ; très bon *Irish stew*. Live music le week-end hors saison, du jeudi au samedi en été.
🍽 🍷 *Bianconi Inn :* Annadale Rd. ☎ 97-61-407. À l'angle de la rue principale et de la route pour Beaufort. Bar food 4-18 € midi et soir ; nettement plus cher au resto (ouv le soir sf dim). Un joli bar-resto au cadre

accueillant et agréable. On y sert des sandwichs bon marché, de bonnes salades et un bon *pub grub*. Grande variété de cafés.

♥ ♪ Kingdom Bar : *dans la rue principale.* ☎ 97-61-140. *Vieux cadre patiné et agréable avec cheminée. Bonne musique irlandaise tous les soirs en été, les week-ends hors saison. Le reste du temps, l'endroit peut être désert ! Pas de restauration.*

Chic

|●| Nick's Restaurant : *dans la rue principale.* ☎ 97-61-219. *Ouv le soir slt, mer-dim. Menus 35-55 € ; plats 19,50-36 €.* Un des bons restos de l'Ouest. Cadre cosy avec ses banquettes de velours rouge, ses recoins intimes. La carte propose d'excellents poissons et plateaux de fruits de mer (coquilles Saint-Jacques, saumon, langouste, etc.), mais les carnivores ne sont pas oubliés (succulent *peppered steack flamed in brandy*).

Où dormir ? Où manger dans les environs ?

⊠ Glenross Caravan & Camping Park : *à Glenbeigh.* ☎ (064) 66-31-590 *ou* (066) 97-68-451 *(mai-août).* ● killarneycamping.com ● *À l'entrée du village en venant de Killarney et à 3 km de la plage de Rossbeigh. Ouv mai-sept. Selon saison, compter 25-26 € pour 2 avec tente et voiture ; mobile homes (6 lits) à louer à la sem. CB refusées.* Au bord de la route, mais de taille modeste et très bien tenu. Mêmes propriétaires que le *Fleming's White Bridge Camping* de Killarney (petite réduction si l'on séjourne dans les 2 campings). Location de vélos.

🏠 |●| Bleachfields Heritage and Holiday Village : *à Milltown.* ☎ 97-65-915. ● bleachfield.com ● *Ouv tte l'année. Resto mar-jeu 12h-16h, ven-dim 12h-21h. Cottages 2-4 chambres ; compter 345-650 €/sem selon saison pour 3 chambres. Plats 4-12 € le midi, 9-20 € le soir.* 📶 À l'entrée de la ville, un ancien hameau composé de plusieurs jolis cottages, réhabilité en résidence de vacances tout confort. Le plus grand abrite un café-resto qui propose de bons petits plats irlandais à prix tout doux. Jolie déco ; quelques tables au coin du feu. Salon de thé. De temps à autre, des soirées irlandaises... Petit musée historique sur place.

🏠 Kilburn House : *à Milltown.* ☎ 97-67-364. ● stayatkilburn.com ● *En contrebas de la N 70, sur la gauche en venant de Killorglin, juste avt Milltown. Congés : déc-janv. Double env 70 € avec douche ou bains.* 📶 Une belle et grande maison face aux Slieve Mish Mountains, avec sa rotonde lumineuse pour le petit déj et ses chambres confortables aux couleurs élégantes. Chacune porte le nom d'un corps de ferme : *Stables, Paddock...* Une étape reposante où vous pouvez aussi dîner (sur commande). Une excellente adresse.

🏠 Tom and Eileen's Farm : *Castlemaine.* ☎ 97-67-373. ● tomandeileens. com ● *À 11 km de Killorglin. De Castlemaine, prendre la route de Tralee, puis à 1 km, fléché sur la gauche. Ouv mai-sept. Compter 65-70 € selon saison. CB refusées.* 🖥 📶 Grande demeure récente à l'atmosphère très « vieille Irlande » que d'aucuns trouveront un peu froide et classique. Chambres confortables, toutes *en suite* et avec couverture électrique ! Proprio attentive et aux petits soins pour les visiteurs.

LE RING OF KERRY

Manifestation

– **Puck Fair :** *mi-août.* Voir l'introduction et « Un peu d'histoire », plus haut.

DANS LES ENVIRONS DE KILLORGLIN

🚶 👫 Kerry Bog Village Museum : *à 7,5 km de Killorglin vers Glenbeigh (N 70).* ☎ 97-69-184. ● kerrybogvillage.ie ● *Tlj 9h-18h. Entrée : 6,50 € ; réduc.* Une poignée de maisonnettes du XVIIIe s avec un intérieur reconstitué à l'identique (maison du tourbier, du forgeron, du couvreur de chaume, de l'ouvrier, etc.).

KILLARNEY [cill áirne]　　　14 200 hab.　　IND. TÉL. : 064

Hyper touristique depuis que la reine Victoria honora la ville de sa présence, Killarney se trouve au carrefour de toutes vos balades dans le Kerry. La ville ne possède aucun monument, si ce n'est la cathédrale Sainte-Marie (plutôt moche), construite par Pugin, architecte anglais qui réalisa aussi le Parlement de Londres. Il n'est pas indispensable de séjourner dans la ville, d'autant qu'il existe aussi de belles adresses pas loin. Bon, cela dit, il y a quand même une sacrée animation. Quand c'est bourré dans certains pubs, les soirées sont chaudes !
Par ailleurs, tout le monde reconnaît la beauté du parc national et de ses sites : les *jardins de Muckross,* l'abbaye, etc. À ne pas rater donc !
– Parking gratuit à côté de la cathédrale.
– Avertissement : le 1er w-e de mai, c'est *The Rallye of the Lakes.* Killarney est en ébullition ! Grande beuverie généralisée, voitures de sport qui vrombissent nuit et jour, tronçons de route interdits à la circulation dans les environs, embouteillages monstres.

Arriver – Quitter

Carrefour routier important, Killarney est le lieu de départ pour quasiment toutes les destinations.

En bus

▭ *Station de bus* (plan I, D2) : *dans un complexe commercial.* ☎ 66-300-11. ● buseireann.ie ● Voici les principales lignes.
➢ *De/vers Cork :* en moyenne, 1 bus/h, via Macroom. Trajet : 1h30.
➢ *De/vers Dublin :* env 5 bus/j., via Limerick. Trajet : 7h.
➢ *De/vers New Ross, Wexford et Rosslare Harbour :* env 3-5 bus/j. selon saison. Près de 6h pour Rosslare Harbour.
➢ *De/vers Limerick :* nombreux départs/j.
➢ *De/vers Tralee :* départs quotidiens fréquents. Trajet : 45 mn.
➢ *De/vers Galway :* une petite dizaine de bus/j. Trajet : 5h.
➢ *Ring of Kerry* (Killorglin, Glenbeigh, Cahersiveen, Waterville, Caherdaniel et Sneem) : voir « Se déplacer en bus » au début du chapitre consacré à cette péninsule.
➢ *De/vers Kenmare :* 2 bus/j. lun-tte l'année ; 1 bus le w-e en été.
➢ *De/vers Dingle :* 3-5 bus/j. selon saison. La plupart passent par Tralee.

En train

▭ *Gare ferroviaire* (plan I, D2) : *face à la station de bus.* ☎ (1850) 366-222. Rens sur place 24h/24.
➢ *Pour Dublin :* 1-2 trains/j. Sinon, nombreuses possibilités avec changement à Mallow.
➢ *Pour Cork :* 2-4 trains directs/j. Sinon, liaisons avec changement à Mallow.
➢ *Pour Limerick :* correspondance à Limerick Junction. Tlj, 4-5 liaisons avec, en principe, changement à Mallow.
➢ *Pour Tralee :* une petite dizaine de trains/j.

En avion

✈ *Kerry Airport :* à *Farranfore,* à 15 km au nord de Killarney. ☎ (066) 97-64-644. ● kerryairport.com ●
➢ *Pour Dublin :* 2-4 liaisons/j.
➢ Vols vers la *Grande-Bretagne* (Londres-Luton, Londres-Stansted et Manchester).

Adresses utiles

Infos touristiques

🛈 *Office de tourisme* (plan I, B2) : Beech Rd (*près du grand parking*). ☎ 66-31-633. ● discoverireland.ie/ southwest ● *Juin-sept, tlj 9h-19h ; oct-mai, lun-sam 9h15-17h. Très bien documenté, avec aussi 3 bornes interactives pour faire soi-même ses recherches (hébergements, sites, actualités). Réservation de logement possible grâce au site internet et d'excursions à la journée (Ring of Kerry ou péninsule de Dingle, 19-25 €). Accueil charmant et en français. Autres infos sur ● killarney. ie ●*

Poste et Internet

✉ *Poste* (plan I, B2) : New St. Lun-ven 9h-17h30, sam 9h-13h.
@ *Leaders Computer Store* (plan I, B2) : 8 A, Beech Rd, New St. ☎ 66-39-635. *Tlj sf dim 9h30-13h30, 14h-17h30 (17h sam).*

Location de vélos

Compter env 12-15 €/j. et 60-70 €/ sem.

■ *O'Sullivan Cycles :* plusieurs boutiques, dont 1 en face de l'office de tourisme (plan I, B2, **2**). ☎ 66-31-282. ● killarneyrentabike.com ● *Également dans New St, près de la cathédrale (plan I, A2, **2**). Tlj 9h-18h (19h en été). Matériel neuf. Bonnes prestations, carte fournie gratuitement.*
■ *The Sugan Hostel* (plan I, C2, **11**) : Lewis Rd. ☎ 66-33-104. *Tte l'année, tlj 9h-18h.*

Divers

■ *Librairie O'Connors* (plan I, B2, **3**) : Beech Rd. *À deux pas de l'office de tourisme. Vous y trouverez les grands quotidiens français en été (parfois même hors saison).*
■ *Laverie :* J. Gleeson's Laundrette (plan I, C2, **4**), Brewery Lane. *Lun-sam 8h30-18h.*

Où dormir ?

Bon marché

🛏 *Killarney Railway Hostel* (plan I, D1, **12**) : Dennehy Rd, Fair Hill. ☎ 66-35-299. ● killarneyhostel.com ● *Dans une ruelle à deux pas de la gare et de l'arrêt de bus, donnant sur Cork Rd. Ouv tte l'année. Pas de curfew. Selon confort, compter 10-18 € en dortoir et 44-52 € pour 2 en double privée, petit déj compris.* 🖥 *(payant).* 📶 *113 lits en dortoir 4-10 lits et des chambres doubles et familiales. L'accueil est dynamique et souriant. Cuisine bien aménagée. Service de laverie payant. Garage à vélos.*
🛏 *Neptune's* (Killarney Town Hostel ; plan I, B2, **10**) : New St, au fond d'une petite impasse. ☎ 66-35-255. ● neptuneshostel.com ● *Très central. Ouv tte l'année. Selon saison et confort, 12-20 €/pers en dortoir et 40 € pour 2 en chambre privée avec light breakfast.* 🖥 📶 *Grande AJ privée d'une centaine de lits (en chambres de 1 à 8). Staff de réception sympa. Cuisine bien équipée. Service de laverie payant. Location de vélos. Les dortoirs et chambres côté ruelle peuvent être un peu bruyants en raison du pub juste en face.*
🛏 *The Sugan Hostel* (plan I, C2, **11**) : à l'angle de College St et Lewis Rd. ☎ 66-33-104. ● suganhostelkillarney. com ● *Ouv tte l'année. Pas de curfew. Compter 15-17 €/pers en dortoir ; double 40 €.* 📶 *Belle façade colorée et murs de pierre. Très convivial, mais les espaces sont réduits et pas toujours bien entretenus. Cuisine pour préparer sa tambouille. Location de vélos.*

BED & BREAKFAST ET GUESTHOUSES

Probablement la ville d'Irlande qui en possède le plus.
– *Conseil :* en été, il faut impérativement réserver, et longtemps à l'avance. Réservations possibles via le site internet de l'office de tourisme (voir « Adresses utiles »).

KILLARNEY

KILLORGLIN ↑   TRALEE ↖

NORD

St Mary's Cathedral

KILLARNEY NATIONAL PARK

KILLARNEY

■	**Adresses utiles**
🛈	Office de tourisme
@	Leaders Computer Store
2	O'Sullivan Cycles
3	Librairie O'Connors
4	J. Gleeson's Laundrette
11	The Sugan Hostel (location de vélos)

🛏	**Où dormir ?**
10	Neptune's
11	The Sugan Hostel
12	Killarney Railway Hostel
13	The Mountain Dew
16	Orchard House B & B
18	The Ross
19	Fuchsia House

Prix moyens

🛏 **Carriglea House** (plan II, **17**) : Muckross Rd (N 71). ☎ 66-31-116.

● carrigleahouse.com ● À 1,5 km env du centre, sur la gauche de la route, en face du Lake Hotel. Ouv 20 avr-20 oct. Doubles avec douche ou bains

KILLARNEY (PLAN I)

|◯| Où manger ?
50 The Country Kitchen
51 Deenagh Lodge Restaurant
52 Der O'Sullivan
53 Jam
54 Murphys Pub
58 West End House
59 Bricín et Gaby's
60 The (O'Leary's) Flesk

🍷 ♪ Où boire un verre ?
Où écouter de la musique ?

70 O'Connors
72 The Laurels Bar
75 Buckley's Bar

🏵 **Achats**

80 Aran Sweater Market

68-80 €. CB acceptées. 🛜 Cette belle demeure victorienne à flanc de coteau offre une vue imprenable sur le lac. Les chambres, spacieuses, se répartissent pour moitié dans le bâtiment principal (où l'on apprécie l'escalier d'époque, le vieux parquet et les meubles anciens) et pour moitié dans une annexe plus

KILLARNEY

KILLARNEY – LES LACS (PLAN II)

29	Muckross Riding Stables	36	Inveraray Farmhouse
30	Hillcrest Farmhouse	|◉|	**Où manger ?**
31	Sika Lodge	40	Kate Kearney's Cottage
32	Killarney Lakeland Cottages		
33	The Invicta B & B	■	**Balades à cheval**
34	Pot of Gold	5	Killarney Riding Stables
35	Farmstead Lodge		

moderne. Bien entretenu par un jeune couple sympathique, ce petit manoir est un havre de paix plein de caractère.

🛏 **Orchard House B & B** (plan I, C1, **16**) : Saint Ann's Rd. ☎ 66-31-879. 📱 086-316-32-47. ● orchardhousekillarney. com ● À 10 mn à pied du centre. Ouv tte l'année. Doubles 65-75 € selon saison. CB refusées. 🛜 3 chambres *en suite*, très propres, à la déco fraîche et plaisante. TV satellite. Accueil particulièrement chaleureux de Maria Moloney.

🛏 **The Mountain Dew** (plan I, C3, **13**) : 3, Ross Rd. ☎ 66-33-892. ● moun taindewbnbkillarney.com ● Sur la route de Ross Castle, juste à l'écart du centre. Doubles 50-70 € selon saison. 🛜 Une *guesthouse* classique, d'où l'on peut partir pour des promenades à pied au bord du lac. Propose 6 chambres avec salle d'eau. Peu spacieuses mais sympathiques, au calme et, surtout, à des prix très raisonnables.

🛏 **Alderhaven Country Home** (plan II, **15**) : Ballycasheen Rd. ☎ 66-31-982. 📱 085-74-234-32. ● alderhaven.com ● En venant de Cork par la N 22, c'est 300 m après le pont de la voie ferrée. En venant de Killarney par Muckross Rd, tourner à gauche sur Woodlawn Rd (au feu après la station Top). Ouv mars-nov. Doubles 70-80 € selon saison. Belle maison de style Tudor, disposant de 6 chambres, avec un jardin planté de grands arbres. Un coin calme et vert à 5 mn à peine en voiture du centre. Très agréable salle de petit déj pour se réveiller en douceur. Hôtesse accueillante qui se met en quatre et donne plein d'infos sur la région.

🛏 **Ross Castle Lodge** (plan II, **25**) : Ross Rd. ☎ 66-36-942. ● killarneyb and-b.com ● Sur la gauche de la route après le golf. Ouv de mars à mi-nov. Doubles 72-84 € selon saison. 🖥 🛜 À l'écart de la ville, en allant vers le château. Dans un cadre paisible et verdoyant, une maison charmante, accueillante et plutôt chic. 4 chambres *en suite,* spacieuses, claires et élégantes. Bref, une adresse qu'on aime beaucoup, cosy et chaleureuse.

Chic

🛏 **Sika Lodge** (plan II, **31**) : Bal lydowney. ☎ 66-37-505. ● sika lodgekillarney.com ● À 1 km du centreville. À la sortie de la ville, sur la gauche, direction Killorglin (N 72), juste avt les Killarney Riding Stables. Ouv mai-sept. Double 90 €. CB acceptées. 🛜 Une belle maison de pierre grise récemment rénovée par les nouveaux proprios Alan et Serena. L'ensemble est cosy, élégant et chaleureux, tout à fait dans l'air du temps... Petit déjeuner gourmand, préparé par la maîtresse de maison.

🛏 **Fuchsia House** (plan I, C3, **19**) : Muckross Rd. ☎ 66-33-743. ● fuch siahouse.com ● À 5 mn du centre-ville. Luxueux B & B sur la route de Muckross, 250 m après la station Doyle. Ouv avr-oct. Compter 76-98 € pour 2 selon saison. 🛜 En fait, il s'agit plus d'un petit hôtel de 8 chambres (dont quelques familiales), spacieuses, élégantes et très confortables. Mention spéciale pour la belle salle où l'on prend le petit déj, donnant sur le jardin. Très bon accueil. Une belle adresse à l'atmosphère reposante.

Très chic

🛏 **The Ross** (plan I, C2, **18**) : Kenmare Pl. ☎ 66-31-855. ● theross.ie ● Ouv tte l'année sf 23 déc-3 janv ; nov-mars, ouv slt w-e. Doubles env 180-220 €, petit déj compris. 🖥 🛜 Cet hôtel central a misé sur le style design. Mélange harmonieux de bois, de pierre et beaux tissus, aux couleurs vives dans les parties communes, aux tons plus chauds dans les chambres. Très belles salles de bains. Accès gratuit au spa et au parking du *Killarney Park Hotel* voisin. Une adresse qui se distingue par sa modernité, mais qui ne déroge pas à la tradition de l'hospitalité irlandaise.

Où dormir dans les environs ?

Campings

⛺ **Fleming's White Bridge Camping** (plan II, **20**) : Ballycasheen Rd. ☎ 66-31-590. ● killarneycamping. com ● À 2 km de Killarney et à 200 m de Cork Rd. Ouv de mi-mars à fin oct.

KILLARNEY

Compter 24-25 € pour 2 avec tente et voiture. CB refusées. Douches payantes. 📶 À proximité de la voie ferrée. Situé le long de la rivière Flesk. Confortable et calme (malgré quelques trains de temps en temps). Sanitaires propres. Location de vélos. Accueil charmant.

△ **Flesk Caravan & Camping Park** (plan II, 21) : Muckross Rd, à 2 km de Killarney. ☎ 66-31-704. ● killarney fleskcamping.com ● À proximité du parc national et de la Muckross House. Ouv Pâques-fin sept. Compter 25-26 € pour 2 avec tente et voiture. Douches payantes. Sanitaires impeccables. Resto, laverie, cuisine à disposition... Assez fréquenté en été. Bruit des corbeaux dérangeant pour certains campeurs et sol un peu caillouteux.

△ **White Villa Farm** (plan II, 22) : à 4 km, vers Cork (N 22). ☎ 66-20-671. ● killarneycaravanpark.com ● Ouv début mai-fin sept. Autour de 18 € pour 2 avec tente ; 7e nuit offerte. Douches payantes. CB refusées. 📶 De taille très raisonnable et l'un des moins bondés l'été. Herbe bien grasse, mais proche de la route et de la voie ferrée.

△ **Beech Grove Camping** (plan II, 23) : Beech Grove, à **Fossa**. ☎ 66-71-848. ● beechgrovecaravanandcamping. com ● À 6,5 km env de Killarney en direction de Killorglin, 50 m avt le Fossa Caravan Park. Les bus (peu nombreux) Killarney-Killorglin s'arrêtent à proximité. Ouv mai-sept. Compter 20-23 € pour 2 avec tente et voiture. Douches payantes. En bordure de route. Plus petit et plus agréable que le Fossa Caravan Park. Sanitaires moyens. Locations de mobile homes et de vélos. Épicerie du Fossa Caravan Park pas loin. Accueil sympa.

△ **Fossa Caravan Park** (plan II, 24) : à **Fossa**. ☎ 66-31-497. ● fossa campingkillarney.com ● À 6,5 km de Killarney en direction de Killorglin. Les bus (peu nombreux) Killarney-Killorglin s'arrêtent à proximité. Ouv avr-sept. Compter 21-23 € pour 2 avec tente et voiture. Douches payantes. 🖥 En bordure de route. Bondé en été (arriver vers 12h) et accueil moyen. C'est un peu l'usine... Une épicerie à l'entrée. Fait aussi AJ.

Bon marché

🏠 **Killarney International Youth Hostel** (plan II, 26) : Aghadoe House, à **Killarney**. ☎ 66-31-240. ● anoige. ie ● À 5 km de la ville, sur la route de Killorglin, bifurquer à droite, direction Dingle (R 563) ; c'est à 400 m sur la gauche. Ouv mars-oct (l'hiver, groupes slt). Compter 15,50-21 €/pers en dortoir 6-8 lits, 40-54 € en private room de 2-4 lits ; petits déj 5-8 €. 📶 AJ officielle, probablement l'une des plus belles d'Irlande. Située dans un manoir au milieu d'un parc immense surplombant le lough Leane. Près de 140 lits. Location de vélos. Possibilité de faire des tours dans le Kerry au départ de l'AJ. En été, complètement bondé (l'accueil s'en ressent beaucoup) et ça fait un peu usine !

🏠 **The Peacock Farm Hostel** (hors plan II, 27) : Gortdromakiery, à **Muckross**. ☎ 66-33-557. ● peacockho stel@eircom.net ● À 9 km de Killarney ; prendre la direction de Kenmare ; peu avt l'entrée de la Muckross House, tourner à gauche (direction lough Guitane) ; puis une petite route grimpe sur la droite (AJ bien indiquée). De Cork, sur la N 22, tourner à gauche, 1,5 km après le village de Glenflesk (direction lough Guitane) ; après, c'est bien indiqué. 2 barrières à ouvrir en cours de route (à refermer absolument). Ouv avr-sept. Lits en dortoir 15-16 € ; doubles 40-44 €. CB refusées. Situé sur la sauvage Stoompa Mountain avec vue plongeante sur le lac. Bon accueil des proprios, Owen et Rose Barnes. Au total, une vingtaine de lits. Cuisine aménagée. Intérieur au décor chaleureux. Balades superbes tout autour. De plus, ils assurent le transport 2 fois par jour depuis la gare et l'arrêt de bus. Livres à disposition pour organiser ses balades. Quelques cannes à pêche aussi pour les vocations tardives.

🏠 **Black Valley Youth Hostel** (plan II, 28) : à **Beaufort**. ☎ 66-34-712. ● anoige.ie ● 2 façons d'y aller : soit par Beaufort (l'AJ est à 8 km du parking du gap de Dunloe et à 20 km de Killarney) ; soit en quittant la route Killarney-Kenmare sur la droite, l'AJ est indiquée et se trouve alors à 11 km (36 km depuis

Killarney). Ouv mars-oct. Fermé 10h30-17h. Compter env 14-17 € en dortoir de 4-12 lits, sanitaires communs. CB acceptées. 📶 *Situé dans un endroit vraiment sauvage. Le bateau de l'Upper Lake s'arrête à 1,5 km environ de l'AJ. Petite épicerie attenante, où l'on trouve le minimum nécessaire.*

Prix moyens

Au sud-est de Killarney, vers Cork

🏠 **Muckross Riding Stables** *(O'Donovan's Farm ; plan II, 29) :* Mangerton Rd, *à* **Muckross.** ☎ 66-32-238. ● *muckross-stables.com* ● *Prendre la route de Kenmare (N 71) ; après le Muckross Park Hotel, indiqué sur la gauche. Ouv de mars à mi-nov. Double 70 € ; familiale 115 €. CB refusées (sf séjour dépassant 2 nuits).* C'est surtout le cadre qui nous a séduits ici, avec cette vaste pelouse qui dévale jusqu'à la lisière du bois. Bon accueil, simple et chaleureux. 6 chambres *en suite,* dont 1 familiale. Possibilité de faire du cheval et du poney (gratuit pour les enfants). Une adresse idéale avec des enfants !

🏠 **Killarney Lakeland Cottages** *(plan II, 32) : à* **Muckross.** ☎ 66-33-290. ● *killarneycottages.com* ● *Avt Muckross, sur la gauche de la route menant à lough Guitane. Compter 235-620 €/sem pour 2, 335-790 €/sem pour 3-5 pers, etc.* 🖥 📶 19 petites maisons aux portes colorées disséminées dans un parc paysager, chacune avec sa cheminée, sa table de jardin et son mobilier rustique. Elles peuvent accueillir jusqu'à 7 personnes (1 chambre en bas et 2 en haut). Pas la grande intimité certes, mais un ensemble plutôt réussi, et surtout une formule de *self-catering* économique, notamment pour les familles.

À l'ouest de Killarney, vers Killorglin

🏠 **Hillcrest Farmhouse** *(plan II, 30) :* Gearhmeen, Black Valley. ☎ 66-34-702. 📱 087-985-35-41. ● *hillcrestfarmhouse.com* ● *Double 72 €. Dîner 28 € sur demande.* Au fin fond du gap, calme garanti mais accès à vos risques et périls ! Une petite maison pimpante et accueillante à proximité de l'embar-cadère. Les chambres, tout confort, sont fraîches et jolies. Vue magnifique. Nombreux sentiers de rando ou de vélo au départ de la maison.

🏠 **The Invicta B & B** *(plan II, 33) :* Tomies, *à* **Beaufort.** ☎ 66-44-207. ● *theinvicta.com* ● *À 11 km de Killarney. Sur la route de Killorglin (N 72), à la sortie de Fossa, prendre à gauche, direction Glencar, puis à 2,5 km env, à gauche vers le lough Leane (fléché). Ouv mars-oct. Compter env 60-70 € pour 2. Repas sur demande.* 📶 4 belles et grandes chambres *en suite* avec vue sur le lac ou la campagne. Les pêcheurs seront ravis : Mr Sweeney propose des barques à louer.

🏠 **Pot of Gold** *(plan II, 34) : à* **Beaufort.** ☎ 66-44-194. ● *potsofgold@eircom.net* ● *À 10 km env de Killarney. Dans le village, prendre la route en face du Beaufort Bar, c'est 300 m plus loin, à côté du terrain de foot. Ouv 1er avr-1er nov. Doubles 70-76 €. CB refusées.* Un *B & B* classique et sans surprises, avec 6 chambres *en suite.* Un accueil simple et plein de gentillesse. Le soir, pas besoin de prendre la voiture pour caler sa faim, le *Beaufort Bar* est à 5 mn à pied.

🏠 🍴 **Inveraray Farmhouse** *(plan II, 36) : chez Mrs et Mr Spillane, à* **Beaufort.** ☎ 66-44-224. ● *inver-aray.com* ● *À 10 km de Killarney. À Beaufort, passer devant le Beaufort Bar, c'est 300 m plus loin sur la droite, direction le gap of Dunloe. Ouv 1er mars-1er nov. Doubles avec sdb 60-90 € selon vue et saison ; tarifs dégressifs. Dîner 25 €.* 📶 La maison n'a rien de bucolique, mais les chambres sont gentiment arrangées. Les plus chères ont accès direct au joli jardin, avec vue sur la montagne, les vaches, les p'tits veaux et les moutons (la totale !). Bon petit déj. Une adresse au calme et à l'atmosphère sympathique.

🏠 🍴 **Farmstead Lodge** *(plan II, 35) :* Shanara Cross, Kilgobnet, *à* **Beaufort.** ☎ 97-61-968. ● *homepage.eircom.net/~farmsteadlodge* ● *À 7 km de Killorglin. Du village, prendre la route de Beaufort, puis à 3 km env, tourner à droite (fléché). Ouv mars-nov. Doubles 54-60 €. Dinner (sur résa) 15-23 €. CB refusées.* 📶 Encore une *farm* qui n'a de ferme que le nom. C'est un peu loin, la maison est « neuve » et sans charme, mais tout cela est largement compensé par la jovialité communicative de la famille. Chambres agréables et lumineuses avec parquet flottant et déco dans l'air du temps.

Où manger ?

Essentiellement 2 rues pour combler vos appétits : High Street et New Street. Pour les fauchés, 2 *fish & chips* (plan I, C2) dans Plunkett Street, chez *Mike's Fast-Food* et *Allegro*.

Bon marché

l●l *Jam* (plan I, C2, 53) : Old Market Lane. ☎ 66-37-716. Lun-sam 8h-17h. Snacks 5-10 €. Comme son petit frère de Kenmare, ce snack propose des plats et salades variés, à manger sur place ou à emporter. Pâtisseries non moins appétissantes. Excellent rapport qualité-prix.

l●l *The Country Kitchen* (plan I, B2, 50) : New St, face à la rue de l'office de tourisme. ☎ 66-33-778. Tlj sf dim 8h-17h (20h en été). Salade de poulet, roast-beef et Irish stew 8-10 €. Ne vous fiez pas à la vitrine de pâtisserie, il y a un cuisinier dans la *kitchen* du fond. On mange sur des tables cirées. Self-service.

l●l *Der O'Sullivan* (plan I, C2, 52) : 12, Main St ; face à Plunkett St. Tlj jusqu'à 18h. Même principe que le précédent, en plus moderne, avec ses plats en vitrine puis son enfilade de tables. Mais ici, la déco est sobre et lumineuse, et vous serez servi à table.

l●l *Deenagh Lodge Restaurant* (plan I, A2, 51) : à l'entrée du parc du même nom, dans l'ancienne maison des gardiens ; c'est la maison coiffée d'un toit de chaume. Pâques-oct, tlj 10h-18h. Sandwichs, salades, soupes et pâtisseries permettent de déjeuner pour 10-12 €. L'intérêt est d'y être quand le soleil brille et de squatter les tables extérieures : tranquillité assurée. Balade possible jusqu'au Ross Castle, à 2,5 km.
– Ne pas oublier de jeter un coup d'œil au *O'Connors* et au *Buckley's Bar*

(voir « Où boire un verre ? Où écouter de la musique ? »), des pubs qui proposent une petite restauration à prix raisonnables.

Prix moyens

l●l *Murphys Pub* (plan I, C2, 54) : College St. ☎ 66-31-294. Tlj midi et soir. Plats 8-28 €. Un classique depuis 1955 qui propose une cuisine copieuse (que l'on retrouve également au *Squires*, même proprio, juste à côté). Mouton du Kerry, *fish & chips* ou bœuf à la *Guinness*. Déco et ambiance pub garanties. À l'étage, bon resto mais plus cher...

l●l *The (O'Leary's) Flesk* (plan I, C2, 60) : Main St ; face à Plunkett St. ☎ 66-31-128. Tlj 17h30-22h30. Plats 15-20 €. Une grande salle à la fois chic et populaire, gentiment désuète. Un lieu improbable où se croisent locaux, touristes et vétérans de l'*American Legion*, autrefois basée à Killarney. La salle est d'ailleurs un peu bruyante et ceux qui recherchent plus d'intimité peuvent se retirer au fond dans une petite salle (un peu tristoune, pour le coup). Spécialités de poisson et fruits de mer, mais aussi d'agneau du Kerry. Une adresse d'un autre temps...

Plus chic

l●l *West End House* (plan I, A2, 58) : Lower New St. ☎ 66-32-271. Dans le prolongement de New St. Ouv le soir slt, mar-dim (dernière commande à 21h30). Résa conseillée. Plats 22-26 € ; menu 39,95 € ; early bird (17h30-18h30) env 30 €. Installé dans une demeure de charme du XIXe s. Cadre extrêmement plaisant. Décoré avec goût et raffinement, alliance harmonieuse du bois sculpté et de la pierre, agrémenté de jolis tableaux. Atmosphère intime et chaleureuse pour une cuisine de qualité. Spécialités de viandes fort bien préparées. Remarquable rapport qualité-prix.

l●l *Bricín* (plan I, B1, 59) : 26, High St. ☎ 66-34-902. Ts les soirs sf dim-lun. Plats 19-26 € ; menus early bird (17h30-18h30) 19-29 €. Une très belle salle à manger, aux murs rouges chargés de tableaux et aux

KILLARNEY

boiseries patinées et une déco évoquant l'Art nouveau. Ambiance tout à la fois chic, intime et informelle. À la carte, quelques spécialités traditionnelles : *boxty* (une grosse crêpe de pomme de terre), saumon irlandais, agneau du Kerry... Mais aussi pas mal de pâtes et de plats végétariens ou exotiques. En prime, au rez-de-chaussée, une boutique de livres et d'artisanat.

Chic

|●| *Gaby's* (plan I, B1, *59*) : 27, High St. ☎ 66-32-519. Ts les soirs sf dim. Congés : de mi-fév à mi-mars. *Résa vivement conseillée. Plats 18-42 €.* Avec ses belles boiseries à l'ancienne et sa vaste salle, ce resto de poisson à la réputation sans faille est au top depuis plus de 20 ans. Petit bémol pour les prix, qui ont quand même tendance à sacrément gonfler avec les années. Mais après tout, vous n'êtes pas obligé d'opter pour le homard, la spécialité maison. Décor marin, cuivres, aquarelles... Très belle carte des vins.

Où boire un verre ?
Où écouter
de la musique ?

♈ ♩ *O'Connors* (plan I, B2, *70*) : 7, High St. ☎ 66-30-200. La ville ne manque pas de pubs, mais celui-là est l'un de nos préférés. Musique tous les soirs en saison vers 21h. Si vous maîtrisez suffisamment la langue de Yeats, ne manquez pas le *one man show* au 1er étage à 21h (mar-sam en été). Arriver tôt, car il peut y avoir de 3 à 45 spectateurs, selon les groupes de touristes américains. Mais on peut aussi ne pas apprécier ce spectacle, qui a perdu bien de sa spontanéité. Certains soirs, Pat Sugrue se met dans la peau d'un patron de pub qui va mettre la clé sous la porte. On est attablé devant une *Guinness* pendant que lui vide la sienne, faisant défiler souvenirs et chansons locales, le tout avec l'accent de Killarney. Petit service de restauration.

♈ *The Laurels Bar* (plan I, C2, *72*) : Main St. ☎ 66-31-149. Un pub très populaire au cadre patiné. Ceux qui ont la trentaine bien tassée et davantage s'y sentiront à leur aise. Ambiance bon enfant. Resto attenant, ouvert le week-end mais on peut aussi manger côté pub et, ce, tous les jours.

♈ ♩ *Buckley's Bar* (plan I, C2, *75*) : College St. ☎ 66-31-037. Pas trop de touristes, mais qualité des *seisiúin* inégale. On y sert des *specials* (sauf le dimanche) à prix honnêtes. En principe, musique traditionnelle le samedi soir.

Achats

– Beaucoup de magasins où vous trouverez d'authentiques pulls irlandais. Site touristique oblige, en été, certains restent ouverts jusqu'à 23h. Pensez à marchander vos achats.

⊕ *Aran Sweater Market* (plan I, C2, *80*) : College St. ☎ 66-39-756. ● *aransweatermarket.com* ● Notre préféré. Plutôt plus beau, plutôt plus cher qu'ailleurs. Plus de choix surtout. Beaucoup de pure laine vierge en provenance des îles d'Aran et surtout, un grand choix de pelotes pour les fans de tricot !

Balades à cheval

■ *Killarney Riding Stables* (plan II, *5*) : Ballydowney. ☎ 66-31-686. ● *kerrytrailride.com* ● À 1,5 km de Killarney, route de Killorglin (N 72). Ouv tte l'année. Propose des circuits de 2 ou 5 jours dans de magnifiques paysages (plages désertes, bords de lac, forêt, montagne). Bien entendu, possibilité de monter à cheval à l'heure, au cœur du parc national *(compter 35 €, prix dégressif au-delà).*

DANS LES ENVIRONS DE KILLARNEY

➤ Pour les *randonnées,* la carte fournie par l'office de tourisme est insuffisante. Mieux vaut acheter la n° 70 ou la n° 78 *Discovery Series,* chez Ordnance Survey.

➤ Pour profiter de toutes les belles choses de la région, de nombreuses possibilités : on peut réserver par exemple des excursions en bateau, en calèche, à dos de poney (pour ceux qui ont les moyens et les jambes pas trop longues)... On peut aussi faire une balade guidée de 2h dans le parc national. Renseignements auprès de l'office de tourisme.

🎯🎯🎯 *The Heights of Aghadoe :* direction Killorglin (N 72), puis à 5,5 km de Killarney, bifurquer à droite direction Dingle (R 563), puis à nouveau à droite 500 m plus loin. Se garer à côté de l'hôtel et remonter à pied la petite allée, jusqu'au belvédère. C'est de ce point de vue que l'on profite du plus complet et du plus impressionnant panorama du *lough Lein* (Leane), en gaélique « lac du savoir ». Les premiers habitants lui donnèrent ce nom parce qu'ils remarquèrent les allées et venues incessantes des grands de l'époque, qui venaient recueillir l'enseignement des moines de l'île d'Innisfallen. Brian Boru fut aussi l'un des étudiants de cette « université de l'Ouest » et, plus tard, déménagea à Aghadoe même, dans un monastère dont on voit encore les ruines au pied de la colline.

🎯🎯🎯 *Ross Castle :* à 3 km au sud de Killarney ; en direction de Kenmare, prendre la 1re route à droite après le rond-point du centre (à l'angle de la station-service). ☎ 66-35-851. Tlj : de mi-mars à oct, 9h30-17h45 (dernière admission à 17h) ; juin-août, 9h-18h30. Visites guidées slt (en anglais) : durée 40 mn. Compter 4 € ; réduc ; forfait famille 10 €. Heritage site. Un beau gros donjon du XVe s qui se dresse au bord du lough Leane. À sa construction, une prophétie prédit que la forteresse ne tomberait jamais, sauf si une attaque était lancée depuis le lac. Les troupes de Cromwell ne réussirent pas à la prendre par la terre ; c'est alors que Ludlow, le chef du détachement, s'avança vers le château par le lac avec un bateau. Sans combattre, croyant la prophétie en train de se réaliser, la garnison se rendit ! Bel exemple d'auto-intoxication et un sacré gag historique... ! Vous n'êtes pas obligé de faire la visite, le site en lui-même vaut le coup.

➤ Du Ross Castle, possibilité d'escapade sur l'*île d'Innisfallen* où des souverains, paraît-il, se rendaient pour recevoir l'enseignement des moines (☎ 66-31-068 ; ● derostours.com ● ; départs en saison tlj à bord du Lily of Killarney 10h30-16h30 ; compter 10 €/pers, 25 €/famille pour 1h de balade). Abbaye en ruine avec joli porche roman.

➤ Se renseigner par ailleurs à l'office de tourisme sur le bateau partant du Ross Castle et se rendant à **Upper Lake.** Il embarque les vélos pour environ 15 € par personne. Cher, certes, mais petite croisière sympa et qui permet ensuite de revenir à Killarney par le gap of Dunloe. En principe, départ en saison (de mars à octobre) et en fonction de la météo, à 11h du Ross Castle, à 14h du Upper Lake. Réserver impérativement.

🎯🎯🎯 *Killarney National Park :* ☎ 66-31-440. ● muckross-house.ie ● Par la route de Kenmare (N 71). L'entrée principale se trouve à 6 km de Killarney (grand panneau bleu sur la droite). Sinon, possibilité de se garer au niveau du parking de l'abbaye et de marcher 1 km env pour atteindre la Muckross House. Éviter le 1er parking venant de Killarney, c'est le plus éloigné, et les conducteurs de calèches harcèlent un peu (ils n'ont rien à voir avec les services du parc ; de plus, ils sont chers). Ouv tte l'année aux marcheurs. Pour les voitures, 8h-18h (19h en saison, voire 20h juil-août). Camping strictement interdit. Petit Visitor's Centre ouv, en principe, mai-sept, tlj 9h-17h ; audiovisuel sur Killarney et le parc (en anglais). Heritage site.

KILLARNEY

Plus de 10 000 ha recouvrant forêts, lacs et montagnes, et offrant de chouettes promenades. Son cœur en est la Muckross House et ses jardins. Il fut légué à la nation irlandaise.

I●I Très jolie et agréable cafétéria pour déjeuner et goûter.

– *La Muckross House :* ☎ 66-70-144. *Juil-août, tlj 9h-19h ; sept-juin, tlj 9h-17h30. Dernier billet 1h avt fermeture. Fermé à Noël. Entrée :* 7 € ; *joint ticket avec la ferme* 12 € ; *réduc (forfaits famille). Visite guidée obligatoire (parfois en français) de 1h,* un chouïa rébarbative. C'est l'ancienne demeure de Henry Herbert, député qui représenta le Kerry aux Communes. De style victorien, elle a été édifiée en 1843 et a conservé l'essentiel de son mobilier. C'est un véritable voyage dans le temps, au cœur de la noblesse du XIXe s. Dans la salle de réception, remarquer les écrans ajustables en bois laqué

COMME REINE FAIT SON LIT, REINE SE COUCHE...

Au cours de la visite, on peut admirer la chambre où dormit la reine Victoria. Rien n'a changé depuis son passage. À un détail près, le lit ! En effet, au beau lit à tentures, la reine préféra, à son habitude, son « simple » lit de camp. De tout temps en effet, les lits ont été considérés comme des pièges potentiels où il était facile de dissimuler une bombe, voire d'empoisonner les draps ou le matelas. Les monarques et gens d'importance voyageaient donc avec leur propre lit par peur d'un attentat.

près de la cheminée, qui permettaient aux gentes dames de préserver leur visage (et leur maquillage !) de la chaleur des flammes. Après l'atelier de tissage et la boutique d'artisanat, aménagés au sous-sol, ne manquez pas la belle brochette de cloches au plafond (32 cloches pour 32 salles !). Chacune étant d'un son différent, les serviteurs pouvaient ainsi identifier dans quelle pièce leurs maîtres les demandaient...

– *Les Muckross Gardens : accès gratuit.* Tout autour, grâce au microclimat, éclate une merveilleuse nature. Accès libre, en permanence. Superbes massifs de rhododendrons et d'azalées. Jardin de rocaille parcouru de sentiers et petits escaliers, bordé de pins sylvestres ou écossais et d'arbustes nains de toutes sortes. Il y a quelques années, on lui a adjoint un arboretum où l'on rencontre notamment l'arbousier, toujours verdoyant avec ses fleurs de couleur crème.

– 🎋 *Les Muckross Traditional Farms : ensemble de fermes, cottages et bâtiments traditionnels. Juin-août, tlj 10h-18h ; mai et sept, tlj 13h-18h ; avr et oct, slt les w-e et j. fériés 13h-18h. Fermé nov-mars. Dernier billet 1h avt fermeture. Entrée :* 7,50 € ; *réduc et joint ticket avec Muckross House* 12 € ; *réduc (30 € pour une famille).* La vie rurale d'antan se révèle fort bien reconstituée. Beau mobilier. Le long du parcours, on visitera la maison du laboureur, une ferme typique de l'Ouest, la forge et l'atelier du menuisier, le four à chaux, etc. À ne pas manquer !

– *La Muckross Abbey : à env 1 km. Entrée gratuite (quand même !).* Brûlée par les troupes de Cromwell en 1652, cette abbaye franciscaine du XVe s a néanmoins des restes fascinants. Tour massive. Les McCarthy, O'Sullivan et O'Donoghue, trois grands chefs de clans, y sont enterrés, ainsi que de grands poètes gaéliques des XVIIe et XVIIIe s. Cloître remarquable de style gothique sur deux côtés, de styles normand et roman sur les autres. Au milieu, un if plusieurs fois centenaire.

🎋🎋 *Torc Waterfall (cascade de Torc) : plus loin sur la route de Kenmare (à env 7,5 km de Killarney). Sentier depuis Muckross House ; compter 2 km, belle balade.* Cascade de 18 m dans les bois. Assez impressionnant... quand il a plu avant.

🎋🎋🎋 *Lady's View : à 13 km de Killarney, route de Kenmare. On découvre l'Upper Lake et la vallée. Préférer le 2e parking un peu plus haut, plus tranquille et, en prime, la vue sur un autre lac.* Très beau paysage. La reine Victoria est à l'origine de ce nom. La première fois qu'elle vit le panorama, elle s'enthousiasma tellement qu'elle autorisa ses dames de compagnie à l'admirer avec elle. C'est beau, non ?

🎯🎯🎯 *Le Carrantuohill :* *pour y aller, prendre la direction de Beaufort, puis Gort-bue School. Laisser la voiture (parking payant en été) et continuer à pied jusqu'au sommet. Sentier balisé mais se munir impérativement d'une carte détaillée (se renseigner à l'office de tourisme). L'A/R prend 6 bonnes heures. Rens sur ● cro ninsyard.com ●* Le plus haut sommet d'Irlande (1 040 m). Après 1h30 d'approche, on se retrouve face à un éboulis de pierre extrêmement dangereux, qu'on appelle ici (pas pour rien !) The Devil's Ladder (« l'échelle du Diable »). Attention également aux passages de tourbières.

🎯🎯🎯 Très belle randonnée jusqu'au *Devil's Punchbowl,* un « sommet » à 839 m, à l'est de Muckross. Juste avant le parking du parc national, en venant de Killarney, prendre la route à gauche en direction de Mangerton, sur 2 km ; puis à droite, à la pancarte « Mangerton 1 mile » ; après 1 mile, se garer le long de la route face à un chemin caillouteux qui part sur la gauche, dans un virage à angle droit. Attention : ce n'est pas une promenade dominicale. Se munir impérativement d'une carte détaillée, de bonnes chaussures, de suffisamment d'eau et d'un équipement contre le froid, l'ascension peut s'avérer dangereuse en raison des changements brusques de climat. Le lac du *Devil's Punchbowl* est atteint en moins de 2h (autant pour redescendre). On peut continuer l'ascension en laissant le lac sur sa gauche, ce qui permet d'en faire le tour par la crête. On profite alors d'un superbe panorama, comprenant entre autres le Carrantuohill.

🎯🎯🎯 *Le gap of Dunloe :* *prendre la route de Killorglin (N 72). Après Fossa, bifur-quer à gauche, puis fléché. Après quelques petits km, on arrive au parking du Kate Kearney's Cottage. C'est là que commence le gap. Accès a priori interdit aux voitures (l'accès en est en fait réservé aux résidents ou clients des B & B ou de l'AJ). Il est quasiment impossible de se croiser et la conduite s'avère assez stressante...* C'est un superbe défilé étroit entre deux hautes collines qui s'étire sur une dizaine de kilomètres. Ça monte jusqu'à un col d'où l'on a une vue super sur l'Upper Lake. De ce lac, on peut redescendre sur Ross Castle en bateau (en saison et sur réservation auprès de l'office de tourisme).
Pour faire la balade, plusieurs possibilités. Depuis le parking du *Kate Kearney's Cottage,* on peut grimper dans une calèche ou attaquer la route à pied. Plusieurs agences proposent un package qui inclut le bus jusqu'au parking du *Kate Kearney's Cottage,* la calèche jusqu'au lac et le retour par bateau. Là encore, renseignements à l'office de tourisme. Possibilité de se rendre au gap par la route de Kenmare et de tourner à droite à Moll's Gap. Beaucoup moins de monde que sur le chemin du Cottage.

🍽️ 🍷 ♪ Possibilité de se restaurer au **Kate Kearney's Cottage** (plan II, **40**). ☎ 66-441-46. *Tlj en saison.* Nourriture correcte et prix raisonnables. Musique traditionnelle et spectacle de danse la plupart des soirs en été. Assez touristique, mais bon enfant.

🎯🎯 *O'Sullivan's Waterfall :* *à 10 km env de Killarney. Prendre la route de Killorglin. Après Fossa, tourner à gauche direction Glencar, puis 2,5 km plus loin, à gauche direction lough Lean ; se garer 600 m plus loin et suivre le chemin indiqué « Tomies Wood ».* Compter 1h30 aller-retour. Balade reposante.

🎯🎯🎯 Possibilité de rejoindre *Waterville* par la route du centre. De Killarney ou de Killorglin, rejoindre **Glencar.** De là, l'itinéraire passe à travers un paysage sauvage. Route particulièrement étroite entre Glencar et le col. Superbe **col de Ballag-hisheen,** paysage radicalement différent sur les deux versants.

DE LA PÉNINSULE DE DINGLE AU SHANNON

Trop de voyageurs visitant le Ring of Kerry oublient un peu vite la péninsule de Dingle. C'est un tort. Voilà un vrai morceau de bravoure et de beauté sauvage. Une chaîne de montagnes arides (entre 800 et 900 m en moyenne) et de collines rocheuses couvertes d'une lande maigrichonne joue avec le ciel et les nuages, avant de tomber dans l'océan, soit brutalement sous forme de falaises, soit plus en douceur avec des baies abritées et des plages de sable. Certains de ces sommets cachent de petits lacs d'altitude, accessibles par des sentiers. Pour bien saisir l'inquiétante « étrangeté » de ce paysage, il faut monter un jour de pluie et de vent jusqu'au *col de Connor (Connor Pass)*. De là, le regard embrasse les deux versants de la péninsule de Dingle, avec à l'horizon (et des deux côtés) la mer toujours présente.

Impossible aussi de ne pas évoquer la grandeur austère de la *montagne de Brandon (Brandon Mountain)* au nord-ouest de la péninsule. Regardez bien cette montagne « inspirée » : elle est exposée vers l'Atlantique. C'est ici, dans ces ultimes territoires côtiers de l'Ouest, que survit la vraie Irlande gaélique. Dans cette poche culturelle préservée *(Gaeltacht),* on parle presque partout le gaélique. Les noms des villages ne sont écrits que dans cette langue.
Vous l'avez compris, c'est l'un de nos coins favoris en Irlande et il mérite quelques jours. Pour avoir une petite idée des paysages, allez voir le film *La Fille de Ryan,* ou encore *Horizons lointains (Far and Away* en v.o.), qui ont été tournés dans la région.

LA DINGLE WAY (sli chorca dhuibhne)
::

Le sentier de 179 km fait le tour de la presqu'île en partant de Tralee et passe par Camp, Cloghane, Ballyferriter, Ventry, Dingle, Annascaul et Inch.
Son point culminant au col de Brandon (640 m) permet à l'itinéraire de longer le littoral et de pénétrer au cœur du pays gaélique : mégalithes, forts de pierre, gravures de l'alphabet oghamique, légendes des saints patrons irlandais ou « Saint's Road » (ces braves gens prenaient la mer dans des auges en pierre !)...
– *Documentation :* carte nº 70 *Discovery Series* éditée par Ordnance Survey. *The Dingle Area Peninsula Guide* (en français), en vente sur place. Balisage noir et jaune, ainsi que le site ● dingleway.com ●

LA FILLE DE RYAN (LE FILM)
::

Le célèbre film de David Lean fut entièrement tourné dans la péninsule de Dingle en 1969. La grande plage d'Inch, battue par les vents d'ouest, apparaît dans plusieurs scènes mémorables. À Slea Head, une petite stèle commémorative *(Ryan's Daughter Stone)* rappelle le tournage du film.

Le village fut entièrement réalisé pour le film et démonté ensuite. Seule la petite école, entre Dunquin et la plage, n'a pas bougé. Dans le film, elle servit d'école à l'instituteur interprété par Robert Mitchum. Pour achever son film, David Lean affronta un nombre inouï d'obstacles. « Cela revenait à construire le Taj Mahal avec des allumettes », disait Robert Mitchum à propos de ce tournage difficile.

DINGLE [an daingean]   2 000 hab.   IND. TÉL. : 066

Adorable petit port de pêche, bien abrité au fond de la baie. On y trouve la maison de l'homme qui tenta de sauver la reine Marie-Antoinette (à l'emplacement du presbytère). En 1792, lord Rice, né à Dingle et officier de la brigade irlandaise, projeta de faire évader la reine ; quand elle apprit qu'elle devrait abandonner le roi et ses enfants, elle aurait refusé l'ordre et préféré la guillotine.

FUNGIE LE DAUPHIN

Assez inhabituel, un dauphin *Tursiops truncatus* a élu domicile dans la baie de Dingle depuis 1984. Très convivial, il suit les bateaux qui lui rendent visite et exécute souvent ses galipettes. On se gare à Lough (à moins de 2 km de Dingle, vers Annascaul) et on essaie de l'apercevoir du bord de mer. De même, on peut marcher sur la rive au départ du *Skellig Hotel,* puis aller jusqu'à la tour au bout de la baie. Là, on descend dans la crique et l'on fait un peu de bruit pour attirer l'attention. Certains vont carrément se baigner au lieu-dit Sláidín (à l'embouchure de la baie, à gauche quand on est face à la mer) et nagent à sa rencontre quand il n'y a pas de bateau dans le coin. Enfin, la manière la plus classique, c'est de faire une excursion en bateau : le prix de la sortie (environ 16 € par adulte) est remboursé si Fungie ne se montre pas. Mais il vieillit et on se demande comment on pourra remplacer une telle attraction...

Arriver – Quitter

➤ **De/vers Killarney et Tralee :** 3-5 bus/j. selon saison. La plupart passent par Tralee (ou par Castlemaine et Inch en juil-août).

Adresses utiles

ℹ Office de tourisme : The Quay. ☎ 91-51-188. ● discoverireland.ie/southwest ● En saison, lun-sam 9h15-17h, dim (juin-août, voire sept) 10h-17h ; hors saison, lun-sam 9h15-13h, 14h-17h.

✉ **Poste :** Main St. Dans une boutique en fond d'impasse. Lun-sam 9h-17h30 (13h sam).

@ *The Old Forge Internet Cafe :* Holy Ground. ☎ 91-50-223. Mars-sept, tlj 9h30-19h (voire 21h en été) ; oct-fév, tlj sf dim 10h-18h. 🛜 (gratuit avec une conso). 12 PC mais aussi fax, copies, scan... Ou, mieux (car là, c'est gratuit), à la *bibliothèque* (library) : Green St. ☎ 91-51-499. Lun-sam 10h-17h (20h jeu).

■ *Bank of Ireland, Bank AIB :* Main St. Au niveau de la poste. Distributeurs automatiques.

✚ *Dingle Medical Centre :* The Mall. ☎ 91-52-225.

■ *Location de vélos : Paddy's Bike Hire,* Dykegate Lane (à côté des AJ). ☎ 91-52-311. Mars-oct, tlj 9h-19h. *Foxy Johns,* Main St. ☎ 91-51-316. Compter 10 €/j. Ce pub-quincaillerie-loueur de vélos vaut assurément le coup d'œil !

■ *Dingle Bay Charters* : *à la marina (s'adresser à Marine & Leisure).* ☎ 91-51-344. 🖥 087-672-61-00. ● *dinglebay charters.com* ● Balade en mer à partir de 10 €. Excursions pour Great Blasket Island. Compter 30 € l'A/R par personne. Également écotour (40 €) et pêche au gros (25 € les 2h).

Où dormir ?

En juillet-août, tout est souvent complet dans le centre de Dingle. Résa indispensable.

Bon marché

🏠 *The Hideout Hostel* : Dykegate St. ☎ 91-50-559. ● *thehideouthostel. com* ● En plein centre. Ouv tte l'année. Compter 18 €/pers en dortoir ; double 50 € avec salle d'eau (45 € sur présentation de ce guide). 🖥 📶 Une AJ à taille humaine, avec ses dortoirs de 4 lits. Les chambres sont simples mais propres. Une grande cuisine, bien équipée, est à disposition, sinon l'AJ a son propre petit resto (An Canteen). Pas de chichis, mais bien accueillant.

🏠 *The Grapevine Hostel* : Dykegate St. ☎ 91-51-434. ● *grapevinedingle. com* ● En plein centre. Ouv tte l'année (déc-janv slt w-e). Compter 17-19 €/ pers selon taille du dortoir ; double 48 €. CB refusées. 📶 Petite AJ de 26 lits, rénovée et menée tambour battant par la maîtresse de maison, qui impose ses choix : pas de TV, mais, dans la salle commune avec cheminée, place à la discussion, à la lecture et à la musique. Atmosphère conviviale. Dortoirs de 3 à 8 lits, avec salle d'eau malheureusement bruyante pour la douche du soir. Petit déjeuner self-service. Cuisine à disposition. Location de vélos à côté.

⚠ 🏠 *Rainbow Hostel* (plan La péninsule de Dingle, 10) : Dingle. ☎ 91-51-044. ● *rainbowhosteldingle.com* ● À 1,5 km du centre. À la sortie de la ville (côté Ventry), au niveau du rond-point et en venant du port, prendre tt droit. C'est à 800 m sur la droite. On peut venir vous chercher à l'arrêt de bus. Navette gratuite pour rejoindre le

centre-ville. Ouv tte l'année. Compter 15-18 € en dortoir, 40 € pour 2 en chambre privée. Possibilité de camper (9 €/pers). CB refusées. 📶 Une AJ bien tenue avec douches et sanitaires communs, mais en nombre limité. Chouette salle à manger et cuisine à disposition. Bloc sanitaire pour les campeurs.

Prix moyens

🏠 *Kirrary* : Avondale St. ☎ 91-51-606. ● *collinskirrary@eircom.net* ● Ouv de mars à mi-déc. Doubles en suite 66-76 €. CB refusées. 🖥 📶 Un des rares B & B de Dingle avec un jardin. Chambres impeccables, un peu exiguës toutefois. Et puis Eileen, aux petits soins pour ses hôtes, est adorable. Elle loue également 2 très agréables maisons (3 et 4 chambres ; 300-600 € par semaine), une en bord de mer (à environ 10 km de Dingle) et l'autre sur les hauteurs de la ville. Organisation d'excursions archéologiques.

🏠 *Russell's* : The Mall. ☎ 91-51-747. ● *russellsdingle.com* ● Rue perpendiculaire à Main St. En venant de Killarney, tourner à droite après la station Esso. Fermé à Noël. Compter 60-80 € pour 2, 90-120 € pour 4. CB refusées. 🖥 📶 B & B de type familial, calme, car un peu en retrait de la rue. 6 chambres en suite assez différentes, toutes impeccables et bien équipées. Celles au dernier étage, mansardées, s'avèrent plus douillettes. Très bon petit déj, avec notamment du poisson frais pêché par monsieur.

🏠 *Tower View* : High Rd. ☎ 91-52-990. ● *towerviewdingle.com* ● Sur la gauche en montant depuis le rond-point de Milltown. Ouv 15 fév-15 nov ainsi que 1 sem vers le 1er janv. Doubles en suite 70-85 € ; family rooms 120-140 €. CB refusées. 🖥 📶 Une grosse bâtisse jaune et bordeaux et, par derrière, un enclos où gambadent moutons, chèvres, poules et canards. À l'intérieur, 6 chambres sobres et bien entretenues, avec vue sur mer ou montagne.

🏠 *Devane's B & B* : Goat St. ☎ 91-51-193. ● *devanesdingle.com* ● Dans le prolongement de Main St, vers les hauteurs. *Ouv mars-fin oct. Doubles en suite 60-76 € selon saison. CB refusées.* 🛜 6 chambres, tout à fait correctes et à la propreté sans faille. Familiale au dernier étage, mansardée et lambrissée (avec un simple velux en guise de fenêtre). Accueil agréable de Geraldine.

🏠 **Boland's :** *Goat St.* ☎ 91-51-426. ● bolandsdingle.com ● *Dans le prolongement de Main St, vers les hauteurs. Ouv fév-oct. Doubles 70-90 € selon saison.* 🛜 Dans une maison particulièrement récente, 9 chambres simples et plutôt mignonnes mais à l'entretien aléatoire. Accueil discret.

Chic

🏠 **Pax House :** *Upper John St.* ☎ 91-51-518. ● pax-house.com ● *À env 800 m du centre, dans le prolongement de John St. Fermé janv-fév. Doubles et suites 75-145 € selon saison, vue et confort.* 🛜 Une adresse de charme, tournée vers la mer et décorée avec goût. La vue y est époustouflante et la maison plus que ravissante. Les objets que John (son sympathique propriétaire) rapporte des quatre coins du monde en font un vrai petit musée. 12 chambres et suites de taille variable, toutes parfaitement équipées ; les plus chères ont même une terrasse avec vue (d'autres, en entresol, n'ont pas de vue du tout, attention !). Un havre de paix douillet et raffiné. Un bel endroit pour casser sa tirelire.

🏠 **Greenmount House :** *Upper John St, Gortonora.* ☎ 91-51-414. ● greenmounthouse.ie ● *À env 400 m du centre, dans le prolongement de John St. Fermé autour de Noël. Doubles 70-150 € selon vue, confort et saison, petit déj inclus.* 🛜 En surplomb de la ville, avec une jolie vue sur le port et la baie. Maison moderne et imposante, au calme. Mary et John Curran reçoivent délicieusement dans leur chaleureux intérieur. Chambres confortables (celles de la partie ancienne possèdent inévitablement un petit plus). À propos, si vous réservez, précisez bien si vous voulez une chambre avec vue pour éviter d'en avoir une petite avec vue sur le muret ! Patrons très fiers que

Julia Roberts soit venue cacher ses amours dans leur maison ! Beau petit déj dans la véranda (avec le panorama en prime).

Où dormir dans les environs ?

🏠 **Clonmara** *(plan La péninsule de Dingle, 11) : à Milltown.* ☎ 91-51-656. 📱 087-204-22-43. ● clonmara. com ● *À 1 km env du centre ; prendre la route de Ventry, puis 1ʳᵉ à gauche après le pont. Ouv mars-oct. Compter 70-75 € pour 2 selon saison. CB refusées.* 💻 🛜 Une maison récente sans le charme de l'ancien, mais dont les nombreux atouts en font une bien belle adresse. Arrimée de l'autre côté de la baie, dans la nature, la maison contemple paisiblement les façades colorées du port. Les 5 chambres sont confortables et lumineuses, les couleurs chaleureuses. Toutes bénéficient de la vue sur la baie ! L'accueil est parfait. Un sans-faute.

🏠 **Cill Bhreac B & B** *(plan La péninsule de Dingle, 12) : à Milltown.* ☎ 91-51-358. ● cillbhreachouse.com ● *À 1,5 km de Dingle, sur la route de Ventry. Ouv de mi-mars à mi-nov. Doubles 60-70 €. CB refusées.* 🛜 Grosse demeure moderne, avec jardin et belle vue sur la baie de Dingle. 8 chambres coquettes et confortables. Essayer d'en avoir une avec vue sur la baie (c'est le même prix !). Accueil absolument charmant.

Où manger ?

Bon marché

I●I **An Cafe Liteartha** (prononcer « litra ») : *Dykegate St.* ☎ 91-52-204. *Dans une rue perpendiculaire à Main St. Tlj (sf dim hors saison) 10h-18h, en principe.* Librairie-salon de thé-resto où l'on peut grignoter des tas de bonnes petites choses (env 6 €). Spécialisée dans les bouquins en gaélique, mais possède aussi une très bonne sélection de livres de photos, recueils de légendes, romans, etc.

Dans la salle au fond à la chaleureuse atmosphère, rencontres cosmopolites assurées si l'on se met à la table autour de sandwichs au saumon, salades, soupes, *homemade cakes*, *scones*, etc.

Prix moyens

I●I Fish at the Marina : *sur la jetée de la marina, celle qui fait face à l'aquarium.* 086-378-85-84. *Mars-nov, tlj 10h-17h, plus le soir juin-sept. Plats 10-15 €. CB refusées.* Installé dans les anciens docks, c'est le seul resto au bord de l'eau. La déco minimaliste et le service décontracté donnent un côté branché à cette adresse, qui se veut simple et efficace. Assiettes à base de poisson, servi en salade, frit ou cuisiné. Propose également des petits déj. Quelques tables en terrasse.

I●I The Goat Street Cafe : *en haut de Main St.* 91-52-770. *Lun-sam 10h-16h. Plats 6,50-13 €.* Petit resto-salon de thé avec une poignée de tables où il est plaisant de se poser (bois blanc, expo-vente de tableaux). Bonne cuisine aux horizons culinaires variés et lointains (tajine aux légumes, plats au curry, salade grecque, etc.). Sympa.

I●I The Blue Zone : *voir « Où boire un verre ? Où écouter de la musique ? ». Pizzas 10-16 €.* Cadre très sympa. En été, glaces maison.

I●I Old Smoke House : *Main St.* 91-52-543. *Dans le bas de la rue. Plats env 7-9 €.* Idéal le midi : quiches, *pies*, salades...

Plus chic

I●I Out of the Blue : *face au port, à deux pas de l'office de tourisme.* 91-50-811. *Ouv ts les soirs, plus dim midi. Plats 21-32 € ; special fish deal lun-ven (17h30-18h45).* Une adresse qui s'est forgé une solide réputation. Pas de frites. Pas de surgelés, que du poisson et du frais ! Pas de carte non plus, mais des plats qui changent en fonction de la pêche du jour. Le tout parfaitement cuisiné.

I●I The Global Village : *Upper Main St.* 91-52-325. *Ouv de mars à mi-nov, mer-dim, slt le soir. Résa conseillée. Plats 19-38,50 € ; menus early bird (18h-19h) 25,50-28,50 € (2-3 plats).* Derrière une devanture étroite se cache une des meilleures tables de la ville. Dans la salle, la déco est sage, de bon goût, et le service prévenant. Aux fourneaux, le chef s'exprime avec talent et originalité. Une cuisine savoureuse et précise qui séduira les papilles les plus exigeantes.

I●I The Half Door : *3, John St.* 91-51-600. *Avr-oct, tlj midi et soir jusqu'à 22h. Plats 24-45 € ; lunch 20-34 € selon nombre de plats ; menu early bird (17h30-18h30) 29,50 € (3 plats), puis 40 €.* Vous êtes gâté en restos chic. Celui-ci propose une cuisine très fine avec un chef particulièrement doué pour les sauces et la préparation du poisson.

Où boire un verre ?
Où écouter
de la musique ?

Les pubs ne manquent pas à Dingle, et il y en a pour toutes les sensibilités ! N'hésitez pas à demander autour de vous, il y aura certainement un concert quelque part, le soir de votre passage.

♼ ♪ Tábainne Tis Na Cúinte : *The Mall.* 91-52-853. *Ouv tlj à partir de 15h.* Situé juste à côté de la *Court House*, l'un des bâtiments historiques de la ville, qui a donné (en gaélique) son nom à ce pub coloré et pittoresque. Musique tous les soirs, toute l'année (plus de 400 concerts par an !) ce qui assure une *craic* d'enfer ! Notre pub préféré à Dingle...

♼ Dick Mack's : *Green St, en face de l'église.* 91-59-160. Pub assez touristique mais très sympa. Le patron, qui est aussi cordonnier, laisse tomber ses godasses et change de comptoir pour vous tirer un *stout* bien crémeux. Pas de tables basses, pas de canapés, pas de tapis ni de moquette, ce n'est pas un pub-salon mais un pub-atelier de réparation de chaussures ! Dehors, des étoiles sur le trottoir, comme sur Hollywood Boulevard. Elles portent les noms de quelques célébrités de passage à Dingle : Paul Simon, Julia Roberts...

♈ ♪ O'Flaherty (Ua Flaibeartaig) : Bridge St. ☎ 91-51-983. Le vieux O'Flaherty, qui mourut en 1970, fut l'un des plus grands musiciens du pays et le meilleur au *bodhran*. En saison, musique traditionnelle tous les soirs à partir de 22h. Très touristique en été, normal !

♈ ♪ The Blue Zone : Green St. ☎ 91-50-303. En face de l'église. Tlj 17h-minuit (2h en été). Fermé lun de mi-oct à mi-mai. Verres de vin à partir de 5 €. Un resto-bar à vins qui fait souffler un vent nouveau sur la vie nocturne de Dingle. Une déco moderne qui ose le mélange des couleurs. Un coin *lounge* avec fauteuils et un long comptoir pour siroter son p'tit ballon sur fond de blues ou de jazz. Près d'une cinquantaine de vins du monde entier. Tenu par Patrick, un Français qui a bien bourlingué avant de poser ses valises dans ce p'tit coin d'Irlande. Ne pas rater les concerts, à partir de 22h les mardi, jeudi et vendredi en saison.

♈ ♪ John Benny Moriarty Pub : Strand St. ☎ 91-51-215. En face de l'office de tourisme. Y aller le mercredi soir, lorsque la patronne, Eilis Kennedy, une chanteuse de renommée nationale, pousse la chansonnette en gaélique. Ambiance cosy et posée.

Balades à cheval

■ **Dingle Horse Riding Stables** : Ballynabooly. 🖥 086-821-12-25. ● *dingle horseriding.com* ● *Indiqué en haut de High Rd, sur la gauche en venant du rond-point de Milltown. Ouv tte l'année.* Propose des balades à l'heure (35 €), à la demi-journée ou à la journée, en montagne ou en bord de mer. Poneys pour les moins de 12 ans.

VISITE DE LA PÉNINSULE

La *Slea Head Drive* (bien fléchée) fait le tour de l'extrémité ouest de la péninsule au départ de Dingle (elle revient au même endroit). Tout le coin est fascinant. Puis, en passant au centre par le Connor Pass, depuis Dingle, vous découvrirez le nord et l'est de la péninsule.

Se déplacer en bus

➢ En été, 2 bus/sem (lun et jeu) relient *Ballyferriter* à *Dingle* via *Dunquin*. Dans la partie nord, 1 bus/sem slt entre *Cloghane* et *Tralee*.

➢ Sinon, pour les stoppeurs fatigués ou pressés voulant profiter des belles choses, des minibus touristiques partent de Killarney ou de Dingle et font le tour, en 1 journée, de la péninsule. Renseignements à l'office de tourisme de Killarney ou de Dingle.

Où dormir dans la péninsule ?

Le long de la Slea Head Drive

Camping

⊼ **Campail Teach an Aragail** (Oratory House Camp ; plan La péninsule de Dingle, **14**) : à Camp. ☎ 91-55-143. ● *dingleactivities.com* ● *À 8 km de Dingle et à 300 m de l'oratoire de Gallarus. Ouv avr-fin sept.* Env 18-20 €

Dunquin	Lieux traités
Fahan	Adresses et lieux
	dans les environs
Smerwick	Repères

0   5   10 km

NORD

Brandon Point

Brandon Head

Bran B.

Bran

Brandon Creek

Brandon Mountain 950 ▲ 25 Kilcum

Slea Head Drive

Feohanagh Tiduff Ballyd

Smerwick Harbour 13 21 Saint's Road

Ballydavid 15 Ballinlohig

Smerwick Murreagh L. Gal.

Reask 32 Kilmalkedar Connor Pas 456

Sybil Point 14 Ballynaha

Ballyferriter 31 10

R 559 24 Milltown N 86 Lispole

Clogher Head 41 Ventry 12 Dingle

Inishtooskert Dunquin 16 Mount Eagle 11

Beginish 514 ▲ 17 40 Dingle Harbour

Blasket Sound Fahan 30 Ventry Harbour Bull's Head Minar Head

Blasket Islands 23 Slea Head Slea Head Drive

Tearaght Island Great Blasket Island Inishnabro Dingle Ba

---

pour 2 avec tente et voiture. *Douches payantes.* Le camping le plus à l'ouest de toute l'Europe, paraît-il. Environ 42 emplacements relativement intimes. L'ensemble est bien tenu. Demander au patron des infos sur les randonnées à faire.

Bon marché

≜ *Tigh TP* (plan *La péninsule de Dingle, 13*) **:** à *Ballydavid* (Baile na nGall). 🖥 087-246-05-07. ● tigh-tp.ie ● Sur le port. Ouv tte l'année. Compter 50 € pour 2 en hte saison (moins cher en basse saison). 📶 Impossible de louper ce grand bâtiment jaune et rouge posé en bord de mer. Dans une ambiance

jeune et décontractée, ce pub offre des chambres-dortoirs de 3 ou 4 lits avec salle d'eau. C'est convivial, propre et agréablement situé, pour un confort plus qu'acceptable. Cuisine à disposition. Voir également « Où manger ? Où boire un verre ? Où écouter de la musique dans la péninsule ? ».

≜ *Tigh An Phóist* (plan *La péninsule de Dingle, 15*) **:** An Bóthar Buí, à *Ballydavid* (face à l'église). ☎ 91-55-109. ● tighanphoist.com ● À 3,5 km au nord de Ballydavid. Ouv mars-fin oct. Compter 13-20 € en dortoir et 16-22 €/pers en chambre double, la plupart avec simple lavabo. 🖥 📶 AJ privée, en plein *Gaeltacht.* Avec seulement 27 lits, on s'y sent vraiment chez soi. Cuisine

LA PÉNINSULE DE DINGLE

	24 An Spéice et Tigh an t-Saorsaigh
	25 Mount Brandon Hostel et O'Connor's Guesthouse
	26 Four Winds
⊛	**Achats**
	40 Holden Leathergoods
	41 Louis Mulcahy

	À voir
	14 Gallarus Oratory
	30 Celtic & Prehistoric Museum
	31 Dunbeg Fort ou Dun Beag Fort
	32 Dun an Oir Fort
	33 Minard Castle

équipée. Balades super tout autour.
Pour savourer la douceur des soirées,
prendre la route à droite en sortant de
l'auberge. Arrivé au bord de mer, vue
splendide sur les Three Sisters. Loue
également 2 appartements confortables, pour 4 ou 5 personnes (formule
self-catering).

🏠 *Dún Chaoin Youth Hostel (plan La
péninsule de Dingle, 16) : à Dunquin
(Dún Chaoin), Ballyferriter.* ☎ 91-56-
121. ● *anoige.ie* ● À la sortie de Dunquin, en direction de Ballyferriter. Ouv
mars-oct. Fermé 10h-17h. Compter
14-18,50 €/pers en dortoir (4-10 lits) et
20-21 €/pers en chambre double. Draps
et serviette en sus. Petit déj 4 €, dîner
12,50 €. AJ officielle. Fort bien située, ça

va de soi, en bordure de la Dingle Way.
Une cinquantaine de lits : en été, c'est
souvent complet. En principe, propre.

Prix moyens

🏠 *Feirm Chinn Sléibhe (Slea Head
Farm ; plan La péninsule de Dingle,
23) : à Coumeenole, Slea Head.*
☎ 91-56-120. ● *sleaheadfarm.com* ●
*Ouv avr-sept. Double 68 € (tarif dégres-
sif à partir de 3 nuits). Repas possible,
sur demande. CB refusées.* 🛜 Vous
voici au bout du monde ! En tout cas,
au bout de l'Europe avec le *B & B* le
plus à l'ouest... On y est loin de tout,
ce qui peut s'avérer un avantage aussi
bien qu'un inconvénient. 3 chambres

tout confort, fraîches et jolies. La vue y est surtout époustouflante ! Dans chacune d'elles, les bow-windows ont d'ailleurs été aménagés en minisalon (de thé) pour profiter à fond du spectacle de la mer... Un bonheur dont on ne saurait se lasser.

🏠 **An Spéice** (plan *La péninsule de Dingle, 24*) : à *Ballyferriter*. ☎ 91-56-254. ● *anspeice.com* ● À 500 m du village, en allant vers Dunquin. Ouv fév-oct. Doubles en suite 60-70 €. Petite longère moderne et proprette, avec pelouse et vue sur la mer. Chambres à la déco soignée et donnant sur le jardin. Un rapport qualité-prix très honorable.

🏠 **An Riasc** (plan *La péninsule de Dingle, 21*) : An Feothanach, à *Ballydavid*. ☎ 91-55-446. ● *anriasc.ie* ● Entre Ballydavid et Brandon Creek, prendre à droite en direction de Feothanach, fléché à gauche après le village. Congés : janv. Doubles 80-90 € selon saison. Dîner (bio) sur résa (30 €). 📶 En pleine nature, cette belle maison en pierre propose 4 chambres *en suite*, douillettes et joliment décorées. Un bon compromis entre tradition et modernité. Ambiance intemporelle, familiale et chaleureuse. Pour le petit déj, vous pourrez, entre autres, déguster les délicieux *scones* et pains maison de Denise, l'hôtesse. Un coup de cœur.

🏠 ⦿I **Gleann Dearg B & B** (plan *La péninsule de Dingle, 16*) : à *Dunquin* (Dún Chaoin), Ballyferriter. ☎ 91-56-188. ● *homepage.eircom. net/~gleanndearg* ● À l'entrée de Dunquin, sur la droite en venant de Fahan. Ouv Pâques-nov. Double 60 €. Sur commande, repas 10-25 €. Au bord d'une route (calme), avec une fort belle vue sur les îles Blasket (à 500 m du lieu d'embarquement). Accueil particulièrement sympathique. Au total, 5 petites chambres à la déco vieillotte mais confortables, dont 2 à l'étage, mansardées et avec salle de bains commune. Très beau breakfast et possibilité de dîner. La maîtresse de maison pourra vous donner des renseignements. Une adresse où l'on se sent bien.

🏠 **Garvey's Farmhouse** (plan *La péninsule de Dingle, 17*) : Kilvicadownig, à *Ventry*. ☎ 91-59-914. ● *garveys farmhouse.com* ● À 3,5 km de Ventry

en allant vers Fahan (bifurquer sur le chemin juste en face du Musée celtique). Ouv mars-oct. Doubles 70-80 € selon saison. 📶 Sur le flanc du mont Eagle, avec un panorama remarquable. Chambres dans le goût irlandais (à savoir rustico-kitsch !), certaines avec petite salle d'eau. Une plus grande, idéale en famille. Pour le même prix, préférer celles qui bénéficient de la vue sur la mer ! Excellent accueil.

🏠 **Tigh an t-Saorsaigh** (plan *La péninsule de Dingle, 24*) : rue principale, à *Ballyferriter* (face à l'église). ☎ 91-56-344. ● *searspub.com* ● Ouv tte l'année en principe. Double avec salle d'eau 60 € ; familiale 85 €. CB refusées. 📶 Quelques chambres, simples, à l'arrière d'un vieux pub traditionnel (voir « Où manger ? Où boire un verre ? Où écouter de la musique dans la péninsule ? »).

Dans le nord de la péninsule

Campings

⛺ **The Anchor Caravan & Camping** (plan *La péninsule de Dingle, 18*) : ☎ 71-39-157. ● *anchorcaravanpark. com* ● À env 3 km de Castlegregory (fléché sur la gauche). Ouv Pâques-sept. Compter 18-20 € pour 2 avec tente et voiture. 🛏 📶 (payants). Avec accès direct à la plage. Peu de places pour les tentes. Bien pour rayonner dans la péninsule, à mi-chemin entre Dingle et Tralee.

⛺ Et son clone, **Green Acres Caravan Park** (plan *La péninsule de Dingle, 19*) : ☎ 71-39-158. ● *greenacrespark.com* ● À 6 km. Ouv Pâques-sept. Compter 20-25 € selon saison, électricité comprise. CB refusées. 📶 (payant).

Bon marché

⛺ 🏠 **Mount Brandon Hostel** (plan *La péninsule de Dingle, 25*) : à *Cloghane*. 📟 085-1363-454. ● *mountbran donhostel.com* ● Ouv Pâques-sept. Compter 17-20 €/pers en dortoir de 4 lits et 40-50 € la double avec salle d'eau ; apparts 4 pers 400-450 €/sem.

Possibilité de planter sa tente en bord de mer (10 €/pers). 🖥 📶 Une maison en pierre située au cœur du village, près du pub *Donnell's* et au-dessus d'une petite épicerie, dans laquelle il faut se renseigner pour les conditions d'hébergement. Pittoresque assuré ! Agréables chambres doubles ou petits dortoirs. Loue aussi 1 appartement pour 4 personnes. AJ très bien tenue.

De prix moyens à plus chic

🏠 ***Beenoskee B & B*** *(plan La péninsule de Dingle, 20) :* Cappateige, Connor Pass Rd, à **Castlegregory**. ☎ 71-39-263. ● beenoskee.com ● *À 1,5 km env de Stradbally, en allant vers Dingle. Ouv tte l'année sf à Noël. Doubles 65-70 € selon saison. CB refusées.* 📶 Dominant la Brandon Bay et avec vue (s'il vous plaît !) sur l'une des plus grandes plages d'Irlande, un adorable *B & B* dans une maison moderne. Bonne humeur et confort sont au rendez-vous. Et puis on adore le petit rire canaille de Mary. 5 chambres, un peu kitsch (dans le goût irlandais, quoi !) dont 3 avec des fenêtres qui s'ouvrent généreusement sur la baie et que l'on vous recommande vivement ! Petit déj préparé avec amour. L'un de nos coups de cœur dans la péninsule.

🏠 ***The Shores Country House*** *(plan La péninsule de Dingle, 20) :* Cappateige, Connor Pass Rd, à **Castlegregory**. ☎ 71-39-196. ● theshorescountryhouse.com ● *Ouv de mi-fév à nov. Doubles 70-90 € ; familiales 110-140 €. Cottages à louer du sam au sam. Repas sur résa 25-35 €.* 🖥 📶 Juste à côté du précédent, avec la même superbe vue. En revanche, le style diffère : grande villa très cossue, chambres spacieuses avec bow-windows face à la mer, à la déco soignée, très bien équipées et ultra-propres. Une adresse classe, pas des plus authentiques, mais pourquoi bouder son confort ?

🏠 ***O'Connor's Guesthouse*** *(plan La péninsule de Dingle, 25) :* Main St, **Cloghane**. ☎ 71-38-113. ● cloghane. com ● *Ouv mars-oct. Doubles 70-80 €.* 📶 Le patron de ce pub populaire (qui fait aussi restaurant) propose une dizaine de chambres *en suite*, bien tenues. Nos préférées sont celles qui donnent sur la très jolie Brandon Bay, comme la salle du petit déjeuner. Sublime à marée basse !

Dans le sud-est de la péninsule

De bon marché à prix moyens

🍴 🏠 ***Dingle Gate Hostel*** *(plan La péninsule de Dingle, 22) :* à **Annascaul**. ☎ 91-57-150. ● dinglegatehostel. com ● *À 16 km de Dingle, 27 km de Tralee et 2 km d'Annascaul, en direction de Camp. Les bus reliant Dingle à Tralee passent juste devant. Ouv tte l'année. Compter 12 € en dortoir et 15-18 €/pers en chambre double.* 🖥 📶 AJ installée dans un grand bâtiment moderne sans charme particulier, mais accueil sympa du jeune patron qui a quitté Dublin pour se mettre au vert. Au choix, dortoirs avec douche et w-c communs ou chambres *en suite* pour 2 à 6 personnes. Cuisine équipée. Simple, propre et pas cher. Également un espace vert pour camper *(8 €/pers).*

🏠 ***Four Winds*** *(plan La péninsule de Dingle, 26) :* à **Annascaul**. ☎ 91-57-168. ● thefourwindsbb.com ● *Au centre du village, juste après le pont (en direction de Dingle), prendre à droite, puis, tt de suite, la 1re rue qui monte sur la gauche ; c'est un peu plus loin sur la gauche. Compter 60-64 € pour 2.* 📶 Dans cette maison entourée de montagnes, 4 chambres *en suite* et 1 appartement familial bien équipé *(2 chambres ; 200-400 €/sem + l'électricité ;* 📶 *).* Atmosphère plaisante.

Où manger ? Où boire un verre ? Où écouter de la musique dans la péninsule ?

Nos adresses sont indiquées dans l'ordre dans lequel on les rencontre en partant de Dingle et en parcourant la boucle dans le sens des aiguilles d'une montre.

Le long de la Slea Head Drive

🍴 **Le Skipper :** à **Ventry.** ☎ 91-59-853. Au centre du village. Mars-oct, tlj ; hors saison, se renseigner. Plats 13-26 € ; lunch (3 plats) 16 €. En longeant la mer, on a vite fait de repérer cette maison bleue et sa terrasse lasurée. Il faut dire que ce petit caboulot de marins, tenu par un Français, est bien mignon, à défaut d'être discret. À la carte, fruits de mer d'Irlande, à la sauce *Frenchy* : moules, poissons nobles, homard... Baguette pour les nostalgiques.

🍷 🎵 **Paidi O Se's :** à **Ventry.** ☎ 91-59-011. En face de l'église, à 1,5 km du centre. Pub traditionnel très sympa. Belle musique irlandaise et parfois des danses.

🍴 **The Stonehouse Restaurant :** à **Fahan.** ☎ 91-59-970. Juste en face du fort de Dunbeg. En saison, tlj 10h-17h, plus le soir ven-dim ; oct-mars, horaires réduits, mieux vaut téléphoner. Snack env 5 € et, le soir, plats de seafood et de viande 16-30 €. Sur la Slea Head Drive, vous ne manquerez pas ce bâtiment récent, tout en pierre, y compris le toit, imitant les constructions anciennes. Depuis la terrasse, la vue sur la baie est superbe (malgré le parking !) et les touristes ne s'y trompent pas...

🍴 **Dunquin Pottery & Caife :** un peu avt **Dunquin,** en venant de Ventry. ☎ 91-56-194. Tlj 10h-18h (19h juil-août). Salades 8-10 €. Bon, on y croise plus de touristes que de locaux et il faut traverser la boutique pour accéder au resto, mais l'adresse tombe à point nommé pour caler un p'tit creux avec d'excellents cakes, soupes, etc. Et puis la vue est bien jolie !

🍴 🍷 🎵 **Tigh an t-Saorsaigh :** Main St, à **Ballyferriter** (face à l'église). ☎ 91-56-344. Resto ouv midi et soir mai-sept. On aime bien ce vieux pub traditionnel tenu par Diarmuid. Une planche d'épave a servi pour fabriquer le comptoir. Bonne soupe et sandwichs consistants. *Sessions* en saison. Très bonne ambiance.

🍴 🎵 **Tigh TP :** à **Ballydavid** (Baile na nGall). ☎ 91-55-300. Resto ouv en été slt. Plat env 12 €. Agréable pub-resto sur le port avec *pub grub* toute la journée. Musique traditionnelle la plupart des soirs en été (groupes locaux). Possibilité de pêche en mer.

🏠 🍴 **Gorman's Clifftop House & Restaurant :** Glaise Bheag, à **Ballydavid.** ☎ 91-55-162. ● gormans-clifftophouse.com ● À 1,5 km de Ballydavid (Baile na nGall), en direction de Brandon Creek. Ouv mars-oct ; resto le soir slt. Doubles 110-150 € selon confort et saison, petit déj compris. Plats 19,50-28,50 €. 📶 Vaut le détour, tant pour la cuisine que pour la vue sur le large. Propose également de superbes chambres. Un coup de cœur.

Dans le nord et l'est de la péninsule

🍴 🍷 🎵 **Ned Natterjack's :** à **Castlegregory.** ☎ 71-39-491. À la sortie ouest du village. Resto ouv tlj 12h-21h (slt w-e hors saison). Plat env 12 €. En bord de route, facile à repérer grâce à son bonhomme tombé dans une barrique. Ce vieux pub authentique propose une cuisine simple mais généreuse. Les jours de pluie, on apprécie la grande salle avec cheminée. Par beau temps, on s'attable sous la tonnelle. Musique tous les soirs en été (le week-end hors saison).

🍴 **The Village Bistro :** à **Castlegregory.** ☎ 71-39-878. Ouv ts les soirs en hiver, plus le midi le w-e à partir de Pâques ; ouv midi et soir en été (service non-stop en fait). Snacks et plats 5-23 €. Petit resto au cadre simple et agréable, tenu par la même famille depuis plus de 50 ans. Patron dévoué, horaires souples, prix doux et produits frais. C'est surtout le seul resto ouvert hors saison ! Cuisine sans prétention avec, notamment, un excellent *fish & chips*... (bémol sur les frites, pourtant fraîches).

🍴 🍷 **Le Tomasín :** à **Stradbally.** ☎ 71-39-179. Bar-resto ouv midi et soir en été (à partir de 18h hors saison). Plats 10-22 €. Facile à reconnaître, ce pub est jaune canari avec un toit de chaume ! Belle déco de photos du film *La Fille de Ryan* ; d'ailleurs, les cinéphiles pourront même se faire indiquer les lieux exacts du tournage. Une adresse chaleureuse où l'on savoure en toute convivialité une bonne *pub grub*.

|●| 🍽 **Pub Mullaly O'Shea :** *à Brandon.* ☎ *71-38-154. Dans le village. Snacks et plats 4-18 €.* Un pub aux murs jaunes qui sert à boire et à manger *(pub grub)*.

|●| 🍷 🎵 **The South Pole Inn :** *à Annascaul, dans le centre.* ☎ *91-57-388. Tlj 12h-23h (1h ven-sam) ; service 12h-21h. Plats 10,50-18 €.* Un pub aux robustes murs de pierre et aux belles photos noir et blanc rendant hommage aux expéditions polaires de l'aventurier Tom Crean, l'enfant du pays, qui fut, sur ses vieux jours, propriétaire du pub. Bref, un véritable héros local ! Bonne atmosphère. *Live music* le samedi soir.

🍷 🎵 **Ashe's Bar :** *à Camp.* ☎ *71-30-133. Prendre la route d'Annascaul ; c'est juste après la station-service Top. Tlj à partir de 17h.* L'un des plus vieux pubs de la péninsule ! Bonnes *music sessions*.

🍷 **Camp Railway Tavern :** *à Camp. À la sortie du village, en direction de Castlegregory (R 560). Ouv tlj.* Michael, le patron, arbore une barbe légendaire et sait raconter des histoires pittoresques (quand il ne chante pas !).

🍷 🎵 **Fitzgerald :** *à Castlegregory.* ☎ *71-39-133. Ouv tte l'année.* Maurice, le patron, organise en été des soirées de musique traditionnelle. Bonne ambiance.

Achats

🐚 Beaucoup de très jolies boutiques d'artisanat et de créateurs dans le centre de Dingle. Nos 2 préférées : **Lisbeth Mulcahy** (☎ *91-51-688 ; ● lisbethmulcahy.com ●),* avec de splendides lainages (pulls, écharpes, bonnets, plaids, etc.) et de belles poteries. Pas donné mais vraiment beau et différent de ce que l'on trouve ailleurs. Ou **Commoum** (☎ *91-51-380 ; ● commoum.ie ●),* pour ses tricots et ses belles pelotes de laine des îles d'Aran.

🐚 **Holden Leathergoods** *(plan, 40) :* The Old Schoolhouse, à Burnham. ☎ *91-51-796.* ● holdenleathergoods. com ● *À 5 km de Dingle, sur la route de Ventry (panneau sur la gauche). Lun-sam 8h30-17h30, plus dim en été.* Au bord de l'eau. Le meilleur artisan de cuir de la péninsule, dit-on (on peut le voir travailler)... Très beau mais très (trop ?) cher. Site superbe, bien au calme.

🐚 **Louis Mulcahy** *(plan, 41) :* à Clogher. ☎ *91-56-229. Entre Dunquin et Ballyferriter. Tlj 10h-18h (19h en été).* Un atelier de potier assez impressionnant qui offre un grand choix de vases, lampes, assiettes et autres récipients aux décorations originales. Quelques idées de cadeaux... Café et salon de thé sur place.

À voir. À faire dans la péninsule

Le long de la Slea Head Drive

Bon, voici les sites les plus intéressants, dans l'ordre, en empruntant la Slea Head Drive par le sud, depuis Dingle. Ici, rien de spectaculaire. Seulement des témoignages dispersés de ce que fut la très riche vie monastique du coin du Ve au VIIIe s. Vestiges simples, émouvants des quelque 60 implantations religieuses dans la péninsule et les îles. Prétexte à marcher dans la campagne, dans des coins sauvages et d'admirer de superbes points de vue.

🦪🦪🦪 **Entre Ventry et Slea Head,** plusieurs centaines de *clochans,* ou *beehives :* petites huttes de pierre qui servaient autrefois au stockage de la nourriture pour les bergers ; certaines, pas trop en ruine, sont fléchées. Malheureusement, de nombreux paysans font payer un petit droit d'accès.

🦪 **The Celtic & Prehistoric Museum** *(plan, 30) :* au bord de la route principale, au niveau de la Garvey's Farmhouse, *dans une maison bien signalée.* 📱 *087-770-32-80. Avr-oct, tlj 10h-17h30 ; le reste de l'année, téléphoner. Entrée : env 5 € ; réduc* *enfants.* Fondé et dirigé par un Américain, ce tout petit musée abrite des objets préhistoriques (silex, sculptures, etc.) découverts en Irlande (notamment le crâne du seul mammouth de l'île), en Europe, et même au Sahara. La décoration reprend les fresques de la grotte Chauvet. Un peu chérot !

🍴🍴 **Dunbeg Fort ou Dun Beag Fort** *(plan, 31) : à partir de Fahan, juste en face du resto en pierre, un sentier de quelques centaines de mètres mène au fort.* ☎ 91-59-755. *Avr-sept, tlj 9h-19h30 (18h mars et oct-nov). Fermé déc-fév. Entrée : 3 € ; réduc.* Le site fut occupé dès l'âge du bronze (500 ans av. J.-C.), le fort, quant à lui, date probablement des VIIe, IXe et XIe s, du Moyen Âge quoi qu'il en soit ! Il était entouré de buttes de terre, mais nul ne sait encore quel était leur rôle exact : défensif, cultuel ou rituel. Peut-être s'agissait-il d'un simple lieu d'habitation. On dénombre plusieurs « forts » de ce type sur la côte ; celui-ci est le mieux conservé. Malheureusement, la moitié du rempart de pierre s'est effondrée dans la mer du haut de la falaise. Un rempart haut de 3 m et de 6 m de large ! Un visuel complète l'ensemble (en français sur demande et en fonction de l'affluence) et présente les résultats des dernières fouilles.
– En sortant, 50 m plus loin, les vestiges d'un hameau sinistré par la famine de 1845.

🍴 Sur le site de **Fahan** notamment, à 500 m après le fort de Dunbeg, on trouve des ruines héritées des premiers chrétiens (accès payant). Des centaines de bâtis ronds en forme de huttes, utilisés jusqu'au XIXe s comme logements. On trouve aussi des menhirs, des restes de forts, des croix sculptées, les ruines d'une minuscule église médiévale.

FORT DE FÉES !

On trouve sur la presqu'île de Dingle beaucoup de vestiges plutôt bien préservés. Cela s'explique par le fait qu'une croyance locale associait aux fées ces insolites constructions de pierre. De ce fait, personne n'osait y toucher, de peur de s'attirer les foudres des fées. Particulièrement susceptibles et rancunières comme chacun sait.

⌁ Dans le même coin, petite **plage de Coumeenole,** où un cargo s'échoua en 1982 et où furent tournées des scènes de *La Fille de Ryan.*

🍴🍴🍴 **Slea Head :** *à Dunquin (Dún Chaoin), le village le plus à l'ouest d'Europe !* Magnifique falaise au bout de la péninsule, d'où l'on voit les îles Blasket, uniquement peuplées de moutons. C'est la petite plage des contrebandiers dans *La Fille de Ryan.*

➢ Fin avr-fin sept env, les excursions pour les îles Blasket partent du petit port de Dunquin. ☎ 91-56-422. 📱 085-775-10-45. *Départs avr-oct, tlj 10h-16h, mais se renseigner avt, ca tt dépend des conditions météo. Résa conseillée en saison. Compter env 20 €/pers l'A/R ; réduc.* Balade d'environ 3h sur l'île. Propose aussi, au départ de Dingle, des écotours pour aller voir les dauphins, les phoques et les baleines (30 €).
Possibilité d'excursions au départ de Dingle avec *Dingle Bay Charters* (voir « Adresses utiles » à Dingle). Un peu plus cher.

🍴🍴 **Great Blasket Island Visitor's Centre :** *à Dunquin.* ☎ 91-56-444. *À la sortie du village, en allant vers Ballyferriter. Avr-oct, tlj 10h (11h dim et j. fériés)-18h. Entrée : 4 € ; réduc. Petite brochure (gratuite) et audioguide en français.* Heritage site. En venant de Dingle, vous ne pouvez pas rater ce grand bâtiment, qui remplit pleinement sa fonction de mémorial et impose le recueillement. On y apprend l'histoire incroyable de ces îles qui furent habitées jusqu'en 1953 et dont les derniers habitants furent rapatriés « de force » sur la péninsule et réinstallés par le gouvernement. D'autres préférèrent tenter leur chance en Amérique. Expos avec de remarquables photos noir et blanc, audiovisuel. Informations sur la culture gaélique, la langue, l'émigration, la vie locale. Très bien fait. Restauration sur place : les gourmand(e)s goûteront aux gâteaux. Bon choix, prix modérés et vue splendide !

➤ Au départ du centre (et du parking), une promenade balisée (de 40 mn à 1h) permet de longer la côte et de rejoindre l'*école* (en ruine) où Robert Mitchum jouait à l'instituteur dans *La Fille de Ryan*. Les plus pressés iront en voiture et emprunteront la première route à gauche après le musée (une impasse en réalité). En catimini (et hors saison), car on ne peut guère s'y garer... Le plan de cette petite balade est disponible au *Great Blasket Island Visitor's Centre*.

🗶🗶🗶 Paysage encore plus sauvage que Slea Head vers *Clogher Head.* Les jours de tempête, les vagues viennent se fracasser contre les falaises déchiquetées.

Ballyferriter (ʙᴀɪʟᴇ ᴀɴ ꜰʜᴇɪʀᴛᴇ́ᴀʀᴀɪɢʜ)

Un des plus importants villages de la pointe. Jumelé avec Bulat-Pestivien en Bretagne. Vestiges du château de Pierce Ferriter, poète et soldat, l'un des derniers chefs irlandais qui résistèrent à Cromwell. Jolies plages de Wine Strand et Beal Ban.

🗶 *Corco Dhuibhne Regional Museum :* en face de l'église. ☎ 91-56-333. ● westkerrymuseum.com ● À Pâques et de juin à mi-sept, tlj 10h-17h ; le reste de l'année, téléphoner. Entrée : env 2,50 € ; réduc. Installé dans une ancienne école. Petit panorama géologique, archéologique et historique du coin. Expos temporaires également.

🗶 *L'église Saint-Vincent-de-Paul :* en face du musée. Ce fut la première église construite dans l'Ouest (en 1855), 5 ans après la famine. Sa construction, prise en charge par la population, fut considérée comme une revanche sur le malheur.

➤ Belle balade vers *Dun an Oir Fort* (fort de l'Or ; plan, *32*). Pour y aller en voiture, prendre la direction de Dunquin, puis bifurquer à droite à 800 m du village (panneau « Golf Chursa »). 1,3 km plus loin, prendre à droite (ne pas traverser le pont de pierre), puis 3 km plus loin, encore à droite. Ensuite, fléché. Parking payant (possibilité de se garer avt). Ici se déroula une bataille (en 1580) entre une petite armée d'Espagnols et d'Italiens, venus soutenir la révolte des Irlandais, et les troupes anglaises. Trop faibles, Espagnols et Italiens se rendirent au bout de quelques jours. Généreusement, les Anglais les massacrèrent. Quant aux Irlandais qui étaient avec eux, ils n'eurent d'abord « que » tous les membres brisés, puis furent pendus le lendemain ! Ne restent que des tumulus de terre couverte d'herbe sur un escarpement rocheux.

En poursuivant encore le long de la Slea Head Drive

🗶 *Reask :* la route nord depuis Ballyferriter mène ensuite à Reask (2 km). Après avoir passé un pont, un pub et un garage, tourner tt de suite à droite pour le site ; c'est 300 m plus loin, côté droit. Accès gratuit. Ici s'éleva, du Ve au XIIe s, un petit ensemble monastique. Aujourd'hui, il ne reste guère que les fondations d'habitations, étables, oratoires. Belle pierre debout, gravée de dessins au trait primitif.

🗶🗶🗶 *Gallarus Oratory* (plan, *14*) : à 10 km de Dingle. ☎ (066) 324-02. On y accède par un petit sentier situé sur la droite à 400 m du parking (fléchage discret et petit portail). Tlj 9h-21h (17h hors saison). ATTENTION ! le site est en principe gratuit et libre d'accès. En réalité, on vous incitera à payer 4 € (gratuit moins de 16 ans accompagnés de 2 adultes) pour disposer du parking (privé) et d'une vidéo *de 15 mn (en anglais slt) ; toilettes et boutique.* C'est une petite chapelle en forme de bateau renversé, construite en pierre sèche, caractéristique de l'architecture primitive irlandaise. Le plus beau monument de ce type en Irlande, c'est surtout le seul à avoir traversé les siècles sans dommages. Alors que la plupart des oratoires datent du VIIe ou du VIIIe s, on pense que la finesse de construction de celui-ci indique une édification plus tardive (en revanche, la croix à côté est du VIIe s). Fait de pierres plates avec un côté plus fin vers l'extérieur pour permettre l'écoulement des eaux de pluie. Une toute petite fenêtre à l'est et la porte vers l'ouest pour capter, les jours de beau temps, la luminosité du paysage. Gallarus inspira le grand poète Seamus Heaney (prix Nobel de littérature en 1995).

🎎 ***Kilmalkedar Church*** (Cill Maolchéadair) **:** *à quelques km de Gallarus. Bien indiqué. Accès libre.*
L'un des sites religieux les plus importants de la péninsule. Sur l'emplacement d'un ancien monastère fondé par saint Maolcethair au VIIe s subsistent les murs d'une église de style roman (XIIe s), entourée par un cimetière. Grande pour l'époque : nef de 9 m de long et presque 6 m de large. S'attarder sur les détails du porche. La tête sur la voûte serait celle du fondateur. De chaque côté, on devine des têtes d'animaux. À l'intérieur du porche, avec un peu d'imagination, on perçoit une tête de taureau. On y a retrouvé une pierre dite « d'alphabet », qui aurait servi à l'instruction des élèves du monastère.
Dehors, une très intéressante pierre tombale gravée en forme de demi-soleil (un cadran solaire, quoi...), ainsi qu'une pierre oghamique et, bien entendu, le panorama ! À 200 m s'élève la maison où aurait habité le navigateur saint Brendan.

🎎 ***Brandon Creek* :** appelée également *Coosavuddig (Cuasan Bhodaigh).* Située près de Tiduff. C'est de là que saint Brendan se serait embarqué pour Terre-Neuve, cinq siècles avant Christophe Colomb ! Tim Severin, qui a refait le voyage dans les mêmes conditions, a écrit un excellent ouvrage : *The Brendan Voyage* (traduit en français sous le titre *Le Voyage du Brendan,* éd. Albin Michel).

🎎🎎 Près de Ballinloghig, à ***Ballybrack,*** s'élève ***The Saint's Road,*** sentier empierré, assez raide, montant au mont Brandon (953 m), deuxième plus haute montagne d'Irlande. Il n'en reste que quelques portions significatives. Ce fut, au Moyen Âge, un important lieu de pèlerinage. Aujourd'hui, la balade retrouve des adeptes. Quelques signes permettent de suivre le chemin sans trop de problèmes (direction assez droite vers le sommet). En cas de brouillard, ne pas tenter de monter trop haut. Surtout, arrivé au sommet, ne pas en faire le tour : les faces est et nord sont assez dangereuses. Tout en haut, quelques ruines. On dit que c'était là le PC de saint Brendan, d'où il décida son fameux voyage.

Dans le nord et l'est de la péninsule

Voici l'itinéraire qu'on vous propose, toujours au départ de Dingle mais avec une boucle passant cette fois-ci par le nord et l'est de la péninsule puis par le sud. Une partie à laquelle on consacre souvent moins de temps, à tort. Certes, on y trouve moins de vestiges et de falaises tourmentées, mais les plages comptent parmi les plus belles du pays, et les routes de montagne réservent de superbes panoramas.

🎎🎎 ***Connor Pass*** (col de Connor) **:** c'est un col élevé, entre Dingle et Kilcummin. Notre route préférée pour rejoindre Tralee. Dur, dur pour les cyclistes ! Si la route a été élargie, elle reste étroite entre le col et Ballyduff. Pas évident pour les camping-cars et interdit aux plus de 2 t ! Quant aux voitures, qu'on se rassure, les nombreux refuges permettent de croiser sans souci. Bien se renseigner toutefois sur les conditions météo, faute de quoi, vous pourriez vous retrouver dans une totale purée de pois. Paysage époustouflant, surtout quand on voit les deux versants, très différents. Côté nord, les baies de Tralee et Brandon avec la péninsule de Rough Point et de longues prairies dévalant vers la mer. Côté sud, un versant plus austère. Le matin, le jeu du soleil et des brumes donne des résultats merveilleux. *Stradbally Strand,* longue et belle plage, fort peu fréquentée, où le Gulf Stream concède quelques degrés supplémentaires aux baigneurs.

🎥🎥 Ceux qui disposent de temps ne regretteront pas le détour par ***Cloghane,*** un petit village sympathique, bien moins touristique que le reste de la péninsule, et ***Brandon,*** charmant petit port. La côte est ici plus sauvage, on observe par ailleurs dans le coin de nombreux oiseaux.

🛈 À Cloghane, face à l'église, petit office de tourisme, ouvert uniquement en saison.

🎥🎥 Au nord de Castlegregory, un petit archipel, les ***Maharee Islands*** (aussi appelé *Seven Hogs*), où l'on peut observer d'incroyables concentrations de sternes. Les amateurs de solitude peuvent même séjourner sur l'une de ces îles (Illauntannig) où l'on peut louer, d'avril à octobre, une maison pour sept ou huit personnes (quatre chambres). *Rens : Bob Goodwin,* ☎ *(066) 71-39-443. Compter 500-550 €/sem, transfert inclus.* En revanche, la péninsule jusqu'à Fahamore et Kilshannig est un haut lieu de fréquentation touristique en été (nombreux campings moches et bondés de mobile homes !).

🛈 @ À Castlegregory, petit office de tourisme, uniquement en saison.

🎥🎥 *La route entre Camp et Aughils :* env 10 km. Emprunter au départ la route d'Annascaul puis, à moins de 1 km, prendre la route à gauche, dans un virage avt le pont en pierre (Scenic Route). Plus pentue et moins large que celle du Connor Pass, mais la vue sur le Ring of Kerry est splendide.

🎥🎥 Très belle route qui longe la baie et passe par Inch vers Killorglin et Killarney ou vers Dingle, c'est selon. À *Inch,* plage de sable blanc de 4 km de long, bordée de dunes, rendue célèbre par le film *La Fille de Ryan* et très fréquentée.

🎥🎥 *Minard Castle* (plan, 33) : à env 10 km d'Annascaul. Prendre la route vers Dingle, puis à 6,5 km, fléché sur la gauche. Juste quelques vestiges : une tour qui domine la jolie baie de Kilmurry. Ce fut l'une des places fortes des Knights du Kerry au XVe s. Là aussi, Walter Hussey, chef de l'une des plus puissantes familles anglo-normandes, résista jusqu'au dernier homme aux troupes de Cromwell. Tout le coin est vraiment sauvage. À 200 m des ruines (prendre le chemin goudronné qui contourne la tour par le haut), on découvre le *puits de Saint-Jean-Baptiste (Holy Well).* Ses eaux étaient réputées guérir certaines maladies.

Randonnées dans la péninsule de Dingle

Carte indispensable : *Discovery Series* n° 70.

➤ De Cloghane, possibilité de grimper au ***mont Brandon.*** Prendre la route nord, puis tourner dans la première à gauche ; continuer jusqu'au bout de Faha ; de là, un sentier part vers le sommet. Bien se renseigner sur les conditions météo et avoir de bonnes chaussures. Autre balade fascinante, à l'ouest de Faha, vers le fort de Benagh *(Binn na Port).* Bien la préparer avec la carte *6-inch Ordnance Survey.* Les murs du fort sont faits de pierres acérées jusqu'à 2 m d'épaisseur. Cloghane possède aussi une belle plage. Magnifique côte de Brandon Point à Brandon Head.

➤ Plus vers l'est, pour les amateurs de paysages forestiers, belle balade au ***Beenoskee.*** Situé près de deux petits lacs, au sud de Stradbally.

➤ Chouette randonnée guidée du ***loch a Dúin.*** Situé entre les monts Slievenagower et Slievenalecka. Point de départ au lieu-dit Kilmore Cross, à l'intersection des routes Tralee-Dingle-Cloghane. C'est un sentier nature et archéologie, aménagé par l'office de tourisme de Cloghane. Il traverse des propriétés privées ; il est donc demandé aux promeneurs de respecter barrières et murets, ainsi que de conserver leurs détritus. Franchissez au départ le sas métallique verrouillé par un simple loquet. En cours de route, vous découvrirez quelques exemples de *rock art* de l'âge du bronze. Ce n'était pas seulement un art décoratif, d'aucuns y voient également des signes d'adoration du Soleil ou simplement astronomiques. Flore intéressante. Paysages âpres d'où jaillissent les cris des *skylarks* ou *fuiseogs*, hirondelles de montagne. Au passage, une *cist grave*, genre de dolmen de l'âge du bronze primitif *(early Bronze)*, des *clocháns* (bories ou huttes de pierre), une petite île fortifiée, des *wedge tombs*, etc. Ces vestiges ne se révèlent pas spectaculaires en soi. Il faut les restituer dans une vallée qui, depuis des dizaines de milliers d'années, n'a subi quasiment aucune altération. Cette beauté sauvage est à consommer modérément, avec beaucoup de sensibilité...

➤ En bord de mer, balade familiale sur la **plage de Fermoyle,** à proximité de Stradbally, et les dunes. Observation des oiseaux et de la flore. Plus difficile à repérer, des tas de coquillages pétrifiés vieux de plus de 2 000 ans.

DE TRALEE À LIMERICK

TRALEE [tʀá lí]   23 700 hab.   IND. TÉL. : 066

Ville carrefour, ville-marché et capitale administrative du coin. La plus grosse agglomération du Kerry présente un visage sympathique, avec ses boutiques populaires et son atmosphère animée. C'est surtout un point de convergence des bus et des trains ; à ce titre, il peut s'avérer utile d'y faire escale. Les automobilistes ne s'attarderont pas forcément.
C'est à Fenit, le port de Tralee, que serait né saint Brendan, parti traverser l'Atlantique dans sa coquille de noix.

Arriver – Quitter

🚆 🚌 *Mainline Rail and Bus Station :* ☎ 71-23-522. *À l'angle d'Oak-park Rd et J. J. Sheeny Rd.*

En bus

➤ *Bus pour toutes les directions :* Tralee est notamment situé sur l'*Interlink Expressway* qui permet des correspondances rapides avec Cork, Dublin, Waterford, Limerick et Galway : une dizaine de départs/j. Bus locaux pour Dingle, Killarney, Listowel et, dans une moindre mesure, Ardfert.

En train

➤ *De/vers Dublin :* 1-2 trains directs/j. Sinon, nombreuses possibilités avec changement à Mallow.
➤ *De/vers Cork :* 2-3 trains directs/j. Sinon, liaisons avec changement à Mallow.

➤ *De/vers Limerick :* correspondance à Limerick Junction pour atteindre le centre-ville. 4-5 liaisons/j., avec, en principe, changement à Mallow.
➤ *De/vers Killarney :* une petite dizaine de liaisons/j.

Adresses utiles

🛈 *Office de tourisme :* Denny St, Ashe Memorial Hall. ☎ 71-21-288. ● dis coverireland.ie/southwest ● *Dans le musée, au rdc (sur le côté). Mars-déc, tlj sf dim 9h15-17h ; janv-fév, tlj sf w-e.* Renseignements et réservations pour les hébergements. On peut s'y procurer la carte (payante) de la *Dingle Way.*
✉ *Poste :* Rock St (petit bureau dans le centre, face à Kirby's Brogue Inn) ou Edward St (bureau principal, un peu excentré, dans une rue perpendiculaire à Castle St, au niveau de Saint John's Church).

@ Talknet : 30, Castel St. Lun-sam 9h-22h, dim 10h-22h.

■ **Eason :** The Mall. Ouv tlj. Librairie où l'on trouve quelques quotidiens français.

■ **Location de vélos : Tralee Gas & Nursery Supplies,** Strand St. ☎ 71-22-018. Tlj 8h-17h45.

■ **Taxis : Speedy Cabs,** ☎ 71-27-411.
■ **Jackie Power Tours :** 2, Lower Rock St. ☎ 71-29-444. Face à Kirby's Brogue Inn. En saison, propose des virées express en bus, sur résa, au cœur du Ring of Kerry et de la péninsule de Dingle, notamment. Compter environ 25 €/pers.

Où dormir ?

La ville accueille fin août la célèbre *Rose de Tralee* (voir, plus loin, « Manifestations, culture »). À cette période, de nombreux *B & B* augmentent leurs prix. Liste disponible à l'office de tourisme.

Camping

⋏ **Woodlands Camping Park :** Dan Spring Rd. ☎ 71-21-235. ● kingdom camping.com ● À 10 mn à pied du centre de Tralee sur la N 86 (derrière l'Aqua Dome). Ouv fév.-nov. Selon saison, 17-19 € pour 2 avec tente et voiture. Douches payantes. Un camping 4 étoiles, assez joli et bordé de quelques arbres, mais rapidement bondé. Bien équipé : laverie, cuisine commune, jeux pour enfants, salle TV. Tarif réduit pour les campeurs qui veulent accéder aux piscines et autres jeux d'eau de l'*Aqua Dome* tout proche.

Bon marché

🏠 **Castle Hostel :** Upper Castle St. ☎ 71-25-167. ● castlehostel.ie ● À côté de Talknet (boutique Internet, voir « Adresses utiles »). Fermé autour de Noël. En dortoir, 15-18 €/pers ; doubles 45-50 € ; petit déj inclus. 🖥 (payant). 🛜 Cette AJ privée peut accueillir 30 personnes. C'est propre, neuf et fonctionnel, même s'il manque un peu d'espace... Que ce soit

les chambres doubles ou les dortoirs (de 4 à 8 personnes), tous possèdent une salle de bains privée. Cuisine commune, mais pas de laverie (il y en a une non loin, dans la même rue).

Où manger ?

Bon marché

🍴 ♪ **Paddy Mac's :** The Mall. ☎ 71-21-572. Pub tlj. Resto lun-sam, midi slt : soupes, sandwichs, salades et plats chauds 4-15 €. Ici, on aime bien le décor et l'atmosphère : vieux objets, affiches, photos et publicités anciennes, comptoir vénérable en bois. Le soir, clientèle jeune et *middle class* qui se retrouve autour d'une pinte. Bonne bande-son pop et rock en général, avec des concerts de musique traditionnelle 1 ou 2 fois par semaine (voire plus en été).

🍴 **Bar de l'Imperial Hotel :** 27, Denny St. ☎ 71-27-755. Tlj, mat, midi et soir (jusqu'à 21h). Snack env 8 €, plats 10-15 €. Superbe façade Régence, so chic ! L'intérieur, chaleureux et convivial, est bien moins impressionnant mais ne manque pas de charme. Déco sur le thème du foot et du rugby, avec de magnifiques photos en noir et blanc qui vous feront voir le sport (et les joueurs !) sous un autre jour. Bonne cuisine de pub, classique, traditionnelle et sans complications. Excellent *Irish breakfast.*

De prix moyens à plus chic

🍴 **Cassidy's Restaurant :** 16, Abbey St. ☎ 71-28-833. En plein centre-ville. Tlj sf lun, le soir slt. Plats 14-24 € ; menu early bird (17h-19h) 22,50 €. Lumières tamisées, nappes sur les tables, clientèle plutôt chic... Ce resto se prête aux dîners romantiques, même si les tables sont assez serrées dans les différentes petites salles, qui s'avèrent bruyantes en cas d'affluence. Dans un cadre simple et plaisant, avec de vieilles photos en noir et blanc aux murs, on déguste de bons produits locaux (pêche du jour et agneau... à la menthe !). Ils sont cuisinés avec pas mal de finesse et de recherche. Ça change de l'ordinaire !

Où dormir ? Où manger dans les environs ?

🏠 **The Farmhouse :** *Knockanish, à The Spa.* ☎ 71-22-036. ● thefarmhouse-tralee.com ● *À 4 km de Tralee. Prendre la direction d'Ardfert (R 551), puis à gauche direction Fenit (R 558) ; indiqué un peu plus loin sur la droite. Ouv avroct. Double standard ou en suite env 60 €. CB refusées.* 📶 Une belle ferme blanche entourée d'un joli jardin et perchée sur le versant d'une douce colline qui domine la baie (certaines chambres disposent de cette vue dégagée). Déco sobre et agréable pour les 5 chambres simples, doubles ou triples offrant un excellent rapport qualité-prix. Salon cossu avec TV, aussi chaleureux que l'accueil des adorables proprios.

🍽 **The Spa Seafood Deli :** *à The Spa.* ☎ 71-36-901. *À 4 km de Tralee. Prendre la direction d'Ardfert (R 551), puis à gauche direction Fenit (R 558). Mai-fin sept, tlj (sf lun mai-juin) ; le reste de l'année, slt ven-dim. Plats 11-24 €.* 📶 Au-dessus de la poissonnerie-traiteur, une vaste et lumineuse salle panoramique offrant une large vue sur l'estuaire. La carte courte (garantie de fraîcheur) est entièrement vouée aux poissons et produits de la mer. Le chef, d'origine basque, se concentre sur le produit et va à l'essentiel. Le résultat est exquis, à l'image de ces succulentes *Sauteed crab claws* (pinces de crabe sautées, si vous n'aviez pas compris !). Service décontracté mais souriant et efficace.

🍽 **The Tankard :** *Kilfenora, à Fenit.* ☎ 71-36-164. *À 10 km de Tralee. Prendre la direction d'Ardfert (R 551), puis à gauche direction Fenit (R 558). C'est sur la gauche, au bord de l'eau. Pub tlj midi et soir jusqu'à 22h ; resto en saison*

slt, le soir et dim midi. Snacks et plats à partir de 7 € dans la journée ; le soir, compter plutôt 13-28,50 €. Un grand resto sur la route du port qui propose une cuisine réputée (pas mal de poisson et de crustacés). Une belle affaire le midi, avec un *pub grub* qui permet de profiter d'une bonne cuisine à prix fort raisonnables. Au resto, clientèle et atmosphère plus chic ; superbe vue sur la baie. Terrasse aux beaux jours.

Où boire un verre ? Où écouter de la musique ?

🍸 🎵 **The Abbey Inn :** *The Bridge, en plein centre.* ☎ 71-23-390. *Ouv tlj.* Un immense pub-bar au décor hétéroclite, avec, d'un côté, une ambiance un peu médiévale qui se dégage des boiseries sombres et du mobilier de style religieux, et, de l'autre, une partie moderne et design. Pour les amateurs de pop-rock, concerts surtout le jeudi, voire le samedi soir : bons groupes et atmosphère animée par la clientèle assez jeune.

🍸 **The Sean Og's :** *en face de* The Abbey Inn. ☎ 71-28-822. *Ouv tlj. Interdit aux moins de 23 ans !* Le bon vieux pub avec sa robuste cheminée de pierre. Groupes de musique irlandaise presque tous les soirs en saison.

🍸 🎵 **Greyhound Bar :** *9, Pembroke St.* ☎ 71-25-188. *Ouv tlj.* Pub bien popu et typique. Des pintes et une bonne dose d'accent gaélique. Nombreux concerts (relâche les mardi et mercredi) : musique traditionnelle, ballades, country, etc.

🍸 🎵 **The B Bar :** *Prince's St.* ☎ 71-23-333. *Ouv tlj.* Au rez-de-chaussée du *Brandon Hotel,* un peu excentré, près d'une église, ce vaste bar, assez design, est fréquenté par une clientèle plutôt chic. Avec ses quelque 30 m de long, c'est sûrement le zinc qui peut aligner le plus de pintes de toute l'Irlande. Concerts les vendredi et samedi.

À voir. À faire

➤ Se balader dans les **rues et ruelles du centre,** comme Denny St avec ses maisons georgiennes, pour l'ambiance. Les jours de marché (jeudi après-midi sur le terrain de foot et vendredi toute la journée sur *The Square,* en centre-ville) et le samedi matin, échantillon extra de la population.

🏃 *Le monument des nationalistes du Kerry :* Denny St (*l'élégante avenue menant au Ashe Memorial Hall, ou Kerry County Museum*). Il commémore les héros des différents soulèvements contre les Anglais : 1798 *(United Irishmen),* 1803 (rébellion emmenée par Robert Emmet), 1848 *(Young Irelanders),* 1867 *(Fenians).* De belles citations de Robert Emmet, J. Mitchel, Allen Larkin et O'Brien.

🏃 *Court House :* Ashe St. *Ne se visite pas.* Œuvre de Richard Morrison (XIXᵉ s), ce grand bâtiment gris et austère présente un porche de style ionique. Les canons rappellent les Kerrymen morts dans les expéditions coloniales anglaises : guerre de Crimée (1854), révoltes en Inde (1860).

🏃🏃 *Le parc de la ville :* près de l'Ashe Memorial Hall, ou Kerry County Museum. Très agréable : beau jardin de roses, fontaine en l'honneur de William Mulchinock, qui composa la *Rose de Tralee,* jardin des sens et des jeux pour enfants.

🏃🏃 👫 *Kerry County Museum :* Ashe Memorial Hall, au bout de Denny St. ☎ 71-27-777. ● kerrymuseum.ie ● Juin-août, tlj 9h30-17h30 ; sept-mai, mar-sam 9h30-17h. Entrée : 8 € ; réduc. Plusieurs brochures en français (gratuites).
Début de la visite au *2ᵉ étage.* Après une salle consacrée aux expos temporaires et un petit film sur les beautés du Kerry (pas de commentaire, il n'y a qu'à se laisser porter par les images qui défilent sur grand écran...), place à 10 000 ans d'histoire, des premiers habitants préhistoriques de la région jusqu'à ce lundi de Pâques 1949, où fut proclamée la république d'Irlande du Sud : mannequins en costume d'époque, mises en scène, objets anciens sont exposés.
Puis direction le *rez-de-chaussée* pour un autre voyage dans le temps grâce à une intéressante reconstitution historique de Tralee à l'ère médiévale : scènes de la vie quotidienne, des petits métiers, des habitations, de la vie sociale. La réalisation du décor et des personnages a été particulièrement soignée. Les recherches ethnographiques et archéologiques ont été poussées très loin pour rendre la reconstitution la plus proche de la vérité historique. Du coup, on ne met pas longtemps à se plonger dans cette atmosphère et à y croire.

🏃 *Tralee Bay Wetland Centre :* Ballyard Rd. ☎ 71-26-700. ● traleebaywetlands. org ● À l'entrée de la ville, en face de l'Aqua Dome. Mars-oct, tlj 10h-17h (19h juil-août). Entrée : 6 € ; réduc. Expo consacrée à la faune, la flore, aux marécages, aux marais environnants (3 000 ha en tout). Le billet d'entrée comprend 10 mn de promenade en bateau électrique et la montée (en ascenseur) dans la tour d'observation. Après remise en état de la vieille ligne de chemin de fer, on pourra rejoindre le moulin de Blennerville en train (il allait autrefois jusqu'à Dingle !). Le lieu est avant tout destiné aux familles qui trouveront là canoë, embarcation à pédales, initiation à la pêche ou à la notion d'écosystème et de quoi occuper les plus petits.

🏃 👫 *Aqua Dome :* ☎ 71-28-899. ● aquadome.ie ● Tlj 10h-22h (20h sam-dim hors juil-août). Entrée : 15 € ; réduc et forfaits. Un complexe aquatique à l'architecture futuriste plutôt réussie. Toboggans, piscine à vagues et autres jeux et jets d'eau... Bien pour occuper la petite famille un jour de pluie (pas donné, quand même !). Sauna compris pour les adultes. Minigolf également (en supplément).

Manifestations, culture

– *Kingdom Greyhound Racing Track (courses de lévriers) :* Oakview Park. ☎ 71-24-033. Mar et ven-sam 20h-22h30. Entrée, à acheter sur place : env 10 € ; réduc. Demandez aux parieurs de vous expliquer le déroulement de la course et des jeux. Ambiance assurée, dans les tribunes et... au bar.

DE TRALEE À LIMERICK

– **La Rose de Tralee :** fin août, pdt 4 j. Rens : ☎ 71-21-322. ● roseoftralee.ie ● L'une des plus grandes fêtes régionales, qui se tient depuis plus de 50 ans. Impossible de décrire l'ambiance, il faut voir. Nombreux groupes musicaux. Tout se termine dans la joie et la bière. Pensez à réserver votre *B & B* longtemps à l'avance. Élection de la Rose de Tralee : pour concourir, il suffit d'avoir des racines irlandaises, même lointaines, ce qui explique l'afflux d'Américaines. Vraiment fou !

– **Siamsa Tíre Theatre :** Town Park, entre l'Ashe Memorial et le Town Hall. ☎ 71-23-055. ● siamsatire.com ● Ouv tte l'année. L'un des meilleurs centres culturels d'Irlande. Théâtre, danse, folklore, musique, etc. De mai à fin septembre, spectacles du National Folk Theatre Company (Siamsa Tíre).

DANS LES ENVIRONS DE TRALEE

🥾🚶 **Blennerville Windmill Visitor's Centre :** ☎ 71-21-064. À env 2 km de Tralee, à l'entrée de Blennerville, sur la route de Dingle. On peut y aller en 20 mn à pied depuis Tralee en suivant le canal. Avr-oct, tlj : juin-août, 9h-18h ; avr-mai et sept-oct, 9h30-17h30. Entrée : 5 € ; réduc.
Ancien moulin à vent, construit dans les années 1780 au bord du Blennerville Quay (premier port de Tralee au XVIIIᵉ s) et aujourd'hui bien rénové. On peut grimper au sommet et admirer le mécanisme du toit pivotant. Parfois, les jours de vent favorable, on le fait fonctionner.

Dans le *Visitor's Centre*, après une petite vidéo introductive (en français sur demande), très intéressante expo sur l'histoire des moulins à vent et la fabrication de la farine. Et aussi, plus émouvant, tout sur l'histoire de l'émigration régionale. Les chiffres de l'époque sont impressionnants : de 1830 à 1845 partirent de Tralee 1 800 personnes ; de 1846 à 1855 (au moment de la Grande Famine), 16 200 ! Au total, au

À QUELQUES-UNS MALHEUR EST BON...

L'émigration, qui a concerné tant de personnes dans cette région de Kerry, ne fut pas une catastrophe pour tout le monde. Les compagnies maritimes fleurirent et s'enrichirent. Tout comme leurs agents qui sillonnaient le Kerry à la recherche de clients.

début du XIXᵉ s, 63 100 Irlandais quittèrent le Kerry pour l'Amérique et l'Angleterre à bord de bateaux(-cercueils), dont le *Jeanie Johnston,* qui fut le plus célèbre « bateau de famine » durant la période 1847-1858 (petite reconstitution à l'étage). Sa particularité ? Aucun passager n'y trouva la mort, que ce soit par noyade ou par maladie.

🥾 **Le canal de Blennerville :** longe la route de Dingle (N 86), entre Tralee et Blennerville. Creusé en 1846, il permit aux bateaux de remonter jusqu'à Tralee pour chercher les émigrants. Aujourd'hui, les berges du canal ont été transformées en promenade (à pied ou à vélo). On peut le remonter jusqu'à la mer, d'où le paysage sur la baie de Tralee et la péninsule de Dingle est superbe.

🥾🥾 **La cathédrale et les églises d'Ardfert :** à 6 km au nord-ouest de Tralee vers Ballyheige (R 551). ☎ 71-34-711. Petit centre d'interprétation (avec expo sur les fouilles et l'histoire du site), ouv début mai-fin sept, tlj 10h-18h (dernière entrée 45 mn avt). Entrée : 3 € ; réduc. Le site en lui-même est en accès libre (par un portail sur la droite du centre d'interprétation).
Remarquable ensemble. À l'origine, un monastère fondé par saint Brendan, le navigateur. L'imposante cathédrale fut édifiée au XIIIᵉ s sur des éléments romans plus anciens (dont le porche et l'arcade aveugle du mur ouest). On notera ses trois fenêtres très élevées.

À côté de la cathédrale, on découvre les vestiges de deux églises. *Teompall na Hoe* présente une belle nef romane et le riche décor floral de sa fenêtre sud. L'autre, *Teompall na Griffin*, date du XVe s et tient son nom des griffons à l'intérieur. À 1 km de là s'élève l'abbaye franciscaine fondée en 1253 par Thomas Fitzmaurice. Accès libre. Beaux restes : massive tour carrée, élégante fenêtre dans le transept sud (du XVe s) et, de la même époque, deux ailes du cloître.

⌂ *La plage de Banna :* *à quelques km à l'ouest d'Ardfert.* C'est sur cette longue plage que sir Roger Casement débarqua avec sa cargaison de fusils en 1916 (pour le soulèvement de Pâques). Il fut arrêté peu après dans un fort, à 2 km d'Ardfert.

LISTOWEL (lios tuathail)   4 350 hab.   IND. TÉL. : 068

Importante bourgade commerçante s'étendant sur les rives de la Feale, à 27 km au nord-est de Tralee, sur la route de Limerick. Ruines d'un château du XVe s, le dernier à tomber lors de la rébellion contre la reine Elizabeth Ire. Place principale et Main Street alignent quelques pittoresques devantures et façades. C'est de la fenêtre du *Listowel Arms Hotel* que Parnell fit son dernier discours, en 1891. Plusieurs écrivains irlandais vécurent (comme John B. Keane ou Bryan McMahon) ou vivent toujours à Listowel, ce qui vaut à la ville la réputation d'être « *the literary and cultural capital of Ireland* ». Rien que ça !

Adresse utile

🛈 *Office de tourisme :* dans l'église Saint-John. ☎ 225-90. De fin mai à mi-sept slt, lun-ven 9h30-17h15.

Où dormir dans les environs ?

Plusieurs *B & B* sur Tarbert Road, à la sortie nord de la ville.

🏠 *Billeragh House Hostel :* à Billeragh. 📱 087-988-04-31. ● billeragh househostel@yahoo.com ● À 6 km sur la route de Tralee, côté droit (panneau). Arrêt de bus sur la ligne Tralee-Listowel (sf 20 déc-8 janv), Six Crosses Filling Station, près de l'hostel. Ouvtte l'année, mais téléphoner avt pour réserver en basse saison. Double 45 € ; familiale (pour 6) 60 € ; lit en dortoir 18 €. CB refusées. Une maison de style georgien, datant du milieu du XVIIIe s et entièrement couverte de lierre. Pour les individuels, les familles ou les groupes (dortoirs de 5 à 7 personnes), une bonne adresse qui peut accueillir une trentaine d'hôtes. Cuisine à disposition, laverie, mais aussi salle de bains (douches chaudes) dans toutes les chambres.

Où manger ? Où boire un verre ? Où écouter de la musique ?

|●| *Fitzgerald's :* 21, Market St. ☎ 537-44. Dans le centre. Tlj 12h30-18h (21h ven-mar). Le midi, snacks et plats 5-15 € ; le soir, plats 18-26 €. Cuisine irlandaise de bon rapport qualité-prix servie dans une jolie salle à la déco soignée.

|●| 🍷 ♪ *The Horse Shoe :* 14, Lower William St. ☎ 210-83. Dans le centre-ville. Tlj 12h-21h. Plats 11-23 €. Ce petit resto-pub tout en longueur, annoncé par un fer à cheval en façade, prodigue un accueil sympathique et une bonne nourriture pas chère. Concert le samedi soir.

|●| 🍷 *Allo's Bar :* 41, Church St. ☎ 228-80. Tlj sf dim-lun ; bistrot 12h-19h et resto midi et soir. Plats 13-22 €

le midi, 20-29 € le soir. Bonne cuisine, clientèle plutôt chic. Côté resto, cadre classique et élégant ; côté bistrot, déco néorétro, également agréable.

Manifestations, culture

– **Writer's Week :** fin mai-début juin. Pour en savoir plus : ● writersweek.ie ● Avec colloques, lectures, ateliers d'écriture, théâtre, films, musique, etc. À propos, ne pas manquer d'aller boire une pinte au **pub de J. B. Keane** (William Street), fameux écrivains irlandais (né à Listowel, mort en 2002) et auteur de la pièce de théâtre dont a été tiré le film The Field (voir l'introduction à Leenane).
– Fameuses **courses de chevaux :** 1 sem mi-sept, pdt le Harvest Festival. Nombreuses animations dans les rues.
– **Saint John's Theatre & Arts Centre :** dans l'église, sur la place du marché, à côté de l'office de tourisme. ☎ 225-66. ● stjohnstheatrelistowel.com ● Bonne programmation culturelle (ciné, musique, expos). L'originalité : la scène remplace l'autel, avec des vitraux d'époque en fond de décor.

DANS LES ENVIRONS DE LISTOWEL

🗡 À **Ballylongford** (nord de Listowel), ruines de l'abbaye de Lislaughtin. À 3 km, vestiges du château de Carrigafoyle, siège du clan des O'Connor du Kerry, construit en 1490 à l'entrée du Shannon. En outre, on y trouve une adresse très recommandable pour passer la nuit ou rayonner dans la région :

🏚 |●| **Castle View House B & B :** Carrig Island, **Ballylongford.** ☎ (068) 433-04. ● castleviewkerry.com ● À une quinzaine de km de Listowel, à côté du château de Carrigafoyle. Ouv tte l'année sf autour de Noël. Doubles 56-60 € selon saison. Dîner sur résa 22 €. 🖳 🛜 Une maison à l'écart de tout, sur un îlot et en bordure de rivière, dans un beau coin de nature. Accueil attentionné par le propriétaire, francophone. Chambres en suite et tout confort : 3 doubles et 3 triples, au style classique. Salon TV et terrasse particulièrement agréable l'été.

La traversée du Shannon

■ **Ferry Tarbert-Killimer :** ☎ (065) 90-53-124. ● shannonferries.com ● Tte l'année (sf le j. de Noël). Résas possibles en ligne. Sinon, tickets à acheter directement sur le ferry : 18 € le passage (voiture et passagers) ; 28 € l'A/R. Cyclistes : 5 € ; 7 € l'A/R. Pour les pressés qui souhaitent rejoindre directement le comté de Clare, traversée agréable d'une vingtaine de minutes, qui évite un détour de 140 km. Si vous êtes à pied, avant de monter dans le ferry, faites-vous adopter par une voiture, vous ne paierez pas (sinon, c'est le même tarif que pour les cyclistes).

➤ **De Tarbert :** 1 départ ttes les heures (ttes les 30 mn en été). 1er départ à 7h30 (9h30 dim) ; dernier départ à 21h30 en juil-août (19h30 le reste de l'année).
➤ **De Killimer :** 1 départ ttes les heures (ttes les 30 mn en été). 1er départ à 7h (9h dim) ; dernier départ à 21h (19h oct-mars).
Attention, parfois les horaires fluctuent un peu, ne calculez pas trop juste pour votre passage le soir. En pleine saison, le ferry est dédoublé et les passages s'effectuent alors ttes les 30 mn 10h-18h.

Où dormir ? Où manger dans le coin ?

Voir aussi un peu plus loin, « Dans le sud-ouest du comté de Clare », nos adresses à Kilrush, de l'autre côté du Shannon.

À Tarbert

🛏 **The Ferry House Hostel :** *The Square*. ☎ (068) 365-55. *En plein centre du village, à env 10 mn à pied du ferry. S'il n'y a personne, téléphonez pour qu'on vienne vous ouvrir la porte (reste à espérer qu'on vous réponde !). Ouv tte l'année. Compter 15-20 € en dortoir et 22-25 €/pers en chambre privée.* Une halte pratique pour les cyclistes exténués ayant raté le dernier bateau. En tout, 35 lits répartis en chambres doubles (certaines avec salle de bains privée) ou en dortoir de 4 à 8 personnes (avec salles de bains communes). Salle TV, cuisine, laverie et, en été, un café au rez-de-chaussée qui vend des snacks. Boutique Internet à côté.

🍴 **Enright's :** *au centre du village.* ☎ (068) 362-14. *Tlj sf dim soir, jusqu'à 20h. Plats et salades 11-15 €.* On partage la table avec des habitués pittoresques et on mange des plats irlandais classiques, servis en généreuses portions et accompagnés de l'inévitable pomme de terre.

ADARE [áth dara]   2 450 hab.   IND. TÉL. : 061

À 15 km à l'ouest de Limerick. Adare est un endroit très touristique, considéré par beaucoup comme LE « plus joli village irlandais », très vert, avec des cottages aux toits de chaume, tous alignés les uns à côté des autres (et tous reconstruits au XIXᵉ s). *So cute !* Les Japonais adorent (et nous aussi, il faut bien l'avouer). Les amateurs d'abbayes en ruine seront eux aussi à la fête. Il y en a trois, fort belles, dans de grands parcs.

DE PÈRE EN *FITZ*

Le mot fitz *vient du latin* filius *(« fils » en français !). Au Moyen Âge, l'usage voulait que le nom du père devienne le surnom du fils. Adare fut donc fondé par un certain Walter. Son fils, Gerald Fitzwalter, lui succéda. Après lui, Maurice Fitzgerald (le premier comte d'Adare au XIIᵉ s), qui eut deux fils, Gerald Fitzmaurice et Thomas Fitzmaurice. Ce dernier eut un fils John Fitzthomas et ainsi de suite...*

Adresse utile

🛈 **Office de tourisme :** *dans l'Heritage Centre, Main St.* ☎ 396-255. ● *disco verireland.ie/ShannonRegion* ● *Ouv tte l'année : mai-sept, tlj 9h-18h ; sinon, lun-sam 9h-17h (en hiver, fermé à la pause déj).* Infos (mais aucun conseil) sur les B & B disponibles à Adare et dans les environs, sur les lieux à visiter, etc.

Où dormir ? Où manger ?
Où prendre le thé ?

Camping

⛺ **Adare Camping & Caravan Park :** *à 3 km d'Adare.* ☎ 395-376. 📱 087-279-15-25. ● *adarecamping.com* ● *Prendre la R 519 vers Ballingarry ; c'est indiqué sur la gauche. Ouv avr-oct. Si la réception est fermée, sonner à la maison des proprios à côté. Compter 19 € pour 2 avec tente et voiture. Possibilité de louer tentes et sacs de couchage. Douches payantes.* Un camping familial en pleine campagne, bien sous tous rapports. Sanitaires propres. Laverie, cuisine, petite épicerie de dépannage (en été), jeux à l'extérieur pour les enfants et... jacuzzi (payant) !

De prix moyens à plus chic

🏨 🍴 **Dunraven Arms Hotel :** ☎ 605-900. ● *dunravenhotel.com* ● *À l'entrée* *du village, impossible de le rater. Ouv tte l'année, tlj. Doubles et suites 95-300 € selon confort et saison. Snacks et plats 4-15 € ; plats 16-24 € le soir au resto.* 📶 Datant de 1792, l'auberge de village dans toute sa splendeur... Délicieusement cosy et *so old fashion* avec ses boiseries, ses tableaux et ses cheminées. Lunch au bar ou dans la véranda ; dîner dans une élégante salle à manger. Cuisine fine et savoureuse, à base de produits locaux. Remarquable rapport qualité-prix le midi. Chambres magnifiques, dans le même esprit et proposant un confort optimal. Belles promos hors saison qui rendent cette adresse « chic » tout à fait abordable. Piscine couverte et salle de sport.

🍽 ☕ *Adare Manor :* ☎ *396-566. Compter 10,50-12,50 € pour un thé et une pâtisserie, jusqu'à 25,50 € pour l'Afternoon tea.* 📶 Caché au fond de son parc, un manoir à l'impressionnante architecture néogothique ! Déco chargée comme il se doit... L'hôtel 5 étoiles est inabordable, mais le thé (ou le lunch) s'avère un bon moyen de goûter au luxe feutré de ce lieu d'exception. Accueil charmant, souriant, tout à la fois détendu et solennel.

Où dormir ? Où manger dans les environs (lointains) ?

🏠 🍽 *Flemingstown House : Kilmallock,* à 45 km au sud de Limerick et 30 km d'Adare. ☎ *(063) 980-93.* ● *flemingstown.com* ● *À 4 km env au sud-est de Kilmallock, sur la R 512, direction Kilfinnane : c'est sur la gauche après la petite église. Ouv mars-oct. Double 100 €. Dîner sur résa 30-45 €.* 📶 Une adresse qui intéressera ceux voulant faire un arrêt campagnard avant Limerick ou Tipperary. En pleine nature, une magnifique demeure assurant un calme agréable. Accueil à la hauteur du confort des 5 chambres (certaines triples) ; déco de charme et de caractère, élégante et stylée (meubles anciens et baignoires à pattes de lion !). Ravissante salle à manger pour un plantureux breakfast. Évidemment, ce standing a un prix... Killmallock est une bourgade agréable qui peut s'enorgueillir de quelques jolis vestiges médiévaux.

À voir

De juin à octobre, *The Adare Heritage Centre* propose des visites guidées du village, du château médiéval et des trois abbayes, ou du moins de ce qu'il en reste *(6 €/pers ; réduc).*

🎭 *The Adare Heritage Centre : dans le même bâtiment que l'office de tourisme, petit.* ☎ *396-666.* ● *adareheritagecentre.ie* ● *Ouv tte l'année : mai-sept, tlj 10h-16h ; sinon, horaires plus restreints en basse saison. Entrée : 5 € ; réduc.* Tout sur les Normands et l'histoire de la ville, à grand renfort de maquettes.

DANS LES ENVIRONS D'ADARE

👫 🚶 *Flying Boat Museum : à Foynes.* ☎ *(069) 654-16.* ● *flyingboatmuseum.com* ● *À 25 km au nord-ouest, sur la N 69 en direction de Tarbert. De mi-mars à nov, tlj 9h-17h (18h juin-août). Dernière admission 1h avt fermeture. Entrée : 10 € ; réduc.* Ce petit musée consacré aux premiers hydravions est placé sous la présidence de l'actrice Maureen O'Hara, qui avait épousé un as de l'USAF, pionnier des liaisons entre New York et l'Europe. De 1939 à 1945, Foynes était la plaque tournante des lignes aériennes entre les États-Unis et l'Europe, assurées par la *PanAm*. Une première salle est dédiée à l'histoire de l'aviation civile. Deux autres présentent Foynes pendant la Seconde Guerre mondiale et proposent des simulateurs de vol où l'on peut s'amuser. Enfin, on visite un hydravion, réplique à taille réelle posée sur un bassin. Également une brochure et une vidéo en français (sur demande) réunissant des extraits de vieux films sur les hydravions. Pour les amateurs, on peut aussi goûter un *Irish coffee* à la cafétéria du musée.

UN PETIT REMONTANT POUR PASSAGERS SECOUÉS

*C'est un chef cuisinier de Foynes, Joe Sheridan, qui a inventé, en 1942, l'*Irish coffee *: un hydravion avait dû rebrousser chemin en raison des conditions atmosphériques et, pour réconforter les passagers, Sheridan eut l'idée d'ajouter au café du whiskey. « Est-ce du café brésilien ? » demanda un passager américain. « Non, c'est un* Irish coffee *! » improvisa Sheridan... Le fameux breuvage était né.*

DE TRALEE À LIMERICK

LIMERICK (luímneach)   57 110 hab.   IND. TÉL. : 061

Troisième grande ville d'Irlande après Dublin et Cork, Limerick a traîné pendant trop longtemps une image peu positive, par son passé de ville ouvrière. Cependant, les choses évoluent. Limerick rénove ses quartiers, met en valeur ses monuments, se lance dans un urbanisme plus flatteur. Et puis, c'est une ville jeune, étudiante (campus le plus moderne du pays), avec des pubs animés. Le film d'Alan Parker, sorti en 1999 et tiré du livre du même nom, *Les Cendres d'Angela* (écrit par Frank McCourt), qui se passe à Limerick, est également arrivé à point nommé. D'ailleurs, un circuit de promenade à travers la ville lui est consacré.

UN PEU D'HISTOIRE

Limerick fut d'abord, au IXe s, une importante base à partir de laquelle les Vikings rayonnaient pour piller l'intérieur du pays. En 978, après une victoire militaire de Brian Boru (un des grands chefs d'Irlande) sur une armée de Vikings, la ville fut détruite. Par la suite, elle devint le siège des O'Brien, rois du Munster, jusqu'à la prise de la ville par les Normands de Raymond le Gros.

Suivant un schéma qu'on retrouve dans bien d'autres cités, les Anglo-Normands, désireux de ne point se mélanger avec ces « primitifs » d'Irlandais, édifièrent leur propre cité au nord de la ville. C'est ainsi que l'on retrouve la division traditionnelle entre *Irish Town* et, au nord de l'Abbey River, *English Town*.

En 1651, après un siège de 3 mois, Limerick tombe aux mains de Cromwell. En 1690, la ville devient à nouveau le symbole de la résistance. Après la défaite de Jacques II le Catholique à la bataille de la Boyne, Guillaume d'Orange assiège Limerick. Patrick Sarsfield, chef de la résistance, réussit, à la suite d'un coup de main audacieux, à détruire l'artillerie ennemie.

L'armée orangiste doit lever le siège mais elle revient en août 1691. Le 3 octobre 1691, devant des propositions de paix honorables, la ville se rend et un traité (dit de Limerick) est signé. Sorte d'édit de Nantes à l'envers, il reconnaît de nombreux droits civils et juridiques aux catholiques irlandais. Patrick Sarsfield et ses 11 000 hommes partent en direction de Cork d'où ils embarquent pour s'engager dans l'armée française et former la fameuse brigade irlandaise des Wild Geese. Cette émigration militaire est absolument unique : ils s'illustrèrent notamment à la bataille de Fontenoy.

Malheureusement, le Parlement de Dublin, composé majoritairement de colons protestants sectaires, refuse le traité de Limerick. Les expropriations reprennent de plus belle et les atroces « lois pénales » se mettent en place progressivement. Enfin, ville ouvrière, Limerick fut l'un des rares endroits où le combat social rejoignit la lutte nationaliste dans la période 1920-1922. Une sorte de « soviet » dirigea la ville.

Arriver – Quitter

En train

🚂 **Gare ferroviaire** (Travel Centre ; plan B3) : Colbert Station, Parnell St. Infos : ☎ 315-555. Résas : ☎ (01) 703-40-70 (à Dublin). ● irishrail.ie ● Attention : certains trajets nécessitent une correspondance (en général rapide) à Limerick Junction, gare située à env 35 km au sud-est de Limerick.

➤ **De/vers Dublin :** une quinzaine de trains/j. (une dizaine le dim) dans les 2 sens, directs ou avec correspondance à Limerick Junction, 5h30-21h. Trajet : 2h-2h30.

➤ **De/vers Rosslare :** 1 train/j. (sf dim et j. fériés) ; correspondance à Limerick Junction. Trajet : 3h.

➤ **De/vers Cork :** env 10 trains/j. (7 le dim) dans chaque sens, 6h30-22h45 ; correspondance à Limerick Junction. Trajet : env 1h.

En bus

🚌 **Gare routière** (Travel Centre ; plan B3) : Colbert Station, Parnell St. ☎ 313-333. Rens sur les horaires 24h/24 : ☎ 319-911. ● buseireann.ie ● L'une des plus importantes plaques tournantes pour les bus. Impossible d'énumérer toutes les destinations, celles-ci couvrant quasiment tout le pays.

En avion

✈ **Aéroport de Shannon** (hors plan par A1) : à 24 km de Limerick. Rens sur les vols : ☎ 712-000. ● shannonairport. com ●

➤ Plusieurs liaisons avec Londres. Également des vols directs de et vers Nantes ou Marseille avec Ryanair.

– À l'aéroport, office de tourisme (tlj 7h-17h30), distributeur de billets et change, nombreux loueurs de voitures, accès Internet, etc.

– **Navettes Limerick-aéroport :** rens au ☎ 313-333. 1 bus en moyenne ttes les heures de la gare routière de Limerick, à partir de 7h env et jusqu'à 22h env. Aller simple : env 7 €.

Adresses et info utiles

🛈 **Office de tourisme** (plan A2) : Arthur's Quay. ☎ 317-522. ● discoverireland.ie/ShannonRegion ● Ouv tte l'année : juil-août, tlj 9h (11h dim)-18h ; sinon, lun-sam 9h-17h (fermé 13h-14h de mi-sept à mi-mai). Très organisé et efficace. Tous les renseignements et infos utiles, y compris les horaires des bus. Vente de livres et de cartes routières. Demander **The Daily Adventure,** périodique gratuit pour connaître les programmes de spectacles, les musées, monuments et autres lieux à visiter. Également une brochure gratuite sur la balade dans le Limerick médiéval.

■	Adresses utiles		25	The Hunt Museum Cafe
🛈	Office de tourisme		30	The Locke Bar &
@	QQ Internet			The Oyster House
1	National Irish Bank			Restaurant
3	Police Station		31	The Grove
ᐃ	**Où dormir ?**		🍷 🎵	**Où boire un verre ?**
10	The Boutique Hotel			**Où écouter de la musique ?**
12	Glen Eagles		20	Nancy Blake's
13	Courtbrack		30	The Locke Bar
🍴	**Où manger ?**		32	Tom Collins
21	Texas Steak Out		34	Bourkes
			35	The White House Bar

LIMERICK

⊠ **Poste** (plan A2) : Lower Cecil St.
@ **QQ Internet** (plan B3) : Wickham St. ☎ 469-322. Tlj 11h-minuit. Connexions pas chères et nombreux ordinateurs.
■ **National Irish Bank** (plan A2, **1**) : lun-ven 10h-16h (17h lun). Distributeurs de billets.
■ **Représentant consulaire pour la France** : Mrs Marie Hacket. ☎ 343-051.
■ **Consulat honoraire pour la Belgique** (hors plan par A2) : Mullock & Sons, The Shipping Office, Dock Rd. ☎ 315-315.
■ **Police Station** (plan A2, **3**) : Henry St. ☎ 212-400.
✚ **Hôpital régional** (hors plan par A3) : Doordoyle. ☎ 301-111.
■ **Arthur's Quay Pharmacy** (plan B2) : dans le centre commercial. ☎ 416-662. Lun-sam 9h-19h, dim 13h-18h.
■ **Taxis :** ☎ 313-131 ou 411-422.
– Attention aux parkings publics ! Ils sont nombreux en ville, mais avant de vous engouffrer dedans, vérifiez bien les horaires. Certains ferment à 19h, voire 18h30 en semaine. Passé cette heure, impossible de récupérer la voiture ! Jusqu'au lendemain matin...

Où dormir ?

Bon marché

🛏 **Courtbrack** (hors plan par A2, **13**) : Courtbrack Ave, Dock Rd. ☎ 302-500. ● mic.ul.ie/courtbrack ● À 2 km du centre-ville, par Dock Rd, sur la gauche. Ouv aux touristes de juin à mi-août. Réception 24h/24. Compter 23,50-30 €/pers, petit déj inclus. 📶 Propriété de l'université de Limerick, cet établissement en brique rouge compte une centaine de lits en chambres individuelles, doubles ou pour 4 personnes. Consigne à bagages. Cuisine, laverie, très grande salle TV. C'est excentré, mais on rejoint le centre-ville en 15 mn à pied.

Prix moyens

🛏 **The Boutique Hotel** (plan B2, **10**) : Denmark St. ☎ 315-320. ● thebou

tique.ie ● Doubles 59-69 €, petit déj compris. Parking voisin avec tarif privilégié. 📶 De « boutique hôtel », cet hôtel n'a que le nom. Ici point de luxe tapageur, de design effréné ou de déco paroxystique ; juste un remarquable rapport qualité-prix. Les chambres sont néanmoins spacieuses, jolies et confortables. Très central, il se situe au-dessus de pubs (très) animés... le week-end. Mieux vaut penser à demander une chambre donnant sur l'arrière.
🛏 **Glen Eagles** (hors plan par A1, **12**) : 12, Vereker Gardens, Ennis Rd. ☎ 455-521. ● gleneaglesbandb@eircom.net ● En direction d'Ennis et de Galway par le Sarsfield Bridge. Doubles 64-72 €. Le B & B le plus proche du centre (1 km environ). 4 chambres simples mais de bon confort. Bon accueil. Idéal donc pour nos lecteurs non motorisés ou ne veulent pas conduire au retour du pub.

Où dormir dans les environs ?

Camping

⛺ **Bunratty Camping & Caravan Park** : Low Rd, à Bunratty. ☎ 369-190. ● bunrattycamping.com ● À 1 km du parc folklorique, par la route qui passe devant le château (c'est sur la gauche et bien indiqué). Ouv toute l'année. Compter env 20 € pour 2 avec tente et voiture. 📶 Rien d'extraordinaire mais bien placé. Une grande pelouse pour un petit camping équipé d'une cuisine, d'un lave-linge et de sanitaires corrects.

Bon marché

🛏 **Jamaica Inn** : Mount Levers, à Sixmilebridge, Co. Clare. ☎ (061) 369-220. ● jamaicainn.ie ● ♿ À env 16 km au nord-ouest de Limerick. Réception tlj 8h30-13h, 15h30-22h. Fermé 1er déc-15 janv. Env 19-20 €/pers en dortoir (8-10 pers) et 50-55 € la double selon saison. CB refusées. 📶 Une AJ récente, sans charme mais fonctionnelle et propre. Une cinquantaine de lits dans des dortoirs (avec salle de bains commune), des chambres familiales, des doubles et des simples (toutes avec salles de bains privées). Resto (seulement pour les groupes), cuisine commune, laverie, salle TV, baby-foot, commerces à côté et plein d'autres services pratiques, comme le bus 4 fois par jour depuis Sixmilebridge pour l'aéroport de Shannon et pour Limerick. Gare toute proche (ligne Galway-Limerick). Accueil vraiment jovial de Michael, en français de surcroît.

Où manger ?

Bon marché

Pas mal d'établissements font également le *pub grub* le midi.

|●| The Grove (plan A2-3, **31**) : 11, Cecil St. ☎ 410-084. Lun-ven 9h-15h30. Plats végétariens (tarte, pizza, salade, lasagnes) env 9-10 €. Un petit resto où l'on sert des portions généreuses qui compensent l'exiguïté du lieu : guère plus de 7 tables à toile cirée que l'on partage avec d'autres herbivores. S'y côtoient cols blancs et étudiants dans un cadre simple mais zen. On peut aussi emporter son plat et se régaler sur un banc dans le Perry Park à côté.

|●| The Hunt Museum Cafe (plan B1, **25**) : Custom House, Rutland St. ☎ 312-662. Tlj 10h (14h dim)-17h ; dim et j. fériés, salon de thé slt. Snacks et plats 4-10 €. L'adresse n'est pas fréquentée uniquement par les visiteurs du musée qui souhaitent reprendre des forces après la découverte des belles collections d'art ! Nombreux sont les habitués du coin qui apprécient l'excellent rapport qualité-prix de la cuisine servie au déjeuner (12h-15h), à base de produits frais et locaux, difficile de faire plus bio. On peut aussi se régaler de pâtisseries et d'un thé dans l'après-midi, dans cette agréable salle colorée, en contemplant la rivière depuis les larges baies vitrées sous les arcades.

De prix moyens à plus chic

|●| Texas Steak Out (plan A2, **21**) : 116, O'Connell St. ☎ 410-350. Tlj 12h-22h30 (22h dim). Plats env 9 € le midi, sinon 11-26 € ; le soir, menu env 25 €. Évidemment, établissement peu irlandais, nous direz-vous ! Avec raison, mais en l'absence de bonnes adresses vraiment typiques, dans ce royaume du steak, des serveurs dynamiques jonglent avec des spécialités tant américaines (hamburgers, *chicken wings*, etc.) que mexicaines (*nachos, quesadilla, burritos,* enchiladas, fajitas). Grand choix de plats copieux, élaborés ou très simples (bonnes grillades). C'est western jusque dans la déco de cette sombre salle en sous-sol... On peut aussi se consoler en se disant que le bœuf est irlandais !

|●| The Locke Bar & The Oyster House Restaurant (plan B1, **30**) : 3, George's Quay. ☎ 413-733. Tlj 12h30-21h (voire 22h le w-e). Fermé Vendredi saint et à Noël. Snacks et plats 9-12 € ; le soir, plats 12-22 € et value menu 24 €. Vaste établissement avec plusieurs salles et 3 cheminées. Cuisine de pub tout à fait correcte : burgers, *fish & chips* et pas mal de fruits de mer ; délicieuses *bangers and mash* (saucisses-purée). Connu également comme pub très animé (voir « Où boire un verre ? Où écouter de la musique ? »). Service jeune, souriant et efficace.

Où boire un verre ? Où écouter de la musique ?

♈ ♪ Nancy Blake's (plan B2, **20**) : Upper Denmark St. ☎ 416-443. Ouv tlj. Interdit aux moins de 23 ans ! Avec sa sciure au sol, son dédale de salons et ses cheminées, difficile de faire plus pittoresque ! Clientèle mélangée avec pas mal d'étudiants. Musique rock et funky à tue-tête le week-end. Belle ambiance. Toute l'année, concerts de musique traditionnelle les lundi, mercredi et samedi. Cour pavée (*beer* *garden)* particulièrement animée aux beaux jours. Possibilité de déjeuner sur le pouce (soupes et sandwichs).

🍴 ♪ **The Locke Bar** *(plan B1, 30)* : *3, George's Quay. Ouv tlj.* Il est agréable de s'installer en terrasse sur le quai, en bord de canal, quand il fait beau. Sinon, l'intérieur n'est pas mal non plus : ce vieux pub, ouvert en 1724, a conservé une chaleureuse atmosphère. Musique tous les soirs, toute l'année (traditionnelle du dimanche au mardi, live les mercredi et samedi, piano le vendredi). L'été, concerts à l'extérieur les vendredi et samedi.

🍴 **Tom Collins** *(plan A3, 32)* : *34, Cecil St.* ☎ *415-749. Tlj à partir de 16h.* L'un des plus vieux pubs de Limerick. Décor intérieur en bois sculpté, vieux tableaux, le tout noirci par la fumée. Atmosphère typique et clientèle d'artistes et de musiciens.

🍴 **Bourkes** *(plan A2, 34)* : *72, Catherine St.* ☎ *411-680. Ouv tlj.* Un lieu où il fait bon s'arrêter pour boire une pinte. Musique 5 fois par semaine (à 18h ou 21h30 selon les soirs). Un lieu convivial. Petite terrasse l'été.

🍴 ♪ **The White House Bar** *(plan A3, 35)* : *52, O'Connell St.* ☎ *412-377. Tlj à partir de 12h.* Pub haut de plafond, clair et à la déco plaisante, avec ses vieilles photos et affiches aux murs. On

y sert des sandwichs pour le déjeuner et c'est animé en soirée. Poésie le mercredi et musique traditionnelle le dimanche.

🍴 ♪ **Dolan's Pub** *(hors plan par A2)* : *3-4, Dock Rd, à l'angle de Saint Alphonsus St.* ☎ *314-483.* ● *dolans pub.com* ● *C'est sur la gauche en suivant Dock Rd (prolongement de Howley's Quay), depuis le centre-ville (à env 1 km). Lun-jeu à partir de 17h, ven-dim dès 10h.* Situé dans le quartier des entrepôts, le long de la rivière Shannon. Dans ce vaste pub, chaleureux avec sa cheminée et ses poutres apparentes, on joue de la musique traditionnelle irlandaise tous les soirs à partir de 21h-21h30. Possibilité de manger sur place aussi. À l'arrière, salle de concerts dans un ancien entrepôt, comme son nom l'indique : **The Warehouse** est réputé pour ses live de tous styles, en général le week-end.

Achats

🛍 **The Celtic Bookshop** *(plan B1)* : *2, Rutland St.* ☎ *401-155. Lun-sam 10h-17h.* Grand choix de livres (parfois en français) sur la culture celte, bien sûr, mais aussi sur l'histoire de la région, les balades, etc.

À voir. À faire

– Visite guidée payante sur l'histoire de la ville (☎ *083-300-01-11 ; ou auprès de l'office de tourisme ; tlj juin-sept ; 6 €, réduc).* Selon les jours, visite du quartier médiéval (2h30) ou du quartier georgien (1h30). Autre visite guidée, l'« *Angela's Ashes walking tour* » départ de l'office de tourisme.

Dans English Town

🎬🎬🎬 **King John's Castle** *(plan A-B1)* : *à l'entrée de la ville.* ☎ *360-788.* ● *shan nonheritage.com* ● *En venant de Galway, sur la N 18. Tlj 10h-17h. Entrée : 9 € ; réduc. Guide en français disponible.*
Impressionnante forteresse anglo-normande datant du début du XIIIe s. Construite sur King's Island, qui allait devenir English Town. Sa massive porte d'entrée, avec les deux grosses tours, est la marque traditionnelle de l'architecture militaire normande. Elle s'ouvre sur une plongée dans l'histoire, remarquablement réalisée. On peut admirer les fouilles effectuées lors de la rénovation du château.
– *Rez-de-chaussée* consacré à la période viking et à une introduction à l'histoire de la ville sur 800 ans (court diaporama).
– *À l'étage*, des fresques décrivant l'histoire de Limerick entre 1200 et 1600. Reconstitution des fortifications pour une bataille de contre-mines. On y découvre

que King John n'a jamais visité le château... Enfin, aperçu des guerres de Guillaume d'Orange, et, dans l'auditorium, un film sur le siège de 1691.
– *Dans la cour,* réplique d'une machine de guerre, un trébuchet.
– *Une tour* du château est dédiée au King John, où l'on apprend qu'il avait mauvais caractère... Dans l'autre tour, une pièce reconstitue le travail d'un frappeur de monnaie. Cette activité débuta au XIIIe s : pour la première fois, la monnaie était utilisée dans tout le pays. Dans la tour sud-ouest se rejoue aussi la signature du traité de Limerick. Sur le rempart, vue panoramique.
– *Au sous-sol,* fondations de trois maisons prénormandes, datant des XIe et XIIe s.

🏃 *Limerick Museum* (hors plan par B1) **:** Castle Lane. ☎ 417-826. ● limerickcity.
ie ● *Entrée à gauche de King John's Castle. Mar-sam 10h-13h, 14h15-17h. Entrée gratuite.* Un petit musée municipal très hétéroclite et assez poussiéreux qui présente des objets témoins de l'histoire locale : pièces de monnaie, outils préhistoriques, couverts en argent, quelques peintures, etc. Amusant, une expo d'objets trouvés lorsqu'on vidangea le canal au début des années 2000 : une grenade, des pistolets, des boulets de canon, des bijoux, etc.

➢ *Balade autour du château* (hors plan par A1) **:** au nord du château, de l'autre côté de la route, s'élève le *palais de l'Évêque (Bishop's Palace),* reconstruit au XVIIIe s en style palladien *(lun-ven 10h-16h).* À côté, le *centre maçonnique :* à Limerick, la première loge fut fondée en 1732. À l'entrée du pont s'élève la *Toll House,* construite en style gothique en 1840. Traverser le *Thomond Bridge,* qui enjambe le Shannon aujourd'hui, avec ses jolies arches, datant des années 1830. Belle vue sur le château depuis l'autre rive. Et, sur la gauche en sortant du pont, la *pierre du Traité.* Ce rocher, sur lequel fut signé le traité de Limerick, en 1691, repose sur un socle.

🏃 *Saint Mary's Cathedral* (plan B1) **:** ☎ 310-293. *Accès depuis Bridge St. Tlj 9h-17h (dim, slt pour la messe de 11h). Entrée : 3 €.* Le plus ancien bâtiment de la ville est aussi l'une des plus vieilles églises d'Irlande. Caractéristique par sa tour et son toit crénelés. Construite par Domhnall Mor O'Brien, roi du Munster, en 1168. De cette époque subsistent le porche ouest (roman), la nef et certaines parties du transept. Chœur, fenêtres, tour et chapelles datent du XVe s. Pendant l'été, beaucoup de chorales et de concerts.

Dans Irish Town

🏃 Une fois traversée l'Abbey River, on retrouve quelques vestiges du passé de la ville dans le tracé parfois tortueux des rues. Agréable balade.

🏃🏃 *Hunt Museum* (plan B1) **:** Custom House, Rutland St. ☎ 312-833. ● hunt
museum.com ● *Tlj 10h (14h dim)-17h. Entrée : 5 € ; réduc ; gratuit dim, et lun 2 places pour le prix d'une.* Brochure explicative en français et visites guidées gratuites assurées par des bénévoles, dont certains parlent le français. Après le Musée national de Dublin, c'est la plus belle collection de bijoux et d'objets d'art depuis l'âge de pierre jusqu'au XXe s. Elle est installée sur trois niveaux dans la Maison des douanes, construite en 1769 pour récolter les impôts de Limerick, lorsque les bateaux de marchandises passaient par là. Ce sont deux antiquaires passionnés, John Hunt, originaire du coin (1900-1976), et sa femme, Gertrude, qui amassèrent ces trésors (peu de beaux-arts, surtout des objets archéologiques et des arts décoratifs) au fil des années : émaux de Limoges, ivoires sculptés, tableaux (dont un de Picasso jeune) et bronzes, dont une petite statue de cheval qui se cabre, autrefois attribuée à Léonard de Vinci. Ne pas hésiter à regarder dans les tiroirs sous les vitrines, c'est fait pour et on y découvre même un Gauguin, une aquarelle de Renoir et un autre Picasso !
🍽 Le musée abrite aussi un bon petit resto (voir plus haut « Où manger ? »).

🍴 **Milk Market** *(plan B2)* **:** marché en plein air (mais couvert) qui attire, depuis 1852, une foule de visiteurs le samedi *(8h-16h)* pour le *Famous Food Market*. En réalité, il s'y passe tous les jours quelque chose ; le dimanche est dévolu aux familles et du lundi au vendredi, des boutiques sont aussi ouvertes. On y trouve de tout : des vêtements, des fripes, des fruits et légumes, du poisson, de la viande, etc. Ambiance animée.

🍴 Sur Crescent, à l'entrée de O'Connell Street, *statue (plan A3)* du grand émancipateur des catholiques, Daniel O'Connell, représenté en toge romaine.

DANS LES ENVIRONS DE LIMERICK

🚶🚶🚶 🚶 **Bunratty Castle :** à 15 km à l'ouest, sur la route d'Ennis ou de Shannon *(comté de Clare ; voir carte du Burren).* ☎ 360-788. ● shannonheritage.com ● *Tlj ; sept-mai, 9h-17h30 (dernière admission à 16h15) ; juin-août, 9h-17h30 (18h le w-e). Attention, l'accès au château lui-même est possible jusqu'à 16h slt, tte l'année. Fermé 24-26 déc. Parc + château mars-oct : 15 €, nov-fév : 12 € ; réduc et forfaits famille. Plan en français.*

Le château

Depuis les Vikings jusqu'au XVe s, il y eut bien des forts et châteaux construits, mais tous brûlèrent. Celui-ci fut construit par Maccon McSioda McNamara en 1425. Il fut par la suite la résidence des O'Brien. Superbement restauré. L'intérieur présente l'une des plus belles collections de meubles du XVe au XVIe s qu'on connaisse. Arriver dès l'ouverture. Au mois d'août, c'est souvent la foule...
– *Dans la salle de la garde principale* se tenaient les banquets pour les soldats. Intéressant fauteuil en bois sculpté venu de France (XVIe s).
– *Le great hall,* la plus belle salle du château, où « l'étiquette » était de rigueur en s'adressant au comte. Des tapisseries françaises, comme la *Fontaine de la connaissance,* vieille de 500 ans.
– *Le Nord solaire :* les appartements du comte. Admirez le chandelier allemand du XVe s, placé en lustre dans la pièce. Il représente une sirène, sorte de déesse de la Pêche.
Tous les soirs, sur réservation, repas médiéval avec volailles, hydromel servi par des jeunes filles coiffées d'un hennin, au son de la harpe celtique... Bref, tout l'attirail du folklore irlandais revu et corrigé dans le style hollywoodien, donc très kitsch...

Bunratty Folk Park

Village de paysans entièrement reconstitué. Pour une fois, une attraction touristique vraiment intéressante. Rue villageoise du XIXe s avec son école, le pub, les boutiques (quincaillier, drapier et autres), l'église, etc. On y trouve aussi huit fermes, deux moulins à eau, une forge. Certaines maisons d'époque, comme la *Hazelbrook House* ou la *Bunratty House* sont originelles. D'autres ont été remontées sur le parc, mais la plupart sont des répliques. Bien malin qui fera la différence. Beau mobilier rustique, petits rideaux aux fenêtres, et même l'odeur de terroir. Goûtez les *fruit scones* après avoir assisté à leur fabrication dans la ferme du Val-d'Or.

🍴 🍷 🎵 **Durty Nelly's :** *au pied du château de Bunratty.* ☎ 364-861. *Tlj midi et soir. Snacks 5-14 € ; plats 11-24 €.* Pub connu dans toute l'Irlande du Sud depuis 1620... « Nelly la Cochonne » n'est plus, mais d'après certains vieux nostalgiques qui hantent toujours les lieux, il y a des soirs où l'ambiance est particulièrement gratinée. Car cette patronne faisait payer les récalcitrants en nature... L'intérieur est conforme au véritable pub irlandais et la bière excellente. En principe, musique du jeudi au dimanche soir.

🍴 **Le lough Gur :** *sur la route de Kilmallock (R 512), vers le sud, à une vingtaine de km de Limerick.* Belle randonnée pédestre agrémentée de dolmens, menhirs, sites préhistoriques et du plus grand cercle de pierres irlandais.

– *Centre d'interprétation :* ☎ 385-186. ● loughgur.com ● *Pâques-sept, en sem 10h-17h, w-e 12h-18h. Entrée : 5 € ; réduc.* Demander la vidéo en français : histoire des Celtes et des fermiers sur 6 000 ans. On peut s'y procurer une brochure (en anglais) pour visiter les différents sites archéologiques autour du lac.

🏹 Dans le genre tout aussi bucolique, toute la région du *lough Derg,* à une vingtaine de kilomètres au nord-ouest de Limerick : O'Briensbridge, Killaloe, Mountshannon... Rien de spectaculaire : sur les rives du lough Derg, les paysages de lacs et de forêts s'insèrent entre les Slieve Aught Mountains et le Derg. Un coin qui incite au repos, à la détente, aux balades à vélo et à la pêche.

LE COMTÉ DE CLARE

En général, on traverse plutôt rapidement le comté de Clare, jetant un œil ou deux en haut des Cliffs of Moher. Il révèle d'autres atouts au fil des kilomètres, plus à l'intérieur des terres.

Ce comté était pauvre, il n'en est pas moins chargé d'histoire : près de 200 châteaux, 150 vieilles églises, 2 300 forts de pierre ou de terre... Nombre d'entre eux échappèrent aux destructions de Cromwell : sûrement une conséquence heureuse de l'aridité, de la pauvreté et de l'isolement de la région.

Au XIXᵉ s, une poignée de *landlords* régnaient sur des milliers d'hectares dans le comté, tandis que 16 000 familles ne possédaient rien du tout.

Le comté présente des visages bien différents. Au sud, d'Ennis à Loop Head, un relief doux, peu spectaculaire. La région du lough Derg est assez vallonnée. La côte de Loop Head à Lisdoonvarna est plus disparate et plus escarpée (Cliffs of Moher). Enfin le Burren, relief unique en Irlande (et en Europe aussi), terre sauvage, constitue le paradis des randonneurs.

La côte à partir de Quilty et le Burren sont inséparables, les allers-retours d'une région à l'autre fréquents. En quelques centaines de mètres, en effet, on peut changer radicalement de paysage.

ENNIS [ɪnɪs]   25 400 hab.   IND. TÉL. : 065

Petite ville provinciale typique et adorable qui mérite que l'on s'y attarde un peu : avec ses rues et ruelles tortueuses pittoresques, entièrement refaites. Une belle abbaye franciscaine, Ennis Abbey, fut un haut lieu culturel au XIVᵉ s. 🅿 Pour se garer, des parkings payants... Un sur Market Place, un autre derrière l'office de tourisme et encore un le long de la rivière, en deçà d'Abbey Street ou sur Parnell Street.

– Marché le vendredi matin et le samedi matin sur Market Place.

Arriver – Quitter

En train

🚉 **Gare ferroviaire :** sur Station Rd, au sud du centre. ☎ 68-40-444. ● irishrail.ie ●

Au rond-point, direction Quin, c'est juste sur la droite. Guichet ouv tlj 6h30-14h (guichet automatique le reste du temps).
➤ **De/vers Galway :** 3-5 trains/j. 10h15-20h15.
➤ **De/vers Limerick :** 7 trains/j. (8 le dim) 6h45-18h45.

➤ **De/vers Dublin :** 7 trains/j. (7 le dim) 6h45-18h45.
➤ **De/vers Cork :** changement à Limerick.

En bus

🚌 **Station de bus Eireann :** *même adresse que la gare ferroviaire. Infos :* ☎ 68-24-177. ● *buseireann.ie* ● Nombreuses destinations desservies (quelques liaisons avec Adare, Corofin, Killarney ou Tralee), dont les lignes régulières suivantes.
➤ **De/vers Dublin, Limerick, Cork et Galway :** départs ttes les heures 7h-21h30 env.
➤ **De/vers Sligo et Derry :** 3-5 bus/j. dans chaque sens. Changement à Galway.
➤ **De/vers Shannon Airport :** une quinzaine de départs/j. dans les 2 sens 7h-minuit. Trajet : min 30 mn.
➤ **De/vers Kilrush et Kilkee :** bus directs. En tt, 3-4 bus/j. 10h30-18h30, voire 21h30 ven, d'Ennis ; 3 de Kilkee 9h-17h (2 bus hors saison).
➤ **De/vers Ennistymon, Lahinch, Liscannor, Cliffs of Moher, Miltown Malbay, Lisdoonvarna et Doolin :** en saison, 4 bus/j. 10h30-18h30 au départ d'Ennis, 2-3 bus/j. en hiver.

Adresses utiles

🄸 **Office de tourisme :** *Arthur's Row.* ☎ 68-28-366. ● *discoverireland.ie/ shannonregion* ● *Dans le centre. Juilaoût, tlj 9h30-17h30 ; sinon, mar-sam 9h30-17h30 (mais fermé sam de janv à mi-mai), avec, certains j., fermeture 13h-14h. Plan gratuit d'Ennis et des environs. Vente de guides (parfois en français) et cartes de la région. Résas (gratuites) d'hébergement et de visites guidées payantes, dont une de la ville (mai-oct, tlj sf mer et dim). Hôtesses très dévouées.*
✉ **Poste :** *sur Bank Pl et Market Pl.*
@ **Internet :** *à la bibliothèque, Harmony Row.* ☎ 68-46-353. *De l'autre côté de la rivière par rapport à l'office de tourisme. Lun et mer-jeu 10h-17h30, mar et ven 10h-20h, sam 10h-14h. Gratuit (max 1h/j.). Se munir*

d'une pièce d'identité et éviter la sortie des classes.
■ **Banques :** *sur Bank Pl.* Distributeurs de billets.
■ **Taxis :** ☎ 68-42-222.

Où dormir ?

Pas mal de *B & B*, tous excentrés. Liste disponible à l'office de tourisme qui pourra se charger de la réservation.

Bon marché

🛏 **Rowan Tree Hostel :** *Harmony Row.* ☎ 68-68-687. ● *rowantreehostel.ie* ● *Contourner Ennis par les boulevards circulaires (Carmondy St, Cornmarket St, Mill Rd), puis tourner en direction du centre-ville, l'hostel est sur la droite, légèrement cachée mais bien signalée. Ouv tte l'année. Compter 15-18 €/pers en dortoir (4-14 pers) et 23-34 €/pers en chambre.* 🖥 📶 *(gratuits).* Posée au bord de la rivière Fergus, cette magnifique bâtisse georgienne du XVIIe s abrite l'une des plus belles AJ que l'on connaisse. Confort optimal et charme absolu, voilà qui change ! Ambiance conviviale au bar-resto *(ouv à ts 10h-23h)* ou dans les pièces communes joliment arrangées. Chambres et dortoirs parfaitement tenus. Cuisine à disposition et laverie.

Plus chic

🛏 🍴 **The Old Ground Hotel :** *O'Connell St.* ☎ 68-28-127. ● *flynn hotels.com* ● *En plein centre. Doubles 100-200 €, petit déj compris (grosses promos et forfaits sur Internet).* 📶 Un hôtel à l'ancienne, dans un bâtiment datant du XVIIIe s. Une adresse chic et élégante mais pas guindée. Avec sa centaine de chambres, on est loin de la petite adresse de charme, surtout quand l'hôtel accueille mariages, congrès et conférences. Néanmoins, les prestations restent excellentes et le rapport qualité-prix attractif (surtout si vous décrochez une promo sur Internet). 2 restos sur place, hautement recommandables (*The Town House* et *The Poet Corner Bar*, voir « Où manger ? »).

Où dormir dans les environs ?

🛏 *Lakeside Country Lodge :* Barntick, à **Clarecastle**. ☎ 68-38-488. ● *lakeside.ie* ● *À 5 km d'Ennis. Prendre la direction de Limerick, puis à droite à la station Maxol : c'est avt le village de Clarecastle (indiqué). Fermé de minov à fin fév. Résa conseillée. Doubles 65-70 €.* 🛜 *Un B & B au milieu des moutons et des chevaux, surplombant un lac et les ruines d'une église au loin : vue particulièrement agréable de la véranda. 5 chambres immenses et cosy (dont certaines familiales), avec salle de bains. Une très bonne adresse, compte tenu des tarifs raisonnables.*

Où manger ?

Bon marché

🍽 *Brandon's Bar :* 70, O'Connell St (près de la cathédrale). ☎ 68-28-133. *Juin-sept, tlj à partir de 13h ; sinon, tlj sf mar-mer à partir de 19h. Pub grub servie aux heures d'ouv. Plats 4-10 €. CB refusées.* 🛜 *Pas un choix extraordinaire, mais une des meilleures bar food de la ville. Décor populaire avec ses toiles cirées. Musique le soir (voir « Où boire un verre ? Où écouter de la musique ? »).*

De prix moyens à plus chic

🍽 *Ennis Gourmet Store :* 1, Barrack St. ☎ 68-43-314. *Lun-sam 10h-20h (21h30 le w-e). Sandwichs 5-9 €, salades 12-14 €, plats chauds 10-15 €. Cette épicerie fine-cave à vins a installé quelques tables devant son comptoir et en terrasse, pour grignoter des assiettes de fromage et de charcuterie, des sandwichs à composer soi-même. De bons produits à déguster sur place ou à emporter. Adorable !*

🍽 *The Poet Corner Bar :* au rdc de l'Old Ground Hotel. ☎ 68-28-127. *Ouv tlj jusqu'à 21h. Snacks et plats (servis à tte heure) env 5-19 €. On adore ce* magnifique pub aux boiseries ancestrales et patinées. Touristes et locaux viennent y boire un thé ou une *Guinness* sous l'œil protecteur des plus grands écrivains irlandais : Flann O'Brien, Bernard Shaw, Oscar Wilde... La *pub grub* s'avère délicieuse et plutôt bon marché. Mention spéciale pour le trio de saucisses fourrées au boudin noir. *Gorgeous !* Ambiance tranquille et conviviale au coin du feu, bien plus festive les soirs de concert (voir ci-après).

🍽 *Brogan's :* 24, O'Connell St. ☎ 68-29-480. *Tlj midi et soir jusqu'à 22h (21h30 dim). Résa conseillée le soir. Plats 6-12 € au bar, 12-20 € au resto ; menu early bird env 17 €. Le resto de la middle class locale.* Un parfum très provincial pour une nourriture classique. L'accent est surtout mis sur les viandes et les grillades. *Gaelic steak, chicken curry* et quelques autres spécialités de poulet. Cependant, pas très imaginatif pour les légumes !

🍽 *Town Hall :* O'Connell St. ☎ 68-28-127. *Au sein de l'Old Ground Hotel. Tlj 12h (en fait, ouv dès 10h pour le breakfast)-17h, 18h-21h30. Plats 19-24 €.* Un resto pour un dîner en amoureux, dans un cadre assez chic et spacieux. À la carte, une cuisine moderne et savoureuse, qui change des basiques irlandais, avec des influences italiennes et françaises. Mais aussi des desserts plutôt originaux.

Où boire un verre ? Où écouter de la musique ?

🍸 🎵 *Cruise's :* Abbey St. ☎ 68-28-963. *Un vieux pub qui possède beaucoup de caractère avec ses murs aux vieilles pierres et boiseries. Musique traditionnelle tous les soirs (sauf lundi hors saison) de 21h jusque tard...*

🍸 🎵 *Brandon's Bar :* 70, O'Connell St. *Grande salle agrémentée de vieilles affiches, bouteilles, photos jaunies d'Ennis. Musique rock, blues, folk ou traditionnelle les soirs de week-end. Clientèle jeune et bonne atmosphère.*

🍸 🎵 *The Poet Corner Bar :* voir plus haut « Où manger ? ». *Concerts mer-dim.*

♈ ♪ Ciaran's : 1, Francis St. ☎ 68-40-180. Dans le centre d'Ennis, en face du Queen's Hotel. Même si le pub n'a pas beaucoup de cachet, vieux et jeunes, toutes classes sociales confondues, se réunissent ici pour écouter d'excellentes *sessions* tous les soirs en été, ou uniquement les vendredi ou samedi le reste de l'année.

♈ ♪ Alexander Knox's : 18, Abbey St. ☎ 68-22-871. Pub traditionnel mais jeune, sur 2 étages. Déco soignée à la fois moderne et ancienne. Le soir, musique dans tous les coins (DJ ou concert).

Où acheter de la musique celtique ?

⊛ Custy's Traditional Music Shop : O'Connell St. ☎ 68-21-727. Dans une ruelle perpendiculaire à O'Connell St, à côté de Brogan's. *Lun-sam 9h-18h.* Un grand choix de disques, mais aussi de nombreux instruments, au cas où une vocation naîtrait en cours de voyage. Si vous ne connaissez rien à l'*Irish music,* on vous conseillera très gentiment.

Manifestation

– **Fleadh Nua :** *fin mai.* ● *fleadhnua.com* ● Festival de musique traditionnelle, pendant 1 semaine.

À voir

♟♟ Ennis Friary (abbaye d'Ennis) : *Abbey St.* ☎ 68-29-100. *Dans le centre. Avr-fin sept, tlj 10h-18h (dernière admission 45 mn avt fermeture). Entrée : 3 € ; réduc. Brochure en français.* Heritage site. Construite par des franciscains, elle fut à l'origine de la fondation de la ville, vers 1240. En 1375, l'abbaye possédait une extraordinaire renommée : 350 moines et une école avec 600 élèves. Nef d'une grande ampleur, aujourd'hui à ciel ouvert, avec clocher à la croisée du transept. De la construction initiale demeurent encore le chœur et sa très belle aile avec cinq fenêtres, côté est. Le cloître et la tour furent ajoutés vers 1400. Sol du chœur dallé de pierres tombales. Dans le transept droit, deux grandes baies gothiques. Sur le mur de gauche, la tombe des *Creagh,* élaborée en 1843 à partir de panneaux récupérés sur la tombe des *McMahon* (XVe s). Décors sculptés médiévaux assez élaborés. Nombreuses scènes, dont une remarquable *Mise au tombeau.*

♟ Dans le centre-ville, au passage, vous remarquerez une colonne surmontée d'une statue, au début de O'Connell Street, **monument dédié à Daniel O'Connell,** qui fut député de Clare, à l'endroit même où une foule gigantesque lui demanda de se présenter aux élections, en 1828.

♟ **O'Connell Street** et **Abbey Street** sont des rues agréables, bordées de boutiques. Dans le centre, plusieurs rues piétonnes, notamment autour de **Merchant's Place** et **Parnell Street,** où plusieurs maisons ont été joliment repeintes. **Lower Market Street** n'est pas mal non plus.

♟ Un peu excentré à l'ouest de la ville, près du pont de Mill (au bout de Mill Road, prolongement de Harmony Row), colonne surmontée d'une statue, **The Maid of Erin,** monument commémorant les martyrs de Manchester : O'Brien, Allen et Larkin, dirigeants du mouvement fenian exécutés en 1867, suite au décès d'un policier dans l'attaque d'un fourgon pour libérer deux activistes. Également une agréable promenade depuis cet endroit jusqu'au centre, le long de la rivière Fergus.

♟♟ Clare Museum : *dans le bâtiment de l'office de tourisme.* ☎ 68-23-382. ● *clarelibrary.ie* ● *Ouv tte l'année, 9h30-13h, 14h30-17h30. Fermé dim-lun. Entrée gratuite. Quelques explications en français.* Voici 6 000 ans d'histoire du comté de Clare, imprégnés de religion et intimement liés à l'eau (océan et Shannon !). Mais aussi tout sur le héros local Daniel O'Connell et sur Holland, l'inventeur du sous-marin. Une bonne introduction avant de visiter le comté, avec des bornes interactives.

DANS LES ENVIRONS D'ENNIS

Dysert O'Dea : *à 12 km au nord d'Ennis. Sur la route de Corofin (la R 476), puis à gauche (bien indiqué).*
Sur le site de la dernière bataille que livrèrent les Normands pour conquérir l'Irlande (en 1318), ruines d'une *abbaye* fondée au VIIIe s et tour ronde du XIIe s. En arrivant, dans un champ, une splendide *croix* (White Cross) monumentale du XIIe s. Sur l'une des faces, crucifixion et évêque sculptés. Sur l'autre, harmonieux graphismes gaéliques (assez effacés, hélas !). Dans l'*église* du XIIe s, beau portail roman sculpté, orné de visages humains et de têtes d'animaux. Cimetière à l'intérieur du site.
Dans le petit *château* du XVe s près de l'abbaye, on peut voir un audiovisuel sur l'histoire de la région et visiter une petite section archéologique. ☎ 68-37-401. ● dysertcastle.com ● *Mai-sept, tlj 10h-18h. Entrée : 4 € ; réduc.*

Quin Abbey : *à Quin, à une dizaine de km au sud-est d'Ennis. Pâques-oct, lun et mer-ven 10h-16h, w-e 9h-15h. Entrée gratuite.* Abbaye franciscaine du XVe s construite sur les ruines d'un château anglo-normand. Ses ruines majestueuses ont fort belle allure et son cloître est l'un des mieux préservés d'Irlande. Série intéressante de pierres tombales s'étalant sur plusieurs siècles.

Knappogue Castle : ☎ *(061) 360-788.* ● shannonheritage.com ● *À 4 km au sud de Quin. Mai-août, tlj 10h-16h30. Entrée : 6 € ; réduc.* Construit au XVe s et siège du clan des McNamara, leaders de la rébellion de 1641. Seul le gros donjon est d'origine, une grande partie du reste des édifices ayant été rajoutée au XIXe s. L'ensemble a été restauré en 1966, dans le style du XVe s. Vaste jardin XIXe s. Au premier étage, dans la *ClanCullen Room,* se trouvaient les quartiers du seigneur, avec une intéressante cheminée sculptée. Au 2e étage, le *great hall* et, un peu plus loin, un vitrail représentant *Brian Boru,* le seigneur partant en guerre. Le château accueille des banquets « médiévaux », sur résa, de mai à fin août.

Craggaunowen, The Living Past : *à Kilmurry.* ☎ *(061) 360-788.* ● shannonheritage.com ● *À env 8 km à l'est de Quin (bien indiqué). En principe, Pâques-août, tlj 10h-17h. Entrée : 9 € ; réduc.* Perdu dans la campagne, le site comprend une reconstitution d'une cité lacustre de l'âge du fer (un *crannog*) ainsi qu'un fort circulaire et un bateau construit sur le modèle de celui utilisé par saint Brendan pour découvrir l'Amérique. Également un donjon du XVIe s.
IOI Cafétéria aux mêmes horaires que le site (soupes, sandwichs, thé et *scones*).

LA CÔTE OUEST DU COMTÉ DE CLARE

Dysert O'Dea, c'est encore la campagne. À partir de Corofin, on pénètre dans le Burren, paysage quasi lunaire (voir plus loin).
Notre itinéraire va désormais suivre la côte, au départ du ferry, mais il est évident que toutes les combinaisons bords de mer-montagnes du Burren sont possibles. D'autant plus que les distances (sauf pour les auto-stoppeurs) restent courtes. Une visite de la côte et du Burren nécessite au moins 3 ou 4 jours.

Où dormir à Kilrush, au plus près du ferry ?

Voir aussi plus bas nos adresses sur Talbert, de l'autre côté du Shannon. On vous rappelle que ce ferry permet d'éviter un détour par Limerick de 140 km. À part ça, Kilrush ne présente guère d'intérêt.

🏠 *Katie O'Connors Holiday Hostel :* 49, Frances St. ☎ (065) 90-51-133.

● katieshostel.com ● *Dans le centre, au-dessus de l'office de tourisme. Ouv de mi-mars à mi-oct. Compter 15-21 €/ pers en dortoir ou chambre double. CB refusées (mais distributeur juste à côté).* 📶 Petite AJ privée d'une trentaine de lits, en dortoirs de 4 à 10 personnes ou en chambre double. Cuisine charmante avec cheminée, baby-foot, mais pas de laverie (il y en a une non loin). Accueil sympa.

LE COMTÉ DE CLARE

À faire

– Pour ceux arrivant par ferry depuis Tarbert, possibilité d'observer la colonie de dauphins qui a élu domicile dans l'estuaire du Shannon. Sinon, excursions possibles depuis Carrigaholt et Kilrush, d'avril à octobre (sorties en fonction des conditions météo) : ☎ 90-58-156. ● dolphinwatch.ie ● *Sorties tlj. 25 €/pers ; réduc. Ou* **Kilrush Creek Marina :** ☎ 90-51-327. ● discoverdolphins.ie ● *Plusieurs sorties/j. en été. 22 €/pers ; réduc.*

LA LOOP HEAD, KILKEE ET LA CÔTE VERS QUILTY

IND. TÉL. : 065

Ceux qui fêtent leur dixième voyage en Irlande, qui ont presque tout vu dans le comté de Clare, prendront plaisir à flâner sur la *Loop Head,* vaste péninsule doucement vallonnée, à l'embouchure du Shannon. Le meilleur itinéraire consiste, à la sortie de Kilkee, à prendre la *Coast Road* (ou *Moveen West*) en passant par Newtown, Cross, puis Ross. Les

QUI M'AIME ME SUIVE...

Au bout de la Loop Head, vers le phare, on surnomme l'impressionnante cassure dans la falaise « le saut de l'amant » parce qu'un jour un homme, poursuivi par les avances d'une dame, sauta sur le rocher. Il rata son coup et tomba dans la crevasse... Bon, une autre version dit que c'était, en fait, une sorcière. On comprend mieux !

villes et les villages traversés n'offrent guère d'intérêt, mais la côte est vraiment belle et sauvage. Dès les premiers kilomètres, on longe de superbes falaises, moins hautes mais aussi belles que celles de Moher, et moins fréquentées ! On en prend plein les yeux, d'autant que la route est vraiment au bord des falaises... Attention tout de même aux risques de chute. Au bout de la péninsule, on peut entendre le souffle des baleines les jours sans vent.

La Loop Head se termine au nord par de hautes falaises dominées par un phare, auquel on n'a pas accès. Sur l'un des côtés, un immense rocher est séparé de la falaise par une cassure très droite et profonde. La mer s'y engouffre et résonne sourdement. Une bonne bouffée d'iode ! Néanmoins, soyez prudent et restez sur le sentier, car il n'y a aucune sécurité.

Où dormir ?

Voir également nos adresses dans les environs de Listowel (« Où dormir ? Où manger dans le coin ? »).

⊼ **Strand Camping :** *Killard Rd, à* **Doonbeg.** ☎ 90-55-345. ● strand campingdoonbeg.com ● *Sur la baie de Doonbeg, bien indiqué depuis le village : à moins de 1 km sur la droite, en bord de mer. Ligne de bus, avec arrêt à Doonbeg, reliant Kilkee et Kilrush. Ouv tte l'année. Compter 18 € pour 2 avec tente et voiture. CB refusées. Douches chaudes gratuites.* Un minuscule camping, très simple, avec un petit bloc sanitaire, basique mais propre. Pas de cuisine, mais un barbecue et une lave-

rie. Accueil très nature et jovial de la pétillante Pippa, qui fait partie du jazz-band de Doonbeg. Baignades et pêche au saumon recommandées. Vous aurez peut-être la chance de voir quelques phoques à marée basse.

Où manger ?

On vous a prévenu, vous voilà au bout du bout du monde ! 2 bars-restos ; l'un, le *Keating's* ouvert seulement le week-end et en saison (jolie vue mer) et l'autre, le *Lighthouse Inn,* ouvert tous les jours, toute l'année (mais cuisine vraiment pas terrible)... Autre solution, revenir sur Miltown Malbay ou prévoir le pique-nique !

MILTOWN MALBAY ET SPANISH POINT   IND. TÉL. : 065

Miltown Malbay est un petit village à l'ouest d'Ennis et au sud d'Ennistymon. Festival de musique traditionnelle à la gloire de William Clancy chaque année, en juillet, qui se déroule dans les divers pubs de la ville.

À Spanish Point, tout à côté, le bord de mer est assez plat, avec des plages de sable, du vent et de grosses vagues. En 1588, des bateaux de l'Invincible Armada se sont échoués en face de Spanish Point. Au sud de Miltown Malbay, *Quilty,* toute petite station balnéaire familiale, longues plages et dunes.

Le coin est très beau, mais certains endroits de la côte souffrent de la construction de centaines de petits cottages de vacances, tous identiques... Pourtant, le caractère sauvage de la région attire encore.

Où manger ? Où boire un verre ? Où écouter de la musique ?

Rares sont les soirs sans musique !

|●| ⛾ ♪ *Cogan's :* à *Miltown Malbay,* dans la rue principale. Petit pub sans prétention mais qui s'avère une bonne adresse pour grignoter un morceau comme pour boire un verre au coin du feu. Pas cher du tout. Musique traditionnelle tous les soirs vers 21h30.

⛾ ♪ *Friels* (marqué **Lynch**) : à Miltown Malbay. En plein centre, près du garage et de la Bank of Ireland. Tlj à partir de

18h. Petit pub mignon. Atmosphère *friendly.* Musique en principe les mercredi, vendredi et samedi en été (uniquement le samedi le reste de l'année).

⛾ ♪ *Cleary's :* à *Miltown Malbay.* ☎ 70-84-201. *Juste à gauche en direction de Lahinch.* Pub très authentique, où le « salon de mamie » est attenant au bar... Musique traditionnelle le jeudi soir toute l'année.

⛾ ♪ *Marrinan's Pub :* à Miltown Malbay, également dans la rue principale. Musique le mercredi soir ; les chanteurs sont les bienvenus, particulièrement s'ils viennent chanter les chansons traditionnelles de leur pays. Bretons, Basques ou Auvergnats sont donc invités à pousser la chansonnette. Avis aux amateurs !

LAHINCH [an leacht]

650 hab.   IND. TÉL. : 065

À 10 km au nord de Miltown Malbay, Lahinch est une station balnéaire propre, familiale, au bord d'une immense plage. Vagues plutôt costaudes. C'est le paradis des surfeurs et l'un des spots les plus connus de l'Irlande (meilleure période en automne-hiver, voire au printemps). Également un golf extra le long de la mer, avec une tour en ruine en plein milieu.

LE COMTÉ DE CLARE

Adresses et info utiles

🛈 **Tourist Information Centre :** Main St ; dans une boutique. ☎ 70-82-082. ● lahinchfailte.com ● En été, tlj 9h-21h ; juin-sept, tlj 10h-17h. Résas d'hébergement, cartes, brochures sur les visites, horaires des bus, etc.

✉ **Poste :** Main St.

■ **Banque :** un distributeur de billets à l'office de tourisme, bureau qui fait aussi change.

@ **Internet :** connexion à un prix élevé au resto Danny Mac's (voir « Où manger ? »).

■ **Arrêt de bus :** à la sortie du village (mais près du centre), au carrefour pour Ennistimon et Liscannor. Ligne Limerick-Doolin (via Ennis et Lisdoonvarna) : 2 bus/j. (3 en été) dans les 2 sens. Autre liaison, avec Galway, slt en été : 1 bus/j. dans les 2 sens.

🅿 Pour se garer, un grand **parking** côté plage, près de l'office de tourisme.

Où dormir ?

Camping

⚠ **Ocean View Camping :** un peu au sud du village, à moins de 1 km en direction de Miltown Malbay, sur la N 67. ☎ 70-81-626. Ouv mai-sept. Env 16 € pour 2 avec tente. Douches gratuites. Grand camping disposant d'une cinquantaine d'emplacements pour les tentes, le reste étant occupé par un bon nombre de mobile homes. Cuisine commune, salle de jeux et salle TV, mais pas de laverie. Aucun charme !

Bon marché

🛏 **Lahinch Hostel :** Church St. ☎ 70-81-040. ● lahinchhostel.ie ● Dans le centre du village, juste à côté de l'église, au bout de la rue principale. Ouv tte l'année. Compter 15-18 €/pers en dortoir, 18-20 €/pers en chambre double ou familiale. Une AJ privée de 54 lits, équipée d'une grande cuisine, d'un barbecue sur la terrasse en haut, d'une salle commune avec TV, du chauffage central et de machines à laver. Minidortoirs de 4 à 10 lits, ainsi que des chambres doubles ou familiales. Toutefois propreté très moyenne... Également un B & B (Castleview Lodge) géré par les mêmes proprios, excentré, en direction d'Ennistymon.

Prix moyens

🛏 **Cois Farraige :** Milton Malbay Rd, Cregg. ☎ 70-81-580. ● coisfarraige. net ● Au sud de Lahinch. À 800 m sur la route côtière de Miltown Malbay, sur la droite, presque en face du camping. Ouv mars-fin nov. Doubles 60-70 €. CB refusées. 📶 Longue bâtisse moderne de style traditionnel qui dispose de 6 chambres confortables, toutes en suite, certaines prévues pour 4 personnes (les familles disent merci !). Au choix, (petite) vue sur la mer, les chevaux ou le camping ! Beau panorama également depuis la salle de petit déj. Salon avec TV et cheminée, aussi chaleureux que l'accueil.

Plus chic

🛏 |●| **Moy House :** ☎ 70-82-800. ● moyhouse.com ● À la sortie de Lahinch, en direction de Milltown Malbay. Doubles 185-360 €. Dîner 55 €. Une fabuleuse maison face à la mer, aux allures de phare et datant du XVIIIe s. La déco est un peu vieillotte et chargée mais elle ne manque pas de charme... L'endroit possède énormément de cachet. Une adresse romantique en diable ! La table est tout aussi réputée. Pas donné, l'on s'en doute. Pensez à surveiller les forfaits et les promos proposés sur le site internet.

Où manger ?

IOI Joe's Cafe : juste à côté de l'office de tourisme. ☎ 70-86-113. Tlj 9h30-17h (21h ven-sam et juin-août). Breakfast, snacks 5-9 €, plats chauds 7-14 €. 🛜 Joyeuse ambiance dans ce petit resto dédié aux cuisines du monde : salades, pies, pizzas, sandwichs ou plats du jour. Attablé dans une charmante salle très colorée et conviviale, le plus dur est de choisir parmi la longue et appétissante carte aux plats bon marché venus d'Inde, d'Orient, d'Italie, du Mexique... Gardez une place pour les desserts maison !

IOI The Cornerstone : Main St, à côté de la poste. ☎ 70-81-277. Resto tlj 13h-21h (21h30 en été). Snacks et plats 5-22 €. 🛜 Maison en pierre, aux fenêtres rouges. 2 salles agréables où les gens du coin se donnent rendez-vous autour d'une pinte et d'un match à la TV. Bonne cuisine, notamment un délicieux Irish beef stew.

IOI Danny Mac's : Main St. ☎ 70-81-020. Tlj 9h30-21h (21h30 en été). Snacks et plats 5-19 €. L'intérieur est chaleureux, avec des banquettes confortables dans de petits box en bois, du lambris clair au plafond et des murs colorés. Cuisine classique et roborative.

Où manger dans les environs ?

Chic

IOI Barrtrá Seafood Restaurant : à **Barrtrá,** 5 km au sud de Lahinch, sur la route de Miltown Malbay, par un petit chemin sur la droite (panneau). ☎ 70-81-280. Ouv mars-sept : tlj juil-août, tlj sf mer juin et sept, ven-dim mars-mai. Plats 14-25 € ; menu early bird 25 € et menus 35-45 €. Joli petit resto avec vue sur la baie de Liscannor. Parfait pour un tête-à-tête, devant le coucher de soleil à admirer depuis la véranda. Cuisine fine et généreuse, poisson ultra-frais servi avec ses légumes du jour (parfois bio et cueillis dans le jardin !). Accueil délicat et avenant.

Où boire un verre ? Où écouter de la musique ?

🍸 ♪ The Cornerstone : voir « Où manger ? ». Musique traditionnelle sam en été, voire jeu et dim. Déco chaleureuse avec des boiseries rouges. Atmosphère bon enfant. Dommage que le feu de tourbe soit factice...

🍸 ♪ The Nineteenth Bar : Main St. En été, tlj à partir de 12h (sinon 16h). Musique et ballades presque ts les soirs de mi-juin à mi-sept ; le reste de l'année, c'est plus rare.

Achats

🕸 Celtic T-Shirt Shop : sur la promenade. ☎ 70-81-564. Tlj 9h-22h en été, 11h-17h en hiver (en fév, ouv slt le w-e). Cette boutique présente les créations dessinées et imprimées à l'atelier de sérigraphie attenant : des T-shirts aux motifs du Livre de Kells. Parmi les plus beaux d'Irlande, même s'ils sont un peu chers. Ils créent aussi des motifs plus personnels.

À faire

■ **Seaworld Leisure Centre :** sur la promenade. ☎ 70-81-900. ● lahinch seaworld.com ● Piscine aux horaires larges mais compliqués : tlj 9h-20h (18h w-e), parfois 7h-21h. Aquarium : tlj 10h-18h. Entrée piscine : 7 € ; aquarium : 9 € ; combiné : 11 €. Réduc et forfaits famille. L'ensemble regroupe un aquarium et une piscine (avec jacuzzi, sauna, etc.).

Où apprendre à surfer ?

■ *Lahinch Surf School :* cabane au bord de la plage, au fond du grand parking, près du Seaworld Leisure Centre. ☎ 087-960-96-67. ● *lahinchsurfschool. com* ● *Juin-août, tlj ; hors saison, le* w-e ou sur résa. Compter 35 € les 2h de cours de surf en groupe. Également un bureau dans la boutique (qui ne loue pas de matériel) sur la rue principale, à côté du garage.

ENNISTYMON (ɪnɪs dɪɔmáɪn)   880 hab.   IND. TÉL. : 065

Village commerçant et animé au bord de la Cullenagh, dans une vallée pittoresque. À l'entrée du bourg, cette rivière tombe en cascade et offre, sur ses berges, une jolie promenade. S'écrit aussi Ennistimon.
– On y trouve l'une des rares banques du coin avec distributeur, ainsi qu'un supermarché ouvert tard le soir. Bon à savoir...

Où dormir ? Où manger ?

🛏 *Deerpark House :* Deerpark Upper. ☎ 70-71-134. ● *deerpark.clareireland. net* ● À la sortie du village en direction de Lisdoonvarna ; bien fléché, sur la droite (juste après le supermarché). Doubles 70-76 €. 🛜 Une grande maison jaune, plutôt cossue. Chambres sobres, agréables et confortables. L'accueil est timide et réservé, mais les hôtes se révèlent vite charmants et dévoués. Si vous séjournez plusieurs jours dans le coin, ils se feront un plaisir de partager leurs coups de cœur et vous prêteront même un GPS avec toutes sortes de balades et circuits préprogrammés. Suivez le guide ! Le petit déjeuner est excellent (saumon fumé et œufs brouillés mémorables).

🛏 *Grovemount House :* Lahinch Rd. ☎ 70-71-431. ● *grovemount-ennis tymon.com* ● À env 1 km du centre, sur la droite ; bien fléché. Ouv avr-oct. Doubles 66-80 € selon saison. 🛜 Sur une butte dominant la ville, grosse et charmante maison blanche, au calme. Les 6 chambres sont confortables (toutes triples, *en suite* et avec TV), mais un peu impersonnelles, et celles avec un numéro impair offrent une vue sur la campagne plutôt que sur la route... En fait, c'est quasiment un petit hôtel avec sa réception et son accueil très efficace.

|●| *Unglert's Bakery :* New Rd. ☎ 70-71-699. Prendre la rue principale direction Ennis et, au pont, c'est sur la droite, dans la maison jaune. Tlj sf dim-lun 9h-18h. Des sandwichs à moins de 4 € dans une boulangerie où l'on peut déguster sur place pâtisseries et viennoiseries. Délicieux *scones* et *carrot cake* ! Plus de choix pour le sucré que pour le salé...

|●| *Byrne's :* Main St. ☎ 70-71-080. Mars-oct, tlj 10h-22h ; nov-fév, slt jeu-dim. Le midi, plats à partir de 11 € et menus 15-18 € (2-3 plats) ; le soir, plats 14-22 €. Avec sa belle façade édouardienne, voici notre meilleure adresse en ville. Salle à manger cosy, éclairée le soir de guirlandes et de bougies. De jour, belle vue sur les chutes depuis la véranda et la terrasse. Cuisine dans l'air du temps, fine et soignée à base de produits frais et locaux : risotto, agneau braisé, poisson du jour... Accueil charmant et service souriant. Quelques chambres à l'étage.

Où boire un verre ? Où boire un thé ? Où écouter de la musique ?

🍸 *Cooleg's :* Main St. En plein centre-ville. Le pub du village avec son petit feu, ses larges banquettes et son long comptoir. Musique le mercredi soir et parfois le vendredi. *Sessions* assurées par les habitants du village qui jouent, dansent et chantent ici de père en fils et de mère en fille... Ambiance rare et authentique. Un coup de cœur ! Le pub voisin est sympa aussi mais ne propose pas de musique.

🍸 🎵 *Daly's :* Main St. En face du Cooleg's. Ouv tlj. Petit pub vieillot, avec des plaques émaillées anciennes, des articles jaunis, des gravures... et une cheminée. Sessions 4 fois par semaine en été, sinon les week-ends. Au comptoir, tous les pochetrons du coin !

🍵 *Guru Tea House :* Marquet Sq. Un salon de thé offrant un choix de thés impressionnant. Petite restauration également et concerts parfois.

Balades à cheval

■ *The Willie Daly Riding Centre :* ☎ 70-71-385. *Prendre la route de Lisdoonvarna, puis tourner à gauche après 2 km (panneau). Pâques-fin oct, tlj 10h-17h, voire plus tard en été.* Compter env 35 €/h. Centre équestre avec poneys et chevaux, dirigé par Willie, qui est aussi connu dans le pays comme étant le dernier *match maker* d'Irlande, un marieur professionnel en quelque sorte. Randonnées de 1 à 3h, dont l'une passe près d'un château hanté et une autre se fait sur la plage ; séances de 30 mn environ pour les enfants. Débutants acceptés. Au moins 2 départs par jour.

CLIFFS OF MOHER
(LES FALAISES DE MOHER)

IND. TÉL. : 065

C'est un peu comme Étretat, mais avec les falaises en noir, en plus haut, en plus dramatique... Le coin est resté particulièrement sauvage, même s'il est très fréquenté par les touristes. Pour mieux en profiter, ne pas hésiter à venir tôt (quand il n'y a pas encore foule) ou en fin d'après-midi, c'est là que la lumière est la plus saisissante.
Certaines falaises atteignent 214 m et, au total, ce front de mer à pic s'étend sur 8 km. Une petite tour *(O'Brien's Tower)* fut construite en 1835 pour mieux les contempler (sur la droite). Sacrément impressionnant. On dit que, par temps clair, on peut apercevoir la Loop Head, les montagnes du Kerry, les îles d'Aran et les Twelve Bens du Connemara. Petites promenades aménagées. Rester prudemment sur les sentiers (très) balisés.

Infos utiles

– Les falaises se situent à 3 km du village de *Liscannor,* en suivant la côte.
– L'accès aux falaises elles-mêmes n'est pas payant, mais parking obligatoire (un billet à 6 € par personne inclut l'entrée aux expos et le parking ; 4 € pour les étudiants et les seniors et gratuit pour les moins de 16 ans s'ils sont accompagnés). En pratique, vous pouvez ruser et arriver avant ou après l'ouverture pour ne pas avoir à payer... On vous déconseille en revanche l'accès au site après la fermeture, pour de simples raisons de sécurité. Cela peut s'avérer très dangereux à la nuit tombée et il n'y a plus rien à voir !
– *Visitor's Centre :* ☎ 70-86-141. ● *cliffsofmoher.ie* ● *Horaires qui peuvent changer, mais, en principe, ouv tlj : juin, 9h-20h (20h30 le w-e) ; juil-août, 9h-21h ; mai et sept, 9h-19h (19h30 le w-e) ; avr, 9h-18h30 (19h le w-e) ; mars et oct, 9h-18h (18h30 le w-e) ; nov-fév, 9h-17h.* 📶 Un bâtiment récent à l'architecture troglodytique pour le moins originale, qui se fond parfaitement dans le paysage. À la

fois lieu commercial (magasin de souvenirs, restos, distributeur de billets) et lieu d'expos sur l'océanographie et la géologie des falaises, leur faune et leur flore, ainsi que les interactions avec l'homme. Également un audiovisuel sur le comté de Clare et un point de vue inédit sur les falaises... L'ensemble est plaisant à regarder, avec aussi des bornes interactives. Plan-brochure en français.

– Les horaires d'ouverture de la tour O'Brien dépendent de la météo et du nombre de visiteurs *(2 € supplémentaires)*.

➤ Un sentier de randonnée côtière est ouvert, permettant de rejoindre Hags Head depuis les falaises de Moher (et même depuis Doolin). Plutôt sportif, à réserver aux bons marcheurs bien chaussés (3h aller-retour).

➤ *Bus* ttes les heures en été pour Doolin, Galway et Ennis ; slt 1/j. hors saison (2 pour Ennis). Sinon, faire du stop. L'accès au site sera alors gratuit !

➤ Plusieurs compagnies organisent des *minicroisières* pour contempler ces belles falaises en contre-plongée. Le panorama, vu d'en bas, est tout aussi impressionnant et la promenade nautique d'environ 1h permet en plus de voir de plus près les nombreux oiseaux nichant sur les versants escarpés. Ils sont particulièrement nombreux d'avril à fin juillet.

Pour se renseigner et acheter les tickets, il faut aller directement au petit port de Doolin, d'où partent les bateaux. Ils naviguent tous les jours (plusieurs croisières quotidiennes) d'avril à fin octobre, sauf en cas de mauvais temps ou de mer agitée. Compter environ 20 € par adulte ; réduc pour les enfants et les familles. Petit tuyau : pour son dernier trajet de la journée, le bateau *Jack B*, affrété par *Doolin 2 Aran Ferries* (☎ 70-75-949 ; ● cliffs-of-moher-cruises.com ●), ne revient pas à Doolin mais va jusqu'à Liscannor, où il reste pour la nuit. En choisissant cette croisière, on a donc la possibilité d'admirer les falaises sur toute leur longueur (les autres circuits n'en couvrent qu'une partie), et notamment *Hag's Head*, arche naturelle formée dans les rochers. Ensuite retour à Doolin (pour récupérer la voiture) en taxi ou en bus (c'est compris dans le prix !).

Il existe aussi un billet combiné à 35 € qui permet de passer en outre 4h sur Inisheer, la plus mimi des îles d'Aran.

Où dormir ?

Voir aussi plus loin le chapitre sur Doolin.

Prix moyens

🏠 *Sea Haven* : à Liscannor. ☎ 70-81-385. ● seahaven-liscannor.com ● *Moins de 1 km après Liscannor en direction de Lahinch, sur la gauche. Fermé autour de Noël. Doubles 70-76 € selon saison ; familiales 100-110 €.* 🖥 📶 Superbe maison surplombant la baie. Elle abrite 6 chambres (dont des familiales) à la déco assez chargée et kitsch, mais spacieuses et confortables, toutes avec salle de bains.

Où manger ?

🍴 *Vaughan's* : Main St, à *Liscannor*. ☎ 70-81-548. *Situé sur la droite après le Logues Liscannor Hotel, en venant de Lahinch. Bar food servie tlj jusqu'à 18h pour le lunch, 21h (voire 21h30) pour le dîner. Compter 8-16 € les sandwichs et plats le midi, 22-26 € pour un plat le soir.* 📶 Belle déco marine et cossue autour du feu de cheminée dans ce pub où l'on déguste des plateaux de fruits de mer, d'excellents poissons et autres plats servis en parts copieuses. Adresse très réputée et régulièrement récompensée pour la qualité de sa cuisine.

🍴 *Logues Liscannor Hotel* : à *Liscannor*. ☎ 70-86-000. *À l'entrée du village, en venant de Lahinch, sur la gauche. Ouv fin avr-oct, tlj. Plats env 12-15 € le midi, plus chers le soir.* Gros hôtel qui propose de bons *specials* le midi, à prix modérés. Bien plus onéreux le soir, mais cuisine réussie, notamment le poisson et l'agneau du Burren. Jolie vue sur la mer et un petit port en contrebas.

LE COMTÉ DE CLARE

LE COMTÉ DE CLARE

Où boire un verre ?
Où écouter
de la musique ?

♈ ♪ *Joseph MacHugh's Pub :* à Liscannor. ☎ 70-81-163. *À côté du*

Vaughan's. *Ouv tlj.* Ce pub chaleureux et bien décoré offre une agréable cheminée ou une terrasse pour les beaux jours. Il programme de la musique traditionnelle le week-end. Et sert aussi à manger.

DOOLIN [dúlainn]   300 hab.   IND. TÉL. : 065

Son nom vient de *Dubh Linn,* la « mare noire », comme Dublin. Ce minuscule port de pêcheurs à 8 km de Lisdoonvarna n'a pas de charme particulier mais est célèbre dans le monde entier comme symbole de la *folk music* et du paysage irlandais typique. Presque une légende ! Pourquoi Doolin ? Tout autre petit port irlandais aurait pu être choisi ! D'ici, on peut embarquer au plus près des îles d'Aran, ça a dû jouer. En tout cas, depuis quelque temps, le coin s'institutionnalise. Toujours d'excellents musiciens, mais en été ça devient dur de profiter de leur talent.
Doolin est un village assez étendu, sans véritable centre : Roadford au nord, Fisherstreet au milieu et le port au sud. Les maisons sont dispersées le long de petites routes ou de chemins. Pas de commerces alimentaires.
– ATTENTION ! plage très dangereuse. Et pas de distributeur de billets !

Arriver – Quitter

En bus

🚌 *Station de bus :* devant le *Paddy Doolin Hostel,* où l'on peut acheter un ticket tlj 7h30-21h (20h en hiver). Mais on peut aussi le faire directement dans le bus.
➤ *De/vers Dublin, Galway, Limerick, Cork et Killarney, mais aussi les falaises de Moher et Ennis* (avec *Bus Eireann*) *:* min 2 bus/j. dans chaque sens, tte l'année ; liaisons supplémentaires en été.

En bateau

➤ Pour les *îles d'Aran,* avec *Doolin Ferries.* Voir le chapitre « Les îles d'Aran ».

Adresses utiles

🛈 *Tourist Information :* au cœur du village, à côté de l'Hotel Doolin. ☎ 70-75-649. Mars-fin oct, tlj 8h30-19h30. 📶 Infos et résas sur place.

Liste des hébergements, horaires de bus, de bateaux (et billetterie)... Circuits de randos et circuits vélos (11 boucles en tout).
@ *Doolin Internet Cafe :* Fisher St. ☎ 70-74-888. Au Doolin Activity Lodge. Tlj 9h-22h (21h en hiver). Tarifs prohibitifs... Loue aussi des vélos (15 €/j.).

Où dormir ?

Voici pas mal d'adresses, afin de ne pas être démuni en haute saison. Question accueil, Doolin demeure très touristique. L'indifférence polie cohabite donc avec un sourire parfois plus sincère...

Campings

⤬ *Nagles Doolin Caravan & Camping Park :* au port. ☎ 70-74-458. ● doolincamping.com ● À 100 m de l'embarcadère pour les îles d'Aran. Ouv de mi-mars à mi-oct. Compter 17-19 € pour 2 avec tente. Douches payantes. En raison de son exposition, le site est toujours très venté. Évidemment, super bien situé pour les romantiques balades au bord de la mer, mais surpeuplé en saison, car peu étendu, et fatalement bruyant. Cuisine commune bien équipée. Même si l'eau est dite « potable », par précaution, mieux vaut apporter son eau minérale. Lave-linge et sèche-linge payants.

✗ *O'Connors Riverside Camping :* derrière la O'Connors Guesthouse. ☎ 70-74-498. ● *campingdoolin.com* ● *Ouv de mi-mars à mi-oct. Selon saison, env 17-20 € pour 2 avec tente. Douches et électricité payantes.* 📶 *De bonne qualité, avec sanitaires propres, assez de douches, une pièce pour cuisiner, laverie et salle TV.*

✗ *Aille River Hostel :* voir aussi la rubrique « Bon marché ». Un petit champ accueillant, juste derrière l'AJ : *18 € la nuit pour 2 avec tente.* Possibilité d'utiliser tous les services de l'AJ. Arriver tôt en été, car le terrain en question est tout petit. Et les premiers arrivés sont les premiers servis !

Bon marché

🏠 *Aille River Hostel :* Fisher St. ☎ 70-74-260. ● *ailleriverhosteldoolin. ie* ● *Près du carrefour au centre de Doolin, bien fléché. Ouv en principe de mi-fév à fin nov (en hiver, mieux vaut téléphoner avt). Selon saison et taille du dortoir, 15-17 €/pers ; doubles 38-42 €. CB refusées.* 💻 📶 Cette AJ très chaleureuse n'est pas banale, à l'instar du proprio, Karl, vraiment sympa. Ça change des standards habituels. Ici, c'est un charmant cottage en pierre, vieux de plus de 300 ans, où ont été aménagés plusieurs dortoirs (4, 6 et 8 lits), plus quelques chambres doubles, pouvant héberger une quarantaine de personnes en tout. Les salles de bains sont communes ou privées, ça dépend. Les hôtes bénéficient de tout le confort : chauffage central, feu de tourbe, petits coffres-forts dans les chambres, lave-linge. Cuisine bien équipée et location de vélos. L'AJ a été élue « *best independent hostel* » en 2010.

🏠 *Doolin Hostel :* Fisher St. 📱 087-282-05-87. ● *doolinhostel.ie* ● *Fermé 4-28 fév et 20-28 déc. Compter*

14-17 €/pers en dortoir et 20-30 € en chambre. Plats 8-14 €. 💻 📶 La plus ancienne AJ privée du village, récemment reprise par le fils de la famille (qui a entrepris pas mal de travaux et d'améliorations). En tout, 90 places en dortoirs de 4, 6 ou 8 lits, qui se partagent des salles de bains communes, ou en chambres doubles, parfois *en suite.* Confortable et propre, l'AJ est pourvue d'une vaste cuisine moderne, plus laverie, chauffage central, petite boutique d'alimentation, téléphone international, bureau de change, vente de tickets de bus, etc. Salon TV avec cheminée et petit resto sur place.

🏠 *Rainbow Hostel :* à Roadford. ☎ 70-74-415. ● *rainbowhostel.net* ● *Dans le village, côté nord. Ouv tte l'année. Compter 15-19 €/pers en dortoir et 20-25 €/pers en chambre privée ; petits déj 4-7 €. CB refusées.* 💻 📶 Cette petite AJ privée dispose d'une trentaine de lits (en dortoir de 3 à 8 personnes ou en chambre double), d'un salon à la déco très chaleureuse, d'une cuisine équipée, de douches chaudes (toutes les chambres sont *en suite*) et d'une laverie. Location de vélos également. Propose aussi une balade gratuite de 1h30 dans le Burren et un diaporama sur la région. Les proprios, qui vivent à côté, font, par ailleurs, B & B dans leur maison : 4 jolies chambres, *en suite* et avec TV, cosy, colorées et meublées de bois clair, d'un bon rapport qualité-prix *(doubles 56-70 € selon saison).*

🏠 *Flanagan's Village Hostel :* Toomullin, à **Roadford.** ☎ 70-74-564. ● *flanaganshostel.com* ● *À la sortie nord, peu avt l'église. Ouv tte l'année. Compter 15-19 €/pers en dortoir et 19-22 €/pers en chambre double. CB refusées.* 📶 Petite *hostel* de 24 lits, surtout en dortoirs de 4 à 11 personnes assez spacieux, parfois *en suite.* Moderne et sans chaleur. Propre à défaut d'être charmant. Grande cuisine donnant sur la campagne. Petit salon avec son poêle. Laverie.

Prix moyens

🏠 *Half Door B & B :* à **Roadford.** ☎ 70-75-959. ● *halfdoordoolin.com* ● *Depuis la rue principale, en allant vers* *le nord, tourner à gauche (panneau) au niveau du MacDermott's Pub.* Ouv mars-oct. Doubles 70-80 € selon saison ; familiales 90-110 €. CB refusées. 🖥 📶 Cette petite maison possède 5 chambres *en suite*, à la déco moderne, simples mais cosy. Certaines sont mansardées, ce qui en fait tout le charme. De plus, le salon TV est chaleureux et la salle de petit déj agréable.

🏠 **Páirc Lodge :** *après le pub* O'Connors. ☎ 70-74-752. ● pairclodge doolin.com ● *Sur la droite en allant vers l'embarcadère.* Ouv Pâques-fin oct. Doubles env 60-70 € selon saison. 🖥 📶 Le salon pour les hôtes, avec sa véranda, sa cheminée, sa plaisante déco, moderne et chaleureuse, donne un avant-goût des 6 chambres : elles sont spacieuses, confortables et coquettes, quelques-unes ayant vue sur mer.

🏠 **Doonmacfelim House :** Sea Rd. ☎ 70-74-503. ● *doonmacfelim.com* ● *Dans la rue principale, presque en face de Doolin Activity Lodge.* Ouv tte l'année. Doubles 60-80 € selon saison. CB acceptées. Ce *B & B* reconnaissable à sa façade rouge brique propose 8 grandes chambres tout confort (avec salle de bains et TV), à la déco classique et fleurie. Le petit plus : un terrain de tennis à la disposition des hôtes.

🏠 **O'Connors Guesthouse :** *à Doolin.* ☎ 70-74-498. ● oconnorsdoolin.com ● ♿ *À deux pas de l'Aille River Hostel.* Ouv fév-fin nov. Doubles 70-90 € selon saison. 📶 Cette grande maison rose orangé (couleur melon ?) comporte 10 chambres (pour 2 à 4 personnes) spacieuses, confortables et coquettes, toutes *en suite*. 2 chambres peuvent accueillir des handicapés. Le proprio gère le camping situé juste derrière.

Plus chic

🏠 **Sea View House :** Fisher St. 📱 087-267-96-17. ● seaview-doolin.ie ● *Face au pub* O'Connors, *c'est la maison jaune.* Congés : de mi-déc à mi-janv. Résa conseillée bien à l'avance pour l'été. Doubles 84-118 € selon saison. 📶 Superbe adresse surplombant le bourg, et c'est rare : d'ailleurs, la belle petite terrasse offre un panorama face à la mer, tout comme le salon. Les chambres sont sobres et jolies. Il y en a 4 au total (2 pour 3 personnes), dont 2 avec vue sur les flots, toutes avec salle de bains et TV, lecteur DVD. Grand confort bourgeois, mais l'accueil des proprios est simple et sympa. Petit déj extra.

🏠 **Cullinan's Guesthouse :** *au croisement central.* ☎ 70-74-183. ● culli nansdoolin.com ● B & B ouv de mi-fév à mi-déc ; resto Pâques-Halloween, tlj sf mer et dim, le soir slt (pdt les vac scol, ouv dim mais fermé lun). Doubles 60-96 € selon saison. Plats 20-27 € ; menus early bird 24,50-29,50 €. 📶 Une imposante demeure très agréable, avec une jolie salle à manger aux baies vitrées donnant sur le petit pont en pierre et la rivière qu'il enjambe. Jardinet et terrasse au bord de l'eau. En tout, 10 chambres *en suite* superbes et spacieuses (certaines pour 3 ou 4 personnes). En outre, l'accueil est très pro et le resto, réputé (il fait souvent le plein). Avec un chef aussi talentueux, on vous laisse imaginer la carte du petit déj.

Où manger ?

Bon marché

🍴 **Doolin Cafe :** *à Roadford.* ☎ 70-74-795. À côté du Rainbow Hostel, *après le pont sur la droite en venant du sud.* En saison, tlj 11h-20h ; hors saison, en principe ven-dim 11h-20h. Congés : janv-fév. Sandwichs et soupes 6-10 €. Dans ce petit cottage chaleureux, on trouve des livres, des disques et des cartes pour se balader dans le coin, mais on peut aussi faire une pause pour grignoter un snack ou une pâtisserie : plats du jour pas chers, *scones* et autres gâteaux maison... Il y a peu de choix, mais c'est frais.

De prix moyens à plus chic

🍴 **MacDermott's Pub :** *à Roadford.* ☎ 70-74-328. *Après le pont, sur la droite en allant vers le nord.* Repas tlj 13h-21h30. Snacks 5-9 € et plats 12-18 €. Ce pub « historique », l'un de nos préférés sur Doolin, propose une excellente cuisine traditionnelle : *Guinness pie, Irish stew, fish & chips...* Le tout copieux et savoureux.

|●| O'Connors : *sur le chemin du port.* ☎ 70-74-168. *Sert également une* bar food *correcte, tlj 12h-21h30. Plats 9-25 €.*

|●| Roadford House : *à Roadford.* ☎ 70-75-050. *Depuis la rue principale, en allant vers le nord, tourner à gauche (panneau) au niveau du MacDermott's Pub. Resto slt pour le dîner, 18h-20h30 (voire 21h) : juil-août, tlj sf lun ; sinon, tlj sf lun et mer (mais en nov-déc, ouv slt le w-e). Fermé Noël-mars. Plats 21-27 € ; value menu 24 €.* Cette adresse raffinée garantit une cuisine recherchée, associant avec bonheur saveurs salées et sucrées. On a le choix parmi les plats appétissants et bien présentés, pas trop chers pour la qualité. Bonne sélection de vins également. Dans une salle moderne, claire, à la déco sobre, avec tableaux contemporains aux murs et lumière tamisée, madame assure un service prévenant pendant que monsieur officie aux fourneaux. Un mariage réussi !

Où boire un verre ?
Où écouter
de la musique ?

♈ ♪ MacDermott's Pub : *voir plus haut « Où manger ? ».* Le pub favori des gens du coin, tenu par la même famille depuis 1867. Musique tous les soirs (vers 21h) de la Saint-Patrick à fin octobre ; le week-end seulement en hiver. Ne désemplit pas jusque tard : l'ambiance est conviviale et typique. Ici plus qu'ailleurs, comme le dit le pub, on *« live life to the power of Guinness »* (on « vit la vie à la puissance Guinness »).

♈ ♪ MacGann's : *situé près de la rivière, non loin du MacDermott's Pub.* ☎ 70-74-133. *Tlj dès 10h.* Beaucoup de monde aussi dans ce cadre chaleureux, agrémenté d'une cheminée, de vieux objets et de photos anciennes. Possibilité d'y manger quelques petites choses (jusqu'à 21h30), puis musique à partir de 21h30, pratiquement tous les soirs de l'année (moins souvent en janvier-février, cependant).

♈ ♪ O'Connors : *voir plus haut « Où manger ? ».* Le pub le plus connu. Sa réputation dépasse largement les frontières de l'Irlande. Arriver tôt si l'on veut espérer trouver une place pas loin des musiciens. Le patron se vante d'avoir de la musique 363 jours par an (sauf le Vendredi saint et le jour de Noël), mais, quand c'est plein, il faut vraiment tendre l'oreille. Le genre d'adresse victime de son succès : ce pub est moins authentique et convivial que les autres (que ce soit dans l'accueil, la déco et l'ambiance)...

LISDOONVARNA [lios dúin bhearna]

770 hab.   IND. TÉL. : 065

À 13 km des falaises de Moher, une station thermale et un « village carrefour » important. C'est ici qu'on vient soigner ses rhumatismes. Mais il s'agit aussi d'un haut lieu du tourisme irlandais local. Cependant, la ville ne possède pas de charme particulier, c'est surtout une halte pratique...

LE *MATCH MAKER FESTIVAL*

Chaque année, **en septembre,** se tient le *Match Maker Festival*, littéralement le « festival des faiseurs de rencontres ». Cela fait 150 ans que les célibataires (de 18 à 80 ans !) viennent ici chercher l'âme sœur, notamment des Américain(e)s. Ce mois-là, la ville est pleine de cœurs solitaires de tous les pays.

Leur trait commun ? Ivres tous les jours, et ce dès la fin de la matinée... c'est du joli ! Les pubs ouvrent en effet toute la journée et ne ferment pas avant 2h ou 3h... L'entrée est d'ailleurs souvent payante, notamment lorsque l'on peut guincher. Quelle folle ambiance ! L'événement ne manque pas d'intérêt sociologique. Et les femmes ne sont pas les moins exubérantes !

Si vous n'appréciez pas ce genre de manifestation, on vous conseille de passer votre chemin, car les prix augmentent honteusement à cette période.

Outre la recherche effrénée d'une relation d'un soir, voire plus si affinités, on peut assister à des courses de chevaux, à l'élection de Miss Lisdoonvarna...

Pour en savoir plus : ● *matchmakerireland.com* ● .

Arriver – Quitter

🚌 *Station de bus :* pas vraiment de station, mais les bus font halte devant le Burke's Garage, *au carrefour principal* (vers Roadside Tavern), *et en face, sur la place centrale.*
➤ *De/vers Galway :* 4-5 bus/j. en été, 3 en hiver, dans les 2 sens. Attention, dim, 2 A/R slt (et même 1 seul en hiver).
➤ *De/vers Limerick :* tlj, dans les 2 sens, 3 bus/j. en été, 2 en hiver.
➤ *De/vers Doolin :* 3 bus/j. en été dans les 2 sens.

Adresse et info utiles

✉ *Poste :* dans le centre, sur la rue principale, près d'Irish Arms.
– Attention, pas de distributeur de billets dans le village.

Où dormir ?
Où manger ?

De bon marché à prix moyens

🏕 🏠 *Boghill Centre Hostel :* ☎ 70-74-644. ● boghill.com ● À env 4 km de Lisdoonvarna, en pleine campagne. Pour y aller, prendre la route vers Kilfenora sur 2,5 km, puis tourner à droite (panneau), et ensuite à gauche. Ouv tte l'année. En dortoir, 17 €/pers ; double 58 € ; petit déj 6 €. Camping 8,50 €/pers. CB refusées (mais possibilité de payer en ligne ; 5 % de supplément). 🛜 Une petite trentaine de places, en dortoirs de 4 à 6 lits, qui se partagent des salles de bains, et quelques chambres doubles *en suite.* Vaste salon ouvert sur la campagne, cuisine commune bien équipée. Un côté baba indéniable, qui ne conviendra pas forcément à tout le monde. Mais l'endroit est rigolo et cool, un peu bricolé... C'est aussi un centre de musique intéressant. Des cours de yoga sont également dispensés et on cultive un potager bio. D'ailleurs, une cuisine végétarienne pas chère est servie sur demande le soir.

🏠 *Burren Hostel :* route de Doolin (à 300 m de la rue principale, indiqué sur la droite, après la Roadside Tavern). ☎ 70-74-036. ● sleepzone.ie ● Compter 16-25 € en dortoir selon saison et capacité de la chambre ; doubles 25-35 €/pers selon saison. Également des tarifs pour familles. Pas de petit déj. Sur présentation de ce guide (indiquer Routard price à la résa et confirmer au moment du check-in), tarifs spéciaux mars-juin et sept-oct : 15 €/pers en dortoir, 25 €/pers en double et 60 € en family room. 🔲 🛜 Dans ce qui fut le Carrigan Hotel, Sleepzone (maison mère à Galway) a aménagé une AJ de 110 lits (dortoirs de 4 à 10 personnes). L'avantage est d'avoir du neuf dans de l'ancien. Cuisine, salle à manger, laverie, billard, salon TV avec cheminée... C'est tout propre, rénové, coloré. Toutes les chambres et dortoirs ont une salle de bains privée. L'antithèse du Boghill Centre, quoi !

Prix moyens

🏠 *Ballinsheen House :* Galway Rd. ☎ 70-74-806. ● ballinsheen.com ● Juste à l'extérieur du village, sur la droite. Ouv mars-oct. Doubles 66-90 € selon confort et saison ; familiales 86-110 €. 🛜 Bien jolie maison jaune pâle sur la route de Ballyvaughan, au calme. Un bon compromis entre la proximité du village et la tranquillité de la campagne. 5 chambres (dont certaines pour 3 ou 4) avec salle de bains, agréables et confortables. Accueil amical.

|●| ♪ The Roadside Tavern : ☎ 70-74-084. *Dans la rue qui descend vers Doolin, perpendiculaire à la rue principale. Tlj : resto midi et soir en été ; jusqu'à 15h le reste de l'année. Sandwich env 4,50 €, plats 11,50-15 €.* Super sandwichs au saumon fumé, mais aussi *Irish stew.* On vous recommande le *hot smoked salmon* et sa sauce moutarde ! Atmosphère agréable avec la cheminée qui réchauffe quand le temps est maussade. Une adresse réputée pour les *music sessions,* tous les soirs pendant le *Match Maker Festival,* les vendredi et samedi le reste de l'année. Le pub possède également une petite entreprise de fumage de poisson *(smokehouse)* 100 m plus bas, que l'on peut visiter (voir « Où acheter du saumon fumé ? »).

Où dormir ? Où manger dans les environs ?

Au nord de Lisdoonvarna

⌂ |●| Slieve Elva Farmhouse *(chez Gerry et Aoife Swords) :* ☎ 70-74-318. ● slieveelva.com ● *À 2,5 km au nord de Lisdoonvarna. En retrait de la N 67 (vers Galway), c'est bien indiqué sur la gauche. Ouv avr-oct. Double 70 €. CB refusées.* 🛜 Cette maison moderne en pleine campagne, loin de la cohue estivale, propose 6 chambres (dont 4 *en suite*), joliment décorées, claires et grandes. Quelques *family rooms.* Agréable salle à manger et un salon à disposition des hôtes, avec feu de tourbe. On vous sert des produits de la ferme à l'occasion d'un riche petit déj. Excellent accueil du couple de proprios, dont le mari était cuisinier. On pourra même vous apprendre à couper la tourbe *(turf cutting).* N'en abusez pas cependant, les tourbières étant en principe des milieux protégés.

À Fanore (Fán Óir)

À une douzaine de kilomètres, sur la route côtière Lisdoonvarna-Ballyvaughan, quelques bonnes adresses dans ce petit village étiré le long de la route, entouré de paysages impressionnants et doté d'une belle plage de sable blond.

⌂ Rocky View Farmhouse : *Coast Rd.* ☎ 70-76-103. ● rockyviewfarmhouse. com ● *À la sortie nord du village, après la rivière, sur la gauche en allant vers Ballyvaughan (panneau). Ouv Pâques-fin oct. Doubles 65-68 € selon saison. CB refusées.* 🛜 Installée pas loin de la mer, cette *farmhouse* est bien tenue et l'accueil est vraiment adorable : la maîtresse de maison est aux petits soins, tout comme son mari, qui parle le français. Les 6 chambres, toutes équipées d'une salle de bains, sont jolies : certaines peuvent héberger 3 ou 4 personnes et d'autres donnent sur la mer. Très agréable véranda pour le petit déj, un thé ou un peu de lecture, avec vue sur le relief si particulier du Burren.

⌂ |●| Ballinalacken Castle Country House & Restaurant : 📱 086-361-37-19. ● ballinalackencastle.com ● *Sur la route de Lisdoonvarna à Fanore, à env 5 km de Doolin (R 477). Ouv de mi-avr à fin oct. Doubles 130-170 € selon saison et standing, avec petit déj. Menu 40 €.* ⛁ 🛜 Depuis la route, on voit bien l'hôtel, grosse bâtisse jaune, datant de 1840, sur une colline, dans un grand parc agrémenté d'une tour du XVᵉ s. Grandes chambres à la déco classique, aux meubles anciens et lits à baldaquin. Salon et bar bourgeois et cosy. Fait aussi resto (tous les soirs sauf le mardi). Vaste pelouse devant l'établissement et parc tout autour. Site superbe avec vue extraordinaire sur la mer, les îles d'Aran et les falaises de Moher au loin.

|●| O'Donohue : *à Craggagh (Fanore), à 12 km de Lisdoonvarna, sur la droite, sur la route de Black Head.* ☎ 70-76-119. *Ouv avr-oct, tlj. Plats env 12-21 €.* C'est un pub tenu par la même famille depuis 4 générations, et l'on y mange très correctement. Cuisine à base de produits locaux frais (dont de bons fruits de mer). En plus, aux beaux jours, sa terrasse face à la mer (avec vue sur les îles d'Aran) est agréable.

|●| Vasco Dine Wine Deli : *à Craggagh.* ☎ 70-76-020. *Mai-sept, tlj sf lun*

11h30-20h. Plats 8-19 € selon appétit, ainsi que des snacks côté deli. Un petit resto, pimpant et coloré, proposant des produits locaux et de saison (agneau ou saumon du Burren), cuisinés *in a Mediterranean style*. On mange, si le temps le permet (!), sur une grande terrasse regardant la mer. Vins (bonne petite sélection) et bières ne sont pas oubliés. Sympa aussi à l'heure de l'apéro pour une simple grignote.

celui du *Ritz*, à côté *(tlj ; concerts sam, plus dim en été)*, ou encore l'établissement le plus réputé de tous pour la qualité de sa programmation, la *Roadside Tavern* (voir « Où dormir ? Où manger ? »), où des groupes se produisent le week-end et certains soirs en semaine.

▼ ♪ De mai à septembre, tous les samedis soir, musique live au pub *O'Donohue (☎ 70-76-119)* à Craggagh (Fanore), à 12 km, sur la route de Black Head.

Où boire un verre ? Où écouter de la musique ?

Musique dans la plupart des hôtels de Lisdoonvarna. Cependant, c'est plus souvent de la country ou de la ballade guimauve que de la musique traditionnelle.

▼ ♪ *Match Maker Bar :* dans la rue principale. ☎ *70-74-042. Ouv ts les soirs.* Plein à craquer le week-end et superbe atmosphère lors des concerts. Pendant le festival, c'est un des pubs les plus chauds !

▼ ♪ Essayer aussi le pub de la *Royal Spa* (en face du *Match Maker Bar*),

Où acheter du saumon fumé ?

❀ *Burren Smokehouse :* près de la Roadside Tavern. ☎ *70-74-432. Tte l'année, tlj 10h-17h (9h-18h mai-fin sept).* On y trouve différents poissons fumés : saumon bien sûr (élevage, bio ou sauvage), maquereau, truite... Petite vidéo vous expliquant le procédé du *hot smoked salmon*, pour lequel le feu est allumé à l'extérieur du four... Dégustations également. Petit point info sur place (à peine quelques documents).

LA RÉGION DU BURREN

Voici une vaste région désertique, riche de paysages lunaires. Un des bras droits de Cromwell, décrivit le Burren ainsi : « C'est une région où il n'y a pas assez d'eau pour noyer un homme, pas assez de bois pour le pendre, pas assez de terre pour l'enterrer. »
Burren vient du gaélique *boireann* et signifie « lieu de pierre ». Cette pierre, effectivement omniprésente, c'est un lapiaz karstique, du nom de Karst, en Croatie. Les rochers abritent de nombreuses grottes, des courants d'eau se jetant dans des poches appelées « marmites de géants » et des *turloughs*, lacs qui disparaissent durant l'été (le calcaire se fendille alors et laisse s'infiltrer l'eau). Le Burren fut très peuplé aux temps préhistoriques. En témoignent les nombreux ouvrages de pierre, dolmens, mégalithes, qui parsèment la campagne. La flore y est très riche au printemps, surtout dans le High Burren. Retenez la dernière quinzaine de mai pour admirer dans leurs plus beaux atours les *Ophrys apifera*, *Gentiana verna* et autres *Carlina vulgaris.*
Pour les randonneurs, des sentiers originaux : les *green roads*, routes qui furent tracées en divers endroits du Burren, pendant la période de la Grande Famine. Ces grands travaux collectifs furent organisés par l'administration anglaise pour occuper les dizaines de milliers de paysans sans terre et leur permettre de gagner 5 pence par jour !

LE BURREN

CES ITINÉRAIRES QU'ON AIME BIEN

Le Burren mérite au moins 2 jours de visite. Pour les descriptions détaillées des sites, voir les chapitres correspondants.

➤ *La route de la côte Ballyvaughan-Lisdoonvarna (par Black Head) :* il faut un véhicule ; sinon, on risque de rester assez longtemps sur le talus... Paysage sauvage, tourmenté et chaotique. Les blocs de calcaire dévoilent toutes les nuances de gris. Des blocs disséqués en tous sens, puis, de façon surprenante, en surfaces presque planes, fendues en de longues crevasses symétriques et régulières au bord de l'eau. Les montagnes, quant à elles, se présentent en couches de calcaire superposées et ondoyantes, se fissurant lorsque la roche est plus friable. Le vent transporte le limon dans les crevasses qui retiennent l'eau, et le miracle se produit : une flore extraordinairement riche y pousse. Les fantaisies du temps, il y a quelque 15 000 ans, faisant alterner des périodes de glaciation et de brusques réchauffements, produisirent le plus étonnant cocktail de plantes que l'on puisse imaginer. Ici coexistent au printemps des espèces de type maritime et des fleurs caractéristiques des régions d'altitude. Cette bizarrerie de la nature est unique en Europe. Le massif de Black Head possède un certain nombre de *green roads*. L'intérêt est de les parcourir, toutes ou en partie, et de ne pas se contenter de la route côtière, bien sûr. Carte *Burren (A Map of the Uplands of North West Clare)* en noir et blanc indispensable.

➢ **La route Ballyvaughan-Lisdoonvarna** livre des paysages beaucoup moins spectaculaires, mais offre tout de même une très belle vue dans la portion appelée *Corkscrew Hill*. Belvédère aménagé.

➢ **La route Ballyvaughan-Corofin** révèle aussi de splendides panoramas, notamment sur les hauteurs de Ballyvaughan en direction de la mer. Sur le trajet, on rencontre des troupeaux de chèvres. Ces serviables animaux sauvèrent aux pires moments (famines, guerres) la population. Aujourd'hui, elles endossent le rôle de débroussailleuses écologiques, empêchant ainsi le *hazel scrub* (petit noisetier sauvage) de prendre le pas sur les autres plantes.

➢ Enfin, nous décrivons en bout de chapitre un pittoresque itinéraire dans l'**est du Burren,** notamment les routes sillonnant le coin du mont Mullaghmore et de Carron (ou Carran).

AVERTISSEMENT

Un certain nombre de sites archéologiques (cercles de pierres, dolmens, etc.) sont assez éloignés de la route. Couper à travers champs, franchir des murets, ouvrir des barrières s'impose à qui veut découvrir ce patrimoine. Un ou deux visiteurs par jour passent inaperçus. 20 à 30 riment bientôt avec « nuisances ». Parmi eux, quelques-uns ne remettront pas la pierre tombée du mur, oublieront de refermer les barrières, laisseront des ordures sur le site...

Si l'on peut assez facilement accéder aux champs, le mieux reste de demander la permission pour pénétrer dans un terrain privé, démarche somme toute assez logique et courtoise. Les champs sont privés et le *right of way* n'existe pas en Irlande comme chez nous.

Nos lecteurs randonneurs doivent donc respecter cet état de faits, les vieilles pierres et la nature. Évitons de braquer les fermiers locaux, qui ont mis des générations à constituer leurs champs et prairies...

Se balader avec un guide

On peut très bien effectuer des balades tout seul dans le Burren en se débrouillant avec des cartes, mais, pour ceux qui veulent se simplifier les choses, contacter :
– **Shane Connolly :** ☎ *(065) 70-77-168* ; ▯ *088-265-48-10*. ● *homepage.eircom. net/~burrenhillwalks* ● *2 départs/j. en été, depuis l'église de Ballyvaughan ; compter env 15 €/pers la demi-journée.* C'est un fermier qui adore sa région et la fait connaître à ceux qui le désirent.
– **Stephen Hegarty** travaille, quant à lui, avec le *Burren Display Centre* de Kilfenora, mais il faut réserver au moins 2 jours à l'avance : ☎ *70-88-931*. ▯ *087-685-54-91*. ● *burren-tours.com* ●
– Citons aussi **Tony Kirby** à Kilnaboy, plébiscité par nos lecteurs, il connaît la région comme sa poche et parle le français ! ☎ *(065) 68-27-707*. ▯ *087-292-54-87*. ● *heartofburrenwalks.com* ●
– Ou encore **Burren Wild Tours :** ▯ *087-877-95-65*. ● *burrenwalks.com* ●
On vous rappelle que le parc national, à Corofin, propose également des sorties « Nature » et des visites guidées gratuites.

Quelques balades à pied

– Nous recommandons vivement l'achat de *The Book of the Burren* (éditions Tír Eolas). C'est l'ouvrage le plus complet et le plus passionnant sur le sujet : histoire,

littérature, patrimoine, faune, flore... le tout joliment illustré. Pas donné. Également *The Natural History of the Burren,* par Gordon d'Arcy.
– Pour les randonnées à proprement parler, deux best-sellers tout à fait abordables. *The Burren and the Aran Islands, A Walking Guide* de Tony Kirby, 15 itinéraires en boucle (2-6h) dans le Burren (et les îles d'Aran). Là encore parfaitement détaillé et documenté. Ou encore, *West of Ireland Walks,* de Kevin Corcoran (intègre aussi le Connemara et le comté de Mayo). Quatre itinéraires sont proposés pour le Burren.
Si vous ne disposez que de peu de temps, les offices de tourisme ou le parc national éditent et proposent quelques circuits détaillés.

La Burren Way

La Burren Way (123 km de sentiers balisés si l'on inclut l'East Burren Loop) est peut-être la plus originale des randonnées irlandaises. La section la plus populaire en est un itinéraire linéaire de 45 km au départ de Ballyvaughan, par Formoyle, Ballinacken, Doolin, Moher, jusqu'à Liscannor et Lahinch. La meilleure section est entre Ballyvaughan et Ballinacken. La section proche de Doolin suit la route. La dernière partie de cette balade se situe entre Moher et Lahinch.
– *Documentation :* Ordnance Survey n°s 14 et 51 (plus précise) et *The Burren, Folding Landscapes* de Tim Robinson, une carte très détaillée pour les randonnées.
– *Balisage :* petit homme jaune et flèches jaunes.

Adresse et info utiles

ℹ ✴ *Burren National Park :* dans le bâtiment du Clare Heritage Centre, à **Corofin.** ☎ 68-27-693. ● burrennationalpark.ie ● Avr-sept, tlj (sf lun-mar avr et sept) 10h-17h (18h juil-août). Exposition permanente sur la faune, la flore et la géologie. Propose de nombreuses randonnées guidées gratuites. Pas mal de doc et de cartes sur place. Notamment la brochure (gratuite) *The Burren Walking Trails* détaillant 7 petites boucles de 40 mn à 3h).
– *Burren 4 ticket :* 4 attractions pour un seul ticket à 18 €/pers (valable 7 j.). Concerne les falaises de Moher, le *Burren Centre,* l'*Aillwee Cave* et le *Caherconnell Fort.* Les sites sont d'intérêt variable, faites vos calculs.

COROFIN [ᴄᴏʀᴀ ꜰɪɴɴᴇ]   400 hab.   IND. TÉL. : 065

Petit village-étape paisible, plutôt joli et agréable, à 14 km au nord d'Ennis, proposant un intéressant Musée régional, le *Clare Heritage Centre.* C'est également le siège du parc national du Burren (voir plus haut).

Où dormir ? Où manger ?
Où boire un verre ?
Où écouter
de la musique ?

De bon marché
à prix moyens

⚕ ⛺ *Corofin Village Hostel & Camping Park :* Main St. ☎ 68-37-683. ● corofincamping.com ● Ouv avr-fin sept ; possibilité pour les groupes hors saison en contactant à l'avance. Compter 20 €/pers en dortoir ou chambre collective et 50 € pour une chambre familiale (2 adultes + 2 enfants). En camping, compter env 20 € pour 2 avec tente et voiture. CB refusées. Douches chaudes gratuites. ☎ AJ privée installée dans une maison du village avec des chambres pas très grandes, toutes équipées de TV, mais qui partagent des salles de bains communes. Cuisine super équipée, machines à laver et sèche-linge, jolies chambres de 2 à 8 lits. Tout est clair, pimpant. Marie, la proprio, qui parle le français, connaît fort bien la région et elle est une source d'infos très utile. Juste derrière l'AJ, un petit camping. Salle de jeux. Tri des déchets. Musique traditionnelle juste à côté, le jeudi soir en juillet et août. Un seul bémol : les pubs voisins sont parfois un peu bruyants.

🛏 🍴 *Inchiquin Bar et Anne's Kitchen :* Main St. ☎ 68-37-713 (et ☎ 68-37-594 après 18h). ● *anne campbell.ie* ● Ouv tte l'année. Resto lun-sam 10h-18h, dim (sf en hiver) 12h-18h. Nuitée env 15 €/pers. Sandwichs env 4-5 € et plats env 8-11 €. Troquet de village, populaire et sympa, servant de bons petits plats chauds faits maison (y compris les desserts). Très bons *seafood chowder* et *Irish stew*. Possède une terrasse à l'arrière et une *hostel* au-dessus. Les 6 chambres (certaines *en suite*) peuvent héberger 2 à 4 personnes. Simples, confortables et propres, elles constituent un excellent rapport qualité-prix.

🍴 ♪ *Teac Uí Dálaig :* Main St. ☎ 68-37-688. Ouv tlj. Réputé pour sa bonne musique traditionnelle le week-end, et un *set dancing* selon les groupes, où se retrouvent les *addicts* de tous âges des environs. Les femmes « cravatent » leurs hommes et sortent leurs plus beaux souliers. Ça vaut vraiment le déplacement, et vous serez certainement enrôlé dans une gigue endiablée.

Prix moyens

🛏 *Lakefield Lodge :* Ennis Rd. ☎ 68-37-675. ● *lakefieldlodgebandb. com* ● À la sortie du village, vers le sud. Ouv début avr-fin oct. Doubles 66-72 € selon saison. CB acceptées. 📶 Propose 4 chambres *en suite*, avec TV, coquettes et confortables. Accueil très courtois. Bonne source d'infos sur le coin (le propriétaire est une mine inépuisable de renseignements en matière de pêche). Plantureux petit déj.

Où dormir ? Où manger dans les environs ?

🛏 *Fergus View :* à Killinaboy (ou Kilnaboy). ☎ 68-37-606. ● *fergusview. com* ● Peu après Corofin (route de Kilfenora), vers le nord. À l'entrée du village, en venant de Corofin. C'est la maison jaune à gauche (panneau). Ouv début mars-fin oct. Doubles 72-76 € selon saison et nombre de nuits. CB refusées. 📶 Petite *country house* extra et très bien placée pour rayonner dans le Burren. Famille charmante. 6 chambres avec salle de bains, à la déco soignée. Mr Kelleher, spécialiste de la pêche, pourra vous donner des conseils et connaît aussi des balades à pied.

🛏 🍴 *Inchiquin View :* à Killinaboy. ☎ 68-37-731. ● *bkellinchfmho@ eircom.net* ● C'est juste après Fergus View, sur la gauche aussi en venant de Corofin. Ouv Pâques-fin oct. Double 76 €. Vous trouverez ici un accueil adorable, 4 chambres (3 doubles et 1 *single*) agréables avec salle de bains et plein de conseils sur la région. Possibilité d'y dîner (sur résa ; env 20 €/pers). Belle vue sur la campagne.

À voir

🎭🎭 *Le musée du Clare Heritage Centre :* Church St. ☎ 68-37-955. ● *clare roots.com* ● Dans une petite église située sur une rue perpendiculaire à la rue principale. Avr-oct, lun-ven 9h30-17h30 (le centre, situé dans la même rue, abrite le siège du parc national ; voir plus haut). Entrée : 4 € ; réduc. Un musée régional intéressant, dont le thème est l'ouest de l'Irlande de 1800 à 1860. Présentation vivante et détaillée de la vie rurale, de l'histoire, de la culture. Émouvante section sur la Grande Famine, les expulsions de fermiers, l'émigration, la mort lente du gaélique, ainsi qu'une traditionnelle expo d'outils, objets domestiques, instruments de musique, vêtements (dont le fameux *Irish cloak*), etc. Exposition d'œuvres de Frederic Burton, un artiste local.

KILFENORA [cill fhionnúrach]

130 hab.   IND. TÉL. : 065

C'est la petite capitale du Burren, qu'on appelle *the city of the crosses,* pour ses magnifiques croix celtiques. Grande richesse archéologique dans les environs. L'occasion de superbes balades à pied.

Où dormir à Kilfenora et dans les environs ?

🛏 **Kilfenora Hostel :** au centre du village, sur la rue principale, à côté d'une église. ☎ 70-88-908. ● kilfenorahostel. com ● Fermé 1er nov-1er fév. Compter 20-24 €/pers avec petit déj selon taille du dortoir ; double 52 €. 🖵 (payant). 📶 AJ privée de 46 lits répartis en chambres doubles et dortoirs de 4 à 10 personnes. Tous sont *en suite,* bien tenus et colorés. Les hôtes disposent aussi d'une cuisine, d'un barbecue sur la terrasse (jolie vue) pour l'été, d'une laverie et d'une salle TV avec cheminée. Juste à côté, restauration (tous les jours, midi et soir) et animation au pub *Vaughan's,* qui programme certains soirs des concerts de musique traditionnelle.

🛏 **Clare's Rock Hostel :** à Carron (ou Carran). ☎ 70-89-129. 📱 087-123-53-89. ● claresrock.com ● À 13 km de Kilfenora, à l'entrée de Carron, sur la gauche en venant de Killinaboy. Ouv de mi-mars à fin sept. Résa conseillée en hte saison. Selon saison, compter 14-24 €/pers en dortoir ou chambre double ; petit déj 3 €. CB refusées (mais possibilité de payer en ligne). 📶 2 grandes maisons en pierre voisines abritent une AJ privée extra en plein Burren, très bien tenue par un passionné de football gaélique. Confortable et complet : cuisines bien équipées, laverie, location de vélos, pub *(resto en saison ; env 12 €)* à proximité... Chambres familiales, doubles ou dortoirs (avec ou sans salle de bains privée) pour une capacité totale de 60 à 70 lits. Par la fenêtre, l'Irlande rurale dans toute sa splendeur. Seul problème, le lieu est isolé et aucun bus n'y mène... Sinon, plein d'infos sur la région et des conseils sur les itinéraires de balades.

À voir

🎎 **Burren Display Centre :** dans le centre du village. ☎ 70-88-030. ● thebur rencentre.ie ● De mi-mars à mai et sept-oct, tlj 10h-17h ; juin-août, tlj 9h30-17h30. Fermé en hiver. Entrée : 6 € ; réduc. Montage audiovisuel (en français) de 12 mn, maquettes et gentilles reconstitutions expliquant l'origine du Burren, sa faune et sa flore. Une bonne introduction à la région. Un peu cher malgré tout. Le centre propose également des excursions à pied, les coordonnées de guides pour accompagner les randonneurs et de la documentation en français (traduisant les panneaux de l'expo du centre). Sur place aussi, une carte des environs, pour trouver les petits *ring forts,* dolmens ou cairns.
🍴 *Coffee shop* et *tearoom* agréable juste à côté.

🎎 **Saint Fachtnan's Cathedral :** en contrebas du Burren Centre. Tlj 10h-17h (parfois 18h). Pas plus grand qu'une église, mais le terme de « cathédrale » fut retenu, car Kilfenora formait au XIIe un tout petit diocèse. Son chœur, ruiné mais protégé d'un toit de verre, offre encore une grande fenêtre à trois baies ornées de petits chapiteaux sculptés. Y ont été disposées de magnifiques croix restaurées. Observez la célèbre *Doorty Cross,* du XIIIe s. Dans ce même chœur, se trouvaient des bas-reliefs

représentant des évêques. Ils sont désormais visibles à l'entrée de l'actuelle église. Avec eux, un évêque accompagné de deux ecclésiastiques, d'un oiseau et d'anges sur ses épaules. Cela symboliserait la réforme de l'Église irlandaise au XIIᵉ s.
– En sortant, ne manquez pas, à 100 m de là, la *West Cross,* une superbe croix celtique majestueusement dressée dans son pré (accès par le fond du cimetière).

DANS LES ENVIRONS DE KILFENORA

🏃🏃 Superbes découvertes à faire autour du village de **Noughaval,** à quelques kilomètres de Kilfenora sur la route d'*Aillwee Caves.* Notamment les sites de *Cahercutteen* et de *Ballyganner* (prendre la route de l'église pour y accéder).

La route Corofin-Ballyvaughan

Retour sur la route Corofin-Ballyvaughan, dans le sens sud-nord (la superbe R 480), pour visiter plusieurs sites.

🏃🏃 **Carron Church** : pas dans le village de Carron (ou Carran), mais sur la route Corofin-Ballyvaughan (R 480), avt Poulnabrone (bien indiqué). Un exemple très représentatif des églises médiévales. Le cimetière, dont les tombes sont souvent de simples roches, domine une large vallée. Portail du XVᵉ s.

🏃 *Caherconnell Fort :* juste avt le dolmen de Poulnabrone, sur la gauche (pas loin de la route). L'entrée est payante, via le Visitor's Centre. ☎ 70-89-999. ● bur renforts.ie ● De mi-mars à oct, tlj 10h30-17h (10h-18h30 juil-août). Entrée : 7 €. Brochure (gratuite) en français. Ce fort circulaire, à l'architecture assez impressionnante, fut construit entre l'an 900 et l'an 1000 afin de protéger des familles de fermiers. Il fut occupé jusqu'au XVIIᵉ s. Le site fait toujours l'objet de fouilles. Ce qui remet d'ailleurs en cause récemment la datation du fort que l'on estimait jusqu'alors contemporaine des VIᵉ-IXᵉ s. On a découvert aussi que le site était déjà habité au Néolithique. Une vidéo (en français sur demande) offre une visite virtuelle du site en remontant le temps. On s'y croirait ! On regrette néanmoins l'absence de terrasse panoramique qui permettrait d'appréhender le site dans son entier. On regrette aussi et surtout le prix d'entrée, bien trop élevé...

🏃🏃 *Le dolmen de Poulnabrone :* accès libre et gratuit. À 100 m de la route, au cœur du paysage minéral du Burren, se dresse le plus célèbre dolmen de la région. Les fouilles ont exhumé 33 corps, certains remontant à 3 800 ans av. J.-C. Site à voir au lever ou au coucher du soleil : la lumière est bien plus féerique et il y a beaucoup moins de monde. Des panneaux (en anglais) présentent l'histoire et la géologie si particulière du Burren. Très bien fait !

Plus de Burren encore !

La route Killinaboy-Carron

Les accros et ceux qui veulent découvrir des endroits encore plus sauvages trouveront de quoi se réjouir, notamment dans le coin de **Carron-Turlough.** À la sortie de Killinaboy, prendre la première à droite, direction Lisdoonvarna.

🏃 Sur la route, plusieurs **wedge tombs** accessibles, dont l'une est remarquable. Dissimulée par la végétation, elle est indiquée par un panneau 3 km après Killinaboy, sur la gauche.

➤ Balades à pied pour découvrir les **polje,** vastes dépressions calcaires qui débouchent sur d'abruptes vallées. *Kilcorney,* à 1,5 km à gauche de la zone église de Carron-dolmen de Poulnabrone, en est un des exemples les plus fameux.

🎥🎥 *Cahercommaun Fort* (Cathair Chomain) : à mi-chemin de la route Killinaboy-Carron. L'un des forts préhistoriques les mieux préservés, habité jusqu'au Xᵉ s par une communauté d'éleveurs. Des étables et différents instruments domestiques y furent dégagés. Bien qu'officiellement Monument national, son accès fut contesté par le fermier local. Renseignez-vous au *Burren Centre* de Kilfenora, au cas où...

➤ La route, à elle seule, vaut le trajet. Le site est indiqué par une pancarte. Garer sa voiture au parking. Environ 45 mn aller-retour. Pas de difficultés majeures. Avec un œil sur les enfants, possibilité de s'y aventurer en famille. Au début, chemin matérialisé. Quelques pancartes aux carrefours importants. Puis le chemin disparaît à l'avant-dernière pancarte. Petite grimpette. Passage un peu confus : nécessité de repérer une sorte d'avenue empierrée s'élevant entre deux bosquets. La dernière pancarte est alors bien visible au fond à droite. Le fort est situé en demi-cercle au bord d'une haute falaise. Trois enceintes. Seule celle du milieu est ronde et fait 8 m d'épaisseur. Quasiment pas de visiteurs (même en août). Le passage sur le mur côté falaise peut s'avérer dangereux.

🎥🎥 *Burren Perfumery* : à *Carron* (ou Carran). ☎ 70-891-02. ● burrenperfumery. com ● *Après Carron, à 2,5 km, au bord du Carron Turlough (bien indiqué). Tlj 10h-17h (18h mai-juin et 19h juil-août). Accès libre.* La plus ancienne parfumerie d'Irlande, dans un endroit fort sauvage, à côté du deuxième plus grand *turlough* d'Europe : un lac qui se remplit et disparaît dans les fissures calcaires au gré des pluies. En fait, l'établissement est surtout un point de vente de produits concoctés à partir des plantes endémiques (celles-ci étant protégées localement, elles viennent en réalité d'un peu plus loin). Mais on vous montre aussi un beau film sur le Burren, des photos et un (tout petit) jardin aromatique. Fabrication de savon certains jours. Charmant accueil en français de Sadie Chowen.

🍴 ☕ Sur place, *tea room (Pâques-fin sept, tlj 11h-17h).* Sert des produits bio et faits maison (soupes, salades, desserts).

🎥🎥 *East Burren View* : *après Carron, prendre à droite en direction de la parfumerie. Puis, à env 1 km, au carrefour, continuer tt droit.* Un pittoresque point de vue sur le mont Mullaghmore, avec ses imposants plis caractéristiques. Pancarte sur le bord de la route, puis 300 m dans un grand champ. Sentier assez visible. Au retour, de l'autre côté de la route, beau dolmen *(wedge tomb).*

➤ Enfin, voici une agréable randonnée dans une zone classée parc national : l'escalade du *Mullaghmore* (238 m). On trouve le chemin à 1,5 km du carrefour Corofin, Boston et Killinaboy (6 km à l'est de Carron). Attention, ce n'est pas très repérable. Le chemin part vers le sud-est et atteint une petite colline d'où l'on aperçoit le monastère de Kilmacduagh. Suivre l'arête toujours sud-est. Elle s'infléchit progressivement vers le sud pour parvenir au pied du Mullaghmore. Ascension aisée. Retour en restant à droite des petits bois.

🎥🎥 *Kilmacduagh Monastery* : *à env 6 km de Gort, sur la route de Corofin (la R 460) ; puis indiqué.* Ensemble de vestiges assez étonnant, qui se voit de loin : ruines de quatre églises médiévales, ainsi qu'une haute tour ronde du XIIIᵉ s, légèrement inclinée mais parfaitement préservée, et une cathédrale du XIᵉ s (dommage, on ne peut pas y entrer).

LE BURREN, LES ÎLES D'ARAN

BALLYVAUGHAN [ʙᴀɪʟᴇ ᴜɪ ʙᴇᴀᴄʜáɪɴ]

201 hab.   IND. TÉL. : 065

Ce village, mignon comme tout, permet de rayonner dans tout le Burren, jusqu'aux falaises de Moher, voire Galway. Idéal pour tous ceux qui cherchent un port d'attache ! Cette petite station balnéaire composée de quelques maisons disséminées ici et là, dégage un charme tranquille assez irrésistible. Bref, on adore !

Adresses et info utiles

🛈 @ Office de tourisme : derrière la supérette à la sortie du village, direction Kinvara. ☎ 70-77-464. ● discoverbal lyvaughan.com ● Tlj 10h-18h. Complet et compétent. Pas mal de doc : cartes gratuites ou payantes, guides de rando, etc.

■ **Laverie Connoles :** en face de la station-service. 🖀 086-341-28-75. Tte l'année, lun-sam 9h-17h (voire 18h). Également des vélos à louer au même endroit.

■ **Arrêt de bus :** devant la supérette (tickets à vendre dans le bus). Ligne Galway-Doolin : dans les 2 sens, lun-sam, 4-5 bus/j. en été (sinon slt 2) et 2 le dim (1 seul en basse saison).
– Attention, pas de banque ni de distributeur de billets.

Où dormir ?

De prix moyens à plus chic

🛏 Meadowfield B & B : à 200 m du centre du village, direction Kinvara, sur la gauche. ☎ 70-77-083. ● meadow field.net ● Ouv Pâques-oct. Doubles 56-68 €. CB refusées. 🖳 🛜 9 chambres assez simples, pas très grandes, sans charme mais très correctes, avec salle de bains privée et TV. La chambre du fond, à l'étage, dispose d'une vue sur la baie. Un bon rapport qualité-prix.

🛏 Oceanville : Pier Rd. ☎ 70-77-051. ● clareireland.net/oceanville ● En direction de Fanore, sur le port, juste après le Monk's Bar, sur la gauche, face à la mer. Ouv mars-nov. Double 70 €. CB refusées. 🛜 Un B & B surplombant la mer, que l'on regarde par les baies vitrées en prenant le petit déj. Grandes chambres plutôt vieillottes ; certaines avec salle de bains et certaines avec vue sur la baie. Excellent accueil.

🛏 Drumcreehy House : ☎ 70-77-377. ● drumcreehyhouse.com ● À 3 km du village, sur la route de Kinvara, sur la droite. Ouv tte l'année. Résa impérative nov-fév. Doubles 84-100 € selon saison. 🛜 Le haut de gamme du B & B, dans une imposante demeure moderne, face à la baie de Galway. Une dizaine de chambres ravissantes (dont 2 sont situées dans un petit cottage), avec, au choix, vue sur la mer ou sur le Burren. Elles sont très confortables, agrémentées de meubles de bois clair, de quelques objets chinés, et même de touches « ethniques », comme ces masques africains. Le soir, le lounge à l'atmosphère intimiste, au coin du feu, est bien agréable. Petit déj royal. Accueil très pro. Une adresse coup de cœur.

🛏 Location de cottages : ☎ (061) 411-109. ● rentacottage.ie ● Situés sur le port, près du centre, sur la droite quand on va vers Fanore. Compter 320-795 €/sem selon saison, capacité et confort (min 2 nuits). Adorables cottages avec toits de chaume, aux abords du petit port. 3 ou 4 chambres tout confort, pour 6 à 8 personnes, plus cuisine équipée, TV et cheminée. Prix plus intéressants si l'on est nombreux, bien sûr.

🛏 Monk B & B : sur le port. ☎ 70-77-059. ● monkssg@yahoo.ie ● Voir ci-dessous (« Où manger ? »). Ouv tte l'année. Double 70 €. Au-dessus du pub Monk's, une poignée de chambres au confort simple mais offrant (pour la plupart) une vue superbe le port et la baie.

Où manger ?

De bon marché à prix moyens

|●| The Tea Junction : au petit carrefour central. ☎ 70-77-289. Tlj sf mar 9h30-16h ou 17h ; l'hiver, ouv quelques heures. Petits plats sur le pouce, pour les petites faims, env 4-7 €. CB refusées. Sandwichs, salades et soupes, sur place ou à emporter. Petit déj également. Dehors, 2 ou 3 tables pour grignoter au soleil.

|●| *Monk's Bar* : sur le port. ☎ 70-77-059. Un peu excentré, en direction de Fanore. Tlj 12h-19h (20h le w-e, et même 21h en été). Sandwich 10 €, plats 12-26 €. Maison ancienne aux murs chaulés et aux fenêtres rouges. Rendez-vous populaire des Irlandais comme des touristes. Intérieur joliment arrangé. Quelques confortables fauteuils autour de la cheminée. Excellente réputation pour sa *bar food*, son poisson et ses fruits de mer : *seafood chowder*, copieux *seafood platter*, moules, sandwichs et snacks divers. Aux beaux jours, tables dehors.

|●| *Logues Lodge* : Main St. ☎ 70-77-003. Ouv tlj midi et soir. Snacks 5-13 €, plats 13-25 €. C'est l'un des rares restos ouverts à l'année et où l'on peut dîner (un peu) tard. Rien d'étonnant donc à ce que l'on s'y retrouve à toute heure du jour (et du soir). Et que les habitués et les touristes se pressent au comptoir ou au coin du feu le temps d'une bière, d'un *Irish coffee*, d'un club sandwich ou d'une bonne grillade. Fait aussi hôtel.

Plus chic

|●| *An Fulacht Fia* : Coast Rd. ☎ 70-77-300. Excentré, en direction de Fanore, face à la baie (bien indiqué). Pâques-août, ouv le soir (sf lun) et dim midi ; hors saison, ouv slt le w-e : le soir ven-sam, plus dim midi et soir. Fermé de janv à la Saint-Patrick. Plats 17-24 €. Réduc de 10 % 17h-18h30. La salle donne le ton : un style moderne au design original, chic et chaleureux, avec, en prime, vue sur la baie. La cuisine ne dépare pas, avec une carte offrant peu de choix, mais garantissant d'excellents produits, parfaitement préparés, finement cuisinés, dans un registre « terroir créatif ». Le service attentionné et impeccable couronne le tout. Une adresse idéale pour un dîner romantique !

Où dormir ? Où manger dans les environs ?

Prix moyens

🏠 *Rockhaven Farmhouse* : à Cahermacnaughton. ☎ 70-74-454. ● rockhaven-ballyvaughan.com ● À 9 km, à mi-chemin entre Ballyvaughan et Lisdoonvarna, en pleine cambrousse mais fléché depuis la N 67. Ouv mai-sept. Double 64 €. CB refusées. 🛜 Au milieu de nulle part, cette maison blanche modeste offre un calme total et, comme le coin est peu fréquenté, une chance d'y trouver de la place en haute saison. Sur les 3 chambres, 2 sont *en suite* ; toutes sont assez petites, sans charme particulier mais confortables.

|●| *Linnane's* : à New Quay, à env 12 km de Ballyvaughan, à gauche sur la route de Kinvara (N 67). ☎ 70-78-120. Tlj midi et soir : jusqu'à 21h l'été et le w-e en hiver ; jusqu'à 20h en sem l'hiver. Plats env 10-25 €. C'est un rendez-vous populaire local, sans charme à l'intérieur mais authentique et avec un environnement agréable, au bord de l'eau. Dans la salle principale, une vieille barque, qui servait à traverser l'estuaire juste en face, est suspendue au plafond. L'été, terrasse les pieds dans l'eau. Pas étonnant que la carte fasse la part belle aux poissons (notamment le saumon fumé) et aux fruits de mer (homard, *seafood chowder*, huîtres, etc.). C'est simple, pas très raffiné mais copieux et pas trop cher.

Où boire un verre ? Où écouter de la musique ?

🍸 ♪ *Monk's Bar* : voir « Où manger ? ». De la musique tous les samedis soir de l'année.

À voir. À faire

🥾 👣 *Aillwee Caves* : à 3,5 km de Ballyvaughan, sur la route de Corofin. ☎ 70-77-036. ● aillweecave.ie ● Tte l'année, tlj 10h-17h30 (18h30 en été ; 17h en hiver).

Entrée : 12 € ; réduc. Bird of Prey : 8 € ; réduc. Joint ticket 17 € (comprenant donc la grotte et le spectacle de faucons). Forfaits famille et (grosse) réduc en achetant son billet en ligne. Grotte découverte en 1940 par un berger de Ballyvaughan. Stalactites et stalagmites en silice. Visite guidée de 35 mn, d'intérêt moyen. En revanche, le site propose un parcours fléché dans le paysage de rocaille jusqu'à un point de vue sur le Connemara. Vaut le coup pour la balade ! En option, un spectacle d'oiseaux de proie en vol et possibilité de les voir de plus près en cage.

⌦ La jolie *plage de Bishopquarter* est située à moins de 4 km de Ballyvaughan, sur la route de Kinvara. Indiqué sur la gauche. Large panorama de la baie de Galway au Gleninagh Castle.

DANS LES ENVIRONS DE BALLYVAUGHAN

⚔ *Gleninagh Castle : à env 5 km de Ballyvaughan, sur la route de Black Head. Prendre le chemin sur la droite et poursuivre sur 400 m.* Une tour de la fin du XVIᵉ s, disposée en L et composée de cinq étages. Ne se visite pas, mais c'est un super coin pour pique-niquer. Site très paisible.

➢ *Randonnée sur le massif de Black Head :* une boucle de 5-6h, facile, au départ de Fanore. Bien signalisé : on monte jusqu'à la pointe de Black Head (vue sur les îles d'Aran et le Connemara), puis on poursuit jusqu'à Coolsiva, de l'autre côté de la pointe et retour sur Fanore par les terres.

LES ÎLES D'ARAN [oileáin árann]

IND. TÉL. : 099

Voici des îles qui sont sans doute le dernier refuge de la mythologie irlandaise. Rochers balayés par des vents violents et assommés par d'impitoyables vagues. Pendant des siècles, hommes et femmes d'Aran creusèrent des sillons dans la roche et le calcaire pour y mêler algues et sable. En pourrissant, elles fournirent l'humus où poussèrent ensuite pommes de terre et belle herbe grasse. On ne trouve nul endroit au monde ayant construit tant de murs. Il fallait bien mettre les pierres quelque part... De plus, ils protégeaient la mince et fragile couche de terre des vents assassins. Et de grises, tout doucement, les îles devinrent vertes ! Descendants des premiers Celtes arrivés en Irlande, ces paysans pêcheurs portent sur leurs visages l'âpreté de leur lutte contre les éléments, la fierté de maintenir intactes leurs traditions. Le grand auteur Synge notait : « Les vies y ont l'étrange qualité que l'on trouve dans les légendes. » Ici, on s'obstine encore à parler le gaélique et à construire des *curraghs,* ces bateaux en toile goudronnée si résistants dans les bourrasques.

Sur les îles, on peut acheter des choses qui ne sont pas encore fabriquées en Chine : les *pampooties* (chaussures sans talons en peau de mouton), ceintures tressées, pulls ou paniers de pêcheurs. À propos, une anecdote : chaque famille sur les îles possédait son propre point de tricot. Quand la mer mangeuse d'hommes rendait le corps souvent méconnaissable d'un pêcheur disparu, le pull permettait ainsi son identification...

Malheureusement, les îles sont un peu victimes de leur succès. Beaucoup de touristes en haute saison et parfois quelques pratiques anticommerciales fort peu irlandaises ! En revanche, hors saison, pas grand-chose d'ouvert...

– Pour en savoir plus, deux ouvrages : *Pocket Guide to Árainn, Legends in the Landscape,* de Dara O'Maoildhia (traduction en français disponible à l'office de tourisme de Kilronan, sur Inishmore), et *The Book of Aran,* chez Tír Eolas (en anglais).

ARAN ET LES ÉCRIVAINS

Issu d'une riche famille protestante, *John Millington Synge* se sentit plus proche de la culture irlandaise et rompit rapidement avec son milieu. Yeats lui conseilla d'aller visiter les îles d'Aran. Synge y retourna cinq fois, et un livre naquit de cette histoire d'amour : *Les Îles d'Aran*. Son théâtre devait également se nourrir de cette rencontre. *O'Flaherty*, auteur du célèbre roman *Le Mouchard*, naquit sur Inishmore. Enfin, l'autre *Flaherty, Robert*, très grand cinéaste américain, y tourna, en 1934, *The Man of Aran*, en ne faisant jouer que les gens de l'île.

Comment y aller ?

Voici les fréquences depuis les différents ports d'accès. Pour relier les îles entre elles, il vous faudra jongler avec les bateaux de *Doolin Ferry* ou éventuellement avec ceux d'*Island Ferries*. Se renseigner auprès de l'office de tourisme d'Inishmore, ou directement auprès des compagnies. Attention, les liaisons inter-îles ne fonctionnent qu'en été. En avril, il vous faudra passer la nuit sur Inisheer, en venant d'Inishmore par exemple, et reprendre le ferry du lendemain. Enfin, on ne va pas dans les îles avec sa voiture, et c'est tant mieux !

En bateau

➢ **De Rossaveal** *(40 km à l'ouest de Galway) :* la compagnie *Aran Island Ferries* dessert les 3 îles.

– *Pour Inishmore :* compter env 25 € l'A/R par adulte ; réduc enfants, famille et étudiants. Trajet : 45 mn. Si vous êtes véhiculé, parkings à Rossaveal (payants).

■ *Aran Island Ferries : infos et résas à Galway au 37-39, Forster St, en face de l'office de tourisme. Infos :* ☎ *(091) 568-903 ou (091) 572-050 (après 17h30).* ● *aranislandferries.com* ● *Tlj 8h30-17h30.* Possède des ferries modernes et rapides, souvent bondés mai-sept. Si vous n'avez pas de voiture, un bus assure le plus souvent la liaison depuis Galway (départ 1h avt l'embarquement). Pour *Inishmore*, 3 départs/j. avr-oct (rotations supplémentaires en été) et 2 départs le reste de l'année. Pour les petites îles *Inishmaan* et *Inisheer*, 2 départs/j., en principe tte l'année.

➢ **De Doolin :** 3 compagnies assurent les liaisons Doolin-Inisheer (la plus proche : 8 km ; 30 mn), Doolin-Inishmaan et Doolin-Inishmore (la plus grande ; 1h30). Pas de liaisons hors saison (oct-Pâques). Parking gratuit au port de Doolin.

– Compter env 20-30 € par adulte l'A/R à Inishmore ; 10-20 € l'aller simple (les tarifs les moins chers sont sur Internet). En principe, réduc étudiants et moins de 14 ans. Tarif « spécial famille » pour 2 adultes et 2 enfants ou pour 1 A/R dans la journée.

– En principe, possibilité de réserver, mais il arrive qu'on vous dise de venir slt 1h avt le départ pour acheter votre place.

– *Pour Inisheer :* 2-7 départs/j. selon période, demande et conditions climatiques.

– *Pour Inishmore :* juin-sept, 2 départs/j. ; sinon, 1 départ/j.

– *Pour Inishmaan :* juin-août, 2 liaisons/j. ; se renseigner hors saison.

Bien sûr, les fréquences peuvent varier selon période de l'année, demande, marées, et surtout météo. En cas de très mauvais temps, vous risquez de séjourner quelque temps sur l'île que vous aurez élue. Suivez donc la météo de près : les *Doolin Ferries*, par exemple, ne prennent plus la mer à partir d'un vent force 5. Les traversées depuis Doolin sont donc nettement moins fiables qu'au départ de Rossaveal. En fait, même si vous avez laissé votre voiture à Doolin et que le crochet en bateau par Rossaveal vous semble plus long et compliqué, c'est le trajet le plus sûr et le moins cher pour rejoindre les îles d'Aran (et en revenir), si vous avez un timing à tenir ou que vous voyagez en dehors de la haute saison... En effet, les bateaux reliant

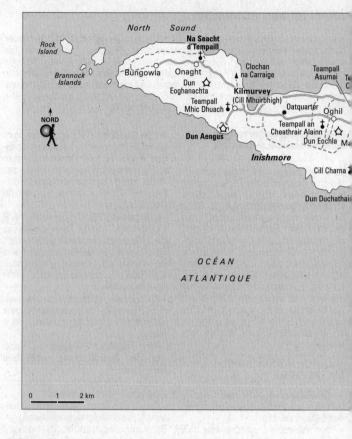

Rossaveal aux îles sont plus gros et donc plus fiables en cas de mauvais temps.

■ **Doolin Ferries :** *au port.* ☎ *(065) 70-74-455.* ● *doolinferries.com* ●
■ **Doolin 2 Aran Ferries :** *au port.* ☎ *(065) 70-75-949.* ● *doolin2aranferries.com* ●
■ **O'Brien Line :** *au port.* ☎ *(065) 70-75-555.* ● *obrienline.com* ●

En avion

✈ **Aer Arann :** *Connemara Airport, à Inverin, village situé après Spiddal, à une trentaine de km à l'ouest de Galway.* ☎ *(091) 593-034.* ● *aeraran*

nislands.ie ● *Tte l'année. Résa très conseillée.*

➢ En saison, en principe 6 vols/j. sur les 3 îles (hors saison, 4 pour Inishmore et 2 pour les autres îles). Dans le prix, 1 nuit en *B & B* peut être incluse si on le désire. D'autres formules possibles avec transfert Galway-aéroport compris. Avions de 9 places et vol de 6 mn ! C'est un moyen plus sûr que le bateau (même si les avions ne partent pas en cas de grand vent ou de brouillard), ça évite le mal de mer, ça fait gagner beaucoup de temps et ce n'est pas tellement plus cher que le bateau (compter 45 € l'A/R)...

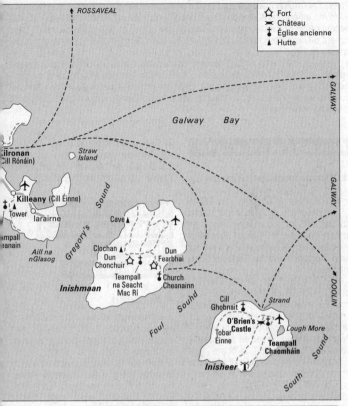

Légende :
- ☆ Fort
- ⚔ Château
- ✝ Église ancienne
- ▲ Hutte

ROSSAVEAL

GALWAY

Galway Bay

GALWAY

DOOLIN

Kilronan (Cill Rónáin)

Straw Island

Killeany (Cill Éinne)
Tower
Iararine

ampall eanain

Aill na nGlasog

Gregory's Sound

Cave ▲

Clochan ▲
Dun Chonchuir ☆

Teampall na Seacht Mac Rí

Dun Fearbhai ☆

Church Cheanainn ✝

Inishmaan

Foul Souhd

Cill Ghobnait ✝

Strand

O'Brien's Castle ⚔

Tobar Éinne

Lough More

Teampall Chaomháin ✝

South Sound

Inisheer ✝

LE BURREN, LES ÎLES D'ARAN

LES ÎLES D'ARAN

L'ÎLE D'INISHMORE (inis mór)

C'est l'île la plus grande (13 km de long) et aussi la plus touristique. Environ 825 habitants (beaucoup de jeunes sont partis). Si vous ne devez faire qu'une seule île, on vous conseille plutôt de visiter celle-ci, malgré la forte fréquentation touristique. Inishmore offre en effet beaucoup plus de balades, de centres d'intérêt, ainsi que des hébergements plus nombreux.

Entre le premier et le dernier bateau, quasiment impossible de tout visiter dans la journée (ou alors 5 mn par site en pédalant dur !). Cela dit, on peut se contenter des deux ou trois principaux sites. La découverte de tous ces vestiges d'églises, chapelles et forts est le prétexte à d'agréables balades à vélo, pour lesquelles la météo fait toute la différence. À ce propos, pensez à emprunter la route côtière pour atteindre l'ouest de l'île, c'est beaucoup plus facile. La route centrale est beaucoup plus pentue.

Passez au moins une nuit sur l'île. En effet, on est là pour prendre son temps...
– Arrivée au port de **Kilronan**. Très conseillé de louer un vélo en débarquant. Pas besoin de se précipiter, plusieurs loueurs sur le port et beaucoup de vélos. Également de nombreux minibus à l'arrivée qui font office de taxis et proposent aussi un tour de l'île.
– Carte des îles utile pour bien repérer les chemins, éditée par *Ordnance Survey of Ireland*, en vente à l'office de tourisme de Kilronan. Les petits budgets se contenteront du plan, simplifié mais gratuit, offert par l'un des loueurs de vélos à l'arrivée ou de celui donné par la compagnie *Arann Island Ferries* (disponible à l'office de tourisme notamment).

Adresses et infos utiles

🛈 **Office de tourisme :** à Kilronan, sur le port. ☎ 612-63. • aran@failteireland. ie • Tte l'année, tlj 11h-17h (10h-18h45 l'été). Excellent accueil et personnel compétent. Infos sur les liaisons en ferries. Boutique et librairie habituelles, avec tous les bouquins et les cartes sur Aran. Consigne pour les bagages à prix modique.
– ATTENTION : UN SEUL DISTRIBUTEUR DE BILLETS SUR L'ÎLE ! Il se trouve à l'intérieur du petit supermarché près du port et ne peut pas toujours satisfaire tout le monde en haute saison. Pour nos amis suisses et canadiens, possibilité de change à la poste *(tlj sf sam ap-m et dim)* ou à la *Bank of Ireland (sortie nord du village, sur la gauche ; mais ouv slt mer – et jeu juin-sept – 10h-15h, avec parfois une pause déj !)*. Le mieux est bien sûr de venir avec une réserve suffisante de liquide.
■ **Location de vélos :** il y a 3 loueurs principaux, dont **Aran Bike Hire,** qui vous attend de pied ferme à l'arrivée et distribue un plan gratuit de l'île. • aran bikehire.com • Compter env 10 €/j. (15 € pour 24h de loc), plus la caution. Également **Burke Bicycle Hire :** au niveau de la boutique d'artisanat mauve et jaune. 🕾 087-280-82-73. • bikehire aranislands.com • Mêmes tarifs.
■ **Supérette : Spar,** dans le haut du village, face à Dormer House. L'été, lun-sam 9h-20h, dim 10h-17h ; en hiver, lun-sam 9h-18h, dim 10h-17h. Dépanne les étourdis qui ne se sont pas approvisionnés avant de venir, mais c'est cher !
✉ **Poste :** dans le haut du village, près de la banque et du supermarché. Tlj sf sam ap-m et dim.

■ **Taxi : Noel Mahon,** 🕾 087-778-27-75. Peut dépanner le soir, si vous êtes loin de Kilronan. Mais il y en a d'autres (demander à l'office de tourisme).

Où dormir ? Où manger ? Où boire un verre ? Où écouter de la musique ?

À Kilronan

⛺ **Camping :** ☎ 611-85. À 20 mn à pied en direction de Kilmurvey. Du pub Ti Joe Watty, *prendre à droite la route qui longe la côte en contrebas : c'est ensuite sur la gauche. Repérable à sa bicoque blanche aux fenêtres vertes, qui fait office de sanitaires. Ouv l'été. Env 16 €* pour 2 avec tente. Cadre magnifique, isolé face à la mer, mais infrastructures (et sanitaires) très rudimentaires. Tenu par un paysan qui passe chaque soir récupérer les sous des nuitées. Parfois, en été, ambiance musicale.
🏠 **Kilronan Hostel :** ☎ 612-55. • kilro nanhostel.com • Ouv fév-nov. Horaires de réception calés sur les ferries. Attention, particulièrement surchargé en saison, résa conseillée. Compter env 15-20 €/pers selon saison, petit déj compris. 🛜 AJ privée d'une quarantaine de lits, qui surplombe le port et partage ses locaux avec le Ti Joe MacBar. L'inconvénient, c'est qu'on dort dans le village principal et non en pleine nature. L'avantage : un accueil excellent et une AJ vraiment agréable. Dortoirs de 4 à 6 lits, plus ou moins spacieux mais très coquets, avec leur salle de bains particulière. Cuisine très

bien équipée, laverie, petite biblio-thèque et salle commune (TV) dans le bâtiment voisin. Terrasse plutôt plai-sante, avec barbecue à disposition. Location de vélos.

🏠 *Artist's Hostel :* à la sortie du village, route de Kilmurvey. 🖂 087-207-93-83. ● artistshostel.com ● Face au pub Ti Joe Watty, petite route qui descend vers le camping ; c'est tt de suite à droite dans le virage (pas de panneau). Ouv tte l'année en principe. Env 22 €/ pers, petit déj compris. 🖵 Toute petite hostel mi-baba, mi-artiste. En fait, on dort quasiment chez l'habitant. Seu-lement 2 chambres-dortoirs de 4 lits et 1 chambre double ; salle de bains commune, of course ! Cuisine acces-sible gratuitement. Salon TV avec che-minée. Laverie et sèche-linge. C'est très simple, pas hyper propre, mais il y règne un état d'esprit très routard.

🏠 *Seacrest B & B :* au centre du vil-lage. 🕿 612-92. ● seacrestaran@ gmail.com ● Suivre la route à gauche en sortant du port, et longer un peu la baie : c'est sur la droite (panneau). Ouv tte l'année. Résa conseillée. Doubles 60-70 € selon saison. CB refusées. 🛜 Dans une maison récente aux tons jau-nes, avec une pelouse devant. Dispose de 6 chambres pas très grandes (dont la moitié peut accueillir 3 personnes), à la déco très classique et toutes avec salle de bains et TV-DVD.

🏠 ● *Pier House :* pile poil en arrivant, au débarcadère. 🕿 614-17. ● pierhou searan.com ● Ouv de mi-mars à fin oct. Resto tlj midi et soir (jusqu'à 21h). Doubles 80-110 € selon saison, avec petit déj. Côté resto, sandwich, salade env 10 €, plats 12-21 € au déj ; le soir, plat env 23 €. 🛜 L'une des rares adresses un peu chic du village. Grande maison récente qui conviendra à ceux qui recherchent le confort avant tout. Très près des arrivées néanmoins. Une douzaine de chambres, qui ont toutes douche, w-c, sèche-cheveux, TV, téléphone et plus ou moins une jolie vue sur la mer. Location de vélos. Propose également 4 appartements à côté (aux mêmes tarifs que l'hôtel, mais avec cuisine et 2 ou 3 chambres ; moins cher pour un séjour plus long). Fait aussi resto, à la cuisine très répu-tée. Bon accueil.

🏠 ●🍷 🎵 *Ostan Arann-Aran Islands Hotel :* au sud de Kilronan, à moins de 10 mn à pied du port, sur la droite en direction de Killeany. 🕿 611-04. ● aranislandshotel.com ● Hôtel et pub tte l'année, resto en été slt. Doubles 78-118 € selon saison. Côté cuisine, env 12 € pour 1 plat le midi au pub et 25 € le soir au resto. 🖵 🛜 Le seul véritable hôtel de l'île. Et il ne démérite pas côté confort : une vingtaine de chambres chaleureuses, assez grandes et chic, certaines pour 4 ou 5 personnes et d'autres avec vue sur la baie. Bar food au pub Paitin Jack, le midi et le soir (jus-qu'à 21h30) : seafood chowder, poisson du jour, steak... Également des salades et des sandwichs. Salle moderne et colorée, donnant sur la baie. Musique toute l'année le vendredi et le week-end, et même tous les jours en été.

🍴 *Aran Fisherman :* juste avt la plage, par la route sur la gauche en venant du port, dans une petite maison sur la droite. 🖂 087-615-99-24. Mars-fin sept, tlj jusqu'à 17h. Sandwichs 5-8 €, plats chauds ou salades 7-14 €. Dans une grande salle claire et assez agréable, ou en terrasse, on se restaure d'une cuisine simple, sans prétention mais correcte. Pas mal de choix : seafood chowder, Irish stew, pommes de terre garnies, bonne variété de sandwichs et excellents desserts maison.

🍴 *O'Malley's-Bay View :* sur le port. 🕿 610-41. Tlj midi et soir jusqu'à 21h (voire 22h30 en été). Plats 13-23 €. Pour s'éloigner le temps d'un repas de la cuisine traditionnelle irlandaise : à la carte, fajitas, hamburgers, pâtes, bonnes pizzas, salades, etc. Le cadre aussi change des pubs : déco sobre, moderne et branchée, mobilier design, musique lounge, etc.

🍴 🍷 Histoire de manger sur le pouce, signalons aussi le petit coffee house Lios Aengus (tlj 9h30-17h), à côté de la supérette Spar : petit déj, sandwichs et soupes (5-8 €) ; peu de choix, mais des spécialités, indiennes notamment, qui changent. Et pour boire un verre, le Ti Joe MacBar (ouv tlj ; soupes et sand-wichs jusqu'à 17h slt), près de Kilronan Hostel, avec sa terrasse dominant le port, n'est pas mal non plus.

🍴 🍷 🎵 *Pub Ti Joe Watty :* à la sor-tie du village, route de Kilmurvey, sur la gauche. ☎ 208-92. Tte l'année, tlj midi et soir. Le midi, sandwichs 5-6 € et plats 12-20 € ; le soir, plats 13-27 €. Tables dehors aux beaux jours pour déguster un bon sandwich et descendre une *Smithwick's* entre 2 séances de pédalage. Déco coquette et cosy, avec cheminée chaleureuse. *Pub grub* également. Musique traditionnelle tous les soirs en été (sinon, le week-end seulement). C'est le pub le plus sympa !

Dans le reste de l'île

🛏 ◉❙ *Mainistir House Hostel :* à Mainistir. ☎ 611-69. ● aranislandhostel. com ● À 20 mn à pied de Kilronan, sur la route de Kilmurvey. Accès par minibus du port ou louer un vélo. Ouv tte l'année. Résa conseillée en saison. Compter env 20 €/pers en dortoir et 50 € la double, petit déj compris. Cuisine à dispo ou possibilité de commander des *evening meals* (buffet 15 €). ▱ C'est une AJ d'une cinquantaine de lits, en bord de route (mais, fort heureusement, pas trop de passage et en pleine nature). Bon accueil. Dortoirs (4 à 10 lits) et chambres gaies et lumineuses, doubles ou familiales, avec salles de bains communes. Pas de laverie ni de salle TV. Bien sûr, beaucoup de monde en saison, c'est donc un peu l'usine, et la propreté s'en ressent.

◉❙ *Radharc na Céibhe B & B :* à 1 km au sud de Kilronan. ☎ 612-97. ● staya ranislands.com ● Du village, prendre la petite route qui part vers Killeany : c'est de l'autre côté de la baie, face au port, après la plage, sur la gauche. Ouv avr-sept. Doubles 70-80 € selon saison. CB refusées. 🛜 Petite adresse toute simple, à l'écart de Kilronan. Maison couleur saumon, à l'intérieur peut-être un poil kitsch mais confortable. Propose 5 chambres très spacieuses (toutes *en suite*) avec TV et vue sur la mer. Bon accueil et bon *Irish breakfast*.

🛏 ◉❙ *Ard Einne Guesthouse :* à Killeany, à 2 km au sud de Kilronan. ☎ 611-26. ● ardeinnearan.com ● À la sortie de Killeany, sur une petite colline après l'aérodrome, qui domine la plage d'Árd Einne (bien indiqué). Ouv fév-fin oct. Double 80-120 € selon saison, avec petit déj. Dîner pour les résidents,

sur résa, 27 €. 🛜 En tout, 8 chambres confortables et chaleureuses (certaines en lambris). 4 d'entre elles profitent de la vue sur la plage. *B & B* loin de tout, mais niché dans un coin paisible et pittoresque. Cuisine maison très goûteuse. Accueil très attentionné et agréable salon avec TV.

🛏 ◉❙ *B & B Man of Aran Cottage :* juste à côté de Kilmurvey. ☎ 613-01. ● manofarancottage.com ● Fléché sur la droite avt Dun Aengus ; c'est juste après la belle plage de Kilmurvey. Ouv mars-oct. Doubles env 80-90 € selon standing. Repas pour les résidents, sur résa. CB refusées. 🛜 Comment ne pas craquer pour ce charmant petit cottage construit pour le film *The Man of Aran* en 1934 ? Dans l'agréable coin salon avec cheminée, vous pourrez lire les articles racontant l'histoire du tournage. Également une petite terrasse (très venteuse !) avec vue sur la mer. 3 chambres à l'ancienne, charmantes, et 2 chambres plus récentes dans l'annexe, sans charme. Bref, tout cela a quand même du caractère.

🛏 ◉❙ *Kilmurvey House :* à Kilmurvey, juste avt le fort de Dun Aengus, sur la droite. ☎ 612-18. ● kilmurveyhouse. com ● Ouv avr-oct. Doubles 90-110 € ; family room pour 5 pers 130 €. Dîner sur résa pour les hôtes env 30 €. 🛜 Dans une authentique maison irlandaise en pierre grise, rénovée et avec un grand jardin devant. Environnement très calme hors saison, mais pas mal de monde dans le coin pour visiter Dun Aengus en été. Intérieur cosy avec 2 agréables petits salons. Une douzaine de chambres avec douche ou bains et w-c, certaines à l'ancienne, d'autres plus récentes. « Tapis, moquette et vieilles armoires », tel pourrait être finalement l'intitulé de cette charmante adresse un peu plus chic ! Bon accueil.

◉❙ *Tigh Nan Phaidi's Restaurant :* à Kilmurvey. ☎ 209-75. Dans le hameau, sur la droite au croisement pour le fort de Dun Aengus. Tte l'année, tlj jusqu'à 17h (18h en été). Plat du jour env 12 €. Belles salades et bons produits maison. Un excellent *chocolate Guinness cake*. Cadre agréable. On apprécie le feu de tourbe et la soupe par une médiocre journée de pluie, où il faut pédaler dur !

À voir

✹✹✹ Dun Aengus *(Dun Aonghasa) :* à 8 km à l'ouest de Kilronañ ; tourner à gauche au hameau de Kilmurvey. Visitor's Centre : ☎ 610-08 ; avr-oct, tlj 9h45-18h ; mars et nov-déc, tlj 9h30-16h ; janv-fév, mer-dim 9h30-16h. Entrée : 3 € ; réduc. Heritage site.

ATTENTION ! Si le chemin est bien balisé et ne présente aucune difficulté, il débouche sur une falaise de 87 m de haut sans AUCUNE BARRIÈRE DE PROTECTION NI PARAPET ! Sachez qu'il y a souvent des vents violents et que des accidents mortels ont déjà été déplorés. Prenez vraiment toutes les précautions, notamment si vous venez avec des enfants ! On vous conseille de vous y rendre à l'ouverture, ou vraiment en fin de journée, pour avoir une chance d'être seul au monde... Au *Visitor's Centre,* lecture rapide des rares panneaux explicatifs (dont un en français). Également une brochure explicative en français, gratuite.

Après 15 mn de marche, vous débouchez donc sur cette belle falaise. Elle est sans doute plus spectaculaire vue de la mer (voir la superbe photo au *Visitor's Centre*), mais elle reste encore très impressionnante pour ceux qui sont sujets au vertige (à l'image du lieu, soyez fort !). Sérieusement, voici sans doute l'un des forts préhistoriques les mieux conservés d'Europe. Étonnamment, il est de forme semicirculaire. Les archéologues supposent que l'autre moitié a pu s'effondrer avec la falaise. Mais la thèse la plus probable est que, certains de ne pas être attaqués côté mer, les constructeurs se seraient contentés d'un demi-cercle. Son origine remonterait à 1100 av. J.-C. Le fort, le plus grand des sept que comptent les trois îles d'Aran, comprend trois enceintes concentriques présentant un bel appareillage en pierres sèches. Au nord, remarquable ligne de défense de roches effilées, dressées en l'air comme des chevaux de frise. L'absence de puits ou de source sur place indique que les défenseurs ne s'attendaient jamais à être longuement assiégés. Panorama unique sur l'ensemble de l'île, notamment sur la ligne de falaises vers l'ouest.

Plus loin vers le sud, sur la côte, aller voir le *Wormhole* ou *Poll na bléist* (« trou de ver »), vaste ouverture rectangulaire dans le sol comme si une dalle gigantesque s'était effondrée. Depuis la route entre Oatquarter et Kilmurvey, prendre à gauche (en venant d'Oatquarter) un petit sentier en direction de *Gort na Glapall.* On rejoint ensuite la côte par la falaise jusqu'à cette piscine extraordinaire (en tout, 30 mn de marche). Attention, à marée haute elle n'est pas visible !

On trouve l'équivalent en plus petit dans le sud de l'île. Là, on les appelle *Puffin's holes* (« trou de macareux »).

✹✹ Clochan na Carraige : *après avoir quitté Dun Aengus et traversé Kilmurvey, prendre au croisement le sentier sur la droite (5 mn de marche ; bien indiqué).* On parvient à la hutte en pierres sèches *(clochan)* la mieux préservée de l'île. Construite entre les Ve et X^e s, la hutte dut abriter quelques ermites. Noter la disposition judicieuse des pierres permettant de faire glisser l'eau de pluie.

✹ Dun Eoghanachta : *un autre fort, à gauche de la route, vers Bungowla.* On prend d'abord un chemin de pierre praticable à VTT, puis, quand ça monte dur, on suit à pied le panneau indiquant un petit sentier sur la droite entre les murets : il reste à monter encore pdt 5 mn. Bien préservé lui aussi. Double enceinte et vestiges de *clochan* à l'intérieur. Beau point de vue sur le nord de l'île, et même sur le Connemara par temps dégagé.

✹✹ Na Seacht d'Teampaill *(les sept églises) :* au nord-ouest, dans le village d'*Onaght (Eoghanacht),* par une petite route en pente sur la droite à l'entrée du bourg (indiqué). Sept édifices en ruine, vestiges d'une cité monastique, dont deux véritables églises (l'une érigée entre les VIIIe et X^e s, et l'autre au XVe s). La plus importante s'appelle **Teampall Breacáin.** On trouve aussi, au fond du cimetière, côte à côte, trois intéressantes pierres gravées (des VIIIe et IXe s, mais les croix sculptées dessus sont très effacées) et quelques lits de pénitence (pierres tombales plates sur lesquelles, dans les temps médiévaux, les fidèles passaient la nuit pour voir exaucer leur vœu).

🏃 Si vous êtes vraiment en jambes, après une grosse colline à gravir, vous pouvez poursuivre jusqu'à **Bungowla**, où se dévoilent quelques très vieux cottages. Au bout de la route, au loin, **Rock Island** et son phare.

🏃 En revenant vers Kilronan, possibilité de visiter encore une église du XVe s, **Teampall an Cheathrair Alainn** (à l'abri d'une enceinte, quatre tombes de saints). Près de **Mainistir**, on trouve **Teampall Chiaráin** (VIIIe et XIIe s) avec une pierre sculptée fort intéressante. Enfin, près d'**Oghil** se dresse le petit fort préhistorique de *Dun Eochla* (suivre le chemin menant au phare, puis c'est sur la gauche).

🏃🏃 Balade à pied sympa pour découvrir, au sud-est de l'île, l'impressionnant **Dun Duchathair** (le « fort noir »). Gardé là aussi par des chevaux de frise. Du port, partir sur la route de gauche qui longe la baie, puis c'est la deuxième à droite après l'hôtel *Ostan Arann* : au sommet de la colline, prendre à droite et laisser les vélos. Poursuivre à pied pendant 45 mn (bien indiqué).

🏃🏃 Enfin, en poursuivant la route le long de la baie vers le sud, en arrivant à Killeany, prendre la route à droite dans un virage, avant la jetée, puis un chemin à droite (fléché) pour atteindre, en montant 10 mn à pied, **Teampall Bheanain,** fondé au Ve s. C'est un petit lieu de culte (3 x 2 m), bel exemple d'architecture irlandaise préromane. En chemin, vestiges d'une tour ronde.

En redescendant jusqu'au village de Killeany, à côté de la jetée, on trouve, au bord de la route sur la gauche, les petites ruines du **château d'Arkin,** construit au XVIe s avec les pierres de nombreuses églises de l'île.

Fêtes

Parmi les fêtes les plus sympas, fin juin, feux de la Saint-Jean dans chaque village avec danses, musique et barbecues. Courses de *curraghs* le dernier week-end de juin. Le premier samedi d'août, on bénit les anciens et les nouveaux bateaux. Plein d'autres fêtes, toute l'année ; infos à l'office de tourisme.

L'ÎLE D'INISHMAAN [ɪnɪs meáɪn]

L'« île du milieu », avec ses 150 habitants, est la moins fréquentée des trois mais pas la moins authentique. Seulement, il faut aimer la solitude. D'autant que la mer, parfois mauvaise, empêche de repartir ! L'île inspira beaucoup Synge. Il y passa le plus clair de son temps entre 1898 et 1902. Elle servit de cadre pour ses pièces *La Chevauchée vers la mer* et *Le Baladin du monde occidental*. On peut d'ailleurs voir le cottage où l'écrivain résidait (se visite en juillet et août). Partout, les cottages aux toits de chaume, mieux conservés que sur les autres îles, transportent le voyageur à la fin du XIXe s.

➤ On y accède en 45 mn de bateau depuis Inishmore et 15 mn d'Inisheer. Certains ferries s'y rendent depuis Rossaveal ou Doolin (voir plus haut « Les îles d'Aran. Comment y aller ? »).

🏠 🍴 Quelques rares logements sur place. Signalons notamment **An Dún Country House :** non loin du quai.

☎ 730-47. ● *inismeainaccommodation. com* ● *Ouv mars-fin nov. Resto midi et soir. Doubles 76-90 €, avec petit déj.*

L'ÎLE D'INISHEER (ınıs oírr)

C'est la plus petite (3 km²) et la plus proche de Doolin. Environ 250 habitants. Comparée à Inishmore, elle reste encore bien sauvage, et c'est tant mieux ! Conviendra aux romantiques ou aux solitaires, même si les gens du coin socialisent très facilement... Quelques balades à faire. On trouve deux pubs, un magasin d'alimentation ainsi que quelques logements. On y a découvert une jeune chanteuse, dont on a adoré la musique envoûtante : Lasairfhíona Ní Chonaola, originaire de cette île. Ici, ou à Inishmore, demandez que l'on vous initie (CD en vente à l'épicerie d'Inisheer)...

➤ Accès direct en ferry depuis Doolin ou Rossaveal (voir plus haut « Les îles d'Aran. Comment y aller ? »).

Adresses et infos utiles

■ **Location de vélos** : Rothaí Inis Oírr, à droite juste à côté du débarcadère. ☎ 750-49 ou 33. ● rothaiini soirr@gmail.com ● Pâques-fin sept, tlj 9h-18h ; le reste de l'année, téléphoner. Compter 10 €/j. (vélos pour enfants disponibles). On vous donnera une petite carte de l'île avec ses balades. Cela dit, l'île est petite et si vous avez 1 journée devant vous, tout peut se faire à pied.

■ **Épicerie** : derrière l'Inisheer Hotel, à gauche du port, puis, au niveau de la plage, par une route à droite. Tte l'année, tlj en principe 9h-20h (18h en hiver et horaires parfois restreints dim).

@ Connexion dans le **coffee shop** d'Áras Éanna, par wifi seulement (lire « À voir. À faire »).

– Attention, pas de distributeur de billets.

Où dormir ? Où manger ?
Où boire un verre ?

⌂ **Bru Radharc Na Mara Hostel** : dans le village, à droite en sortant du débarcadère. ☎ 750-24. ● bruhoste laran.com ● Ouv de mi-mars à fin oct. Autour de 20 €/pers en dortoir ; double 55 € ; petit déj en sus. 🖥 🛜 Une bonne trentaine de lits dans cette AJ privée assez récente. Quelques chambres doubles ou dortoirs de 4 à 6 lits. Cuisine et lave-linge (payant) à disposition. Salon et cheminée avec feu de tourbe, TV et vidéos pour les jours de pluie...

⌂ |●| **Radharc an Chlair B & B** (Brid Poil) : à 15 mn à pied du débarcadère. ☎ 750-19. ● bridpoil@eircom.net ● Partir à gauche dans le village, tourner à gauche au niveau du terrain de sport et dépasser le cimetière en montant par la petite route à droite. Puis prendre la route sur la droite jusqu'à une allée sur la gauche, à 150 m, avec un panneau « Brid Poil » : c'est la 2ᵉ maison au bout de l'allée, sur la droite, en hauteur. Ouv de mi-mars à fin oct. Double env 70 €. Dîner 25 € (pas de service sam soir). CB refusées. 🛜 Sans doute le meilleur B & B d'Inisheer. Maison moderne dans un bel environnement, avec vue sur les murets de pierre à l'infini. Propose 4 chambres avec salle de bains privée. Confort impeccable et déco classique, sans charme particulier. Agréable petite véranda avec vue sur les falaises de Moher au loin, par beau temps. Irish breakfast très copieux avec scones et porridge.

⌂ |●| **Tigh Searraigh B & B** : juste en face de l'AJ (même propriétaire). ☎ 750-24. ● radharcnamara@hot mail.com ● Ouv de mi-mars à fin oct. Double 70 €. 🛜 4 à 6 chambres très simples et propres, avec salle de bains et chauffage central (pas toujours très efficace...). Grande salle pour le petit déj, assez sombre, mais pas de salon. Une adresse tout de même un peu spartiate pour le prix !

⌂ |●| 🍷 **Tigh Ruairí** : derrière l'Inisheer Hotel, par la route de gauche depuis le port, puis à droite au niveau de la plage. ☎ 750-02. ● tighruairi.com ● Ouv avr-sept pour le B & B et tte l'année pour le pub (en hiver, slt le soir). Doubles 70-80 € selon saison. Au pub, plats chauds 10-14 €. 🖳 Une vingtaine de chambres en suite et avec TV, récentes, confortables mais sans grand charme (certaines ont vue sur la mer). Agréable living-room à l'étage avec panorama sur le port. Au pub, en bas, carte habituelle. Bien aussi pour boire un verre.

iei ▼ **Fisherman's Cottage :** ☎ 750-73. C'est la dernière maison au bout du village, à droite. Mai-sept, tlj 12h-15h, 18h30-21h. Résa conseillée. Le midi, soupe ou sandwich env 5 € et plat env 10 € ; le soir, plats 18-22 €. Excellente cuisine avec des touches originales, élaborée à partir de produits d'origine locale : poisson parfois pêché par le patron, Thaï style bean cassoulet, agneau aux épices... Salle agréable dans les tons bleus, terrasse. C'est le seul vrai « resto » du coin, avec une agréable véranda à l'arrière ou la terrasse devant.

À voir. À faire

Dans l'est de l'île

🔺 À gauche du port, an trà, la **plage.** Une des plus sûres de la région. Des pêcheurs s'y élancent toujours avec leur curragh pour taquiner le maquereau.

🔦 **Cnoc Raithníghe :** sur la route de gauche, près du débarcadère et d'Inisheer Hotel, juste avt le terrain de sport. Tumulus (restauré) de l'âge du bronze (environ 1500 av. J.-C.). Révélé par un violent coup de vent en 1885 ! Les urnes et les ossements exhumés sont exposés au Musée national de Dublin.

🔦🔦 Sur une colline de sable, face à la mer, à gauche en venant du port, un petit cimetière. Longtemps ensevelie sous la dune, au milieu des tombes, se trouve la **Teampall Chaomháin** (l'église du saint patron de l'île). Il ne reste que les ruines de cet édifice du XIe s. Même plan que l'église de la Trinité de Glendalough. Son autel offre une petite gravure naïve du Christ sur la Croix (art roman irlandais).

🔦 Ruines du **château O'Brien,** avec son donjon du XVe s. De là, jolie vue sur Inishmaan et le port.

🔦🔦 **The Plassy :** l'épave d'un cargo échoué à l'est de l'île en 1960. Calé sur les rochers, il est encore droit et fier... Paysage insolite. Juste avant, vous contournerez An Loch Mór.

Dans l'ouest de l'île

🔦 Ruines de **Cill Ghobnait,** une toute petite église du XIe s portant le nom de la seule femme qui ait été autorisée à séjourner sur ces îles. Pour la trouver, prendre à droite au débarcadère, en direction d'Áras Éanna. C'est sur la droite, juste avant la maison de pierre aux fenêtres rouges.

🔦 **Áras Éanna :** à l'ouest de l'île, indiqué depuis le débarcadère (sur la droite, à env 10 mn à pied). ☎ 751-50. ● araseanna.ie ● Une ancienne fabrique de vannerie transformée en centre culturel, galerie, cinéma, salle de concerts. Plusieurs ateliers artisanaux, mais le centre est surtout actif en été (voir le programme sur le site internet). ▼ @ Un petit coffee shop (ouv slt juin-août, tlj 11h-16h).

🔦 **Tobar Éinne :** à env 1,5 km d'Áras Éanna (au total, à 30 mn à pied du port). Après le centre culturel, faire 1 km, puis prendre à droite au croisement (un chemin en terre part sur la gauche) : c'est à 100 m sur la droite. La fontaine sacrée de Saint-Enda est repérable à une grosse pierre posée sur un muret. On dit que si l'on y voit une anguille, c'est un bon présage !

LE CONNEMARA

Près de 80 % des terres y sont incultivables, c'est probablement pour cette raison que la région échappa plus que les autres aux spoliations. Le Connemara rassemble toute la mythologie irlandaise, et on y trouve la culture et les coutumes gaéliques les mieux préservées. Partout, les saignées de la tourbe ont la couleur de la *Guinness* ; les landes, quant à elles, ont celle de la *Smithwick's*, la grande bière rousse...
Quand Cromwell eut achevé sa conquête et soumis l'Irlande par le feu et le sang, il offrit comme seule option aux paysans catholiques qui avaient été expropriés de s'installer à l'ouest du Shannon. D'où la fameuse phrase qu'il prononça : « En Connaught ou en enfer ! » La région, malgré son aridité, fut très peuplée. Et pourtant, grâce à une économie semi-autarcique et à beaucoup de sacrifices, la population arrivait à survivre, à perpétuer sa langue et à affirmer son identité. La Grande Famine de 1845 brisa cette société, et l'immense hémorragie de l'émigration acheva de la désorganiser.

GALWAY (Gaillimh)   75 500 hab.   IND. TÉL. : 091

▶ Pour le plan de Galway, se reporter au cahier couleur.

Porte d'entrée du Connemara, Galway reçoit chaque année de très nombreux visiteurs. Et ils ont raison. Il faut vraiment passer par ici, car la ville sait être tout à fait accueillante avec son centre animé (rues piétonnes), ses nombreux restos et pubs... Bref, une ville qui bouge. Un signe qui ne trompe pas, Galway est jumelée avec Lorient, mais ici c'est le Festival interceltique à longueur d'année !
Port créé par les Anglo-Normands en 1124 à l'embouchure de la rivière Corrib (Gaillimh en gaélique), Galway

LE CHIEN DE GALWAY

Christophe Colomb, avant de filer vers les Amériques, aurait fait halte à Galway. De là, il fit embarquer avec lui un certain William qui vint avec son chien. Après plusieurs semaines de voyage, voyant poindre les contours de l'Amérique, le chien fut tellement excité qu'il sauta à l'eau et nagea jusqu'à la terre ferme. Ainsi, on aime à dire à Galway que le premier Européen qui foula le sol du Nouveau Continent fut un chien de la ville.

GALWAY

↑ LOUISBURG

Inishbofin

Bofin

(liaison
saisonnière)

Renvyle
Castle

Cashleen

Renvyle

Tully
Cross

Kylemore
Abbey

Garraun
600 ▲ *Lough
Fee*

Sheefi
Hills
▲
761

Doo
Lough

Delp

Aasle

Mweelrea Mountains

Killary

Harbour

N 59

Leen

Cleggan
Claddaghduff

N 59

Letterfrack
CONNEMARA
NAT.
PARK

*Omey
Island*

Moyard
Streamstown

Sky Road

Clifden

Derrylea   N 59

Dan O'Hara
Heritage Centre

R 344

728 ▲ *Benbaun*

Twelve Bens

Benbaun

*Lough
Inagh*

*Lough
Fee*

Jo
Maumturk

*Mannin
Bay*

R 341

Ballynahinch Lake
Ballynahinch Castle

*Derryclare
Lough*

Recess

Ballyconneely

Toombeola

Slyne Head

Bunowen
Pier

*Ballyconneely
Bay*

Errisberg ▲

Rossroe

Roundstone

R 341

Cashel

R 340

R 340

*Dog's
Bay*

*Gurteen
Bay*

Bertraghboy Bay

Gowla

Glynsk

Carna

Kilkieran

Kilkieran Bay

*Gorumna
Island*

Leenane	Lieux traités
Recess	Adresses et lieux dans les environs
Aasleagh	Repères

0   5   10 km

North Sound

connut des jours fastes, grâce à ses liens commerciaux avec l'Espagne
et la France. Quatorze « tribus », des familles de marchands, dont l'une,
curieusement orthographiée Ffrench, trahit ses origines anglo-normandes, y ont longtemps dominé la vie locale. En fait, tout commença avec
la naissance du village de Claddagh. Les habitants de Claddagh étaient
avant tout des pêcheurs. De leur commerce et rapports privilégiés avec la

LE CONNEMARA

France et l'Espagne, il subsiste pas mal d'éléments dans l'architecture de certaines maisons bourgeoises. Le quartier autour du port, longtemps léthargique suite au déclin commercial de la ville, s'est bien réveillé lui aussi. Quay Street se peuple de petits restos sympas et de pubs animés, et y a gagné le surnom de *Latin Quarter.* Nombre d'entrepôts se sont reconvertis en hôtels ou commerces.

LA « BAGUE DE CLADDAGH »

Qui ne connaît *the ring of Claddagh,* avec son cœur couronné entre deux mains ? Le cœur symbolise l'amour, les mains l'amitié et la couronne la loyauté. Cette bague aurait été fabriquée pour la première fois par un bijoutier de Claddagh, à la fin du XVIIe s. Souvent unique bijou de famille, utilisée comme anneau nuptial, la bague était transmise de mère en fille. Elle y gagna sûrement son nom. Si vous la portez, le cœur orienté vers soi signifie que vous n'êtes pas libre.

Arriver – Quitter

En train

🚂 **Gare ferroviaire** *(plan couleur C2) :* Ceannt Station, près d'Eyre Sq. Rens pour les trains : ☎ 561-444 ou 564-222. ● irishrail.ie ● Guichets tlj 9h-18h. *Timetables* affichés (à l'intérieur et à l'extérieur) et copies disponibles aux guichets. Consigne à bagages *(left luggage)* au bout du quai *(tlj sf w-e 9h-18h30).* Autre consigne sur Eyre Sq, à droite de l'hôtel *Meyrick* (CARA Cabs, tlj 24h/24).

➤ **De/vers Dublin :** lun-sam, 7 trains/j. (6 le dim). Durée : 2h40.
➤ **De/vers Limerick :** 5 trains/j.

En bus

Avec la compagnie *Bus Eireann* (terminal devant la gare ferroviaire) ou avec les bus *City Link* ou *Go Bus (New Coach Station,* en face de l'office de tourisme). Voici les principales destinations, mais, comme cela peut changer, mieux vaut toujours vérifier par téléphone ou sur place. Pour la compagnie nationale *Bus Eireann,* le guichet du terminal donne des *timetables* gratuits. Celles de *City Link* et *Go Bus* sont disponibles à l'office de tourisme qui vend aussi les billets. Enfin, on rappelle que certaines destinations ne sont pas desservies hors saison.

🚌 **Bus Eireann** *(plan couleur C2,* **1***) :* départs du terminal devant la gare ferroviaire, en retrait d'Eyre Sq. ☎ 562-000. ● buseireann.ie ● Guichets lun-sam 8h45-17h15 (18h15 ven), dim 11h15-16h35.

➤ **De/vers Dublin via Athlone :** bus chaque heure tlj 6h30-20h30 (plus 1 bus à minuit). Trajet : 3h40. Pas de bus direct pour l'aéroport de Dublin, il faut passer par *City Link* ou *Nestor* (voir plus bas). Beaucoup de connexions possibles pour les autres villes du pays depuis Athlone.

➤ **De/vers l'aéroport de Shannon, Limerick et Cork** *(route 51) :* bus chaque heure tlj 7h05-20h05 (dernier à 18h15 pour Cork). Trajet : 1h45 pour l'aéroport, 2h15 pour Limerick et 4h20 pour Cork.

➤ **De/vers Sligo, Donegal et Derry :** tlj, 6 bus (8 pour Sligo), certains avec changement à Sligo. Trajet : 2h45 pour Sligo, 4h20 pour Donegal et 5h20 pour Derry.

➤ **De/vers Ireland West Airport (Knock) :** 4-5 départs/j.

➤ Également des bus reliant Galway aux principales *bourgades du Connemara* : Roscahill, Oughterard, Maam Cross, Recess, Carna, Carraroe, Roundstone. D'autres pour Cong, Clifden, certains passant à Leenane, Kylemore, Letterfrack... Se renseigner sur les jours et les horaires aux guichets, c'est assez variable. Voir aussi, pour ces destinations, la compagnie *City Link* (plus bas).

➤ **Autres villes desservies :** Ballinrobe, Westport, Castlebar au nord ; Clarenbridge, Kinvara, Doolin ou les Cliffs of Moher vers le sud.

🚌 **City Link** *(plan couleur D2,* **2***) :* ☎ 564-164 ou 1890-28-08-08 *(n° Vert, appel d'Irlande).* ● citylink.ie ● Départs derrière l'office de tourisme. Bureau sur Forster St, à côté du pub Án Pucán.

➤ **De/vers Dublin** (et l'aéroport de Dublin) **:** 15 bus/j. (plus certains de nuit). Passent par le centre de Dublin avt de continuer vers l'aéroport. Compter respectivement 2h45 et 3h de trajet. Prix du billet : 11 € jusqu'à Dublin, 16,50 € jusqu'à l'aéroport. Également des trajets directs en 2h30 sans passer par le centre-ville de Dublin : 18 € l'aller, 30 € l'A/R. Moins cher sur Internet.

GALWAY

➤ **De/vers Limerick et Cork :** 5 bus/j. Compter 1h20 de trajet et 16 € pour Limerick ; 3h10 et 20 € pour Cork.

➤ **De/vers Clifden et le Connemara :** 5 bus/j. Ts passent par Oughterard, Maam Cross et Recess. Compter 1h30. Certains jours, ils vont jusqu'à Cleggan puis Letterfrack. De Cleggan, correspondance possible avec le ferry pour Inishbofin.

🚌 **Go Bus** (plan couleur D2, 2) : ☎ 564-600. ● gobus.ie ● Départs derrière l'office de tourisme.

➤ **De/vers Dublin** (et l'aéroport) : 15 bus/j. 1h45-18h30, via **Athlone**. Trajet : 3h. Compter 10 € pour Dublin, 15 € pour l'aéroport.

Vers les îles d'Aran

– Les liaisons maritimes se font, d'avril à octobre, au départ de Rossaveal (à 40 km à l'ouest de Galway, 1h de bus) ou au départ de Doolin (comté de Clare). Pour le détail des liaisons depuis ces 2 villes, voir la fin du chapitre « Le comté de Clare », aux îles d'Aran et à la rubrique « Comment y aller ? ».

– Les liaisons aériennes se font au départ d'Inverin (à 30 km à l'ouest de Galway, 45 mn de bus) par la compagnie **Aer Arann Islands** : ☎ 593-034. ● aerarannislands.ie ● Voir le chapitre sur les îles d'Aran.

– **Faherty Tours** propose des excursions à la journée au départ de Galway comprenant la traversée, le bus et le guide. Départ à 9h20 et retour à 18h45. Infos et billets à l'office de tourisme. Ou auprès de la compagnie : ☎ 442-913. ● fahertytours.com ● Compter 45 €/ pers (40 € tarif étudiant).

Circulation automobile

Vraiment pas fluide. Les gens tournent désespérément autour d'Eyre Square pour essayer de se garer. Laissez votre véhicule à l'entrée de la ville (où le stationnement est généralement gratuit) ou dans un des grands parkings

en bordure du centre et faites le reste à pied ; cela vous évitera bien des tracas. Attention, si vous trouvez une place dans une rue du centre, veillez bien à prendre un ticket à l'horodateur, car, ici, le sabot est vite posé, et c'est 80 € pour se le faire retirer ! Parkings (payants) près de la cathédrale (plan couleur B2), sur Merchants Road (plan couleur C3) ou vers les gares routières (plan couleur C2). Plutôt chers. Le premier, en plein air, est meilleur marché.

Adresses utiles

🛈 **Office de tourisme** (plan couleur C2) : Forster St. ☎ 537-700. ● discove rireland.ie/west ● Lun-sam 9h-17h45 ; dim mat kiosque ouv sur Eyre Sq. Personnel accueillant parlant parfois le français (surtout en été). Assure les résas de B & B et d'AJ moyennant une commission et un acompte. Petit plan de la ville gratuit, riche documentation. Propose des excursions dans le Connemara (Cong, Kylemore Abbey, Maam Valley), vers les îles d'Aran, vers les Cliffs of Moher ou dans le Burren, ainsi que des visites guidées de la ville (payantes aussi) de 1h30 en bus.

✉ **Poste** (plan couleur B2) : Eglinton St. Lun-sam 9h-17h30. Service de change et guichet Western Union.

@ **Internet :** plusieurs centres en ville, où il est également possible de téléphoner. La plupart des cafés et restos de la ville proposent le wifi gratuit à leurs clients. Wifi public sur Eyre Sq également. Une adresse bien située :

– **Netc@fe** (plan couleur C2) : 9, Eyre Sq. Lun-ven 9h-22h, sam 10h-22h, dim 12h-21h. Fait aussi left luggage.

■ **Change et distributeurs :** à la **National Irish Bank** (plan couleur C2, 3), Eyre Sq. Lun-ven 10h-16h. Également à l'**Allied Irish Bank** (AIB ; plan couleur B2, 4), Lynch's Castle, Shop St. Mêmes horaires.

Santé

■ **Pharmacies :** sur Shop St (plan couleur B2, 5). Lun-mer et sam 9h-19h, jeu-ven 9h-21h, dim 11h30-18h. **Matt O'Flaherty Pharmacy** (plan couleur

GALWAY

C2, **5**), William St. Lun-sam jusqu'à 18h
(20h jeu-ven), dim 13h-18h.

Transports en ville

🚌 **Bus pour Salthill** (plan couleur
C2) : bus n° 401 depuis Eyre Sq (arrêt
n° 9 devant la banque AIB), ttes les
20-30 mn jusqu'à 23h30 env. Passe
par Father Griffin, Salthill Lower et
Upper. Pour les campings de Salthill,
prendre le bus n° 402, également au
départ de Eyre Sq (arrêt devant le
Netc@fe).

■ **Taxis :** Eyre Sq (plan couleur C2).
☎ 585-858 ou 561-111. La plupart des
taxis stationnent là ou à la sortie de la
gare routière et ferroviaire. D'autres au
début de Dominick St Upper (plan couleur B3), face au pub Monroe's Tavern.
Une autre compagnie, CARA Cabs, qui
fonctionne 24h/24, selon un système
de forfait (la somme est convenue à
l'avance ce qui évite toute mauvaise
surprise) : également sur Eyre Sq
(☎ 563-939).

Location de vélos

■ **West Ireland Cycling** (plan couleur B1, **6**) : Earls Island. ☎ 588-830.
● westirelandcycling.com ● En été, tlj
9h-18h ; fermé dim hors saison. Loc
à la journée (15-18 € selon vélo) ou à
la sem. Caution à laisser au départ ;
réduc pour les groupes à partir de
10 pers. Location de VTT et de vélos
de ville ; également quelques vélos
pour enfants. On peut aussi vous
louer des sacoches, vous prêter
des outils, une pompe et un antivol,
et vous donner des photocopies de
cartes routières. Possibilité également de louer le vélo dans une ville
et de le rendre ailleurs moyennant un
supplément.
■ **On Yer Bike** (plan couleur C1, **7**) :
42, Prospect Hill. ☎ 563-393. 🖥 087-
942-54-79. ● onyourbikecycles.com ●
Lun-ven 10h-19h, sam 12h-18h.

Culture

■ **Presse internationale :** à la librairie
Eason (plan couleur B2), dans Shop St,
la rue piétonne. Lun-jeu et sam 9h-18h,
ven 9h-20h45, dim 14h-17h45.

Divers

■ **Laveries : Prospect Laundress,**
juste à côté de On Yer Bike (plan
couleur C1, **7**). Lun-sam 8h-18h, dim
9h-18h. Une autre Olde Malte Arcade
(à côté du resto The Malt House). Lun-
sam 8h30-18h.

Tours organisés

■ **Historical Walking Tours :** 🖥 086-
727-4888. En saison, lun, mer et ven à
17h, sam à 14h. Durée : 1h30. Compter 8 €/pers ; gratuit moins de 14 ans.
Balade pédestre au départ de l'office
de tourisme.

➢ **Balade en bus dans Galway :**
The Old Galway Tour et Galway Sigh-
tseeing Tours proposent chacun jusqu'à cinq départs par jour en haute
saison de 10h30 à 16h pour faire le tour
des monuments de la ville à bord d'un
bus impérial à ciel ouvert. Départs de
l'office de tourisme. Compter 1h30.
Coût : 10 € ; réduc.

Où dormir dans le centre ?

Avec Cork, Galway est la ville d'Irlande
offrant le plus de possibilités de logements pas trop chers. On y trouve plusieurs hostels privées.

AUBERGES DE JEUNESSE

🏠 **Barnacles Quay Street House** (plan
couleur B3, **12**) : 10, Quay St. ☎ 568-
644. ● barnacles.ie ● Ouv 24h/24.
Compter 12-30,50 €/pers en dortoir
selon saison, nombre de lits et j. de la
sem, petit déj (léger) compris ; 25-38 €/
pers en chambre privée. 🖥 🛜 Une
bonne centaine de lits en dortoirs de
4 à 12 lits (avec sanitaires privés) ou
en chambres doubles (toutes en suite).
Salon TV agréable, laundry service,
consigne et coffre (gratuits) à la réception, change, cuisine à disposition,
local pour vélos. Le tout, dispersé sur
plusieurs étages, accessible par une
multitude de portes coupe-feu, est
absolument impeccable. Prix corrects
et fort bien situé, au cœur du « quartier

latin ». Les belles chambres sur l'avant donnent sur les pubs, mais, malgré le double vitrage, préférez celles de derrière si vous désirez dormir avant 2h du matin. Tableau du programme musical quotidien des pubs dans le hall. Organisation d'excursions. Accueil efficace. Une adresse bien gérée.

▲ **Snoozles Hostel** *(plan couleur D1, 13)* : Forster St. ☎ 530-064. ● *snoozleshostelgalway.ie* ● Ouv tte l'année, sf 24-26 déc, 24h/24. Juin-sept, compter 15-30 €/pers selon période, j. de la sem et taille du dortoir, petit déj compris ; le reste de l'année, 10-25 €. Doubles à partir de 45 €. Promos sur Internet. ⌨ 🛜 Une AJ flambant neuve, en plein centre ; autant dire une aubaine ! Dortoirs et chambres nickel mais sans fioritures question déco. À signaler quelques lits doubles dans certains dortoirs, sympa pour les couples qui ont du mal à se décoller. À l'inverse, un dortoir entier est réservé aux filles. Excellent équipement pour un séjour convivial et international : salon TV (avec DVD), billard, juke-box, bibliothèque, barbecue, terrasse, cuisine à disposition, coffre-fort...

▲ **Kinlay House** *(plan couleur C2, 10)* : Merchants Rd, Eyre Sq. ☎ 565-244. ● *kinlaygalway.ie* ● Très central. Réception à l'étage. Ouv tte l'année, 24h/24. Compter 15-29 €/pers en dortoir selon confort et saison ou j. de la sem, petit déj inclus ; 18-35 €/pers en chambre privée. ⌨ 🛜 Vaste bâtiment, refait à neuf récemment, sur plusieurs étages (voir les fresques amusantes aux murs). Beaucoup de lits donc (212 en tout). C'est propre et fonctionnel. Personnel jeune et plutôt sympa. Dortoirs de 4 à 8 lits et chambres doubles ou *single*, avec ou sans salle de bains. Grande cuisine équipée, vaste salle à manger lumineuse, petit coin détente agréable avec fauteuils en cuir. Possibilité de faire laver son linge. Consigne à bagages et coffre gratuits, garage à vélos, change, excursions et tarifs préférentiels pour le stationnement. Une adresse confortable. Seul bémol, un petit côté usine en saison.

▲ **Sleepzone** *(plan couleur C1, 17)* : Bothar na Mban (Woodquay). ☎ 566-999. ● *sleepzone.com* ● Ouv tte l'année 24h/24. Fermé autour de Noël.

Compter 15-30 €/pers en dortoir selon nombre de lits, j. de la sem et saison. Doubles 25-39 €/pers. Réduc de 10 % sur présentation de ce guide. ⌨ Là encore, grosse auberge assez récente, d'environ 200 lits. Beaucoup de passage et pas mal de groupes. Dortoirs de 3 à 10 lits et chambres doubles (avec salle de bains), le tout très bien tenu. Grande cuisine commune. Billard et terrasse extérieure. Casiers de sécurité (payants), local à bagages. Situé dans une rue sans charme mais proche des restos et pubs du centre. Un bus propose le transfert pour Cong et Kilmore Abbey dans le Connemara, pour finir au *Sleepzone* de Killary, tout aussi agréable. Hautement recommandable, donc.

▲ **Salmon Weir Hostel** *(plan couleur B1, 11)* : angle Saint Vincent Ave et Wood Quay. ☎ 561-133. ● *salmonweirhostel.com* ● Dans le centre. Ouv tte l'année. Selon saison, compter 12-19 €/pers en dortoir et 18-25 €/pers en chambre privée, café ou thé inclus. ⌨ 🛜 Auberge très accueillante mais à la propreté relative. Une trentaine de lits en tout, en dortoirs de 4 à 6 lits ou en chambres doubles. Sanitaires communs. Il y a aussi un dortoir de 12 places, moins cher, mais il est souvent complet, occupé par des jeunes qui y vivent à l'année ! Salon avec vieux canapés défoncés, 2 cuisines, possibilité de laver son linge. Consigne et coffre gratuits, ce qui est bien pratique quand on part quelques jours. Une adresse que l'on aime bien, plus pour son ambiance « auberge espagnole » (beaucoup de Français, ici) que pour son confort. Couvre-feu à 3h.

BED & BREAKFAST

En été ou lors des vacances irlandaises, il peut être difficile de trouver une chambre sans réserver. Les *guesthouses* et *B & B* pas trop chers se situent pour la plupart à Claddagh, au sud de la rivière, et à Salthill, à l'ouest. Bus, taxi ou à pied pour les plus proches d'entre eux. Pour ceux qui ne veulent pas se casser la tête et qui ont des sous (car ils sont plus chers !), beaucoup de *B & B* aussi dans College Road, la rue qui part de l'office de tourisme. Alignés en rang d'oignons, avec leur parking devant, ça fait un peu motel, mais bon, il y a du choix... Attention ! ces *B & B* ont aussi tendance à augmenter leurs tarifs le week-end et les jours fériés...

Prix moyens

▲ *Linderhof B & B* (plan couleur A3, 19) : 25, Munster Ave. ☎ 588-518. ● linderhofbandb.com ● À 5 mn à pied du centre, dans la prolongation de Dominick St et à 15 mn de la plage. Ouv tte l'année. Compter 60-80 € pour 2. CB refusées. Parking privé gratuit. ☐ 🖥 Bienvenue chez Brid, l'adorable propriétaire de ce *B & B* vraiment chaleureux et très soigné. Elle propose des chambres avec salle de bains et matelas chauffant ! Boissons chaudes sur le palier. Holly, son mari, lui donne souvent un coup de main pour préparer le petit déj et, vous verrez, il sait y faire lui aussi. Les enfants de moins de 2 ans ne sont pas acceptés. Un super rapport qualité-prix et sans conteste l'une de nos meilleures adresses.

▲ *Griffin Lodge* (plan couleur A3, 16) : 3, Father Griffin Pl. ☎ 589-440. ● griffinlodgegalway.com ● À env 5 mn à pied du centre, au bout de Dominick St Upper, prendre à gauche et remonter Munster Ave, 1re rue à gauche, la maison fait l'angle. Fermé en fin d'année. Compter 55-80 € pour 2 selon saison ; 90-105 € pour 3. CB refusées. 🖥 L'un des *B & B* les plus près du centre, bien pratique quand on sait qu'il est situé du côté de la rivière où les pubs ferment le plus tard ! Les chambres, réparties sur 2 étages, toutes pareilles, couleur crème et lit moelleux, sont irréprochables, toutes *en suite*. Mais ce que l'on préfère ici, c'est Ann, la chaleureuse propriétaire qui vous accueille en amie. Quelques places de parking si vous êtes fort en créneaux à l'irlandaise. L'un des meilleurs rapports qualité-prix.

▲ *Almara Guesthouse* (hors plan couleur par D1, 29) : 2, Merlin Gate, Merlin Park. ☎ 755-345. 🖥 086-245-12-20. ● almarahouse.com ● À env 3 km à l'est du centre, par la route de Dublin, le B & B est après le rond-point (Skerritt Roundabout), sur la droite. Fermé

20-31 déc. Compter 70-90 € pour 2. ☐ 🖥 Là encore, une maison d'hôtes plutôt chic. Façade pimpante et intérieur charmant, où tout respire le souci du détail. Les chambres sont à l'image du reste, décorées avec goût et très confortables. Petit déj très soigné, pris dans une agréable pièce. Rien à redire ! Excellent accueil de Mary et Matthew.

▲ *Asgard Guesthouse* (plan couleur D1, 30) : 21, College Rd. ☎ 566-855. ● galwaycityguesthouse.com ● Compter 70-90 € pour 2 selon saison (plus cher pdt les Galway Races). 🖥 L'un des *B & B* les moins chers de College Road. Dans une maison blanche à colombages et bow-windows, chambres aux couleurs gaies, plutôt bien arrangées et très bien tenues, *en suite*, TV. Salle de petit déj très soignée elle aussi, sous une élégante verrière. Excellent accueil.

HÔTELS

▲ *The House Hotel* (plan couleur B3, 20) : Lower Merchants Rd. ☎ 538-900. ● thehousehotel.ie ● Doubles 99-169 €, petit déj compris ; promos très intéressantes sur Internet. 🖥 Dans un ancien entrepôt magnifiquement réhabilité, un très bel hôtel contemporain. 40 chambres dont 21 standard très attractives en période de promos. Déco actuelle, mêlant allègrement les couleurs et les styles pop, rock et baroque. Confort optimal. Au rez-de-chaussée, des salons (avec cheminée), un bar, un resto... En plein *Latin Quarter,* vous êtes au cœur de la ville, au cœur de l'action.

▲ *The Heron's Rest Boutique B & B* (plan couleur B3, 21) : 16 A, The Longwalk. ☎ 539-574. ● theheronsrest. com ● Ouv avr-oct. Doubles 160-180 € (moins si l'on profite des offres sur Internet). 🖥 Face à la baie de Galway, à deux pas du *Latin Quarter,* cette adresse, qui doit son nom à la présence d'un héron, Arthur, mascotte de l'établissement, offre une poignée de chambres cosy, très confortables et spacieuses, pleines de petits détails. Le petit déjeuner est en tout point remarquable. Si l'on peut se payer ce petit luxe, une bonne option pour bénéficier de l'accueil irlandais typique du

GALWAY

B & B (la propriétaire, Sorcha Malloy, est parfaite) dans un cadre évoquant un petit hôtel de charme.

Où dormir dans les environs ?

CAMPINGS

Il y a 3 campings dans l'agglomération de Galway : 2 à Salthill et 1 à l'est du centre-ville (Renmore). Équipement minimum et situation pas extraordinaire, on ne les conseille qu'à ceux qui ne dorment que sous la tente ou qui voyagent en camping-car.

X **Bayview Caravan Park** : à **Salthill**, après le Golf Club. ☎ 523-316. ▯ 086-874-74-22. ● camping-irelandwest. com ● Ouv avr-sept. Selon saison, 15-20 € pour 2 avec tente et voiture ; loc de mobile homes tte l'année 350 €/ sem. Petit mais très bien tenu. Situé en hauteur de la route, il ne bénéficie pas de la vue sur la mer. Notre préféré des 3 campings dans les environs de Galway pour son excellent accueil. Bus toutes les 30 mn, jusqu'à 23h30.

X **Salthill Caravan Park** : à **Salthill**, presque en face du précédent. ☎ 523-972. ▯ 086-817-55-51. ● salthillcaravanpark.com ● Ouv avr-sept. Compter 25 € pour 2 avec tente et voiture. CB refusées. Beaucoup de bungalows et peu de place pour les tentes. A l'avantage d'être en bord de mer.

BED & BREAKFAST ET GUESTHOUSES

On vous conseille plutôt le quartier de Salthill, assez proche du centre-ville ; plusieurs bonnes adresses. Et sinon, pas mal de B & B sur la route de Barna. Pas nos adresses préférées, car ils sont en bord de route, mais cela conviendra si vous voulez éviter le centre de Galway ou si tout est complet en ville.

Prix moyens

▲ **The Connaught** (hors plan couleur par A4) : Barna Rd. ☎ 525-865. ▯ 087-675-26-80. ● connaughtbandb.com ●

À moins de 5 km du centre de Galway, sur la droite avt Barna. Ouv mars-oct. Compter 60-70 € pour 2 selon saison. CB refusées. 🛜 Particularité du lieu : le proprio est « professeur de pâtisserie » ; le pain, les croissants et les compotes de fruits du petit déj vous permettront donc d'apprécier sa compétence ! La déco des chambres est plutôt tape-à-l'œil mais amusante. Demandez une chambre sur l'arrière si possible. Excellent accueil.

▲ **Lawndale B & B** (hors plan couleur par A4, 24) : 5, Beach Court, à **Salthill**. ☎ 586-676. ● lawndalehouse.com ● En bord de mer, accessible par Grattan Rd (compter 20 mn à pied depuis le centre). Ouv tte l'année. Compter 65 € pour 2. CB refusées. 🛜 Séparé de la route côtière par un espace vert. Voici une jolie façade avec briquettes rouges et colonnades blanches, dans le même style que ses voisines. Maison agréable. Chambres tout confort aux couleurs différentes, toutes en suite, certaines donnant sur le large. Bon accueil.

▲ **Roncalli House** (hors plan couleur par A4, 27) : 24, Whitestrand Ave, à **Lower Salthill**. ☎ 584-159. ● roncallihouse.com ● À l'angle de Whitestrand Ave et Rd, presque face à la plage, à 15 mn à pied du centre. Ouv tte l'année. Compter 60-65 € pour 2. 🛜 Jolie maison blanche avec grande baie vitrée à petits carreaux. Certaines des chambres joliment décorées, avec salle de bains privée, ont vue sur la mer. Très bon breakfast à la carte (essayez les pancakes au véritable sirop d'érable !). Accueil chaleureux.

▲ **Glencree** (hors plan couleur par A4, 25) : 20, Whitestrand Ave, à **Lower Salthill**. ☎ 581-061. ● glencreebandb. com ● Un peu après Roncalli House, à 15 mn à pied du centre. Ouv mars-nov. Compter 60-65 € pour 2. CB refusées. 🛜 Chambres plutôt confortables, avec salle de bains et TV. Thé et café à disposition. Déco sobre et de bon ton ; bon accueil et bon breakfast. Une bonne petite adresse.

▲ **Devondell** (hors plan couleur par A4, 26) : 47, Devon Park, à **Lower Salthill**. ☎ 528-306. ● devondell.com ● Depuis le centre, suivre la Father Griffin Rd, tourner à droite à la station-service,

GALWAY

puis à gauche dans *Salthill Rd Lower*, puis à droite dans *Devon Park* ; c'est la 2e ruelle à gauche. Fermé nov-mars. Compter 90 € pour 2. CB refusées.
📶 Voici la petite adresse de charme comme on les aime. Certes, il faudra y mettre le prix, mais dans ce quartier résidentiel très calme se cache une petite maison de très bonne tenue, avec une jolie courette et une adorable façade aux menuiseries noires et couverte de lierre. La salle du petit déj et le salon avec sa vieille cheminée donnent sur un agréable jardin. Chambres à l'étage, doubles et *single*, très coquettes et d'un goût très sûr : lits métalliques à l'ancienne, dessus-de-lit raffinés et salle de bains privée. On se croirait vraiment chez grand-mère tant Berna est charmante et attentionnée ! L'une de nos adresses préférées.

🏠 **Grattan Lodge** (hors plan couleur par B4, **23**) : 12, Grattan Park, à **Salthill**. ☎ 589-068. 📠 085-113-13-36. ● grattanlodge.net ● Au bout de *Father Burke Rd*, sur la droite, à env 15 mn à pied du centre. Fermé autour de Noël. Compter 70 € pour 2. 📶 Face à la mer, un chouette *B & B* qui abrite des chambres agréables, avec TV, salle de bains et mobilier en pin. Certaines d'entre elles ont la vue sur le large. Petit déj au salon, avec œufs au saumon. Connie, l'aimable proprio, est peintre et vous fera profiter de ses œuvres exposées aux quatre coins de la maison.

🏠 **Bohola House** (hors plan couleur par A4) : 1, Westbrook, Barna Rd. ☎ 591-349. 📠 086-820-79-76. ● boholahouse.com ● À env 5 km de Galway. Compter 70-120 € pour 2. 📶 Grande maison un peu crâneuse, avec auvent à colonnades. 5 chambres classiques, cossues, assez spacieuses et très confortables. Peut-être un peu cher, mais l'accueil de la maîtresse de maison est souriant et l'on dispose de boissons chaudes sur le palier ainsi que d'une sympathique terrasse commune, parfaite à l'heure du thé.

🏠 **Inishmore Guesthouse** (hors plan couleur par A4, **31**) : 109, Father Griffin Rd. ☎ 582-639. ● galwaybaygolfholidays.com ● À 10 mn de la plage et du centre, au bout de Father Griffin Rd, c'est le dernier B & B de la rue. Compter 70-95 € pour 2.

📶 Pour ceux qui chercheraient à se loger pas trop loin du centre, voici une bien agréable maison de 1934 admirablement rénovée. Chambres sur 3 niveaux, cultivant un style cosy-kitsch, toutes différentes, avec salle de bains, TV et téléphone. Accueil assez convivial de la maîtresse de maison. Si vous jouez au golf, Peter, son mari, gère un des terrains des environs.

Où manger ?

Bon marché

La plupart des pubs proposent une petite restauration (au pire, des sandwichs) entre 12h et 17h, parfois même jusqu'en début de soirée.

🍴 **Le Petit Délice** (plan couleur B2, **40**) : Mainguard St. ☎ 500-751. Tlj 8h (9h30 dim)-18h30. Boulangerie française authentique (les propriétaires sont français) où l'on s'approvisionne en pains (excellents) et viennoiseries. Également des sandwichs, des croque-monsieur et des soupes. Quelques tables. Une bonne option pour manger sur le pouce ou boire un bon chocolat chaud.

🍴 **McDonagh's** (plan couleur B3, **41**) : 22, Quay St. ☎ 565-001. Près du pont sur la rivière Corrib. Fast-food d'un côté (12h-23h) et resto de l'autre (17h-22h). Resto fermé dim (fast-food ouv 14h-21h). On vous l'indique surtout pour sa partie fast-food, un comptoir où l'on commande un *fish & chips* pour environ 9 €, que l'on va ensuite dévorer à l'une des tables. Ne pas s'attendre au fin du fin, mais, pour le prix, il n'y a pas de quoi faire la fine bouche non plus ! Le resto, lui, est plus onéreux (plats 15-24 €), mais il est réputé pour ses produits frais de la mer. Au choix, moules, coquilles Saint-Jacques et plateau de fruits de mer. Gros bémol, ça sent vraiment la friture des *fish & chips* du snack.

🍴 **Goyas** (plan couleur B3, **47**) : 2-3, Kirwan's Lane. ☎ 567-010. Derrière le McDonagh's, dans la petite ruelle qui relie Quay St à Cross St. Tlj sf dim 9h30-18h. Compter 10 € pour manger.

Pour un petit plat le midi ou un gâteau dans la journée, ne pas hésiter à franchir la porte de ce *coffee shop*. Mobilier vaguement design et joyeux brouhaha. À la carte, *homemade creamed soup*, quiches, *pies*, qui connaissent un franc succès. Sans oublier tous ces bons gâteaux maison qui font saliver en vitrine. Le *coffee shop* moderne par excellence !

De bon marché à prix moyens

|●| *Fat Freddy's* (plan couleur B3, **44**) : Quay St. ☎ 567-279. Plats 4-7 € le midi, 10-15 € le soir. *Réduc étudiants 12h-19h.* Cette adresse de la rue piétonne ne désemplit pas midi et soir. Il faut dire que l'on s'attable bien volontiers autour de jolies nappes à carreaux Vichy pour y avaler de bonnes pizzas, faites d'une pâte croustillante et recouvertes d'un bon choix de *toppings*. Sinon, il y a aussi des chili con carne, lasagnes, *baked potatoes*, etc. Vin au verre et vrai café. Quelques tables dans la rue aux beaux jours.

|●| *McSwiggan's* (plan couleur B2, **49**) : 3, Eyre St. ☎ 568-917. *Tlj, tte la journée jusqu'à 22h30 (23h jeu-sam).* Résa conseillée le soir tant ce pub a du succès ! Le midi, snacks et plats env 3-10 € ; le soir, plats 16-26 €. Menu early bird 20 €, set menus (lun-ven) 28-33 €. C'est une petite institution à Galway, et on y revient souvent, ne serait-ce que pour y prendre un verre. On aime son décor vieillot, tous ses recoins. Restaurant en étage avec des mezzanines. Murs de brique, grosse charpente. Bonne cuisine irlandaise ou internationale : *barbecue spare ribs, tandoori monkfish, chicken fajitas, sirloin steaks*, salades diverses. Voir également « Où boire un verre ? Où écouter de la musique ? ».

|●| *Rouge* (plan couleur B3, **46**) : 38, Lower Dominick Lower. ☎ 530-681. *Ts les soirs à partir de 18h.* Résa très conseillée. Formule 15 € ; repas complet env 21 €. Le set menu ne cherche pas à faire dans la complexité : mais la formule amuse-bouche avec, au choix, entrecôte, poisson du jour ou plat végétarien, connaît un indéniable

succès. Excellents desserts également (en sus). Dans la grande salle, profonde, qui bruit des conversations animées, atmosphère française et chaleur irlandaise se mêlent. Impressionnante sélection de vins de toutes les régions de France. Juste de l'autre côté de la rue, *Le Petit Rouge* (mar-sam), bar à vins où l'on peut grignoter (plateau de fromages, assiette de viande, *bruschetta*) et écouter des concerts (programmation sur ● rougegalway.com ●).

|●| *Finnegan's* (plan couleur B2, **51**) : 2, Market St. ☎ 564-764. Petite rue calme parallèle à Shop St. *Tlj, tte la journée jusqu'à 22h30.* Plats 6-18 € ; lunch special 10 € ; le soir, set menu 15 €. Dans un vieux bâtiment en pierre, une adresse qu'affectionnent les étudiants fauchés. Cuisine 100 % irlandaise, genre grosse tambouille pour routards affamés : pizzas, *stew*... Les gros mangeurs seront calés pour pas cher ; les gourmets passeront leur chemin. Beaux portraits de Yeats, Beckett et Joyce pour vous accompagner dans ce « festin ».

|●| *Quay Street Kitchen* (plan couleur B3, **52**) : Quay St. ☎ 865-680. *Ouv tte la journée, dès le petit déj.* Plats 10-17 € (et light bites 7-9 € pour les petits appétits). Petit restaurant (réserver) que rien ne distingue des autres, au milieu des pubs du *Latin Quarter*. Ni chic, ni avant-gardiste, ni même bistronomique, ce petit restaurant a su, par un bouche-à-oreille remarquable, devenir une des adresses qui comptent dans ce quartier qui n'en manque pourtant pas. Clientèle jeune et décontractée. Plats simples mais réussis, sans affectation, comme le jarret d'agneau (*lamb shank*) et le *Mediterranean style chicken breast*. Plats végétariens également et petit déjeuner très copieux. Vins français et espagnols.

|●| *Cactus Jacks* (plan couleur B3, **42**) : Court House Lane, donnant sur Quay St. ☎ 563-838. *Tlj 17h30 (14h dim)-22h (23h le w-e).* Lunch env 10 € ; plats env 13-26 € ; menu early bird (servi 17h30-19h et tte la journée dim) 20 €. Serait-ce l'idée d'un hold-up au bureau des impôts d'en face qui attire autant d'*Irish cow-boys* et *cow-girls* en fin de semaine ? Ou est-ce pour se montrer en compagnie de son cavalier

GALWAY

(sa cavalière) que l'on vient massivement au *Cactus Jacks* ? Quoi qu'il en soit, on y sert une cuisine tex-mex qui, si elle ne surprend pas vraiment, change un peu des adresses du coin. Rien de bien nouveau sous le soleil donc, on vient ici surtout pour engloutir un burger ou quelques fajitas dans une ambiance quelquefois rugissante. Pas donné quand même le soir ! Service parfois un peu cavalier également...

|●| *The Galleon Restaurant* (hors plan couleur par A4, *50*) : 210, Upper Salthill, à **Salthill**. ☎ 522-963. En plein centre de Salthill, entre la digue et l'église. Tlj 12h-22h (23h le w-e). Snacks et plats 6-10 € le midi, plats 12-22 € le soir ; menus 16,50-21 € (un peu moins cher le midi). L'intérieur, cosy et lumineux, en bois clair, est dédié à la voile. Snack honorable le midi avec un plat du jour. Le soir, plats très corrects et variés de poisson et de viande joliment présentés.

De prix moyens à plus chic

|●| *Ard Bia at Nimmo's* (plan couleur B3, *55*) : Long Walk, Spanish Arch. ☎ 561-114. À côté de la Spanish Arch donc, au pied du musée. Resto ouv tlj 18h-22h. Café ouv lun-sam 9h-15h30, dim 10h-17h. Brunch le w-e. Résa souhaitable. Plats 6-14 € le midi, 17-26 € le soir ; menus early bird (18h-19h, sf sam) 23-27 €. Dans un bâtiment en vieilles pierres qui a servi de fumoir (pour le poisson), puis d'écurie, puis de fabrique de saucisses, bref, dans une maison qui a un passé ! L'intérieur ne manque pas de caractère, avec son parquet, ses vieilleries aux murs, son atmosphère tamisée, éclairée à la bougie, et sa vue sur la rivière Corrib... idéal pour une soirée intime ! Cuisine du marché, créative et métissée, privilégiant les produits locaux, bio et issus du commerce équitable. Une adresse délicieusement bobo, informelle et raffinée, adhérant au mouvement *Slow Food*. Fait aussi bar à vins : grand choix à la carte de nombreux pays producteurs.

|●| *L'Artisan* (plan couleur B3, *48*) : 2, Quay St. ☎ 532-655. Au-dessus du pub Tigh Neachtain. Tlj midi et soir. Le midi, plats 7,50-10 € ; early

bird menu 25 € (17h-19h) ; le soir, plats 18,50-23 €. L'entrée est discrète et la salle à l'étage dispense une atmosphère cosy, plutôt intimiste (parquet, lumières tamisées), contrastant avec l'atmosphère festive de la rue. Dans l'assiette, cuisine mélange d'inspiration française et de fondamentaux irlandais, le tout à partir de produits bio et de saison. Le midi, le rapport qualité-prix est difficilement égalable.

|●| *8, Bar and Restaurant* (plan couleur C3, *43*) : 8, Dock Rd. ☎ 565-111. Lunch lun-ven 12h-14h ; brunch sam-dim 11h-14h ; dinner tlj à partir de 18h. Le midi, snacks et plats 4,50-12,50 € ; le soir, plats 16-22,50 €. Une belle adresse sur le port, avec vue sur les cargos depuis les grandes baies vitrées. Déco contemporaine dans un esprit brocante et une ambiance gentiment branchée. Bref, une adresse et une cuisine dans l'Eire du temps... Lunch très attractif avec *fish chowder*, assiettes de fromages, *fish & chips* (le vendredi). Le soir carte courte et de saison. La plupart des plats sont accompagnés de *bobo's chips*, la spécialité maison. C'est simple, même les frites sont à tomber !

|●| *The Malt House* (plan couleur B2, *54*) : Olde Malte Mall, 15 High St. ☎ 567-866. Fermé dim. Plats 10-15 € le midi, 18-28 € le soir ; value saver menus 24-29 €. C'est le resto du pub *King's Head* avec lequel il communique. Si le décor historique a été préservé côté pub, le resto a opté pour des lignes pures, résolument contemporaines. Dans l'assiette, l'Irlande est à l'honneur avec une cuisine traditionnelle, revisitée et modernisée : bœuf irlandais, *fish & chips*, salades biologiques, saumon fumé... Service souriant. Petite terrasse dans la cour.

Où manger dans les environs ?

|●| *Pier Head* : port de *Kinvara*. ☎ 638-188. Repas tlj 12h-21h30 (resto ouv en saison slt). Plats 10-13 € le midi, 12-23 € le soir. Ce resto à la façade

jaune canari et vert offre une belle vue sur le port. Au rez-de-chaussée, ambiance pub, informelle et chaleureuse. À l'étage, salle plus chic. Déco marine dans les 2 cas, avec vieilles cartes maritimes, cordes et poulies. Cuisine dans le même esprit : moules, poissons... Rien de bien extatique dans l'assiette mais l'endroit est très agréable.

|●| Moran's Oyster Cottage : *The Weir,* **Kilcolgan,** *à env 15 km au sud de Galway par la N 18.* ☎ 796-113. *Sur la route de Limerick, tourner à droite à l'entrée de Kilcolgan (panneau), puis à 2 km. Tlj midi et soir (12h-22h). Fermé Vendredi saint et 3 j. autour de Noël. Résa conseillée le w-e en été.* Grilled oysters 26,50 € la douzaine ; plats 17-21 €. *Dans un coin calme et romantique, au bord de l'eau, cette maison au toit de chaume, construite en 1797, appartient à la même famille depuis 7 générations. Adorable intérieur en bois, filets de pêche aux murs... C'est une véritable petite institution, spécialisée dans les fruits de mer, et en particulier les huîtres. L'établissement a longtemps détenu le record du monde d'ouverture d'une trentaine d'huîtres en 1 mn et 31 s ! Bon, les mauvaises langues diront que tout va décidément trop vite ici, y compris le service, et qu'on croise pas mal de groupes de touristes, mais le cadre, l'ambiance et les fruits de mer valent vraiment le détour.*

|●| Paddy Burkes : *à* **Clarenbridge,** *à env 10 km au sud de Galway par la N 18.* ☎ 796-226. *Dans le village. Tlj 10h30 (12h dim)-22h. Résa conseillée. Le midi, snacks et plats 10-16 € ; le soir, plats 14-23 €.* Baked oysters 24 € la douzaine. *Décor assez chic et chaleureux pour l'une des plus célèbres* oyster inns *d'Irlande. La liste des célébrités venues y déguster des huîtres est vraiment longue ! Accueil agréable. On y savoure, entre autres, une excellente soupe de poisson, des* baked oysters *(des huîtres farcies, c'est le moment d'essayer !), des moules fraîches, ou encore un bon et copieux plateau du pêcheur. Grande terrasse sur l'arrière.*

Où grignoter ?
Où boire un bon café ou un bon thé ?

|●| ☕ Cupán Tae *(plan couleur B3, 45) :* 8, Quay Lane. ☎ 895-000. *Lun-sam 10h-17h, dim 11h-18h.* Full Irish breakfast *servi jusqu'à 12h (et tte la journée le w-e). Déco typique de salon de thé* British *avec une foultitude d'excellents gâteaux. Également des soupes, des assiettes de saumon, des plats végétariens.*

|●| ☕ Goyas *(plan couleur B3, 47) :* 2-3, Kirwan's Lane. ☎ 567-010. *Presque à côté du Cobble Stone, à l'angle au fond de la ruelle. Tlj sf dim 9h30-18h. Compter 5-10 € pour 1 thé et 1 gâteau. Ce* coffee shop *moderne (voir « Où manger ? ») fait aussi salon de thé.*

Où boire un verre ?
Où écouter de la musique ?

Galway compte un nombre impressionnant de pubs animés et chaleureux proposant de la bonne musique traditionnelle. Le programme musical est souvent affiché en vitrine et commence généralement vers 21h30 ou 22h, voire 17h-18h pour certains. Bref, ouvrez grand vos yeux avant de tendre l'oreille. La vie nocturne se déroule surtout autour des rues piétonnes Cross Street, Quay Street et High Street, mais tend à se déplacer vers Dominick Street, de l'autre côté du pont de la rivière Corrib. Nombre de jeunes (et moins jeunes) musiciens viennent y tenter leur chance. Fermeture à 23h30 en semaine et environ 1h plus tard le week-end. Mais bon, dans la réalité, c'est parfois un peu différent...
– Pour connaître la programmation musicale des lieux de sortie, procurez-vous le *Galway Advertiser,* disponible gratuitement le jeudi dans les bureaux de tabac.

GALWAY

À *Galway centre*

🍸 ♪ *Tig Coili* (plan couleur B2, 65) : Mainguard St. ☎ 561-294. Ce n'est pas le plus beau pub de Galway, loin de là..., mais on n'a pas trouvé mieux pour plonger à deux pieds dans la vie irlandaise. C'est une institution depuis 1905. Vous aurez tôt fait de repérer l'attroupement devant la façade ! À l'intérieur, murs chargés de vieux cadres. Musique traditionnelle tous les soirs à 18h et 21h. À fréquenter sans modération, surtout en fin d'après-midi. Excellents groupes.

🍸 ♪ *Tigh Neachtain* (plan couleur B3, 48) : 17, Cross St. ☎ 568-820. À l'angle de Quay St et Cross St. Musique certains soirs, notamment dim. Le pub date de 1894, avec sa façade bleu pétant, c'est un de nos préférés à Galway. Le soir, atmosphère très chaleureuse, comme on les aime. Des petits compartiments en bois pour siroter tranquillement, 2 bars de poche et autant de cheminées. Arriver avant 20h pour avoir de la place. Terrasse sur la rue, même quand il pleut !

🍸 ♪ *The Quays* (plan couleur B3, 52) : Quay St. ☎ 568-347. Presque en face du Tigh Neachtain. Ancien pub à matelots aujourd'hui superbement redécoré dans sa partie supérieure grâce à un véritable intérieur d'église rapporté d'Écosse (!). Entrez-y, ne serait-ce que pour le coup d'œil. Vaste, avec plusieurs mezzanines et bars, ce qui permet de profiter d'atmosphères variées. Resto au sous-sol (bons petits plats classiques). Le soir, parfois beaucoup de monde : tant mieux pour l'ambiance. Concerts (rock, pop...) tous les soirs, dans la salle du haut ou dans la salle du bas (parfois les 2) à partir de 22h30-23h et jusqu'à 2h du matin ! DJ le samedi et musique traditionnelle le dimanche à 18h.

🍸 *The Front Door* (Tomas O'Riada ; plan couleur B2, 69) : High St et Cross St. ☎ 563-757. Derrière une élégante façade à l'ancienne, un pub immense, avec une imbrication de salles de toutes tailles sur différents niveaux. 4 bars en tout, et une capacité de 900 personnes, rien que ça. Plein de coins et de recoins pour être tranquille. Petite *pub grub* bonne et pas chère servie toute la journée, sandwichs, sans oublier la *homemade soup*.

🍸 ♪ *Taaffe's* (plan couleur B2, 54) : Shop St. Presque en face du Tig Coili. Décor chaleureux avec vieilles photos. Fréquenté par les habitués pour ses concerts de musique traditionnelle tous les jours à 17h30 et 21h30 ; il y a même une *session* supplémentaire le dimanche à 12h en été. Observez les clients, trognes patinées, visages bon enfant ou têtes chenues, venus se gorger de bonnes ondes... et de *Guinness* ! Super ambiance. Une adresse qu'on aime beaucoup.

🍸 ♪ *King's Head* (plan couleur B2, 54) : 15, High St. ☎ 566-630. Ouv jusqu'à 2h ven-sam. Fermé dim. Le nom du pub vient du souvenir de l'exécution du roi Charles Ier en 1649, à laquelle participa un soldat de Galway. L'été, c'est plein de Ricains à la recherche de leurs racines, le tout fusionnant avec la clientèle locale. Pas un soir qui se ressemble. Rock tous les jours vers 22h, musique traditionnelle le samedi à partir de 17h ou 18h et DJ le week-end jusqu'à 2h.

🍸 ♪ *An Púcán* (plan couleur C2, 63) : 11, Forster St. Rue donnant sur Eyre Sq. Murs rouges et photos de bateaux. Toutes sortes de groupes chaque soir. Cela dit, le public n'est pas toujours « respectueux », et les musiciens ont parfois du mal à se faire entendre. Ambiance festive néanmoins.

🍸 ♪ *McSwiggan's* (plan couleur B2, 49) : 3, Eyre St. ☎ 568-917. À l'angle de Wood Quay. Pub au décor patiné, avec plusieurs salles en enfilade et plein de recoins. Bonne atmosphère. Clientèle un peu plus âgée qu'ailleurs. Possibilité aussi d'y manger une cuisine soignée (voir « Où manger ? »). Musique live le vendredi. Une petite institution.

🍸 *Hole in the Wall* (plan couleur B1-2, 67) : Eyre St. ☎ 565-593. Derrière une façade discrète coiffée d'un petit toit de chaume se cache le pub le plus chaud de la ville. Une clientèle survoltée de 20 à 30 ans, en majorité étudiante, vient ici les soirs danser sur les tables et pousser les flirts jusque dans la grande cour aménagée en *beer garden*. La qualité de la musique est discutable, mais le *craic*, lui, est toujours de la partie.

🍸 ♪ **Sally Long's** (plan couleur B2, 66) : 33, Upper Abbeygate St. ☎ 565-756. Clientèle étudiante et atmosphère rock'n'roll. D'ailleurs, en général, de bons groupes rock y passent le dimanche. Le samedi, c'est un DJ ! L'un des rares pubs où l'on peut également jouer au billard.

🍸 ♪ **Ard Bia at Nimmo's** (plan couleur B3, 55) : Long Walk, Spanish Arch. ☎ 561-114. Bar à vins jeu-sam 18h-23h. Ce resto historique (voir « Où manger ? ») est aussi un des meilleurs bars à vins de Galway. Idéal, donc, pour changer un peu d'atmosphère... et de breuvage.

De l'autre côté de la rivière

C'est un coin moins fréquenté par les touristes et où de nombreux pubs locaux n'ont presque pas bougé d'un poil. D'autres ont été réinvestis par les jeunes. Tout se passe autour de Dominick et William Streets. Très chouette et, en un sens, plus authentique.

🍸 ♪ **The Crane Bar** (plan couleur A3, 73) : 2, Sea Rd et Small Crane. ☎ 587-419. Entrée payante certains soirs quand des musiciens plus connus viennent jouer ; mais quoi qu'il arrive, au moins un concert gratuit par soir. Un des premiers music pubs de Galway, quelque peu institutionnalisé depuis, mais resté authentique. 10 sessions chaque semaine, c'est vous dire si on connaît la musique ! Parfois, à l'étage, l'un des 2 patrons se met à jouer de son tin whistle ; à d'autres moments, c'est un client, ou une cliente, qui entonne un chant, pour tous ceux qui sont là. Pas de doute, on est bien en Irlande ! Bar extérieur pour les fumeurs.

🍸 ♪ **Monroe's Tavern** (plan couleur B3, 71) : Dominick St Upper. ☎ 583-397. Musique ts les soirs vers 22h. Pub immense. Le week-end, plein à craquer. Musique traditionnelle et ballades uniquement. Le mardi cependant, place aux danses. Superbe programme et ambiance assurée !

🍸 ♪ **Róisín Dúbh** (plan couleur A-B3, 72) : 8, Dominick St Upper. ☎ 586-540. Dans une salle tout en recoins, vieille cheminée, des livres qui couvrent les murs, de la pierre, de la bière et de la

musique tous les soirs ou presque à partir de 21h. Concerts dans l'arrière-salle, parfois payants si le groupe est connu.

🍸 ♪ **The Blue Note** (plan couleur A3, 70) : William St West. ☎ 589-116. Un peu avt The Crane Bar. Lumière rougeâtre et photos de jazzmen aux murs. Soirées DJ les mardi, jeudi, vendredi, samedi et dimanche. Le reste du temps, musique jazzy mais pas seulement. On ne danse pas, car, en général, c'est plein et il n'y a pas moyen de bouger ! Terrasse extérieure pour les fumeurs.

À Salthill

🍸 ♪ **O'Connors** (hors plan couleur par A4, 75) : Upper Salthill. ☎ 523-468. Un peu avt le resto The Galleon en venant de Galway. Tlj, à partir de 19h30. Tenu par la même famille depuis plus de 100 ans. Un endroit au décor saisissant : des centaines de lampes au plafond, des tonneaux, une généreuse cheminée, des gravures, des objets d'autrefois bien mis en valeur... bref, un incroyable bric-à-brac, le pub des Deschiens irlandais ! Difficile de faire plus chaleureux. C'est aussi l'un des tout premiers pubs du pays à avoir accueilli des petits groupes de musiciens. Concerts tous les soirs en été : traditionnel du dimanche au mercredi, plus varié le reste de la semaine. Un incontournable.

Achats

⚜ **Thomas Dillon's** (plan couleur B3) : 1, Quay St, à l'angle de Cross St Upper, face au pub Tigh Neachtain. ☎ 566-365. ● claddaghring.ie ● Lun-sam 10h-17h, dim 12h-16h. C'est le plus ancien fabricant de la fameuse bague de Claddagh, un atelier d'orfèvre qui existe depuis 1750. Un joli petit musée, gratuit, vous racontera toute l'histoire de ce bijou de famille.

⚜ **Paul Doyle Musical Instruments** (plan couleur B3) : 38 A, Dominick St. ☎ 566-948. Accès par un passage. Lun-sam 10h30-20h. Ici, on fabrique des instruments de musique un à un, avec patience, d'une telle qualité que c'est ici que venaient se fournir U2, Van Morrison et même les Stones... Bien sûr, plus pour le coup d'œil que pour acheter, c'est cher...

⊛ **Powell's & Son** (plan couleur C2) : Abbey Gate St Lower. ☎ 562-295. Face à la banque AIB. Lun-sam 9h-18h ; plus dim en été 13h30-17h30. Petit magasin qui vend une multitude d'instruments de musique à prix abordables.

⊛ **Judy Greene** (plan couleur B3) : dans la petite Kirwan's Lane, face au Goyas. ☎ 561-753. ● judygreenepottery.com ● Lun-sam 9h30-18h ; plus dim en été 13h-17h. Sur 3 niveaux, mobilier design, bijoux, objets domestiques, céramiques... fabriqués en Irlande... ou ailleurs (le monde n'est décidément plus ce qu'il était !).

⊛ **O Maille's** (plan couleur B2) : 16, High St. ☎ 562-696. ● omaille.com ● À côté du King's Head. Lun-sam 9h-18h. Magasin à la vitrine emplie de laine, de pulls, de tissus, de tweeds. Pas mal de choix.

⊛ **Galway Woollen Market** (plan couleur B2) : 21, High St. ☎ 552-122. 50 m après O Maille's. Tlj 9h30-20h. Moins cher que le précédent, mais qualité plus aléatoire. Bien regarder les prix toutefois, parfois de réelles affaires. Pulls d'Aran, chapeaux... entre autres.

⊛ **Faller's** (plan couleur C2) : Williamsgate St. ☎ 561-226. ● fallers.com ● Lun-sam 9h-18h. De nouveau pour la fameuse ring of Claddagh, qu'on fabrique ici depuis 1879. Moins cher que nombre de contrefaçons vendues dans les boutiques à touristes du pays.

À voir. À faire

🏹 **Eyre Square ou Kennedy Park** (plan couleur C2) : vaste espace vert partiellement piéton, très animé et dédié au président J. F. Kennedy (qui fit ici un triomphe en 1963). Au centre, une sculpture symbolisant les voiles d'un hooker. Contrairement aux apparences, elle n'est pas rouillée, c'est tout simplement la couleur du métal utilisé ! Vestige de la Browne Doorway aussi, une porte du XVIIe s, et statue de Liam Mellows (l'un des dirigeants antitraité en 1921).

🏹 **Lynch's Castle** (plan couleur B2) : à l'angle de Shop St et Upper Abbeygate St. Considérée comme la plus belle townhouse d'Irlande, cette riche demeure du XVIe s est occupée aujourd'hui par la banque AIB. L'extérieur a été entièrement rénové mais reste intéressant à observer. Sur la façade subsistent quelques gargouilles et les blasons des Fitzgerald, du roi Henry VII et de la famille Lynch. Entrer dans la banque pour voir les cheminées, assez étonnantes.

➤ Agréable promenade dans les **rues du centre,** notamment dans Quay Street, Cross Street et celles tout autour. Vos pas vous mèneront certainement aussi dans la petite **Kirwan's Lane,** une ruelle rénovée qui relie Cross Street et Quay Street. Jolies façades. En haut de Shop Street, une statue d'Oscar Wilde.

🏹 **Saint Nicholas Church** (plan couleur B2) : Market St (à ne pas confondre avec la cathédrale !). Ouv tlj. Entrée gratuite mais donation bienvenue... de min 3 € (sic !). Prendre, à l'entrée, un petit dépliant en français pour repérer les détails architecturaux. C'est la plus grande parrish church de la région, commencée en 1320, moult fois transformée au cours des siècles, notamment par l'ajout des nefs latérales par des familles normandes et par la famille Lynch. Les forces anglaises de Cromwell l'utilisèrent comme écurie après le siège de 1652... Pas un chef-d'œuvre, mais on notera le chœur du XVe s et, dans le bras droit du transept, la pierre tombale d'un croisé gaélique et une fenêtre aveugle gothique flamboyant. Petite visite agréable.

🏹 **The Hall of the Red Earl** (plan couleur B3, 80) : Druid Lane. ☎ 564-946. ● galwaycivictrust.ie ● Lun-ven 9h30-16h45, plus sam mai-sept 10h-13h. Entrée gratuite. En dehors des heures d'ouverture, il est possible de voir les vestiges mis au jour de ce que l'on considère comme la plus vieille maison de Galway. À l'époque,

Claddagh n'est qu'un modeste village de pêcheurs, de l'autre côté de la rivière mais la famille de Burgo, alors au pouvoir, se fait construire un château sur la rive est (1232). Trois générations plus tard, lord Richard de Burgo (dit le « Comte rouge » en raison de sa couleur de cheveux !), fait agrandir le château de style normand et le dote d'un nouveau bâtiment à vocation essentiellement commerciale et juridique. Le *Burgo Hall* sera utilisé jusqu'aux XVe et XVIe s et servira de cour de Justice, avant de tomber peu à peu en ruine... Un plan de Galway de 1651 expose très clairement les murs d'enceinte de la ville et la halle toujours debout mais à ciel ouvert. Les fouilles ont montré que l'on y fondait et battait le fer. La halle disparut peu à peu, recouverte par de nouvelles couches architectoniques et ne fut exhumée qu'en 1977, à l'occasion de travaux dans l'immeuble voisin. Le site est désormais ouvert au public.

BIDONNAGE POUR TOURISTES

Derrière l'église Saint-Nicolas, sur Market Street, vous découvrirez sûrement un petit bout de mur où le fils de James Lynch aurait été pendu sur ordre de son père en 1493, pour avoir tué un invité de la famille qui avait fait un peu trop de gringue à sa petite amie. En réalité, personne ne sait vraiment où la tragédie s'est réellement déroulée. Mais devant l'insistance des touristes à se mettre un lieu sous la dent, le pasteur Peter Daly monta en 1854 un faux mur, l'équipa de portes « médiévales », d'une fenêtre et d'une tête de mort. Et le tour était joué !

🏛️🏛️ *Galway City Museum* (plan couleur B3) : Spanish Parade (à côté de Spanish Arch). ☎ 532-460. ● galwaycitymuseum.ie ● Le musée est accolé à l'ancien mur d'enceinte de la ville. Juin-sept, tlj 10h-17h ; en basse saison, slt mar-sam aux mêmes horaires. Entrée gratuite.
Ce musée consacré à l'histoire de la ville a pris ses aises dans ce beau bâtiment à l'architecture résolument contemporaine. Visite sur fond de musique irlandaise ! Au rez-de-chaussée, on est accueilli par la statue de *Padraig O'Conaire* assis, fameux poète (1882-1928) et une icône pour Galway. Spécialiste du gaélique, celui-ci écrivit de nombreuses *short stories* (nouvelles). Flottant entre les étages, un magnifique *hooker* de Galway, le traditionnel et magnifique bateau de pêche. Autre trésor, une belle carte commandée par le duc de Lorraine en 1651. Le duc avait carrément le projet d'acheter Galway aux Anglais pour l'équivalent de 25 000 € ! Il voulait savoir ce qu'il obtiendrait pour ce prix et fit donc établir cette carte. Intéressante collection de photos de Claddagh au temps passé. Et sinon, un reliquaire, des vases, des armes, une expo sur les guerres d'Empire et des salles vouées aux expos temporaires.
Vue panoramique depuis le deuxième étage. Face au musée, de l'autre côté du fleuve, jolie vue de temps à autre sur quelques *hookers*.

🏛️ *Spanish Arch* (plan couleur B3) : à côté du musée. Vestiges de l'ancienne porte de la ville (en fait il y eut jusqu'à quatre arches). Appelée ainsi, car les échanges commerciaux étaient importants avec les Espagnols (avant l'Invincible Armada). Les bateaux débarquaient ici. Une certaine Claire Sheridan vécut dans les années 1940 dans la jolie maison adossée à la porte. Cette artiste, peintre et sculptrice, cousine de sir Winston Churchill, fut un temps la petite amie de Charlie Chaplin.

🏛️ Face à la Spanish Arch sur Ballyknow Quay, pittoresque *point de vue* sur le port et la ville. Un banc pour rêver au ballet des mouettes lors du coucher du soleil. Ici venait se reposer le docteur Joe McHale, « *the kindest man in town* » (1901-1977), réputé pour sa grande bonté et son abnégation (le banc lui est dédié !).

🏛️ *Nora Barnacle Museum* (plan couleur B2) : 8, Bowling Green. ☎ 564-743. Dans une petite rue donnant sur Lombard et Market St, derrière l'église Saint-Nicolas. En principe, de juin à mi-sept, mar-sam 10h-13h, 14h-17h. Entrée : 2,50 €. Assez confidentiel donc, mais, pour les fans de James Joyce, sachez que c'est la maison où habita Nora, sa femme. Il y vint aussi deux fois. Cela lui inspira d'ailleurs quelques poèmes. Vous y apprendrez d'intéressantes anecdotes littéraires, par exemple que Nora eut, avant Joyce, un flirt appelé Michael Bodkin (qui mourut de tuberculose). Joyce réintroduisit le personnage dans la nouvelle *The Dead* sous le nom de Michael Furey, l'ancien amoureux de Greta Conroy (l'héroïne de la nouvelle).

GALWAY

¶ **La cathédrale de Notre-Dame-de-l'Assomption et de Saint-Nicolas** *(plan couleur B1-2)* : *dans le West Side, face au pont Salmon Weir, au croisement de Goal Rd et University Rd.* ☎ *563-577.* ● *galwaycathedral.org* ● Une des plus grandes et des plus impressionnantes constructions de la ville. Récente (1965), elle fut édifiée à l'emplacement de l'ancienne prison du comté (célèbre pour sa rigueur envers les prisonniers). L'apparence extérieure n'est pas du goût de tout le monde, mais l'intérieur, avec ses arches hautes et courbes et son dôme central, possède une élégance simple. Le dôme et les piliers reflètent un style Renaissance. Les autres éléments comprennent une rosace et des mosaïques, qui dressent un tableau composite de la tradition de l'art chrétien. Le dôme de la cathédrale, d'une hauteur de 44 m, est un des points de repère dans l'horizon de la ville.

➤ **Balade à pied le long de la Corrib** : *se garer sur Distillery Rd (hors plan couleur par A1) puis remonter la rivière sur env 1,5 km.*

¶ **Salmon Weir** *(plan couleur B1)* : *non loin de la cathédrale, sur le pont Salmon Weir Bridge.* En juin et en juillet, alors qu'ils remontent de la mer vers les lacs, on peut voir les saumons se frayer un chemin dans cet étroit passage.

¶ **Salthill** *(hors plan couleur par A-B4)* : *quartier situé au sud-ouest de la ville, face à la mer. Compter 20 mn à pied depuis le centre. Sinon, bus nº 1 depuis Eyre Sq ttes les 20-30 mn.* On y vient pour sa plage, mais, en réalité, rien de bien excitant, et le soir l'ambiance est assez glauque. Super pub en revanche, *O'Connors*, qui tranche nettement avec le reste. On y trouve aussi un aquarium (voir ci-dessous).

¶ ⁜ **National Aquarium of Ireland** *(Atlantaquaria)* : *Toft Park, sur la promenade.* ☎ *585-100.* ● *nationalaquarium.ie* ● *Tte l'année, 10h-17h (18h w-e). Ouv tlj sf certains mar et jeu nov-fév pour entretien des bassins. Entrée : 10,25 € ; réduc ; gratuit moins de 3 ans.* Chérot, car sans espèces particulièrement remarquables. On notera toutefois un bel effort de présentation et d'éclairage sur les bassins de carrelets, turbots, maquereaux, raies, anguilles, hippocampes, araignées, langoustes et superbes pieuvres. Un petit *Nautilus* que les enfants qui verront les poissons de ses hublots. Belle reconstitution de milieux naturels et artificiels (rivière, écluse...). Voir notamment le « bassin à tempête », qui lâche des trombes d'eau chaque minute ou presque ! Également un bassin à vagues et un squelette de baleine. Mais bon, on a vu des aquariums plus excitants et des poissons plus colorés. Animation en anglais chaque jour en été pour les enfants, où ils pourront nourrir les poissons et même les toucher.

➤ **Croisière sur le lac Corrib** *(hors plan couleur par B1)* : *départ de Wood Quay, sur le Corrib Princess, un bateau-croisière de 157 places avec commentaires en anglais (un bateau-mouche, quoi !).* ☎ *592-447.* ● *corribprincess.ie* ● *Résas à l'office de tourisme ou sur le bateau. Départs mai-sept à 14h30 et 16h30 (départ supplémentaire à 12h30 juil-août). Durée : 1h30. Coût : 15 €.*

Manifestations

– **Cúirt Poetry and Literature Festival** : *pdt 1 sem fin avr (dates variables).* ● *cuirt. ie* ● Prestigieux festival de Littérature et Poésie. Tous les talents de l'Irlande et quelques invités étrangers de marque. Lecture de textes, de poésies et conférences. Programme à l'office de tourisme.

– *Galway Early Music Festival :* 2de *quinzaine de mai, pdt 4 j.* ● *galwayearlymusic. com* ● Concerts, musique et danses médiévales, renaissance ou baroque dans les rues du vieux Galway.

– *Galway Film Fleadh :* pdt 5 j. en juil. ● *galwayfilmfleadh.com* ● Le plus important festival de Cinéma d'Irlande. Films de fiction, documentaires, animation, conférences, ateliers, le festival, qui existe depuis plus de 20 ans, ratisse large et déplace chaque année de grands réalisateurs internationaux.

– *Galway Arts Festival :* pdt la 2de quinzaine de juil. ● *galwayartsfestival.com* ● Programmation théâtrale et musicale de qualité. Un festival qui déménage. Pièces européennes et gaéliques. Jazz, variétés, animations de rue. Pendant cette période, la ville est prise d'assaut, alors, pour résoudre les problèmes de logement, tout le monde campe n'importe où ! Pensez à réserver...

– *Galway Races :* en principe, pdt 1 sem fin juil-début août, puis début sept. ● *galwayraces.com* ● Entrée : 20-30 €. Courses de chevaux très populaires. Atmosphère assez démente en ville, dans les pubs et bien sûr sur les champs de courses. Ça se passe surtout à Ballybrit, à 3 km à l'est. Même si vous ne jouez pas, vous serez forcément pris par l'ambiance.

– *Festival des Huîtres de Galway* (Oyster Festival) : pdt 3 j. fin sept. Rens : ☎ 575-875. ● *galwayoysterfest.com* ● Profitez-en pour vous gaver des premières huîtres de la saison, copieusement arrosées de *Guinness* ; le mélange vous surprendra et, très probablement, vous ravira. Le festival a lieu sur Nimmos Pier au bout de Claddagh Quay, de l'autre côté du fleuve, et la célèbre marque de bière organise en même temps le championnat du monde de vitesse d'ouverture d'huîtres !

– *Courses de lévriers* (Greyhound Races ; hors plan couleur par D1) : dans College Rd, après l'enfilade de B & B. ☎ 562-273. ● *igb.ie* ● Jeu-sam 19h55-22h30. Compter 10 €/pers. Pour être sûr des horaires, on peut passer devant le *Greyhound,* c'est affiché. Spectacle toujours pittoresque, d'autant que le lieu est à taille humaine (ou plutôt canine !). Possibilité de se restaurer.

Culture

– *Galway Arts Centre* (plan couleur B3) : 47, Dominick St. ☎ 565-886. ● *gal wayartscentre.ie* ● Lun-sam 10h-18h. C'est le grand centre d'exposition de Galway. Symbole de la richesse culturelle de la ville, ce beau centre artistique présentant de très intéressantes expos de peinture, sculpture et photos organise également, chaque année, le *Cúirt Poetry and Literature Festival.* À visiter.

– *Druid Lane Theatre Company* (plan couleur B3) : Flood St. ☎ 568-660. ● *druid theatre.com* ● Résa conseillée. L'une des plus importantes compagnies théâtrales d'Irlande. Une création annuelle qui tourne ensuite dans toute l'Irlande. Certaines semaines en été, la troupe joue à Galway (infos à l'office de tourisme).

– *Taibhdhearc na Gaillimhe Theatre* (prononcer « Thaïvark na Galiver » ; plan couleur B2) : Middle St. C'est le théâtre en gaélique, fondé en 1928. En juin, juillet et août, spectacles *Siamsá* (qui signifie « danser ») presque tous les soirs. Au même programme, également de vieilles ballades, mélodies et sketchs sur la vie paysanne d'autrefois. La plupart des dialogues sont en gaélique ou en anglais, mais ce n'est pas gênant tant les acteurs savent exprimer la vie dans le spectacle. Beaux costumes traditionnels et, surtout, ces instruments merveilleux : harpe, *bodhran, concertina, box,* flûte, *whistle, fiddle,* etc. Les spectacles ont lieu au *Claddagh Hall,* sur Nimmos Pier (Long Walk ; plan couleur B3).

DANS LES ENVIRONS DE GALWAY

🎣 *Kinvara (Cinn Mhara) :* à 25 km au sud de Galway. Charmant village de pêcheurs dans une petite baie aux contours plutôt doux et verdoyants. Au bord des flots, un vieux château fort bien conservé, *Dun Guaire,* du XVIe s. Il se visite mais c'est cher pour ce qu'il y a à voir... Si vous débarquez en plein *Cuckoo Festival* (festival du Coucou, début mai), vous goûterez la douce effervescence dans les rues de la bourgade, dans ses pubs et sur ses pelouses. Même chose à la mi-août pour le festival des Bateaux traditionnels *(Cruinniú na Mbád).*

⚟⚟ Coole Park : *à env 35 km au sud de Galway.* ☎ *631-804.* ● *coolepark.ie* ● *2 km avt Gort, sur la N 18, tourner à droite au panneau. Parc ouv tte l'année, tlj jusqu'à 19h30 (18h en hiver). Entrée gratuite,* ainsi que celle du Visitor's Center *(de fin avr à mi-sept, tlj 10h-17h – 18h juil-août).* Heritage site. C'est dans ce parc de 450 ha que s'élevait la maison de lady Gregory, qui fut la mécène de Yeats et cofondatrice avec lui de l'Abbey Theatre de Dublin. Elle-même écrivit près de 40 pièces de théâtre jouées par la compagnie. Promenade très agréable vers l'*arbre aux autographes* où Yeats, George Bernard Shaw ou encore Sean O'Casey gravèrent leurs initiales. Quelques sentiers de marche bien indiqués. Deux balades à faire (2 km et 4,5 km) en écoutant le chant des oiseaux. Aire de pique-nique. Au *Visitor's Centre,* petites expos et audiovisuels sur la vie à « Coole » au début du siècle dernier et sur lady Gregory.
☕ Tea room *également (en saison, tlj 10h30-17h).*

⚟⚟ Thoor Ballylee (demeure-musée de Yeats) **:** *à env 35 km au sud-est de Galway.* ☎ *631-436. Aller jusqu'à Gort, puis prendre la N 66 en direction de Loughrea.* Yeats habita cet énorme donjon pendant une douzaine d'années. Le poète s'en inspira pour l'une de ses œuvres *(The Tower).* Peut-être était-ce révélateur de sa propension à se réfugier dans sa tour d'ivoire ? Quoi qu'il en soit, elle a été transformée en un petit musée intéressant qui rassemble aujourd'hui de nombreux souvenirs. Projection d'un petit film (il existe une version française) sur la vie du poète, ses années ici et l'histoire de la tour normande.

⚟ Athenry : *à 24 km à l'est de Galway.* Cette petite bourgade est célèbre pour sa remarquable homogénéité architecturale. Elle détient surtout le record de bâtiments historiques encore debout. Un petit circuit est disponible à l'église *(en saison, tlj 10h-16h).* On peut donc voir une porte médiévale, des pans de remparts, les vestiges d'un prieuré dominicain, un très joli calvaire du XVe s et un château fort *(qui se visite Pâques-sept, tlj 10h-18h ; entrée : 3 €).*

Beaucoup plus à l'est

Ceux voyageant en voiture qui disposent de temps ne regretteront pas le détour par deux sites exceptionnels, au sud d'Athlone.

⚟⚟ Clonfert Cathedral : *à env 70 km de Galway. De la M 6 en direction de Dublin, sortir au niveau de Ballinasloe et suivre la direction de Portumna jusqu'aux 1res indications (mal fléché ensuite, malheureusement).* C'est là que saint Brendan est enterré (il avait fondé un monastère en 563). Construite au XIIe s, la cathédrale offre un portail roman considéré comme le plus beau d'Irlande.

⚟⚟⚟ Clonmacnoise : *situé dans le comté d'Offaly, à env 30 km de Clonfert, via Banagher, Cloghan et Shannon Bridge.* ☎ *(090) 96-741-95. Juin-août, tlj 9h-19h ; mars-fin mai et sept-oct, tlj 10h-18h30 ; nov-fév, tlj 10h-17h30. Dernière admission 45 mn avt fermeture. Entrée : 6 € ; réduc.* Heritage site. Il s'agit de l'un des principaux sites religieux irlandais, autrefois lieu d'un important pèlerinage. Aujourd'hui, il ne reste que des vestiges de la plus grande cité monastique de l'Irlande médiévale. Le monastère, fondé au VIe s par saint Ciarán, domine majestueusement le fleuve Shannon, dégageant une grande sérénité. Bien que Vikings et Normands l'aient pillé sans cesse et que les Anglais aient achevé de le démolir, ce qu'il en reste est assez fascinant. Pas moins de huit églises en ruine, dont une cathédrale et la petite *Tempeall Kiaran,* du nom du fondateur, un saint que l'on suppose enterré ici même. Au milieu de ces ruines romantiques, deux tours ou beffrois se dressent encore fièrement. Les plus grandes et plus belles croix originales sont exposées, entières ou tronquées, dans le *Visitor's Centre* (des copies ont été replacées *in situ*), ainsi qu'une infime partie des 700 pierres tombales sculptées retrouvées sur le site. Sur ces pierres sont notamment inscrites des prières destinées à des personnes importantes en relation avec le monastère. Audiovisuel (version française disponible) sur les origines du monastère et les étapes clés de son histoire. Également une brochure explicative en français.

DE GALWAY À CLIFDEN PAR LA CÔTE

Allons à la découverte du Connemara tel qu'il est souvent décrit et « postcardisé ». Terres rocailleuses et dépouillées, alternant avec les tourbières et les petits lopins de terre arrachés à la montagne. Il était encore plus dur de survivre ici que dans le Burren, au moment des épreuves qui frappèrent l'Irlande. Région plus surprenante encore que bien d'autres, par ses brusques changements d'aspect. Pas grand-chose de commun en effet entre les collines pelées et monotones autour de Costelloe et de Cashel, le paysage riant de Clifden et les vastes vallées autour des Twelve Bens et des Maumturk Mountains de Maam Cross et de Recess. Partout ici les gens furent contraints, pour 10 pence par jour, d'élever ces petits murs de pierres pour ne pas crever de faim. Cette terrible beauté cache bien des souffrances muettes...

SPIDDAL (an spidéal)   1 360 hab.   IND. TÉL. : 091

C'est un peu la station balnéaire de Galway. D'un urbanisme plus que discutable, son charme n'est pas absolument inoubliable, pas plus que ses *B & B* le long de la route. Mais ce peut être une étape sur votre trajet ou une alternative à Galway. Pour une véritable halte, continuez plutôt vers Roundstone ou Clifden, où il y a plus à voir...
– Grand choix d'achats possibles : par exemple, pulls et vêtements en laine chez *Standún* (le grand magasin à l'entrée du village, ouvert tous les jours, fermé dimanche matin) ou au *Craft Centre* local, *Ceardlann,* où vous trouverez toutes sortes d'artisanat. Bonne musique irlandaise à gogo dans les trois pubs de la ville, rassemblés autour du carrefour principal, tous les soirs en été. Le *Tigh Hughes,* au début de la route qui mène au camping, est très sympa.

Où dormir ? Où manger ?

🏠 *Cloch na Scith* : 1,5 km avt Spiddal, sur la gauche. ☎ 553-364. ● thatch cottage.com ● *Résa impérative en juil-août. Compter 68-70 € pour 2 ; loc du cottage voisin 250-500 €/sem. CB refusées.* Gros cottage blanc coiffé d'un toit de chaume. Une adresse de charme, où tout respire le souci du détail ! À l'intérieur, 3 chambres très soignées et un salon coquet et cha-leureux. L'hôtesse vous fera sans doute, le matin, une démonstration de fabrication de pain à l'ancienne, cuit dans un chaudron en fonte sur le feu de tourbe. Possibilité de se faire son repas du soir. Propose aussi un cottage superbement équipé avec cheminée et 2 belles chambres, doté de murs de 50 cm d'épaisseur ! Un bien bon *B & B,* donc.
|●| *An Crúiscín Lán* : en plein centre. ☎ 553-148. *Ouv tlj ; cuisine jus-qu'à 21h. Le midi, plats 10-11 €* et

sandwichs 6-8 € ; plus cher le soir. C'est le pub-resto de l'hôtel du même nom. Longue salle tout en bois se terminant par une terrasse qui donne sur le large. Agréable. Rien à redire sur la qualité des plats, c'est bon et copieux. Service rapide et sympathique.

CARRAROE [an cheatrú rua]   630 hab.   IND. TÉL. : 091

Plusieurs bus par jour depuis Galway (n° 424). *Carraroe* signifie en gaélique « coin, zone rouge » ; ce nom est dû à la teinte de la bruyère qui colore la région. Possibilité d'y voir encore de vieux *curraghs* (ou *Galway hookers*), les embarcations traditionnelles recouvertes de toile goudronnée.
Pour les amateurs de hors piste, *Gorumna Island* et *Lettermore.* Paysages âpres, sans touristes, population accueillante. Sublime !

DANS LES ENVIRONS DE CARRAROE

🏞️ *Pearse's Cottage* : *à Inbhear, près de Rosmuc, à l'extrémité d'une petite route tranquille ; c'est fléché.* ☎ *(091) 574-292. Ouv le w-e de Pâques (jeu-lun) 10h-17h ; fin mai-fin août, tlj 10h-18h ; ainsi que les 2e ou 3e w-e de sept. Entrée :* 3 €. Heritage site. C'est dans ce modeste et adorable cottage que Padraig Pearse, l'un des dirigeants de l'insurrection de Pâques 1916, venait se reposer et écrire. Ardent défenseur du gaélique, il utilisait également le cottage comme *summer school* pour ses élèves. Poète, écrivain, principal rédacteur de la Déclaration d'indépendance, président du gouvernement provisoire ; c'est celui qu'on voit toujours de profil sur les photos. La sobriété de la maison, son toit de chaume, la vue sur la baie, le calme et la beauté du site en général devaient de toute évidence favoriser l'inspiration.

CARNA   1 000 hab.   IND. TÉL. : 095

Village où furent construits pendant des lustres les *Galway hookers* (gréements à trois voiles). Autrefois, ces bateaux transportaient la tourbe dans le comté de Clare et rapportaient des céréales vers le Connemara. Les 15, 16 et 17 juillet, c'est la fête, le *Faile MacDara,* sur l'île McDara, autour d'un oratoire du Xe s. Grande messe qui attire les gens du coin, suivie d'un pique-nique et de régates.

Où dormir ? Où manger dans le coin ?

🏠 *Hillside House B & B :* Kylesalia, à *Kilkieran, 12 km env avt Carna.* ☎ *334-20.* 📱 *087-968-33-14.* ● *hillsi dehouseconnemara.ie* ● *Sur la route côtière R 340, avt Carna, à 3 km au nord de Kilkieran. Ouv avr-oct. Compter* 60-65 € *pour 2. CB refusées.* 🖥️ 📶 Un B & B à l'architecture récente et banale mais qui nous a beaucoup plu. D'abord pour sa situation, sur un promontoire avec une vue imprenable sur la baie de Kilkieran. Superbe panorama. Ensuite pour la qualité de ses chambres, toutes très confortables et *en suite,* impeccables et ravissantes. Bouilloire pour thé et café dans chaque chambre. Agréables salon TV et *dining room.*

Enfin, accueil chaleureux de Barbara qui propose un petit déj à la carte, donc pas mal de choix. Petite restauration (soupe, sandwich) sur demande si vous arrivez tard. Un coup de cœur.

I●I Tigh Chadhain : à Kilkieran (Cill Chiarain). ☎ 334-09. Sur la R 340, la route de Cashel. Bar food tte l'année

(7-10 €), resto en saison (plats 10-24 €). Restaurant le plus proche du précédent B & B. Fish & chips, poulet, tagliatelles, steak, quelques poissons, rien de bien original, mais il n'y a pas le choix dans le secteur, ou alors il faut aller jusqu'à Glynsk, à 13 km de là (voir plus loin). Accueil un peu bourru, mais c'est bon.

CASHEL [an caiseal]

IND. TÉL. : 095

Petit port sans grande activité, entre la mer et les collines. Ça commence à être vraiment très beau. À propos, on signale qu'il est possible, quelques kilomètres après Gortmore, de rejoindre Cashel par une petite route qui part (sur la droite) de la R 340, juste après avoir enjambé le petit pont d'Abbaínn (sur l'Invermore River). Très peu fréquentée, celle-ci coupe à travers landes et offre une vue superbe sur la bruyère sauvage avec, en toile de fond, les hautes montagnes du centre du Connemara.

Où dormir ? Où manger ? Où boire un verre à Cashel et dans les environs ?

Prix moyens

⌂ Shoreside Air B & B (Madeleine Joyce) : Lehenagh. ☎ 311-41. 📱 087-610-51-44. ● shoresideair@gmail. com ● À l'entrée de Cashel en venant de Carna ou de Recess. Arrivé à hauteur de l'hôtel Zetlan, tourner à gauche ; puis prendre le 1er chemin sur la droite ; c'est indiqué. Un bus venant de Galway ou de Clifden vous dépose tlj à 5 mn de la maison. Ouv mai-sept. Compter 60-65 € pour 2. CB refusées. Tranquillité garantie et vue imprenable sur la baie de Cashel ! On aime bien cette adresse, pas seulement pour la vue (et ses nains de jardin rigolos !), mais aussi pour l'accueil franchement nature et souriant de la maîtresse de maison, sans parler du breakfast... L'hôtesse propose des chambres en suite au style assez simple, presque kitschounet mais sympa. Certaines ont même la vue sur le bras de mer pour un beau coucher de soleil, demandez-en une.

⌂ I●I Rossroe Lodge : Rossroe. ☎ 319-28. ● rossroelodge@live.ie ●

Ouv tte l'année. Compter 56-80 € pour 2 selon saison. Dîner (sur résa) 24 €/pers. 🛜 Un B & B récent, eco-friendly, juste en bord de mer. 4 chambres confortables, dont 1 triple. 2 ont vue sur mer. Grand salon pour les hôtes avec TV, lecteur DVD et une grande cheminée avec son feu de tourbe pour les fraîches soirées. Le propriétaire français, Sylvain, marié avec Mary, irlandaise, est cuisinier de formation : excellents petit déjeuner et dinner.

I●I Glynsk House : Glynsk, Cashel Bay. ☎ 322-79. À 5 km après Carna et 7 km avt Cashel sur la R 340. Bar food et resto tlj en saison 12h-21h ; en mi-saison, ouv ven-dim. Bar food 6-21 €, plats 12-21 €. Grosse bâtisse jaune et toit d'ardoises, tellement isolée, qu'il est impossible de la rater ! C'est un peu l'étape obligatoire des touristes en excursion le midi, avec son magasin de souvenirs, son bar moderne et sa grande salle de restaurant attenante. Le soir (ou hors saison), l'ambiance est tout autre, cosy, relax, on s'y sent bien pour apprécier les bons plats copieux servis avec un sourire amical. Pas mal de poisson qui s'accompagne très bien d'une bonne Guinness, mais aussi canard rôti au miel et chicken curry. L'été, plateau de fruits de mer (un peu plus cher). On préfère sans hésiter la partie bar, donnant sur la lande, à la salle de resto, moderne et un peu ronflante (avec une petite vue mer).

|●| ⵏ The Fisherman's Pub : au Ballynahinch Castle, à **Recess**. À env 8 km au nord-ouest de Cashel. ☎ 310-06. Tlj 12h30-15h. Plats 6,50-13,50 €, sandwichs 4-5 €. Il y a certes la table renommée très chère, mais le château dispose de son propre pub, à l'ambiance typique vieille Angleterre, idéal pour un repas du midi. Au menu, soupes, sandwichs, salades, assiettes de fromages. L'endroit s'avère tout à fait abordable pour se détendre dans ce lieu remarquable, avec ses tommettes, ses cheminées et ses boiseries anciennes.

Très chic

⌂ |●| Cashel House Hotel : ☎ 310-01. ● cashel-house-hotel.com ● Bien indiqué en arrivant dans le village. Congés : 20-31 déc. Doubles 170-315 € selon saison et standing, petit déj compris (encore heureux !). Dîner env 60 €, et encore, sans le service... Lunch et afternoon tea beaucoup plus abordables. En fait, on vous l'indique plutôt pour le plaisir, celui de flâner dans une superbe demeure entourée par 17 ha de jardins (demandez le plan). Le général de Gaulle vint y passer 15 jours en 1969 après sa démission. Salons pleins de cachet, avec cheminées, et restaurant dans une vaste véranda fleurie. On pourra profiter de ce joli décor à l'heure du thé, sans trop casser sa tirelire. Petit port et plage privée... Atmosphère décontractée, absolument pas guindée (voir la collection de bottes en caoutchouc à l'entrée !).

DANS LES ENVIRONS DE CASHEL

ⵏ Ballynahinch Castle : à Recess. ☎ (095) 310-06. ● ballynahinch-castle.com ● Entre Cashel et Roundstone, prendre à droite la R 341 sur 3 km (c'est fléché). Ouv tte l'année. Dans une forêt de pins vallonnée, le château se trouve au bord d'une rivière sinueuse. L'accès n'est pas payant. De cette prestigieuse demeure du XVIIIe s, vous pouvez faire cinq jolies balades à pied d'une durée de 20 mn à 3h, en longeant la rivière et le lac Ballynahinch. Le château lui-même n'est pas visitable, c'est un hôtel de luxe. On fera néanmoins un stop au pub (voir plus haut).

ROUNDSTONE (cloch na ron)   425 hab.   IND. TÉL. : 095

Petit port typique et adorable avec ses maisons colorées. Recommandé pour l'étape du jour, d'autant que le village compte quelques bons restos et des adresses de charme. Ateliers artisanaux de *bodhran* (tambours) et de poterie. En juillet et août, pas mal de monde !

Adresse utile

🛈 Roundstone Information Centre : face au Roundstone House Hotel, en contrebas, au Communauty Hall. ☎ 350-44. ● roundstone-connemara. com ● Ouv Pâques-oct, fermé les w-e et j. fériés hors juil-août (s'adresser alors à Errisbeg Lodge, à 3 km sur la R 341 vers Clifden). Infos touristiques, galerie d'art et organisation de la semaine *Arts Week* (voir plus bas « Manifestations et festivals »).

Où dormir ?

Camping

ⵝ Gurteen Bay Caravan & Camping : à 3 km à l'ouest du village, sur la R 341. ☎ 358-82. ● gurteenbay.com ● Ouv mars-oct. Compter 20 € pour 2 avec

*tente ou caravane (électricité incluse).
Douches payantes.* Au bord de la très
belle plage de Gurteen Bay, propice à
de jolies balades. Quelques espaces
réservés aux tentes parmi plus d'une
centaine de bungalows privés. Accueil
correct. Cuisine, laverie et petite
boutique.

Prix moyens

🏠 *Saint Joseph's B & B : rue principale, à côté de l'Eldon's Hotel.* ☎ 358-
65. • *roundstonebandb.com* • *Fermé
21-28 déc. Compter 60-78 € pour 2
selon saison.* 📶 Une vraie petite maison de village, proposant des chambres simples, claires et nickel ; toutes
avec salle de bains et TV écran plat.
Certaines, lambrissées, donnent sur le
petit port. Mignonne petite salle avec
bow-window pour prendre le petit déj.
Excellent accueil de Christina.
🏠 *Wits End : en plein centre.* ☎ 358-
13. • *roundstoneaccommodation.
com* • *Ouv tte l'année sf autour de
Noël. Compter 55 € pour 2. CB refusées.* 📶 Dans une petite maison rose
comme le plaisir, quelques chambres
en suite, pas très grandes mais décorées avec goût et sobriété. Excellente
tenue. La charmante hôtesse, vous
réserve un accueil on ne peut plus chaleureux, comme si vous retrouviez une
amie de longue date. Bel *Irish breakfast,* avec du saumon fumé. Expo de
tableaux, et même vente de pulls en
hiver pour les frileux !
🏠 *Islandview : au bourg.* ☎ 357-01.
• *islandview.ie* • *Compter 55-65 €
pour 2. Parking à vélos.* 📶 Dans le
centre de Roundstone, une pimpante
maison de village (idéal au retour du
pub !) entièrement rénovée. 6 jolies
chambres décorées au goût du jour,
avec ou sans vue ; on aime beaucoup
la petite avec sa vue en angle. Accueil
jeune et souriant.
🏠 *Ivy Rock House : Letterdyfe.*
☎ 358-72. • *ivyrockhouse.com* • *Env
2 km avt d'arriver dans le village, sur
la droite. Ouv mars-oct. Compter 60 €
pour 2. CB refusées.* 📶 Surplombant
la route, grande maison moderne assez
bourgeoise, toute jaune, avec une
pelouse devant. Propose des cham-

bres confortables, avec une vue extra
sur la baie. Même au petit déj, on a la
vue, et Dieu sait que c'est agréable ! Le
tout est très moderne et impeccable.
Bon accueil et prix raisonnables.
🏠 *Rush Lake House : à la sortie du village, vers Gurteen Beach.* ☎ 359-15.
• *rushlakehouse.com* • *Ouv mars-nov.
Compter 65-70 € pour 2. CB refusées.* 📶 Une bonne adresse un peu à
l'écart du centre. Une grande maison
moderne mais coquette et accueillante
avec terrasse dans un grand jardin bien
entretenu. Les chambres sont bien
agréables, équipées de lits douillets et
de sanitaires nickel. Certaines donnent
sur la côte. Gentille hôtesse et bon petit
déj, servi dans une salle face à la mer.

Plus chic

🏠 *Errisbeg Lodge : face à Gurteen Bay,
à 3 km vers l'ouest.* ☎ 358-07. 📱 087-
920-59-21. • *errisbeglodge.com* • *Ouv
mars-oct. Compter 85-100 € pour 2.
CB refusées. Enfants acceptés à partir
de 8 ans.* 📶 Maison moderne, vaste et
imposante, au pied d'une haute colline.
Abrite 5 chambres *en suite,* 3 côté mer et
2 face à la montagne couverte de lande
où broutent les moutons. Déco sobre
et agréable, très bon niveau de confort :
parquet, lits *king size,* salon cosy et belle
salle à manger où l'on engloutit un riche
petit déjeuner (avec option végétarienne).
Bon accueil de Shirley et de son mari qui
se feront un plaisir de vous prodiguer de
bons plans balades (randos guidées proposées). Cours d'anglais pour adultes
(sauf juillet-août).

**Où manger ?
Où boire un verre ?**

🍴 🍷 *Roundstone Cafe : rue principale. Pâques-nov, tlj 10h-18h (22h en
été). Compter 5-14 €.* 📶 Petit *coffee
shop* sympa pour prendre le petit déj
(*Irish* ou continental) ou pour grignoter
une pizza, un snack ou prendre un café
le midi si l'on n'a pas le budget resto.
2 plats différents par jour.
🍴 🍷 *O'Dowd's Restaurant & Bar :
dans le centre.* ☎ 358-09. Pub et bar

food *ouv tte l'année ; bar food tlj 12h-21h30 (plats 10-22 €), resto avr-sept, tlj 18h-21h30 (plats 15-22 €).* Value menu *(12h-19h) 19,95 €.* Un vieux pub sympa avec une si chouette atmosphère qu'il a reçu un *James Joyce Award.* Le midi, on peut y manger pour pas cher ou se contenter de sandwichs. Très conseillé de prendre l'apéro côté pub et de réserver son couvert. Au resto, le *smoked salmon starter* est un peu chiche, mais les plats sont copieux à défaut d'être toujours très fins. Essayer par exemple la *seafood* au gratin. Service charmant.

|●| ☖ *Vaughan's Restaurant & Bar : dans le centre, à côté de Wits End.* ☎ 358-64. Bar food *12h-19h : plats 10,50-23 € ; resto 19h30-21h : plats 23,50-28 €.* Au rez-de-chaussée de l'hôtel *Roundstone House,* bar sympathique en lambris proposant *Irish stew,* lasagnes et sandwichs pas chers. Belle salle de restaurant à côté, mur ocre rouge, tableaux d'inspiration marine, moquette épaisse et nappe blanche. Dans une catégorie chic, excellents poissons frais du jour (turbot, saumon, lotte), mais aussi canard et steak. Bon accueil. Une valeur sûre.

Achats

☗ *Roundstone Music Crafts and Fashion at IDA Centre : The Monastery.* ☎ 358-08. ● bodhran.com ● *Au bout du village, au fond d'une impasse qui part de la rue principale, après la belle porte crénelée en pierre d'un ancien monastère. Mai-oct, tlj 10h-18h ; hors saison, tlj sf dim. Entrée gratuite.* Pour ceux qui veulent acheter les vrais *bodhran* en peau de chèvre (les tambours traditionnels), on peut observer leur fabrication dans l'atelier mitoyen et les tester dans la « chambre d'essai » ! Brochure en français (payante) sur l'histoire et la fabrication du *bodhran,* ainsi qu'un livre de leçons pour commencer à en jouer, rédigée par Sean D. Halpenny (un des meilleurs joueurs d'Irlande) et Malachy Kearns (c'est lui qui les fabrique). Également toutes sortes d'instruments à cordes, partitions, recueils de chansons, CD, etc.
Et les inévitables boutiques de souvenirs avec leur *coffee shop* !

Manifestations et festivals

– *Petit festival d'art et de musique (Arts Week) :* fin juin-début juil, pdt 2 sem. Rens : ▯ 086-821-51-53.
– *Pony, Dog, Sheep and Domestic Arts Show :* début juil. ▯ 087-901-82-90. ● roundstoneponyshow.ie ● Rassemble beaucoup de monde et l'ambiance est à la mesure de la *Guinness* qui y coule à flots.
– *Courses de bateaux :* avt-dernier dim de juil. ● roundstoneregatta.com ●
– *Summer Festival :* mi-août, pdt 4 j. ● roundstonesummerfest.com ● Spectacles variés, musique dans les pubs et activités pour les enfants.

DANS LES ENVIRONS DE ROUNDSTONE

☖ *Gurteen Bay (Port na Feadoige) : à 3 km à l'ouest de Roundstone. À côté du camping de Gurteen et du cimetière.* Admirable plage de sable bien protégée.

☖ *Dog's Bay Strand : un peu après Gurteen Bay.* Une des plus belles plages du Connaught, nichée dans une baie immense et protégée, aux eaux un peu moins froides.

BALLYCONNEELY

☖ Voilà un autre chouette coin pour bucoliques impénitents. Au village de Ballyconneely, prendre la route de gauche en venant de Roundstone, vers le

Connemara Golf Club. En chemin, admirer les belles ruines, presque fantomatiques, de Bunowen Castle. Au bout de celle-ci, superbe plage d'*Aillebrack*. Sympathique petit port de pêche.

➤ Nombreuses balades possibles dans le coin, notamment à la pointe ouest, vers *Slyne Head.*

Où dormir ? Où manger ? Où boire un verre ?

🏠 **Conamara House :** Golf Links Rd. ☎ (095) 235-30. ● *conamarahouse. com* ● *À 3 km de la R 341, sur la route du golf et du centre équestre, juste après la fourche (c'est fléché). Ouv avr-oct. Compter 60 € pour 2. CB refusées.* 📶 Si, comme nous, vous avez un coup de cœur pour cette presqu'île de Ballyconneely, pourquoi ne pas y passer une nuit ? Cette magnifique maison blanche dans la lande désertique est une adresse hautement recommandable. Les chambres, impeccables, spacieuses et lumineuses, sont d'un confort équivalent à celles d'un bon hôtel pour un tarif de *B & B*. Mobilier de goût, moquette épaisse, lit douillet et grande salle de bains, jusqu'à l'accueil de Marian, petite mamie adorable, tout est absolument parfait. Lieu idéal tant pour les golfeurs et cavaliers qui pourront pratiquer leur passion à proximité que pour les amoureux de la nature, des plaines ventées et des plages de rêve aux eaux transparentes. Un véritable paradis écologique !

|●| 🍸 **Keoghs Restaurant & Bar :** ☎ (095) 235-22. Sur la R 341 à l'entrée de la presqu'île. Tte l'année, tlj 10h30-21h. Seul lieu pour se sustenter ou boire un coup dans les environs. Mais la carte se limite à de simples en-cas et sandwichs, à déguster au coin d'une petite cheminée avec son feu de tourbe. Grand bâtiment jaune et noir en bordure de route avec terrasse. Intérieur chaleureux, 2 salles séparées par un grand bar, décorées de photos de musiciens, de chevaux de course et de trophées de golf. Musique le samedi soir.

Où acheter du (très bon) saumon fumé ?

🐟 **Connemara Smokehouse :** sur le port de Bunowe. ☎ (095) 237-39. ● *smokehouse.ie* ● *Lun-ven 9h-13h, 14h-17h. Fermé w-e et j. fériés.* Possibilité d'y acheter du saumon fumé bio ou sauvage, mais aussi du thon, des *kippers...* Chaque année, cette fumerie est primée pour son saumon fumé biologique, considéré par beaucoup comme le meilleur d'Irlande. Prix très raisonnables (et expédition possible vers la France). Le mercredi en été, visite de la structure assurée par Nicolas, un Français, passionné par son métier et fier de son produit, élaboré dans les règles de l'art.

LE CONNEMARA

Balades à cheval

■ **The Point Pony Trekking & Horse Riding Centre :** Keeraunmore. ☎ (095) 236-85. 📱 087-246-82-94. ● *thepointponytrekkingcentre.com* ● *En direction de Clifden, tourner à gauche à Ballyconneely, puis à droite à la fourche suivante et continuer sur env 6 km (c'est fléché). Fermé 1re quinzaine de sept (nov-mars, sur résa slt). Promenade 30 €/h, 60 € pour 2h. CB* refusées. Excellent accueil d'Anne, Belge francophone. Jolies balades, de 1h à la demi-journée, pour tous niveaux (petits et grands), notamment le long de belles plages de sable blanc aux eaux transparentes. Les paysages sauvages et ventés des environs sont vraiment de toute beauté ! C'est d'ailleurs d'ici que vient le double poney du Connemara.

➤ Le paysage se transforme à partir de maintenant. La nature se radoucit, les rocs cèdent le pas aux prairies pentues, aux arbres et annoncent Clifden, l'oasis de verdure de l'ouest du Connemara.

DE GALWAY À CLIFDEN PAR LES TWELVE BENS

Le chemin le plus court : belle route, surtout après Maam Cross, lorsqu'on commence à longer les montagnes du centre du Connemara (les Maumturk Mountains et les Twelve Bens), jusqu'à Clifden. On passe successivement par *Oughterard, Maam Cross* et *Recess*. Paysage de plaines verdoyantes d'abord, plus accidenté, sauvage et désolé ensuite, le tout parsemé de nombreux lacs. En sortant d'Oughterard, sur les rives des premiers lacs à gauche, les lough Agraffard et lough Bofin, furent tournées les scènes les plus passionnées de *L'Homme tranquille.*

Où dormir ? Où manger en chemin ?

De bon marché à prix moyens

🏠 *Holiday Hostel Angling Center :* Station Rd, à **Oughterard**. ☎ (091) 552-388. ● oughterardhostel.com ● *À la sortie nord du village, tourner à gauche face à l'église et faire env 1 km. Ouv fév-oct. Compter 17-19 €/pers en dortoir et 20-23 € en chambre double ou familiale.* 📶 AJ privée, dans un bâtiment neuf et sans charme mais au calme, devant un grand espace vert. Cuisine bien équipée. Service de laverie. Minidortoirs de 4 à 12 lits superposés ; 1 chambre double et 3 chambres familiales mansardées, avec salle de bains chacune, le tout très récent et très propre. Alcool interdit. Pêche possible. Pas mal d'activités proposées. Bon accueil.

De prix moyens à plus chic

🏠 *The Western Way :* Camp St, dans le centre d'**Oughterard**. ☎ (091) 552-475. ● westernwaybb.com ● *En venant de Galway, prendre à droite dans le village. Ouv mars-oct. Compter 70 € pour 2 selon confort et saison ; réduc à partir de 2 nuits.* 📶 Joli petit B & B avec des chambres mignonnes et soignées, avec ou sans salle de bains, aménagées chacune dans des tons différents. Petit salon avec cheminée en pierre pour les hôtes tout aussi joli. Bon accueil.

🏠 🍴 *Corrib Wave Guesthouse :* Portcarron, **Oughterard**. ☎ (091) 552-147. ● corribwave.com ● *À 1,5 km avt Oughterard, petite route sur la droite et encore 1,5 km jusqu'à la guesthouse. Fermé nov-janv. Compter 70 € pour 2. Dîner 22 €. Prix dégressifs et forfaits.* 📶 On vous l'indique surtout pour sa situation au bord du lac, agréable pour une étape. Cependant, déco standard et ça fait un peu motel, vu le nombre de chambres et l'organisation ronronnante (dîner à 19h pile !). Location de bateaux pour pêcher.

Très chic

🏠 🍴 *Currarevagh House :* à **Oughterard**. ☎ (091) 552-312. ● currarevagh.com ● *Depuis Oughterard, en venant de Galway, prendre à droite dans le village sur env 6 km. Ouv mars-oct. Resto accessible aux non-résidents mais résa obligatoire. Double env 160 € (petit déj et « goûter » compris). Dîner complet 47,50 € (sans le vin ni le service).* 🛏 📶 Ici, tout respire le calme, le luxe, mais aussi le bon goût et la décontraction. Très belle demeure aristocratique datant de 1846, au milieu d'un bois et non loin du lac Corrib. Belle décoration avec de vieux meubles chaleureux. La peau de tigre dans l'escalier vient d'une partie de chasse du grand-père du propriétaire. Chouette cheminée où brûle toujours la tourbe. Chambres tout confort et délicieusement désuètes (de taille variable). Au programme, *tea time,* tennis et canotage. Et, bien sûr, promenades bucoliques à pied dans une nature vierge, avec possibilité de pêcher sur le lac. Une authentique adresse de charme.

À voir en chemin

🎋🎋 Après Galway, en se dirigeant vers Oughterard, vous longerez **Corrib Lake**, le deuxième plus vaste lac d'Irlande (après le lough Neagh), très renommé pour la pêche au brochet, à la truite et au saumon. Possibilité de louer une petite embarcation pour explorer les îles (dans les *angling centres* ; demander la liste à l'office de tourisme d'Oughterard).

🎋 **Brigit's Garden :** *Pollagh, à **Roscahill**.* ☎ *(091) 550-905.* ● *brigitsgarden.ie* ● *À 6 km avt Oughterard. Sur la N 59 à 10 km de Moycullen en venant de Galway, prendre une route à droite et continuer sur 3 km (c'est fléché). Fév-oct, tlj 10h-17h30. Compter, selon saison, 5,50-7,50 €/pers ; réduc. Brochure en français.* Drôle de jardin que celui de la déesse Brigit ! Si vous vous attendez à voir un beau parc floral, vous allez être déçu. C'est une plongée dans un univers vraiment particulier où ceux qui n'ont pas d'intérêt pour la mythologie celtique feraient mieux de passer leur chemin. Il faut dire que l'on ne comprend pas grand-chose à ces petits jardins thématiques tout vides, avec çà et là un dolmen, des branches d'arbres morts aux formes bizarroïdes en guise de sculpture ou un calendrier solaire donnant même la mois, mais seulement pendant les éclaircies ! Les autres y verront un lieu de méditation en parcourant le jardin des quatre saisons celtiques, la forêt de menhirs, ou en étudiant l'histoire de chaque espèce d'arbre ponctuée de réflexions philosophiques. Si vous n'avez pas tout compris, allez voir Nicolas, pas le jardinier mais le cuisinier français spécialisé dans la préparation de plats végétariens bio faits avec les produits du *jardin de Brigit* (restaurant ouvert de mai à septembre seulement).

🎋 **Aughnanure Castle :** ☎ *(091) 552-214. À 1,5 km au sud d'Oughterard, au niveau du golf. Petite route sur la droite (en venant de Galway) sur env 2 km. D'avr à mi-oct, tlj 9h30-18h ; fermeture du guichet à 17h15. Entrée : 3 € ; réduc.* Heritage site. Construit par les O'Flaherty, vers 1500. Superbe tour de quatre étages.

🎋 **Glengowla Mines :** *à env 3 km d'Oughterard.* ☎ *(091) 552-360.* ● *glengowla mines.ie* ● *De la N 59, prendre direction Clifden, tourner à gauche (c'est indiqué), puis suivre la petite route sur 1 km. Mars-nov, tlj 9h30-18h30. Entrée : 10 € ; billet famille 25 €.* Petite mine artisanale dont l'exploitation ne dura que de 1850 à 1865. Il n'y avait pas plus de 11 mineurs à y travailler en même temps. On en a surtout extrait de la galène (plomb argentifère) dont on connaît l'usage dans les postes de radio d'autrefois, mais pas de chance, le poste à galène n'était pas encore inventé à l'époque, et la mine a périclité ! La visite (guidée) des galeries prend environ 40 mn : on descend jusqu'à 45 m sous terre. Petit musée (avec station sismologique, une des cinq existant en Irlande). Possibilité de se promener à la belle saison dans la nature environnante (sur les terres de la ferme familiale).

➤ Si vous voulez embrasser ce paysage d'un seul coup d'œil, faites l'ascension du **Ben Lettery** (le plus au sud des Twelve Bens, ou *Pins*), à 600 m d'altitude. Cartes *Discovery Series* nos 44 et 37. Pour y aller, laisser à gauche l'embranchement pour Roundstone et continuer sur 2 miles jusqu'à un grand bâtiment blanc. Se garer sur le parking, la grimpette commence derrière. 2 petites heures de montée et 1h seulement pour la descente. Pas vraiment de sentier jusqu'au sommet, mais il est facile de s'orienter. Attention, il est très facile aussi de glisser. Si, après ça, il vous reste du courage, faites le tour du cirque en ralliant les sommets un à un. Là aussi, gare aux risques réels de chute. D'en haut, la vue est époustouflante sur tout le Connemara par temps dégagé.

➤ Une randonnée mythique, la **Western Way** : depuis Oughterard, les *Maumturk Mountains*, Leenane, jusqu'à la côte nord du Mayo et le comté de Sligo (soit un total de 250 km). Six sections qui permettent de parcourir à pied le Connemara sauvage (66 km).

CLIFDEN (an clochán)

2 600 hab.   IND. TÉL. : 095

Petite ville charmante très (très) fréquentée en été. Heureusement, la région autour invite à de nombreuses balades. On a envie de se perdre dans tous ces petits chemins qui parcourent la bruyère et qui longent les rivières. Ce ne sont pas des promenades qui nécessitent des kilomètres de marche, car ici tout se trouve à proximité. Après 5 mn à pied, vous êtes déjà dans une lande magnifique. La mer est toute proche elle aussi. Ne manquer sous aucun prétexte la balade sur la *Sky Road* (*Upper* et *Lower*), à emprunter à différentes heures de la journée pour découvrir de nouvelles lumières incroyables.

GLOIRE AUX HÉROS DE LA VOLTIGE

En 1919, 8 ans avant Lindbergh (!), les aviateurs Alcock et Brown furent les premiers à traverser l'Atlantique. Le vol a, à plusieurs reprises, été proche du désastre (problèmes de moteur, brouillard, fuite de gasoil). Il fut sauvé par les sorties répétées de Brown sur les ailes pour enlever la glace et par les prouesses de pilote d'Alcock. De Terre-Neuve, ils parcoururent 3 500 km en 16h, à une vitesse moyenne de 190 km/h. L'histoire n'a pas retenu leur nom. Il faut dire qu'il y avait moins de monde à Clifden où ils se sont posés en catastrophe qu'au Bourget où a atterri Lindbergh.

LE *PONY SHOW*

Le troisième jeudi d'août se tient l'une des plus belles foires aux poneys d'Irlande. Ici, dans le Connemara, hommes et chevaux vivent dans une harmonie et une complicité totales. Le poney, robuste et très bien proportionné, s'est acclimaté à la dureté du relief et y a gagné en solidité et en endurance. Il descendrait des chevaux rescapés de l'Invincible Armada, lorsqu'elle fut jetée sur les côtes par la tempête. Les Espagnols, qui occupèrent un temps Galway, ont dû introduire aussi un peu de sang d'étalon andalou.

Le *Pony Show* est donc une grande fête du cheval à laquelle assistent des milliers de spectateurs. Plus précisément, il s'agit d'un concours à l'issue duquel certains poneys se voient décerner un prix pour être les plus remarquables de leur « catégorie » (sexe, tranche d'âge...). Le lendemain, on procède à la vente aux enchères des équidés qui ont pris part à la compétition. Atmosphère de kermesse bon enfant dans toute la ville, où les fûts de *Guinness* ne se comptent plus...

Arriver – Quitter

En bus

Billets vendus sur Internet ou dans le bus.

🚌 **Arrêt des Bus Eireann** (plan B2) : Market St, dans le centre. Infos : ☎ (091) 562-000. ● buseireann.ie ●
➢ **De/vers Galway :** lun-sam, 5-6 bus/j. en été et 2 le reste de l'année ; dim, 1-2 départs slt selon saison. La plupart des bus prennent la N 59 (tra-

jet : 1h30), mais quelques-uns suivent la côte, via **Ballyconneely** et **Roundstone** (30 mn de plus). Ts, cela dit, passent par **Recess**, **Maam Cross** et **Oughterard**.
➢ **De/vers Westport :** 1 bus/j. en été lun-sam, via **Leenane** ; aucun le dim. Trajet : 1h30.

🚌 **Arrêt des bus City Link** (plan B2) : Market St. ☎ 1890-28-08-08. ● citylink.ie ●
➢ **De/vers Galway :** bus 5 fois/j. tte l'année, via **Oughterard** et **Maam Cross**.

Adresses utiles

■ Arrêt des Bus Eireann et City Link
🅱 Office de tourisme
1 Bank of Ireland
2 Allied Irish Bank
3 John Mannion (location de vélos)
@ Video Vault
5 Laverie

Où dormir ?

10 Clifden Town Hostel
11 Sea Mist House
12 Ben View House

⦿ Où manger ?

20 Walsh's Bakery
21 Cullen's
22 Mitchell's
23 Off the Square
24 Marconi Restaurant

🍷 ♪ Où boire une bonne *Guinness* ?
Où écouter de la musique ?

30 Mannion's
31 The Central B & B
32 Lowry's Pub
33 E.J. King's
34 Station House Bar

➢ **De/vers Letterfrack et Cleggan :**
3-4 bus/j. (c'est le même bus que celui de Galway).

Adresses utiles

🅱 **Office de tourisme** (plan B1) :
Galway Rd. ☎ 211-63. ● discoverire
land.ie/west ● Ouv de la Saint-Patrick
à mi-oct : juil-août, tlj 10h-18h ; le
reste du temps, jeu-sam 10h-16h45.
Personnel compétent. Comme d'habitude, vente de cartes du pays. Résa de
chambres moyennant 10 % de caution
et une commission (5 €).

✉ **Poste** (plan A1) : Main St. Lun-ven
9h30-17h30, sam 9h30-13h.

@ **Video Vault** (plan A1) : Main St.
☎ 220-33. Tlj 11h (12h dim)-23h. Ce
magasin de CD et DVD propose 8 postes rapides avec écran plat.

■ **Bank of Ireland** (plan A1, **1**) : Sea View Rd. Lun-ven 10h-12h30, 13h30-16h (17h lun). Distributeur à l'extérieur. Change.

■ **Allied Irish Bank** (plan B1, **2**) : angle Main St et Bridge St. Mêmes horaires et services que la précédente.

■ **Location de vélos** : chez **John Mannion** (plan B1, **3**), Bridge St. ☎ 211-60 ou 55. ● clifdenbikes.com ● Lun-sam 10h-18h, dim 10h-12h (fermé dim en hiver). Compter 15 €/j. (18 € juil-août). Une cinquantaine de *mountain bikes* et de vélos de route. Vérifier l'état des engins.

■ **Laverie** (plan A1, **5**) : Church Hill. Lun-sam 9h-17h30.

Où dormir ?

CAMPING

⚑ **Shanaheever Caravan & Camping Park** (hors plan par A1) : ☎ 221-50. ● clifdencamping.com ● À env 2 km de Clifden, par la route de Westport (N 59). Petite route qui part à droite ; à 500 m. Ouv de mi-mars à sept. Résa impérative en été pour les groupes. Pour 2, compter env 18-22 € avec tente et voiture. CB refusées. Douches chaudes gratuites. Bien situé en pleine nature. Correct et calme. Camping traditionnel, sans chalets, ni mobile homes (un vrai camping, quoi !) ; environ 70 emplacements. Bon accueil. On y parle le français. Service de laverie, salle de jeux avec billard.

AUBERGE DE JEUNESSE

⌂ **Clifden Town Hostel** (plan B2, **10**) : Market St. ☎ 210-76. ● clifdentown hostel.com ● Dans le centre du village. Ouv tte l'année (nov-fév, téléphoner). Compter 17-21 €/pers en dortoir ou en chambre privée. ☎ AJ privée dans un bâtiment tout jaune de la rue principale. Dortoirs de 4 à 8 lits, aux matelas neufs. Également 4 chambres doubles hors saison et 2 en été ; 36 lits en tout ; 6 douches extérieures. 2 cuisines bien équipées. Clé pour rentrer après minuit. Petit coin pour les vélos. Atmosphère quasi familiale. L'ensemble est bien tenu par le sympathique et conscien- cieux Sean.

BED & BREAKFAST

La plupart de nos *B & B* sont un peu en dehors du centre-ville. Pas pour vous faire courir, mais bien pour vous faire profiter des paysages de Sky Road ou, tout simplement, de l'environne- ment naturel enchanteur de Clifden... Comme trop souvent, malheureuse- ment, beaucoup des *B & B* du secteur sont d'une architecture disgracieuse et discutable... Les adresses de charme sont rares !

De prix moyens à plus chic

⌂ **Winnowing Hill** (hors plan par A2) : Ballyconneely Rd. ☎ 212-81. ● winno winghill.com ● À 1 km de Clifden, sur la route de Ballyconneely-Roundstone ; c'est indiqué à droite en venant de Clif- den. Ouv avr-fin oct. Compter 66-72 € pour 2. CB refusées. ☎ Sur une petite butte dominant la campagne dans un grand jardin avec terrasse. Chambres toutes un peu différentes dont 1 avec une très belle vue sur le village ; toutes possèdent une salle de bains. Les 2 du haut, de belle taille, sont mansardées. Jolie salle TV avec Chesterfield confor- table. Accueil familial et chaleureux. Les *scones* préparés la veille au soir avec amour sont excellents. Pas cher, vu la qualité.

⌂ **Heather Lodge** (hors plan par B1) : sur la route de Westport, à env 1,5 km de Clifden, à gauche. ☎ 213-31. ● heatherlodge.ie ● Ouv mars-oct. Compter 60-70 € pour 2 selon saison. ▭ ☎ Gros *B & B* jaune dans un grand jardin fleuri au bord du lac Breonna Bainne. Chambres personnalisées et très soignées, certaines donnant sur le lac. Jane, l'hôtesse, est très accueil- lante. Le matin, très bon petit déj servi dans une salle avec vue sur les Twelve Bens, sur fond de musique tradition- nelle irlandaise. Même vue depuis le confortable salon. En prime, un billard et un piano. Bonne adresse malgré la proximité de Clifden.

⌂ **Rockmount House** (hors plan par A2) : Lower Sky Rd. ☎ 217-63. ▌087-649-40-73. ● rockmounthouse.com ● À 5 km de Clifden. Ouv avr-fin sept.

Compter 66-76 € pour 2. CB refusées. 📶 Belle situation à deux pas des flots, idéal pour une balade sur la plus jolie partie de Sky Road. L'intérieur est vraiment réussi ! Toutes les chambres ont TV et salle de bains. Petit déj mémorable face à la baie de Clifden où vous verrez peut-être passer des dauphins. Petite *sitting room* impeccable avec TV écran plasma. Vraiment sympa !

🏠 |●| *Clifden Bay Lodge* : Lower Sky Rd. ☎ 21-795. ● clifdenbaylodge. com ● À env 3 km de Clifden, par la Sky Rd (prendre à gauche à la bifurcation). Tte l'année. Compter, en hte saison, 70-90 € pour 2. Dîner sur résa : 20 €/pers. Frédérique et Charles Allaire, après avoir eu des gîtes en France, ont eu un coup de cœur pour le coin et ont posé leurs valises à Clifden, séduits par la lumière et les points de vue magnifiques depuis Lower Sky Road. Dans leur maison, ils proposent 4 chambres confortables, 2 au rez-de-chaussée et 2 à l'étage (l'une d'elles dispose d'une salle de bains avec jacuzzi). Petit déjeuner dans la véranda, face à la mer. Excellent accueil. Sorties en mer possibles pour pêcher.

🏠 *Sharamore House* (hors plan par A1) : Streamstown, route de Westport. ☎ 210-73. 📱 086-345-83-13. ● sharamore.com ● À 3 km de Clifden, sur la route de Westport, prendre la petite route de Cleggan-Claddaghduff sur la gauche, c'est la 2e maison sur la droite à 100 m de l'embranchement. Fermé déc-fév. Compter 60-80 € pour 2. 🖥 📶 Une grande maison jaune toute simple avec 4 grandes chambres confortables dont 3 ont vue sur le bras de mer. John, le proprio, organise des journées de pêche au gros (requins bleus, thons). Les murs de la maison sont couverts des photos des plus belles prises. Pour les passionnés, c'est là qu'il faut aller. Le petit déj est servi par Sue, sa femme, autour de la grande table familiale, propice aux discussions avec d'autres routards et pêcheurs. Et pourquoi pas une sortie en mer en vous joignant à un groupe ? Novices acceptés.

🏠 *Mallmore House* (hors plan par A2) : Ballyconneely Rd. ☎ 214-60. ● mallmorecountryhouse.com ● À 1,5 km de Clifden, sur la route de Ballyconneely-Roundstone ; c'est indiqué à droite en venant de Clifden. Ouv mars-fin oct. En été, résa hautement conseillée. Compter 70-90 € pour 2 selon saison. CB refusées. 📶 Un rapport qualité-prix assez exceptionnel. Au milieu d'un parc superbe, après une entrée majestueuse gardée par 2 aigles en pierre, grande maison à colonnades aux généreuses proportions et mobilier ancien. Édifiée en 1789 par un certain John d'Arcy, nom d'origine française, le fondateur de Clifden. En fait, un vrai lieu de charme, et le couple de proprios, joyeux et très sympa, a lui aussi de la classe, ce qui ne gâche rien. Chambres spacieuses et confortables, avec salle de bains et, pour certaines, un très agréable bow-window (coin salon dans une minirotonde) donnant sur le jardin et Sky Road au loin. Tranquillité totale. Petit déj à la carte, ayant remporté plusieurs prix. Une adresse qui fait la différence avec beaucoup d'autres, sans être vraiment plus chère, ce qui vaut la peine d'être souligné.

🏠 *Sea Mist House* (plan A1-2, 11) : Seaview. ☎ 214-41. ● seamisthouse. com ● Fermé de mi-nov à mi-mars. Compter 80-110 € pour 2 selon confort et saison. 📶 La plus jolie maison du centre-ville de Clifden date de 1820. Elle fut construite pour John d'Arcy, le fondateur de la ville, et est devenue depuis une *guesthouse* de charme. Accueil souriant et chaleureux, à l'image de cette demeure douillette et raffinée. Petits déj gourmands et variés.

🏠 *Connemara Country Lodge* (hors plan par B1) : Wesport Rd. ☎ 211-22. ● connemaracountrylodge.com ● À 2 mn du centre-ville. Compter 80 € pour 2. Bienvenue chez Mary Corbett ! Une gloire locale de la musique irlandaise qui vous reçoit avec sourire, chaleur et gentillesse (et en français !). La façade georgienne est un peu austère et les chambres simples mais accueillantes. Au petit déjeuner, Mary entonne des *Irish songs and ballads*, pour le plus grand bonheur de ses hôtes. Une adresse conviviale et originale.

🏠 *Hillside Lodge* (hors plan par A2) : Sky Rd. ☎ 214-63. ● hillside-lodge. com ● Ouv mars-oct. Compter 70-90 € pour 2 selon saison et confort. Enfants acceptés *à partir de 12 ans.* 📶 Une imposante maison blanche sur la baie dans la 1re partie de Sky Road (mais sans vue particulière). Ruth vient de la déco, Stuart a tourné avec des grands groupes comme U2 ou Sinead O'Connor, et dans les chambres, ça se voit ! Elles sont belles et confortables, avec salle de bains, et associent luxe et déco branchée (voir celle consacrée aux Beatles). Le couloir est recouvert d'affiches de concert, d'autographes, et on voit même une guitare électrique design. Une belle ambiance bobo chic et un accueil chaleureux (avec peut-être un petit bœuf à la guitare le soir dans les gros fauteuils bien moelleux du salon). Une de nos adresses préférées.

🏠 **Faul House Farmhouse** *(hors plan par A2)* : Ballyconneely Rd. ☎ 212-39. 📱 087-928-52-87. ● *faulhouse.com* ● *À 2 km de Clifden, sur la route de Ballyconneely-Roundstone ; c'est indiqué à droite en venant de Clifden. Ouv de fin mars à mi-oct. Compter 70-80 € selon saison. CB refusées.* 📶 Une grande maison neuve, entourée de champs où paissent moutons et poneys. 6 chambres absolument impeccables vont de grandes à immenses avec lit *king size* et mobilier de choix. Kathleen sait accueillir avec classe ses hôtes, pour qui elle est pleine d'attentions. Chaleureux petit salon avec cheminée et excellent petit déj traditionnel ou saumoné dans une vaste et lumineuse *dining room.* Beaucoup reviennent, et on les comprend.

🏠 **Ben View House** *(plan B1, 12)* : Bridge St. ☎ 212-56. ● *benview house.com* ● *Ouv tte l'année. Compter 70-90 € selon saison.* 📶 Contrairement à son nom, pas de vue puisque l'on est en pleine ville. Mais voici le plus vieux *B & B* de Clifden (1926), tenu avec passion par la petite-fille de la 1re propriétaire. Une dizaine de petites chambres assez semblables par leur style charmant et ancien, dans un dédale de couloirs étroits. Adorable salle de petit déj, à la déco à la fois chargée de bibelots à profusion et touchante. Petit salon. La patronne, adorable elle aussi, se fera un plaisir de vous parler de l'histoire de son *B & B* dont elle est (très) fière !

Chic

🏠 **The Quay House** *(hors plan par A2)* : Beach Rd. ☎ 213-69. ● *the quayhouse.com* ● *Du centre, passer devant la* Bank of Ireland *et, à la fourche, prendre la petite route de gauche (celle de droite étant Sky Rd) ; c'est en face du « port ». Ouv fin mars-fin oct. Compter 130-180 € pour 2.* 📶 Cette élégante demeure (un ancien couvent) a bien fière allure avec sa tourelle. Mais elle cache bien son jeu puisque, en passant la porte, c'est un véritable cabinet de curiosités, comme on disait jadis, que l'on découvre avec étonnement et émerveillement. Salon plein de peaux de tigres, couloirs et chambres remplis de portraits anciens, de poissons naturalisés, de cornes de gazelles et autres objets loufoques. La quinzaine de chambres ne déçoit pas : portrait de l'Empereur dans la chambre « Napoléon », absolument délicieuse, ou exotisme garanti dans la « chambre africaine » avec sa peau de zèbre au mur, sa baignoire anachronique et son chouette balcon donnant sur le port. On prend le petit déj (gargantuesque !) dans un superbe jardin d'hiver, quasiment une serre tropicale. Accueil excellent. Une douce folie pour amateurs de luxe et d'excentricité...

🏠 🍴 **Dolphin Beach Country House** *(hors plan par A2)* : Lower Sky Rd. ☎ 212-04. ● *dolphinbeachhouse. com* ● *À moins de 5 km du centre. Ouv de mi-mars à fin oct. Compter 100-150 € pour 2 selon saison, taille, vue et confort. Dîner sur demande (à faire au moment de la résa) en été 37 €. Enfants acceptés à partir de 12 ans.* 📶 Sur cette bucolique Sky Road, voici une somptueuse bâtisse ocre aux accents méditerranéens. Ce n'est certes pas donné, mais la qualité du lieu justifie amplement les prix. Terrasse et *dining room* avec vue sur la mer et les verts pâturages tout autour. 9 chambres, superbes et spacieuses, garnies de mobilier choisi (on vous laisse la surprise des lits !), avec parquet, salle de bains pimpante (certaines avec jacuzzi) et grande porte vitrée coulissante. La plupart profitent d'une vue magnifique, et on se perd pour retrouver la sienne dans un labyrinthe de couloirs et d'escaliers élégants. Parfait pour mêler luxe, calme et volupté, et, qui sait, s'il fait beau, piquer une petite tête avec les dauphins ! Bon accueil.

Où dormir dans les environs ?

CAMPING

X **Acton's Beachside Caravan and Camping Eco-Park :** à Claddagh-duff. ☎ 440-36. ● actonsbeachside camping.com ● À 3 km env du centre de Clifden, en direction de Wesport, tourner à gauche vers Claddaghduff ; continuer encore 6 km. Compter 20-22 € pour 2 avec tente et voiture. Sur les dunes, face à la baie, ce camping ravira les amateurs de camping sauvage, à l'ancienne, à « la dure ». Car il faut admettre que le confort est réduit au minimum (électricité, douches chaudes, machine à laver, séchoir...). En attendant, décor spectaculaire et accueil adorable de la part du jeune patron. On adore !

BED AND BREAKFAST

🛏 **Ker Mor B & B :** 📞 087-762-91-80. ● kermor.ie ● À 9 km à l'ouest de Clif-den, sur la petite route de Cleggan, env 3 km avt d'arriver à Claddaghduff, sur la gauche, face à la mer. Ouv tte l'année. Compter 70-76 €. CB refusées. 📶 C'est une maison bleue quasiment au bord de l'eau, tenue par Odile, une Bretonne passionnée de décoration. Propose des chambres charmantes, avec de belles boiseries, dont 4 ont vue sur la mer. Chouettes affiches de bateaux et déco générale de très bon goût, associant souvenirs de Bre-tagne au style irlandais. Agréable salle commune avec cheminée et musique. Une mention spéciale pour le petit déj où l'on pourra vous servir des œufs au saumon fumé bio. À noter également, la possibilité de déguster des huîtres sur demande (Jean, le compagnon d'Odile, est ostréiculteur) et d'utiliser la cuisine. Bon accueil en français, ce qui soulagera les plus cancres de nos lec-

teurs... mais pas qu'eux ! Et infos sur les balades dans la région (l'île d'Omey est à 10 mn à pied... à marée basse).

Où manger ?

Clifden est une destination très tou-ristique (euphémisme). Du coup, on y trouve pas mal de restos de toutes sortes, dont beaucoup se révèlent de bonne, voire d'excellente qualité. Un conseil : en été, tâchez de réserver votre table.

Bon marché

|●| **Walsh's Bakery** (plan A2, 20) : Mar-ket St. lun-sam 8h30-17h30. Compter 10-13 €. CB refusées. À l'arrière de la boulangerie, petite salle où l'on se sustente de soupes, quiches, salades (petits déjeuners servis également). Pratique pour déjeuner vite fait bien fait.

|●| **Cullen's** (plan B2, 21) : Market St. ☎ 219-83. Ouv Pâques-oct. Petite res-tauration le midi 8-15 € jusqu'à 17h ; à peine plus cher le soir. Petite salle sympa qui balance entre le coffee shop et le resto. Belles assiettes de saumon fumé, excellents open sandwiches au crabe « local », poulet du Connemara, saumon, stews... Le soir, ce sont en gros les mêmes plats que le midi mais en plus élaboré. Desserts maison délicieux eux aussi, comme le Gaelic whiskey cake.

De prix moyens à plus chic

|●| **Mitchell's** (plan A1, 22) : Market St. ☎ 218-67. Mars-oct, tlj 12h-22h. Plats env 17-27 € ; value menu 26 € ; moins cher le midi. Cadre de bois clair, raffiné et très plaisant. À l'étage, statues d'église dans leur niche, qui offrent une jolie touche d'originalité. C'est surtout un restaurant de pois-son et fruits de mer (cabillaud, barbue, haddock, bar, moules, coquilles Saint-Jacques, seafood tagliatelle), mais on trouve aussi quelques plats de viande, comme le Irish stew, avec l'agneau du

LE CONNEMARA

Connemara, et des options végétariennes. Repas du soir à un la bougie pour une clientèle à la fois chic et cool. Bon accueil.

|●| *Off the Square* (plan A1, 23) : *Main St.* ☎ 222-81. *Ouv tte l'année, tlj 9h-15h, 18h-21h30 ; service continu le w-e et en été. Plats env 18,50-25 € ; menus 22,50-25 €. Moins cher le midi (plats env 7-12 €).* Façade saumon, intérieur saumon et excellent *organic Clare Island salmon* dans l'assiette. Cadre banal mais chaleureux, lumière tamisée, tableaux originaux en laine, beau parquet et vivier de homards et d'huîtres pour un service impeccable. Un bel effort de présentation et des plats variés : mouton du Connemara, canard rôti aux pommes et brandy, nombreux poissons de Cleggan... Une bonne table que confirme son succès.

|●| *Marconi Restaurant* (plan A1, 24) : *Main St.* ☎ 218-01. *Mars-déc, tlj 18h-21h15. Plats env 16-23 € ; menus early bird (jusqu'à 18h45) 23-26 €.* Élégante façade blanche de cet autre resto à belle allure pour un dîner aux chandelles. Déco originale mélangeant la maquette de l'avion d'Alcock et Brown au-dessus du bar, une pompe à essence des années 1950 et un montage de photos de cinéma de la même époque. Belle carte de viandes locales et grand choix de poissons frais du jour.

Où boire une bonne *Guinness* ? Où écouter de la musique ?

▼ ♪ *Mannion's* (plan B2, 30) : *Market St.* ☎ 217-80. *Concerts à partir de 22h, ts les soirs juin-sept, slt sam le reste de l'année.* Le décor n'est malheureusement pas aussi traditionnel

que la musique, mais on vient juste pour celle-ci et pour l'excellente atmosphère qui y règne les soirs de concert. Beaucoup de locaux. En principe, John G. Walsh, champion d'accordéon du Connaught, y joue 3 fois par semaine, souvent accompagné de sa fille au violon... Les autres soirs, leurs élèves prennent la relève.

▼ ♪ *Lowry's Pub* (plan A2, 32) : *Market St.* ☎ 213-47. *En été, musique ts les soirs sf dim ; le reste de l'année, slt mar et jeu-sam.* Pub familial avec moquette et banquettes rouges. Ici encore, possibilité d'écouter John G. Walsh et sa fille. Le mardi, place aux *sessions* où, parfois, il finit par y avoir plus de chanteurs que de clients !

▼ ♪ *The Central B & B* (plan A1, 31) : *Main St.* ☎ 214-30. *Concerts 4 fois/ sem en été ; slt le w-e hors saison.* Bar classique mais musique traditionnelle ou ballades, ça dépend. Kevin Barry et son frère Eugen, superbes à l'accordéon et à la guitare, y jouent parfois en saison, accompagnés d'autres bons.

▼ ♪ *E. J. King's* (plan A1, 33) : *The Square.* ☎ 213-30. *Musique traditionnelle ou country ts les soirs en saison, vers 22h.* Ne pas confondre avec le *King's Bar* juste à côté (sympa mais sans musique). Grande salle. Bonne ambiance. Cela dit, pas mal de Dublinois et de touristes en été... On peut aussi y manger (cuisine assez réputée, notamment son *Irish stew*).

▼ *Station House Bar* (plan B1, 34) : juste en face de la Station House Museum (voir plus loin) ; l'ancienne voie ferrée avec son poteau de signalisation borde ce bon café-resto (env 8-12 €). Déco amusante (une vieille gare en briquettes rouges avec salle aménagée dans le hall d'attente entouré de guichets grillagés – de vieilles valises trônent encore dans le décor), sympa pour boire un verre.

À voir. À faire

🎯🎯🎯 On vous le répète, la *balade sur Sky Road* (hors plan par A2), la route à l'ouest de Clifden, est de toute beauté, surtout si la lumière est de la partie... Il y a en fait deux routes ; la *Sky Road* et, un peu plus bas, la *Lower Sky Road,* que l'on peut effectuer en boucle car elles se rejoignent. Un panorama à couper le souffle ! En chemin, en venant du centre, repérer aussi sur la gauche l'accès au *John d'Arcy Monument,* du nom du fondateur de la ville (1785-1839). S'il n'y a pas de vaches (ou de boue !) pour vous barrer le passage, très beau point de vue sur la ville depuis le sommet de la colline.

Les randonneurs à la recherche d'un guide peuvent, quant à eux, contacter Michael Gibbons (☎ 213-79, à Clifden ; ● walkingireland.com ●), un archéologue et conteur de talent. Il organise des balades archéologiques et des treks dans le parc national du Connemara et sur l'île d'Inishbofin (voir les textes qui leur sont consacrés plus loin), mais aussi vers Roundstone, à Omey Island, etc. Rando à partir de 30 € par personne environ.

🎿 🏇 *Station House Museum* (plan B1) : face à l'office de tourisme. ☎ 214-94. Mai-oct, lun-sam 10h-17h, dim 12h-18h. Entrée : 2 € ; réduc. Sur le site de l'ancienne gare ferroviaire de Clifden où trône un vieux wagon, dans un complexe rénové composé d'une résidence hôtelière, d'un bar-resto (voir plus haut), d'un théâtre et de boutiques. Le musée, pas bien grand, se trouve dans le local où l'on

> **ALLER AU TURF**
>
> C'est à Clifden que Marconi établit la première station commerciale de télégraphie sans fil entre l'Europe et les États-Unis. C'était le premier employeur du coin : pas moins de 200 coupeurs de tourbe (turf en anglais) y étaient affectés pour alimenter les chaudières en précieux combustible, soit plus de personnel que les 150 opérateurs de TSF !

réparait les locomotives. C'est un petit musée sur le poney du Connemara (selles, carrioles, documents...), sur l'histoire de Clifden et sur celle des aviateurs Alcock et Brown (en mezzanine).

LE CONNEMARA

Balades à cheval

■ *Errislannan Riding Centre :* à **Errislannan Manor,** sur la route de Roundstone, prendre à droite vers l'Alcock and Brown Memorial, c'est 1,5 km après. ☎ 211-34. ● errislan nanmanor.com ● Fermé dim. Balades le matin, cours collectifs ou privés, montés sur de véritables poneys du Connemara. Aire de jeu, activités et farm pour les enfants. Très sympa.

Festivals

– *Clifden Traditional Music Festival :* un w-e mi-avr. Organisé à l'instigation de John George Walsh et de sa fille Marie, les deux stars locales de la musique traditionnelle (qu'elle enseigne avec passion à toute une jeune génération de musiciens).

– *Clifden Arts Week :* 3e sem de sept. ☎ 212-95. ● clifdenartsweek.ie ● Lectures de poésies, musique, concerts, expos et théâtre.

DANS LES ENVIRONS DE CLIFDEN

🏇🏇 *Dan O'Hara Heritage Centre : Lettershea.* ☎ 218-08. ● connemaraheritage.com ● À 7 km à l'est de Clifden, sur la N 59. Avr-oct, tlj 10h-18h. Entrée : 8 € ; réduc. Dan O'Hara était un pauvre fermier expulsé avec sa famille de sa modeste chaumière par son propriétaire lors de la Grande Famine. Émigré à New York, il devint célèbre grâce à une chanson. La visite commence par une salle consacrée au Connemara (vidéo de 20 mn). On visite ensuite sa petite maison, sur les hauteurs, reconstruction d'un crannog et d'un ring fort. L'Heritage Centre se trouve au milieu d'une ferme en activité : pour les groupes (ou si, en tant qu'individuel, vous vous glissez dans un groupe constitué), démonstration de coupe de tourbe, de chien de berger, voire de danse irlandaise. Également un café-restaurant et six chambres spacieuses et confortables sur place *(doubles 72-90 €)*.

🏃🏃 *Omey Island :* *face à Claddaghduff, à 9 km de Clifden sur la route de Cleggan.* Belle île accessible à pied à marée basse (parking à 700 m de l'église de Claddaghduff). On peut y admirer des vestiges de foyers sur les petites falaises, datant du Moyen Âge. Les habitants y viennent encore solliciter l'aide de saint Fechin, déposant des offrandes autour du puits sacré. Vérifier l'horaire des marées pour ne pas y rester bloqué 6h ! Le dernier dimanche de juillet ou le premier d'août, courses de chevaux sur le sable.

DE CLIFDEN À LEENANE

CLEGGAN [an cloigeann]   300 hab.   IND. TÉL. : 095

Petit port d'embarquement pour l'île d'Inishbofin, calme et assez mignon, à 11 km de Clifden. Cleggan vécut le 28 octobre 1927 une tragédie : une épouvantable tempête provoqua la mort de 27 marins.
Le coin n'a pas encore été trop urbanisé. Au début du XXe s, port actif d'où *púcans, Galway hookers* et *curraghs* déchargeaient le poisson pour les grandes villes. Jolie petite plage au fond de la baie.

Adresses utiles

✉ 🛈 *Service postal :* *au magasin Coynes, dans le centre du village. Tlj 8h30 (9h dim)-19h (19h30 mer et ven-sam).* Fait aussi épicerie, bureau de tabac, et donne, dans la mesure du possible, quelques infos touristiques *(lun-sam 9h-19h).* Vend également les billets de bateaux (voir à Inishbofin pour le détail des liaisons).

Où dormir à Cleggan et dans les environs ?

🛏 *Oliver's B & B :* *au resto du même nom, dominant le port.* ☎ 446-40. ● oliversbar.com ● *Ouv tte l'année. Compter 60 € pour 2.* Propose 5 chambres pour 1 à 4 personnes, pas très grandes mais toutes *en suite* (avec sèche-cheveux, TV) et vraiment nickel. Sympa, « bien ou » situé au-dessus d'un pub-resto (voir ci-dessous). Très bon accueil du patron.
🛏 *Ocean Wave :* *à Sellerna.* ☎ 447-75. ● oceanwave-bedandbreakfast. com ● *En venant de Clifden, c'est à*

env 1,5 km avt Cleggan ; au bout d'une petite route sur la gauche. Ouv mai-fin sept. Compter 68 € pour 2. CB refusées. 📶 Petite adresse assez confidentielle, qui vaut surtout pour son bel environnement : la mer juste en face (mais plutôt cachée) et la baie de Sellerna avec sa chouette plage à quelques pas. Décoration plutôt kitsch mais les chambres (triples) s'avèrent plus sobres et joliment arrangées. Accueil de Marian un poil rustique mais tout ce qu'il y a de plus authentique. Elle pourra vous indiquer quelques balades. Carte et infos à disposition. Repas possible le soir quand on y fait étape.
🛏 *Cleggan Farm Holiday Cottages :* *au nord de la baie, à env 2 km du village.* ☎ 446-48. 📱 087-09-39-719. ● cleggganfarmcottages.com ● *Ouv tte l'année. Selon superficie et saison, compter 265-650 €/sem (possibilité, le cas échéant, de louer pour quelques nuits slt).* À côté d'une ferme en activité (moutons, chevaux), 5 cottages de taille variable, le plus petit pour 2, le plus grand pouvant loger jusqu'à 10 personnes. Formule *self-catering* évidemment. Les bâtiments sont anciens, rénovés et correctement équipés. Très agréable environnement (une péninsule pour soi

tout seul ou presque, à partager avec les nombreux animaux de la ferme), des hôtes très serviables, Josephine et Greg, que demander de mieux pour se mettre au vert ?

Où manger ? Où boire un verre ? Où écouter de la musique ?

|●| ♪ *Oliver's :* au centre du village. ☎ 446-40. Lunch tlj tte l'année au bar (12h-15h) ; dîner slt Pâques-sept (slt w-e avr-mai) au bar ou au resto. Plats 17,50-23 € (moins cher 18h-19h) ; bar food servie tte la journée, nettement meilleur marché. Sympathique troquet dans un décor très marin, cartes, maquettes de bateaux, articles de journaux retraçant les régates... et les naufrages ! Plats assez travaillés, avec des spécialités de seafood comme le turbot, la sole ou le saumon au miel et à la moutarde ancienne. Quelques viandes et volailles aussi pour les carnivores. Pour les petites faims, des soupes, des salades et de délicieux sandwichs au saumon. Musique en général le samedi (et le mercredi en été). Billard et fléchettes pour ceux qui attendent le bateau.

♈ ♪ *Joyce's :* à la sortie du village en venant de Clifden. ☎ 446-66. Pub assez populaire. Musique tous les vendredis (chouette Irish night !), ainsi que le dimanche en été. Bon Irish coffee préparé avec amour par la sympathique et attachante patronne...

♈ ♪ *Newman's :* presque en face du précédent. C'est un vieux pub refait à neuf, avec l'habituelle cheminée. Session de musique folk ou traditionnelle les samedi et dimanche soir. Il arrive que le proprio (guitariste et banjoïste) se lance dans la partie.

Où acheter de beaux pulls irlandais ?

⊛ *Cottage Handcrafts :* à *Moyard Connemara.* ☎ 410-29. ● cottage handcrafts.ie ● À quelques km de Cleggan ou de Clifden, sur la N 59. Ouv tte l'année sf janv, tlj 10h-18h. Dans un petit cottage isolé, un très beau magasin spécialisé dans les pulls et lainages irlandais, 100 % lambswool. Tricotés (main ou machine) dans le Donegal ou les îles d'Aran pour la plupart. Plutôt plus de choix qu'ailleurs, plutôt plus beau, plutôt moins cher.

LE CONNEMARA

À faire

➤ Nombreuses et adorables petites *randonnées* à pied.

– Baie populaire pour la *planche à voile.* Petites plages sympas.

Balades à cheval

■ *Cleggan Beach Riding Centre :* à la sortie du village de Cleggan. ☎ 447-46. ● clegganridingcentre.com ● Assez cher. Bonne réputation. Balades de 1h30, 2h30 ou 3h, sur différentes plages du coin. Débutants acceptés.

INISHBOFIN [ɪnɪs ʙo fɪnne]   200 hab.   IND. TÉL. : 095

L'excursion du coin à ne pas manquer. Son nom signifie « île de la vache blanche ». Les O'Flaherty et les O'Malley se la disputèrent, ainsi que la fameuse femme pirate, Grainne Ni Mhaille, au XVIe s. En 1652, l'île fut occupée par

Cromwell, qui y installa une garnison et ouvrit une sorte de camp d'internement pour les prêtres et les moines. Vestiges de forts et d'une caserne cromwellienne (1656). L'arrivée est très belle dans cette espèce de crique, avec ses petits phares, ses ruines et sa côte déchiquetée. Superbes falaises, plages désertes, parfois quelques phoques.

– Soyez prévoyant : pas de distributeur de billets sur l'île.

– Possibilité de louer des vélos chez *Inishbofin Cycle Hire,* juste avant l'AJ (ou au port en été, à l'arrivée du bateau). Quelques minibus également. Cela dit, c'est une île vraiment sympa pour marcher ! On peut en faire le tour par la côte en 6h environ ou se balader à l'aveuglette le long de ses charmantes petites routes...

Arriver – Quitter

➤ *Liaisons maritimes* assurées par la compagnie *Inishbofin Island Discovery* (voir ci-dessous). Trajet : env 30 mn. On peut traverser avec son vélo (5 €).

➤ Pour se rendre à Cleggan depuis Clifden, *bus* de la compagnie *City Link* 5 fois/j. tte l'année (voir « Arriver – Quitter » à Clifden).

■ *Inishbofin Island Discovery :* bureau dans la rue principale de Cleggan, au magasin Coynes. ☎ 086-171-88-29. ● *inishbofinislanddiscovery. com* ● Avr-fin oct, départs tlj à 11h30, 14h (juin-août ; slt ven-lun mai) et 18h45 (19h30 mar et ven) ; le reste de l'année, slt à 11h30 et 16h45 (19h30 mar et ven). Retours à 9h (8h15 mar, ven et sam et 10h dim), 13h (juin-août ; slt ven-lun mai) et 17h (16h en hiver). Attention ! si vous prenez le bateau l'après-midi, pas de retour possible le jour même (donc nuit sur place obligatoire et retour sur Cleggan le lendemain mat). Tarif A/R : 20 € pour les adultes ; réduc.

Adresse utile

🏢 @ *Inishbofin Community Centre :* ☎ 458-95. ● *inishbofin.com* ● Accueil touristique et café Internet. On y trouve des cartes, des plans et toutes les infos utiles pour visiter et séjourner sur l'île.

Où dormir ? Où manger ?

La majorité des adresses se trouvent vers la droite, côté village, en sortant du bateau. Le camping sauvage est possible à condition de demander l'autorisation au propriétaire du terrain et d'éviter les plages et alentour. Sinon, camper à l'*Inishbofin Island Hostel.* Pour les petits budgets, mieux vaut apporter ses provisions, il n'y a qu'une minuscule épicerie (qui fait aussi office de poste) face à la nouvelle jetée. Pensez aussi à prendre suffisamment d'argent : pas de distributeur sur l'île et les cartes de paiement sont généralement refusées. Attention, de novembre à mars, seul le *Lapwing B & B* est ouvert, mais aucun restaurant.

Bon marché

⚐ 🏠 *Inishbofin Island Hostel :* ☎ 458-55. ● *inishbofin-hostel.ie* ● *En sortant du bateau, prendre à droite et traverser le village ; compter 10 mn de marche. Ouv début avr-fin sept. Résa fortement conseillée en été. Compter 15-18 €/pers en dortoir ; doubles 40-50 €. Possibilité de camper dans la partie abritée du grand jardin (env 10 €/pers, accès inclus aux douches, à la cuisine et au barbecue).* AJ privée récente d'une quarantaine de lits. Dortoirs de 6 à 8 lits tout beaux tout propres. Sanitaires communs nickel, sauf quand c'est l'affluence, bien sûr. 2 chambres doubles ou familiales, 4 autres dans un bâtiment à part avec 1 seule salle de bains commune. Grande cuisine aménagée. Plusieurs petits coins sympas pour s'attabler, dont un salon avec cheminée. Excellent entretien et super accueil. Laverie.

Prix moyens

🏠 |●| *The Galley B & B and Coffee Shop :* East End. ☎ 458-94. *Prendre la route de droite en arrivant et marcher env 15 mn après le village, sur la route principale. Ouv juin-oct, tlj. Resto 12h30-17h ; dîner slt pour les groupes. Compter 60-80 € pour 2. Plats 8-15 €.* Notre adresse préférée sur l'île. Charmante petite maison avec une décoration toute bleue et une agréable touche marine à deux pas d'une magnifique plage aux eaux turquoise. Chambres très coquettes, avec parquet, salle de bains. Salon petit mais cosy. Côté *coffee shop,* soupe maison, excellente soupe de poisson, sandwichs ou assiettes de maquereau fumé, etc. Mignonne petite salle et tables dehors aux beaux jours. Tenu par un couple sympa qui peut vous donner des idées de balades.

⌂ |●| *Lapwing B & B :* ☎ 459-96. ● *lapwinghouse@gmail.com* ● *En sortant du bateau, longer le Community Centre à gauche et prendre la 1ʳᵉ à droite, monter sur la colline, tourner à gauche, la maison de Mary Day Lavelle est blanc et bleu sur le chemin qui traverse l'île d'est en ouest. Seul logement ouv tte l'année (sf 19 déc-10 janv, téléphoner tt de même avt en hiver pour réserver). Compter 70 € pour 2.* 2 chambres confortables,

refaites récemment, avec salle de bains. Bon accueil de la maîtresse de maison, qui participe activement à la vie sociale de l'île. Elle propose aussi 7 petits déj différents ! Repas sur demande en hiver, à prix raisonnable.

Plus chic

⌂ |●| *The Dolphin Hotel & Restaurant :* ☎ 459-91. ● *dolphinhotel.ie* ● *Juste à côté de l'AJ. Ouv Pâques-Halloween. Double 90 €. Formule 2 nuits + 1 repas 135 €/pers.* Vous ne pourrez pas le louper, il est tout jaune avec un dauphin bleu dessiné sur son flanc. Ce petit complexe hôtelier mariant le bois et la pierre propose des chambres d'excellente qualité (préférez celles du bas avec terrasse privée exposée plein sud). Murs crème, lits *king size,* salles de bains nickel, certaines avec jacuzzi, chauffage solaire... Bonne cuisine, bien qu'un poil chère, dans 2 salles de resto de couleurs et d'ambiances différentes. Bien aussi pour boire un verre au grand bar central. Concert de musique locale certains soirs en été.

À faire

➤ *Promenade archéologique :* un bon truc, l'Heritage Tour, une promenade archéologique sur l'île avec Michael Gibbons ou l'un de ses collègues. Rens : ☎ 213-79. ● *walkingireland.com* ● *En été : ts les 2 j. env selon nombre d'inscrits et météo. Pour 5 pers min.*

➤ *Balades en bus ou en bateau de pêche :* tout autour de l'île ou pour voir la colonie de phoques.

Manifestations

– *Arts Festival :* en principe vers mi-mai sur 1 gros w-e. Rens à l'office de tourisme de Clifden ou au ☎ 458-61. Petit festival sympa organisé par les habitants de l'île, dont la convivialité n'est plus à démontrer. Musique au *Community Centre* et petites expos.
– *Festival de Randonnées :* fin mai.

LE CONNEMARA ET LE MAYO DES RANDONNEURS

Après la côte, vous pénétrez dans le légendaire Connemara sauvage. Randonneurs, retenez votre souffle. Le Connemara évoque un perpétuel matin de « petite bruine ». D'où cette léthargie qui paraît parfois avoir frappé toute forme de vie. Ne soyez pas impatient. Prenez le temps de déguster le traditionnel breakfast, et prenez-le copieux, vous en aurez besoin.

Les nuées irlandaises s'alanguissent souvent, agrippées aux tourbières. Ne soyez donc pas surpris de ne commencer votre randonnée que vers 10h ou 11h. Car il y a, de plus, la longueur et la lenteur des trajets, des routes bombées, étriquées, encombrées de niches à moutons et captivantes. À la tombée du jour, après 6 ou 7h de marche, vous serez heureux d'avoir pu paresser devant le feu de tourbe matinal... D'ailleurs, les *pins* et autres *croaghs* ne sourient qu'à la lumière du soleil couchant.

Le sol du Connemara est une éponge ; une superbe, sublime, étrange éponge, mais une éponge. Ou, plus précisément, un gruyère dont chaque trou constitue un piège. Alors, il faut choisir : les trous ou entre les trous.

Bog et crag

Deux termes à connaître pour comprendre les topoguides, « *bog* » et « *crag* ».
– *Bog :* « marécage ». Mais ce marécage-là, vous ne le voyez jamais. Vous le devinez quand il vous a assez englué, agrippé, embourbé. Succession de bosses plus ou moins uniformes, souples et dodues, qui tapissent toutes les vallées, toutes les plaines, et parfois les plateaux terminaux des collines. Il s'agit de sauter de bosse en bosse sans glisser, sans râler, sans faiblir, car entre les bosses commence l'univers imprécis et pervers des eaux glauques, rouillées, bourbeuses... Mais si vous apprenez vite cette marche déhanchée et épuisante, vous aurez alors l'impression de déambuler sur un tapis de mousse incomparablement moelleux.
– *Crag :* « rochers à pic ». Ils agrémentent les dévers souvent abrupts de la plupart des collines et servent de repères dans un paysage sans traces et sans balisage. Il est parfois utile de les avoir mémorisés avant de pénétrer dans une nappe de brouillard ; nuages-brouillard perfides et tout à fait impromptus.

Arriver – Quitter – Circuler

Bus et navettes

■ Le bus de la *Galways Tour Company* quitte le *Sleepzone* de Galway tous les mat à 9h45 (et à 10h à la *coach station* en face de l'office de tourisme) et fait différentes étapes dans le Connemara, à la demande ou presque : Clifden, Kylemore, Letterfrack, le *Sleepzone* de Killary, Cong... Compter 25 €/pers. Plusieurs avantages : sa fréquence quotidienne et la possibilité de faire des étapes en prenant le bus du lendemain (pour le même prix). *Rens auprès des 2 AJ* Sleepzone *ou de la compagnie :* ☎ *(091) 566-566.* ● *gal waytourcompany.com* ● Également des tours avec *Healy Tours :* ☎ *091- 770-066.* ● *healytours.ie* ● *Départs de Galway* (coach station) *à 10h et 11h30.*
■ Et sinon, bus de la compagnie *Eireann* depuis Galway. Infos : ☎ *(091) 562-000.* ● *buseireann.ie* ●

Conseils aux randonneurs

– En gros, les sentiers de randonnée n'existent pas au Connemara ni au Mayo. Seules quelques rares anciennes routes empierrées, ou parfois superficiellement bitumées, serpentent vers nulle part, mais peuvent conduire d'ici à là, pour éviter un marécage. Donc, votre itinéraire de randonnée sera celui que vous aurez plus dépisté que choisi, et envisagé en tenant compte de ces réflexions pratiques.
– Inutile de vous préciser : gourde impérative (les eaux de rencontre sont indéfinissables ; la présence de moutons innombrables rend possible la douve du foie...), boussole, imperméable conséquent, chaussures à l'épreuve de l'eau et de la boue, vêtements chauds et chaussettes de rechange. Crèmes de soin pour les pieds et bandes Velpeau en cas d'entorses toujours possibles.
– En saison, gare aux *midges* ! Qui dit marécages et eaux stagnantes, dit forcément moustiques. Et ceux-là sont

particulièrement voraces, particulièrement urticants, particulièrement énervants ! Prévoyez les crèmes et répulsifs adéquats.

Cartes et guides de randonnées

– *Discovery Series* (1/50 000) n⁰ˢ 22 à 24, 30, 31, 37, 38, 44 et 45. On ne fait pas mieux. Vous les trouverez dans la plupart des offices de tourisme.
– *Hill Walkers, Atlantic Ireland*, par David Herman : 34 balades dans l'Ouest irlandais.
– *Walking in Connemara*, par Connemara Tourism Association : petites randonnées pour découvrir le Connemara. Pas cher du tout.
– *The Western Way South*, publié par Ordnance Survey (qui édite aussi les *Discovery Series*). Pour ceux qui veulent faire le chemin de grande randonnée qui relie Galway et Westport.

■ *Connemara Adventure Tours :* à **Leenane.** ☎ (095) 422-76. ● *conne maraadventuretours.com* ● Organisateur de séjours en Irlande, affilié au *Killary Adventure Co* (voir plus loin, dans les environs de Leenane), avec plus de 25 ans d'expérience. Séjours à vélo, randonnées pédestres ou équestres guidées ou non. On s'occupe de tout, vous n'avez qu'à pédaler (marcher ou chevaucher). Tout est géré par eux : la résa de vos hébergements (en AJ, B & B, hôtels, selon vos goûts et votre budget), le transfert quotidien des bagages, voire le transfert de votre personne quand vous fatiguez ou lorsque la route est moins belle !

LETTERFRACK [leɪtɪr fraɪc] ET LA PRESQU'ÎLE DE RENVYLE [rɪnn mhaoɪl]

IND. TÉL. : 095

Minuscule village paisible, à peine un hameau à un carrefour, sans charme particulier car sans véritable centre et aux maisons assez dispersées. Le coin est rempli de fuchsias, et on est à l'entrée du parc national du Connemara. De Letterfrack, on fait surtout le tour de la presqu'île de Renvyle. Belles échappées sur la baie. Tout au bout, ruines d'un château. Petites plages désertes de sable blanc. Ascension possible du mont Tully aussi. Par un chemin formalisé, mais assez dur de se frayer un passage. Belle vue panoramique du sommet.

Où dormir ? Où manger à Letterfrack et dans les environs ?

Bon marché

⚐ 🏠 |●| *The Old Monastery Hostel :* 📱 087-234-95-43. ● *oldmonastery hostel.com* ● Dans le village, c'est au bout de la ruelle qui démarre pile poil en face de la route de Renvyle. Ouv tte l'année. Compter 15 €/pers en dortoir ou 20-25 €/pers en double, petit déj inclus ; camping env 10 €/pers, avec accès aux sanitaires et petit déj. Le soir, buffet végétarien 10 €. 🖥 📶 Autant prévenir d'emblée, AJ d'un autre temps. En plein village, elle occupe un ancien couvent sur une hauteur, en retrait dans la végétation. Ce n'est donc pas une AJ ultramoderne, mais plutôt une comme on n'en fait plus beaucoup... Ici, c'est une ambiance, un état d'esprit, une sorte de caverne d'Ali Baba cool, truffée d'objets hétéroclites, de terrasses recouvertes de coussins et de lapins, mascottes de ce grand bazar. Le lieu tient beaucoup à Stephen qui, on peut le dire, a la foi. Une cinquantaine de lits répartis en dortoirs et chambres privées à l'ancienne. Côté propreté, il faut bien dire que ce n'est pas le souci premier de la maison...

LE CONNEMARA

Les campeurs, eux, pourront planter leur tente dans le jardinet derrière. Superbe *common room*, pleine de patine et de cachet, et bar-salle à manger rustique en sous-sol ouvert sur le ciel étoilé, où l'on trouve presque tous les soirs un buffet végétarien servi vers 19h. Petit déj simple mais très soigné, avec du pain bio maison. Possibilité de louer des vélos et de faire laver son linge. Enfin, Steve organise aussi des excursions à Inishbofin et à Inishturk. Il peut même vous emmener sur une île déserte et venir vous rechercher le lendemain !

🏠 **Letterfrack Lodge** : *dans le centre, à 200 m de la N 59 en allant vers Renvyle.* ☎ 412-22. 📱 087-222-85-38. ● *letterfracklodge.com* ● *Ouv tte l'année sf 22 déc-8 janv. Compter 15-18 €/pers en dortoir 4 lits et 40-60 € en chambre double avec sdb. CB refusées.* 💻 📶 Dans une grande maison de pierre, une AJ récente et très propre. Les chambres sont spacieuses, modulables en double, triple ou familiale. Mobilier en pin, parquet et quelques-unes avec salle de bains intégrée. 3 cuisines bien équipées et autant de salles à manger avec bow-window. Salon TV avec gros Chesterfield rouge. Laverie. Location de vélos. Une bien belle AJ pour ceux que la démesure de l'*Old Monastery* à côté dérange. Michael, le sympathique propriétaire, donne toutes les infos nécessaires pour les randos à faire dans le coin.

🍴 **Veldon's** : *dans le centre.* ☎ 410-46. *Bar food servie jusqu'à 21h30 (19h slt hors saison). Compter 5-16 €.* Très bons *open sandwiches* au crabe, mais aussi pizza, poulet, saumon fumé, haddock mais aussi *Irish stew,* saucisses grillées, saumon... Bonne cuisine dans une ambiance de pub.

Prix moyens

🏠 **Kylemore House** : ☎ 411-43. ● *kylemorehouse.net* ● *Surplombe le lac de Kylemore, à une bonne dizaine de km à l'est de Letterfrack, env 5 km après avoir passé la célèbre abbaye. Ouv avr-fin oct. Résa quasi obligatoire en juil-août. Compter 65-80 € pour 2 selon saison ; family room 100 €.* 💻 📶 Belle demeure de lord rénovée, datant de la fin du XVIIIe s. Les chambres, meublées de bric et de broc, ont une grande salle de bains, certaines avec baignoire, et tout le confort moderne. 6 profitent d'une splendide vue sur le romantique lac Noir. Élégant salon aristo avec cheminée et toiles de maître. À peine plus cher qu'un *B & B* normal. Rapport qualité-prix très intéressant, et, surtout, belle situation au bord du fameux lac Kylemore. Très bon accueil.

Où dormir ? Où manger dans la presqu'île de Renvyle ?

Pour les amateurs de nature intacte et de longues marches alternant entre pluie et soleil ! Mais il y a aussi une superbe plage, celle de Glassillaun. Sinon, paysages de lande désolée, moutons et pâturages... Tranquillité totale garantie !

⛺ **Connemara Caravan & Camping Park** : *à Lettergesh,* près de Gowlaun, à 5 km de Tullycross (prendre la route à droite en venant de Letterfrack).* ☎ 434-06. ● *connemara caravans.com* ● *Ouv mai-fin sept. Env 18 € pour 2. Douches gratuites.* Belle situation, notamment si l'on plante sa tente sur le promontoire qui domine la superbe plage au bout du bras de mer. Vue très chouette sur les montagnes de l'autre côté. Petite boutique pour le minimum vital (souvent fermée), mais c'est meilleur marché à la supérette un peu plus loin sur la route.

⛺ **Renvyle Beach Caravan & Camping Park** : *à la sortie de Tully,* à 1 km de Tullycross, sur la droite.* ☎ 434-62. 📱 086-235-00-24. ● *renvylebeachcara vanpark.com* ● *Ouv avr-fin sept. Compter 20 € pour 2. CB refusées. Douches payantes.* Confort rudimentaire mais site grandiose, face à la mer. Vaste étendue herbeuse (et sableuse aussi...) pour planter sa tente (mais gare au vent !). Accueil extrêmement moyen. Dommage !

⌂ |●| *The Olde Castle House* : à Cur-ragh. ☎ 434-60. ● *theoldecastle.com* ● À 5 km de Tullycross (suivre le fléchage ; c'est tt au bout). Ouv mars-début nov. Compter 60 € pour 2. Dîner sur résa env 25 €. CB refusées. Facilement repérable puisque ce *B & B* est quasiment adossé à la tour d'un ancien château en ruine. Très beau, mais pourvu qu'elle ne tombe jamais... Sérieusement, remettez-vous en tête *Un taxi mauve* d'après le bouquin de Michel Déon. C'est la maison du film tourné ici en 1975. La proprio, très gentille, tient son gîte avec beaucoup de cœur. Elle propose des chambres simples mais confortables, toutes *en suite* sauf une. Agréable *dining room* avec vue sur la mer. D'ailleurs, c'est un coin intéressant pour faire de bucoliques balades le long de la côte. Le soir, avant ou après le repas, on se réchauffe au coin du feu, là où Philippe Noiret et Fred Astaire prirent place lors du tournage du film.

⌂ *Sunnymeade B & B* : à *Tully* (1 km après Tullycross). ☎ 434-91. ● *sunnymeade.net* ● À la sortie du village, sur la droite. Ouv tte l'année. Compter 60-70 € pour 2. CB refusées. 🛜 Maison banale avec une belle vue sur la baie de Killary Harbour. Propose des chambres propres, coquettes et de bon confort. L'une d'elles est en réalité un petit studio en annexe (pour 3 personnes) avec cuisine, TV et lecteur CD design, donnant idéalement sur la mer et les Mweelrea Mountains. Le matin, petit déj à la carte, à déguster face à la baie. Excellent accueil et vraiment calme. Deux autres locations au village, bien équipées.

**Où boire un verre ?
Où écouter
de la musique
à Letterfrack
et dans les environs ?**

🍸 ♪ *Molly's* : dans le centre, face au Bard's Den *(mais pas d'enseigne)*. C'est le pub le plus fréquenté par les locaux et les anciens, et notre préféré avec *Paddy Coynes,* car plus authentique. Cheminée, grand écran et billard. Bonnes *sessions* de musique traditionnelle, du vendredi au dimanche en été (les vendredi et samedi le reste de l'année).

🍸 ♪ *The Bard's Den* : dans le centre. ☎ 410-42. *Restauration midi et soir, du simple sandwich au plat à 20 € (fruits de mer et fish & chips réputés !).* Pub rénové avec écran géant pour les matchs. Chanteurs-guitaristes le samedi en saison et musique traditionnelle le dimanche ! Le reste du temps, c'est le repaire des jeunes du coin qui jouent au billard en écoutant à fond le juke-box... Également des dortoirs et des chambres.

🍸 ♪ *Paddy Coynes* : dans le village de *Tullycross*. ☎ 434-99. Pub très chaleureux avec plusieurs petites salles, une cheminée et 2 bars. Musique traditionnelle les mercredi et dimanche en été. Également des *Irish nights* (pièces de théâtre suivies de musique). Très bonne atmosphère. Ça tombe bien, pas grand-chose d'autre à se mettre dans le gosier vers Renvyle !

À voir. À faire

🏃🏃🏃 🚶 *Connemara National Park* : à l'entrée de Letterfrack (venant de Clifden). ☎ 410-54 et 413-23. ● *connemaranationalpark.ie* ● Mars-oct, tlj 9h-17h30. Parc ouv tte l'année. Entrée gratuite.
Que vous décidiez ou non d'emprunter l'un des sentiers du parc, on vous conseille de passer au pavillon d'accueil. On y trouve toutes sortes de brochures (traduites ; certaines gratuites, d'autres payantes) et quelques documents à consulter. Mais surtout une petite expo, fort bien faite (avec des dioramas), qui fournit quantité d'infos sur le milieu que constitue le Connemara, la tourbière (et sa disparition galopante), la vie dans le *bog,* la faune et la flore. Indispensable pour décrypter ce paysage hors du commun. Traduction en français des explications disponible à l'accueil. Également un film de 20 mn sur le parc, en français sur demande.

|●| ❦ *Tea room* sur place. Et une aire de pique-nique.

➤ Le parc a mis en place trois *sentiers balisés* (au départ du *Visitor's Centre*), assez courts (de 0,5 km à 6,7 km) permettant à chacun d'appréhender un aspect de la région : le *Bog Road* (la tourbière), le *Sruffaunboy* (faune et flore) et l'*Ellis Wood* (partie boisée). Le plus long des trois passe par le **Diamond Hill,** une colline de 445 m de haut. L'ascension est assez facile et la vue à 360° sur la presqu'île de Renvyle, le lac Kylemore, les Maumturk Mountains et les Twelve Bens est exceptionnelle. Prévoir de bonnes chaussures et un bon équipement, quelle que soit la rando. Sympathique, mais cela ne remplace évidement pas les vraies randonnées, plus longues, que l'on peut faire hors des sentiers battus.

➤ Il existe cependant des *guided walks* en juillet et août, c'est-à-dire des promenades guidées (en anglais) par des animateurs, les mercredi et vendredi. Elles durent 2h30. À noter aussi, pour ceux qui voyagent en famille, des *nature mornings* les mardi et jeudi, en été (sinon, sortes d'initiations pédagogiques (en anglais là encore) organisées pour les enfants.

➤ Si vous voulez faire des balades plus approfondies dans le parc, contactez **Michael Gibbons** (☎ 213-79 ; lire à Clifden « À voir. À faire »), qui peut vous arranger plusieurs randos, notamment l'ascension des Twelve Bens.

❦❦ Kylemore Abbey and Gardens : à 4 km de Letterfrack, sur la N 59 en direction de Leenane. ☎ 520-01. ● kylemoreabbeytourism.ie ● Bien indiqué. Attention, en arrivant, ne pas confondre la boutique avec l'accueil, qui se trouve un peu plus loin vers l'abbaye. Mars-oct, tlj 9h30-18h (19h juil-août) ; nov-fév, tlj 10h-16h30. Fermé sem de Noël. Entrée : 12,50 € ; réduc ; gratuit moins de 10 ans (forfaits famille). Brochure détaillée disponible en français donnée à l'entrée. Visites guidées des intérieurs (en anglais ; parfois en français) ttes les heures 10h-16h. Vidéo en français ttes les heures moins le quart sur l'historique de l'édifice. Des concerts sont donnés dans l'église ; programme sur le site de l'abbaye.

Le site est admirable ! Imaginez, un ancien château reconverti en une superbe abbaye, environnée de lacs et de cascades. La visite est quand même bien chère... D'autant plus que l'on peut admirer la vue des cartes postales sans avoir à payer l'entrée. Cela n'en reste pas moins le site le plus prestigieux du Connemara.

Le château de Kylemore (« grand bois » en gaélique) date du XIXᵉ s. Il fut édifié par un négociant drapier anglais, Mitchell Henry, pour sa femme irlandaise. Le château fut racheté au début du XXᵉ s par des bénédictines de l'abbaye d'Ypres. Celles-ci avaient fui, des siècles plus tôt, l'Irlande où la religion catholique était proscrite et avaient rejoint cette communauté en Belgique. Ypres ayant été bombardée en 1918, les religieuses d'origine irlandaise décidèrent de revenir au pays.

Le choix de Kylemore est donc le fruit de cette recherche d'un lieu sûr sur une terre d'adoption. Jusqu'en 2010, l'abbaye fut un très respectable collège privé de jeunes filles *(International Benedictine School).* Aujourd'hui, les sœurs gèrent l'institution et la développent à travers la confection de produits artisanaux (pain, confitures...) et l'exploitation touristique. L'abbaye est même l'un des principaux employeurs du Connemara ! En plus des 13 sœurs, 150 personnes y travaillent.

Quelques pièces visitables, avec des panneaux explicatifs en anglais. Très joli mobilier et beau tabernacle. Possibilité d'assister aux offices sur demande. Un peu après l'abbaye, en longeant le lac, une petite église néogothique et le mausolée construit à la mémoire de Margaret Henry, par son mari éploré. Romantique en diable !

Ne pas manquer d'aller faire un tour dans le magnifique *Victorian Walled Garden,* à 1,2 km de l'abbaye *(ouv tte l'année).* Navette gratuite toutes les 10 mn. Il fut créé en 1867 par le proprio du château mais a été restauré depuis. Jardin clos, potager, fleurs, jardin botanique, serres d'origine et reconstitution d'habitat des jardiniers. Les amateurs de jardins se régaleront.

|●| ❀ Resto ouvert toute l'année ; excellent salon de thé avec pâtisseries maison. Boutique de souvenirs et d'artisanat.

🚶 🏃 *Connemara Ocean and Country Museum :* fléché à gauche entre Letterfrack et Tullycross. ☎ 434-73. Fév-nov, tlj 10h-18h. Entrée : 5 € ; réduc. Pour ceux qui ont du temps, petit musée, artisanal et très modeste, sur la vie traditionnelle dans le Connemara. Vieux objets et outillage agricole d'autrefois. Au rang des curiosités : une mâchoire de baleine échouée à Roundstone et une ancre de l'Invincible Armada. Petite expo sur les milieux marin et terrestre (coquillages de la région, animaux empaillés, squelette de tête de dauphin et reconstitution d'une cabane de pêcheur). Un peu cher pour ce qu'on y voit, mais une boisson chaude est incluse ! Le proprio organise également des sorties de 1h en mer pour observer les fonds marins de son bateau à cale vitrée *(départs sur la N 59, mai-sept, à 11h, 12h30, 14h30 et 16h en été ; sur demande en hiver ; 20 €/pers).*

Manifestations

– *Connemara Mussel Festival :* à *Tullycross,* en mai (pdt les Bank Holidays). 📱 *087-233-29-38.* • *connemaramusselfestival.com* • Grande fête où sont célébrés les meilleurs produits locaux, à commencer par le saumon fumé et la moule ! Le tout accompagné bien sûr de musique et de bière...
– *Connemara Bog Week :* à *Letterfrack ;* dans la sem juste avt le 1er lun de juin. Fête de village avec d'excellentes *sessions* de musique traditionnelle. Se passe surtout dans les pubs, où il n'est pas rare de voir 10, ou même 15 musiciens, en particulier durant le week-end !

LE CONNEMARA

LEENANE [an lıonan]   50 hab.   IND. TÉL. : 095

Charmant village carrefour au fond du fjord de Killary. On tente d'y implanter la mytiliculture (la culture des moules, quoi !). Lieu de passage entre le Connemara et le Joyce Country. La Devil's Mother, qui culmine à 700 m au-dessus, veillera sur vos rêves si vous passez la nuit ici. De Leenane, chouette balade vers Lettergesh et Glassillaun, deux magnifiques plages de sable blanc, et, de là, possibilité de rayonner sur la presqu'île de Renvyle.
Leenane et sa région ont servi de décor au film *The Field* de Jim Sheridan. D'ailleurs, ledit champ est situé sur la route de Westport, à 10 km de Leenane, sur la droite en face d'une maison peinte en blanc. Une touche de vert sertie entre des murets de pierre sèche à l'orée d'un surprenant bois de chênes...

Où dormir à Leenane et dans les environs ?

Bon marché

△ 🏠 *Connemara Hostel (Sleepzone) :* à env 6 km de Leenane par la route de Clifden. ☎ 429-29. • *sleepzone.ie* • Accès par un chemin qui part de la N 59, presque en face du Killary Adventure Co (lire plus loin « À voir. À faire »). Fermé nov-fév ou mars. Compter selon saison 16-25 € en dortoir 3-10 pers ; env 28 €/pers en chambre privée. Possibilité également de planter sa tente : 17 € pour 2 (sdb, cuisine et service de l'AJ à dispo). Sur présentation de ce guide (indiquer Routard price à la résa et confirmer au moment du check-in), tarifs spéciaux mars-juin et sept-oct : 15 €/pers en dortoir, 25 €/pers en double et 60 € en family room. 🖥 📶 Très belle situation face au fjord de Killary, dans un coin de nature sauvage. Tenu par le même proprio que l'AJ *Sleepzone* de Galway. D'ailleurs, il y a un petit bus qui fait la navette entre les 2 (voir les « Bus et navettes » en début de chapitre). 3 petits bâtiments rénovés et repeints dans des tons estivaux. En tout, 110 lits, en dortoir ou chambre double, ainsi que des *family rooms* avec salle de bains et bons matelas bien fermes. Délicieux accueil de Farida, une Française passionnée et fière de gérer ce bien bel établissement. Pas de petit déj, mais cuisine, salle à manger et salon chaleureux avec cheminée, TV et plein de DVD ! Billard et baby-foot pour patienter pendant les averses, et terrain de tennis pour les éclaircies.

Prix moyens

🛏 **The Convent Guesthouse :** après le pont sur la route de Westport, faire 200 m, c'est sur la droite. ☎ 422-40. ● theconvent.ie ● Ouv avr-sept. Compter env 60 € pour 2. 📶 Comme son nom l'indique, c'est effectivement un ancien couvent... mais il est récent. Cela dit, l'intérieur est vraiment cosy. Que diriez-vous de prendre votre petit déj dans une chapelle avec de beaux vitraux ? Original, non ? Salon sympa avec un bon feu de tourbe. Propose 5 chambres *en suite* agréables, certaines avec vue sur le fjord. Bon accueil, un peu guindé.

🛏 **Tir Na Nog B & B :** à *Glanagimla,* à env 3 km de Leenane en allant vers Wesport. ☎ 422-87. ● tirnanog bandb@gmail.com ● Avt le Carraig Bar, prendre la route sur la droite, c'est à 1 km. Ouv 1er mai-1er oct. Compter 70-80 € pour 2. Très agréable *farmhouse* dans un environnement de collines et de verts pâturages. Comme d'habitude, on cherche la ferme, la vraie, mais comme d'habitude il suffit de posséder des moutons pour être classé *farmhouse !* Qu'importe, la maison est fraîche et pimpante, tout comme les chambres, coquettes et colorées, avec literie moderne en bois de pin. Propose 4 chambres avec sanitaires attenants ou privés. Jolis jardin d'hiver et salle de petit déj avec vue. Sympathiques balades à faire dans le coin.

🛏 **The Fjord House :** à la sortie du village, sur la route de Westport, à moins de 2 km du village, au fond du fjord, 1re maison à gauche. ☎ 423-25. 📱 087-314-31-04. ● lefjordhouse@yahoo. com ● Ouv avr-sept. Compter 60-64 € pour 2 (réduc dès 2 nuits). 📶 Fort bien situé et accueil sympa de Margaret Coyne. Quelques chambres *en suite,* dont certaines donnant sur le fjord. Vélos à louer.

De prix moyens à plus chic

🛏 🍽 **The Leenane Hotel :** à l'entrée du village, sur la droite en venant de Clifden. ☎ 422-49. ● leenanehotel. com ● Ouv avr-oct. Lunch 12h-18h, dinner 19h-21h30. Doubles 98-118 € selon saison, petit déj compris. Surveiller les promos sur le site de l'hôtel. Plats 6-30 €. 📶 Vue sur la baie de Killary et ses impressionnantes montagnes. L'auberge date de 1785 (le plus vieil hôtel de l'Ouest irlandais !) mais a été bien agrandie depuis. Les chambres de la partie moderne offrent un excellent confort (la plupart avec vue). Les chambres originelles sont plus petites et d'une déco un peu plus classique. C'est aussi une des bonnes tables du secteur. Préférez le bar et sa cheminée à la salle de resto, classique et guindée. Mention spéciale pour les moules de Killary, servies au kilo, et arrosées d'une merveilleuse sauce aux accents exotiques ou pour le carré d'agneau du Connemara, en croûte de chapelure, d'ail et d'herbes. Sauna et spa.

Où manger ? Où boire un verre ?

🍽 **Blackberry Cafe :** dans le village. ☎ 422-40. Avr-sept, tlj sf mar. Plats env 12 € (10h-17h) et 16-24 € (18h-21h) ; set menu 26 €. Formule resto-*coffee shop* dans un petit décor très élégant aux tons noir et bordeaux, presque bistrot. Cuisine très honnête à prix encore raisonnables. Le midi, choix de snacks et de petits plats sympas. Le soir, *evening specials.* Copieux saladier de moules, *homemade fish cake,* loup (de mer), haddock, poulet, ou encore burgers et sandwichs. Bons desserts maison. Petite carte des vins. Même proprio que *The Convent Guesthouse*.

▼ *Gaynor's The Field Bar :* dans le village. ☎ 422-61. Tlj 10h30-23h (plus tard le w-e). Beau pub qui a servi de décor à de nombreuses séquences du film *The Field* avec Richard Harris. Vieux bois vert foncé, décoré de photos et d'articles sur le film ; magnifique cheminée de tourbe. Sympa pour boire un verre. Bon accueil de la patronne et des locaux. Billard. Autre pub juste à côté, le *Hamilton's Bar.*

À voir. À faire

🏹 *Sheep and Wool Centre (Leenane Cultural Centre) :* dans le centre, de l'autre côté du pont. ☎ 423-23. ● sheepandwoolcentre.com ● 🧒 *De mi-mars à oct, tlj 10h-18h. Entrée : 5 € ; réduc.* Vidéo sur l'histoire locale disponible en français. Petit musée-boutique sur la laine et les moutons. Explications sur les différents types de moutons et les procédés de transformation de la laine : cardage, filage, teinture, tissage (quelques vieux métiers) et tricotage... Fait aussi *coffee shop* (bon *carrot cake*) et vend les tickets pour la croisière dans le fjord. Bon accueil (fait d'ailleurs plus ou moins office de Point Infos).

➤ *Croisière dans le fjord :* avr-oct avec *Killary Cruises.* ☎ (091) 566-736. ● killarycruises.com ● *Départ de Nancy's Point, à 2 km à l'ouest sur la route de Clifden. Juin-août, 4 départs/j. 10h30-16h30 ; mai et sept, 3 départs/j. ; avr et oct, 2 départs/j. Compter 21 € ; réduc ; gratuit pour les enfants ven-dim.* Bar et snack à bord. Croisière tranquille de 2h dans ce qui est considéré comme le seul fjord irlandais, le Killary. On peut voir depuis le bateau des fermes d'élevage de saumons et de moules en longeant Mweelrea Mountain. Remboursement garanti si vous avez le mal de mer !

➤ Plusieurs belles *randonnées* à faire dans le coin : de 6 à 8h de marche. Comme par exemple, *Leenane-Killary Harbour-Kylemore (*carte *Discovery Series* n° 37), ou *Maum-Leenane par la vallée de Failmore* (même carte) ou *Derryclare-Bencorr,* au sud des Twelve Bens (cartes *Discovery Series* nᵒˢ 37 et 44).

➤ En voiture, on peut aussi emprunter la superbe R 344, entre Kylemore et Recess, entre lacs et rivières, landes, montagnes et tourbières à perte de vue.

🏹 *Killary Adventure Co :* sur la N 59, à env 6 km de Leenane vers Letterfrack. ☎ (095) 434-11. ● killaryadventure.com ● *Ouv tte l'année (sur résa l'hiver). Activités de 3h à partir de 46 € ; réduc enfants. Package 87 €/j.* pour cumuler plusieurs activités. Dans un bâtiment circulaire, centre d'activités sportives pour jeunes et adultes : planche à voile, kayak, bateau, randonnées dans les environs, escalade, tir à l'arc, saut à l'élastique, accrobranche, ski nautique, etc. Ça a un petit côté « lieu de remotivation des cadres », mais c'est assez pro. En général, on y vient pour 1 semaine en pension complète, mais il y a des formules à la nuitée.

🏠 ▮●▮ *Compter 19-25 €/pers en dortoir (sans petit déj) et 60-66 € la double en* B & B. *Dîner 20 €* et coffee shop. 🖥 Une centaine de lits en dortoir de 4 à 6 personnes ou chambres doubles et familiales, salle de bains *en suite.* Propre mais manque un peu de déco et, du coup, de chaleur (sportif, quoi !). Billard.

🏹🏃 *Killary Sheep Farm :* à Bunowen, sur la N 59 à 8 km au nord de Leenane. 🖵 087-298-80-51. ● killarysheepfarm.com ● *Avr-sept, tlj sf lun (téléphoner, c'est une ferme en activité). Visites à 11h, 13h, 15h et 18h. Entrée : 10 € ; réduc ; famille : 25 €.* Tom, très sympathique, vous accueille dans sa ferme. Au programme : démonstration de chien de berger, piloté à distance par la voix, coupe de la tourbe et *lamb feeding* au biberon. Les enfants adorent ! De juillet à septembre, on assiste également à la tonte traditionnelle (à la main). Le tout dans un magnifique paysage, au-dessus du Killary Fjord. Possibilité de poursuivre par une petite rando surplombant le fjord.

LE CONNEMARA

CONG [cunga]

750 hab.

IND. TÉL. : 094

Administrativement parlant, on est déjà dans le Mayo County. Une région si belle, un village si pittoresque que John Ford les a choisis pour tourner *L'Homme tranquille (The Quiet Man)*, avec John Wayne et Maureen O'Hara. Le visiteur reconnaîtra sans peine le petit bourg immortalisé à l'écran sous le nom d'*Inisfree*, car il a finalement peu changé depuis. Il est d'ailleurs devenu un véritable lieu de pèlerinage. Résultat, Cong est devenu éminemment touristique. Et ça se comprend, entre le château d'Ashford, les ruines de son ancienne abbaye et le charme délicieux de sa campagne alentour, Cong ne manque pas d'attraits. Bon, pas toujours facile d'y être un homme tranquille en été !

À quelques kilomètres, *Clonbur*, « capitale » du Joyce Country, au nord du lough Corrib, s'avère ces jours-là un excellent refuge, loin de la foule...

L'HISTOIRE DU BOYCOTT

En 1880, Charles Parnell, leader du Home Rule Party, s'allia à Michael Davitt pour mener le combat pour la réforme agraire. Né en pleine famine, Davitt avait connu l'expulsion de ses parents de leurs terres. En 1880, la crise économique et les mauvaises récoltes ayant ruiné les paysans de l'Ouest, Davitt créa la *Land League* (« ligue de la terre ») pour s'opposer aux expulsions et obtenir des réformes. Il en confia la présidence à Parnell. Complémentaire, le duo fonctionna à merveille : Davitt, d'origine populaire et grand agitateur, apportait au politicien Parnell son sens aigu des réalités sur le terrain. Ensemble, ils créèrent une forme de lutte géniale : le boycott, du nom de Charles Boycott, le premier contre qui ce « blocus » s'exerça. Tous les régisseurs des propriétaires anglais, ceux qui acceptaient de collaborer avec eux et ceux qui acceptaient des terres d'expulsés, furent mis en quarantaine totale. Plus une livraison de quoi que ce soit, plus un contact, plus un mot échangé !

Arriver – Quitter

🚌 *Arrêt des Bus Eireann :* Main St, dans le centre, devant le Ryan's Hotel. Infos : ☎ (091) 562-000. ● *buseireann.ie*
➤ *De/vers Galway :* la compagnie *Eireann* propose 1 bus/j. lun-ven ; 2 bus mar et jeu. Et sinon, on vous rappelle l'existence du bus de la *Galways Tour C*ⁱᵉ qui dessert quotidiennement l'abbaye de Kylemore et Cong depuis Galway (voir en début de chapitre sur « Le Connemara et le Mayo des randonneurs »).
➤ *De/vers Westport :* tte l'année, 1 bus/j. (1 supplémentaire les mar et jeu) qui s'arrête à Ashford Gates, à 1,5 km de Cong. Pas de service le dim.
➤ La ligne *Galway-Westport* passe à Ballinrobe (à 10 km de Cong), plus de trafic (4-5 bus lun-sam, 2-3 le dim).

Adresses utiles

🛈 *Office de tourisme :* Abbey St, en face de... l'abbaye. ☎ 95-46-542. ● *congtourism.com* ● Mars-fin sept, tlj sf dim 10h-17h45 (ouv dim en juil-août). Services habituels et réservation d'hébergement moyennant commission.
✉ *Poste :* Circular Rd. Lun-ven 9h-13h, 14h-17h30 ; sam 9h-13h.
■ *Pharmacie :* à côté de l'office de tourisme. Lun-ven 10h-18h, sam 10h-13h.
■ *Location de vélos et de barques :* au *Cong Caravan & Camping Park & Hostel,* en juil-août. Compter 15 €/j. pour un vélo et 20 €/j. pour une barque.
@ *Crowe's Nest Pub :* Main St. Tte l'année, tlj 10h-minuit. Un poste à pièces...

Où dormir à Cong et dans les environs ?

Auberge de jeunesse et camping

⚐ ⌂ **Cong Caravan & Camping Park & Hostel : Lisloughrey,** Quay Rd. ☎ 95-46-089. ● conghostel@gmail. com ● À 1,5 km de Cong, sur la route de Galway. Ouv tte l'année. Compter 10-17 €/pers en dortoir ou 20-25 € en chambre privée ; env 20-25 € pour 2 avec tente. Douches payantes. 📶 AJ située dans une grande maison moderne (capacité de 70 lits), entourée de verdure. Pas le choix, car c'est la seule du coin. Dortoirs de 4 à 8 lits ou chambres pour couples (réservez en été) et familles. Certaines d'entre elles possèdent leur propre salle de bains. Grande cuisine, possibilité de faire sa lessive. Aire de camping correcte juste à côté, qui possède ses propres douches et w-c. Location de vélos et de barques au bord du lac. Sur demande, on vous passera *The Quiet Man* au miniciné de l'*hostel* ; c'est compris dans le prix !

Prix moyens

⌂ **Ballykine House :** sur la route de Clonbur (R 345), à 5 km à l'ouest de Cong. ☎ 95-46-150. ● ballykinehouse-clonbur-cong.com ● Bien fléché sur la droite en venant de Cong, puis c'est au bout de l'allée verdoyante. Ouv avr-oct. Résa conseillée. Compter 70 € pour 2. 📶 Belle et grosse maison de pierre grise, cossue, au centre d'un parc de 900 ha, en lisière d'une forêt et offrant une poignée de chambres personnalisées avec salle de bains. Situation extrêmement agréable. Accueil délicieux. Petite bibliothèque, salon avec piano, véranda avec billard et doc sur la région pour les *guests*. C'est aussi un point de départ de balades vers un lac et une forêt. Bon breakfast. L'une de nos adresses préférées dans le coin.

⌂ **Hill View Farm :** à **Drumshiel,** à env 1,5 km au nord de Cong ; suivre le fléchage à droite juste après le pont à la sortie du village. ☎ 95-46-500. ● hillviewcong@hotmail.com ● Ouv fév-15 déc. Compter 60 € pour 2. 📶 Face à un superbe panorama. Maison moderne à côté d'une exploitation agricole. Chambres *en suite* avec TV et matelas « haut de gamme », précise Mrs Bridie O'Toole, la sympathique proprio qui donne aussi d'excellents conseils sur les balades à faire dans les environs. Bon petit déj maison. Couchers de soleil divins sur la campagne.

⌂ **Dolmen House :** à **Drumshiel** (*même direction que la* Hill View Farm). ☎ 95-46-466. ● dolmenhouse-cong. com ● Ouv mars-fin sept. Compter 65 € pour 2. 📶 Facilement repérable avec son dolmen à l'entrée, une grande maison « saumon trop fumé » avec des chambres très colorées. Un style kitsch chic confortable pour un accueil des plus sympathique d'un jeune couple. L'une des chambres donne sur la rivière qui va plus loin encercler Cong. Beau salon avec cheminée en pierre. Sauna à disposition.

⌂ **Ashfield House :** à **Caherduff,** à 3 km au nord-est de Cong. ☎ 95-46-759. ▯ 087-277-05-99. ● congac commodation.com ● *Prendre la route de Galway et, face à Ashford Castle, tourner à gauche vers Ballinrobe.* Fermé en déc. Compter 60 € pour 2 (dégressif dès 2 nuits). CB refusées. 📶 En bordure de route, grande maison toute jaune proposant des chambres fleuries, mansardées, toutes mignonnes et de couleurs différentes, avec TV et sanitaires nickel. Bon accueil. Le petit déj, varié et très soigné, se prend dans une salle agréable, baignée de lumière. Excellent accueil de Christina.

⌂ **Hazel Grove B & B :** à **Drumshiel,** à 2 km au nord de Cong. ☎ 95-46-060. ● hazelgrove.net ● Ouv fév-fin nov. Compter 60 € pour 2. 📶 Chambres convenables et très propres (sanitaires étincelants). Celle du 1er étage, la plus grande, donne sur la belle campagne environnante et sur le château Aughalard en ruine. Les autres, au rez-de-chaussée, sont de qualité et confort égaux, toutes avec salle de bains. Accueil courtois.

⌂ **Lakeshore House B & B :** Ballard, à **Clonbur.** ☎ (094) 95-48-311. ▯ 087-761-14-81. ● lakeshoreconnemara.

com ● À 8 km de Cong sur la R 345 en direction de Leenane. Ouv tte l'année. Compter 70 € pour 2. CB refusées. 🖥 📶 Belle et vaste maison perchée sur un promontoire qui domine le lac Corrib. 6 chambres impeccables avec salle de bains, qui ont le mérite de toutes avoir l'admirable vue sur le lac. Cheminée dans le salon commun. Possibilité de louer une barque pour pêcher ou de partir en rando sur le Hillmont Gable, juste derrière. L'acteur Liam Neeson est même venu y passer quelques jours. De plus, Bernadette, la charmante propriétaire, est riche en conseils pour profiter à fond de ce coin assez exceptionnel.

Où manger ? Où boire un verre ? Où prendre le thé ? Où écouter de la musique ?

●❙ 🍸 *Hungry Monk Cafe* : Abbey St. ☎ 95-46-866. À 50 m de l'office de tourisme. Avr-oct, tlj 10h-19h (17h30 hors saison). Petite restauration env 10-12 €. Petit *coffee shop* à la déco sympa proposant une bonne petite cuisine (sandwichs, salades) bon marché. On y vient aussi pour ses desserts faits maison *(apple crumble, pear and ginger cakes...)* affichés au tableau. Bref, de quoi nourrir son homme, pardon son « moine affamé », puisque tel est le nom de ce café situé tout près de l'abbaye...

●❙ 🍸 *Cullen's at the Cottage* : devant Ashford Castle, de l'autre côté du pont. ☎ 95-45-332. Début juin-déc, tlj 11h-18h, plus ven-dim 20h30-22h30 en été. Plats env 15-19 € ; snack food 6-14 €. Cette mignonne chaumière appartenant au groupe Ashford Castle s'avère être un petit resto-bistrot fort sympa. Un cadre tout simple, filet de pêche suspendu sous le toit de chaume, table en bois brun, fauteuil rouge confortable et bar en fin au milieu d'une salle toute ronde. Vaste choix, de l'assiette de saumon au *fish & chips* en passant par les sandwichs, les gnocchis et du mouton, bien sûr. Tout y est très bon

et l'atmosphère bien plus relax qu'au château !

●❙ 🍸 ♪ *The Crowe's Nest Pub* (Ryan's Hotel) : Main St, au centre du village. ☎ 95-46-243. Tte l'année, tlj 10h-minuit. Bar food env 10-25 € jusqu'à 22h. Dans un beau bâtiment en pierre sombre, grand bar très sympa où se mélangent des photos de John Wayne (encore) et des fanions d'équipes de foot. Vieux piano dans un coin. Une TV est allumée quand il n'y a pas de *session* de musique traditionnelle (le week-end), à moins qu'un bœuf ne s'improvise. Certains restent tard le soir.

●❙ 🍸 ♪ *Danagher's* : au bout de Main St, avt l'office de tourisme. ☎ 95-46-028. Cuisine 12h-21h30. Plats env 12-20 €, quelques-uns plus chers. À la fois un pub, un resto et un hôtel. On y mange bien pour pas trop cher. À la carte : *fresh salmon, Irish stew, roast chicken, boiled bacon and cabbage*... bref, du typiquement irlandais. C'est aussi un pub animé, où l'on vient tout autant siroter un whiskey (belle sélection !) que descendre un *stout*. Musique traditionnelle le jeudi, *acoustic* (chansons à la guitare) le dimanche. Accueil chaleureux. « *No place for a quiet man* », comme ils le disent eux-mêmes !

Où manger ? Où boire un verre ? Où écouter de la musique dans les environs ?

●❙ 🍸 ♪ *Burke's Bar and Restaurant* : à *Clonbur* (5 km à l'ouest de Cong), dans le centre. ☎ 95-46-175. Avr-sept, tlj, midi et soir ; le reste de l'année, slt le midi et pour dîner ven-sam. Résa conseillée. Bar food (12h30-18h) autour de 10 € ; le soir, plats 14-27 € ; menus 21-26 €. Excellente adresse, réputée dans la région. Pensez à réserver votre table le week-end pour dîner. Décor de pub authentique : bois, poutres, poissons du lac naturalisés au-dessus de la corniche et vieux standard téléphonique dans un coin. Salle de resto à l'atmosphère profondément provinciale, qui fait vraiment plaisir à voir. Fine cuisine traditionnelle (truite du coin et succulents carré d'agneau et canard rôti), souvent accompagnée de légumes bio de la région. Fait aussi *bar food,* moins chère bien sûr. Côté animation, en été, musique et danses traditionnelles le week-end à partir de 22h30. Un endroit plein de charme, où l'étranger ne le reste pas longtemps, vite conquis par l'ambiance. Billard dans une salle annexe et écran géant pour les soirées sportives (grosse ambiance les soirs de match de football gaélique ou *caïd,* un mélange de rugby, de *soccer* et de football américain).

À voir

🎥🎥 **L'abbaye :** *juste en face de l'office de tourisme (fascicule en vente). Accès libre.* Fondée au VIIe s, elle fut détruite et reconstruite maintes et maintes fois jusqu'au XIIe s. Pas mal de ruines, mais on peut encore observer de beaux détails d'architecture romane. Le cloître a été restauré au XIXe s. Et l'ensemble a bien du charme. Nombreuses pierres tombales partout. En face, les restes de l'ancienne église. La nouvelle, elle, derrière l'abbaye, ressemble furieusement à un blockhaus. Ne pas hésiter à flâner dans le parc tout autour, superbe avec son romantique petit pont. Il y a même un *nature trail* à travers le domaine forestier attenant. Quant à la célèbre croix de Cong, sauvée par les moines à la destruction du monastère, elle est exposée au Musée national de Dublin.

🎥 🏵 **The Quiet Man Heritage Cottage :** *Circular Rd.* ☎ 95-46-089. ● *quietman-cong.com* ● *Avr-oct, tlj 10h-16h. Entrée : 5 € ; réduc.* Le cottage original qui servit de nid douillet à Sean et Mary-Kate (John et Maureen si vous préférez) est malheureusement en ruine quelque part dans la campagne. Au grand dam des fans. Celui-ci est donc une reconstitution du White-O-Mornin, remplie essentiellement de répliques (beaucoup de scènes d'intérieur ayant été tournées à Hollywood, nombre de costumes et objets se trouvent là-bas). Vu le prix (cher pour ce qu'il y a à voir), la visite ne s'adresse qu'aux inconditionnels. À l'étage, une boutique.

🎥🎥 **Ashford Castle :** *à 500 m du village.* ● *ashford.ie* ● *Accès gratuit hors saison et le soir en été.* On peut s'y rendre à pied (entrée à côté de l'abbaye) ou en voiture (dans ce cas, prendre la route de Galway, l'entrée est à 800 m). Pour les amateurs de contes de fées. Il remonte à 1228 mais fut fort remanié au XIXe s, dans un style néogothique. Résultat, il fait très Walter Scott avec ses grosses tours crénelées. Quoi qu'il en soit, il a grande allure ! Transformé aujourd'hui en hôtel de luxe inabordable, il a accueilli l'équipe du *Quiet Man,* lors du tournage. Il a aussi servi de décor à de nombreuses scènes du film. On retrouve aussi le château dans *Un taxi mauve.* C'est dire s'il est photogénique. Il ne se visite évidemment pas mais vous pourrez toujours profiter de ce décor de rêve à l'occasion d'un *tea time* inoubliable (voir plus haut). Attention, l'accès au parc est payant en saison, sauf si vous avez réservé pour le thé ou si vous déjeunez au *Cullen's at the Cottage.* Autre solution, venir avant 10h ou après 19h, lorsqu'il n'y a plus personne à l'entrée pour vous réclamer les 5 € de droit de passage...

➤ **Croisière sur le lac Corrib :** *départ d'Ashford Castle ou de Lisloughery, au bout de la route pour la Cong Hostel, à 2,5 km du centre.* ☎ *(091) 557-798.* 📱 *087-994-63-80.* ● *corribcruises.com* ● *Tte l'année, mais c'est selon la météo. Plusieurs départs en saison. Si vous ne voulez pas payer l'entrée au parc d'Ashford Castle, allez prendre le bateau à Lisloughery. Adultes : 20 € ; réduc (arriver au moins 20 mn avt).* Croisière de 1h directe ou de 1h30-2h avec un arrêt de 30 mn sur Inchagoil Island, petite île tranquille avec des ruines du Ve et du XIIe s. En juillet-août, la croisière du soir (18h) se fait sur fond de musique traditionnelle. Pour traverser le lac, prenez un des bateaux qui vient d'Oughterard en fin de matinée et y retourne dans l'après-midi (pause sur Inchagoill Island incluse).

DANS LES ENVIRONS DE CONG

➤ *Balade sur le mount Gable :* de *Clonbur,* entre les lacs Mask et Corrib, se rendre au lough Coolin. Une vraie perle dans un écrin de verdure ! Cependant, pas facile à trouver. Demander le plan d'accès au *John J. Burke and Sons Pub,* qui vous le donnera gentiment. Si vous vous sentez des ailes, grimpez sur la montagne (416 m). Assez facile malgré quelques tourbières. Environ 1h30 pour monter et descendre depuis le parking, ou au moins 2h à partir du pub. De là-haut, vue unique sur les trois lacs. Vous pouvez aussi emprunter la *Old Road* qui longe le lac à l'écart des voitures. Le site ● *coillteoutdoors.com* ● propose quantité de circuits autour du *mount Gable* (ainsi que pour le reste de l'Irlande), pour petits et grands marcheurs de 45 mn à 4h...

➤ *Cong-Leenane à vélo :* pour ceux qui ont du temps, superbe balade. Au lieu d'emprunter la route sud (par Cornamona), prendre plutôt celle du nord (par Finny). Arrivé à Clonbur, route de droite donc (eh oui, tout est écrit en gaélique). On longera d'abord le lough Mask, battu par les vents, puis la rive droite de deux autres petits lacs, avant de grimper sur la montagne et de retrouver la route de Leenane.

🚶🚶 *Ross Errilly Friary :* pour les amoureux d'abbayes ou pour ceux qui redescendent sur Galway, ne pas manquer, à environ 2 km de Headford, l'abbaye franciscaine la mieux préservée d'Irlande. Les moines n'abandonnèrent le site qu'au XVIIIe s, reconstruisant patiemment après chaque destruction perpétrée par les armées de Cromwell. Et bien que ruinés, les bâtiments du XVe s, l'église, le cloître et les cuisines demeurent dans un bon état de conservation. On l'aperçoit dans *The Quiet Man.*

LES COMTÉS DE MAYO ET DE SLIGO

Peu après Leenane, on quitte le Connemara pour le comté de Mayo (Contae Mhaigh Eo). La roche qui rendit la vie si difficile aux paysans reste omniprésente. Ici, comme dans le Connemara, les conditions de vie ont toujours été fort rudes : le comté, très étendu, ne compte que 130 000 habitants...

DE LEENANE À WESTPORT

On vous conseille la R 335, qui musarde par Louisburgh. Après avoir longé le fjord Killary sur quelques kilomètres, la route, étroite, s'engage dans les terres. Quelques pêcheurs taquinent la truite dans la rivière Bundorragha. La route s'enfonce toujours plus dans la vallée qui s'évase entre les Mweelrea Mountains et les Sheeffry Hills, le long du magnifique Doo Lough. Enfin, la route débouche sur un plateau de landes sans plantes, sans arbres. Pas de doute, nous avons pénétré dans le comté de Mayo. Les paysages seront désormais plus doux, moins spectaculaires.

LOUISBURGH [CƖUAın CEARBAn]

Petite bourgade à quelques encablures du rivage de Clew Bay. Des petites routes la relient aux longues plages de sable pâle des environs de *Killadoon.* Pour les fans, festival de Musique traditionnelle fin avril ou début mai (☎ *(098) 662-76 ;* 📱 *087-241-25-11 ;* ● *feilechoiscuain.com* ●), animé par des musiciens originaires du coin qui ont émigré mais reviennent pour l'événement. À cette occasion, Louisburgh se réveille !
➤ *Bus Westport-Louisburgh-Killadoon :* tte l'année, 2-3 bus/j. sf dim.

CLARE ISLAND [oıléan CHƖıARA]

Une île battue par les vents, d'à peine 8 km sur 2,5. Garantie totale d'y trouver la tranquillité et un accueil chaleureux de la part de ses 125 habitants. Au-dessus du port se dresse le *Grace O'Malley Castle (Grâinne Ni Mhaille)*, le château de la reine pirate qui écuma les mers au XVIe s. Il ne se visite pas.
Ne manquez pas les fresques de l'abbaye en ruine, à 2 km du village (mais vous risquez de trouver les portes closes). Location de vélos sur le port.

0   5   10 km

NORD

OCÉAN
ATLANTIQUE

Benwee Head

Portacloy

Carrowteige

Erris Head

Broad Haven

Annagh Head

Belmullet

Poollatomish

Barnatra

Glenamoy

R 313

Inishglora

R 314

Drumreagh

Bunnahowen

Carrowmore
Lake

Mullet
Peninsula

R 313

Bangor

Larg

Inishkea North

Aghleam

Blacksod
Bay

Shranamanragh Br.

Inishkea South

Ballycroy National Park

Ridge
Point

Ballycroy

Nephin B

Saddle
Head

Village
fantôme

Doogort

Castlehill

N 59

Croaghaun
667

Dooagh
Keel

R 319

Bunacurry

Achill
Head

River

Keem
Bay

Cashel

N 59

Achill Island

Achill

Dooega

Achill
Sound

Belfarsad

Rosturk

N 5

Dooega Head

Mallarany

Corraun Peninsula

Derreen

Glassillaun

Dooghbeg

Newport
Bay

Cloghmore

Achillbeg
Island

Bolinglanna

Clew Bay

Clare
Island

Leckanvy

Mu
Ab

R 335

Emlagh Point

Roonagh
Quay

Louisburgh

763
Croagh
Patrick

Caher
Island

Inishturk

↓ DELPHI

LE TOUR DU MAYO

Infos utiles

– *Infos sur l'île :* • *claireisland.info* •
➢ *Pour y aller :* embarquement à Roonagh Quay, à 8 km à l'ouest de Louisburgh. Compter 3-8 A/R par j. mai-sept. 15 mn de traversée slt. Il y a 2 compagnies : *Clare Island Ferry* (☎ (098) 237-37 ; 📱 086-851-50-03 ; • *clareislandferry.com* •) et *O'Malley Ferries* (☎ (098) 250-45 ; 📱 086-600-02-04 ; • *omalleyferries.com* •). En saison, résa conseillée à l'avance au guichet sur le quai ; hors saison, il suffit de se présenter. Compter 15 € l'A/R ; réduc. Un service est également assuré hors saison, 2 fois/j., si le temps le permet.

Où dormir ? Où manger ?

– Sur l'île, une demi-douzaine de *B & B* et un petit terrain de camping, aux installations (et prix) très modestes.
|●| *Bay View Hotel :* ☎ (098) 263-07. *À 5 mn à pied du débarcadère, proche de la plage. Ouv juin-sept.* Un des rares restos de l'île. A édité un fort utile dépliant avec 5 balades très intéressantes dans l'île (de 1h à 5h30 de randonnée).

LE CROAGH PATRICK   IND. TÉL. : 098

Destination traditionnelle des catholiques irlandais. De ses 764 m, la montagne domine Clew Bay où il y aurait, paraît-il, autant d'îles et d'îlots que de jours dans l'année. Que ceux qui ont vérifié nous écrivent !
La légende veut que saint Patrick, en prière au sommet du mont, ait chassé d'Irlande toutes les sales petites bêtes venimeuses (serpents et autres). Pèlerinage tous les ans, le dernier dimanche de juillet. Il se faisait autrefois de nuit, avec des torches et pieds nus ! Les accidents trop nombreux font que, depuis 1974, le pèlerinage s'effectue de jour. On a dénombré jusqu'à 60 000 personnes rassemblées à cette occasion. Cependant, le Croagh offre la possibilité d'une superbe balade toute l'année (sauf au cœur de l'hiver).
🄸 *Information Centre et cafétéria : dans le village de Murrisk, au pied du mont.* ☎ *64-114. Mars-oct, tlj 10h-17h.*

Où dormir ? Où manger ?
Où boire un verre ?
Où écouter
de la musique ?

⌂ *Bertra House : Thonhill, à Murrisk.* ☎ *648-33.* 📱 *086-066-72-33.* • *bertrahse.com* • *À env 3 km après le centre de Murrisk sur la R 335, direction Louisburgh, à droite (fléché « Bertra Strand »). Ouv mars-nov. Compter 70-76 € pour 2. CB refusées.* 📶 *Entre la mer et le Croagh Patrick, une maison neuve, entourée de champs où paissent des moutons. Chambres confortables avec moquette épaisse, lit douillet et grosse couette colorée. Copieux* petit déj pour prendre des forces avant d'aller affronter le « Reek » (surnom du Croagh Patrick) ou profiter d'une des plus belles plages de la côte, Bertra Beach, à deux pas.
|●| 🍷 ♪ *The Tavern : à Murrisk, au centre du village.* ☎ *640-60. Tte l'année, tlj 12h-23h. Plats 8-25 € ; bar food 4-13 €.* Grande taverne rose jelly très réputée. Intérieur en boiserie sombre, menu sur le tableau au-dessus de la cheminée, resto élégant à l'étage proposant principalement des fruits de mer. Excellente ambiance. C'est le rendez-vous des départs pour l'ascension du Croagh Patrick, mais aussi celui du retour pour une bonne *Guinness*, et une longue soirée musicale (le samedi soir ainsi que le vendredi soir en juillet-août).

Balades au Croagh Patrick

➤ Un chemin bien tracé conduit jusqu'au sommet depuis l'*Information Centre* de Murrisk (parking payant). Compter environ 2h pour la montée, un peu moins pour la descente. Pas de difficultés particulières, si ce n'est que l'ascension finale est assez raide. De là-haut, vue superbe sur Clew Bay, Achill Island et toute la région.

➤ Il existe une alternative au sentier repris ci-dessus, mais ATTENTION ! bien se renseigner sur les conditions climatiques avant de partir et, surtout, se munir d'une carte détaillée du secteur (de type *Discovery Series*). Compter 5h aller-retour, via Aghamore Bridge, le sanctuaire-pèlerinage (très abrupt, et la fin se fait souvent dans le brouillard) et le Ben Goram. Du sommet de cette dernière colline, la descente directe vers la mer à travers les mousses et bruyères est féerique.

À voir aussi dans le coin

⚐ **Murrisk Abbey,** dans le village du même nom, datant du XVe s, sur le rivage de Clew Bay. Belles ruines mystérieuses au soleil couchant quand on s'engage dans les couloirs et escaliers secrets. Comme il était d'usage à l'époque, les alentours servaient de cimetière et on bute sur des tombes dans tous les coins. En chemin, vous verrez une sculpture représentant un bateau où des corps décharnés semblent flotter autour des mâts. Belle évocation des *coffin ships* (« bateaux-cercueils »).

⚐ Et si vous en redemandez, poussez donc jusqu'à **Knock,** à une soixantaine de kilomètres plus à l'est (sur la N 17). Le développement de ce Lourdes irlandais fut porté à bout de bras par un évêque un peu mégalo. L'église peut accueillir 15 000 personnes. *Folk Museum.* C'est également à Knock que se situe l'aéroport régional.

WESTPORT [cathair na mart]   5 550 hab.   IND. TÉL. : 098

À 261 km de Dublin et 80 km de Galway, jolie petite ville où les centres d'intérêt (restos et pubs) sont concentrés autour de la rue principale. Elle abrite aujourd'hui l'une des plus grandes fabriques de textile du pays. Très animé, Westport dut son essor à la famille Browne, propriétaire de la Westport House, qui fit transformer le fleuve en canal, tracer des rues, bâtir des ponts et contribua ainsi au développement de la cité. L'architecte en fut

L'ÎLE DU BEATLES

En 1967, John Lennon acheta pour 1 700 £ l'île de Dorinish, au large de Westport. Il n'y vécut jamais, la louant à Sid Rawles, le « King of the Hippies » qui y installa une petite communauté. Lennon ne s'y rendit qu'une seule fois et pourtant on l'appelle toujours localement l'île du Beatles ! Yoko Ono la revendit après la mort de Lennon et l'argent fut donné à un orphelinat irlandais.

James Wyatt, célèbre bâtisseur de la période georgienne qui eut l'idée du Mall, cette avenue agréable, ombragée d'arbres, qui borde le canal de part et d'autre. Beaucoup de monde le dernier dimanche de juillet en raison du pèlerinage annuel de la Saint-Patrick. C'est aussi un lieu de villégiature très prisé par les Irlandais, et ce toute l'année : la ville a même été élue « *best place to live* » en Irlande par l'*Irish Times*.

LES COMTÉS DE MAYO ET DE SLIGO

Arriver – Quitter

En bus

Ts les départs se font depuis l'arrêt des *Bus Eireann* (plan B2), dans Mill St. Billets dans le bus • buseireann.ie • Changement à Castlebar, Swinford ou Claremorris pour certains bus.

➣ *De/vers Louisburgh :* 2-3 bus/j., sf le dim.

➣ *De/vers Ballina* et *Sligo :* 3 bus/j., 5 le ven, 2 le dim.

➣ *De/vers Castlebar :* une quinzaine de bus/j., 8 le dim.

➣ *De/vers Newport et Achill Island :* 1 bus/j.

➣ *De/vers Clifden :* slt en juil-août, 1 bus/j. sf le dim.

➣ *De/vers Galway :* 5 bus/j., 4 le dim.

➣ *De/vers Dublin :* 5 bus/j., 3 le dim.

➣ *De/vers Belfast :* 2 bus/j., 1 le dim. Compter 7h de trajet.

En train

🚆 *Gare ferroviaire* (hors plan par B2) : à env 10 mn à pied à l'est du centre. ☎ 252-53. • irishrail.ie •

➣ *De/vers Dublin :* 3-4 liaisons/j. Compter 3h10 de trajet. Arrêt à Castlebar et Athlone, entre autres.

Adresses utiles

🛈 *Office de tourisme* (plan A2) : James St. ☎ 257-11. • discoverisland. ie • Juil-août, tlj 8h (10h dim)-17h45 ; fermé dim le reste de l'année, ainsi que sam ap-m et dim en hiver. Vente de cartes, guides, etc. Effectue les résas de logement et fournit un plan détaillé de la ville. Beaucoup de doc et de topoguides destinés aux randonneurs.

✉ *Poste* (plan B2) : The North Mall. Lun-ven 9h-17h30, sam 9h-13h.

@ *Dunnings Cyber-Pub* (plan A2, 6) : sur l'Octagon.

■ *Allied Irish Bank* (plan A2, 1) : Shop St. Lun-ven 10h-16h (17h lun). Change et distributeurs.

■ *Bank of Ireland* (plan A2, 2) : High St. Mêmes horaires et services que la précédente.

■ *Location de vélos : Sean Sammon* (plan A2, 4), James St. ☎ 254-71.

📱 086-814-32-26. Repérer un vieux portail gris (rien d'indiqué). Lun-sam 9h30-19h (10h-18h en hiver), et dim en téléphonant. Compter 10-12 €/j., 20 € pour 2 j. ; réduc groupe et longue durée.

■ *Laveries : Gill's Drycleaners* (plan A2, 5), James St. Lun-sam 9h-18h30. Pour quelques euros, on s'occupe de votre linge en quelques heures. De même, *Xpress Cleaners* (plan A2, 3), à l'angle de Mill St et de High St, face à l'horloge. Lun-sam 9h-18h (18h30 ven).

Où dormir ?

Camping

⛺ *Westport House Camping & Caravan Park* (hors plan par A1, 14) : dans le Westport House & Adventure Park. ☎ 277-66. • westporthouse. ie • À 2 km du centre, entrée par la N 59 (route de Newport) puis à gauche. Ouv mi-avr-début sept. Compter 24-26 € pour 2 avec tente et voiture, selon saison (douches et électricité comprises). 🛜 Au cœur du parc de *Westport House* et à proximité des attractions, sur un joli terrain vallonné et boisé, un peu bruyant quand c'est surpeuplé, et tarifs plutôt élevés. Bar et café.

Bon marché

🏠 *The Old Mill Holiday Hostel* (plan A2, 12) : James St. ☎ 270-45. • old millhostel.com • Très central. Accès par un passage situé à côté de l'office de tourisme. Ouv avr-oct. Compter 18-22,50 €/pers en dortoir (supplément en juil-août), café et toasts inclus. 🛜 AJ privée dans une ancienne brasserie datant de 1780, tout en pierre. Pas mal de caractère et de charme. Bon accueil (ici, on travaille en famille). En tout, 60 lits en dortoirs de 4 à 10 lits, dont 2 mixtes. Également quelques chambres triples, un peu plus chères, et une *family room*. Cuisine super équipée. Sympa et central.

🏠 *Abbeywood House* (plan A-B1, 16) : Newport Rd. ☎ 254-96. • abbeywoodhouse.com • Dans le centre. Prendre le chemin qui part

0   100   200 m

NORD

Newport Rd

Deerpark

Pinewoods

Horkan's Hill

🏠 16

Holy Trinity Church

Newport Rd

CASTLEBAR, Knock Airport, DUBLIN ↗ 🏠 17

Castlebar Rd

North Castlebar St

South Mall

St Mary Church

30

12

42

36

33, 35

20

The Octagon

📍

i

5

4

6

@

31

41

1

Bridge St

40

44

32

34

Clock Tower

2

3

High St

James St

Shop St

Peter St

Quay Hill

John's Row

Tubber Hill

Leenane Rd

19

Distillery Rd

13

Mill St

Altamont St

GALWAY

LES COMTÉS DE MAYO ET DE SLIGO

↓ LEENANE, CLIFDEN   A   B

WESTPORT

■ Adresses utiles

ℹ Office de tourisme
1 Allied Irish Bank
2 Bank of Ireland
3 Xpress Cleaners (laverie)
4 Sean Sammon
   (location de vélos)
5 Gill's Drycleaners (laverie)
@ 6 Dunnings Cyber-Pub

⚔ 🏠 Où dormir ?

12 The Old Mill Holiday Hostel
13 Killary House
14 Westport House Camping &
   Caravan Park
15 Woodside Lodge
16 Abbeywood House
17 Aillmore B & B

19 St. Anthony's Riverside
20 The Waterside B & B

|●| Où manger ?

30 Madden's Bistro
31 McCormack's Gallery
32 John O'Malley's
33 The Creel
34 Mangos
35 The Quay Cottage
36 Cronin's Sheebeen

🍸 ♪ Où boire un verre ?
Où écouter de la musique ?

36 Cronin's Sheebeen
40 Matt Molloy's
41 The Hoban's
42 The Helm
44 Moran's

sur la gauche juste après l'église Holy Trinity. Ouv mai-sept. Compter 20-24 €/pers en dortoir ; double 60 € ; triple 70 € ; petit déj (léger) compris. 🖥 🛜 Dans une grande maison privée, intérieur entièrement refait de couleurs vives, au centre d'un jardin surplombant la ville. Dortoir de 10 lits à prix correct et quelques chambres un peu surévaluées. TV, DVD et beau jeu d'échecs dans un salon confortable. Cuisine à disposition, laverie (chère !) et salle à manger. Une AJ calme, légèrement en retrait de la ville, bien tenue par une jeune et sympathique gérante.

Prix moyens

🛏 **Aillmore B & B** *(hors plan par B1, 17)* : *Knockranny Village.* ☎ 278-18. 🖥 *087-688-99-35.* ● *aillmorebb.com* ● *De la route de Castlebar, tourner à droite (suivre la direction du Drummindoo Stud et Equitation Centre, puis c'est fléché). Ouv mars-oct. Doubles 70-80 €, petit déj inclus.* 🛜 4 belles chambres, dont 3 à l'étage, dans un quartier résidentiel très tranquille. Salles de bains agréables dans chacune. Salon pour les hôtes. Accueil discret mais très attentionné de Valérie Sammon qui prépare un très bon *Irish breakfast,* que l'on prend dans le jardin à la belle saison.

🛏 **Killary House** *(plan B2, 13)* : *4, Distillery Court, Distillery Rd.* ☎ 274-57. 🖥 *086-834-22-08.* ● *killaryhouse. com* ● *Derrière le canal, au fond d'une cour donnant sur Distillery Rd. Ouv tte l'année sf Noël. Compter 70 € pour 2.* 🛜 À proximité de l'arrêt de bus, de la gare et du centre, petit *B & B* proposant une poignée de chambres réparties sur deux petites maisons de ville au fond de la cour d'une ancienne distillerie de whiskey. Les chambres sont petites mais agréablement décorées, toutes *en suite.* Petit déj dans un salon coloré avec bow-window. Accueil sympathique d'un personnage étonnant que l'on verrait bien jouer le *tough guy* au cinéma.

🛏 **The Waterside B & B** *(hors plan par A2, 20)* : *1, The Harbour, The Quay.* ☎ 296-03. ● *thewatersidebb.com* ● *Au bout du quai principal, après les restos,* le B & B fait l'angle. *Compter 70 € pour 2. CB refusées.* 🛜 Si vous choisissez de résider sur le quai, nouvel endroit à la mode, ce *B & B* offre l'un des meilleurs rapports qualité-prix. Une maison de ville toute jaune sur 3 niveaux, face à la mer, entièrement refaite. Chambres calmes, lumineuses et meublées avec goût. Bon accueil, jeune et sympa.

🛏 **Woodside Lodge** *(hors plan par A1, 15)* : *Golf Course Rd.* ☎ 264-36. ● *woodsideireland.com* ● *Avt la sortie de la ville par la N 59 direction Newport, prendre à gauche la route du golf et du centre équestre, c'est la 2ᵉ maison à gauche. Ouv tte l'année (sf pdt les fêtes de fin d'année). Compter 70-80 € pour 2 selon saison.* 🖥 🛜 Grande et belle maison blanche aux huisseries rouges dans un beau jardin fleuri. Intérieur spacieux très moderne, voir la superbe cuisine design. 6 belles chambres aux couleurs douces et salle de bains nickel. Patrice, un Français, et Helen, sa femme, vous accueillent chaleureusement et sont d'excellents conseils pour vous faire découvrir la région, son histoire et ses tables ! Ils organisent d'ailleurs des visites des environs. Bicyclettes à disposition. Une très bonne adresse, à laquelle *Failte Ireland* a décerné 4 étoiles.

🛏 **St. Anthony's Riverside** *(plan B2, 19)* : *Distillery Rd.* ☎ 288-87. 🖥 *087-630-15-50.* ● *st-anthonys.com* ● *Dans une rue derrière le canal. Ouv tte l'année. Compter 70-80 € pour 2 selon confort. Parking.* 🛜 Dans une jolie maison de 1824, chambres plaisantes et très confortables, avec TV, lits blancs, mobilier en gros bois et même, pour certaines, un jacuzzi. Quelques-unes sont idéalement conçues pour accueillir des familles. Un peu plus cher que les *B & B* classiques, mais un cran audessus. Grand jardin fleuri à l'arrière. Excellent accueil.

Où manger ?

– Pour ceux qui font leurs courses, tous les jeudis, sur l'Octagon *(plan A2),* **marché de rue** et **country market** dans le Town Hall de 9h à 13h30.

De bon marché à prix moyens

|●| Madden's Bistro (plan A2, **30**) : James St. ☎ 280-88. Tlj 12h30-15h, 18h-21h. Le midi, plats à partir de 7 € ; le soir, plats 10,50-23 € et menu 25 €. Agréable bistrot à l'élégante simplicité au rez-de-chaussée du très contemporain *Clewbay Hotel*. Une bonne adresse qui ne désemplit pas le midi. Délicieuses salades de saumon, paninis, *quesadillas* du chef. Service souriant et rapide. Une bonne cantine pour le midi. Repas plus élaboré pour le dîner. Musique ou retransmission sportive sur grand écran certains soirs.

|●| McCormack's Gallery (plan A2, **31**) : Bridge St. ☎ 256-19. Tlj sf dim et mer 10h-17h. Plats 7-12 €. Dans une petite salle au-dessus de la boucherie du même nom, des soupes, sandwichs, *wraps*, paninis, salades et petits plats très appétissants pour pas cher. Tout est fait maison. Bonne pâtisserie aussi, idéal pour le *four o'clock tea*.

|●| The Creel (hors plan par A2, **33**) : The Harbour, The Quay. ☎ 261-74. À côté du pub The Helm. Tlj sf lun (et mar hors saison) 10h-17h (12h dim). Plats 8-16 €. Dans une ambiance détendue au décor marin, choisissez au tableau un petit en-cas préparé à la demande. Poisson frais, *seafood chowder*, salades, quiches, paninis et très beaux gâteaux sont servis avec bienveillance dans ce sympathique *coffee house*.

|●| John O'Malley's (plan A2, **32**) : Bridge St. ☎ 273-07. Slt le soir. Plats 14-26 €. Pub au rez-de-chaussée et resto au décor très sympa (plein de boiseries sombres) à l'étage. Cuisine copieuse. Surtout, grand choix (trop ?) à la carte : pâtes, pizzas, burgers, poulet indien, à la Kiev, cordon-bleu, *seafood*, plats mexicains, fajitas, curry... De quoi changer un peu de l'*Irish stew* ! Musique live en fin de semaine.

De prix moyens à chic

|●| The Quay Cottage (hors plan par A2, **35**) : The Harbour. ☎ 506-92. À l'entrée de la Westport House. Mar-sam 18h-22h (ts les soirs en saison). Congés : janv. Résa hautement recommandée. Plats 15-22 € ; menus early bird (servis en sem jusqu'à 19h30) 20-25 €. Un ravissant cottage, dans un joli recoin du port. À l'intérieur, déco marine, chaleureuse et pittoresque. Dans l'assiette, une cuisine irlandaise tout à fait réjouissante. Les produits locaux sont travaillés avec simplicité et savoir-faire : moules de Killary, bœuf irlandais (longuement maturé)... Si vous le pouvez, venez tôt pour profiter du menu, vraiment attractif ; une demi-heure plus tard, les prix s'envolent ! Accueil charmant et service efficace.

|●| Mangos (plan A2, **34**) : Bridge St. ☎ 249-99. Slt le soir, tlj sf dim. Résa hautement conseillée. Plats 17-25 € ; menus early bird 20-24 € avt 19h (18h30 sam). Ce petit resto à la façade turquoise est l'un des meilleurs de la ville. Seulement quelques tables vite réservées. Une cuisine raffinée et réputée qui émoustille les papilles. Les coquilles Saint-Jacques à la sauce du jour *(Clew Bay scallops)* sont aussi délicieuses que magnifiquement présentées. Service élégant mais sans chichis. Quelques plats du jour plus chers au tableau, on vous conseille l'*early bird menu*.

|●| Cronin's Sheebeen (hors plan par A2, **36**) : à 1 km de Westport Quay, sur la route côtière de Louisburgh. ☎ 265-28. Pub ouv ts les soirs ; repas tlj en saison mais slt ven-dim le reste de l'année. Plats env 12-25 € ; ainsi que des salades et des sandwichs le midi 6-13 €. Magnifique cottage coiffé d'un gros toit de chaume sur la baie de Westport. Plus qu'un pub, c'est aussi un restaurant chic et réputé (fameux *roast shoulder of lamb* préparé avec talent). Service dans la grande salle à l'étage, mais aussi dans l'une des petites pièces cosy autour du bar, plus conviviales. Très bon accueil.

Où boire un verre ? Où écouter de la musique ?

Ⓨ ♪ Matt Molloy's (plan A2, **40**) : Bridge St. ☎ 266-55. Dans ce pub datant de 1896 et réputé dans toute l'Irlande, décor sympa (photos et vieilles affiches aux murs), bien patiné. Excellente atmosphère, bien bruyante. Musique traditionnelle tous les soirs, toute l'année. Matt Molloy joue lui-même quelquefois ; c'est le flûtiste du groupe Chieftains.

♟ ♪ *The Hoban's (plan A2, 41) :* The Octagon. ☎ 272-49. Intérieur assez banal, mais très bonne musique traditionnelle le soir, à laquelle le public est invité à participer. En général, cela se passe en été les vendredi et samedi vers 22h, parfois aussi le mardi.

♟ ♪ *The Helm (hors plan par A2, 42) :* The Harbour, The Quay. ☎ 261-94. Au début du quai. Tlj 10h-23h. Le pub le plus animé du quai. Rendez-vous des Irlandais en vacances, des loups de mer et des jeunes en sortie. Dans un vaste décor de cale de bateau, il faut jouer des coudes pour atteindre le bar. Ambiance joyeuse tous les soirs et musique du jeudi au samedi soir. Fait aussi restaurant, *bar food* et B & B. Le patron organise régulièrement des sorties en mer pour traquer le turbot, le congre et la raie.

♟ ♪ *Cronin's Sheebeen (hors plan par A2, 36) :* voir « Où manger ? ». Musique le dimanche, en été, vers 17h, ainsi que le jeudi, vendredi et samedi vers 22h toute l'année. Sympa aussi pour boire un verre, tout simplement.

♟ *Moran's (plan A2, 44) :* Bridge St. ☎ 263-20. Au fond d'une épicerie, un bar de poche comme on n'en voit quasiment plus et où se retrouvent les 40-50 ans. Différent et populaire.

À voir

🎭🏃 *Westport House & Adventure Park (hors plan par A2) :* à 3 km du centre. En arrivant à Westport Quay, prendre à la droite, c'est indiqué. ☎ 277-66. ● west porthouse.ie ● Mars et oct, ouv le w-e ; avr-sept, tlj 10h-17h30. Entrée : 12 € pour la maison et le parc ; réduc. Également un ticket global (20 €), juin-août, qui donne accès au Pirate Adventure Park (réduc de 10 % sur Internet). Demander la brochure en français à l'entrée (on la rend en sortant).

Extérieurement, cette grosse maison classique et grise n'a rien de bouleversant, mais l'intérieur vaut vraiment la peine. Elle fut construite en 1730 pour les Browne par Richard Cassels, l'architecte du Parlement de Dublin, et agrandie par James Wyatt, qui dessina Westport. Elle est depuis restée dans la famille sans discontinuer. Car il s'avère que les Browne, marquis de Sligo, sont les descendants directs de la célèbre Grace O'Malley, la reine des Pirates ! C'est sur les bases de l'un de ses châteaux que la Westport House fut construite.

Malgré un prix d'entrée élevé, la Westport House mérite une visite, car cette demeure patricienne est l'archétype des maisons de *landlords* qui parsemaient l'Irlande aux XVIIe et XVIIIe s.

L'intérieur est meublé avec un grand raffinement. Les salles du rez-de-chaussée sont très décorées. Voir, dans le hall d'entrée, les bois énormes d'un élan préhistorique ! S'ensuit une enfilade de pièces chamarrées et impressionnantes : grand salon, bibliothèque extra, bureau austère... Beaux paysages d'O'Connor dans l'escalier. À l'étage, dans les couloirs : gravures intéressantes du XVIIIe s, salon chinois, chambres rococo, ainsi qu'une petite salle de bains... et une grande, où traîne une jolie collection de pots. Tables et portes en acajou importées des propriétés jamaïcaines de la famille, etc. Une salle rassemble les mannequins en cire d'artistes irlandais célèbres dont le poète W. B. Yeats. Un peu dommage qu'ils aient transformé les oubliettes en « chambre d'horreur », mais bon, les mômes, eux, apprécient. Il s'agit en réalité des vestiges du château de Grace O'Malley. Une petite expo lui est consacrée.

|●| ♟ En saison, cafétéria aménagée dans les anciennes cuisines du château.

– Attractions autour du manoir, sur le thème des pirates : pêche, balade en petit train ou en barque (en forme de cygne), *pitch & putt,* petit parc animalier, etc.

🎭 En sortant de la Westport House, observez l'intéressante architecture des bâtiments qui composent *Westport Quay.* Les entrepôts, tout d'un seul tenant sur une longue ligne, étaient pour la plupart à l'abandon. Ils ont été dans l'ensemble joliment restaurés pour devenir des hôtels, restos et pubs.

DANS LES ENVIRONS DE WESTPORT

– Possibilité de monter à **cheval.**

■ **Drummindoo Stud and Equitation Centre :** à **Knockranny,** sur la route de Castlebar. ☎ 256-16. ● drummindoo. com ● Pâques-sept, tlj sf dim. Compter env 30 €/h. Balades dans la campagne et autour de la Clew Bay. Débutants acceptés.

■ **Carrowholly Stables & Trekking**

🏇 **Ballintubber Abbey :** à 9 km au sud de Castlebar (par la N 84) et à une douzaine de km au sud-est de Westport (par la R 330, puis à gauche, une petite route de campagne). ☎ (094) 90-30-934. ● ballintubberabbey. ie ● Visites guidées mai-sept, tlj 10h-18h. Elle a été construite vers 1216. Église romane d'une

Centre : à **Carrowholly,** Westport. ☎ 270-57. 📱 087-939-36-34. ● car rowholly-stables.com ● Sur la route de Newport, à gauche à la sortie de la ville (suivre le panneau), puis c'est à 4 km. Avr-oct, tlj. Compter 30 €/h. Propose des balades sur la plage.

> **LA FOI CONTRE VENTS ET MARÉES**
>
> On y célèbre la messe depuis près de 800 ans. Et pourtant, l'abbaye a été privée de toit pendant 236 ans (jusqu'en 1966) !

grande simplicité, fort bien restaurée. Beaux vestiges du cloître. Face à lui, vous noterez la porte gothique avec chapiteaux ornés de graphismes gaéliques.

NEWPORT [Baile uí ḟhiacháin]   1 740 hab.   IND. TÉL. : 098

Petit port sympathique à une douzaine de kilomètres au nord de Westport, d'où est originaire la famille de Grace Kelly. Sur la route de Mallaranny, ne pas manquer l'abbaye de Burrishoole et le château de Rockfleet. Ne pas rater non plus la boucherie Kelly's, dont les boudins noirs et les blancs sont régulièrement primés (notamment au concours de la Confrérie des chevaliers du goûte-boudin de Mortagne-au-Perche !). Un régal !

Arriver – Quitter

En bus

🚌 Ts les départs se font depuis l'arrêt des bus Eireann, dans le centre du village.

➤ **De/vers Westport et Castlebar :** 1 bus/j.

➤ **De/vers Ballina :** 2-3 bus/j., aucun le dim.

➤ **De/vers Achill Island via Mallaranny, Achill Sound, Keel et Dooagh :** 1 bus/j.

Adresses utiles

ℹ **Bureau de tourisme :** George St. ☎ 418-95. ● tourism@newportmayo. ie ● Avr-sept, lun-sam 9h30-17h, dim 10h-13h. Donne 4 dépliants (gratuits) très bien faits proposant 3 balades chacun (de 3 à 16 km) passant par les sites intéressants de la région : Burrishoole loop walks, Newport, Derradda, Tiernaur et Mallaranny (ou Mulrany en « abrégé »). Infos aussi sur la Great Western Greenway, cette ancienne voie de chemin de fer, aujourd'hui réhabilitée en piste cyclable et chemin de randonnée et qui relie Westport, Newport, Mallaranny et Achill Island.

■ **Distributeur :** *dans la supérette* Centra, à l'entrée du village. Tlj sf dim 9h-21h.

Où dormir ?

Prix moyens

🏠 **Anchor House B & B :** *The Quay.* ☎ 411-78. ● anchorhouse.ie ● *Juste après le pont (en venant du sud), prendre à gauche le long de l'eau. C'est à 150 m. Fermé 16 déc-31 janv. Compter 80-90 € pour 2.* Grande maison blanche à parement noir dans un joli jardin face à la rivière. Chambres simples, confortables et bien tenues avec TV, certaines avec balcon et vue, toutes *en suite* (celle du bas a une belle baignoire d'angle). Salon avec Chesterfield moelleux, cheminée et baie vitrée pour regarder la rivière couler. Petit déj copieux. Une adresse agréable, au calme. Dans la maison voisine, d'autres chambres appartenant aux mêmes propriétaires. Les prestations sont un cran au-dessus ; les prix aussi.

🏠 **B & B Reek View** (Mrs Kathleen Leneghan) : *Mallaranny Rd.* ☎ 412-02. ● reekviewbnb.com ● *À env 3 km après Newport, vers Mallaranny, sur la droite. Pile en face de la petite route qui va vers l'abbaye de Burrishoole. Ouv tte l'année. Compter 60-70 € pour 2 selon saison. CB refusées.* 🛜 Vue sur le Croagh Patrick, au loin, de la petite véranda (d'où le nom du B & B, « Reek » étant le surnom du mont). Adresse toute simple, avec 4 chambres impersonnelles mais convenables, toutes *en suite* et très au calme. Bon breakfast.

Où manger ? Où boire un verre ? Où écouter de la musique ?

De bon marché à prix moyens

🍴 🍷 🎵 **Seven Arches Bar :** *sur la place du village.* ☎ 411-55. *Tte l'année, tlj. Bar food 9-15 €.* Pub de l'*Hotel Newport,* assez cossu, canapé et fauteuils en cuir, ambiance tamisée. Musique tous les samedis soir. Voir aussi à l'autre bout de la place son équivalent populaire, *The Bridge Inn.*

Où dormir ? Où manger ? Où écouter de la musique dans les environs ?

🏠 🍴 🎵 **Nevin's Newfield Inn :** *sur la route de Mallaranny et d'Achill Island, à env 10 km de Newport.* ☎ 369-59. ● nevinsinn.com ● *Ouv tte l'année. Compter env 90 € pour 2.* Bar food (servie 9h-21h) 5-12 € ; au resto à l'étage (jeu-sam 18h-21h), plats 12,50-23 €. Un grand pub récent mais accueillant avec sa façade à l'ancienne et son incontournable feu de cheminée. Cuisine correcte. Propose aussi quelques chambres sobres et impeccables, avec salle de bains et TV. Musique et danse traditionnelles le jeudi toute l'année, et le week-end en été.

DANS LES ENVIRONS DE NEWPORT

🎋 **Burrishoole Abbey :** *à 13 km de Newport, sur la route de Mulrany, à gauche (bien fléché), puis faire encore 1 km.* Abbaye du XVe s. Situation romantique au bord de la baie. Belles ruines et paysage d'une sérénité totale. Vestiges du cloître et nombreuses anciennes dalles funéraires dans la nef.

🎋 **Carrigahowley Castle** (Rockfleet) : *à 5 km env, sur la route de Mulrany. À gauche, par une route asphaltée. C'est fléché.* Une tour de quatre étages au bord de l'eau. On ne peut plus pittoresque ! Pour la photo, venir le matin, car en fin de journée, le château est à contre-jour. Grace O'Malley y vécut après la mort de son second mari.

ACHILL ISLAND (oléan acla)   2 570 hab.   IND. TÉL. : 098

La plus grande des îles irlandaises, reliée à la terre ferme par un pont. Superbe côte déchiquetée, que l'on peut très facilement découvrir en voiture par la route qui surplombe la mer (faire l'Atlantic Drive !). L'intérieur, lui, offre des paysages de lande désolée et de collines dénudées aux tons fauve, jaune ou roux, typiques de ce coin d'Irlande.
Ici encore plus qu'ailleurs, le ciel fait rarement dans le bleu intégral. Il préfère la compagnie de nuages fugaces qui, lorsque le soleil est d'humeur à se montrer, jouent à baigner les plages et les monts dans une luminosité sans égale. Les brusques changements du ciel, aussi subits qu'inattendus, émerveilleront les photographes. En 3h, on peut avoir droit aisément à 10 averses entrecoupées de violentes éclaircies. Incroyable !
Outre sa sauvage beauté, l'île est un véritable paradis pour les randonneurs, car le réseau routier y est peu développé et qu'il y a encore beaucoup de coins isolés et déserts. Attention aux passages difficiles sur les pentes escarpées.
– Deux excellentes cartes : la *Discovery Series* n° 30 (au 1/50 000), avec les sentiers et tout ; et la *Map and Guide of Achill Island,* un peu moins bonne que l'autre, mais qui contient toutes sortes d'infos en plus sur l'île (histoire, géographie, lieux particuliers, randonnées).
– Plusieurs topoguides disponibles gratuitement sur le site internet de l'office de tourisme (payants sur place).

FESTIVALS ANNUELS DU *SCOIL ACLA* ET DU *HATA ACLA*

L'*Hata Acla* est un concours de chant, de musique et de danse qui s'insère dans le *Scoil Acla,* l'un des plus importants festivals culturels de l'Ouest. Né au début du XXe s. à Dooagh, *Scoil Acla* fut à l'origine un mouvement de renouveau de la culture gaélique. Un genre d'école d'été pour l'enseignement de l'irlandais et la pratique des arts traditionnels. Plus tard, en 1985, pour enrayer le déclin du gaélique, un groupe de militants culturels décida de relancer cette *summer school* tombée dans l'oubli. Avec un

LE CHAPEAU D'ACHILL

L'Hata Acla est une coutume du passé. Autrefois, certaines familles étaient si pauvres que les hommes ne pouvaient même pas s'acheter de chapeau. Pourtant, aucun homme d'Achill ne serait allé à Newport ou à Westport sans chapeau. Aussi, à l'entrée de l'île, à Achill Sound, y avait-il un arbre avec quelques couvre-chefs « communautaires », que les plus démunis pouvaient emprunter le temps du voyage. Ces chapeaux étaient appelés Hata Acla (Achill Hat).

ambitieux programme couvrant l'histoire de l'île, son archéologie et son développement social, on fit venir des musiciens, conférenciers, poètes... de renom pour redonner vie à la culture. Le succès dépassa les espérances des organisateurs, si bien que d'anciens étudiants de *tin whistle* (flûte traditionnelle) sont devenus à leur tour professeurs, tandis que d'autres ont remporté de nombreux prix au *fleadhtha* (concours national) et dans d'autres festivals. Depuis, chaque année fin juillet, le

Scoil Acla couvre l'ensemble des arts avec des récitals de poésie, des ateliers d'écriture, des cours de musique et de danse irlandaises, des concerts, etc.

Arriver – Quitter

En bus

➤ *De/vers Westport :* 1 bus/j. S'arrête à Newport, Mallaranny, Achill Sound, Keel et, enfin, Dooagh. Pour *Castlebar,* changement à Westport. Correspondance aléatoire et compliquée pour *Ballina.*
➤ *De/vers Galway :* là encore, il faut changer à *Westport.*

À vélo et à pied

➤ Le dernier tronçon de la *Great Western Greenway* a été inauguré en 2011. Cette ancienne voie de chemin de fer réhabilitée permet aux cyclistes et aux randonneurs de venir de Westport sans jamais se mêler aux voitures. L'île compte également 3 parcours pour les randos à vélo, mais, autant vous prévenir, elle n'est pas plate, mais alors pas plate du tout !

Adresses utiles

🛈 *Office de tourisme :* à Achill Sound. ☎ 207-05. ● achilltourism. com ● visitachill.com ● (le 2ᵈ est en français). En plein centre (à côté de la poste), à l'entrée de l'île. Ouv tte l'année, lun-ven 9h-17h, plus sam-dim 11h-16h mai-sept. Résa d'hébergement, infos sur les nombreux festivals, activités sportives. Bon accueil, efficace. Une antenne est ouverte tous les jours en été au *Sandybanks Caravan & Camping Park* à Keel.
✉ *Poste :* dans la supérette Barretts Costcutter Express, *juste après le resto* Calvey's, à **Keel**. Lun-ven 9h-14h, 15h-17h30 ; sam 9h-13h. Autre bureau à **Achill Sound,** dans la rue principale. Lun-ven 9h-13h, 14h-17h30 ; sam 9h-13h.
@ *Sweeney's :* à **Achill Island**. ☎ 452-11. À l'entrée de l'île, à l'étage d'une cafétéria-magasin de souvenirs. Lun-mar 9h-18h. 4 PC.
@ *Achill I. T. Centre* (Local Development Company) : à **Keel**. ☎ 432-92. Sur la route qui part derrière le pub Mináun View (c'est fléché). Lun-ven 9h30-16h30.
▪ *Distributeur de billets :* sur le parking du supermarché Supervalu Sweenay, à l'entrée d'**Achill Sound**. Attention, c'est le seul sur l'île !
▪ *Location de vélos :*
– *Barretts Costcutter Express :* supérette juste après le resto Calvey's, à **Keel**. ☎ 434-44. Tte l'année, lun-sam 9h-19h (21h juil-août). Compter 15 €/j. Caution de 100 € demandée.
– *Blackfield Surf Hire :* à **Keel**. ☎ 435-90. ▯ 087-249-51-75. ● black field.com ● 1 km avt l'entrée de Keel à gauche. Avr-sept, tlj 10h30 (11h30 dim)-17h ; le reste de l'année, sur résa (portable). Compter 20 €/j. ; réduc à la ½ journée. Caution demandée. Turquoise et fuchsia, difficile à rater ! Loue des surfs, fait magasin de vêtements et accessoires de sport. Excellent *coffee shop.* Le rendez-vous des sportifs.
▪ *Laverie: Teach Niochain,* à **Keel**. ☎ 430-41. Entrée sur la gauche d'une grande maison blanche à la sortie du village (la Achill Sheltered Housing, *juste après la poissonnerie).* Lun-ven 9h30-18h. Pour quelques euros, on s'occupe de votre linge en quelques heures.

Festivités

– Le fameux *Scoil Acla* donc (voir plus haut), qui a lieu fin juillet. Les activités (poésie, danse, concerts, ateliers d'écriture...) se déroulent dans une douzaine de lieux. Si vous êtes dans le coin, vous pourrez assister à quelques prestations dans certains pubs, notamment au *Ted Lavelle's,* à Cashel.
– *Le festival des Yawls :* sur plusieurs w-e en juil-août. Compétition de bateaux traditionnels.

– Une trentaine d'autres festivals musicaux et culturels ou compétitions sportives durant l'année ; voir le programme détaillé à l'office de tourisme.

ACHILL SOUND [GOB an choire]

Porte d'entrée de l'île. On y trouve les commerces ou services essentiels. Pour être honnête, il n'y a aucun intérêt à résider dans ce lieu de passage.

Où dormir dans les environs ?

🏠 **Railway Hostel :** *juste avt le pont d'Achill Sound en venant de Newport, sur la droite.* ☎ 451-87. ● *railwayho stelachill@gmail.com* ● *Ouv tte l'année. Autour de 15 €/pers en dortoir et 18 € en chambre double.* Cette ancienne gare, qui desservait autrefois Achill Island, propose 3 petits dortoirs. Sommaire et pas bien tenu, glauque même ; seulement pour ceux qui cherchent désespérément un lit bon marché. Machine à laver, petite cuisine et salle à manger. S'il n'y a personne, se rendre au magasin *Lavelle*, de l'autre côté du pont.

À faire

Ceux qui ont un véhicule doivent absolument faire l'*Atlantic Drive,* de préférence à partir du sud. Prendre la route de gauche 1 km après le pont. Au bout de 6,5 km, petit cimetière marin, le *Kildownet Cemetery,* autour d'une église en ruine. Beaucoup de victimes de la Grande Famine y sont enterrées. Environ 150 m plus loin s'élève la fière *Carrickildavnet Tower,* connue aussi comme la ruine du château de Grace O'Malley (mais combien en avait-elle ?). Un peu après commence la route qui dévoile un panorama saisissant sur toute la côte sud d'Achill Island. Falaises à pic battues par les flots, versants verdoyants où évoluent des moutons, c'est grandiose !

MACABRE PROPHÉTIE

En 1604, un certain Brian Rua O'Cearbhain prophétisa que des « charrettes sur des roues, émettant de la fumée et du feu, seraient cercueils à Achill à la fois sur sa route première et sa dernière ». Sinistre prophétie qui se réalisa 260 ans plus tard. Le premier train qui entra en gare d'Achill Sound ramena les corps de 32 îliens noyés dans la baie ; 43 ans après cette catastrophe, le dernier train ramenait les 10 victimes qui ont péri dans un incendie à Kirkintilloch, en Écosse. Ce que la prophétie n'avait pas prévu, ce sont les curieux engins à pédales et sur roues qui font aujourd'hui les beaux jours de la Great Western Greenway...

DOOEGA

Sur les collines dénudées, le long des falaises sauvages, la route descend ensuite en tournant jusqu'à Dooega. Au fond d'une baie, ce petit village étale ses maisons blanches de pêcheurs dans un paysage austère. À vélo, de belles côtes à grimper !

🏃🏃🏃 On vous conseille ensuite de rejoindre la route principale de l'île en empruntant non pas la première, mais la seconde route à droite en arrivant à Dooega. De cette manière, vous pourrez, en prenant au bout de quelques kilomètres une petite route sur la gauche, grimper jusqu'au sommet du *Minaún,* d'où la vue générale sur Achill viendra compléter à merveille la promenade sur l'Atlantic Drive... Un must !

Où dormir ? Où manger ?

🏠 |●| *Lavelle's Seaside House :* dans la rue principale. ☎ 451-16. 🖷 085-233-00-26. ● lavellesseaside house.com ● Ouv avr-fin oct. Compter 60-70 € pour 2. Maison blanche et basse, à l'intérieur plutôt vieillot. Accueil correct. Chambres classiques mais mieux vaut opter pour celles de l'annexe récente juste derrière, grandes, belles et modernes, toutes *en suite,* avec vue sur mer. Possibilité de manger de juin à août. Bonne cuisine familiale spécialisée dans les fruits de mer (de juin à août seulement). Le pub est décoré de dessins et peintures originaux de Fritz Agnet, artiste tombé amoureux (avec raison) de Dooega.

KEEL ET DOOAGH

Nombreuses possibilités de logements à Keel et à Dooagh, le bourg voisin, 1,5 km plus loin ou à *Pollagh,* entre les deux. Keel est le point de départ d'excursions intéressantes. De nombreux sports sont proposés : surf, planche à voile, bateau, tir à l'arc, etc. Sa plage, *Trawmore Strand,* étend son sable fin sur près de 4 km. Pour les auto-stoppeurs, route directe depuis Achill Sound.

Où dormir ?

Camping

⚐ *Keel Sandybanks Caravan & Camping Park :* à Keel. ☎ 432-11. ● achill camping.com ● Ouv d'avr à mi-sept. Compter 16-19 € pour 2 avec tente et voiture ; électricité et douches en sus. Loc de mobile homes. CB refusées. 📶 Au bord de la magnifique plage de Keel, camping classé 4 étoiles. Sanitaires propres, cuisine, salon TV, machine à laver. Très venteux, et ni abris ni arbres.

Prix moyens

🏠 *West Coast House :* School Rd, Dooagh. ☎ 433-17. ● achillwest coasthousebandb.com ● À l'entrée de Dooagh, 1re route sur la droite. Ouv mars-nov. Compter 50-60 € pour 2. 📶 Grande maison blanche avec des chambres simples, d'honnête confort mais d'une curieuse configuration si l'on considère que la porte battante pour accéder à la salle de bains empêche de profiter de la vue sur mer et la baie de Dooagh. Excellent accueil de Teresa, qui gère aussi l'hôtel-restaurant *Achill Cliff House,* qui est ouvert toute l'année sauf Noël et janvier. Petit déj (avec saumon) à la carte dans un salon panoramique. Bon rapport qualité-prix.

🏠 *Atlantic Breeze :* à Pollagh, en face de l'église. ☎ 431-89. ● atlantic breeze01@hotmail.com ● Fermé en fin d'année et à la Saint-Patrick. Compter 60-70 € pour 2. Chambres avec ou sans vue, mais toutes coquettes et avec TV, réalisées chacune dans des tons différents. Notre préférée a sa salle de bains privée mais attenante ; la vue depuis l'oreiller y est époustouflante ! Véranda avec là encore une vue sur mer très plaisante, pour prendre le petit déj. Accueil très sympathique avec un petit en-cas et infos sur l'île.

Plus chic

🏠 *Roskeel House :* à Keel. ☎ 435-37. 🖷 087-934-04-29. ● roskeelhouse. com ● Ouv Pâques-nov. Compter 80-90 € pour 2. 📶 Grosse bâtisse blanche, derrière le pub, un peu en retrait de la route principale. Il s'agit d'une grande *guesthouse* abritant 12 chambres impeccables et très spacieuses, avec moquette et meubles en bois, le tout dans des tons harmonieux. Intérieur sobre et classique. Jolie vue. Petit déj varié, salon pour les hôtes. Une bonne adresse.

De plus chic à chic

🏠 |●| *Bervie :* à Keel. ☎ 431-14. ● bervie-guesthouse-achill.com ●

Prendre la petite rue à gauche juste après le pub The Annexe Inn. *Ouv 1 sem avt Pâques jusqu'à mi-nov. Compter 90-130 € pour 2 selon chambre et période. Evening dinner env 35-45 € (boissons en sus).* 🛜 Une ravissante longère bleu et blanc le long d'une plage. *Guesthouse* à l'atmosphère accueillante, raffinée et familiale (la proprio est née dans une des chambres, la n° 11 !). L'ensemble s'ouvre sur une grande terrasse d'herbe grasse face aux flots. Choisir de préférence une des chambres de l'aile principale, plus chères mais très soignées et très chaleureuses, avec une petite alcôve où boire le thé en scrutant le large. Petite salle de jeux. On peut aussi prendre l'*afternoon tea*, agrémenté d'exquis *hot-buttered scones* maison. En saison, possibilité de dîner sur place ; délicieuse cuisine, soignée et à base de produits locaux et de légumes du jardin (pas donné quand même !). Les non-résidents peuvent y dîner sur réservation, mais la priorité est donnée aux hôtes. Accueil exceptionnel, plein de petites attentions.

🛖 *Joyce's Marian Villa : à Keel, à gauche après le pub* The Annexe Inn. ☎ *431-34.* ● *joycesachill.com* ● *Ouv Pâques-oct. Compter 80-100 € pour 2 selon chambre et vue.* 🛜 Belle bâtisse blanche un peu en retrait de la route principale. Depuis plus de 50 ans, cette famille propose ses chambres luxueuses avec un service plus hôtelier que *B & B*. Vaste hall avec grand escalier et salon richement décorés. Les chambres sont toutes impeccables, les moins chères sans vue et au mobilier moins raffiné sont un peu surévaluées. Les plus chères sont, elles, vraiment belles. Proche de la plage par un petit chemin. Bon accueil, un peu précieux.

🛖 *Ferndale : Crumpaun, à Keel.* ☎ *439-08.* ● *ferndale-achill.com* ● *À droite avt le pub* The Annexe Inn, *en haut de la colline derrière le Roskeel House. Ouv tte l'année (sur résa). Compter 85-135 € pour 2.* 🛜 Un lieu hors normes, c'est le moins que l'on puisse dire ! Le tout, c'est d'entrer dans l'univers de Jon, un Suisse un peu fou qui a réalisé 6 chambres thématiques plus proches d'un décor de cinéma que d'un *B & B*. Il y a la médiévale, la

maya, l'arabe et la « Rome antique ». Toutes ont été dessinées par ses soins et aménagées par un décorateur. Temple maya, colonnades et fauteuil romain, tapis du Pakistan, lit à baldaquin *king size*. Confort optimal avec TV plasma, lecteur DVD et salles de bains ultramodernes. Un lieu unique, exceptionnel, très (très) kitsch aussi ; le tout caché dans une maison à l'aspect extérieur banal en haut d'une colline surplombant Keel. Fait aussi restaurant à la carte avec un décor tout aussi délirant (voir ci-dessous « Où manger à Keel ? »).

Où manger à Keel ?

Prix moyens

|●| *The Beehive : sur la route principale.* ☎ *431-34. Ouv de la Saint-Patrick à nov, tlj 11h-18h. Petite restauration 8-13 €.* Un *coffee shop* couplé à un magasin d'artisanat et de vêtements dans un cadre agréable. Self-service avec, au choix, salades de crabe, de maquereaux, de saumon, de poulet ; soupes, paninis... le tout préparé à la demande. Bon et soigné, idéal pour le midi.

|●| *Calvey's Restaurant : sur la route principale.* ☎ *431-58. Pâques-fin sept, tlj 12h30-16h30, 17h30-21h30. Plats env 10 € le midi, 15-25 € le soir ; menu* early bird *(17h-19h) 20 €.* Petite salle agréable et claire, avec vue sur la baie. Bonne cuisine, où les plats de viande se taillent la part du lion, car le patron appartient à une famille de bouchers (l'agneau en particulier est succulent). Il fait désormais sa réputation avec ses poissons et crustacés. Séduisante carte des vins.

|●| *The Chalet Seafood Restaurant : toujours sur la route principale, mais après les 2 précédents et sur la gauche.* ☎ *431-57. Tlj (slt w-e hors saison) 18h30-21h (22h en été). Plats 15-25 €.* Cadre coquet et sans prétentions. Musique d'ambiance. Bonne cuisine de la mer : saumon, pinces de crabe, huîtres, poisson pêché et fumé par les patrons eux-mêmes. Jolie vue sur les Minaun Cliffs.

Plus chic

|●| Achill Cliff House : à l'entrée de Keel. ☎ 434-00. Tlj 18h-21h, plus dim midi. Résa obligatoire, surtout le w-e et hors saison. Formule early bird (18h-19h) 16 € ; plats 20-26 € ; menu env 26 € ; sunday lunch. C'est le resto de l'hôtel du même nom. Assez cher à la carte, mais il existe un menu plus abordable. Cuisine copieuse et bien préparée, avec en vedettes le poisson et les fruits de mer.

|●| Ferndale : voir « Où dormir ? ». Tte l'année, slt le soir. Résa indispensable 24h à l'avance. Plats 24-35 €. Passé la porte de cette maison ne payant pas de mine, vous entrez dans l'univers zen de Jon : un resto surplombant la baie de Keel, au décor surprenant avec tentures. La carte est étonnante : les produits, essentiellement locaux, sont revus « à la sauce » scandinave, du Pacifique sud, de la péninsule Arabique, Indienne, Mexicaine, des Caraïbes... Cuisiné par Jon lui-même, compter 30 mn d'attente entre chaque plat. C'est un voyage à travers le monde conduit par un perfectionniste fou et passionné, qui en outre a beaucoup d'humour et d'autodérision sur l'accomplissement de son « œuvre ». Une expérience unique.

Où boire un verre ? Où écouter de la musique ?

♀ ♪ À **Keel,** la meilleure adresse est incontestablement **The Annexe Inn** (☎ 432-68). Musique traditionnelle pratiquement tous les samedis ; tous les soirs en été. Sinon, il y a aussi le **Mináun View Bar** (☎ 431-20), face au camping, dans un décor hétéroclite à l'atmosphère prorépublicaine ! Musique tous les soirs en été.

♀ ♪ À **Dooagh,** on conseille **The Gielty's Clew Bay Pub,** à la sortie ouest du village.

♀ Le prix du pub le plus pittoresque revient à coup sûr au **Lynotts Pub,** à **Cashel.** Minuscule, sans téléphone, sans télé, sans rien à manger... juste un pub pour boire au coin du feu !

À voir. À faire dans les environs

🏃🏻‍♀️🏃 Superbe balade à faire jusqu'à **Keem Beach,** presque à la pointe ouest de l'île. Un peu après Dooagh, la route grimpe le long de la falaise puis redescend en lacet jusqu'à la plage en question, belle et isolée, avec son sable blanc et son eau turquoise. L'une des plus belles d'Irlande ! Lieu de reproduction de nombreuses espèces d'oiseaux de mer, un petit paradis qu'on vous recommande de respecter.

➢ De là, possibilité de grimper jusqu'en haut du **Croaghaun Mount** (688 m). L'un des versants, donnant à pic dans la mer, n'est autre que la plus haute falaise d'Irlande ! Pas facile, mais la vue est splendide. Par beau temps, on peut apercevoir la presqu'île de Mullet et le Croagh Patrick. Se méfier des sentiers se rapprochant trop de la mer et marcher avec prudence. Grimper sur les falaises et les longer jusqu'à la pointe nord-ouest. Revenir sur ses pas, traverser le val marécageux puis faire l'ascension du Croaghaun. Suivre ensuite la crête vers le nord jusqu'au lac qu'il faut contourner avant de redescendre vers la route, en laissant le cratère sur la droite. Rude donc, mais très beau. Durée : 6h.

➢ Pour des balades plus approfondies, contactez Tomas Mac Lochlainn (☎ 450-85), un guide qualifié et expérimenté avec de sérieuses connaissances archéologiques, historiques et botaniques.

🕯️ Le village fantôme de Slievemore : à 2,5 km de Keel, par la route de Doogort. Suivre le panneau qui indique « Deserted Village » ; c'est à gauche du cimetière. Possibilité aussi de s'y rendre à pied de Dooagh. Prendre la petite route après le Wave Crest, au panneau « Atlantic Hotel ». Piste sur 2 km. Laisser à gauche la carrière. Le village commence à 200 m. Rien de spectaculaire en soi. Une petite centaine de maisons en ligne, dont la plupart sont réduites aux fondations et à quelques pans de murs qui témoignent de l'activité et de la vie sur l'île avant la Grande Famine. Sur le même flanc de colline, une tombe mégalithique datée de 300 ans av. J.-C.

DOOGORT [dugort]

Sur la côte nord, à environ 6 km de Keel. Sauvage et peu fréquenté, mais là encore doucement grignoté par les lotissements. Belle plage où l'on peut louer des esquifs pour admirer les *Seal Caves* dans les falaises (à 3 km vers le nord-ouest). Le 1er janvier, la plage de Doogort accueille les courageux venus célébrer la nouvelle année avec un bain de mer plutôt revigorant... Frisquet !
– À l'entrée de Doogort en venant de Keel, sur la droite, se trouve le *Heinrich Böll Cottage*. L'écrivain allemand Heinrich Böll (prix Nobel de littérature) séjourna à Achill Island pendant les années 1950. Il écrivit le *Journal irlandais*, récit de voyage très personnel dans lequel il évoque Achill Island, et notamment Achill Head et le mont Croaghaun.

Où dormir ? Où manger ? Où boire un verre dans les environs ?

Camping

�️ *Lavelle's Golden Strand Caravan & Camping Park : Golden Strand*, à 2 km env à l'est de Doogort, juste après l'Anchor Restaurant (voir plus bas). ☎ 087-616-58-40 ou 086-231-45-96. ● lavellescaravanpark.com ● Ouv Pâques-oct. Compter 14-16 € pour 2 avec voiture. Site sans arbres et assez désolé, mais protégé du vent par une dune herbeuse dans un espace un peu confiné. Beaucoup de mobile homes malheureusement, et sanitaires moyens. Patron toutefois bien sympa, d'origine (lointaine) française, comme tous les *Lavelle* du coin.

Bon marché

�️ *The Valley House Holiday Hostel & Bar :* à un peu plus de 3 km à l'est de Doogort, prendre à gauche au carrefour (c'est indiqué) ; l'AJ se trouve à 600 m, au bout d'un chemin défoncé. ☎ 472-04. ● valley-house.com ● Ouv tte l'année. Compter 16-21 €/pers en dortoir et 22-25 €/pers en chambre double. Possibilité de planter sa tente (env 15 € pour 2 pers). 📶 Une AJ privée dans un beau coin de nature.

Ancienne résidence de la *landlady* Agnes McDonnell, reconvertie en AJ par un couple sympathique. Dans la salle à manger, une cheminée de 1780 et 2 pianos. Dortoirs spacieux et simples, de 4 à 12 lits superposés en bois. Quelques chambres pour couples. Également une annexe plus récente abritant 14 lits. Le tout d'un entretien relatif mais d'un charme absolu ! L'AJ possède même son propre pub, avec billard et fléchettes, et organise de nombreuses soirées musicales en été. Nombreuses activités proposées, dont des cours de musique. Devant la maison, un petit golf *pitch & putt* et un grand lac où l'on pêche la truite. Excellent accueil. Une bonne adresse dans un décor historique.

|●| 🍷 *Masterson's & The Anchor Restaurant :* Golden Strand, à 2 km à l'est de Doogort, juste avt le camping Lavelle. ☎ 472-16. Tte l'année, tte la journée. Bar food 6-12 € tlj tte l'année ; plats 10-25 € au resto, en saison slt. Un pub isolé face à une jolie plage que l'on aperçoit à travers les baies vitrées. Rendez-vous prisé des habitants de l'île, pour une partie de billard, un match de foot ou tout simplement un stout près de la belle cheminée. Musique tous les soirs en été, le samedi hors saison.

Prix moyens

🛏 |●| *Achill Lodge :* à *Bunnacurry.* ☎ 471-62. 📱 087-791-83-98. ● achill *lodge.ie* • *Après Cashel, sur la route de Keel, prendre à droite sur 700 m en direction de Doogort. Ouv tte l'année. Compter 78 € pour 2 (75 € dès la 2ᵉ nuit). Réduc à partir de la 2ᵉ nuit. CB refusées.* 📶 Grande maison moderne rouge flashy sur plusieurs étages avec une verrière. Chambres impeccables tout aussi modernes et colorées. La proprio est fière de vous montrer ses aménagements et équipements high-tech. Une adresse haute en couleur. Location de vélos.

À faire à Doogort et dans les environs

➤ Agréable *randonnée* facile le long des petites routes ou des rivages accessibles. De **Bunnacurry** (village un peu après Cashel en allant vers Keel), prendre la route à droite vers Doogort, sur environ 4,5 km. Arrivé au carrefour, continuer tout droit, passer l'AJ citée plus haut et, au bout de 1,2 km, prendre un chemin de terre sur la gauche jusqu'à **Ridge Point.** Vous jouirez d'une belle vue sur les tourbières avec, en toile de fond, le Slievemore.

LE NORD DU MAYO

La route de Mallaranny à Bangor et Glenamoy traverse les paysages les plus désolés de l'Ouest. Pas un arbre, quelques maigres buissons rabougris et pliés par les rafales de vent. Les seules ruptures de tons sont provoquées par les exploitations industrielles de la tourbe, qui teintent la route et les champs de brun noir, ainsi que par les variations de lumière. Justement un parc national (le plus récent des parcs nationaux irlandais) est consacré, en partie du moins, à cette fameuse tourbe.

🎣 *Ballycroy National Park :* à Ballycroy, 15 km au nord de Mallaranny, sur la route de Ballina. ☎ (098) 498-88. • *ballycroynationalpark.ie* • *Mars-sept, tlj 10h-17h30. Entrée libre.* Entre la mer et la chaîne du Nephin Beg, le dernier-né des parcs nationaux irlandais est l'occasion de se familiariser avec le milieu naturel du Mayo, la *blanket bog* ou couverture de tourbe (si vous venez du Connemara, vous ne serez pas dépaysé...) avec l'exposition très pédagogique du *Visitor Centre.* Petite boucle de 1,8 km pour expérimenter ensuite ce que vous y aurez appris. *Tearoom* à l'étage.

POOLLATOMISH (pullathomas)

Après Ballycroy et Bangor, on peut rejoindre directement Ballina par la N 59 et, de là, Killala. Autre possibilité : se rallonger en prenant par la R 313 qui longe de la rive du **Carrowmore Lake,** pour arriver à Poollatomish un village fort peu touristique, au bord de la baie de Sruwaddacon. Nombreuses balades à effectuer tout autour, notamment sur la montagne à côté. En juin, la rive ouest du lac de Carrowmore est abondamment fleurie. De l'autre côté de la baie, pour ceux qui disposent de temps, la péninsule de **Benwee Head** est résolument à découvrir. Falaises, criques, rochers énormes surgissant de l'eau se succèdent jusqu'à la pointe de Benwee Head.

Où dormir ? Où manger ? Où boire un verre ?

🏠 🍴 *Kilcommon Lodge :* ☎ (097) 846-21. • *kilcommonlodge.ie* • *Pour s'y rendre, en principe bus privé depuis Ballina (se prend devant Dun-* nes Stores), vers 18h (sf dim). Bien signalé du bord de la route. Ouv tte l'année. Compter env 16 €/pers en dortoir 7 ou 9 lits et 20 € en chambre double. Réduc pour les groupes de randonneurs. Petits déj 5-6,50 € ; repas 15 €. CB refusées. 📶 Sur présentation de ce guide, pour un séjour de 3 nuits, la 3ᵉ est gratuite. AJ privée. Vue imprenable sur la presqu'île de Benwee Head. Fritz et Betty ont adorablement arrangé et décoré leur maison nichée au fond d'un jardin, et Ciaran, leur fils, a pris leur succession. *B & B* aussi pour ceux qui veulent un peu plus de confort. Couloirs agrémentés de belles photos et peintures. Cuisine équipée. Salle commune à l'atmosphère repo-

sante et cosy, avec vue sur la rivière et une cheminée où brûle un bon feu de tourbe. Bibliothèque bien fournie et jeux d'échecs à disposition. Conseils pour les randos et cours de surf. Bref, résolument une bonne adresse.

🍷 N'oubliez pas, le soir, de descendre au pub du village, à 500 m à gauche de l'AJ, *chez MacGrath.*

ENTRE POOLLATOMISH ET KILLALA

🎬 *Céide Fields Visitor's Centre* (centre archéologique Céide Fields) : sur la R 314. ☎ (096) 433-25. ● museumsofmayo.com/ceide.htm ● *À 8 km de Bally-castle, au bord de l'océan ; un panneau l'indique sur la route principale. Début avr-fin oct, tlj 10h-17h (18h juin-sept). Entrée : 4 € ; réduc.* Heritage site. Installé dans un paysage extraordinaire, au sommet de falaises escarpées tombant brutalement dans l'océan. Ce centre à l'architecture futuriste raconte au travers de mannequins en cire la vie des agriculteurs au IIIe millénaire av. J.-C., ainsi que l'histoire géologique de la région, la vie des plantes et des animaux dans le milieu de la tourbe. Présentation pédagogique, intéressante vidéo. Bon accueil. À l'extérieur, des fouilles... pour les motivés.

🎬 *Downpatrick Head :* à env 5 km au nord de Ballycastle. Visible du *Céide Fields.* Vertigineuses falaises, de couleur sombre comme des strates de chocolat. La balade jusqu'à la pointe vaut le coup.

KILLALA [cill ala]   1 320 hab.   IND. TÉL. : 096

Ce petit port de pêche, situé dans une jolie baie bien abritée à 12 km de Ballina et chargé d'histoire, mérite le détour. Toute la région est parsemée de sites et monuments intéressants.

UN PEU D'HISTOIRE

En août 1798, à quelques kilomètres au nord de Killala, le général Humbert débarqua avec 1 067 soldats français pour soutenir la rébellion irlandaise contre les oppresseurs anglais. Il reçut un accueil enthousiaste de la population. Il dut armer et organiser des bataillons de paysans qui ne parlaient que le gaélique ! Le souvenir de cette expédition est encore bien présent dans les chansons.

Adresse utile

🛈 *Office de tourisme :* à l'entrée de la ville, à côté d'une clinique. ☎ 321-66. *Mai-sept, lun-ven 10h-17h.*

Où dormir ?

🏠 *Avondale House :* Quay Rd. ☎ 322-29. ● bilbow@eircom.net ● *Sur le port même. Ouv tte l'année sf Noël. Double env 80 €. CB refusées.* 🛜 *B & B* agréa-

ble, dans un joli jardin bénéficiant d'une très belle vue sur la baie. La maison est tenue par un couple fort sympathique. 5 chambres cosy, avec salle de bains. 2 d'entre elles ont vue sur la mer. Très bon petit déj. Le centre du village est à 2 mn à pied, de même que le port. Central donc, et très tranquille.

🏠 *The Old Deanery Holiday Cottages :* sur le port. ☎ 322-21. ● olddeanerycottages.com ● *Cottages pour 6 pers 360-650 €/sem selon saison. En basse saison, possibilité de louer slt pour 2-3 j.*

📶 Cottages récents, à l'architecture s'intégrant au village, situés en contre-bas de Killala et face à la baie. Certains disposent par conséquent d'une très belle vue (les autres sont en retrait). Mais ils sont tous très confortables et joliment décorés dans un style contemporain dans l'air du temps. Cuisine super équipée, buanderie complète, DVD fournis. Cheminée avec feu de tourbe. La réception se trouve dans la vénérable maison presque au pied de la tour ronde. On y est accueilli par un couple sympa et disponible. Activités et ateliers dans le *Joe Keane Creative Centre* et visites guidées avec un guide officiel.

Où manger ? Où boire un verre ? Où écouter de la musique ?

🍽 🍷 ♪ *Village Inn :* Church St. ☎ 326-13. Au carrefour central du village. Plats env 9-11 € le midi. Sert aussi le soir en été ; musique traditionnelle lun soir en saison. Bonne cuisine maison, rustique et assez nourrissante pour satisfaire un appétit d'ogre. Un décor « chasse et pêche » et une odeur de vieux pub de campagne très authentique.

À voir

🎭 *Cloigteach* (tour ronde) : une des plus belles d'Irlande. Reconstruite en 1840. Elle mesure 26 m de haut et fut construite, comme beaucoup d'entre elles, pour servir de refuge à la population (la porte d'entrée de 4 m de hauteur le prouve).

🎭 *La « cathédrale » de la Church of Ireland :* édifiée au XVIIe s. Ses modestes dimensions la ramènent plutôt au titre d'église de campagne.

🎭 Dans le village et sur le quai, il reste de beaux exemples d'**entrepôts** et **magasins** qui témoignent de la riche activité du port dans le passé. Voir aussi les traces de l'ancien port qui se devinent à marée basse.

DANS LES ENVIRONS DE KILLALA

🎭🎭 On peut essayer de retrouver l'endroit précis où les frégates françaises accostèrent *(Kilcummin Strand).* De Killala, suivre la route de Ballycastle pendant environ 3 km jusqu'à un pont de pierre étroit. Le traverser, quitter aussitôt l'axe principal pour prendre la route à droite qui s'enfonce dans la campagne. Après quelques kilomètres, prendre à droite au panneau, puis tout droit. Stèle commémorant le débarquement, des maisons de pêcheurs, une jetée et une atmosphère de bout du monde pour vous récompenser de vos efforts.

🎭🎭 Il reste également quelques *vestiges préhistoriques* à découvrir dans le même secteur. Comme souvent, rien de bien spectaculaire, mais d'excellents prétextes pour se balader dans la campagne. Pour les découvrir, suivre les mêmes indications que pour Kilcummin Strand (voir ci-dessus). En continuant un peu sur la route, dolmen et monastère dominicain du XIIIe s de *Rathfran,* bien signalés. Émouvant cimetière dans la nef. Noter la fenêtre ronde qui permettait aux lépreux de suivre l'office. Vestiges de tombes mégalithiques dans les champs (continuer le chemin et tourner à gauche avant le sommet de la colline). Enfin, de retour sur la R 314, après le croisement pour le monastère et dans un champ sur la gauche, à *Breastagh,* pierre oghamique de 2,50 m de haut.

🎭🎭 Au sud-est de Killala, toujours par la R 314 mais dans l'autre direction, une autre abbaye, à mi-chemin entre Killala et Ballina, *Rosserk Abbey,* qui mérite le détour. Suivre la petite route côtière (très étroite) jusqu'à rencontrer le panneau pour le site. En chemin, on croise également les vestiges de la *Moyne Abbey,* une abbaye franciscaine dont la tour altière surplombe avec panache tous les environs.

Plus loin, au bord de l'estuaire de la Moy River, la **Rosserk Abbey** est l'une des mieux préservées du pays. Elle possède encore une tour carrée, sa nef, une partie du cloître, une grande baie gothique, une « piscine » avec dessins sculptés et des bâtiments annexes. Site complètement isolé et romantique, mais un peu difficile d'accès, car le chemin est en mauvais état.

BALLINA [Béal an átha] 10 360 hab. IND. TÉL. : 096

À 59 km à l'ouest de Sligo, dans le comté de Mayo. Petite ville sympathique sur l'estuaire de la Moy River.

LA VILLE DU SAUMON

Bienvenue à Salmon-City ! Dans la rivière Moy, la plus poissonneuse d'Irlande, les saumons affluent chaque année, d'avril à fin septembre, comme les pêcheurs. Un autre signe de l'importance de la pêche pour Ballina : le nombre de magasins d'articles de pêche. Il existe même un *pub-tackle shop* où les pintes de *Guinness* font face aux hameçons et à toute cette minutieuse quincaillerie. Dans les restaurants, le saumon est le roi de la carte. Et même si l'estuaire de la Moy et le littoral sont aussi peuplés de truites et de maquereaux, c'est bien le saumon qui reste le maître incontesté de Ballina.

LE *BALLINA STREET AND ARTS FESTIVAL*

L'ancien festival du Saumon, rebaptisé *Ballina Street and Arts Festival,* se déroule chaque année pendant 1 semaine en juillet. Les dates dépendent des marées (consulter ● ballinasalmonfestival.ie ●). Grand moment de fête. En particulier, l'*Heritage Day,* quelques jours après le début des festivités. En centre-ville, tout le monde s'habille comme au XIXᵉ s, et ne circulent que calèches et chariots. Petits métiers de la rue, marchands ambulants, troupes de théâtre assurent l'animation. Concerts et ateliers de toutes sortes. Pas besoin de décrire l'atmosphère !

Arriver – Quitter

– **Informations : Bus Eireann,** ☎ 718-00. ● buseireann.ie ●
🚌 **Gare routière :** sur Kevin Barry St, en direction de Castlebar.
➤ **De/vers Sligo :** env 5 bus/j. (2 le dim).
➤ **De/vers Galway :** env 10 bus/j. (7 le dim).
➤ Départs fréquents pour **Castlebar, Westport...**

Adresses utiles

🛈 **Office de tourisme :** Cathedral Rd, au bord de la rivière. ☎ 708-48. Pâques-sept, tlj sf dim. S'y procurer un plan de la ville.
✉ **Poste :** en haut de Pearse St.
@ **Xtra-Vision :** Pearse St. Tlj 10h (12h dim)-22h (23h ven-sam).

■ **Distributeurs de billets :** Pearse St.
■ **North Western Regional Fisheries Board :** Ardnaree House, Abbey St. ☎ 227-88. ● northwestfisheries.ie ● Dans le prolongement d'Upper Bridge. Possibilité de prendre une licence à la journée.

Où dormir ?

Camping

⋏ **Belleek Caravan Park :** sur la route de Killala (R 314). ☎ 715-33. ● belleekpark.com ● À 3 km de la ville. Ouv mars-fin oct. Env 19 € pour 2 avec tente et voiture. Douches payantes. Accueil sympathique. Salle TV et de jeux, cuisine, laverie, barbecue, court de tennis, aire de jeux pour les enfants. En bref, un camping soigné et bien équipé, avec tout au fond un carré de pelouse pour planter sa tente, ainsi que des haies et des petits bosquets pour s'abriter du vent. Calme, car situé à bonne distance de la route.

Prix moyens

🛌 *Quignalegan House :* Sligo Rd, à env 3 km du centre, bien après la station-service. ☎ 716-44. ● quignale ganhouse.com ● Ouv avr-oct. Doubles 55-60 €. CB refusées. 🛜 Une grosse demeure parfaitement entretenue proposant 5 chambres confortables, claires et douillettes. Accueil super sympa et dynamique. Une excellente adresse malgré la proximité de la route (cela se calme vite dès la tombée de la nuit).

🛌 *Suncroft B & B (Mrs Breda Walsh) :* 3, Cathedral Close. ☎ 215-73. ● sun croftballina.com ● Derrière la cathédrale, en surplomb du parking. Fermé pdt les fêtes de fin d'année. Doubles 60-76 €. 🖥 🛜 À deux pas du centre-ville, mais calme car situé dans une impasse résidentielle. 5 chambres de taille modeste, confortables, à la déco fleurie, avec vue sur la cathédrale pour certaines. 1 familiale à 3 lits. Bon accueil.

🛌 *Brigown B & B :* Quay Rd, Coast Rd. ☎ 226-09. 📱 087-230-49-86. ● marjorieskitchen.net ● À 2 km au nord-est, sur la route de Quay et Enniscoe. Ouv tte l'année. Double 80 €. 🛜 Maison moderne, avec grand jardin en pente, qui donne sur la rivière Moy et les bois de Bellek. Accueil charmant. Chambres colorées (1 seule avec vue sur la rivière). Petit déj hors du commun (normal, Marjorie est une cuisinière réputée, elle a même publié 4 livres de recettes), avec 18 choix différents à la carte ! Pain maison, et le reste aussi. Cours de cuisine offert si l'on reste 3 nuits minimum.

Où manger ?

Bon marché

🍴 *Cafolla's :* Tolan St. ☎ 210-29. Tlj 10h-22h (23h30 ven-sam et même 3h pour le take-away). Plats simples 4-10 €. Cadre banal d'une cafèt'. Pour manger à prix fort modérés. Grand choix de burgers, salades, pizzas, omelettes, etc. L'un des rares endroits où l'on puisse manger tard. Évitez les plats « élaborés » (*beefcurry*, grillades), et contentez-vous d'un snack. Service de plats à emporter.

Prix moyens

🍴 *Crockets on the Quay :* The Quay, le petit port de Ballina (à 2 km au nord). ☎ 759-30. Lun-ven à partir de 16h ; w-e dès 12h30 mais ne sert pas à manger avt 16h. Plats principaux 13-25 €. Vaste pub réputé pour la qualité de sa cuisine et ses animations certains soirs : DJ, tournois de poker, quiz... Également des chambres en *B & B*.

🍴 *Dillon's :* Dillon Terrace. ☎ 722-30. Dans une cour intérieure donnant sur la rue qui débouche sur le Lower Bridge. Tlj jusqu'à 21h. Plats env 14-25 €. Dillon's, c'est d'abord un bel endroit : un ancien entrepôt joliment réhabilité donnant sur une cour intérieure paisible. C'est aussi un pub, cosy, chaleureux, avec son parquet, ses briques apparentes, et sa terrasse sympa où l'on sert une cuisine sans surprise, mais copieuse et bien faite. Très agréable. Concerts traditionnels mercredi, plutôt rock vendredi et samedi.

🍴 *Market Kitchen (Murphy Bros) :* Clare St. ☎ 227-02. 📱 096-785-38. Au bord de la rivière Moy. Tlj sf lun 12h30-21h (22h30 pour le resto). Bar food env 12-15 € ; le soir au resto, plats 16-25 €. Vaste pub-resto à la déco traditionnelle soignée, installé dans une imposante demeure face à la rivière. Quelques tables sur un large balcon à l'étage, histoire de profiter de la vue quand il fait beau. Carte étendue qui conviendra à tous les goûts, de la pizza aux plats classiques, en passant par les indéboulonnables burgers. Simple et convenable. Au 1er étage, c'est la partie resto, toute de bois vêtue, où l'on vous servira quelques spécialités plus élaborées.

Où boire un verre ?
Où écouter
de la musique ?

🍸 **Dohertys Ridge Pool Bar :** *Tolan St.* ☎ *211-50. Au pied d'Upper Bridge.* Un pub qui fait aussi magasin d'articles de pêche. Décor sympa avec les hameçons, appâts et moulinets d'un côté et les pintes de *Guinness* de l'autre. Photos de belles prises aux murs : le patron est un pêcheur émérite !

🍸 🎵 **Paddy Jordan's :** *Station Rd.* ☎ *219-16. En sortant de la ville en direction de Castlebar.* Les amateurs de musique irlandaise connaissent bien ce joli pub, en raison de ses concerts de qualité programmés tous les vendredi (surtout des ballades) et samedi (du traditionnel pur jus).

À voir

🎥 **Humbert Monument :** *au carrefour de Humbert St et Market Rd.* Inauguré par Maud McBride en 1898 et restauré par son fils Sean McBride, ce monument gris commémore le débarquement à Killala en 1798 de troupes françaises conduites par le général Humbert, venues libérer le peuple irlandais du joug anglais.

DANS LES ENVIRONS DE BALLINA

FOXFORD

Bourgade tranquille et fort charmante, traversée par la Moy, à 16 km au sud de Ballina. Deux célébrités à Foxford : l'usine de tweed et William Brown.

🎥 **Foxford Woollen Mills :** ☎ *(094) 92-56-104.* ● *foxfordwoollenmills.ie* ● *Lun-sam 10h-18h, dim 12h-18h. Entrée gratuite (y compris l'audioguide en français). Départs ttes les 50 mn.* La scénographie bien ficelée de ce parcours ponctué de films d'archives, de maquettes animées ou de mannequins parlants permet de découvrir l'histoire peu commune de cette usine de tweed de la fin du XIXᵉ s, toujours en activité. Une performance que l'on doit à une religieuse entreprenante, mère Agnès Morrogh Bernard. Cette philanthrope, plus pratique que mystique, devint capitaine d'industrie pour sauver de la misère les habitants du village. Une histoire exemplaire ! Très belle boutique.

🎥 **Admiral Brown Centre :** *à côté des Woollen Mills. Horaires aléatoires : en principe, lun-ven 10h-17h. Entrée gratuite.* Cette toute petite expo biographique présente une vidéo de 15 mn (en anglais) et quelques objets personnels. William Brown naquit à Foxford en 1777, puis émigra en Argentine en 1809. Il contribua à l'histoire de son pays d'adoption en participant à la guerre d'Indépendance contre l'Espagne. Son héroïsme le propulsa au grade d'amiral en chef de la flotte argentine.

STRAIDE [strade]

À 7 km de Foxford, sur la route de Castlebar (la N 58), une importante étape pour les amoureux de l'histoire irlandaise.

🎥 **Michael Davitt National Memorial Museum :** ☎ *(094) 90-31-022.* ● *michaeldavittmuseum.com* ● *Tlj 10h-18h. Entrée : 3,20 € ; réduc. Brochure en français.* Il est consacré au célèbre dirigeant de la *Land League,* baptisé dans cette petite église. Le musée n'est pas bien grand, mais il contient nombre de précieux documents, photographies émouvantes sur les expulsions de fermiers, correspondance personnelle, affiches de la *Land League* et souvenirs de ses nombreux voyages. Également un petit film (en anglais).

🏃 À côté du musée, ruines évocatrices de **Straide Abbey.** Fondée au XIIIᵉ s. Il en reste quelques belles fenêtres ajourées. Le chef-d'œuvre de l'abbaye est la *Founder's Tomb,* sculptée au XVᵉ s et l'une des plus belles d'Irlande. On y voit, en particulier, une série de huit personnages ciselés. De gauche à droite, on distingue les Rois mages, le Christ montrant ses blessures, un homme à genoux enlevant son chapeau (devant l'évêque qui le suit). Pour finir, saint Pierre (avec sa clé) et saint Paul. Noter encore la belle *Pietà* à droite de la tombe.
– Dans le cimetière, sur le chemin de l'abbaye, tombe de Michael Davitt.

CASTLEBAR (caisleán an bharraigh)

10 800 hab.   IND. TÉL. : 094

Rien de spécial dans cette petite ville de l'Ouest, industrielle et commerçante, si ce n'est le magnifique Musée national d'Irlande, consacré à la vie locale.

UN PEU D'HISTOIRE

Ici se déroula un épisode fort peu connu de nos compatriotes : la victoire de Castlebar, remportée par le général Humbert, en 1798, sur les troupes anglaises. Les 1 000 soldats français furent accueillis triomphalement par la population.
Peu après, les troupes françaises, manquant d'armes et de munitions, furent défaites à l'ultime bataille de Ballinamuck. Mais cette assistance française fit chaud au cœur des Irlandais. Un monument au centre de la ville commémore ce fait historique. Pour la petite histoire, Humbert poursuivra jusqu'à sa mort, en 1823, le rêve de repartir aider les républicains irlandais.

Arriver – Quitter

En bus

🚌 Ts les départs se font depuis l'arrêt des bus *Eireann* : *Market St.* ☎ 90-21-207. ● buseireann.ie ● *Billets et infos à l'office de tourisme.*
➤ *De/vers Westport :* une quinzaine de bus/j., 7 le dim. Trajet : 20 mn.
➤ *De/vers Dublin via Athlone :* 4 bus/j., 3 le dim. Trajet : env 4h45.
➤ *De/vers Galway, Shannon et Limerick :* 5 bus/j., 3 le dim.
➤ *De/vers Cork :* 5 bus/j., 2 le dim. Trajet : env 7h20.

En train

🚆 *Gare ferroviaire :* à la sortie de la ville, sur la N 84. ☎ 90-21-222. ● irish rail.ie ●
➤ *De/vers Dublin :* 3-4 liaisons/j. Compter 3h15 de trajet. Arrêt à Ballina et Athlone, entre autres.

Adresses utiles

🛈 *Office de tourisme :* Linen Hall St. ☎ 90-21-207. ● discoverireland.ie/west ● *Ouv juin-début sept.*
◼ *Distributeurs de billets :* Main St.

Où dormir ?

Campings

⚕ |●| *Carrowkeel Camping & Caravan Park :* à Ballyvary. ☎ 90-31-264. ● carrowkeelpark.ie ● *Emprunter la N 5 vers Dublin sur env 9 km ; dépasser Turlough, puis prendre une petite route sur la gauche sur encore 2 km. Ouv avr-début oct. Env 17-20 € pour 2 avec tente ou caravane. Douches gratuites.* 📶 *Accueil très sympa d'Alex, le proprio. Beau terrain vallonné et boisé au bord d'une petite rivière poissonneuse. Cuisine et sanitaires impeccables. Petit magasin* d'appoint. Bar agréable avec cheminée, canapé et TV. Restauration très honorable et pas chère. Concert de musique régulièrement en été. Grande salle de jeux avec billard et jeux vidéo. Location d'apparts également. Dans un lieu calme et isolé, un excellent camping, ce qui est plutôt rare en Irlande !

Ⅹ 🛏 *Lough Lannagh Caravan Park :* ☎ 90-271-11. ● loughlannagh.ie ● *De Ring Rd, direction Westport, puis c'est indiqué. Près du centre. Ouv avr-début sept. Compter 21-28 € selon saison pour 2 avec tente et voiture.* 📶 Situé dans un village-vacances où l'on trouve moult réjouissances (massages, centre de fitness, sauna, etc.). Bonne nouvelle : elles sont incluses dans le prix. Également des chambres sympas. Propose aussi des emplacements pour cyclistes et marcheurs. Terrains de tennis et vélos à louer. Le tout au bord d'un lac. Cela dit, l'endroit est assez froid et pas très convivial hors saison.

Prix moyens

🛏 *Drumshinnagh House :* sur la route de Newport, à 3 km de Castlebar. ☎ 90-24-211. ● drumshinnaghhouse. com ● *Fermé nov-fév. Compter 60 € pour 2, avec petit déj continental (supplément pour le full Irish breakfast).* CB refusées. 📶 Chambres très convenables avec TV et salle de bains dans une grosse maison en brique rouge dominant la campagne. Par beau temps, on peut apercevoir le Croagh Patrick. Petit déj soigné. La proprio, Bernie, qui tient son *B & B* avec fermeté, vous réservera un très bon accueil.

🛏 *Rocksberry :* sur la route de Westport, à 3 km de Castlebar. ☎ 90-27-254. ● mayo-accommodation.com ● *Ouv fév-fin nov. Compter 60-70 € pour 2 et 90-110 € pour 4.* 📶 Grande maison blanche en briquette rouge dans un vaste jardin sur le bord de la nationale. Repérable avec sa barque rouge où est inscrit « *boat hire* » à l'entrée. Chambres bien tenues, confortables et bien équipées (bouilloire, bien sûr, mais avec table et fer à repasser !). Agréable salle de séjour aussi pour un petit déj à la carte. Malgré la proximité de la route, on n'entend pas la circulation. Le proprio, fort sympathique, vous proposera d'aller taquiner la truite ou le saumon dans l'un des 2 lacs des environs. Maintes fois récompensé, c'est un pêcheur expérimenté et passionné.

Où manger ? Où boire un verre ? Où écouter de la musique ?

🍴 *McCarthy's Restaurant :* Main St. ☎ 90-21-861. *Tlj 9h-20h30.* Home-cooked lunches, *servis tte la journée, env 10 € ; sinon, à la carte, plats 8-24 €.* CB refusées. Déco fraîche, genre salon de thé. C'est simple mais bien réalisé. Le pain et les desserts sont aussi faits maison.

🍷 🎵 *McCarthy's Bar :* Main St. À deux pas du resto du même nom. Pub tout bleu réputé pour ses concerts en été.

DANS LES ENVIRONS DE CASTLEBAR

🎬🎭 *The National Museum of Ireland – Country Life : Turlough Park,* Castlebar. ☎ 90-31-755. ● museum.ie ● ♿ *À 8 km au nord-est de Castlebar sur la route de Dublin (N 5). Mar-sam 10h-17h, dim 14h-17h. Entrée gratuite. Petit fascicule de visite en français.* Ce musée est l'un des quatre sites constituant le Musée national d'Irlande (les trois autres sont à Dublin). Le bâtiment, ultramoderne s'intègre parfaitement au parc environnant, qui comprend aussi une demeure du XIXᵉ s dont on peut visiter le rez-de-chaussée. Les collections, mises en valeur par une belle scénographie, sont réparties sur quatre étages et consacrées à la vie populaire, de la Grande Famine à 1950. À ne pas manquer. Retour sur les coutumes des îles d'Aran, les différents métiers, la tradition d'Halloween née en Irlande, la redistribution des terres aux paysans lors de l'indépendance, etc. Expos, films et bandes sonores interactives parfois émouvants. Voir, au rez-de-chaussée, les images qui confrontent la vision romantique de l'Irlande avec la réalité du pays ! Passionnant.

🎭 *Humbert Tower* : à *Turlough,* à côté du musée. Tour cylindrique fortifiée, bâtie entre 900 et 1200. À côté, l'église date du XVIIIe s. Une très belle *Crucifixion* du XVIe s se trouve incrustée dans le mur de l'église.

DE BALLINA À SLIGO

Reprise de l'itinéraire pour ceux qui voyageaient dans le nord du Mayo. Route côtière agréable (R 297), recommandée aux surfeurs. *Inishcrone* et *Easkey,* qui au passage signifie « poisson » en gaélique, fournissent de quoi expérimenter « la vague parfaite ». Arrêt également recommandé à *Aughris Head,* sur la côte, 25 km avant Sligo.

Où dormir ? Où manger ? Où boire un verre ?

🏕 *Atlantic Caravan Park* : *Inishcrone.* ☎ (096) 361-32. ● *atlantic caravanpark.com* ● *À env 10 km au nord de Ballina. Ouv mai-début sept. Env 18 € pour 2 avec tente. Douches payantes.* Un *caravan park* et paradis du mobile home où les tentes ont encore (un peu) leur mot à dire, au milieu des dunes. Accès direct à une magnifique plage de sable de 6 km de long. Tout confort, propre et battu par les vents.

🏨 🍽 🍷 *The Beach Bar & Aughris House* : à *Aughris Head.* ☎ (071) 91-76-465. ● *thebeachbarsligo.com* ● *Indiqué depuis la N 59, au niveau de Templeboy. Cuisine ouv tlj 13h-20h l'été ; slt le w-e l'hiver. Doubles 60-75 €. Plats 10-20 €.* 🛏 📶 Pub à l'ancienne avec un toit de chaume et des petites salles rustiques côté bar. Bonne *pub food* servie toute la journée. Coin isolé, plage de galets peu fréquentée. Certains soirs très sympas, lors des *music sessions.* Fait aussi *B & B* : chambres *en suite* classiques et sans fioritures, dans une maison moderne voisine. Toutes ne bénéficient pas de la superbe vue sur mer.

À faire

– *Surfer :* deux vagues très réputées déferlent à *Easkey,* une gauche, près de la cale du port, et une droite, sur le récif un peu plus à l'est. L'*Easkey Surfing & Information Centre* vous donnera des adresses pour vous loger. Il loue aussi du matériel. Sinon, les accros des tubes qui campent à même la plage vous fileront les meilleurs tuyaux. Il paraît que c'est l'hiver qu'il faut venir ! Brrr... !

– *Kilcullen's Hot Seaweed Baths :* à *Inishcrone.* ☎ (096) 362-38. ● *kilcullen seaweedbaths.com* ● *Lun-ven 10h (12h oct-mai)-20h ; w-e 10h-20h. Env 25-45 € selon formule.* Les premiers du genre, bien avant ceux de Strandhill (voir plus loin « Dans les environs de Sligo, du sud au nord »). Idéal après une session de surf glaciale...

SLIGO [slIGeach]   19 450 hab.   IND. TÉL. : 071

Petite ville carrefour, agréable et à taille humaine, dominée à l'ouest par le Knocknarea et au nord par le Ben Bulben, à la forme si caractéristique.

LES COMTÉS DE MAYO ET DE SLIGO

Depuis ces hauteurs, les héros celtes et leurs légendes gardent la ville. Rues centrales animées et nombreux pubs sympas. C'est également la patrie de Yeats, poète quasi officiel de l'Irlande républicaine, mais néanmoins l'un des plus grands poètes de langue anglaise (prix Nobel de littérature en 1923). Les fans de Yeats se retrouvent à Sligo en août pour de savants travaux. La région est également réputée pour la grande qualité de sa musique traditionnelle.

Arriver – Quitter

En train

🚂 **Mac Diamarda Station** (plan A1-2) : ☎ 91-69-888. ● irishrail.ie ●
➢ **De/vers Dublin** (Connolly Station) : 6-8 trains/j. Slt 3h de trajet.

En bus

🚌 **Bus Eireann** (plan A2, **1**) : Lord Edward St. ☎ 91-60-066.
➢ **De/vers Dublin :** 7 bus/j.
➢ **De/vers Galway :** 7 bus/j.
➢ **De/vers Donegal, Letterkenny et Derry :** lun-sam, 7 bus/j. ; 5 max le dim.
➢ **De/vers Ballina, Castlebar et Westport :** 4-5 bus/j., 2 le dim.
➢ **De/vers Belfast :** 4 bus/j. ; 2 le dim.
➢ Également des bus **de/vers Boyle, Carrick-on-Shannon...**

🚌 **Feda O'Donnell** (plan B1, **2**) : ● feda. ie ● Compagnie privée. Départs devant l'Ulster Bank, près du Hyde Bridge. Horaires disponibles à l'office de tourisme.
➢ **De/vers Galway :** 2 bus/j., 3 les ven et dim.
➢ **De/vers Donegal et Letterkenny :** 2 bus/j., 4 les ven et 2 les dim.

Adresses utiles

🛈 **Office de tourisme** (plan A1-2) : O'Connell St. ☎ 91-61-201. ● disco verireland.ie/northwest ● Juin-sept, tlj 10h-18h ; sinon lun-ven 9h-17h, et en principe w-e 10h-16h (mais selon la disponibilité du personnel). Staff très sympathique et serviable.
✉ **Poste** (plan A1) : Wine St.
@ **Cafe Online** (plan B1) : Stephen St. ☎ 91-44-892. Tlj 10h-23h.
■ **Location de voitures** : Avis, à l'aéroport. ☎ 91-68-280 ou 91-28-004.
■ **Banques :** plusieurs dans Stephen St.
✚ **Hôpital :** ☎ 91-71-111.

Où dormir à Sligo et dans les proches environs ?

Bon marché

🏠 **The White House Hostel** (plan B1, **10**) : Markievicz Rd. ☎ 91-45-160. ● whitehousehostel@gmail.com ● Fermé nov-avr. Réception fermée 14h-17h. Env 15 €/pers en dortoir ; 17 € en private room. CB refusées. 📶 Petite AJ privée avec vue sur la rivière. Basique et vieillotte, mais correctement tenue, très conviviale et bien située. Chauffage central, cuisine équipée, dortoirs à taille humaine (6 à 8 lits). En basse saison, c'est l'ancienne maison juste à côté qui est utilisée en appoint (convenable aussi).

🏠 **Harbour House** (hors plan par A1, **11**) : Finisklin Rd. ☎ 91-71-547. ● har bourhousehostel.com ● De Union St, aller vers le port et prendre à gauche la Finisklin Rd. À 15 mn à pied du centre. Ouv mars-oct. Env 20 €/pers en dortoir (4-8 lits) et 22-25 €/pers pour une double. 🖥📶 Chambres et dortoirs en suite ou non, certains avec TV. Dans une grande maison de 1860 ayant appartenu au capitaine du port de Sligo. C'est dommage que le quartier se soit depuis transformé en zone industrielle ! Mais la demeure est belle et soignée. Cuisine à disposition, salon commun sympa. Bon accueil.

🏠 **Railway Hostel** (plan A1, **14**) : 1, Union Pl. ☎ 91-44-530. ● therailway. ie ● Ouv mars-oct. Env 16-18 €/pers en dortoir (4-5 lits) et 20 €/pers pour une double. CB refusées. 📶 Tenue par un couple qui toujours très disponible, cette AJ a néanmoins de nombreux avantages : sa situation (centrale, à deux pas des gares), sa petite taille (atmosphère conviviale donc) et son

LES COMTÉS DE MAYO ET DE SLIGO

rapport qualité-prix (chambres et dortoirs très convenables). Douches et w-c communs corrects, cuisine à dispo (enfin, il n'y a que des micro-ondes).

Prix moyens

🏠 **Pearse Lodge** (hors plan par B2, **15**) : Pearse Rd. ☎ 91-61-090. ● pearselodge.com ● À 10 mn à pied du centre, à gauche. Ouv tte l'année sf autour de Noël. Doubles 72-78 €. Parking privé. 🖥 🛜 La meilleure adresse de la ville. Car les sympathiques Mary et Kieron Kearney n'ont pas fait les choses à moitié : chambres tout confort et très soignées (TV écran plat, sèche-cheveux... et le petit chocolat d'accueil sur l'oreiller !), salon cosy pour se ressourcer face au jardin, et un petit déj hors norme (une dizaine de menus différents à commander la veille, tous délicieux !). Bravo ! Quant à la Pearse Road, passante, elle ne pose pas problème, car les chambres, sauf une, donnent sur l'arrière.

🏠 **Tree Tops B & B** (hors plan par B2, **13**) : Cleveragh Rd. ☎ 91-62-301. ● sligobandb.com ● À 15 mn à pied du centre, dans une rue à gauche perpendiculaire à Pearse Rd. Ouv tte l'année sf Noël. Double env 72 €. 🛜 Toutes les chambres, claires, coquettes et impeccablement tenues, disposent d'une salle de bains privée. Classique, de bon confort, et situé dans une rue calme : une bonne adresse. Excellent accueil.

Où dormir dans les environs plus lointains ?

Campings

⛺ **Strandhill Caravan & Camping Park** : à Strandhill (à 8 km, près de l'aéroport). ☎ 91-68-111. ● sligocaravanandcamping.ie ● À l'ouest de Sligo. Ouv avr-fin sept. Env 21 € pour 2 avec tente. Douches payantes. 🖥 Bien situé en bord de mer, près de la plage de Strandhill, qui attire des surfeurs du monde entier. Site très vaste, plat et peu abrité, avec néanmoins quelques emplacements mieux protégés pour les tentes.

⛺ **Greenlands Caravan & Camping Park** : à Rosses Point. ☎ 91-77-113. ● sligocaravanandcamping.ie ● À 8 km au nord-ouest de Sligo, à l'extrémité de la baie. À côté d'un terrain de golf, au bout de la R 291. Ouv de début avr à mi-sept. Env 21 € pour 2 avec tente. Douches payantes. Plutôt pour les caravanes et camping-cars. Pour les tentes, le site est peu abrité du vent et promet des nuits agitées ! Sanitaires bien tenus, tout comme le terrain. Belle vue sur Sligo Bay.

Bon marché

🏠 **Strandhill Hostel and Lodge** : Shore Head, à Strandhill. ☎ 91-68-313. ● strandhillaccommodation.com ● À l'ouest de Sligo. Sur la rue principale qui conduit à la plage. Ouv tte l'année. Env 10-22 €/pers en dortoir (de 2 à 10 lits) selon saison et taille, avec petit déj ; double au B & B 50 €. CB refusées. 🖥 🛜 3 en 1 : à la fois école de surf, AJ privée (dortoirs simples et corrects, cuisine à dispo, salon cosy) et B & B (chambres classiques en suite ou non regroupées dans la maison voisine). Chacun y trouvera son compte, et dans tous les cas le rapport qualité-prix est bon.

🏠 **Benwiskin Centre** : à Ballintrillick. ☎ 91-76-721. 📱 087-414-91-89. ● benwiskincentre.com ● Accès par la N 15 entre Sligo et Bundoran : juste après Cliffony, prendre à droite pour Ballintrillick et suivre les panneaux. Ouv tte l'année. Réception lun-ven 9h-17h. En dortoir 8 lits, 15 €/pers ; double 48 € ; quad 65 €. CB refusées. 🖥 🛜 AJ située au pied des contreforts d'Eagle Rock, en pleine cambrousse. Il s'agit d'un projet écologique : la preuve, c'est l'un des rares endroits dans le pays où vous échapperez à l'éternelle douche électrique ! Eau chauffée au solaire, jardin bio... ce qui a valu au Benwiskin Centre un label européen FlowerEco. Chambres de 8 lits, familiales ou doubles, toutes en suite, neuves et nickel. Aucun charme (c'est un bâtiment moderne fonctionnel), mais

↗ ROSSES POINT, DRUMCLIFF

NORD

↗ Lough Gill, Parke's Castle

SLIGO

LES COMTÉS DE MAYO ET DE SLIGO

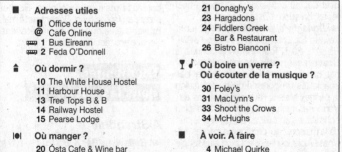

■ Adresses utiles

🛈 Office de tourisme
@ Cafe Online
🚌 1 Bus Eireann
🚌 2 Feda O'Donnell

🛏 Où dormir ?

10 The White House Hostel
11 Harbour House
13 Tree Tops B & B
14 Railway Hostel
15 Pearse Lodge

|●| Où manger ?

20 Ósta Cafe & Wine bar

21 Donaghy's
23 Hargadons
24 Fiddlers Creek
   Bar & Restaurant
26 Bistro Bianconi

**🍷♪ Où boire un verre ?
Où écouter de la musique ?**

30 Foley's
31 MacLynn's
33 Shoot the Crows
34 McHughs

■ À voir. À faire

4 Michael Quirke

le rapport qualité-prix est indéniable. Très bien pour des groupes d'étudiants (le centre peut s'occuper de l'organisation d'itinéraires incluant des cours, des activités...).

Plus chic

🛏 |●| **Ardtarmon House :** à Raghly Point, env 20 km au nord-ouest de Sligo. ☎ 91-63-156. ● ardtarmon.com ●

♿ *Prendre la route de Rosses puis, une fois à Drumcliff, tourner à gauche et suivre le fléchage. Ouv tte l'année sf autour de Noël. Double 80 € ; cottages 1-3 chambres à louer à la sem en été (180-500 €/sem) ou pour quelques j. hors saison. Dîner sur résa env 30 €.*
📶 Dans une bâtisse victorienne entourée de beaux panoramas : l'hiver, quand les arbres sont dénudés, on voit la mer depuis la maison. Un sentier de 500 m mène à la plage. La demeure familiale est animée par ses adorables propriétaires, qui vous raconteront par le menu toute l'histoire de leurs aïeux. Chambres vastes, sobres, de bon confort, meublées d'ancien. Les cottages, installés dans les anciennes dépendances, sont agréables et bien conçus. Une bonne adresse.

Où manger ?

Bon marché

|●| *Ósta Cafe & Wine Bar (plan B1, 20) :* à côté de Hyde Bridge. ☎ 91-44-639. Tlj 8h (10h30 dim)-20h. Plats 5-10 €. Beau café dans un cadre tip-top. Délicieuse gamme de sandwichs, quiches et plats du jour, assiette de fromages, yaourts et pancakes... Les pains et gâteaux sont faits maison. Belle sélection de thés et de vins. Café, thé et chocolat sont issus du commerce équitable. Quelques tables en terrasse, juste au bord de la rivière. Au petit déj, au goûter ou à n'importe quel repas, on adore l'*Ósta* !

|●| *Donaghy's (plan A2, 21) :* 1-2, Lord Edward St. ☎ 91-62-417. Tlj jusqu'à 21h. Plats 12-20 €. Tout le monde connaît le Coach Lane, un resto chic proposant une cuisine internationale soignée et des spécialités de poisson de qualité (selon la pêche). Mais si l'humeur n'est pas aux dépenses fastueuses, le vrai bon plan consiste à s'attabler au *Donaghy's*, le pub de la maison... qui partage les mêmes cuisines ! Alors, certes, c'est bien plus simple et très classique, mais on patiente en grignotant un pain maison aux herbes, on se délecte d'un *fish & chips* joliment présenté ou d'un gratin de poisson très frais, et on y gagne de la musique traditionnelle (le dimanche). Super !

|●| *Hargadons (plan A2, 23) :* 4-5, O'Connell St. ☎ 91-53-709. Lun-sam 12h-15h30, 16h-21h. Plats env 7-12 €. Rénovée avec la manière, cette vieille boutique héritée du XIXᵉ s exhibe à nouveau fièrement ses étagères sans âge garnies de pots patinés, son comptoir usé, ses grosses poutres séculaires et ses box en bois pour les amoureux. Pas mal d'atmosphère, donc, d'autant qu'il y a souvent foule. Quant à la cuisine, elle se réclame de l'esprit pub-gastro : simple, classique, mais avec un effort de présentation et quelques plats plus originaux pour rehausser le niveau général. Un pub de compétition !

De prix moyens à chic

|●| *Fiddlers Creek Bar & Restaurant (plan B2, 24) :* Rockwood Parade. ☎ 91-41-866. Lunch tlj sf dim 12h-16h ; resto et bar food servie 17h-21h. Plats 14-27 € ; menu early bird (17h-19h) 20 €. Moderne et élégant, avec beaucoup de bois et des plats réalisés avec soin (*monkfish*, médaillons à la gaélique...). Très populaire, même si c'est un peu chérot. Un lieu où l'on se sent bien.

|●| *Bistro Bianconi (plan A-B2, 26) :* 44, O'Connell St. ☎ 91-41-744. Tlj 12h30-14h30, 17h30-23h. Pizzas 10-18 €, plats 17-28 € ; menus early bird (17h-19h) 15-18 €. Toute la ville connaît cette adresse. Le décor n'a pu éviter la tendance brancho-italianisante, mais le résultat est de fait plutôt réussi, cuisine italienne adaptée au goût irlandais, copieuse mais sans saveurs. Bonnes pizzas au feu de bois. Décontracté mais bruyant. Quelques plats végétariens. Service pro, accueil parfait.

Où manger dans les environs ?

À Strandhill

|●| *Bellavista Bar & Bistro :* à 100 m de la plage. ☎ 91-22-222. Cuisine tlj 10h-22h. Plats 11-25 € ; menu early bird (17h-19h) 16 €. Sert de tout, du petit déj au méga steak. Mais la carte propose surtout des pizzas – en 2 tailles – et des pâtes. Large choix également pour les végétariens. Un pub-resto convivial, à l'accueil franc

et chaleureux. On peut choisir de manger en bas dans un cadre de pub ou à l'étage dans une salle plus élégante.

|●| The Strand : à 50 m de la plage. ☎ 91-68-140. Plats et en-cas 4-10 €. Un pub solide avec plein de recoins sombres et un bon feu de tourbe. On y sert une cuisine du jour honnête et copieuse, ainsi que toutes sortes de salades et sandwichs. Musique pratiquement tous les soirs en saison. À l'étage, un resto asiatique.

À Rosses Point

|●| The Waterfront Bar & Restaurant : ☎ 91-77-122. Mar-mer 12h-16h, jeudim 12h-20h (21h ven-sam). Plats env 15-26 €. Restaurant au cadre contemporain élégant. Un peu cher, mais le menu, assez classique, évolue au gré des saisons et offre un bon rapport qualité-prix.

Où boire un verre ? Où écouter de la musique ?

Y ♪ MacLynn's (plan B2, **31**) : Old Market St. ☎ 91-60-743. Tlj de 18h (16h sam) jusque tard. Un minuscule pub chaleureux en diable, avec un bon feu de tourbe et sa déco rustique. Musique assez souvent. Le patron prend sa guitare et chante fréquemment ses propres chansons ou celles des autres, en général plutôt le week-end.

Y ♪ Shoot the Crows (plan B2, **33**) : Grattan St. Tlj à partir de 14h-15h. Curieux nom : « Tirez sur les corbeaux ». En tout cas, personne ne vous tirera dessus dans ce pub confiné, tout en longueur, au charme évident. La journée, c'est calme, presque intime. Normal, il y fait aussi noir qu'au fond d'une mine ! Le soir, musique traditionnelle (en principe les mardi et mercredi). C'est le lieu de rassemblement des musiciens, même lorsqu'ils ne jouent pas. La grosse référence locale.

Y ♪ Foley's (plan B2, **30**) : 18, Castle St. ☎ 91-42-381. À l'angle de Teeling St. Un vieux pub bien rugueux, plus que patiné, où les nombreux habitués s'entassent le mercredi et le samedi pour les concerts de musique traditionnelle. Très sympa.

Y ♪ McHughs (plan B2, **34**) : Grattan St. ☎ 91-42-030. Vaste bar très fréquenté par la jeunesse de Sligo. Musique les mercredi, jeudi et dimanche : jazz, rock, électro, il y en a pour tous les goûts !

À voir. À faire

🕯 Sligo County Museum (plan B1) : Stephen St. ☎ 91-41-623. À côté de la bibliothèque, dans l'ancienne église. Mai-sept, mar-sam 9h30-12h30, 14h-16h50 ; hors saison, mar-sam 9h30-12h30. Entrée gratuite. Deux petites salles regroupant documents historiques et pièces archéologiques. Souvenirs liés à la vie de W. B. Yeats, comme la médaille et le diplôme récompensant son prix Nobel.

🕯 The Model (plan B1) : The Mall. ☎ 91-41-405. ● themodel.ie ● Mer-sam 11h-17h30, dim 12h-17h (15h hors saison). Entrée gratuite. La façade très classique d'architecture victorienne dissimule en réalité un vaste espace moderne, principalement consacré aux expos temporaires d'art contemporain. Une section est néanmoins réservée à la collection permanente du musée, présentée par roulement (œuvres d'artistes irlandais comme Jack B. Yeats).

🕯🕯 Sligo Abbey (plan B2) : Abbey St. ☎ 91-46-406. De Pâques à mi-oct, tlj 10h-18h ; de mi-oct à début nov, ven-sam 9h30-16h30. Entrée : 3 € ; réduc. Heritage site. Ruines d'une abbaye du milieu du XIIIe s, fondée par les dominicains. Dans la nef, hautes baies gothiques. Clocher carré avec fenêtres géminées. Lors de l'incendie de 1642, on dit que la cloche du XIVe s fut immergée dans le lough Gill. Dans le chœur, grande baie flamboyante et blasons sculptés. À droite de l'autel, une scène sculptée représentant sir Donagh O'Connor, seigneur de Sligo, et son épouse. L'autel sculpté du XVe s est le seul rescapé de son espèce en Irlande. Très beau cloître du XVe s, avec colonnes torsadées et petites colonnes géminées.

🎭🎭 À l'angle de Markievicz Road et Hyde Bridge *(plan B1),* bien belle **statue en bronze de Yeats,** élégante, moderne et signée Rowan Gillespie, l'un des plus illustres sculpteurs irlandais. Le poète, dans cette posture, fait penser à un cobra sur lequel dansent des vers (des vers à 12 pieds, pas des vers de terre !).

– Rendre visite au sculpteur sur bois **Michael Quirke** (plan A1, **4**) : *Wine St.* ☎ 91-42-624. *Lun-sam 9h30-13h, 15h-18h.* Même si vous n'achetez rien, il est intarissable sur la mythologie celtique dont il s'inspire pour ses sculptures, réalisées en sycomore ou en chêne.

➤ *Sligo Path Guided Tours : infos et départs de l'office de tourisme.* Visite gratuite de 1h30-2h proposée en été (juin-août) à travers la ville, sur les traces des frères Yeats et du président Lincoln.

DANS LES ENVIRONS DE SLIGO, DU SUD AU NORD

🎭🎭 **Les tombes mégalithiques de Carrowmore :** *quelques km au sud de Sligo.* ☎ 91-61-534. *Du centre de Sligo, prendre Chuch Hill (plan A2) et suivre les panneaux. Visitor's Centre ouv de Pâques à mi-oct, tlj 10h-18h. Entrée : 3 € ; réduc.* Heritage site. La plus grande concentration de tombes mégalithiques d'Europe (une soixantaine, mais seulement une trentaine sont visibles), et, de surcroît, parmi les plus anciennes puisque certaines d'entre elles datent de 4500 à 4000 av. J.-C. Compter 1h de balade en plein champ, muni d'une plaquette explicative fournie par le musée.

🎭🎭 **Strandhill :** *à l'ouest de Sligo.* Petite station balnéaire, avec ses *B & B,* ses pubs et son *surf shop.* Entre l'océan et la « Table Mountain » locale. À gauche, le terrain de golf et les dunes. À droite, dépasser l'aérodrome et aller jusqu'à l'église de Killaspugbrone en ruine, avec son petit cimetière en bord de mer. Une rue principale qui mène à la mer, quelques pubs... et la plage. Pour la baignade, préférer Rosses Point : la plage de Strandhill est fortement déconseillée aux nageurs.

– À Strandhill également, on vous conseille d'essayer au moins une fois dans votre vie le *Voya Seaweed Baths. Sur le parking, face à la plage. Attention, réserver au moins la veille :* ☎ 91-68-686. ● *voyaseaweedbaths.com* ● *Ouv tlj. Tarifs : 35 € pour 2 ; 25 € tt seul.* Une expérience originale de relaxation. On commence par une séance de vapeur à 40 °C, avant de se plonger dans une baignoire remplie d'algues. Un vrai bonheur, et les vertus de ces salades de mer n'en finiront pas de vous épater. Séance de 50 mn. Massages et réflexologie en extra. Pas d'inquiétude en sortant, on ne sent pas la marée.

🎭🎭🎭 **Le tombeau de la reine Maeve :** *à 4 km à l'ouest de Sligo, perché en haut de Knocknarea Mountain qui domine Strandhill.* Grimpette d'environ 45 mn et panorama époustouflant. Pour trouver le parking et le point de départ, prendre la Scenic Drive (première à gauche en quittant Strandhill vers le sud), puis à gauche au croisement, en arrivant à Knocknarea (panneaux). Mais nous avons ouï dire que cette reine aurait été inhumée secrètement sur la colline, et non dans ce tombeau. Ainsi garde-t-elle mystérieusement la vallée.

🎭🎭 **Le lough Gill :** belle balade autour d'un lac aux rives avenantes et adoré de Yeats. À faire à vélo (à pied, c'est très long). Au lieu-dit Half Moon Bay, sentiers bucoliques à souhait. Pour s'y rendre, prendre la direction du Park's Castle et de Dromahair. Le lac hébergerait la cloche de l'abbaye de Sligo, qui, pendant les guerres religieuses, échappa à l'incendie de cette dernière. Seuls les êtres « purs et parfaits » peuvent l'entendre résonner...

🎭🎭 **Parke's Castle :** *à Fivemile Bourne.* ☎ 91-64-149. *À l'extrémité nord-est du lough Gill. Pâques-fin sept, tlj 10h-18h. Entrée : 3 € ; réduc.* Heritage site. Adorable manoir fortifié du XVIIᵉ siècle planté dans un décor de carte postale. Ses tourelles de type écossais donnent sur le lough Gill, depuis lequel, « debout, je veux partir pour l'île d'Innisfree... » (*The Lake Isle of Innisfree,* Yeats). Il fut restauré par les artisans de Dromahair : beau travail ! Une exposition à l'étage sur les styles de constructions vernaculaires, de la chaumière à la forge.

Strandhill	Lieux traités
Glenade	Adresses et lieux dans les environs
Dromahair	Repères

LES ENVIRONS DE SLIGO

➢ Depuis le château, départs en bateau pour une petite croisière sur le lac. *The Rose of Innisfree* : *Kilmore, à* **Fivemile Bourne.** ☎ 91-64-266. 🖥 087-259-88-69. ● *roseofinnisfree.com* ● *Pâques-oct, 5 départs/j. Téléphoner pour les horaires.*

🏃🏃 *Rosses Point :* au nord-ouest de Sligo. Un village qui s'étire le long de la baie. En arrivant, sur la gauche, l'île d'Oyster. Quelques chevaux, quelques ruines, un phare. On aimerait tenter la traversée, mais c'est privé ! Après le village, un golf, une plage très appréciée des locaux l'été et des *windsurfers*. Faites quelques pas dans les dunes pour accéder à une seconde plage, plus calme. À l'ouest de Rosses Point, l'île de Coney, accessible celle-ci depuis Strandhill à marée basse.

🏃🏃 *La tombe de Yeats :* à *Drumcliff.* À 13 km au nord de Sligo, en marge de la *N 15. Dans le cimetière, à l'entrée de Drumcliff en venant de Sligo. Sa tombe se trouve à gauche lorsqu'on fait face à l'entrée de l'église.* Vaut le détour pour l'épitaphe désormais très célèbre, et aussi pour le panorama alentour, particulièrement romantique quand la lumière s'y prête. On comprend pourquoi Yeats, (mort en France à Roquebrune), a tenu à être enterré ici. Pas loin, belle croix sculptée du XIIe s, encastrée dans le mur du cimetière.

⛵ En continuant vers la côte, belle *plage* à l'abri du vent, face à la baie de Sligo. On peut aussi y accéder par la route côtière.

🏃 *Raghly Point :* fléché depuis Drumcliff. La petite route file jusqu'à la côte et termine sa course dans un port de poche, isolé sur une langue de terre pelée faisant face à la baie et la *Knocknarea Mountain.* Romantique et désertique, à l'exception des trois ou quatre bateaux qui sommeillent à l'abri de la jetée.

🏃🏃 À l'est de Drumcliff, *Glencar Lake et ses chutes d'eau,* entre deux falaises imposantes. Randonnée possible jusqu'au sommet dans la vallée bordant *Ben*

Bulben, théâtre de bien des légendes celtiques, avec, en récompense, une vue fantastique sur la baie de Sligo. Ben Bulben offre des faces d'escalade comme celles de Tor Mor. Autre jolie route derrière le Ben Bulben : *Gleniff Horseshoe Drive.*

🎬🏃 *Le cairn de Creevykeel :* à *Cliffony, sur la route de Bundoran.* Une des plus vieilles tombes néolithiques du pays, 5 000 ans d'âge ! On parle ici de « Court Cairn », car l'entrée est très large. D'une longueur d'environ 50 m, bordée de hautes pierres, elle ressemble à une allée couverte.

➤ Côte agréable, sans plus, sur les 30 derniers kilomètres avant d'arriver à Donegal. On peut cependant faire un chouette détour par *Mullaghmore Head.* Belle côte découpée. Du port de Mullaghmore, point de vue peu habituel sur le Ben Bulben. À côté du port, une superbe plage.

LE SUD DE SLIGO

Région peu touristique que l'on traverse trop rapidement en regagnant Dublin par la N 4 ou Galway par la N 17. Ça vaut vraiment la peine de musarder dans la campagne de Ballymote, Tubbercurry et dans les Ox Mountains. En outre, nos lecteurs fans de musique traditionnelle y découvriront l'un des terroirs les plus féconds d'Irlande.

TUBBERCURRY (tobar an choire)

1 750 hab. IND. TÉL. : 071

Petite ville à environ 30 km au sud-est de Sligo, sur la route de Galway (la N 17). Agréable, hospitalière, avec une vie locale chaleureuse et un pub-épicerie comme on les aime. Bref, une étape sympa !
Tubbercurry a donné naissance à de très grands violonistes, comme Michael Coleman et James Morrison. La musique du South Sligo est unanimement considérée comme l'une des plus riches d'Irlande. En témoigne d'ailleurs la *South Sligo Summer School.*

Adresses utiles

✉ *Poste :* Main St. À côté du pub Natty Brennan.
■ *Banque d'Irlande :* Main St. Distributeur.

Où dormir ? Où manger ?
Où boire un verre ?
Où écouter de la musique à Tubbercurry
et dans les environs ?

🏠 I●I *Rossli House :* à Doocastle. ☎ 91-85-099. ● rossli@esatclear.ie ● À 6,5 km de Tubbercurry sur la route de Ballymote, à 1 km de la route principale (R 294), proche du cimetière. Ouvtte l'année. Double 60 €. CB refusées. 📶 Agréable *country home* moderne et de plain-pied. 4 chambres *en suite,* sobres et confortables. Noreen Donoghue dispense un chaleureux accueil.

🏠 I●I *Cawleys Guest House :* Emmet St. ☎ 91-85-025. ● cawleyshotel.ie ● Tlj sf lun soir. Doubles 70-80 €. Plats 10-15 € le midi, 15-25 € le soir. 📶 Un très accueillant couple belgo-irlandais propose une cuisine soignée à base de produits locaux, le tout à des prix raisonnables. En salle (déco contemporaine), ou en terrasse, c'est une bonne petite table à découvrir. Chambres classiques et confortables.

|O| ♥ ♪ *Killoran's :* Main St. ☎ 91-85-679. *Resto en saison slt (mai-sept). Plats env 10-15 €.* Sympathique pub-resto à la décoration originale, faite de bric et de broc. Excellent accueil. De juin à septembre, organise en principe chaque jeudi une *Irish night* extra. Au restaurant, plats traditionnels (en saison), et des petits déj (toute l'année).

♥ *Natty Brennan :* Main St. ☎ 91-85-116. *Sur la façade, c'est écrit « T. Brennan ». Tlj dès le midi en saison.* Le patron est une légende à lui tout seul, et son pub-épicerie hors d'âge et très rudimentaire est le rendez-vous le plus sympa qu'on connaisse. *Stout* crémeux à souhait.

♥ Voir aussi le pub *Killenascully,* place principale, et son voisin le *May Queen.*

♥ ♪ *Teach Murray Pub :* à *Gorteen* (à 10 km de Tubbercurry, sur la route de Boyle). ☎ 91-82-069. *Tlj 12h-15h30. Plats env 10-12 €.* Pub traditionnel sympathique (c'est un pléonasme) avec sa brochette d'habitués et sa cuisine rustique servie en format XXL.

Très chic

🏠 |O| *Temple House :* à *Ballymote.* ☎ 91-83-329. ● *templehouse. ie* ● *Depuis Sligo, prendre la N 17 jusqu'à Ballinacarrow. Peu après, tourner à gauche (panneau). Depuis Ballymote, suivre la direction de Tubbercurry. Ouv avr-nov. Doubles 150-180 € selon période. Dîner sur résa 47 € (sf dim).* 🖥 📶 Bienvenue chez les Perceval, un jeune couple sympathique dont la famille occupe le domaine depuis... 1665. Quand même ! Il s'agit donc d'un vaste manoir georgien, isolé dans un parc de plusieurs dizaines d'hectares et planté face à un lac et aux ruines d'un château du XIIIᵉ s. Très romantique. Quant aux 6 chambres, immenses, elles sont évidemment meublées d'ancien et ont le cachet un peu désuet des (très) vieilles maisons de famille. Également un cottage pour 8 personnes.

À faire

– *South Sligo Summer School :* 1 sem en juil. ☎ 91-20-912. ● sssschool.org ● Sur la place Wolfe Tone, il y a cette stèle en hommage aux 15 grands violonistes originaires du Sligo et cette sculpture originale de Cillian Rogers, représentant trois musiciens et trois filles dansant. Elle symbolise bien la riche vie musicale de la région.
Pendant 1 semaine, possibilité de suivre cours de musique (guitare, *fiddle,* banjo, *uilleann pipe, bodhran, tin whistle, set dancing,* etc.), ateliers, lectures, récitals, vidéo, *ceili,* concerts, etc. L'un des rendez-vous de musique et danse traditionnelles les plus prestigieux en Irlande.

DANS LES ENVIRONS DE TUBBERCURRY

🐐🐐 *Carrowkeel Cemetery :* au sud-est de Ballymote, à env 10 km. À Castlebaldwin, rouler encore 6 km et c'est fléché. Après le portail, prendre à gauche 200 m plus loin au panneau « cul-de-sac » ; le reste se fait sur un chemin défoncé et caillouteux (env 1 km). *Attention :* par temps de pluie, terrain difficilement praticable pour les voitures (faire le dernier km à pied). Cimetière de l'âge du bronze. Superbe ensemble de tumulus dispersés au sommet des montagnes. On distingue bien les tertres et les chambres funéraires dans lesquelles ont été retrouvés ossements et objets. Il subsiste encore 14 tombes dans les montagnes de Bricklieve. Vue magnifique sur la vallée. Attention aux boucs récalcitrants...

🐐🐐🐐 *Ox Mountains :* belle chaîne de montagnes sauvages. En marge des circuits traditionnels, vraiment peu fréquentée. Rivières poissonneuses, tourbières et forêts alternent. Voici un bel itinéraire à effectuer : rejoignez d'abord la route Coolaney-Cloonacool. À Carrowneden, route forestière se dirigeant vers Skreen et longeant Ladies Brae (beau point de vue). Retour encore plus intéressant par Templeboy, Dromore West et ensuite plein sud vers Aclare et Tubbercurry. Elle s'immisce de façon superbe entre le flanc de la montagne et le lough Easky.

🎯🚶 🧍 *Eagles Flying :* à *Portinch,* près de Ballymote. ☎ 91-89-310. ● eagles flying.com ● *Depuis Ballymote, suivre la direction de Tubbercurry, puis celle de Temple House et du centre. Avr-début nov, tlj 10h30-12h30, 14h30-16h30. Visite : 9,90 € ; réduc. Démonstrations de vol à 11h et 15h.* Un scientifique allemand passionné de nature, et plus spécialement de rapaces, a décidé d'ouvrir son centre de recherches au grand public. Dans sa ménagerie, une centaine d'oiseaux de proie : aigles de différentes sortes, vautours, hiboux, plus de 70 espèces au total. Sans compter les autres pensionnaires de ce centre de 27 ha, où travaillent une douzaine de personnes : lapins, cochons, furets... Une visite très enrichissante, où l'on apprend tout ce qu'on veut savoir sur ces admirables bestioles : anatomie, rôle dans la chaîne alimentaire, comportement. Un mini-amphi a été prévu dans le jardin pour que les spectateurs puissent assister au majestueux vol de l'aigle et du faucon (baissez la tête !).

BOYLE [ᴍᴀɪɴɪꜱᴛɪʀ ɴᴀ ʙúɪʟʟᴢ]   2 000 hab.   IND. TÉL. : 071

Petite ville sur la rivière du même nom. Au sud de Sligo, dans la province du Roscommon. Vaut le détour pour sa belle abbaye et sa *King House.*
– *Festival d'Art :* en juil. ● boylearts.com ●

Adresses utiles

🛈 *Office de tourisme :* King House. ☎ 96-62-145. *Ouv juin-oct.*
✉ *Poste :* avt le parking de la King House.
■ *Banque d'Irlande :* face à la King House.

Où dormir ? Où manger ?

⚐ *Lough Key Caravan & Camping Park :* à *Lough Key Forest Park.* ☎ 96-62-212. ● loughkey.ie ● *À 4 km de Boyle en direction de Dublin. Ouv avr-début sept. Env 22 € pour 2 ; ajouter le droit d'accès au parc. Douches payantes.* Un camping simple mais agréable de 5,5 ha dans une forêt, au calme et à proximité du lough Key et de ses attractions (lire plus bas « À voir. À faire »).
🏠 *Abbey House :* à côté de l'abbaye. ☎ 96-62-385. ● abbeyhouse.net ● *À 5 mn à pied du centre. Ouv mars-oct. Double 70 €.* 📺 📶 Vénérable demeure située à l'ombre du chevet de l'abbaye

et au bord de la rivière. Beaucoup de charme. Chambres de bonne taille, très calmes et correctement tenues. Petites maisons en pierre à l'arrière, à louer à la semaine.
🍽 *Self de la King House :* tlj 9h-17h. *Plats du jour 5-10 €.* Nourriture basique servie dans un cadre plaisant.
🍽 ♪ *The Moving Stairs :* sur la grande place. ☎ 79-63-586. *Mar-dim 17h-21h (en principe, car en réalité c'est en fonction de l'affluence). Menus 18-26 € ; plats 12-19 €.* Agréable pub-resto qui accueille fréquemment toutes sortes de concerts (musique celtique, jazz...). Cuisine classique de bonne tenue élaborée avec les produits de la région.

Où dormir ? Où manger dans les environs ?

À *Carrick-on-Shannon* [ᴄᴏʀᴀ ᴅʀᴏᴍᴀ ʀúɪꜱᴄ], à 15 km de Boyle. C'est le chef-lieu du Leitrim. Ce joli petit port de plaisance sur le Shannon s'organise le long d'une rue principale animée et colorée, avec en son centre une curiosité : la plus petite chapelle d'Europe. Les environs immédiats de la ville ont, en revanche, été en partie défigurés par des rangées de disgracieuses maisons de vacances.

🏠 *B-Side Hostel :* The Bridge. ☎ 086-735-73-38. ● b-sidehostel.com ● *Très central : sur le rond-point avt le pont, une petite porte entre 2 boutiques. Ouv tte l'année. Env 20-25 €/pers.* Petite AJ pimpante, rénovée en 2011 dans un style contemporain clair et agréable. Au total, 18 lits répartis en dortoirs de 4, 6 et 8 lits. Bon confort : sanitaires bien tenus, salle commune riquiqui mais sympa, et cuisine à dispo toute mignonne, façon maison de campagne. Une bonne étape, à l'image de l'accueil gentil et arrangeant.

🏠 *Caldra House :* à Caldragh. ☎ 96-23-040. ● caldrahouse.ie ● *De Carrick, prendre la R 280 vers Drumshanbo pdt 2 km, puis à gauche la L 7401 (route étroite indiquée par un tt petit panneau) : au bout, à droite. Ouv tte l'année. Double env 90 €.* Isolée en pleine campagne, cette grosse maison à l'ancienne mode destine aux hôtes un salon cosy et une poignée de chambres classiques et confortables. Impeccable pour une étape.

I●I *The Oarsman :* Bridge St. ☎ 96-21-733. *Tlj sf dim-lun 12h-21h. Au bar, plats 8-10 € le midi, 12-15 € le soir. Au resto, plats 15-26 € ; value menus (mar-ven 17h-21h) 18-22 €.* Le (très) bon gastro-pub de Carrick : déco traditionnelle soignée, atmosphère chaleureuse et, dans l'assiette, une cuisine de qualité, nettement plus élaborée que la moyenne (salades et sandwichs « gourmets », frites maison, plats de poisson ou de viande joliment réalisés). Resto plus contemporain à l'étage, mais cher.

I●I *The Courtyard Kitchen :* The Courtyard, Main St. ☎ 96-71-894. *Dans une cour intérieure accessible depuis Main St. Tlj 12h-21h. Sandwichs 6-8 € le midi ; plats 12-24 € le soir.* Sandwichs originaux le midi, plats sans frontières le soir (burgers et fish & chips améliorés, mais aussi tapas, agneau de pays, ou *sheperd's pie*...), font le succès de ce petit restaurant accueillant aux allures de bistrot contemporain chic. Simple et agréable.

À voir. À faire

🎥🚶 *King House :* ☎ 96-63-242. ● kinghouse.ie ● ♿ *Avr-sept, mar-sam 11h-17h ; dernière visite à 16h. Fermé hors saison. Entrée : 5 €. Brochure en français (gratuite) ou audioguide en anglais (1 €).* Grande bâtisse construite en 1730 par les descendants de John King, envoyé en 1603 par le roi d'Angleterre pour soumettre la région. Entre 1788 et 1922, le bâtiment servit de caserne pour les Connaught Rangers et la milice de Roscommon, avant d'être abandonné. Restauré avec soin, il abrite désormais d'intéressantes sections historiques (de l'époque épique des seigneurs irlandais McDermot à l'Indépendance... sans oublier bien sûr les King et les Connaught Rangers), le tout porté par une muséographie interactive très ludique (petites activités sympas du genre endosser un costume médiéval ou écrire à la manière des moines !). Ne pas manquer les cachots, brrr... c'est froid d'authenticité !
– Également des expos temporaires.

🎥🎥 *Boyle Abbey :* ☎ 96-62-604. *Pâques-sept, tlj 10h-18h. Dernière entrée à 17h15. Entrée 3 € ; réduc.* Heritage site. Une des abbayes les plus grandes et l'une des mieux préservées d'Irlande. D'origine cistercienne et fondée par l'abbaye de Mellifont en 1161 (voir le chapitre sur la vallée de la Boyne), elle fonctionna jusqu'à la fin du XVIᵉ s avant d'être attribuée à William Usher. Assiégée par Hugh O'Neill, elle fut ensuite occupée par les garnisons anglaises pendant deux siècles. De style roman, même si certains éléments amorcent le virage gothique, elle se distingue par ses chapiteaux et les élégantes arches de la nef. Voir encore, à côté du réfectoire, les deux fours situés dans une niche et coiffés d'une superbe cheminée.

C'est là que se tenait la cuisine. Les bâtiments tout autour datent du XVIIe s. Hélas, du cloître, il ne reste rien, preuve que les hordes de Cromwell ont pris leur boulot très à cœur. L'abbaye de Boyle a grandement souffert des modifications apportées par les soldats. Peu sensibles à la beauté, ils ont comblé les arches de la nef, fortifié à tout-va, flingué l'harmonie architecturale. D'où cet incroyable projet de rénovation : on a démonté une partie de la nef, numéroté les pierres et reconstruit le tout en collant le plus possible aux plans d'origine. Petite expo dans la tour de garde.

DANS LES ENVIRONS DE BOYLE

🏃 *Lough Key Forest Park :* *à 3,5 km sur la route de Dublin.* ☎ 96-73-122. ● *loughkey.ie* ● *Activités tlj l'été ; horaires restreints l'hiver. Parking 4 € (gratuit si on dépense plus de 20 € en activités ou au resto).* Toutes sortes d'activités payantes autour de ce beau lac fréquenté par les familles : marche, canotage, location de vélos, mais également des attractions plus élaborées, comme le *Boda Borg* (un parcours aventure en intérieur : 15 €) ou le *Lough Key Experience* (balade aménagée qui s'achève par un réseau de ponts suspendus dans les arbres : 7,50 €). Également, des *trails nature* (gratuits !) pour découvrir les 350 ha du parc et les ruines d'un château et d'une église isolés sur des îlots. Pour avoir un aperçu du site, la *Arigna Scenic Drive* en fait le tour par les hauteurs.

🏃 *Arigna Mining Experience :* *à Arigna.* ☎ 96-46-466. ● *arignaminingexpe rience.ie* ● *En saison, tlj 10h-18h. Entrée : 10 € ; réduc.* Pour les amateurs, une plongée dans l'univers oppressant de la mine de charbon d'Arigna, la dernière à avoir fermé ses portes en Irlande en 1990. L'intérêt, c'est que les visites sont assurées par d'anciens mineurs.

LE DONEGAL

Le Donegal a la réputation d'être « loin au nord », un coin paumé où l'on passera s'il reste un peu de temps en fin de voyage. On espère vraiment que vous saurez trouver ce temps précieux, car c'est indéniablement l'un des plus beaux comtés du pays ! Certes, le Donegal (*Dún na nGall*, ou « fort des étrangers » en gaélique !), l'un des trois comtés d'Ulster situés en dehors d'Irlande du Nord, ne s'offre pas comme ça, au premier venu. Sous des airs revêches de pays bourru au climat capricieux, sauvage et balayé par les vents, il se mérite. Mais quelle récompense ! Ici, plus que les paysages pourtant fascinants, ce sont les habitants qui nous ont le plus marqués. Les rapports humains sont très forts, peut-être à cause de l'isolement, du climat plus rude, peut-être parce que c'est dans leur nature, tout simplement.

LE TWEED DU DONEGAL

Deux grandes régions au monde produisent le tweed : les Hébrides en Écosse et le Donegal en Irlande. Sa notoriété vint de l'engouement de l'aristocratie britannique au XIXe s pour cet étrange tissu qui habillait les gardes-chasses locaux de l'île Harris aux Hébrides : résistant, chatoyant, imperméable, reproduisant les couleurs de la nature environnante. La famille royale arbora notamment les célèbres *knickerbockers* (pantalons au genou).

Bien sûr, l'appui politique et économique de l'Angleterre favorise le tweed écossais. Celui du Donegal, au moins aussi ancien, ne démérite pourtant pas. Au contraire, on le préfère ! Dans le tweed du Donegal, la nature a inspiré les fabricants et les teintes ont été puisées dans l'extraordinaire palette des paysages. Autre particularité du tweed – qui tirerait son nom de *tweel* (« étoffe croisée » en gaélique écossais) ou de la Tweed, rivière marquant la frontière entre l'Écosse et l'Angleterre –, il embellit en vieillissant. Les revers s'assouplissent, les coudes

> ### TO TWEED OR NOT TO TWEED?
>
> *Dans le tweed d'Écosse, le motif le plus courant est l'herringbones (« arêtes de hareng », à chevrons, donc). Dans celui du Donegal, c'est plutôt le salt and pepper (« pied-de-poule »), parsemé de couleurs vives et contrastées. Le tissu semble ainsi constellé de confettis, tandis que l'écossais est, le plus souvent, ton sur ton.*

s'arrondissent. Mais comme beaucoup de produits originaux, le tweed est abondamment imité. Achetez du vrai ! Vous nous avez compris, nous sommes des amoureux de ce tissu que portaient si bien les héroïnes des films de Hitchcock...

BUNDORAN [ʙᴜɴ ᴅᴏʙʜʀᴀɪ́ɴ]   2 140 hab.   IND. TÉL. : 071

Station balnéaire appréciée des familles irlandaises, à mi-chemin entre Sligo et Donegal. C'est aussi le paradis des surfeurs, avec de très jolies vagues, à la renommée européenne. Très fréquenté en été. Atmosphère plus proche de Brighton que de l'Irlande traditionnelle : halls de machines à sous, maisons de vacances à gogo... Certains lecteurs éviteront soigneusement, d'autres seront attirés par les possibilités de randonnée dans les montagnes avoisinantes, de canotage sur le lough Melvin, ou encore par les diverses activités et attractions typiquement balnéaires.

Arriver – Quitter

■ *Informations : Feda O'Donnell Coaches,* ☎ *(074) 95-48-114.* ● *feda. ie* ● *Bus Eireann,* ☎ *(074) 91-60-066 (Sligo).* ● *buseireann.ie* ●

➤ *De/vers Galway, Sligo, Donegal, Letterkenny... :* 2 départs/j. (1 ven) avec *Feda O'Donnell.*

➤ *De/vers Sligo, Letterkenny et Derry :* très nombreux départs avec *Bus Eireann.*

Adresses utiles

✉ *Poste :* devant l'église, sur le front de mer.
■ *National Bank of Ireland :* Main St.

Où dormir ? Où manger ?
Où boire un verre ?

🛏 *Homefield Rock Hostel :* Bay View Ave. ☎ 98-29-357. ● homefield rockhostel.com ● Dans une rue perpendiculaire à l'axe principal, sur la droite juste avt l'église (en venant de Sligo). Ouv tte l'année. En dortoir, env 18-20 €/pers selon saison ; doubles 40-50 €. 🖥 📶 Une vaste maison-labyrinthe, ancienne résidence d'été

du vicomte d'Enniskillen, reconvertie en AJ dynamique et chaleureuse. Le tout a franchement vieilli, mais les chambres et dortoirs basiques (2-8 lits) sont corrects et décorés de vinyles et d'affiches (rock !). Cuisine à dispo, 2 salons (dont un avec piano) et toutes sortes d'activités proposées par la *Homefield House,* centre sportif sympa géré par l'AJ.

🛏 *Bundoran Surf Co Lodge :* Main St. ☎ 98-41-968. ● bundoransurfco. com ● Ouv tte l'année sf Noël. Env 20-25 €/pers selon chambre ou dortoir. Parking. 📶 Hostel moderne et pimpante tenue par des surfeurs... pour les surfeurs ! Rassurez-vous, on vous accueillera avec chaleur même si vous ne faites pas partie du clan. Doubles et triples en suite ou dortoirs de 4 ou 6 lits, avec TV et parfois équipés de miroirs en forme de planches de surf. Ensemble coloré et confortable, d'une grande propreté. Bonne ambiance, plutôt jeune. Salon, cuisine. Et enfin, l'essentiel : la plage et ses vagues de choix sont à deux pas !

|●| *La Sabbia :* Bayview Av. ☎ 98-42-253. Juin-août, tlj midi et soir ; hors saison, en principe mer-dim 18h-21h. Plats 10-22 €. Une atmosphère détendue, dépaysante, presque un voyage dans cette bâtisse aux allures de chalet où

LE TOUR DU DONEGAL

l'on vous servira une honnête cuisine italienne (pizzas, pâtes...) mâtinée de spécialités locales... Accueil très sympa.

🍸 Côté *pubs,* vous aurez l'embarras du choix : belle brochette de bistrots sympas tout au long de Main Street.

Balades à cheval

■ *Donegal Equestrian Centre :* à la sortie de la ville, direction Ballyshannon. ☎ 98-41-977. ● done galequestriancentre.com ● Centre

d'équitation situé dans une zone de dunes non loin du rivage, avec panorama sur les Dartry Mountains et le Slieve League.

Où surfer ? Où pêcher ?

■ *Bundoran Surf Co :* Main St. ☎ 98-41-968. ● *bundoransurfco. com* ● *Ouv tte l'année. Surf shop bien approvisionné. Organise des cours de surf (30 €) et de kitesurf sur la grande plage de Strand. Très compétents.*

■ *Creevy : petit port à mi-chemin entre* Ballyshannon et Rossnowlagh. Point de départ idéal vers les zones de pêche et la découverte des baleines. L'*An Dúanaí Mara* peut vous y emmener *(rens :* ☎ 98-52-896 ; ● *creevyexperience. com* ●*).*

BALLYSHANNON (Béal an mhuirthid)

2 500 hab.   IND. TÉL. : 071

Petite ville entre Bundoran et Donegal, célèbre pour son festival folk, le plus grand d'Irlande. Le rock n'est pas en reste, puisque Ballyshannon est la ville natale du grand guitariste Rory Gallagher, qui a lui aussi droit à son festival.

Arriver – Quitter

☞ *Arrêt de bus Eireann : juste à côté du pont, en plein centre.* Mêmes lignes que depuis Bundoran.

➢ *De/vers Enniskillen* (où l'on trouve les correspondances pour le réseau d'*Ulsterbus* vers toute l'Irlande du Nord) *:* 5 bus/j. (2 le dim) avec *Bus Eireann.*

Où dormir ? Où manger ?

⚹ *Lakeside Caravan & Camping :* Belleek Rd. ☎ 98-52-822. ● *lakesidecaravanandcamping.com* ● *À 1 km direction Enniskillen. Ouv de mi-mars à fin oct. Env 20 € pour 2 avec tente. Douches payantes (juin-août).* 🛜 Camping tranquille, au bord d'un lac artificiel. Sanitaires basiques mais propres. Location de kayaks et de vélos, belle aire de jeux pour les enfants, resto sur place. Seul bémol : pour obtenir un emplacement face au lac, il faut payer un extra !

🛏 |●| *Randwick :* Bundoran Rd, à 1 km sur la R 267. ☎ 98-52-545. ● *randwick9@eircom.net* ● *Ouv début mars-fin déc. Double 66 €. Dîner sur résa env 22 €.* 🖥 🛜 Chambres *en suite* classiques et bien tenues, toutes sur l'arrière

sauf une sur le côté. John a beaucoup voyagé et parle bien le français. Hôtes attentionnés et service impeccable. Belle vue sur la baie depuis le salon et, de l'autre côté de la route (très peu passante), des prés à vaches. Simple et agréable.

🛏 *Cavangarden House :* Cavangarden. ☎ 98-51-365. ● *cavangardenhouse.com* ● *À 4 km de Ballyshannon vers Donegal, indication à gauche. Congés : 20 déc-20 janv. Doubles 64-70 €.* En pleine campagne, au bout d'un long chemin arboré, manoir georgien un peu fatigué mais agréable, idéalement entouré de champs. Excellent accueil. Chambres *en suite* à l'ancienne, confortables et dotées de beaux volumes. Plantureux breakfast. Un bon rapport qualité-prix.

|●| *Shannon's Corner :* tt en haut de la ville, au bout de Castle St. ☎ 98-51-180. *Lun-sam 8h-16h30. Plats du jour 9-12 €.* Le rendez-vous préféré des gens du coin le midi. Cuisine familiale pas très compliquée, mais ô combien efficace et servie dans une petite salle accueillante.

|●| *Nirvana :* The Mall, dans une rue perpendiculaire à Castle St. ☎ 98-22-369. *Tlj midi et soir. Plats et en-cas env 5-11 € ; le soir, plat 20 € ; early bird 19 €.* Ce n'est sans doute pas le nirvana, mais ce café contemporain a le mérite de proposer une carte

suffisamment étendue pour satisfaire toutes les envies (soupes, sandwichs, pizzas, pâtes, salades, et quelques plats plus élaborés et plus chers). Au final, c'est tout à fait convenable.

Festivals

– **Rory Gallagher International Tribute Festival :** pdt 4 j. fin mai ou début juin. ● rorygallagherfestival.com ● De nombreux groupes, connus ou moins connus, reprennent les standards de l'homme à la Stratocaster, décédé en 1995. Attention, pendant cette période, difficile de trouver un logement.
– **Ballyshannon Folk and Traditional Music Festival :** fin juil ou début août, sur 3 j. ● ballyshannonfolkfestival.com ● Festival s'ouvrant de plus en plus à d'autres genres (blues notamment). Ambiance inoubliable.

DONEGAL [dún an ngall]   2 600 hab.   IND. TÉL. : 074

La ville de Donegal, véritable porte d'entrée de la région, est l'une des plus touristiques du pays. Elle a su conserver son petit cachet de cité provinciale, s'ordonnant sagement autour de sa grande place centrale, le Diamond. La restauration des quais a redonné un certain lustre au quartier du port.

Arriver – Quitter

■ **Informations :** Bus Eireann, ☎ 91-31-008, ● buseireann.ie ● **McGeehan Coaches,** ☎ 95-46-150, ● mcgeehancoaches.com ● **Feda O'Donnell Coaches,** ☎ 95-48-114, ● feda.ie ● **John McGinley,** ☎ 91-35-201, ● johnmcginley.com ● Arrêt de bus face à l'Abbey Hotel.
➤ **De/vers Dublin :** env 8-10 départs/j. (Bus Eireann et McGeehan).
➤ **De/vers Galway :** 4 départs/j. avec Bus Eireann et 2/j. avec Feda O'Donnell.
➤ **De/vers Sligo :** 7 départs/j. (5 le dim) avec Bus Eireann et 2/j. avec Feda O'Donnell (4 le ven).
➤ **De/vers Letterkenny, Dunfanaghy et Crolly :** 2 départs/j. avec Feda O'Donnell. Également des bus John McGinley.
➤ **De/vers Letterkenny et Derry :** 8-9 départs/j. (6-7 le dim) avec Bus Eireann.
➤ **De/vers Enniskillen** (Irlande du Nord) **:** 9 départs/j. avec Bus Eireann.
➤ **De/vers Killybegs, Ardara et Glenties :** 3-7 départs/j. avec Bus Eireann et 2 bus/j. avec McGeehan (1 le dim).

Adresses utiles

🛈 **Office de tourisme :** The Quay. ☎ 97-21-148. ● discoverireland.ie/northwest ● Sur le port. Pâques-oct, lun-ven 9h-17h (18h juil-août), plus sam 9h-18h juin-sept et dim 12h-16h juin-août ; en hiver, horaires restreints. Courtois et efficace.
✉ **Poste :** Tirconnell St. 100 m après le château, sur la gauche. Lun-ven 9h-17h30.
@ **The Blueberry :** Castle St. ☎ 97-22-933. Juste avt le château. Tlj 9h-19h50. Au rez-de-chaussée, un tea shop (ferme à 19h) avec d'excellents sandwichs et gâteaux à prix attractifs. À l'étage, le cybercafé ; s'inscrire en bas au préalable. Bon accueil.
■ **Banques avec distributeurs :** autour du Diamond ou sur Main St.
■ **Location de vélos : The Bike Shop,** Waterloo Pl. ☎ 97-21-515. Sur les bords de la rivière, prendre à droite après le pont en allant vers Killybegs. Tlj sf dim-lun 9h-18h. Accueil adorable.

Fournit un plan pour faire le tour du lough Eske au départ du magasin.

■ *Taxis : Gallagher Cabs,* ☎ 97-23-500, 📱 087-417-66-00. Et *McGroary,* 📱 087-253-66-77. Certains taxis peuvent transporter les groupes (minibus). Pratique pour les liaisons mal ou pas couvertes par les bus.

Où dormir à Donegal et dans les proches environs ?

Bon marché

⋏ 🛏 *Donegal Town Independent Hostel :* à Doonan. ☎ 97-22-805. ● donegaltownhostel.com ● À la lisière de la ville, sur Killybegs Rd (à 1 km du centre, après le rond-point). Ouv tte l'année. Env 17-21 €/pers selon dortoir ou chambre ; camping env 18 € pour 2. 📶 AJ privée disposant d'une quarantaine de lits et de quelques doubles agréables et propres, la plupart avec salle de bains. Accueil super, atmosphère naturellement chaleureuse dans le salon commun (avec feu de tourbe). Cuisine à disposition des campeurs. Balade sympa vers le lough Eske.

Prix moyens

🛏 *Ocean Breeze :* 35, Old Golf Links Rd. ☎ 97-23-827. ● oceanbreeze donegal.com ● À l'entrée sud de la ville, route de Ballyshannon, tourner à gauche au niveau de l'Abbey School et suivre les panneaux. Ouv fév-nov. Doubles 65-70 € selon saison. CB refusées. 📶 Sur une sorte de presqu'île qui avance dans Donegal Bay. Une maison toute neuve tenue par Margaret, hôtesse adorable et souriante. Jolies chambres *en suite,* très calmes et pimpantes, décorées dans un style relativement sobre et de bon goût. Belle vue sur la mer depuis 2 chambres et depuis la salle de petit déj. Une adresse soignée bien comme il faut.

🛏 *The Water's Edge :* à Glebe. ☎ 97-21-523. ● thewatersedge.ws ● À l'entrée sud de la ville, route de Bal-lyshannon, tourner à gauche au niveau de l'Abbey School et suivre le panneau. Ouv avr-nov. Doubles env 65-75 €. CB refusées. 📶 Situation idéale : au bout d'un cul-de-sac, sur le rivage de la baie, et adossé aux vestiges de l'abbaye. Calme garanti ! Quant à la maison, moderne, elle comprend une poignée de chambres pas immenses mais impeccables, décorées avec soin et tout confort. Le tout à quelques centaines de mètres du centre.

🛏 *Island View House :* Ballyshannon Rd. ☎ 97-22-411. ● eirbyte.com/islandview ● À l'entrée de la ville, côté sud. Ouv avr-oct. Double env 70 €. CB refusées. 📶 En hauteur sur la gauche en arrivant en ville, une maison moderne abritant 4 chambres *en suite* avec parquet et murs colorés. En revanche, pour la vue sur l'île, seules 2 chambres en profitent. Simple et convenable.

Où manger ?

Bon marché

|●| *The Weaver's Loft Restaurant :* The Diamond. ☎ 97-22-660. Lun-sam 10h-17h. Plats 6-10 €. Cafétéria au 1er étage du grand magasin *Magee :* salades, sandwichs, plats du jour.

|●| *Linda's Krusty Kitchen :* Main St ; en retrait de la rue, dans le parking. Lun-sam 8h-19h. Petits déj, sandwichs, salades, etc. env 6 €, plats chauds 10-12 €. Petite salle sans chichis pour un repas tout aussi simple et copieux.

|●| *Aroma :* au Donegal Craft Village. ☎ 97-23-222. Lun-sam 9h30-17h30. Plat env 10 €. Petit café qui mérite une halte pour ses gâteaux maison et ses plats du jour frais et savoureux.

Prix moyens

|●| *The Harbour Restaurant :* Quay St (face à l'office de tourisme). ☎ 97-21-702. Tlj 16h-22h. Pâtes et pizzas env 11-15 €, 18-27 € pour une spécialité plus élaborée ; menus early bird (17h-19h) 16-20 €. Cadre rustique et chaleureux, service impeccable, et cuisine copieuse très convenable.

Carte variée : *seafood,* steaks, plats mexicains (fajitas, *burritos*) et quelques spécialités pour végétariens. Très fréquenté, c'est une valeur sûre de la ville.
|●| The Olde Castle Bar : Tirconnell St. ☎ 97-21-262. Près du château. Tlj 12h30-20h pour la bar food ; 18h-21h pour le resto. Plats env 8-15 € pour le lunch et 15-25 € pour le dîner ; menu early bird 20 €. Un pub plein de cachet qui fait aussi restaurant (à l'étage : le *Red Hugh*), et pas des plus mauvais ! Salle très agréable, dans une vieille maison aux poutres apparentes. Pierre et bois. Lumière tamisée. Du charme donc, idéal pour goûter une cuisine irlandaise bien maîtrisée.

Où dormir dans les environs plus lointains ?

Bon marché

⌂ Finn Farm Hostel : *Cappry, à Ballybofey,* env 20 km au nord-est de Donegal. ☎ 086-030-99-00. ● finnfarm. net ● À env 3 km de Ballybofey, sur la route de Glenties. Ouv tte l'année. Env 15 €/pers. CB refusées. ☎ AJ privée paumée en pleine cambrousse. Une vingtaine de lits en chambres doubles ou dortoirs (4-6 lits) répartis dans 2 maisons récentes, à l'aménagement sommaire mais convenable. Cuisine aménagée, laverie. Eddie a décidé de favoriser les rencontres entre musiciens et de promouvoir la musique traditionnelle, sans oublier l'équitation, qui est son autre dada (OK, celle-là était facile). Super accueil et atmosphère très conviviale.
⌂ The Bluestack Centre Hostel : *Drimarone, à Letterbarrow, à 8 km de Donegal.* ☎ 97-35-564. ● donegal bluestacks.com ● Au nord de la ville. Au rond-point de Killybegs, prendre en face (indiqué) ; après env 6,5 km, tourner à droite au T-junction et suivre les flèches. Ouv mars-oct. Réception lun-ven 10h-22h, sam 16h-22h. Env 17 €/ pers ; chambre pour 4 pers 50 €. CB refusées. AJ officielle, à laquelle on fera les mêmes reproches que d'habitude : froide et impersonnelle. Une trentaine de lits en dortoir de 4 à 12 lits, ou chambres. En revanche, c'est propre et la cuisine est spacieuse. Aucun commerce à proximité (sauf un super pub de poche tenu par un patron très sympa), et attention pour les vélos : ça monte et ça descend sans cesse depuis Donegal. Possibilité d'organiser des marches dans les montagnes, accompagné d'un guide (réserver à l'avance).

Autour du lough Eske

De prix moyens à plus chic

⌂ Ardeevin Guest Accommodation : *à Barnesmore.* ☎ 97-21-790. ● ardee vin.tripod.com ● De la N 15, suivre le panneau « Lough Eske Drive ». Après 200 m, c'est fléché. Ouv de mi-mars à fin nov. Doubles env 70-80 €. CB refusées. ☎ Un B & B très agréable, bénéficiant d'une vue incomparable sur le lough Eske et les environs. Chambres confortables (déco florale typique pour certaines) avec salle de bains. Les propriétaires ont aussi un beau magasin de laine et d'artisanat (*Wool'n Things*) dans Main Street.
⌂ The Arches Country House : *à Barnesmore.* ☎ 97-22-029. ● arches countryhse.com ● De la N 15, suivre le panneau « Lough Eske Drive », puis le fléchage. Ouv tte l'année. Double env 70 €. ☎ Fort belle demeure avec de grandes lucarnes et un jardin soigné. Accueil affable et arrangeant. Chambres très confortables, spacieuses, toutes avec salle de bains et vue imprenable sur le lac. Et si vous vous sentez une âme de Lamartine, possibilité de louer un bateau pour un petit tour romantique.
⌂ Rhu Gorse : *lough Eske.* ☎ 97-21-685. ● lougheske.com ● De l'autre côté du lough ; suivre le fléchage « Harvey's Point » jusqu'au panneau indiquant la maison. Ouv mai-oct. Doubles 70-90 €. ☎ Dans une maison isolée en pleine forêt. Depuis le salon des invités (avec TV et piano), vue imprenable sur le lac.

Chambres agréables et confortables. Des chevaux vous accueillent sous les arbres à l'entrée.

🏠 *Lakeland B & B* : à *Birchill*, Ballibofey Rd. 📱 087-906-01-26 et 085-862-79-05. ● *bedandbreakfastireland. net/Donegal_Lakeland.htm* ● *Prendre la N 15 vers Ballibofey sur env 5 km puis, au niveau de la route qui mène au lac, suivre le chemin à droite. En haut d'une route cabossée. Ouv mars-nov. Doubles 65-70 €. CB refusées.* 📶 Maison moderne dominant le lac et tenue par un couple enthousiaste. Propose 4 belles chambres *en suite*, dont 2 avec vue imprenable depuis le lit même. Très bon petit déj, avec différentes options, préparé par Shona. Ah ! le *brown bread* du Donegal... Bref, une adresse où l'on savoure ses vacances dans le bonheur.

🏠 🍴 *Smugglers Creek* : à *Rossnowlagh*. ☎ (071) 98-52-367. ● *smuggler screekinn.com* ● *Au sud de Donegal et à mi-chemin de Ballyshannon, 2 km avt Rossnowlagh, c'est indiqué. De fin mai à mi-sept, tlj midi et soir ; sinon, slt jeu-dim. Doubles 70-90 € selon saison. Plats 15-25 € ; sunday lunch 18-22 €.* 📶 Ancienne taverne de pêcheurs sise dans une solide bâtisse en pierre surplombant la baie, joliment transformée en restaurant et *B & B*. Chambres confortables, classiques, certaines avec une vue formidable (attention toutefois aux soirées musicales organisées le week-end au pub). Verrière panoramique dans la salle à manger. Carte à base de viandes et poissons locaux, avec également quelques options végétariennes. Les activités de contrebande dans la région fournissent les rubriques « *Cast offs* », « *From the Creek* », « *Pirate Corner* ». Pour ceux qui souhaiteraient loger au calme, l'auberge possède un cottage à deux pas une grosse maison dotée de chambres cosy à la déco traditionnelle.

Où boire un verre ?
Où écouter de la musique ?

🍸 🎵 *Reel Inn* : au pied du pont sur l'Eske. Musique tlj dès 21h30. C'est le QG des locaux, en particulier des musiciens. C'est marqué à l'entrée : « *All musicians welcome !* ». N'importe qui peut empoigner son instrument et se mettre à jouer quand bon lui semble, à l'ancienne ! Vraiment une super ambiance le soir.

🍸 🎵 *O Donnell's Bar* : The Diamond. ☎ 97-21-049. Un pub populaire et sympathique. 2 bars distincts, dont 1 nettement plus cosy. Photos des équipes de football d'Irlande, trophées, casquettes, etc. Musique le week-end en saison.

Achats

🏵 *Magee* : place principale. Lun-sam 10h-18h. Grand magasin spécialisé dans le tweed en activité depuis 1866. Beaucoup de choix, mais cher.

🏵 *Four Masters Bookshop* : The Diamond. Bon choix de livres sur le Donegal, l'Irlande et ses légendes. Vous pourrez vous y procurer le guide de randonnée *The Bluestack Way*.

À voir. À faire

🎬 *Le château* : à deux pas de la place principale. ☎ 97-22-405. De Pâques à mi-sept, tlj 10h-18h (dernière entrée à 17h15) ; hors saison, tlj sf mar-mer 9h30-16h30. Entrée : 4 € ; visites guidées d'env 30 mn. Heritage site.
Construit en 1474 par Hugh O'Donnell, partiellement détruit lors des guerres anglo-irlandaises. En 1651, un noble anglais le confisqua aux Irlandais et lui adjoignit une solide demeure de style Tudor.
Au 1er étage de la *Tower House*, une cheminée aux pierres sculptées très imposantes. Au deuxième étage on a reconstitué l'histoire du château et des O'Donnell. Élégantes tourelles d'angle qui font la joie des choucas et des corneilles. En redescendant par l'escalier en colimaçon, ne manquez pas la « garde-robe », qui servait à la fois de vestiaires et de toilettes ; les vapeurs d'urine étaient censées désinfecter les vêtements. Hmm !

🏃🏃 **Donegal Abbey :** *au bout de la route à gauche du port (à partir du grand parking près de l'office de tourisme).* Il reste bien peu de l'importante abbaye franciscaine fondée en 1474. En raison de sa situation stratégique, elle fut utilisée comme forteresse et poudrière. Le site dégage un charme fou, avec son cimetière à la végétation anarchique et sa vue romantique sur la baie.

🏃🏃 🏃 En saison, les **Waterbus** quittent le port pour un tour dans la baie, et notamment à la rencontre des baleines *(☎ 97-23-666 ; ● donegalbaywaterbus. com ●).*

DANS LES ENVIRONS DE DONEGAL

🏃 **Le lough Eske :** en voiture ou à vélo, on prendra la *Scenic Road* autour du lough Eske. C'est un bien joli lac au pied des Bluestack Mountains. L'Irlande éternelle dans toute son humble majesté. Belles balades à pied au milieu de forêts et de torrents. La petite route part de Donegal et rejoint la N 15 qui va à Derry. En voiture, la vue est souvent masquée par de hautes haies.

🏃🏃 **Bluestack Mountains :** plusieurs balades très agréables dans ce paysage de toundra, âpre et minéral. Le *Bluestack Way*, quant à lui, couvre près de 142 km, depuis les montagnes jusqu'à Ardara, en passant par Glenties et la rivière Owenea. Bien plus accessible, une rando jusqu'au *lough Belshade* d'environ 2h30 aller-retour (voir le guide *The Bluestack Way*). En traversant la rivière Eanymore, ne pas manquer la cascade *Greg Mare's Tale*. Enfin, une balade d'environ 3 km aux alentours de *Disert,* de son cimetière et de son puits sacré datant de saint Colmcille. Infos sur ● *northwestwal kingguides.com ●*

🏃 **Donegal Craft Village :** *à 1 km de la ville de Donegal, route de Ballyshannon.* ● *donegalcraftvillage.com ●* *Lun-sam 10h-17h.* Petit complexe artisanal haut de gamme, avec des productions originales et de bon goût : bijoux, poteries, porcelaine, sculpture sur bois ou sur pierre, etc. On peut observer les artisans au travail et leur poser toutes les questions que l'on souhaite.

LE DONEGAL

KILLYBEGS [na cealla beaga]   1 300 hab.   IND. TÉL. : 074

Port de pêche enserré dans une belle baie naturelle, à 27 km à l'ouest de Donegal. L'un des premiers d'Irlande en tonnage de poisson. Pittoresque activité portuaire, du séchage des filets aux querelles éthyliques dans les pubs locaux.

Arriver – Quitter

■ **Informations : Bus Eireann,** ☎ 91-31-008, ● *buseireann.ie ●* **McGeehan Coaches,** ☎ 95-46-150, ● *mcgeehancoaches.com ●*
➢ *De/vers Donegal, Ardara et* **Glenties :** 3-7 départs/j. avec *Bus Eireann* et 2/j. avec *McGeehan* (1 le dim).

➢ *De/vers Glencolumbkille :* 1-2 départs/j. Dessert tte la péninsule (Kilcar, Ardara...).

Adresse utile

🛈 **Office de tourisme :** *Quay Rd.* ☎ 97-32-346. ● *killybegs.ie ●* *Sur le port, dans un préfabriqué. Mai-sept, lun-ven 9h-17h30, sam 11h-16h, dim 12h-15h ; hors saison, slt lun-ven.*

LE DONEGAL

Où dormir à Killybegs et dans les environs ?

Bon marché

🏠 *The Ritz Hostel :* Chapel Brae. ☎ 97-31-309. 📱 087-205-14-52. ● theritz-killybegs.com ● ♿ *Dans le centre. Ouv tte l'année. Selon saison, env 15-20 €/pers en dortoir (4-6 lits) ; double env 50 € ; avec petit déj.* 📺 📶 *Une AJ haut de gamme : des chambres et dortoirs colorés et tout confort (tous avec TV et salles de bains privées), un salon commun cosy et une vaste cuisine moderne organisée autour d'une table haute et de tabourets. Très convivial ! Excellent accueil.*

🍴 🏠 *Blue Moon Hostel & Camping :* Main St, **Dunkineely**. ☎ 97-37-264. 📱 087-297-28-96. ● bluemoonhos telandcamping.com ● *Peu avt Killybegs en venant de Donegal. Ouv tte l'année. Env 12 €/pers en dortoir, 15 € en chambre privée ; camping env 7 €/pers. CB refusées.* Petite AJ vétuste, au confort minimal (dortoirs et sanitaires basiques) et à l'entretien moyen. En dépannage, même si Dominic et Mary Deeny prodiguent un accueil chaleureux. Camping sur 2 carrés de gazon entourés d'arbres. 2 cuisines, une pour l'hostel et l'autre pour le camping. Lave-linge et sèche-linge.

Plus chic

🏠 🍴 *Castle Murray Restaurant & Hotel :* Saint John's Point, à **Dunkineely**. ☎ 97-37-022. ● castlemurray. com ● *À 1 km de la route principale (N 56). Congés : janv. Resto : tlj l'été, slt ven-dim hors saison et mer-dim en mi-saison. Doubles 110-140 €. Dîner env 47-52 € ; sunday lunch pantagruélique 32 €.* Isolés dans un secteur sauvage, les 2 bâtiments, l'un pour l'hôtel, l'autre pour le restaurant, font face à la mer. Chambres chaleureuses, toutes différentes. Côté resto, superbe galerie avec mobilier en rotin pour admirer la mer en sirotant l'apéritif, et une salle panoramique pour goûter une excellente cuisine à base de poisson (livré par les pêcheurs locaux), d'inspiration française.

Où manger à Killybegs et dans les environs ?

🍴 *Mrs B's :* Main St. ☎ 97-32-656. *Lun-sam 9h-17h. Plats et en-cas 5-10 €. Coffee house cosy au cadre contemporain,* qui remporte un franc succès en raison de ses petits plats light qui changent un peu des sempiternelles *mash.* À la carte, quiche du jour et sandwichs originaux accompagnés de salades, ou pancakes maison à l'heure du thé. Idéal pour une pause gourmande.

🍴 *Kitty Kelly's :* à 4 km de Killybegs en direction de Kilcar, dans un virage. ☎ 97-31-925. *Pâques-sept, tlj. Plats 14,50-28 € (moins cher le midi).* Ravissantes petites salles pour une cuisine de qualité élaborée à partir de produits locaux : *seafood chowder, mackerel Seville* ou *Dijon...* Bon accueil. À 100 m, belvédère avec vue sur la Donegal Bay.

🍴 *Blue Haven Restaurant :* à 5 km de Killybegs en direction de Kilcar. ☎ 97-38-090. *En été, tlj 18h30-21h30 ; hors saison, slt le w-e. Résa conseillée. Plats 13-26 €.* Bon restaurant sis dans un vaste complexe en bord de route, mais, les jours d'affluence (le dimanche midi, par exemple), c'est l'usine et, sans réservation préalable, impossible de trouver une table. Aux beaux jours, large vue sur la baie. Pub à côté dans une salle panoramique (*bar food* moins chère).

Où boire un verre en écoutant de la musique traditionnelle ?

🍸 🎵 En principe, *music session* chaque mercredi au **McIntyre** de

Dunkineely (route de Donegal) pour promouvoir les jeunes musiciens irlandais. Chaque « bleu » est pris par un musicien plus expérimenté sous son aile. Combinaisons émouvantes et ambiance garantie.

À voir

✗ Killybegs International Carpet Making & Fishing Centre : *à la sortie de Killybegs, direction Kilcar.* ☎ 97-41-944. • *visitkillybegs.com* • *Tte l'année, lun-ven 9h30-17h30, plus sam-dim 12h30-16h30 juil-août. Entrée : 5 € ; réduc.* Killybegs a été aussi célèbre pour ses pêcheries que pour ses tapis, qui s'exportaient dans le monde entier avant qu'ils ne passent de mode. Courtes expos et vidéos (25 mn, en anglais) sur ces deux sujets, qu'on peut voir dans l'ancienne fabrique *Donegal Carpets.* Pas grand-chose à voir, à part un simulateur de navigation et le plus grand métier à tisser manuel du monde, toujours en service !

DANS LES ENVIRONS DE KILLYBEGS

✗✗✗ Saint John's Point : *depuis Dunkineely, env 10 km sur un long promontoire.* À partir d'une petite plage, la route devient très étroite. L'émerveillement est à l'arrivée : panorama découvrant la baie de Donegal sur 360°. Sur les rochers, petite colonie de mouettes tridactyles *(kittiwakes).* Lande constellée d'orchidées et de digitales selon la saison.

➢ Plusieurs marins proposent de vous accompagner en mer au cours d'une *partie de pêche (liste auprès de l'office de tourisme).* Une balade originale.

⊿ À 3 km en direction de Kilcar, ne pas manquer de jeter un œil à la *plage de Finta* (à défaut de s'y baigner). Petite route à pic pour y accéder et qui fait plonger dans un décor digne des îles (les autres... celles avec des cocotiers).

➢ **La Coast Road :** *commence à 5 km de Killybegs. Panneau sur la gauche.* Âpres collines déboulant vers la mer, côte rocheuse entrecoupée de petites plages de sable blond, lande constellée de moutons et sillonnée de murets de pierres, fermes isolées et bosquets de fuchsias sauvages. Et, au large, la côte du comté de Sligo. C'est beau, tout simplement. Ceux qui sont en voiture ratent quelque chose en empruntant la route directe. Les autres aussi, mais ils ont des excuses. En particulier, les stoppeurs auront du mal à trouver un véhicule sur cette portion. Pour les cyclistes, quelques côtes extrêmement raides. Pas mal de fermes font *B & B.* Idéal pour se ressourcer, loin de tout.

– De Kilcar à Carrick par la Coast Road, paysage moins enthousiasmant.

LE DONEGAL

KILCAR [cɪll chartaigh]   250 hab.   IND. TÉL. : 074

Sympathique village plus avant encore dans la péninsule, spécialisé dans le tissage du tweed. Possibilité de l'acheter au mètre directement à l'usine, à des prix intéressants.

Adresse utile

■ *Centre culturel Aislann Chill Chartha :* à côté du Studio Donegal. Lunven 9h-22h, sam 10h-18h.

Où dormir ?
Où manger à Kilcar
et dans les environs ?

Bon marché

🏕 🏠 *Derrylahan Independent Hostel :* Coast Rd, au lieu-dit **Derrylahan.** ☎ 97-38-079. ● homepage.eircom. net/~derrylahan ● Sur la Coast Rd de Kilcar à Carrick, à 2,5 km de Carrick. Bien indiqué. Si vous êtes en bus, demandez à vous arrêter à The Rock, à env 1,5 km. Ouv fév-oct. Juin-août, arrivez de très bonne heure ou téléphonez, car ts les guides en font l'éloge... Env 16-20 €/pers selon dortoir ou chambre double, en suite ou non ; camping env 6-8 €/pers. 🛜 Merveilleusement située, dotée d'une très chaleureuse atmosphère, c'est l'une de nos AJ favorites dans la région, et Shaun, le *big boss,* y est pour beaucoup. Maison séparée pour les groupes et les individuels (respectivement une vingtaine et une trentaine de lits). Également des chambres doubles ou familiales avec salle de bains. Cuisine équipée, laverie. Le tout rustique et vieillissant mais propre. Location de vélos. Possibilité de planter la tente dans le pré d'à côté (ou d'installer son camping-car) et d'utiliser la cuisine prévue exprès pour les campeurs. Bon point de départ d'excursion pour les falaises de Slieve League. Et, cerise sur le gâteau, œufs de la ferme en vente pour mitonner son breakfast !
🏕 🏠 *Dún Ulún House :* Glencolumbkille Coast Rd, à **Kilcar.** ☎ 97-38-137. ● dunulunhouse@eircom.net ● Ouv tte l'année. Env 15 €/pers en chambre 4-5 lits et, en formule B & B, double avec sdb 60 € ; camping env 8 €. 🛜 La famille Lyons propose des hébergements simples et classiques pour toutes les bourses, avec vue imprenable sur la côte. Pratique pour les familles, puisque les chambres peuvent accueillir jusqu'à 5 personnes. Meilleure vue

depuis le 2e étage. Très propre. Cuisine équipée à disposition. Quant aux campeurs, ils se partagent 4 petits bouts de terrains en escalier, face à la mer. Excellent accueil et conseils pour les promenades. Plein d'oiseaux à observer (des grues couronnées nichent tout près). Certains soirs, en principe le week-end, musique traditionnelle par les filles de la maison, exprès pour les hôtes !
|●| Côté restos, pas grand-chose dans le coin, surtout hors saison. On peut néanmoins se restaurer l'été au **Kilcar House** (pub au centre du village ; env 10 € pour un pub grub).

Prix moyens

🏠 *Ocean Spray B & B* (Géraldine et Gérard Mc Hugh) **:** à **Muckross,** Kilcar. ☎ 97-38-438. 🖥 087-690-16-03. ● oceanspraybnb.com ● Au cœur de Muckross Head, à 2 km au sud de Kilcar, par la Coast Rd. Ouv tte l'année. Doubles 60-70 €. CB refusées. 🖳 🛜 L'emplacement est remarquable, devant l'océan et à proximité de 2 plages, une pour la baignade et une pour le surf. Difficile de faire plus sauvage. Propose une poignée de chambres *en suite* agréables et impeccables, mais 1 seule avec vue. Géraldine connaît les bons coins pour pêcher ou se promener. Si elle a le temps, elle vous apprendra peut-être le tressage des croix de sainte Brigitte en roseau.

Où boire un verre ?
Où écouter
de la musique ?

🍸 ♪ *John Joe's Pub :* Main St. ☎ 97-38-493. Musique ts les soirs en saison (traditionnelle lun-mar et jeu) jusqu'à 1h.

Achats

⬡ *Studio Donegal :* dans Kilcar, près du pont. ☎ 97-38-194. ● studiodo negal.ie ● Lun-ven 9h-17h30, plus sam 9h30-17h Pâques-oct. Bon choix de casquettes, plaids, écharpes, à prix intéressants (souvent des promos). À l'étage, un atelier où les visiteurs sont les bienvenus pour observer le tissage et la préparation des pelotes (ne fonctionne pas le samedi).

Balades dans le coin

➤ **Kilcar Way :** carte *Discovery Series* nº 10. Deux randonnées sympas à partir de Kilcar (plan et infos au *Studio Donegal*) :
– l'une à l'ouest passe par un petit sentier de montagne et effectue une belle boucle dans la campagne. Sur le chemin, le Fairy Fort et le Dún Ulún Ring Fort (âge du bronze), dont il ne reste que des miettes ;
– l'autre, vers Killybegs, musarde dans Muckross Head et en bord de mer. Petite extension dans la forêt de Kilcar.

Fête

– **Kilcar Fleadh :** *fin juil-début août, voire mi-août selon années.* ☎ 97-38-424. ● kilcaronline.com ● *Mar-ven dès la fin de l'ap-m, le w-e tte la journée.* Tient à la fois de la kermesse paroissiale, du banquet de mariage et du rallye entre amis, mais qu'est-ce qu'on rigole ! Musique dans tous les pubs, et même dans la rue.

CARRICK [carraigh]   250 hab.   IND. TÉL. : 074

Là aussi, village typique du Donegal. Réputé pour la bonne musique jouée dans ses pubs. Point de départ des excursions au Slieve League.

Où dormir ?

🛏 **Cairnsmore B & B :** *Glen Rd.* ☎ 97-39-137. ● cairnsmoreaccommo dation.com ● *À la sortie nord du village. Ouv de mi-avr à oct. Env 60 €. CB refusées.* 🛜 3 chambres *en suite* d'une propreté impeccable dans une jolie petite maison en hauteur. Prix raisonnables pour une excellente qualité de service. Accueil très sympathique.

Où boire un verre ? Où écouter de la musique ?

🍸 🎵 **Central Bar :** *Main St.* ☎ 97-39-144. Seisiún *le w-e en juil-août, sam en hiver, ainsi que certains mer.* Bar populaire parmi les habitants des alentours. Atmosphère super en fin de soirée.

Excursions au départ de Carrick

🎣 **Teelin :** *petit port à 4 km de Carrick.* Une île en forme de baleine garde l'entrée du port. Certaines chaumières ont mis leur filet sur le toit : ce n'est pas pour la mise en plis, mais contre le vent dans le chaume. Ce tout petit village a donné naissance à une génération de joueurs de *fiddle* fameux dans tout le Donegal, et continue de plus belle. C'est aussi le point de départ de la balade vers les falaises (voir ci-dessous). Découverte également possible en bateau, d'avril à octobre, en appelant **Nuala Star** (🚢 087-628-46-88 ; ● sliabhleagueboattrips.com ●).

➤ **Les falaises de Slieve League** (Sliabh Liag) : bien indiqué depuis Carrick, à env 7 km. Suivre la direction de Teelin, puis les panneaux « Slieve League Viewing Point ». Ils conduisent à un 1er parking de bonne taille, puis à un 2d aménagé en haut des falaises, après avoir suivi une route très étroite (ne pas oublier de refermer les barrières). Ce sont des falaises de 600 m tombant à pic dans la mer :

les deuxièmes plus hautes des îles britanniques après celles d'Achill Island. Le paysage est fantastique, et on n'exagère pas. De là, selon l'état du sentier (souvent hors d'usage), on peut en principe rejoindre le Slieve League par le chemin des crêtes, en empruntant le *one man's path* (rien que le nom fait frémir, pas fait pour les personnes sujettes au vertige). ATTENTION, les abords du parking sont bien protégés, mais, si l'on s'éloigne, la balade peut être dangereuse dès qu'il y a du vent. En outre, prudence, ça glisse pas mal.
– Une autre route part à droite du pub *Cul A'duin* et mène au Slieve League. Se garer au parking, puis prendre le chemin empierré. Un peu plus de 1h pour parvenir aux falaises. Là aussi, attention au vent !

GLENCOLUMBKILLE (gleann cholm cille)

725 hab.   IND. TÉL. : 074

À l'extrémité ouest de la péninsule de Slieve League, village à l'habitat dispersé. La nature environnante est fantastique et sauvage. De la tourbe, des falaises, un tas de belles balades pour amoureux du vent et des grands espaces.
C'était l'un des nombreux patelins irlandais de l'Ouest qui s'éteignaient doucement parce que tous leurs habitants s'en allaient. Dans les années 1950, un curé, le père McDwyer, a fait un effort pour sauver celui-ci en instaurant un système communautaire idéal (et qui a fonctionné !) : tout appartenait à tout le monde. Petites industries et coopératives s'étaient implantées. Malheureusement, la crise économique a révélé les limites d'un développement uniquement local. Aujourd'hui, la principale source de revenus est assurée par la pêche industrielle à Killybegs.

Adresse et infos utiles

🖪 *Office de tourisme :* face à l'église. ☎ 97-30-116. Ouv en été selon disponibilité des employés (sic !), en principe tlj.
– Les *distributeurs* de billets les plus proches se trouvent à Ardara et Killybegs.
➢ Env 1-2 bus/j. vers *Ardara* et *Killybegs*.

Où dormir ? Où manger ?

Nombreux *B & B* un peu partout.

🏕 🛏 *Dooey Hostel :* ☎ 97-30-130. Si vous arrivez en stop ou en bus, faites-vous déposer au Folk Village Museum et grimpez ensuite le petit chemin empierré pdt 5 mn. En voiture, direction Malin Beg depuis le centre, puis à gauche après l'église (panneau). Ouv

tte l'année. Env 15 €/pers en dortoir ou en double ; camping env 17 € pour 2. CB refusées. Une vraie curiosité ! Car cette AJ perchée à flanc de montagne, avec une vue géniale sur la baie, est littéralement adossée à la roche. Avec ses murs en gros moellons et son couloir en roche brute, on a l'impression de pénétrer dans un fort préhistorique ! Quant à l'accueil de Mary, c'est quelque chose : toujours disponible, souriante et pleine d'humour. En revanche, côté confort, il ne faut pas être trop regardant : quelques chambres à 2 lits, très petites, sous les toits, et des dortoirs avec cuisine et sanitaires, mais le tout est vétuste et entretenu de façon un peu aléatoire. Camping dans un carré d'herbe bien abrité du vent et de la pluie. Les campeurs sont considérés comme hôtes du *hostel* à part entière. Une adresse hors normes, comme il n'en existe plus guère !
🛏 *Malinbeg Hostel :* à *Malinbeg*. ☎ 97-30-006. 📱 087-767-71-16.

● malinbeghostel.com ● À 7 km de Glencolumbkille, vers la pointe. Ouv de mi-janv à fin nov. Env 14-17,50 €/pers en dortoir ou double. 🛜 Petits dortoirs de 4 et 6 lits, chambres *en suite* ou familiales. AJ sans aucune fantaisie dans la déco, mais moderne, confortable, hyper propre et bien située, à 5 mn à pied de la magnifique plage de Silver Strand. Cuisine, machines à laver. Infos à l'épicerie d'en face (pratique pour se faire la popote).

🏠 *Teach Gleann Dobhar :* à Gannew : à la sortie de Glencolumbkille en direction d'Ardara. ☎ 97-30-363. 📱 087-767-71-16. ● gleanndobhar@eircom.net ● Ouv tte l'année. Double 50 €. 🖥🛜 Margaret fait bien les choses : elle soigne aussi bien ses chambres (impeccables, tout confort, et joliment décorées) que ses petits déj, préparés avec les œufs de ses poules et du pain maison. Les hôtes sont vraiment gâtés ! Le soir, plats sur résa.

🏠 *Ionad Siúl Hillwalking Centre :* au centre, juste à côté de la minicaserne de pompiers. ☎ 97-30-302. ● ionadsiul.ie ● ♿ Doubles 40-50 € ;

petit déj (optionnel) 8 €. 🛜 (payant). À ce prix-là, c'est certainement l'hôtel le moins cher d'Irlande ! Super accueil de Mariann, tout sourire, dans cette bâtisse neuve, sans charme et à la déco très minimaliste. Chambres *en suite*, toutes identiques et fonctionnelles. Très propre. Cuisine au rez-de-chaussée pour se faire le petit déj ou le repas.

🍴 *An Cistin :* près de la baie. ☎ 97-30-213. Mai-oct, tlj 9h-21h. Plats 5-10 € le midi, 10-20 € le soir. Restaurant du centre de formation *Oideas Gael* (voir, plus loin, « Où prendre des cours de langue gaélique ? »). Le meilleur compromis qualité-prix. Breakfast, lunch et *dinner*.

🍴 *Tea House du Folk Museum :* ouv en saison. Env 5-9 €. Thé ou bon café. Les *scones* sont faits maison et servis avec de la confiture et du beurre. Salades, soupes et sandwichs frais.

🍴 *The Village Cafe :* face à l'église. 📱 087-217-41-17. Plats 5-8 €. Le seul endroit où l'on peut se restaurer hors saison. C'est pour ça qu'on vous en parle, car la cuisine y est tout à fait médiocre : autant vous prévenir !

À voir. À faire

🎭 *Folk Village Museum :* à la sortie du village, direction Malin Beg. ☎ 97-30-017. ● glenfolkvillage.com ● Pâques-sept, tlj 10h (12h dim)-18h. Entrée : env 4,50 €. Brochure en français. Groupe de maisons du Donegal du XVIIIe au XXe s. Qu'il s'agisse des différentes chaumières, de l'école, ou du pub-épicerie, tous sont meublés de façon traditionnelle et souvent avec des objets d'époque. Expo sur l'histoire de la région et films d'archives. Vente de produits locaux.

➤ Balade jusqu'à *Malin Beg,* un vrai bout du monde. Pousser jusqu'au grand parking. Superbe plage en contrebas, enserrée dans une crique de toute beauté, et accessible par un long escalier. Cris des *kittiwakes* et des goélands argentés. Torrent dévalant les flancs du Slieve League et cascadant dans la mer. Les week-ends d'été, l'encombrement est à son maximum !

🥾 Vers le nord, une petite heure de marche vers *Glen Head,* où vous attend un panorama imprenable. Méfiez-vous, le brouillard tombe vite dans ces contrées.

Où prendre des cours de langue gaélique ?

■ *Cours de langue et de culture irlandaises Oideas Gael :* ☎ 97-30-248. ● oideas-gael.com ● Cours de langue gaélique, archéologie et activités traditionnelles (peinture, danse, poterie ou musique). Hébergements à tous les prix pour les stagiaires.

LA ROUTE VERS ARDARA

On vous conseille la *route de Glencolumbkille à Ardara* : paysage de collines tourbeuses absolument saisissant. Un grand moment lorsque l'on traverse la passe de Glengesh, panorama sauvage et unique sur la vallée : la pampa ! En descendant sur Ardara, admirez la vallée glaciaire en V aplati.

ARDARA [ard an Rátha]   730 hab.   IND. TÉL. : 074

Ville carrefour sympa quoique très touristique, petite capitale du tweed et de la laine. Nombreux chemins balisés tout autour de la ville. Mais Ardara est aussi reconnu pour sa musique, notamment grâce à son festival *The Cup of Tae* et sa contribution à la fierté nationale. Car plusieurs natives ont intégré la fameuse troupe River Dance, rien que ça !

Arriver – Quitter

➤ *De/vers Donegal Town :* avec *McGeehan* et *Bus Eireann*, 3-7 bus/j. Passe par Glencolumbkille, Carrick, Kilcar et Killybegs.
➤ *De/vers Glenties, Dungloe :* 2-3 bus/j. avec *Bus Eireann*.

Où dormir à Ardara et dans les proches environs ?

De bon marché à prix moyens

🏠 *Drumbarron Hostel et Drumbarron House :* The Diamond, à Ardara. ☎ 95-41-200. • jfeeneyardara@eircom.net • Sur la place centrale, dans 2 bâtiments se faisant face. Ouv tte l'année sf autour de Noël. Env 16-18 €/pers en dortoir ou en double à l'AJ, avec petit déj ; double env 65 € au B & B. CB refusées. 🛜 AJ privée très agréable, tenue par l'adorable Jacintha dont les toiles agrémentent le salon commun. Belle cuisine bien équipée, et, dans les étages, une poignée de chambres et dortoirs (4-14 lits) impeccables. Tout confort et on ne peut plus près des pubs. Jacintha possède également le *B & B* juste en face, qui abrite 5 chambres *en suite* de petite taille mais douillettes et joliment décorées. Accueil attentionné (à l'image du thé et des scones offerts à l'arrivée au *B & B*, et des confitures maison servies au petit déj !).

🏠 *Rosewood House :* à Edergole. ☎ 95-41-168. 📱 087-784-78-62. • jvincentmcconnell@gmail.com • À env 1 km sur la route de Killybegs. Ouv avr-oct. Double 60 €. 🖥 Maison moderne avec une grande pelouse. Accueil et confort irréprochables. Chambres coquettes, dans un style gentiment désuet, avec une minisalle de bains. À l'arrivée, *scones,* et, au breakfast, délicieux cakes tout frais sortis du four et confitures maison.

🏠 *Gort Na Móna :* Donegal Rd, Cronkeerin, à 3 km d'Ardara sur la vieille route de Donegal (panneau depuis la place centrale). ☎ 95-37-777. 📱 087-295-01-57. • gortnamonabandb.com • Ouv de Pâques à fin oct. Double env 70 €. 🛜 Un *B & B* tout beau tout neuf en pleine campagne (jolie vue sur les environs). 5 chambres douillettes et spacieuses, très bien entretenues, réparties entre la maison principale et une annexe à l'arrière. Laurence et Fiona vous prodigueront un accueil chaleureux, ainsi qu'un petit déj bien copieux.

Chic

🏠 *An Gata Glás* (The Green Gate) : Ardvally, à Ardara. ☎ 95-41-546. • thegreengate.eu • Prendre direction Donegal (la vieille route) depuis la place centrale, comme pour aller à Woodhill House. Le chemin serpente dans la colline sur 2 km, jalonné de petits panneaux portant une barrière. Ouv tte l'année. Doubles env 90-110 €. CB refusées. Peut-être le seul B & B dans un cottage traditionnel tenu par... un Français, Paul Chatenoud, au caractère si entier. Tombé sous le charme de cette colline voici plus de 20 ans, il prend un vrai plaisir à accueillir et partager avec ses hôtes. Consultez le site internet pour vous faire une idée de la philosophie de l'endroit. Car il faut adhérer au concept avant d'envisager de poser ses valises. Les petits cottages à toit de chaume ne manquent pas de cachet, mais sont vraiment très rustiques (salles de bains basses de plafond, eau tourbée...) et entretenus a minima. Ceux qui recherchent l'originalité, la personnalité de l'accueil et la quiétude seront satisfaits (pas de TV ni de téléphone, une vue sur la baie superbe depuis le jardin, un petit déjeuner servi à n'importe quelle heure), mais ceux qui recherchent un confort classique seront déçus. Surtout pour le prix.

🏠 🍽 **Woodhill House :** à 500 m du centre, sur la vieille route de Donegal (fléché). ☎ 95-41-112. ● woodhill house.com ● Ouv tte l'année. Dîner tlj en saison 18h30-22h. Doubles 88-110 € selon saison. Menu fixe (entrée + plat + dessert) env 38-43 € (service non compris). Un petit manoir qui respire l'histoire ! On loge au choix dans le bâtiment principal (quelques chambres old fashion bénéficiant d'une vue apaisante sur la vallée, certaines depuis de larges bow-windows), ou dans les dépendances. Les chambres y sont plus contemporaines et tout confort, avec un mobilier sobre et un balconnet ou une terrasse donnant sur le jardin. Après avoir pris l'apéro au bar ou au salon, direction une salle élégante où sera servie une cuisine assez raffinée, bien en accord avec le lieu. Excellent service, et accueil sympa et décontracté. Un B & B de campagne un tantinet désuet, mais plein d'atmosphère.

Où dormir dans les environs plus lointains ?

Camping

🏕 **Camping Tramore Beach :** à Rossbeg. ☎ 95-51-491. ● tramorebeach-rosbeg.com ● À 10 km au nord-ouest d'Ardara. Suivre la R 261 pdt env 6 km, puis à gauche la route pour Rossbeg pdt env 4 km. Entrée sur la gauche, en face d'un lac, en haut d'une petite route. Ouv Pâques-fin sept. Env 15 € par tente. Situé sur une très belle et grande plage bordant la baie de Loughross More, où les vagues sont au rendez-vous. Superbe paysage marin jusqu'aux falaises du Slieve Tooey. Le site est sauvage, balayé par le vent, mais les espaces réservés aux tentes occupent des cuvettes à peu près abritées par les dunes. Sanitaires convenables et bâtiment ouvert aux campeurs en cas d'intempérie. Chiens non tolérés.

Bon marché

🏠 **Campbell's Holiday Hostel :** à Glenties. ☎ 95-51-491. ● campbell shostel.ie ● À 10 km sur la route de Letterkenny. À l'entrée de la ville, en venant d'Ardara, dans une cour repérable à l'agence Campbell's située sur la rue. Ouv Pâques-début oct. Env 15-25 €/pers selon dortoir (6 lits) ou chambre privée. 📶 AJ privée moderne et sans fioritures, qui occupe un bâtiment caché au fond d'une cour intérieure. Calme, mais sans charme. Pas de couvre-feu. Bureau d'infos à l'agence de voyages à côté.

Où manger ? Où boire un verre ? Où écouter de la musique ?

🍽 **Nesbitt Arms Hotel :** Main St. ☎ 95-41-103. Tlj 12h-21h. Plats env 10 € le midi, 12-20 € le soir. Cuisine variée servie dans une ambiance conviviale. Décor classique.

|●| 🍸 *Nancy's : Front St.* ☎ *95-41-187. Tlj 11h-21h (pour le resto). Plats env 7-13 €.* Un pub génial, avec un bon feu de tourbe, des petits recoins fort agréables, une cour intérieure, et un vrai salon décoré d'innombrables bibelots anciens (gravures, vaisselle...). L'endroit semble n'avoir pas changé depuis des siècles ! Quant à la cuisine, simple et familiale, elle fait l'unanimité pour sa fraîcheur et sa qualité (bons plats de poisson notamment). Accueil chaleureux.

🍸 Au *Central Bar,* sur Main Street, bonne ambiance certains soirs.

🍸 🎵 *The Corner House :* ☎ *95-41-736.* Dans un fort beau cadre, musique tous les soirs en été ; le vendredi et le samedi en hiver. Des notes qui réchauffent autant que le feu de tourbe.

Achats

Beaucoup de magasins de tweed dans la région.

🏵 Bon choix et prix corrects chez *John Molloy,* à environ 1 km du centre sur la route de Killybegs. On peut aussi aller chez *Eddie Doherty* et *John Campbell's,* sur Front Street, ou *Triόna Design,* près de l'église. Large choix de vêtements, écharpes, casquettes de tweed... plus très à la mode mais éminemment local !

Festivals

– *Ardara Walking Festival :* pdt 2 j. mi-mars. Musique traditionnelle et danse, tandis que les randonneurs s'en donnent à cœur joie sur les plus beaux sentiers des environs, et pourquoi pas avec un guide (payant).
– « *Cup of Tae* » *Traditional Music Festival :* pdt 3 j. fin avr-début mai. ● cupof taefestival.com ● Établi autour d'un des fils du village, John « The Tae » Gallagher, qui remporta à deux reprises le concours national d'Oireachtás Fiddle. Les musiciens investissent les pubs, et des ateliers à l'école de musique d'été sont ouverts.
– D'autres festivals tout au long de l'année : consulter le site ● ardara.ie ●

DANS LES ENVIRONS D'ARDARA

➤ *La route des grottes de Maghera :* route à droite à 1 km en allant vers Killybegs. Elle longe une baie que la marée basse découvre. Toutes les couleurs de l'Irlande : le vert des prairies et des arbres, le blond du sable, le bleu profond de l'eau, le gris des montagnes à l'horizon.

🚶🚶🚶 Le long de la route, à 6 km, ne pas manquer les *Assaranca Falls (cascades d'Assaranca).* À peu près 1 km plus loin, au parking (payant : 3 €/voiture), il vous reste environ 20 mn de marche jusqu'aux grottes, soit dans le sable très humide (à marée basse), soit en escaladant les rochers. Elles servirent pour les messes clandestines au temps des lois pénales. Attention, si la marée est trop haute, les grottes ne sont plus visibles. La route continue sur 16 km à travers monts et vallées sauvages, avant de rejoindre la route de Glencolumbkille.

⤵ *Portnoo :* jolie plage à 10 km au nord. Rien que la route pour y aller apporte son lot d'émotions.

🧗 *Ecotourism Centre (appelé « The Dolmen ») :* à *Killclooney,* un peu à l'ouest de Portnoo. ☎ 95-45-010. ● dolmencentre.com ● ♿ *En été, lun-sam 9h-17h, 19h-22h ; en hiver, lun-ven 9h30-16h, 19h-22h.* Alimenté par une éolienne et des panneaux solaires, utilisant le recyclage des déchets, ce centre œuvre pour le développement durable de façon pédagogique. Une salle est également consacrée à la géologie et à l'archéologie du site. Car un dolmen assez impressionnant (4,20 m de longueur pour la pierre du dessus) se dresse derrière l'église proche du centre.

DUNGLOE [an clochán liath]
ET THE ROSSES 1 185 hab. à Dungloe IND. TÉL. : 074

Venant du sud, on traverse une plaine de tourbières qui s'ouvre sur la baie de Trawenagh, magnifique à marée basse, l'eau piégée prenant des teintes violettes. Et, les jours de soleil, d'étonnants jeux de lumière se mêlent aussi sur les myriades de lacs. Prendre ensuite la route côtière de Lettermacaward à Dungloe (via Crohy Head), puis de Dungloe à Crolly (sur une péninsule appelée The Rosses). Région sauvage vraiment curieuse : battue par les vents, elle est criblée de centaines de lacs et jonchée de rocailles. En fin d'après-midi, la lumière déclinante rend les couleurs sublimes.

Arriver – Quitter

■ **Informations : McGeehan Coaches,** ☎ 95-46-150, ● mcgeehan coaches.com ● **Feda O'Donnell Coaches,** ☎ 95-48-114, ● feda.ie ● **Bus Eireann,** ☎ 91-31-008, ● buseireann. ie ●

➢ **De/vers Ardara, Donegal, Enniskillen et Dublin :** 1-2 bus/j. avec Bus Eireann.

➢ **De/vers Ardara et Killybegs :** le dim en début d'ap-m et lun mat avec Feda O'Donnell Coaches.

Adresse utile

🏠 **Office de tourisme :** Quay Rd, à Dungloe. ☎ 95-21-297. Prendre à gauche après Doherty's Restaurant. Juin-sept, lun-ven 10h-13h, 14h-17h (plus sam juil-août).

Où dormir ?

⛺ **Dungloe Touring Caravan Park :** Carnmore Rd. ☎ 95-21-021. 📱 087-931-93-90. ● dungloecaravanpark. com ● À 100 m du centre, sur la droite au rond-point pour l'aéroport. Ouv de mi-mars à mi-sept. Env 15-18 € pour 2. Un terrain familial bien agréable, à deux pas de Main Street et proche de la baie. Mais sa très bonne situation est aussi un défaut : on entend la route. Laundry. Bon accueil.

🏠 **Radharc an Oileáin :** Quay Rd. ☎ 95-21-093. ● dungloebedan dbreakfast.com ● Dans la rue qui longe la baie, perpendiculaire à Main St. Ouv 10 janv-10 déc. Double 70 €. CB refusées. 📶 La maison, située dans un secteur paisible, dispose de 4 chambres en suite très confortables (TV, sèche-cheveux), décorées avec beaucoup de soin. 2 profitent d'une jolie vue. Très bon accueil de Grace, attentionnée et serviable.

Où manger ?

|●| **Bayview Bar :** Main St. ☎ 95-61-682. Tlj midi et soir jusqu'à 21h. Sandwichs et petits plats 5-12 € le midi ; plats 14-25 € le soir. Ce vaste pub cosy est de loin la bonne adresse de la ville. Cuisine classique de qualité dans l'esprit gastro-pub : bonne présentation et préparations soignées (plus simple le midi), avec à l'occasion quelques petites touches plus originales. Accueil très sympathique.

|●| On peut se restaurer simple et pas cher au **Doherty's** (sur Main St) : tlj 8h-20h30. Une cafétéria claire et moderne qui propose salades, soupes, sandwichs et plats du jour.

Où boire un verre ?
Où écouter de la musique ?

🍷 🎵 Au **Beedy's,** sur Main Street : musique traditionnelle les mercredi et

LE DONEGAL

jeudi en saison. Ou encore, en haut de Main Street, le *Patrick Johnny Sally's Bar* vaut le détour avec sa salle chaleu-reuse profitant d'une vue dégagée sur la baie.

Manifestation

– *Mary from Dungloe Festival :* 1 sem fin juil-début août. ● maryfromdungloe. com ● La *Guinness* coule à flots. Concerts gratuits de musiciens renommés.

LA CÔTE ENTRE THE ROSSES ET SHEEPHAVEN

IND. TÉL. : 074

Arriver – Quitter

En bus

■ *Informations :* John McGinley, ☎ 91-35-201, ● johnmcginley.com ● Feda O'Donnell Coaches, ☎ 95-48-114, ● feda.ie ● Lough Swilly, ☎ 95-21-380, ● loughswillybusco. com ●
➤ *De/vers Falcarragh, Dunfanaghy et Letterkenny :* arrêts à Crolly et Bunbeg ; 3 départs/j. avec *John McGinley* et 3 bus/j. (2 le sam et aucun le dim)

avec *Mangan Tours* (☎ 91-28-410).
➤ *De/vers Galway, Sligo et Donegal :* 2-4 départs/j. avec *Feda O'Donnell Coaches*.
➤ *De/vers Letterkenny :* 2-3 départs/j. avec *Feda O'Donnell* ; 3 départs/j.

En avion

✈ *Aéroport du Donegal :* situé à Crolly, près de Dungloe. ☎ 95-48-284. ● donegalairport.ie ●
● *Pour Dublin :* compagnie *Flybe* (● flybe.com ●). 2 vols/j.

CROLLY [croithlí]

Village sympa situé sur la rivière Gweedore. Jolie cascade dans les environs et gros rocher à l'entrée du village (côté Dungloe), appelé « le Renard bondissant ». Les bus s'arrêtent au niveau du pont, devant le pub *Paidí Oig.*

Où manger ? Où boire un verre ? Où écouter de la musique dans les environs ?

|●| ♈ ♪ *Leo's Tavern* (Tábhairne Leo) : à Meenaleck. ☎ 95-48-143. Depuis Crolly (sur la N 56), prendre la direction de l'aéroport, après quoi la taverne est fléchée. Mai-sept, tlj midi et soir (cuisine jusqu'à 20h30) ; hors saison, ven soir et sam-dim slt. Plats env 10-20 €. Tenu par le fils de Leo, célèbre musicien des années 1950 et 1960, dont les autres enfants ne sont rien de moins que les membres du fameux groupe Clannad. Autant dire que ce vaste pub est consacré à la musique : disques et souvenirs en déco, et des concerts super en principe le jeudi (traditionnel), le vendredi et le samedi. Venir avant 21h si l'on veut être sûr d'avoir une place ! Les autres jours, que ça chante ou pas, atmosphère sympa de toute façon. Très touristique. Cuisine classique très convenable. Sinon, dans un registre plus intime et plus local, le petit pub *Tessie* juste en face est une bonne option pour partager un moment avec les gens du coin.

BLOODY FORELAND HEAD

Cap sur la route de *Bunbeg* à Gortahork. Côte très sauvage livrant de magnifiques perspectives sur les landes rocailleuses allant mourir dans la mer. Couchers de soleil époustouflants.

Où dormir ? Où manger ?

⌂ I●I Au minuscule port de Bunbeg, un mignon petit hôtel, *Bunbeg House :* ☎ 95-31-305. ● *bunbeghouse.com ● Ouv Pâques-oct.* Doubles env 70-80 €. Bar menus env 10-15 € servis jusqu'à 21h. 📶 Tranquillité totale dans ses 14 chambres spacieuses et confortables, parfaitement entretenues. En été, café-bar à la déco nautique (pizza, *chowder, wraps,* pâtisseries maison). Juste devant l'hôtel, départ du bateau pour Tory Island. Accueil charmant.

Où boire un verre ? Où écouter de la musique ?

🍷 ♪ À Bunbeg, bonne musique au pub *Hudaí Beag* (☎ 95-31-016 ; *facile à trouver, quasiment au croisement de la R 257 et de la route du port),* avec *session* de musique traditionnelle tous les lundi et vendredi soir.

TORY ISLAND (L'ÎLE DE TORY – oıleán thoraıgh)

Ici, c'est vraiment le bout du monde, même à seulement 11 km de la côte irlandaise. Une poignée d'Irlandais s'accrochent à leur île et à leurs coutumes, refusant massivement de revenir sur la terre ferme. Mais ne les croyez pas passéistes : ils vous donneront toutes les infos pour organiser votre séjour par e-mail ! L'île est aussi connue pour son vivier de peintres dont l'émulation est redevable à Derek

PATSY Ier, LE ROI ACCORDÉONISTE

Autrefois régnait un roi sur l'île de Tory. La coutume ayant été réactivée, vous pourrez rencontrer Sa Majesté Patsy Dan Rodgers, roi sans sceptre ni couronne et élu par les habitants. Un personnage haut en couleur et un accordéoniste émérite !

Hill, familier de Tory pendant 50 ans. On y trouve aussi les ruines d'un ancien monastère fondé par saint Colmcille (ou saint Columbkille), notamment une pierre en forme de T, la *Tau Cross,* datant du VIe s. Tory Island ne faisant que 4 km de long sur 1,5 km de large, c'est la balade à pied idéale.

Arriver - Quitter

➢ *De Bunbeg ou Magheroarty :* trajet en bateau avec les *Donegal Costal Cruises,* à Magheroarty (☎ 95-31-320 ou 340 ; ● *toryislandferry.com ●).* Depuis Bunbeg, 1 départ/j. à 8h45 tte l'année. Sinon, départs de Magheroarty (sur la R 257, à 5 km au nord-ouest de Gortahork). Juil-août, 4 bateaux/j. ; le reste de l'année, 2 bateaux/j. Vous pouvez faire l'A/R dans la journée

(départ à 11h30 et retour à 18h) ou bien séjourner sur l'île. Vous risquez aussi de ne pas avoir le choix si la mer devient mauvaise... Vélos transportés sans frais.

Info utile

– *Pour toute info* (y compris tous les types d'hébergement possibles : hôtel, AJ, *B & B*) *:* ● *toryislandferry.com ●*

FALCARRAGH (an falcarrach)

Village-étape au bord de la Ballyness Bay, en continuant toujours sur la N 56. Plage magnifique (fléchée « An Trá » à la sortie vers Dungloe) que cette lagune de Gortahork. Le regard embrasse les îles Inishbofin et, à l'horizon, Tory Island.

Où dormir ?

🏠 **Cuan Na Mara B & B :** à Ballyness. ☎ 91-35-327. ● crisscannon@ hotmail.com ● Sur la route de la plage, à l'entrée ouest du village. Ouv mai-fin sept. Doubles env 56-60 €, avec ou sans sdb privée. CB refusées. Maison neuve agréable dans un coin très calme. Christina Carron, l'hôtesse, est souriante et dynamique. Depuis le salon et certaines chambres (petites, mais impeccables), belle vue sur la baie.

DUNFANAGHY (dún fionnachaidh)

Une autre étape possible en bordure de la baie de Sheephaven, avec sa côte accidentée entrecoupée de plages d'une stupéfiante largeur (peu de chances d'y rencontrer son voisin !). Sable fin et dunes très hautes avec coins protégés pour pique-niquer. C'est également un spot de surf méconnu mais de grande qualité.

Où dormir ? Où manger ?

🏕️🏠 **Corcreggan Mill House :** à env 2 km avt Dunfanaghy (venant de Falcarragh) sur la route côtière. ☎ 91-36-409. ● corcreggan.com ● Ouv de mi-mars à début nov. Env 16,50-19 €/ pers en dortoir ; doubles en suite ou non 40-55 € ; camping 9-10 €/pers. 🛏️ 📶 Une super AJ, très champêtre, installée dans les bâtiments restaurés d'un ancien moulin. Grande maison dotée de chambres confortables et colorées, de différents salons bien douillets et de cuisines (dont une pour les campeurs). Ces derniers logent dans un terrain fleuri, à côté d'un ruisseau et du jardin bio, et en contrebas d'une cabine de bateau utilisée comme tour d'observation. Un bien bel endroit ! Brendan Rohan, le boss, est une mine de renseignements. Il connaît toutes les balades à effectuer (on peut consulter sur son site le Dunfanaghy Walk Guide qu'il a rédigé, avec 8 randonnées). Propose aussi quelques plats.

🏠 **Carrigan House :** à la sortie de Dunfanaghy en direction de Cresslough. ☎ 91-36-276. ● carriganhouse.com ● Ouv avr-oct. Double env 70 €. À 5 mn à pied du centre, ce beau B & B en retrait de la rue est le point de chute idéal : chambres tout confort décorées avec goût (jolie vue sur la baie pour certaines), un salon très chaleureux à la disposition des hôtes et un bon petit déj servi par la très sympathique propriétaire. Rien à redire.

🏠 **Willows B & B :** Main St. ☎ 91-36-446. ● thewillowsdunfanaghy.com ● Ouv tte l'année. Doubles 60-70 € selon saison. CB refusées. 📶 Certes, la déco est du genre chargé (voire kitsch) et la rue passante en journée (très calme la nuit cela dit), mais la propreté des lieux et l'accueil charmant de l'hôtesse en font une halte sympathique. Autre avantage déterminant : c'est la seule à ouvrir toute l'année !

🏠 🍴 **The Mill :** à Figart. ☎ 91-36-985. ● themillrestaurant.com ● À la sortie de Dunfanaghy en direction de Falcarragh. Ouv de mi-mars à déc. Resto ts les soirs sf lun. Double en B & B 96 €. Menu env 41 €. 📶 L'adresse de charme du village. Car cette belle demeure orientée face à la baie et entourée d'un jardin soigné, renferme une poignée de chambres douillettes décorées dans un style champêtre de très bon goût. Et si vous êtes d'humeur gourmande, la table de la maison propose une cuisine irlandaise moderne et inventive qui ne devrait pas vous décevoir. Excellent accueil.

🏠 |○| **Arnold's Hotel :** sur la Sheephaven Bay, dans le centre. ☎ 91-36-208. ● arnoldshotel.com ● Ouv avr-oct. Bar food 12h-21h ; resto 17h-21h. Doubles 100-120 € selon w-e ou sem. Plats env 9-20 € au Garden Bistro, 18-25 € au resto (Seascapes). 🖥 📶 Un hôtel classique régi par la famille Arnold depuis plusieurs générations. Chambres sans histoire, propres et confortables, certaines avec vue. Bar avec cheminée en pierre où l'on sert une bonne cuisine locale. Accueil très sympa.

|○| **Starfish Cafe :** Main St. ☎ 91-00-676. Tlj 9h30-17h30 (18h l'été). Petits plats env 4-8 €. Le café-salon de thé du village, au personnel féminin avenant et à la déco balnéaire colorée. Dans l'assiette, de belles salades composées, des sandwichs ou le plat du jour, le tout frais et bon.

À voir. À faire à Dunfanaghy et dans les environs

🥾🥾 **Horn Head Scenic Route :** à la sortie de Main St vers Falcarragh, prendre la rue à droite et suivre les indications. La route panoramique fait une boucle avant de revenir vers le village. Vues étendues sur l'île de Tory et l'enfilade de caps à l'est (Melmore Head, Fanad Head, Malin Head), puis sur la Sheephaven Bay et sa plage immense qui s'étend à marée basse jusqu'à Port na Blagh. À partir du parking que l'on rencontre à mi-parcours, balades pour les marcheurs expérimentés (le terrain est très humide). On peut cela dit rejoindre facilement (c'est à 100 m) l'ancien poste d'observation des gardes-côtes, une guérite en béton de la Seconde Guerre mondiale perchée au sommet de la colline. Colonie d'oiseaux sur les hautes falaises de la pointe (kittiwakes, pétrels fulmars, macareux...).

🥾 **Dunfanaghy Workhouse** (hospice de Dunfanaghy) : à la sortie de Dunfanaghy, côté Falcarragh. ☎ 91-36-540. ● dunfanaghyworkhouse.ie ● Lun-ven 10h-16h, sam 10h-17h30. Fermé dim. Entrée : 4,50 € ; réduc. Dans un bâtiment destiné à accueillir les démunis pendant la Grande Famine. L'hospice accueillit plus de 600 individus dans des conditions lamentables. Son histoire est racontée à travers l'une de ses pensionnaires, Hannah, à l'aide de saynètes jouées par des mannequins parlants. Quelques infos sur la faune et la flore locale pour finir. 🐾 🍸 Boutique, coffee shop et vaste aire de jeux pour les enfants.

🥾🥾 **Doe Castle :** au nord-est de Creeslough, au fond de la baie de Sheephaven, dans un site remarquable. À 3 km de la R 245 en direction de Carrigart (bien signalé). Entrée libre. Construit au début du XVIe s, ce pittoresque donjon ceint de puissants remparts fut assiégé, bien sûr, maintes et maintes fois. En 1588, de nombreux marins espagnols rescapés de l'Invincible Armada s'y réfugièrent. Au XIXe s, un général anglais qui avait du goût le restaura habilement.

– Pour la pratique de la **pêche,** on s'adressera à l'Arnold's Hotel.

➤ **Ards Forest Park :** entre Portnablaghy et Creeslough, le long de la N 56. Tlj 10h-21h (16h30 en hiver). Entrée : 4 € par voiture en saison ; gratuit en hiver. Une belle forêt où l'on peut faire des balades nature guidées ou pique-niquer. Une rando de 13 km environ, au départ du parking, en fait le tour.

➤ **Balades à cheval avec les Dunfanaghy Stables :** ☎ 91-00-980. ● dunfanaghystables.com ● Ouv avr-oct. Différentes balades de 4 à 6h. Compter 30 €/h. Discounts pour les clients de l'Arnold's Hotel (même maison).

Festivals

– **Seafood Festival :** un w-e fin mai. ☎ 91-36-548. Musique, théâtre de rue, seafood dans les pubs, barbecues, concours de cuisine, démonstration de sports de glisse et sculptures de sable : ode à Neptune !

– **Jazz and Blues Festival :** pdt 3 j. mi-sept. ● dunfanaghyjazzandblues.com ●

LE DONEGAL

MOUNT ERRIGAL ET GLENVEAGH NATIONAL PARK

IND. TÉL. : 074

Fed up de rouler ? Séduit par le côté sauvage de l'intérieur du Donegal ? Volonté de humer l'air frais et de crapahuter dans ces collines sauvages ? Voici une halte pour vous : les beautés du parc national du Glenveagh (Glenveagh National Park) et le spectaculaire mont Errigal. On ne reste jamais insensible au caractère grandiose et austère de ses parois ravagées par les cônes d'éboulis.

Où dormir ?

Bon marché

🏠 *Errigal Hostel :* Gweedore, à **Dunlewey.** ☎ 95-31-180. ● anoige.ie ● Suivre la R 255 ou la R 251 (selon qu'on arrive de l'est ou de l'ouest) en direction du parc national. Au pied du mont Errigal, facile à trouver. Ouv mars-oct (le reste de l'année, groupes slt). En dortoir 14,50-20 €/pers, doubles 42-52 €, avec petit déj ; réduc moins de 18 ans. ⌨ AJ officielle. Dans un bâtiment aseptisé mais vraiment bien conçu et super confortable (ascenseur, 2 salons dont un très grand, un espace de jeux pour les enfants, une cuisine, une laverie...), dortoirs de 4 à 6 lits, chambres doubles, triples et quadruples, avec sanitaires en commun. Les plus grands dortoirs sont équipés d'une mezzanine : parfait pour les familles. Excellent accueil.

Prix moyens

🏠 *Radharc an Ghleanna :* Moneymore, à **Dunlewey.** ☎ 95-31-835. ● radharcanghleanna.littleireland. ie ● Suivre la R 255 ou la R 251 (si l'on arrive de l'est ou de l'ouest) en direction du parc national de Glenveagh, puis, au niveau du mont Errigal, prendre la route pour le lac et Poisoned Glen. Ouv mars-oct. Résa conseillée. Doubles 60-64 € avec ou sans sdb privée. CB refusées. 📶 Au pied du mont Errigal, au bord du lac, un *B & B* familial tenu par une hôtesse charmante, Nuala

O'Donnell. Chambres typiques simples et impeccables, avec vue magnifique (sauf une qui donne sur l'arrière). 2 se partagent une salle de bains. Très bonne ambiance, authentique et chaleureuse.

🏠 *Bridgeburn House :* à **Trentagh.** ☎ 91-37-167. 📱 087-205-42-98. ● bridgeburnhouse.com ● À la sortie de Churchill, prendre direction Letterkenny. Après quelques km, prendre à gauche au panneau indiquant « Kilmacrennan ». Fermé pdt les fêtes de fin d'année. Double 64 €. Pas de dîner, mais un repas léger, sur résa, peut être pris (15 €). ⌨ 📶 En pleine nature, on ne peut plus calme, et excellent accueil. Chambres *en suite* très claires, de bon goût et d'une propreté immaculée. Le confort total à prix doux.

🏠 *Mountain View :* Drimacanoo, à **Churchill.** ☎ 91-37-060. ● mountainviewdonegal.com ● À 3,5 km de Churchill, sur la route de Letterkenny. Après le Byrne's Bar, sur la gauche. Ouv tte l'année. Double env 60 €. CB refusées. 📶 Décidément, l'accueil est de qualité dans cette région. Susan Alexander est aux petits soins, pour un *fáilte* (welcome) très familial. Salon cosy pour les hôtes et chambres rénovées, de bonne taille et tout confort (salles de bains impeccables). Belle nature alentour.

Où manger ?

🍴 *Wilkin's Bar & Lounge :* à **Churchill.** ☎ 91-37-019. Dans le village. Tlj 18h-21h. Plats et snacks env 4-10 €. Pub proposant chaque soir des plats et snacks typiques de *bar food*. Joli *beer garden* face à la vallée.

IOI *Self du Visitor's Centre du Glenveagh National Park :* lire « À voir. À faire ». ☎ 91-37-186. *Ouv slt le midi Pâques-fin sept. Plat env 10 €.* Plutôt bon pour ce genre d'endroit. On peut également s'offrir un sandwich ou un *whole tea* au *tea room* du château, installé dans les dépendances (terrasse très agréable dans la cour).

IOI *The Lagoon Bar & Restaurant :* à Termon. ☎ 91-39-088. *Situé sur la N 56, à la sortie de Termon, indiqué. Ouv tlj 11h-21h. Plats 10-20 €.* Fort peu d'adresses pour se restaurer dans le coin et, par chance, ici c'est bon et à prix raisonnables. Bon choix de plats traditionnels copieux.

À voir. À faire

➤ *L'ascension du Mount Errigal :* au départ de Dunlewey. Sortant de l'AJ, prendre à gauche et marcher jusqu'au deuxième pont, près du parking. Il culmine à 752 m. Ça grimpe, c'est fatigant, mais on est récompensé : on domine tout, le parc national du Glenveagh, la côte de Dungloe à Dunfanaghy, l'océan Atlantique et ses îles, les routes et les villages, tout là-bas, si loin. Même s'il fait chaud en bas, prévoir un lainage et un coupe-vent.

🎄🎄🎄 *Glenveagh National Park :* un parc dans le parc (même nom), sur la route de Gweedore à Letterkenny (R 251). ☎ 91-37-090. ● glenveaghnationalpark.ie ● Fermé 2 sem pour Noël. *Visitor's Centre tlj 9h30-18h (9h-17h nov-fév). Château tlj 9h-17h (16h30 l'hiver). Parking et Visitor's Centre gratuits. La barrière ferme à 19h. Env 3 €/adulte pour se rendre au château en bus et 5 € pour le visiter ; réduc. Garden Tours : 5 € ; réduc. Dernier départ à 17h. Heritage site.*
Au cœur de ce parc naturel de près de 16 000 ha de caillasse, de lande et de marais, le choc d'un immense parc boisé peuplé d'une horde de cerfs avec, en toile de fond, les montagnes quasi désertiques de Derryveagh. À l'origine, le rêve un peu mégalo de John George Adair, qui n'hésita pas à se faire une réputation d'infâme dans tout le Donegal, en expropriant 46 familles (soit 244 personnes !) de ses terres fraîchement acquises. C'était en plein mois d'avril 1861, glacial et pluvieux. 10 ans plus tard, il avait fait ériger un très hollywoodien château au bord du lough Veagh (prononcer « Vèyh »). Rien n'y manque : situation sur un promontoire au-dessus de l'eau, remparts crénelés, tours et tourelles. Pins et rhododendrons abritent du vent de superbes jardins exotiques. On y trouve statues balinaises, palmiers, lys et... agapanthes ! Un chemin permet d'aller jusqu'au bout du lough Veagh (compter quatre bons kilomètres). Pour la visite, deux formules.
– *Pour les fauchés :* au *Visitor's Centre,* accès gratuit à un film (en français) et à une expo sur le domaine et l'écologie de la région (climat et zoologie en particulier), puis promenade à pied de 4 km jusqu'au château.
– *Pour les autres :* du *Visitor's Centre,* transport en minibus jusqu'au château. Là, visite libre (avec brochure) ou guidée (avec supplément) d'une série de salles meublées d'époque (salon de musique, bureau, chambres...). Et puis encore (pour les horaires précis, renseignez-vous par téléphone ou via le site internet), les mois d'été, balade gratuite accompagnée dans les montagnes (apporter son pique-nique, un imper et de bonnes chaussures) ; et tout au long de la saison, différentes journées à thème : ateliers d'artisanat, dégustation de vins, vols de rapaces, concerts...

– *Ionad Cois Locha Centre :* Dunlewey Lake. ☎ 95-31-699. ● dunleweycentre. com ● *Pâques-oct, tlj 10h30 (11h dim)-18h.* Base de loisirs située au pied du mont Errigal, au bord du Dunlewey Lake. Bateaux, poneys, musique, visite de maisons traditionnelles... Quand il fait beau, l'endroit est vite saturé.

➤ Pour conclure en apothéose, faire le *tour des Derryveagh Mountains* par le mont Errigal, Dungloe et Doochary. De ce village, remonter la R 254 vers

Glendowan et Churchill. La route grimpe vers le nord-est, dans un vallon ver-doyant qui cède vite la place à un paysage désolé de landes, entre les hauteurs pelées du Slieve Snaght à gauche et des monts Glendowan à droite. Au col, elle vire soudain vers le sud-est et vous restez bouche bée devant l'hallucinante trouée qui découvre le lough Veagh et le château de Glenveagh. Puis on redescend dou-cement sur Churchill à travers les tourbières.

🎣🏃🏔 *Glebe House and Gallery* : à 4 km au sud du parc. ☎ 91-37-071. Accès par le village de Churchill. De Letterkenny, par la R 251. Ouv pour Pâques et fin mai-fin sept, tlj sf ven 11h-18h30 (tlj juil-août). Visite guidée obligatoire de la maison : 3 € ; réduc. Entrée du musée gratuite. Heritage site. Au bord du lough Gartan, un beau presbytère Régence de 1828 avec une collection d'art léguée par le peintre Derek Hill, propriétaire pendant près de 30 ans de cette demeure. Décoration intérieure à base de tapisseries et de tissus créés par William Morris. Salle d'art japonais. Plusieurs centaines de peintures et dessins (de beaux Kokoschka, Modigliani, Picasso...), céramiques, tissus, etc.
🍴 ☕ Boutique et *coffee shop* (ouv 11h-17h).

🎣 Les alentours de *Churchill* regorgent de souvenirs de saint Columbkille (*Colm-cille* en gaélique), évangélisateur de l'Écosse (où on le connaît sous le nom de saint Colomba !) : son lieu de naissance (vers 521), les ruines d'une abbaye et, à quelques kilomètres de là, un *Heritage Centre* (1er dim de mai-dernier dim de sept, lun-sam 10h30-17h, dim 13h30-17h ; entrée : 3 €, réduc).

LA PÉNINSULE DE ROSSGUILL   IND. TÉL. : 074

La péninsule de Rossguill, il y a encore peu de temps, était un des coins les plus paumés d'Irlande. Malheureusement, mobile homes et maisons de vacances ont en partie défiguré ce site splendide.
De Carrigart, emprunter l'Atlantic Drive. La route passe par *Downings* (cons-tructions à profusion), qui possède une fabrique de tweed et un magasin d'exposition-vente *(McNutts)*.
Après la traversée du village, lorsque l'immense plage déserte de *Tra na Rossan* surgit au détour de la montagne, les constructions s'arrêtent et le spectacle commence : des côtes déchiquetées à perte de vue, la mer éblouissante...

Où dormir ? Où manger ? Où boire un verre ?

🏠 *Trá na Rossan Youth Hostel* : ☎ 91-55-374. ● anoige.ie ● À env 6 km au nord-est de Carrigart. En voiture, prendre l'Atlantic Dr par l'est et suivre la côte. De Letterkenny, tlj à 18h10, le bus Gallagher's (à prendre en face de l'arrêt des autres bus) vous conduit à Downings. Puis c'est taxi, stop ou à pied jusqu'au terminus, Melmore Head. Ouv 26 mai-31 août. Réception fermée 10h-17h. Env 16 €/pers en dor-toir 4-10 lits. AJ officielle dans une mai-son ancienne (un pavillon de chasse de 1890) à flanc de colline. L'une des premières AJ d'Irlande (1937). Semble toute petite. Mais, construite par un architecte fameux, sir Edwin Lutyens, elle fait montre de ressources insoup-çonnées (environ 25 lits). Locaux basiques mais convenables, 4 dortoirs, grande cuisine, salon sympa. On aime-rait pouvoir y rester 8 jours, prendre un bon bain de solitude au milieu des moutons, somnoler devant le feu de tourbe. Attention, éviter de se baigner dans Mulroy Bay et Boyeeghter Bay, qui sont extrêmement dangereuses. Quant à Tranarossan, ça va, sauf que... gla-gla !

LE NORD DU DONEGAL

🛏 *Fisherman's Village Lodge :* à *Dooey.* ☎ *91-55-080.* ● *rosguill. com* ● À env 5 km au nord de Downings, par l'Atlantic Dr. Ouv tte l'année. Double env 74 €. CB refusées. 🖥 📶 Environné de champs (et de moutons !), avec la mer en toile de fond, ce *B & B* chaleureux est l'étape idéale pour qui recherche la tranquillité : les chambres (très champêtres et fort confortables), occupent différents cottages pour préserver l'intimité des hôtes. Mais tout le monde se retrouve avec plaisir lors du petit déj ou autour de la cheminée du salon commun, orné de cannes à pêche et d'instruments de marine. D'ailleurs, si une sortie en mer vous tente, le proprio organise toutes sortes de balades.

I●I *Downings Bay Hotel :* à *Downings.* ☎ *91-55-586.* À 50 m de la jolie plage prise d'assaut par les mobile homes. Tlj 13h-21h30 (21h hors saison). Plats 9-20 €. La salle est chaleureuse malgré ses écrans TV. Parfois bruyant : hors saison, c'est le seul endroit où l'on trouve une bonne cuisine, classique et copieuse.

🍸 Toujours à *Downings,* pour se rincer le gosier, le *Harbour Bar,* sur la droite en allant vers le port. Tout y est : le plafond bas, la cheminée, le comptoir patiné, et les habitués. Terrasse sympa pour profiter de la vue.

Où plonger ?

■ *Mevagh Dive Centre :* Milford Rd, à *Carrigart.* ☎ *91-54-708.* Centre 5 étoiles PADI. Tous niveaux. Plongées dans la Sheephaven Bay et autour de la péninsule de Rossguill (la meilleure saison : de mai à septembre).

LA ROUTE VERS LETTERKENNY

➤ À ceux qui redescendent vers Ramelton ou Letterkenny et qui sont saturés de bords de mer, nous recommandons vivement une **superbe route** intérieure **de montagne.** Peu après la sortie de Carrigart, prendre à gauche en direction de Glen (où l'on prendra une pinte dans le pub ô combien pittoresque *Olde Glen Bar*), puis de Lake Salt. Beau panorama sur la baie de Sheephaven. La route, par moments vraiment étroite, rejoint ensuite la N 76 à la hauteur de Kilmacrennan.

FANAD HEAD [ʃánaɪd]   IND. TÉL. : 074

Si le relief de cette péninsule est moins spectaculaire que celui de Rossguill, la Fanad Drive constitue néanmoins une balade très agréable. Tout au nord, le regard balaie la côte, de Malin Head qu'on aperçoit au loin jusqu'au phare de Dunree Head qui domine le lough Swilly. En redescendant vers Ramelton, la route prend de la hauteur (petit détour par *Doag Beg*, de grandes falaises formant une arche naturelle : suivre l'indication « An Airse Mhór Pollaid »), puis longe une grande plage quasi déserte, la Ballymastocker Bay, au sud de Portsalon. Après quoi l'itinéraire s'envole de nouveau, avec de beaux points de vue sur le lough Swilly et la péninsule d'Inishowen.

RATHMULLAN [Ráth maoláin]   520 hab.   IND. TÉL. : 074

Petit port de pêche tranquille où embarquèrent, en 1607, les comtes irlandais vaincus par les Anglais à Kinsale en 1601. Cette « fuite des comtes » *(Flight of the Earls)* sonna le glas de l'indépendance de l'Irlande. La fin était proche : déjà Cromwell affûtait son épée...
– *Heritage Centre :* Pâques-sept, tlj 10h (12h dim)-17h. Entrée : 5 € ; réduc. Installé dans un pittoresque fort du XIXe s surplombant le port (remarquez au sol les emplacements destinés à accueillir les batteries de canons). Ce lieu est consacré à l'épisode du *Flight of the Earls*.
– Pour ceux qui souhaitent traverser le lough Swilly sans passer par Letterkenny, un bac relie l'été Rathmullan à Buncrana. **Lough Foyle Ferry :** ☎ 93-81-901. Pâques-sept, env 9h-20h. Env 15 € par voiture l'aller simple.

Où dormir ? Où manger ?

🛏 🍴 *Water's Edge :* en bord de mer, route de Ramelton. ☎ 91-58-182. ● the watersedge.ie ● Ouv de mi-avr à oct. Resto tlj 12h-21h30. Double env 120 €. Plats 10-18 € le midi ; env 40 € le soir. Un établissement moderne chic, dont la salle à manger panoramique ouvre sur le lough Swilly. Cuisine irlandaise de qualité. Chambres dans le même esprit, tout confort, et face à la baie.

🛏 🍴 *Rathmullan House :* à l'entrée de Rathmullan, en venant de Portsalon. ☎ 91-58-188. ● rathmullan house.com ● Fermé à Noël et janv. Résa obligatoire. Doubles 150-280 €. Dîner au Weeping Elm : menus 45-55 € (ajouter 10 % de service charge) ; au Cellar Bar, plats 12-25 €. 📶 Splendide manoir au bord de l'eau et au milieu d'un grand parc aux riches essences. Depuis les salons richement meublés, vue inoubliable sur le parc et le lac. Piscine couverte et sauna. Mais si vous n'êtes pas frileux, il y a un accès direct à la plage ! Une trentaine de chambres luxueuses, dans un style très classique (les plus chères bénéficient de balcons ou de terrasses). Accueil délicat. Après ça, votre prochain B & B vous paraîtra bien fade !

I●I Belle's Kitchen Cafe (Salt'n Batter) **:** Pier Rd. ☎ 91-58-800. Dans la rue donnant sur le port. Mer-dim 10h-21h. En-cas 4-10 € ; plats 10-16 €.

Banquettes de moleskine rouge, parquet clair et mobilier contemporain habillent ce petit café pimpant, aussi agréable pour son accueil souriant (le chef est bilingue en français !) que pour sa carte variée. Sandwichs, salades, plats du jour et même des crêpes, tout est frais, tout est bon. Pour les pressés, la maison possède également le fish & chips attenant (vente à emporter seulement).

À voir. À faire

🏹 Voir au bord du lough, dans le cimetière, les ruines suggestives d'un **prieuré** du XVIᵉ s, avec d'élégantes tourelles. Tombes plates très anciennes.

– Possibilité d'aller **pêcher** la taupe (un petit requin). Matériel fourni, ainsi que le bateau. Rens à l'office de tourisme de Letterkenny ou, mieux, à **Rathmullan Charters,** Pier Rd, à Rathmullan. 📱 087-248-01-32.

RAMELTON [Ráth mealtáin]   1 210 hab.   IND. TÉL. : 074

Petite ville paisible (dont le nom s'orthographie aussi « Rathmelton »), qui s'étire nonchalamment le long de la rivière Lennon. Elle présente un ensemble de maisons, entrepôts et greniers à grain anciens, formant des alignements homogènes d'une grande qualité architecturale.
– Chaque année, **fête locale** vers le 15 ou 20 juillet. Musique dans les pubs et course de radeaux. Attention, à cette époque, les B & B sont bondés.

Où dormir ? Où manger ?

🏠 **Donegal Shore :** à Aughnagaddy. ☎ 91-52-006. ● donegalshore.com ● À moins de 2 km avt Ramelton, sur la route de Letterkenny. Ouv tte l'année sf pour les fêtes de fin d'année. Double env 64 € (dégressif dès la 2ᵉ nuit). CB refusées. 🖥 🛜 B & B de 5 chambres géré avec beaucoup de sérieux. Dans une villa blanche, chambres de bon confort, en suite, parfaitement tenues.

🏠 **Ardeen Country Home :** ☎ 91-51-243. ● ardeenhouse.com ● En venant de Rathmullan, traverser le pont, longer le quai puis, au niveau de Ramelton Story, monter, tourner à gauche et peu après, prendre à droite. Ouv Pâques-oct. Double

90 € (80 € à partir de 3 nuits) ; cottage pour 6 pers env 350-500 €/sem. 🛜 Grande demeure bourgeoise datant de 1845, au fond d'un jardin. Ameublement cossu, 5 chambres élégantes dont 2 jouissent de la vue sur le lough Swilly. Cottage dans une ancienne dépendance, rénovée avec soin et joliment meublé : 3 chambres, salon avec cheminée et TV, cuisine, véranda... Agréable accueil d'Anne Campbell.

I●I The Silver Tassie Hotel : sur la route de Letterkenny, env 5 km avt la ville. ☎ 91-25-619. Tlj 18h-22h. Plats et sandwichs 4-18 €. Cadre classique, mais pour une étape, la bar food de ce grand hôtel représente un très bon rapport qualité-prix.

À voir

🔭 **Ramelton Story :** *Donegal Ancestry Centre, The Quay.* ☎ *91-51-266.* ● *done galancestry.com* ● *Lun-ven 9h30-17h, plus le w-e juil-août. Entrée : env 4,50 € ; réduc.* Ce musée retrace l'histoire de la ville depuis la « fuite des comtes » et célèbre ses illustres habitants, dont Catherine Black, l'infirmière attitrée du roi George V. Pas bien grand, mais beaucoup à lire et film intéressant.

LETTERKENNY [leitir ceanainn]

19 600 hab.   IND. TÉL. : 074

Ville industrielle et commerçante, la plus active du Donegal, au carrefour des routes du comté. Aucun charme, mais une excellente base pour visiter l'est et le nord du Donegal. Et puis, après toutes ces falaises constellées d'oiseaux et ces âpres paysages peuplés de moutons, ça fait du bien de revoir des gens !

Arriver – Quitter

🚌 **Bus Station :** *Derry Rd, à côté du centre commercial. Infos :* **Feda O'Donnell Coaches,** ☎ *95-48-114,* ● *feda.ie* ● **McGinley,** ☎ *91-35-201,* ● *johnmcginley.com* ● **Bus Eireann,** ☎ *91-21-309.* **North-West Busways,** ☎ *(077) 91-82-619.* **Lough Swilly,** ☎ *91-22-863,* ● *loughswillybusco. com* ●
➤ **De/vers Dublin :** env 10 bus/j. avec *Eireann* et 3 bus/j. (5 le ven) avec *McGinley.* Ligne directe pour l'aéroport.
➤ **De/vers Derry :** 8 bus/j. avec *Eireann.*
➤ **De/vers Donegal :** 8-9 bus/j.
➤ **De/vers Sligo et Galway :** 5-7 bus/j. avec *Eireann* et 2-3 bus/j. avec *Feda O'Donnell.*
➤ **De/vers Dunfanaghy et Dungloe :** 2-3 bus/j. avec *Feda O'Donnell.*
➤ **De/vers la péninsule d'Inishowen :** 4 bus/j. (1 le sam et aucun le dim) avec *North-West Busways.*

Adresses utiles

ℹ️ **Office de tourisme :** *Neil T. Blarney Rd.* ☎ *91-21-160. À 1 km du centre, au grand rond-point de Port Bridge. Juin-août, lun-sam 9h15-17h, dim (sf juin) 10h-16h ; sept-mai, lun-ven 9h15-13h,* 14h-17h. Sourire, grande compétence et brochures sur toute la région.
✉️ ■ **Poste et banques :** *Upper Main St.*

Où dormir à Letterkenny et dans les proches environs ?

Prix moyens

🏠 **Glencairn House :** *Ramelton Rd.* ☎ *91-24-393 ou 91-25-242.* ● *glen cairnhousebb.com* ● *Env 2 km à droite à la sortie de la ville. Ouv tte l'année sf 20 déc-6 janv. Doubles standard ou en suite 60-65 €.* 📶 *Calme, coquet et confortable.* L'hôtesse, d'une rare bienveillance, sait concilier sollicitude et discrétion, prévenant le moindre de vos désirs sans se montrer envahissante. Chambres classiques impeccables. En prime, vue sur la vallée depuis la salle à manger et agréable terrasse pour les beaux jours.
🏠 **Town View House :** *Leck Rd.* ☎ *91-21-570.* ● *letterkennyguide.com/townviewhouse.asp* ● *Traverser le pont en face des magasins Dunnes Stores situés en bas de Main St (pas ceux du Shopping Centre) ; ensuite, tourner 2 fois à gauche puis c'est indiqué. Ouv tte l'année. Double 70 €.* 🖥️ 📶 *Cachée*

au bout d'une impasse, une adresse bien tranquille aux chambres tout confort (ménage tous les matins, avec changement des serviettes de toilette). Une maîtresse de maison qui chante tout le temps, adore plaisanter et prépare des petits déj somptueux (saumon fumé, fromages...). Un des *B & B* les plus sympas de la région. Pour la vue, choisir plutôt le côté campagne (côté ville, les centres commerciaux au loin gâchent un peu le plaisir).

🛏 *Killererin House* : à *Ballaghderg, Mountain Top*. ☎ 91-24-563. ● killererinhouse.com ● Laissez l'hôpital sur votre gauche en sortant de la ville par la N 56, passez le croisement avec le garage Renault à 3 km puis continuez tt droit au rond-point. Ce sera à 200 m sur la gauche. Ouv fév-nov. Double 70 €. 📶 Dans une belle maison de caractère, 3 chambres *en suite* avec mobilier rustique et 2 standard, toutes très bien tenues. Excellent petit déj. Situation idéale pour ceux qui souhaitent visiter le parc sans y résider. Accueil sans égal.

Où dormir dans les environs plus lointains ?

🛏 *The Longvale House* : Porthall, à *Lifford*. ☎ 91-41-318. 📠 074-914-1318. ● thehallgreen.co.uk ● À 5 km de Lifford, au sud-est de Letterkenny sur la N 14, proche de l'Irlande du Nord. Prendre la R 265 vers Saint Johnstown, 2 km avt Lifford. Double 70 €. CB refusées. 📶 Belle ferme meublée d'ancien. Accueil chaleureux. Chambres agréables au décor de grand-mère. Plein d'animaux dans les parages : veaux, bœufs... On vit au cœur de la ferme. Lac à proximité pour la pêche.

🛏 *Mount Royd Country Home* : à *Carrigans*. ☎ 91-40-163. ● mountroyd.com ● À 22 km à l'est. Prendre la N 13 vers Derry, à droite la N 14 vers Lifford, puis à gauche la R 236 vers Saint Johnstown et Derry. Ouv fév-oct. Double 70 € (prix dégressif). CB refusées. 📶 Pas loin de la « frontière », dans un environ-

nement verdoyant. Chambres meublées de façon très soignée, dans un style à l'ancienne avec lits à baldaquin, moult bibelots et poupées, sans toutefois tomber dans le kitsch absolu. Ce vrai retour dans le temps est seulement troublé par les écrans LCD accrochés aux murs... pour le moins anachronique ! Excellent accueil de Joséphine, qui ne tarit pas de conseils touristiques.

Où manger ?

Bon marché

🍴 *The Quiet Moment* : 94-96, Upper Main St. ☎ 91-28-382. Lun-sam 8h-18h. Plats du jour ou sandwichs 4-10 €. Café tout simple proposant une grande variété de petits déj et de snacks.

🍴 *The Bagel Bar* : 22, Lower Main St. ☎ 91-26-777. Lun-sam 9h-18h, dim 10h-18h. Bagels env 5-6 € ; formule env 7 €. Grand choix de bagels, ces beignets ronds fourrés à... des tas de choses ! Et aussi des glaces, *apple crumble, pies*... Comment résister ?

De prix moyens à plus chic

🍴 *The Yellow Pepper* : 36, Lower Main St. ☎ 91-26-973. Tlj 12h-22h. Plats 13-23 € ; value menus (14h-19h – 18h30 sam) 16,50-20 €. L'adresse préférée des gens du coin, installée dans l'ancienne usine de chemises McIntyre, datant de 1896 (parquets et murs de brique sont d'origine : cachet garanti !). Menu mêlant de bonnes spécialités locales à des délices du monde entier, le tout accompagné de petits légumes provenant (si possible) du jardin de la maison. Très bon accueil.

🍴 *The Lemon Tree* : 39, Lower Main St. ☎ 91-25-788. Lun-sam 17h-21h30 (22h ven-sam) ; dim 13h-14h30, 17h-21h30. Plats env 15-25 € ; early bird menus (17h-18h45 sf sam) 16-20 €. Salle contemporaine bien compartimentée pour préserver l'intimité des hôtes et carte variée proposant une cuisine moderne irlandaise raffinée. La table chic de la ville.

Où boire un verre ? Où écouter de la musique ?

♥ ♪ The Cottage : 39, Upper Main St. ☎ 91-21-338. Pub pittoresque avec plafond bas et collection pléthorique de chopes, très fréquenté par les jeunes et moins jeunes. Qu'il fait bon s'y retrouver entre amis !

♥ ♪ Mc Ginley's : Lower Main St. Musique presque tous les soirs dans ce pub cosy en diable, avec son escalier sculpté et ses poutrelles patinées.

♪ Voodoo : 21, Lower Main St. ☎ 91-09-815. Déco tendance pour ce disco-club lounge à la façade noire. Animations tous les soirs : DJ (quelques pointures le week-end), karaoké, quiz, etc. Ceux qui ont encore soif pourront tester le pub classique **Brewery** (Market Sq), pour sa bonne ambiance et sa musique traditionnelle certains soirs, ou, dans un autre registre, le bar **The Cavern** (Lower Main St), animé par des DJs et destiné aux étudiants.

À voir

🏹 Donegal County Museum : High Rd. ☎ 91-24-613. ♿ Dans une rue qui monte vers l'hôpital depuis Upper Main St. Lun-ven 10h-12h30, 13h-16h30 ; sam 13h-16h30. Entrée gratuite. Collection archéologique et ethnographique comprenant le gruel cauldron, marmite géante utilisée par les quakers durant la Grande Famine et dans laquelle les habitants de la région rêvaient de tomber. Fonds permanent assez limité. Intéressantes expos temporaires.

Festival

– **Earagail Arts Festival :** en juil. ● eaf.ie ● Expositions et musiques pour une célébration de l'art contemporain.

LA PÉNINSULE D'INISHOWEN [Inis Eoghain]

IND. TÉL. : 074

Une péninsule à figure de Janus. Les plages touristiques de Moville et de Buncrana côtoient des paysages rugueux et déserts. Malin Head, point le plus septentrional de l'Irlande, mais aussi l'un des plus ensoleillés du pays, fait toujours fantasmer ! Les habitants ont depuis longtemps pris conscience du potentiel touristique de leur région, et pourtant il s'agit d'une des dernières zones épargnées par les promoteurs. Amis routards, osez Inishowen !
– Pour les motorisés, un fléchage « Inis Eoghain 100 » a été installé, balisant 100 miles (160 km) représentant le tour complet de la presqu'île. Prévoir 1 journée. Si possible posez-vous, les activités ne manquent pas : balades à pied, à cheval, golf, pêche, observation d'oiseaux, jeux de plage (et baignade... pour les Bretons). Capacités d'hébergement limitées, et c'est tant mieux.

Arriver – Quitter

En bus

➤ **De/vers Derry** (Foyle St) **et Letterkenny :** avec North-West Busways (☎ 93-82-619 ; ● foylecoaches. com ●), Lough Swilly (☎ 91-22-863 ; ● loughswillybusco.com ●) et McGinley

(☎ 91-35-201 ; ● johnmcginley.com ●). Liaisons tlj sf dim ; tlj avec Lough Swilly et McGinley (sf pour Letterkenny).

En bateau

➤ Traversée en ferry du lough Swilly, entre Rathmullan et Buncrana, proposée en été par la compagnie **Lough**

Foyle Ferry (☎ 93-81-901 ; ● *lough foyleferry.com* ●). Pâques-sept, env 9h-20h. Env 15 €/voiture l'aller simple. 1 autre ferry relie Greencastle, à côté de Moville, à Magilligan Point (Irlande du Nord). Avr-août, 9h-19h (20h juil-août). Env 15 €/véhicule.

Où dormir ? Où manger ? Où écouter de la musique ?

⌂ *Tullyarvan Mill Hostel* : à Buncrana. ☎ 93-61-613. ● *tullyarvanmill. com* ● À la sortie de Buncrana, prendre à gauche vers Fort Dunree. Ouv tte l'année. Env 15 €/pers en dortoir et 20 €/pers en chambre. CB refusées. ⏚ AJ moderne située dans d'anciens bâtiments rénovés de façon fonctionnelle. On perd en charme, mais on gagne en confort : chambres doubles, familiales ou dortoirs (jusqu'à 12 lits) impeccables, tous *en suite,* et grande cuisine à dispo.

⌂ *Dun Cinn Trá* : *Drumcarbit,* à Malin. ☎ 93-70-063. ▯ 086-830-18-70. ● *mydonegalhome.com* ● À 1 km de Malin, sur la R 243 (route de Culdaff). Ouv tte l'année. Doubles env 64-70 € selon type de petit déj. CB refusées. ⏚ Cet adorable *B & B* propose 2 chambres à la déco fraîche et moderne, avec salle de bains et beau mobilier en bois massif. Le plancher ancien a été récupéré dans un vieil hôtel anglais. Liam vous offrira un accueil on ne peut plus chaleureux et un bon petit déj (pain maison en général !).

|●| ♪ *Bistrot et resto du Malin Hotel* : à Malin. ☎ 93-70-606. Tlj 12h30 (18h pour le resto)-21h30 ; horaires restreints en hiver. Sandwichs 4-5 €, plats 10-20 €. Un bon endroit pour manger à prix raisonnables. Nourriture de bonne facture, que ce soit au bistrot ou au restaurant. Musique traditionnelle certains soirs en été.

|●| *The Beach House* : The Pier, Swilly Rd, à Buncrana. ☎ 93-61-050. Jeu-ven 17h-21h, w-e 12h-21h (tlj l'été). Sandwichs et plats 5-14 € le midi ; plats 16-25 € le soir ; early bird menus (servis lun-sam 17h-18h45 – 18h30 sam) 18-22 € ; set menu 30 €. Situation on ne peut plus stratégique pour ce café-resto élégant, en surplomb de la jetée et de la plage : de la terrasse, c'est tout simplement superbe ! Quant à la cuisine, soignée, elle fait le grand écart entre les sandwichs, des burgers et des soupes (de qualité) le midi et des plats (notamment de poissons) plus élaborés le soir.

|●| ♪ *Mc Grory's Pub & Restaurant* : à Culdaff. Tlj sf lun-mar 12h30-21h pour la cuisine. Pub grub à prix habituels et resto (plats 10-20 €). Bonne bar food et musique fréquente.

À voir

🏰🏰🏰 *Grianán Aligh* : à la base de la péninsule, près de la N 13 de Letterkenny à Derry (fléché depuis le carrefour pour Buncrana, route à l'opposé montant sur 3 km). Tlj 10h-18h. Accès gratuit. L'un des plus impressionnants forts préhistoriques du pays. Érigé à l'emplacement d'un tumulus du Néolithique, il date sans doute du VIe ou du VIIe s. La légende, elle, dit qu'il serait l'œuvre de Dagda, roi des Tuatha de Danann. Les murs du fort sont épais de plus de 4,5 m. Il fut un temps la résidence des O'Neill, les rois d'Ulster. Édifié pour des raisons stratégiques en haut de la montagne Greenan, il offre depuis le chemin de ronde l'une des plus belles perspectives du Donegal, commandant la vue sur la rivière Swilly séparée du *lough* du même nom par Inch Island, la rivière Foyle, le lough Foyle et une partie de Derry, ainsi que toute la campagne environnante.

🏰 *La croix celtique de Fahan* : sur la route de Buncrana, 50 m avt l'église de Fahan, dans un virage, sur la droite. Le vieux cimetière protestant de Fahan propose l'une des anciennes croix sculptées d'Irlande (VIIe s). La croix, seul vestige d'un monastère érigé par saint Colmcille, présente les traditionnels entrelacs gaéliques, presque effacés par le temps.

🗡 *Buncrana :* vivante et colorée, elle est l'une des stations balnéaires préférées des Derriens. C'est ici que tenta de débarquer Wolfe Tone, chef des *United Irishmen,* pour rejoindre les troupes du général Humbert. Capturé, il fut jugé et condamné à la pendaison. Il demanda en vain à être fusillé et, refusant d'être exécuté comme un vulgaire criminel, se trancha la gorge et mit 8 jours à mourir.

🗡 Près de Buncrana, dans un beau parc légué à la ville par un riche aristocrate, voir le donjon du **château des O'Doherty** (O'Doherty's Keep), datant du XVe s. À côté, très ancien et pittoresque pont de pierre sur la rivière Crana.

🗡 *Fort Dunree Military Museum :* à *Dunree Head,* indiqué. ☎ 93-61-817. ● dunree.pro.ie ● Juin-sept, lun-sam 10h30-18h, dim 13h-18h ; oct-mai, lun-ven 10h30-16h30, w-e 13h-18h. Entrée : 6 € ; réduc. Un fort posé au bout d'une pointe stratégique sur lough Swilly, face à Portsalon, avec ses immenses projecteurs et ses canons toujours pointés sur le large. Le petit musée propose une exposition sur la vie du fort et son rôle dans la défense de la côte au XIXe s et pendant les guerres mondiales. Vidéo, quelques armes et uniformes, et, dans les différentes casemates, du matériel. À flanc de colline, jeter un œil sur les baraquements délabrés (attention au verre cassé et à la tôle coupée). On peut se contenter de la balade autour du fort, avec ses beaux points de vue sur le *lough* et l'océan.

🗡🗡🗡 *Doagh Famine Village :* entre Ballyfin et Carndonagh, sur **Doagh Isle.** ☎ 93-78-078. ● doaghfaminevillage.com ● À 2 km après Ballyfin, indiqué. De mi-mars à fin oct, tlj 10h-17h. Entrée : 7,30 € (comprend 1 boisson chaude à la sortie) ; réduc. Tour guidé ttes les 45 mn ou livret en français. Un surprenant musée installé dans les chaumières d'un village habité jusqu'aux années 1980, notamment par Patrick, qui vous guide à travers des reconstitutions grandeur nature agrémentées d'une foultitude d'objets d'époque, pour évoquer la survie des habitants de la région à l'époque de la Grande Famine, leurs différents types d'habitation, leurs us et coutumes, entre autres. Car ce lieu décidément très complet et atypique s'efforce de passer en revue toutes les principales étapes de l'histoire irlandaise jusqu'à nos jours. Les mises en scène ne sont pas laissées au hasard, des funérailles jusqu'à la messe secrète en passant par les évictions de paysans par les lords et la maison républicaine clandestine (une série de portes dérobées – à vous de les trouver ! – conduisent le visiteur de salle en salle, toutes consacrées à la lutte pour l'indépendance).

🗡🗡 À *Carndonagh,* on découvre la **Donagh Cross,** croix sculptée la plus ancienne d'Irlande (VIIe s). Dans la partie supérieure, les célèbres entrelacs et, en dessous, un personnage bras ouverts. Elle est entourée de deux autres stèles, plus petites. Les croix furent déplacées et réinstallées devant l'église il y a quelques années, contexte bien moins poétique que la lande d'origine.

🗡 *Malin :* un village mignon, avec ses murs passés à la chaux et son Diamond (place principale) propret. Situation enviable au fond de la Trawbreaga Bay, dans un paysage de collines basses et arrondies couvertes de bocage. À l'horizon, le Raghlin More et ses croupes rocailleuses.

🗡🗡🗡 *Trawbreaga Bay :* à partir de Malin, le fléchage « Inis Eoghain 100 » vous fait prendre de petites routes insoupçonnées. Pour qui n'est pas pressé, ça devient le pied intégral ! La route grimpe sérieusement jusqu'au parking de Knockamany Bens, d'où la vue est à couper le souffle : dans un paysage de dunes, la Trawbreaga Bay et les vagues qui viennent battre les étendues de sable du Five Fingers Strand avec, de l'autre côté, le Raghlin More où vous distinguez très bien le Mamore Gap et la route qui en descend, l'enfilade de caps jusqu'à Fanad Head, Tory Island à l'horizon et Sa Majesté Errigal qui domine tout ce petit monde de roches et d'eau.

MALIN HEAD

IND. TÉL. : 074

Le point le plus septentrional d'Irlande vaut bien qu'on s'y attarde un peu. Amateurs de bouts du monde, bienvenus ! En prime, ce « Finistère », croyez-le ou non, est l'une des zones les plus ensoleillées d'Irlande ! Et c'est aussi un excellent lieu d'observation des aurores boréales.

Où dormir ?

⌂ *Sandrock Holiday Hostel :* Port Ronan Pier. ☎ 93-70-289. ● san drockhostel.com ● Ⴠ *Ouv tte l'année. Env 12 € en dortoir ; draps 1,50 €. CB refusées.* 📶 À l'écart de tout, sauf du minuscule quai où les pêcheurs vendent poissons, homards et crabes à des prix défiant toute concurrence ! Maison conviviale et très confortable : beau salon avec vue inoubliable sur la baie et les montagnes jusqu'au mont Errigal, cuisine charmante (visez la cuisinière à l'ancienne !), 2 dortoirs de 10 lits, au mobilier robuste et élégant (chacun avec 2 douches), et un lave-linge. L'un peut être converti en chambre familiale sur réservation. Accueil adorable de Margaret et de Rodney, qui viennent vous chercher à l'arrivée du bus (1 km) et ont toujours plein d'histoires à raconter. Cartes de la région, activités possibles, instruments de musique à disposition... Location de vélos.

Où manger ?

|●| Le pub le plus au nord, eh oui ! c'est une marque déposée, se nomme *The Farren's Bar.* Cosy et familial, c'est un pub de quartier à l'atmosphère décontractée. Tout proche, *The Seaview Tavern (restauration à partir de 17h30 – 12h mer-dim)* est l'autre option du coin. On y trouve un bar minuscule, rustique, et une salle de resto de bonne taille *(plats classiques env 10-20 €).* Terrasse profitant d'une fort belle vue.

À voir. À faire

🏃🏃 *Bamba's Crown :* du nom d'une des trois déesses (appelée aussi Macha) qui composent la Morrigan (avec Morrigu et Badb). L'*Ireland's Most Northernly Point* est couronné d'un édifice bâti en 1805 sur ordre de l'Amirauté, pour identifier les bateaux pratiquant cette route maritime. Par temps favorable, on aperçoit l'île écossaise d'Islay.

➢ *Le rivage de Raised Beach à Ineuran Bay :* aux environs de Bamba's Crown, il se prête à la promenade et à la découverte. Caverne *(Hell's Hole),* pilier *(Skildern),* arche *(The Devil's Bridge),* phoques, corvidés et plein d'oiseaux de mer. En été, dauphins, marsouins et requins pèlerins sillonnent la côte.

VERS L'IRLANDE DU NORD

Guère de changement d'un côté à l'autre de la « frontière », qui, soit dit en passant, n'est matérialisée par aucun panneau. Les routes sont plus larges, la signalisation au sol plus complète. Et en plus, vous allez devoir compter en miles, acres, onces et autres *inches...*
– Si les *sterling pounds* sont bien acceptées dans les zones frontalières, les euros ne le sont pas partout dans le Nord.

L'IRLANDE DU NORD (ULSTER)

ABC DE L'IRLANDE DU NORD (ULSTER)

▶ *Superficie :* 13 843 km².
▶ *Population :* environ 1,81 million d'habitants.
▶ *Capitale :* Belfast (ville seule : 281 000 habitants ; avec l'agglomération : 641 600 habitants).
▶ *Langue officielle :* l'anglais.
▶ *Monnaie :* la livre sterling *(pound),* symbole usuel « £ », sigle normalisé « GBP ».
▶ *Régime :* monarchie parlementaire. Une assemblée locale de 108 députés donne à l'Irlande du Nord une sorte de semi-auto-nomie dans certains domaines. Un gouvernement biconfession-nel a été mis en place sous la direction conjointe du loyaliste Peter Robinson et du républicain Martin McGuinness.
▶ *Chef de l'État :* Elizabeth II d'Angleterre, depuis février 1952.
▶ *Divisions administratives :* 6 comtés.
▶ *Religions :* 48,4 % de protestants et 45,8 % de catholiques environ.

Au moment des *« Troubles »,* la plupart des touristes visitant l'Eire évitaient de monter dans le Nord. Et puis le cessez-le-feu est devenu définitif en 1998. Après 30 ans de guerre et de tensions, la popu-lation a goûté à la paix. Les hommes d'affaires sont revenus, de grands projets d'urbanisme se sont épanouis à Belfast et des écoles interconfessionnelles ont vu le jour. La vie nocturne a repris ses droits : dans les quartiers mixtes, jeunes catholi-ques et protestants envahissent à nou-veau les boîtes et salles de concert.
C'est une Irlande du Nord ouverte, dispo-nible, hospitalière que vous allez décou-
vrir. La province a tant à proposer : des villes chargées d'histoire – Derry, Belfast, Armagh ; de superbes paysages – la Chaussée des Géants, bien sûr, mais aussi de pittoresques montagnes, les Mourne et les Sperrin, des côtes déchiquetées par les falaises, entaillées de vallées merveilleuses (les Glens of Antrim), les paisibles lacs du Fermanagh...

Pour découvrir toutes ces beautés, nous suivons un itinéraire en boucle : de Derry à Belfast par la côte d'Antrim, puis retour par le sud d'est en ouest en traversant les comtés de Down, d'Armagh et de Fermanagh. De n'importe quel point du parcours, le comté de Tyrone et les rives du lough Neagh, au centre, sont accessibles.

UN PEU D'HISTOIRE

Au début de l'ère chrétienne, l'Ulster est le plus puissant des cinq royaumes qui se partagent l'Irlande. Il passe sous la domination de la famille O'Neill jusqu'à la conquête normande. La souveraineté normande puis anglaise se fait de plus en plus molle jusqu'en 1603, quand l'implantation de colons anglais et écossais crée une puissante minorité protestante dans cette partie de l'île. Depuis 1795, organisée au sein de l'ordre d'Orange, elle s'oppose frontalement aux mouvements nationalistes du Sud. En 1922, elle obtient que la province, amputée de trois de ses comtés les plus catholiques, le Cavan, le Donegal et le Monaghan, demeure sous domination britannique.

Une cage sociale et politique

Dès 1922, des lois répressives spéciales sont édictées pour maintenir la minorité catholique en état de soumission. On institue le *gerrymandering,* découpage électoral subtil visant à la sous-représenter, même là où elle est majoritaire. Le système de vote censitaire accroît encore les inégalités.
Discriminations dans le logement et le travail complètent le tableau. Enfin, les forces de police, les RUC *(Royal Ulster Constabulory),* recrutent essentiellement parmi les unionistes les plus vindicatifs. La division entre catholiques et protestants s'accentue.

Le déchaînement des faucons

Après la Seconde Guerre mondiale, le mouvement républicain se reconstitue autour de deux branches : l'une militaire, l'IRA ; l'autre politique, le Sinn Féin.
À partir de 1966, un mouvement défendant les droits civiques des catholiques lance les mots d'ordre « *One man, one vote* » et « Égalité dans le travail et pour le logement ». En représailles, il subit la brutalité des *B-Specials,* milices policières de composition similaire aux RUC. À Derry, une manifestation pacifique est sauvagement réprimée en octobre 1968, puis une autre marche arrivant de Belfast est violemment attaquée en janvier 1969.
En août 1969, la traditionnelle marche orangiste des *Apprentice Boys* se déroule sur les remparts de Derry. Seulement, cette année-là, la colère rentrée des *Bogsiders* explose immédiatement. Des pierres partent d'en bas, beaucoup de pierres. L'intervention brutale des RUC décuple bien sûr l'ardeur des manifestants. La population entière se soulève pendant 3 jours. C'est alors, de façon ironique, qu'est écrite sur un mur, à l'orée du quartier, la célèbre phrase : « *You are now entering free Derry !* »

1969-1994... la guerre !

Les attaques loyalistes sur les ghettos catholiques réactivent la vieille IRA qui éclate en deux factions : l'IRA *officielle,* d'obédience marxiste, et l'IRA *provisoire,* plus spécifiquement engagée dans le conflit nationaliste. Le Sinn Féin se divise lui aussi.
Certaines revendications, tel le *one man, one vote,* sont satisfaites et les *B-Specials* tant exécrés, dissous, mais trop tardivement. La pseudo-neutralité de l'armée anglaise ne résiste pas aux réalités politiques. Le 30 janvier 1972, le

Bloody Sunday voit les parachutistes britanniques ouvrir le feu, à Derry, sur une manifestation pacifique de 20 000 personnes venues réclamer la libération des internés. Le bilan de ce « dimanche sanglant » est de 14 morts. En « représailles », 22 bombes de l'IRA explosent à Belfast le 21 juillet.

De 1972 à 1974 se succèdent trêves, cessez-le-feu, reprises des combats, scissions, trahisons et attentats républicains. Un accord de partage du pouvoir entre protestants et catholiques, négocié fin 1973, est mis à mal par une grève générale de la population protestante, encadrée par les milices loyalistes.

En 1976, le gouvernement supprime le statut de prisonnier politique aux militants républicains, qui refusent l'uniforme des prisonniers de droit commun et restent nus sous une couverture. S'ensuit une grève de l'hygiène, au grand retentissement international. 5 ans de lutte vont se poursuivre pour regagner le statut de prisonnier politique, sans résultat face à l'intransigeance de Mrs Thatcher, le Premier ministre anglais. En 1978, la Grande-Bretagne est condamnée par la Cour européenne des Droits de l'homme pour traitement inhumain et dégradant.

La grève de la faim, ultime recours !

En mars 1981, Bobby Sands, commandant en chef de l'IRA au sinistre H Block de la prison de Long Kesh, entame une grève de la faim pour l'obtention du statut de prisonnier politique, imitée chaque semaine par un autre de ses camarades.

En avril, il est élu député au Parlement britannique lors d'une élection partielle ! Sur son formulaire de candidature, à la rubrique « profession », il a inscrit : « prisonnier politique ». Mrs Thatcher réagit en faisant amender la loi, de sorte à interdire d'élection les prisonniers... La mort de Bobby Sands, début mai, puis de neuf de ses camarades, provoque dans l'opinion publique un choc terrible. L'émotion suscitée dans le monde entier est énorme.

Tout en continuant la lutte armée, le mouvement républicain décide de rompre avec sa traditionnelle politique abstentionniste. En 1983, Gerry Adams est élu député de West Belfast, mais il refuse de siéger à la Chambre des communes et, donc, de reconnaître les institutions britanniques. En octobre 1984, un attentat de l'IRA au *Grand Hôtel* de Brighton fait deux morts, dont le ministre britannique de l'Industrie. La Dame de Fer y échappe de peu.

L'indécision de la colombe

La situation évolue positivement en 1993 : des discussions en profondeur se tiennent entre John Hume, leader du SDLP (Social Democratic and Labour Party), le principal parti nationaliste d'Irlande du Nord, modéré, et Gerry Adams, président du Sinn Féin. Londres a enfin compris qu'il n'est pas possible de gagner, ni militairement contre l'IRA, ni politiquement contre un mouvement républicain soutenu par la population catholique.

En août 1994, nouveau coup de tonnerre : l'IRA décrète un premier cessez-le-feu, résultat de plusieurs mois de tractations. Le mouvement est imité, 1 mois plus tard, par les organisations loyalistes. D'autres mesures accompagnent le cessez-le-feu : suppression de l'article 31 qui interdisait de parole le Sinn Féin dans les médias du Sud, début de rapatriement de prisonniers politiques de l'IRA d'Angleterre en Irlande du Nord.

Tous ces éléments indiquent une volonté réelle de part et d'autre d'arriver à de véritables négociations. Mais le cessez-le-feu est rompu en février 1996, puis relancé en 1997... Dans le même temps, le nouveau Premier ministre, le travailliste Tony Blair, propose un plan de désarmement des milices et essuie un refus des organisations extrémistes loyalistes.

En septembre 1997, unionistes et républicains se réunissent autour d'une table pour débattre de l'avenir de l'Irlande du Nord. Puis, en décembre, au 10, Downing Street, Tony Blair reçoit Gerry Adams et une délégation du Sinn Féin...

1998 : vers une paix durable

Il semble alors qu'on peut enfin tirer un trait sur la comptabilité macabre de ce conflit. Après 3 600 morts, des dizaines de milliers de blessés et beaucoup de larmes et de sang, la paix s'installe.

Tony Blair et Gerry Adams ont compris que la paix se fait nécessairement avec l'ennemi. Tony Blair convainc les membres de l'UUP (Ulster Unionist Party) et les anciens de l'IRA d'entamer des pourparlers. Un accord doit intervenir avec Pâques comme date butoir. Tony Blair use de toute son autorité et du soutien américain du médiateur George Mitchell.

Durant le week-end de Pâques, la tension est à son comble, le suspense et l'angoisse montent. Le 10 avril, l'accord du « Vendredi saint » est finalement conclu. Tony Blair a brillamment réussi son numéro d'équilibriste politique : un accord sans signature, mais sur lequel tout repose.

L'accord inespéré : trois nouvelles institutions pour la paix

Premier grand volet : la province est désormais gouvernée par une assemblée locale de 108 membres, ayant des pouvoirs législatifs et exécutifs. Ainsi Londres cède-t-il de fait une partie de ses prérogatives à cette nouvelle Chambre, dirigée par un Premier ministre et une petite dizaine de ministres issus de tous les partis de l'île et élus à la proportionnelle.

Deuxième grande institution : un conseil Nord-Sud relie politiquement la répu-blique d'Irlande à l'Irlande du Nord en mettant en commun la gestion de certains domaines comme l'agriculture, le tourisme, l'éducation, les transports (mais en excluant la défense, la police, les impôts...). Pour la première fois, Dublin a son mot à dire sur des choix politiques concernant le Nord. De leur côté, les protestants sont satisfaits, puisque l'Ulster reste dans le giron du Royaume-Uni, à moins d'un vote contraire à la majorité absolue.

Troisième point fort, la création d'un Conseil irlando-britannique réunissant les différentes régions autonomes du Royaume-Uni (pays de Galles, Écosse et Ulster). Le 22 mai, les électeurs d'Irlande du Nord votent à une large majorité pour l'accord de paix de Stormont. Ceux de la république d'Irlande font de même, en validant le projet d'amendement constitutionnel relatif à cet accord. L'élément le plus opposé à la paix, le révérend Ian Paisley, violemment anticatholique, se retrouve isolé. De leur côté, l'unioniste (protestant) David Trimble et le nationaliste (catholique) John Hume ramassent la mise.

L'élection de l'assemblée

Le 25 juin 1998, l'élection des députés de l'assemblée locale voit la modeste vic-toire du camp protestant modéré. Son chef, David Trimble (UUP), est nommé Pre-mier ministre de l'exécutif. Arrive ensuite le Social Democratic and Labour Party (SDLP) de John Hume. Le troisième acteur important est le Democratic Unionist Party (DUP), le parti radical protestant, adepte de la ligne dure et du « non » intran-sigeant. Gerry Adams et le Sinn Féin, quant à eux, en choisissant de travailler à la paix, tiennent une belle place. La nouvelle voie est bel et bien ouverte, malgré les manifestations orangistes de l'été 1998 à Portadown où trois enfants périssent dans un incendie criminel et, surtout, le terrible attentat du 15 août à Omagh, qui fait 28 victimes. Coup de pouce sur la voie de la réconciliation : Trimble et Hume reçoivent conjointement le prix Nobel de la paix 1998.

L'accord conclu en avril 1998 entre en vigueur début décembre 1999.

Tâtonnements

Les élections générales britanniques de juin 2001 provoquent un véritable tremblement de terre : dans les deux camps, les extrémistes devancent les modérés. Le dépit du camp loyaliste devant l'avancée du Sinn Féin n'est par ailleurs pas long à s'exprimer. À North Belfast, des gangs loyalistes attaquent écoles et logements catholiques. En octobre, l'IRA annonce qu'elle commence le démantèlement de ses stocks d'armes. Trimble, qui a démissionné durant l'été, revient aux affaires. Pour les extrémistes loyalistes, c'est une frustration énorme. S'ensuivent attaques contre les enclaves catholiques et contre... les RUC, tandis que les tensions montent entre factions loyalistes. La partie de bras de fer continue, mais dans de meilleures conditions. La marche vers la paix aussi, c'est devenu irréversible !

Dernier round ?

En octobre 2002, l'Assemblée semi-autonome d'Irlande du Nord est suspendue. À nouveau, Londres administre la province... Les élections provinciales de 2003 se soldent par la victoire du DUP de Paisley – devant l'UUP de Trimble et le Sinn Féin. Les élections de mai 2005 confirment la tendance au durcissement des positions : David Trimble perd sa place à Westminster, et son parti abandonne quatre de ses cinq sièges, le forçant à la démission.
Juillet 2005, Seanna Walsh, compagnon de cellule de Bobby Sands, annonce le renoncement unilatéral et définitif à la lutte armée de l'IRA ; 2 mois plus tard, toutes les armes sont rendues. Malheureusement, certains dérivent vers le gangstérisme, et Ian Paisley refuse toujours de siéger aux côtés de Gerry Adams... Au fil des mois, devenus années, la patience des Anglais et des Irlandais s'émousse. La torture et l'assassinat de Denis Donaldstone, un ex-dirigeant de l'IRA, taupe des Britanniques, début 2006, n'arrangent rien... Peu après, un ultimatum commun est lancé : soit les élus nord-irlandais s'entendent pour former un gouvernement avant la fin de l'année, soit les élections de début 2007 seront annulées et la province administrée directement, et conjointement, par Londres et Dublin.

L'assemblée, enfin

En janvier 2007, ultime concession, le Sinn Féin reconnaît à une écrasante majorité l'autorité des tribunaux et de la police d'Irlande du Nord. Les élections, en mars, accordent à nouveau une majorité à l'UDP de Ian Paisley et au Sinn Féin, devant les modérés de l'UUP et du SDLP. « Dr No » (Ian Paisley) met de l'eau dans sa bière et la milice de l'UVF renonce à son tour à la violence. Il gouverne dès lors avec pour vice-Premier ministre le numéro 2 du Sinn Féin, Martin McGuinness. Si l'on en croit les sondages, seul un Nord-Irlandais sur quatre pense que le duo résistera à l'épreuve du temps. Il est vrai qu'en dehors de l'économie les points d'entente entre les deux partis majoritaires sont très rares.
Un an après, Ian Paisley passe la main : à 82 ans, il démissionne du poste de président du DUP et de celui de Premier ministre. Peter Robinson, jusqu'alors ministre des Finances, lui succède. Le DUP, jugé trop conciliant par les tenants d'une ligne dure, est alors menacé par un nouveau parti radical protestant (Traditional Unionist Voice). Pourtant, la dernière étape du processus de paix est bien validée en 2010, avec le transfert des pouvoirs de police et de justice de Londres à Belfast.

Élections de 2010 et 2011

Les deux dernières élections ont eu des résultats cohérents et révélateurs de l'état du processus de paix. À celles de la Chambre des communes, en mai 2010, le Sinn Féin devance le DUP et devient ainsi le premier parti d'Irlande du Nord. Lors des élections régionales de 2011, on pouvait légitimement craindre de graves tensions après le meurtre du policier catholique Ronan Kerr par une fraction dissidente de l'IRA. Finalement, DUP et Sinn Féin progressent parallèlement tandis que l'extrême droite est laminée et que le petit parti centriste *Alliance*, réunissant catholiques et protestants, fait élire à Belfast une candidate d'origine asiatique, preuve d'une certaine ouverture de l'électorat ! Si la lumière semble poindre au bout du tunnel, l'Irlande du Nord reste une société profondément divisée et ce, dès l'école : pas moins de 90 % des petits catholiques et protestants sont encore scolarisés dans des établissements confessionnels séparés...

QUAND VISITER L'IRLANDE DU NORD ?

Si l'heure est à l'apaisement, les escarmouches ne sont pas impossibles. C'est surtout vrai à l'approche du *King Billy Day,* le 12 juillet, jour des parades orangistes commémorant la victoire protestante de la bataille de la Boyne (1690). La journée est fériée dans toute la province, et tout, absolument TOUT, est fermé. Ce jour-là, les rues s'illuminent de gigantesques feux de joie dont certains dépassent les toits des immeubles. On y brûle le drapeau vert-blanc-orange (même l'orange !), voire un portrait du pape, tandis que la foule entonne le *God Save the Queen...* Un autre célèbre cri de ralliement, ramenant au Grand Siège de Derry en 1689, fuse par moments : « *No Surrender !* » Les protestants de la ville célèbrent d'ailleurs sa levée chaque 12 août, lors de festivités similaires. En résumé, le routard impressionnable, même s'il risque surtout des problèmes de circulation aux abords des défilés (routes barrées, interruption des transports publics), évitera la première quinzaine de juillet.

LE ROUTARD EN VOITURE EN ULSTER

Tout ce que nous avons dit dans le chapitre « Irlande utile » en début de guide reste valable. Attention à la signalisation au sol, beaucoup plus développée qu'en Eire. En particulier, une double rangée de pointillés en travers de la route signale que vous n'avez pas la priorité.

LE ROUTARD À PIED EN ULSTER

Infos sur toutes les randos régionales : ● *walkni.com* ●
– *Ulster Way :* long de 900 km environ ce parcours pédestre traverse les cinq comtés d'Irlande du Nord.
– Pour préparer l'affaire et se mettre en appétit, lire *The Complete Ulster Way Walks,* de Paddy Dillon, éd. O'Brien Press (1999) ou *Walking the Ulster Way,* de A. Warner, éd. Appletree Press (2000). Consulter également la rubrique « Randonnée » dans « Irlande utile » en début de guide. Sur chacune des cinq sections géographiques de l'*Ulster Way,* le randonneur trouvera des circuits balisés abordables. Newcastle, sur la côte sud-est, constitue par exemple une base bien équipée pour les départs de randonnées à la journée, notamment dans les montagnes des Mourne. Ailleurs, pierres celtiques, lacs poissonneux, landes à bruyères vous attendent et, bien entendu, la fameuse côte de la Chaussée des Géants *(Giant's Causeway Coast)* sur le littoral nord. Le balisage, représenté par le petit bonhomme jaune comme en Eire, est bon sur l'essentiel du parcours, les *Quality Sections,* et plus flou sur les *Link Sections,* correspondant souvent à des routes où l'on encourage d'ailleurs les randonneurs à emprunter les transports publics... L'*Ulster Way* compte également une *Donegal Section* en Eire, rattachée à la boucle à Pettigo, au nord du Lower Lough Erne (Fermanagh).
– *Waymarked Ways :* longs de 32 à 64 km (1 à 3 jours de marche), neuf sentiers spécifiques ont été balisés en Irlande du Nord. Brochures disponibles dans les offices de tourisme.

LE *NATIONAL TRUST*

Organisme indépendant fondé en 1895, le *National Trust* gère, en Irlande du Nord, 18 édifices historiques et une trentaine de sites naturels.

Les lieux sont fermés en hiver (parcs exceptés) et ouverts seulement le week-end de mi-mars à mai ou juin, ainsi qu'en octobre. L'été, c'est ouvert tous les jours et des animations sont régulièrement organisées.

– *The National Trust :* ☎ 028-9751-0721. ● ntni.org.uk ● De mai à juillet, des jardins privés sont en outre ouverts à la visite sur rendez-vous, sous l'égide du *National Trust*. Infos sur ● ulstergardensscheme.org.uk ●

– *The National Trust Holiday Cottages :* ☎ 0844-800-20-70. ● nationaltrus tcottages.co.uk ● *Attention !* résa souvent obligatoire ; conditions variables (j. de début de séjour, durée du séjour, etc.). Cerise sur le gâteau, le *National Trust* a converti les dépendances de plusieurs bâtiments historiques d'Irlande du Nord (Crom, Florence Court, Dundrum, Castle Ward, Portbraddan, etc.) en apparts à louer d'une capacité de deux à sept personnes. Une manière géniale de s'installer dans des lieux grandioses à prix encore abordables.

DERRY [DOIRE] 108 650 hab. IND. TÉL. : 028

Sur les cartes britanniques, vous lirez « Londonderry » : ce « London » a été ajouté en 1613 après le parrainage de la ville par les corporations de Londres, pour humilier les Irlandais. Par égard pour eux, dites Derry !

La ville se présente comme un port planté dans la campagne et surmonté d'une vieille cité fortifiée. Son visage, son atmosphère ont considérablement changé depuis les années de guerre, ne serait-ce que par le retrait des soldats britanniques de la ville en 1994. Quartiers bien délimités : à l'ouest, au pied des remparts, le quartier catholique historique du *Bogside* (« côté de la tourbière »), siège du désormais célèbre *Free Derry*, en révolte contre les autorités dans les années 1969-1972. Au-dessus, sur la colline, construit dans les années 1950-1960, celui de *Creggan*. Au sud, le quartier également prolo-catho de *Brandywell*. Au nord, le quartier résidentiel de *Rosemount*. À l'est, entre vieille ville et River Foyle, l'historique quartier protestant de *Fountain Street,* réduit à peau de chagrin. Le reste de la communauté protestante réside sur la rive droite de la Foyle, dans le *Waterside,* encore que ce quartier comprenne bien 50 % de catholiques aussi ! À la fin des années 1990, de nombreux commerces de prestige, de nouveaux restos de luxe ou branchés et un nouveau musée ont vu le jour. La vie culturelle est devenue riche. Depuis, les marches protestantes occasionnent de moins en moins de tensions, et, signe du renouveau de Derry, la ville a été choisie pour être en 2013 la première Cité de la culture au Royaume-Uni. L'occasion pour Derry de restaurer ses monuments, de réhabiliter d'anciens entrepôts destinés à accueillir des espaces culturels, et de mener à bien de nombreux projets (comme la construction d'un pont piéton sur la Foyle).

Avec le temps, Derry s'est donc métamorphosé en une jolie cité, très agréable à visiter. Il fait désormais bon flâner sur ses remparts chargés d'histoire. Et Derry, ville jeune et étudiante, possède, on s'en doute, une riche vie nocturne.

UN PEU D'HISTOIRE

La ville s'est développée autour d'une abbaye fondée en 546 par saint Columbkille (appelé ici « saint Columb »). De 1613 à 1619, des remparts sont construits pour protéger les colons anglais, installés sous l'égide d'une douzaine de guildes, au grand dam des Irlandais fermement invités à leur laisser la place... En 1689, les murailles permettent à la ville de résister pendant 105 jours aux assauts du catholique Jacques II, en lutte contre le protestant Guillaume d'Orange. Plusieurs milliers d'habitants meurent de faim pendant ces événements.

Le retrait des troupes jacobites fait de Derry le symbole de la domination des loyalistes en Irlande du Nord. Dès lors, ils vont œuvrer par tous les moyens pour conserver le pouvoir dans la ville. Si, pendant la Grande Famine, 12 % de la population émigre, ce sont surtout des nationalistes que les autorités convainquent d'aller se faire pendre ailleurs.

Derry est le théâtre de nombreuses émeutes, et même d'une insurrection en bonne et due forme. Début janvier 1969, les policiers des RUC (*Royal Ulster Constabulatory*) laissent les unionistes s'en prendre à une marche pour les droits civiques catholiques. Des troubles éclatent et les maisons du Bogside sont fouillées sans ménagement. Barricades et patrouilles armées se mettent en place dans le quartier. L'été suivant, dans le sillage d'une marche orangiste, a lieu la désormais fameuse bataille du Bogside. Pour venir au bout de la situation, Londres ordonnera finalement une attaque de type militaire, fin juillet 1972, avec 5 000 soldats appuyés de chars de combat !

Entre-temps, les larmes et le sang du *Bloody Sunday* ont coulé. Le 30 janvier 1972, les paras anglais ont ouvert le feu sur une foule pacifique de 20 000 personnes manifestant pour l'obtention de leurs droits civiques, faisant 14 morts. Le souvenir reste présent à chaque coin de rue. En 1998, une nouvelle enquête sur les causes de la tuerie a été ouverte : elle a pris fin en 2004. Et, en juin 2010, les conclusions sont tombées : aucune action armée de l'IRA, comportement totalement pacifique de la manif, responsabilité totale de l'armée britannique ! Amertume des dirigeants des droits civiques et des leaders républicains qui ont déclaré : « Nous l'avions affirmé le soir même de ces assassinats et il a fallu 38 ans et tant d'argent pour que le gouvernement britannique le reconnaisse et présente officiellement ses excuses à la Chambre des communes ! »...

Aujourd'hui, le chômage frappe encore les catholiques plus que les protestants. Néanmoins, Derry est dirigé par un conseil majoritairement catholique et, dans l'exercice du pouvoir, des relations de travail positives s'instaurent durablement entre républicains et loyalistes. Eh oui, on n'arrête pas l'histoire !

Arriver – Quitter

En avion

✈ *Aéroport* (hors plan I par D1) : à Eglinton, à env 6 km au nord-ouest de Derry. ☎ 71-81-07-84. ● *cityofderryairport.com* ● Sur place : location de voitures, distributeur de billets et stand de brochures de l'office de tourisme. Les bus nos 143 et 234 mènent au centre-ville, mais les passages sont peu fréquents. En taxi, env 12 £.

➢ *De/vers Londres (Stansted ou Luton), Glasgow et Liverpool :* avec Ryanair (● *ryanair.com* ●).

En train

🚆 *Waterside Railway Station* (plan I, C3) : quartier de Waterside, de l'autre côté de la Foyle. ☎ 71-34-22-28. ● *translink.co.uk* ● *Ouv tlj 7h30 (10h dim)-17h.*

➢ *De/vers Belfast via Coleraine, Ballymena :* 9 trains/j., 5 le dim. Superbe trajet de 2h le long de la côte nord. Arrêts possibles à Coleraine, Ballymoney, Ballymena et Antrim notamment.

En bus

🚌 *Station de bus de Foyle Street* (plan II, B2, 53) : regroupe les départs des compagnies Ulsterbus, Bus Eireann et Lough Swilly. Consignes. Pour l'Eire, payer en euros : les livres sont acceptées, mais à un taux de change défavorable.

– *Ulsterbus,* ☎ 71-26-22-61, ● *translink.co.uk* ● *Bus Eireann,* ☎ (00-353-74)

DERRY

C ↑ MUFF, MOVILLE, GREENCASTLE

■ **Adresses utiles**

🚂 Waterside Railway Station
ℹ️ Office de tourisme

🛏️ **Où dormir ?**

10 Merchant's House
11 Derry Palace Hostel
15 Sunbeam House
16 Arkle House
17 Aberfoyle B & B
61 Derry City Independent Hostel

🍴 **Où manger ?**

33 Quay West

🍸🎵 **Où boire un verre ?**
Où écouter de la musique ?

36 Cafe Roc

🎭 **À voir. À faire**

41 Saint Eugene's Cathedral

D LIMAVADY, COLERAINE, PORTRUSH ↑↑

DERRY

C DRUMAHOE, DUNGIVEN, BELFAST ↘ D

DERRY (PLAN I)

DERRY

91-21-309 à Letterkenny, en Eire,
• *buseireann.ie* • *Lough Swilly* à
Derry : ☎ 71-26-20-17, • *loughswilly-busco.com* •

➢ *De/vers Belfast :* avec *Ulsterbus*.
Ttes les 15-30 mn en sem 5h20-17h,
puis les heures jusqu'à 21h ; ttes
les 30-60 mn sam 7h-21h ; ttes les
60-90 mn dim 8h-19h. Dans l'autre
sens, en sem, départs 6h30-23h.

➢ *De/vers la Chaussée des Géants :*
pas de trajet direct ; prendre le bus
(*Ulsterbus*) pour Coleraine (6-7 bus/j.
lun-ven, aucun sam, mais 1-2 bus le
dim) et correspondance pour le site.

➢ *De/vers le Sud :* ttes les 30-60 mn
pour Strabane et Omagh avec *Ulsterbus*,
7h10-21h15 ; un peu moins le sam
et slt 5 le dim.

➢ *De/vers Letterkenny, Donegal
Town, Bundoran, Sligo et Galway :*
avec la compagnie *Bus Eireann*,
5-6 départs/j. jusqu'à Sligo, 3 bus
pour Galway. Pour Letterkenny, env
8 départs lun-ven et 4 sam avec *Lough
Swilly*.

➢ *De/vers Buncrana et Inishowen :*
départs avec *Lough Swilly* ou *North
West Busways* (• *foylecoaches.com* •).
Attention, le dim, rien ne circule sf
Lough Swilly et *Ulsterbus* pour Bun-
crana (4 et 2 bus respectivement).

➢ *Pour Dublin via Monaghan :* le
Goldline Express 274 d'*Ulsterbus* et *Bus
Eireann* circule ttes les 2h, tlj 4h30-2h,
via l'aéroport de Dublin ; 6h-21h30 dans
l'autre sens. Trajet : env 4h.

Adresses et infos utiles

ℹ *Office de tourisme* (plan I, B3) :
44, Foyle St. ☎ 71-26-72-84. • *der
ryvisitor.com* • *Juil-sept, lun-ven
9h-19h, sam 10h-18h, dim 10h-17h ;
oct-juin, lun-ven 9h-17h, sam 10h-
17h, plus dim 10h-16h avr-juin slt.*
Change, résas d'hôtels et *B & B*, boutique, loc de vélos et toutes sortes de
brochures. D'avril à septembre, propose de nombreuses visites guidées
thématiques.

✉ *Poste* (plan II, B2) : *Custom House
St. Près du Guildhall. Lun-ven 9h (9h30
mar)-17h30, sam 9h-12h30.* Autre
bureau à l'angle de Bishop St et du Diamond (dans la vieille ville).

@ *Claudes* (plan II, B2) : 4, Shipquay
St. ☎ 71-27-93-79. *Tlj 9h-18h.*

■ *Derry Taxi Association :* station
face au terminal des bus, sur Foyle St.
☎ 71-26-02-47. 📱 079-21-70-27-40.
Organise des visites guidées (*Derry Taxi
Tours* ; env 25 £ pour 4 pers).

Loisirs

■ *The Nerve Centre* (plan II, B2,
52) : 7-8, Magazine St. ☎ 71-26-
05-62. • *nervecentre.org* • Centre
multimédia : comprend des studios
d'enregistrement, ateliers multimédia, salle de concerts (groupes et
chanteurs réputés), bar, etc. Excellent
festival du Film pendant 1 semaine fin
novembre.

DERRY (PLAN II)

Où dormir ?

Bon marché
(moins de 40 £ / 48 €)

🛏 **Derry City Independent Hostel** (plan I, B2, **61**) : 12, Princes St. ☎ 71-28-05-42. • derry-hostel.co.uk • Env 13 £/pers en dortoir et 16 £/pers en double, avec petit déj. 🖥 🛜 Accueil très chaleureux de Steve et Kylie, qui mettent leur petite maison conviviale à la disposition des hôtes. Décor exotique, aux nombreuses touches indiennes, atmosphère très détendue et routarde à souhait. Doubles et dortoirs (4-6 lits) plutôt bien tenus, cuisine à disposition, ainsi qu'un bout de jardin. Beaucoup d'infos pour la visite de la ville.

🛏 **Derry Palace Hostel** (plan I, B2, **11**) : 1, Woodleigh Terrace, Asylum Rd. ☎ 71-30-90-51. • derrycentralhostel.com • Dortoir env 11-16 £/pers, doubles env 30-36 £/pers, avec petit déj. 🖥 🛜 Le représentant local de Paddy's Palace est plutôt modeste, avec 2 adresses dans la même rue totalisant 28 lits pour l'une, 15 pour l'autre, répartis en dortoirs de 4 ou 6. Le lieu, s'il n'est pas de première fraîcheur et entretenu de façon plutôt aléatoire, est très sympa et convivial, avec un salon, une table de billard, une courette et une petite cuisine. Français parlé (la patronne est québécoise). Propose du pub-crawling.

De prix moyens
à plus chic
(40-80 £ / 48-96 €)

🛏 **The Saddler's House** (plan II, B2, **62**) : 36, Great James St. ☎ 71-26-96-91. • thesaddlershouse.com • Fermé janv-fév. Doubles 60-75 £, avec petit déj. Euros acceptés. 🖥 🛜 B & B très central, situé dans une maison victorienne du Bogside résidentiel, à deux pas des meilleurs pubs (on peut même rentrer sur les coudes !). Les chambres, toutes en suite, ne sont pas très grandes mais hyper bien tenues et ne manquent pas de cachet. Salon

cosy pour les hôtes et nombreux livres à disposition. L'accueil est excellent, l'atmosphère familiale et le pain du petit déj maison. Les propriétaires disposent également de chambres dans la **Merchant's House** (plan I, B2, **10** ; 16, Queen St ; 65-80 £, avec petit déj ; 🖥), à 2 rues de là. C'est une ancienne banque, superbe avec ses hauts plafonds à moulures, ses planchers patinés et son mobilier ancien. La salle de petit déj, notamment, est vraiment très chic ! Quant aux chambres, certaines sont tout confort, d'autres partagent la salle de bains, mais toutes sont impeccables et meublées avec goût.

🛏 **Abbey B & B** (plan II, B2, **63**) : 4, Abbey St. ☎ 71-27-90-00. • abbeyaccommodation.com • Doubles env 60-70 £ avec sdb. 🖥 🛜 Bienvenue dans le Bogside, chez un couple dynamique et chaleureux qui s'efforce d'accueillir au mieux ses hôtes. Les petites chambres sont impeccables et confortables, avec comme avantage déterminant d'occuper une maison aux portes de la vieille ville... mais dans une rue calme. Des qualités qui compensent largement l'insonorisation intérieure un peu juste. Coffee shop sur place. Une excellente adresse.

🛏 **Sunbeam House** (plan I, B3, **15**) : 147, Sunbeam Terrace, Bishop St Without. ☎ 71-26-36-06. • sunbeamhouse.com • Doubles 52-60 £ selon taille. Maison traditionnelle en brique dans un quartier sympa, à deux pas de la vieille ville. Chambres agréables et bien équipées, toutes en suite. L'une d'elles possède 2 pièces séparées par une porte coulissante : bon plan pour 4 personnes. Accueil sympa.

🛏 **Arkle House** (Mrs Sally Cassidy ; plan I, A1, **16**) : 2, Coshquin Rd. ☎ 71-27-11-56. • derryhotel.co.uk • Suivre Northland Rd jusqu'à la sortie de la ville ; au Aileach Rd Roundabout, prendre à gauche et aussitôt à droite, c'est tt de suite à gauche. Arrêt de bus juste au croisement en face. À 5 mn en voiture du centre-ville. Doubles env 55-65 £ selon saison. Parking privé. 🛜 Charmante demeure centenaire au milieu d'un joli petit parc. Chambres élégantes et très confortables avec salle de bains, dont 1 avec balcon et 2 avec bow-windows. Petite cuisine équipée à disposition. Accueil très sympathique.

⏴ *Aberfoyle B & B (plan I, B2, 17)* : 33, Aberfoyle Terrace, Strand Rd. ☎ 71-28-33-33. ● aberfoylebedan dbreakfast.co.uk ● Doubles env 70-80 £ avec sdb. ☎ Très pratique, car ce *B & B* réunissant 2 maisons contiguës est proche du centre (10 mn à pied) et offre une bonne capacité : plus de 15 chambres pas trop grandes, simples, mais bien tenues. Cuisine à disposition. Copieux breakfast. Un inconvénient tout de même : l'avenue est très passante (demander à loger sur l'arrière).

Où manger ?

Bon marché (moins de 10 £ / 12 €)

|●| *Cafe del Mondo (plan II, B2, 72)* : 2, Shipquay Pl. ☎ 71-36-68-77. Tlj 9h (12h dim)-18h. Env 4-6 £. C'est le café bohème de Derry, évidemment multiculturel et privilégiant les produits issus du commerce équitable. Au final, c'est convivial, très cosy (pas mal de fauteuils pour palabrer), et on se régale de soupes, pizzas et salades vraiment bonnes. Tout est maison, même le pain ! Le soir *(mar-sam),* fait également resto (plus cher).

|●| *The Sandwich C° (plan II, B2, 70)* : 27, The Diamond. ☎ 71-37-25-00. Tlj 8h30 (11h dim)-17h. Env 3-4 £. Croissant ou pâtisserie au petit déj, bagel ou sandwich à composer soi-même le midi (énorme choix), la halte n'est pas très originale, mais c'est pratique et bon marché. Le cadre, tout en bois, est lumineux et agréable. Les mêmes ingrédients se déclinent aussi pour partie en *wraps* et paninis.

|●| *Blooms Cafe on the Walls (plan II, B3, 76)* : Bishop St, Verbal Arts Centre. ▤ 077-524-145-69. Lun-sam 9h-17h. Le centre d'art, accolé aux remparts, fait une halte toute désignée pour un rafraîchissement ou un en-cas au cours de la balade. On y accède directement depuis le double bastion. Le choix est limité à quelques sandwichs et une soupe du jour, mais on peut se

contenter d'un gâteau et d'un café en terrasse, sur le chemin de ronde.

|●| *Ramsey's Cafe (Café Grianan ; plan II, B2, 71)* : 8, William St. Tlj 9h-1h45. Env 4-8 £. *Specials as long as they last,* comme dit la serveuse... Ce fast-food à la déco fatiguée est la providence des petits budgets. Populaire en diable, copieux et large choix : petit déj servi toute la journée, burgers, *fish & chips,* omelettes, poulet à toutes les sauces, salades, etc. Basique mais roboratif.

De prix moyens à plus chic (10-30 £ / 12-36 €)

|●| *Badger's (plan II, B2, 73)* : 16-18, Orchard St. ☎ 71-36-07-63. Lun-jeu 12h-19h, ven-sam 12h-21h, dim 12h-16h. Plats env 8-13 £. Ce pub-brasserie très fréquenté sert des plats copieux, des sandwichs et des burgers appétissants. Ne venez pas trop tard ou vous ne vous entendrez même plus mâcher, tant la foule est compacte et la bière généreuse.

|●| *Fitzroys (plan II, B3, 80)* : 2-4, Bridge St. ☎ 71-26-62-11. Tlj midi et soir. Plats env 6-10 £ le midi, 12-22 £ le soir. Un bistrot éclectique, un peu chic, *trendy* et relax à la fois. La cuisine, toute fraîche, est pleine de vitalité, avec de copieux sandwichs, du poulet à toutes les sauces, des notes méditerranéennes variées et de bons desserts.

|●| *La Sosta (plan II, B3, 78)* : 45 A, Carlisle Rd. ☎ 71-37-48-17. Au fond d'une impasse. Mar-sam 18h30-22h. Plats 12-23 £. Cadre classique. Un restaurant italien réputé, à juste titre : pâtes, *saltimbocca* de veau, *risotto verde,* le tout de bonne tenue.

|●| *The Exchange (plan II, B2, 74)* : Exchange House, Queens Quay. ☎ 71-27-39-90. Lun-sam 12h-14h30, 17h30-22h ; dim 16h-21h30. Plats 12-21 £ (moins chers lun-ven 17h30-19h). Ce resto très couru, dont la salle, moderne et sobre, se déploie autour d'un bar tout en rondeur, attire une clientèle éclectique plutôt aisée. Viandes et bon choix de poissons présentés sans fioritures et gorgés de

DERRY

sauce... On apprécie la simplicité. Penser à commander au bar.

|●| **Quay West** *(plan I, B2, 33)* : 28, Boating Club Lane. ☎ 71-37-09-77. Tlj 12h-22h (21h dim). Plats 12-22 £. Viandes, poissons, quelques plats végétariens, bar à vins... L'ambiance est épurée et moderne, un tantinet branchée, avec 2 salles, dont 1 très lumineuse en mezzanine que les habitants de Derry apprécient. Bonne cuisine, mais service parfois distrait et cadre bruyant.

Où dormir ? Où manger dans les environs ?

Très chic

⌂ |●| **Beech Hill Country House Hotel** : 32, Ardmore Rd. ☎ 71-34-92-79. ● beech-hill.com ● À l'est de Derry, sur la route de Belfast (A 6). Indiqué juste avt Faughan Bridge, panneau à droite direction Ardmore, puis 1,5 km jusqu'à l'Ardmore Chapel et l'hôtel. Doubles à partir de 120 £, mais promos fréquentes sur Internet. Menus midi en sem ou early evening 20-22 £ ; plus cher à la carte : plats 20-28 £ ; sinon bar food env 10-20 £. ☎ Cette grande demeure de 1729, superbement meublée, s'étend au milieu d'un beau parc de 32 acres (oups, pardon : 12,9504 ha...) avec le bassin et la petite cascade de rigueur. À la réception, des photos immortalisent des hôtes prestigieux, tels que Kennedy et Clinton... Vastes chambres, un peu plus modernes dans la nouvelle aile, mais toutes pleines de charme et différentes (lit à baldaquin dans la suite nuptiale, salle de bains ouverte dans une autre !). Cuisine fort raffinée.

Où boire un verre ? Où écouter de la musique ?

Il se passe toujours quelque chose dans Waterloo Street et dans les rues adjacentes. Atmosphère bien plus calme pendant les vacances universitaires.

Υ ♪ **Peadar O'Donnell's** *(plan II, B2, 92)* : 59, Waterloo St. ☎ 71-37-23-18. Tlj 11h30-1h (0h30 dim). Peadar O'Donnell's est l'un des pubs les plus chaleureux, un vrai petit musée. Bric-à-brac insensé, on se croirait dans une épicerie de campagne. Sur les poutres, des trophées de guerre : écharpes et tambours orangistes... Excellente musique traditionnelle tous les soirs, toute l'année, avec une ambiance du tonnerre. C'est le seul dans Derry. Bon mélange de clientèle locale et de visiteurs.

Υ ♪ **The Gweedore Bar** *(plan II, B2, 92)* : juste à côté. Tlj 16h30-1h30 (0h30 dim). Décor nu, peu de sièges, quelques tonneaux pour poser les verres. Clientèle essentiellement étudiante. Bon tremplin pour les jeunes groupes de rock, sinon, ce sont les DJs qui réchauffent l'ambiance dans le club à l'étage (tendance disco).

Υ ♪ **Sandino's** *(hors plan II par B2, 91)* : Water St. ☎ 71-30-92-97. Tlj 11h30-1h (minuit dim). Un de nos bistrots favoris. Clientèle margeo, artiste et gauche radicale. À voir la déco roots et les nombreux portraits de Sandino, Zapata et du Che, on s'en serait douté ! Belle atmosphère conviviale. Concerts « garantis » les vendredis, plus irrégulièrement le week-end (ou DJs). Groupes basques, australiens, bluesmen américains, rockers de tous horizons, il en tombe de partout !

Υ ♪ **Beckett's** *(plan II, B2, 95)* : 44, Foyle St. ☎ 71-36-00-66. Un pub classique très apprécié par les locaux. Souvent animé, avec différents styles de musique du mercredi au samedi (salsa le jeudi).

Υ ♪ **Cafe Roc** *(plan I, B2, 36)* : Strand Rd. ☎ 71-36-05-56. Dans le quartier de l'université. Immense pub étudiant. Plein à craquer le week-end et soirées d'enfer. À l'étage, la discothèque *Earth*.

Υ ♪ **Bound for Boston** *(plan II, B2, 93)* : 27-31, Waterloo St. ☎ 71-27-13-15. Tlj 12h-1h. Le B4B (pour les intimes) attire beaucoup d'étudiants grâce à son billard, ses retransmissions de matchs et ses concerts mettant en scène des groupes locaux qui montent. Petit plus : un *beer garden* à l'arrière.

🍴 🎵 *Sugar at Downey's* *(plan II, B2, 96)* : 31, Shipquay St. ☎ 71-26-60-17. Mer-dim 22h-2h. *Downey's,* c'est un genre de complexe : il regroupe un pub, un *sports bar,* et surtout un night-club qui marche fort (le *Sugar*) auprès des étudiants.

À voir. À faire

Se garer dans la vieille ville est difficile. Mais quelques parkings (chers) à proximité en rendent l'accès plus facile (voir plans).

🎦🎦🎦 *La vieille ville et les remparts :* construits de 1613 à 1618. Le seul exemple d'enceinte fortifiée complète en Irlande (1,5 km). Les murailles, percées de sept portes et entrecoupées d'imposants bastions, furent occupées jusqu'en 1994 par les soldats britanniques. Elles livrent tout du long d'intéressants aspects de la ville. Si on y accède par Butcher's Gate, aller vers la gauche pour le panorama sur le Bogside. À la hauteur de la Saint Augustine Church, le rempart s'élargit jusqu'à 12 m. Lieu de promenade favori de la bourgeoisie et endroit traditionnel pour les parades militaires *(Grand Parade).* Tiens, un gros socle tout vide juché sur un mini-bastion... Il supportait une immense colonne avec la statue du gouverneur Walker qui dirigea la défense de la ville lors du siège de 1689. Dominant le catholique et rebelle *Bogside,* ce symbole quelque peu provocateur de la domination britannique fut rectifié par l'IRA en 1973 (l'exploit fut d'ailleurs salué par tous quand on songe que l'armée anglaise occupait tous les remparts à l'époque !).

🎦 *Saint Augustine Church* *(plan II, B2, 113)* : juin-août, tlj 10h-16h. Cette mignonne petite église est entourée d'un vénérable et intime cimetière. Elle a été édifiée en 1872 à l'emplacement d'un monastère remontant au VIe s.

🎦🎦🎦 *Saint Columb's Cathedral* *(plan II, B3, 110)* : London St. ☎ 71-26-73-13. Lun-sam 9h-17h (16h nov-mars). Entrée pour la Chapter House : 2 £. Édifiée en 1633 dans un style gothique tardif (le chœur et la flèche sont du XIXe s), Saint Columb's est la première cathédrale protestante construite en Irlande. Le lien étroit établi par les loyalistes avec Londres est symbolisé par le texte inscrit sur une pierre du porche : « *If stones could speak...* » Sous ce porche également, un boulet de canon de 120 kg... Souvenir du 10 juillet 1689 envoyé par l'armée catholique assiégeante de Jacques II ; il contenait les conditions de la capitulation de la ville et vint s'écraser dans le cimetière. La réponse ne se fit pas attendre : « *No surrender* » ; et cette déclaration fut reprise maintes fois depuis.
La *Chapter House* renferme quelques témoignages de cette époque, dont les cadenas et les clés des quatre portes de la ville. Dans le chœur, les beaux vitraux voisinent avec deux drapeaux des Bourbons, pris aux Français durant le siège (ils prêtaient main-forte à Jacques II). Attardez-vous également sur les 169 différents motifs sculptés à chaque extrémité des bancs, et le siège de l'évêque Harvey, qui aurait coûté une petite fortune. Voilà un évêque qui n'avait pas froid aux yeux : en 1790, dit-on, il fit construire un pont en bois à la hauteur de l'actuel Craigavon Bridge afin de rendre visite plus vite à sa maîtresse...
Tout autour s'étend un cimetière aux tombes très anciennes. Curieusement, beaucoup de pierres sont à plat dans l'herbe : c'est le déluge de boulets qui les coucha, lors du siège de 1689, et elles ne furent jamais relevées.

🎦 *Apprentice Boy's Hall* *(plan II, B2, 111)* : 13, Society St. Juin-sept, lun-ven 10h-17h. Entrée : 2 £. L'édifice renferme les salles de réunions des ordres loyalistes ainsi qu'un petit musée qui honore la mémoire des 13 apprentis qui fermèrent les portes de la ville à l'arrivée de l'armée de Jacques II le 7 décembre 1688. L'événement y est commémoré chaque 12 août. Juste à côté, dans Magazine Street, la *First Derry Presbyterian Church* date du XVIIIe s, avec une grandiloquente façade de 1903 à piliers avec chapiteaux et pilastres corinthiens.

DERRY

🎎 **The Diamond** (plan II, B2) : le centre de la vieille ville, avec son pompeux *War Memorial*. De Bishop's Gate au Diamond, on passe d'abord sous l'*arc de triomphe* élevé en 1790. Puis on longe la *Court House* (1830), très néoclassique. En face, le *Bishop's Palace*. De la place descend Shipquay Street jusqu'à la Shipquay Gate.

🎎 **Derry Craft Village** (plan II, B2, 114) : entrée par Shipquay St ou Magazine St. Ce petit centre commercial et artisanal occupe un ensemble de maisons ouvrières joliment rénovées. Une chaumière du Donegal a même été remontée. On y boit, on y mange (bons sandwichs et soupes du jour au *Boston Tea Party*), et, l'été, les bancs de la petite place centrale sont pris d'assaut.

🎎🎎 **Tower Museum** (plan II, B2, 115) : dans la tour O'Doherty, Union Hall Pl, en bas de Magazine St. ☎ 71-37-24-11. Juil-août, lun-sam 10h-17h, dim 11h-15h ; le reste de l'année, mar-sam 10h-17h. Entrée : 4,20 £.
Ce beau musée, consacré à l'histoire de Derry de la préhistoire à nos jours, met en scène chaque période en mêlant expositions d'objets traditionnels, vidéos et reconstitutions de scènes historiques. Vous commencerez par les vestiges néolithiques, dont un bateau creusé dans un tronc. Un film sur la construction des remparts précède la partie concernant le siège de la ville en 1689, où l'on peut voir une copie d'un mannequin de Robert Lundy. Ce gouverneur prônait la reddition devant les catholiques de Jacques II. Sa caricature est brûlée chaque année par les loyalistes, le 12 août, puisqu'il continue à être considéré comme un ignoble traître.
Les sections suivantes se consacrent à l'édification de la ville georgienne après le siège, la Grande Famine et l'émigration vers l'Amérique, l'industrialisation du port et ses activités (chantiers navals, manufactures de chemises et draps). La douloureuse naissance de l'Irlande indépendante est explorée en détail, notamment toutes les occasions manquées. Après la projection d'un film sur le conflit en Irlande du Nord, la visite se termine sur une note optimiste, avec une présentation du Derry d'aujourd'hui, ses réalisations et ses espoirs.
Une section séparée est consacrée à *La Trinidad Valencera*, un grand vaisseau espagnol qui a sombré dans la baie de Kinnagoe en 1588, alors que l'Invincible Armada (qui ne l'était pas tant que ça) tentait de regagner la mère patrie en contournant l'Irlande... Les objets remontés, dont un grand canon de bronze, sont joliment exposés sur quatre des étages de la tour.

🎎🎎 **The Guildhall** (plan II, B2, 116) : face à la Shipquay Gate. ☎ 71-37-73-35. Lun-ven 9h-17h. Visites guidées gratuites en été (sur demande). Un curieux monument de style gothique, mais qui date de... 1887. Presque immédiatement parti en fumée lors d'un incendie, il rouvrit en 1912. Il abrite toujours le siège du conseil municipal. Vitraux superbes. Le bâtiment a été pris pour cible par l'IRA à deux reprises. La dernière bombe a été posée par un activiste condamné pour cet acte... et plus tard élu conseiller ! De 2000 à 2004, le Guildhall a accueilli l'enquête officielle sur le *Bloody Sunday*. Une tribune était réservée au public pour qu'il puisse suivre les débats.

🎎 **Harbour Museum** (plan II, B2, 118) : Harbour Sq. ☎ 71-37-73-31. Lun-ven 10h-13h, 14h-17h. Entrée gratuite. Ce tout petit musée, au rez-de-chaussée du bâtiment des autorités portuaires, se résume à une unique salle fourre-tout où s'entassent de vieilles choses façon cabinet de curiosités : barque du XVe s, maquettes, œufs peints ou gravés d'Australie, cailloux et fossiles divers... La pièce centrale est constituée par le plus grand *curragh* jamais construit (en 1963), pour commémorer le voyage en 563 de saint Colomba à l'île de Iona (Écosse).

🎎🎎 **Peace Bridge** (plan I, B-C2) : lancé sur la rivière, un nouveau pont sinusoïdal (2011) évoque une poignée de mains et symbolise la réconciliation des habitants des deux rives.

🎎 **Waterloo Place** (plan II, B2) : en bas de Waterloo St. Pendant la Grande Famine, elle était appelée *Sorrow Square* (place de la Peine), tant ils étaient nombreux à dire adieu à leur famille pour gagner les quais de la Foyle, d'où ils embarquaient pour l'Amérique dans les *coffin boats* (bateaux-cercueils).

➤ La visite de la vieille ville achevée, offrez-vous une incursion dans les quartiers périphériques – et surtout dans le *Bogside,* où naquit le Free Derry. En sortant par le Butcher's Gate, Fahan Street descend rapidement vers le cœur du quartier catholique. En arrivant en bas de la route, côté gauche, une stèle rend hommage à Sean Keenan (1914-1993), figure emblématique du *Bogside.* Volontaire de l'IRA, emprisonné 15 ans sans jugement, il fut aussi un grand défenseur du gaélique.

🏃🏃🏃 *Free Derry Corner (plan II, B2, 119)* : 33, Lecky Rd. Le pan de mur en demi-lune porte encore fièrement l'inscription : « *You are now entering Free Derry.* » Les soldats de Sa Majesté y jetaient autrefois des seaux de peinture lors de leurs patrouilles, mais c'est désormais un véritable monument public, que les Anglais n'osent plus toucher. Face à vous, les murs se font l'expression de la colère républicaine ; les fresques sont l'œuvre de trois peintres du quartier, baptisés *Bogside Artists.* Leitmotive immuables : une scène montre Bernadette Devlin au mégaphone, la pasionaria du Bogside, élue au Parlement de Stormont à 21 ans avant de rejoindre les barricades du Free Derry... Et, dans la rue qui part derrière, un peu pour faire plaisir aux touristes, un simili panneau routier montrant un homme portant une mitraillette ! De l'autre côté, voilà une peinture du *Bloody Sunday,* l'une des préférées des gens du quartier, dit-on, montrant un gamin au masque à gaz, cocktail Molotov à la main. Plus loin vers le nord, sur Rossville Street, d'autres fresques, d'autres manifestes (*« Kill all of them »*) se dessinent – et, au milieu, note d'espoir, une grande colombe multicolore.

■ *Bogside Artists Tours :* The People's Gallery, 46, William St. ☎ 0751-405-24-81. ● bogsideartists. com ● Sur résa tte l'année. Durée : env 1h30. Prix : 6 £. Pour ceux qui veulent en savoir plus sur les fresques : ces visites sont carrément organisées par les artistes !

🏃🏃 *Le monument aux grévistes de la faim (plan II, B2, 120)* : Free Derry Corner. Au centre de la place, ce grand H de granit, référence au H Block, où moururent les 10 grévistes de la faim républicains de 1981, a été inauguré en 2001. Aux noms de Bobby Sands et de ses camarades sont associés ceux des autres grands grévistes de la faim de l'histoire irlandaise, dont Terence McSwiney, maire de Cork mort au bout de 72 jours, en 1920, dans une prison londonienne. Belle phrase de Bobby Sands à méditer : « *Let our revenge be the laughter of our children* » (Les rires de nos enfants seront notre vengeance).

🏃 *Le mémorial du Bloody Sunday (plan II, B2, 122)* : 30 m plus au nord, sur Rossville St. Dédié aux 14 manifestants assassinés par les paras anglais le 30 janvier 1972. Derrière se dressait la caserne du RUC, avec son mirador et son pylône hérissé d'antennes et de caméras pointées sur les maisons et l'école voisines.

🏃🏃 *Museum of Free Derry (plan II, B2, 121)* : 55, Glenfada Park. ☎ 71-36-08-80. ● museumoffreederry.org ● Lun-ven 9h30-16h30, plus sam 13h-16h avr-sept et dim 13h-16h juil-sept ; en hiver, slt le w-e. Entrée : 3 £. Brochure en français. Ce musée émouvant retrace l'histoire de la lutte pour les droits civiques de la communauté catholique. La naissance du quartier, les marches pacifiques, la bataille du Bogside, le *Bloody Sunday,* chaque étape importante est mise en lumière à travers textes, photos, images et bandes-son d'archives – à consulter librement sur ordinateur. Plus loin sont exposées les croix aux noms des 14 victimes du *Bloody Sunday,* portées par leurs proches lors des commémorations annuelles. Les vitrines voisines exposent les vêtements maculés de sang ou troués par les balles... ainsi que l'ancien et le nouveau rapport publiés à l'issue des enquêtes sur les événements. Des questions ? N'hésitez pas : les gardiens du temple ont pour la plupart une histoire personnelle à raconter.

■ *Free Derry Tour :* 128, Lecky Rd. ☎ 077-93-28-59-72. ● freederry.net ● Sur résa tte l'année, à 10h et 14h. Durée : env 1h30. Prix : 5 £ ; joint ticket

6 £, *musée et tour.* Nés d'une initiative communautaire du Bogside, ces *walking tours* sont un bon complément aux visites de l'office de tourisme. Accompagné d'un guide qui a grandi dans le quartier, vous prendrez conscience du terreau sur lequel a germé la révolte et s'est construit le « Free Derry ».

🦌 *Saint Eugene's Cathedral* (plan I, B2, 41) : *entrée sur Saint Francis St. En été, tlj 7h-21h ; hors saison, tlj 9h-20h30.* Éloignée de la vieille ville, car toute église catholique était interdite à l'intérieur des remparts ! Tous les soirs à 21h, *The Curfew Bell* rappelle qu'au temps des lois pénales les catholiques étaient soumis au couvre-feu à partir de cette heure-là.

🦌 *Le quartier protestant historique* (plan II, B3, 123) : appelé *The Fountain.* De la ville close, accès par New Gate. Au passage, par London Street, on croise les *Cathedral National Schools,* élégant édifice de 1891 en brique rouge de style gothico-roman. Passé la New Gate, on note de suite que l'on pénètre dans un bastion loyaliste grâce aux bordures de trottoir peintes en bleu, blanc, rouge (les couleurs de l'Union Jack). À gauche se dresse l'*Old Fire Brigade,* la première caserne de pompiers à Derry. Prenez la deuxième à droite, Fountain Street. À l'angle de Wapping Street, côté gauche, sur un pignon de maison, une fresque représente le président américain Theodore Roosevelt, originaire d'Ulster. La plupart des célèbres fresques loyalistes ont cependant disparu.

Fête et manifestations

– *Festival de Jazz de Derry :* fin avr-début mai pdt 4 j. ☎ 71-37-65-45. ● *cityof derryjazzfestival.com* ● Investit les théâtres, hôtels, restos et bars de la ville.
– Chaque année, le 12 août, la *levée du Grand Siège* est commémorée par les « apprentis » (nouveaux adhérents) de l'ordre d'Orange (violemment anticatholique). La commémoration a souvent lieu le samedi précédant (ou suivant) le 12.
– Fin octobre a lieu la plus grande fête d'*Halloween* en Irlande.

LE NORD-EST : CÔTES ET *GLENS* (VALLÉES)

GIANT'S CAUSEWAY (LA CHAUSSÉE DES GÉANTS) ET LA CÔTE NORD

IND. TÉL. : 028

GIANT'S CAUSEWAY, GLENS OF ANTRIM

◎ D'origine volcanique et vieille de plusieurs dizaines de millions d'années, la Chaussée des Géants est une impressionnante curiosité naturelle inscrite au Patrimoine mondial de l'Unesco depuis 1987. C'est au refroidissement rapide de coulées de laves basaltiques qu'on doit la formation de ces quelque 40 000 colonnes. De formes polygonales et principalement hexagonales, elles s'agglutinent en blocs compacts, forment des escaliers et même un amphithéâtre à gradins. La régularité de leur disposition est par endroits si parfaite qu'elle semble avoir été artificiellement provoquée... Voilà pourquoi, on a longtemps attribué à ce paysage une origine surnaturelle.

Dépendant du comté de Derry puis de celui d'Antrim à partir de Portrush, la côte septentrionale d'Irlande du Nord ne se limite toutefois pas à une seule merveille de la nature. De Magilligan Point à Carrick-a-Rede, points de vue impressionnants, châteaux en équilibre précaire sur les falaises, plages immenses composent un tableau vivant dont l'image risque de se fixer longtemps sur votre rétine.

UN PEU DE LÉGENDE ET D'HISTOIRE

La légende attribue la construction de la Chaussée à Finn McCool, un géant irlandais qui voulait passer en Écosse à pied sec pour défier son homologue local. Mais quand Finn vit la stature de son rival, il opta pour une tactique moins directe... Il construisit un berceau à sa taille et se fit vêtir de langes par son épouse, qui présenta le « bébé » à l'Écossais comme étant le fils de Finn. Imaginant ce que pouvait être la taille du père, l'Écossais ne demanda pas son reste... mais prit la précaution de détruire la Chaussée en partant. Des scientifiques dénués de poésie ont bien une autre explication, mais cela ne gâche en rien la beauté du plus célèbre site d'Irlande du Nord ni de la spectaculaire côte qui l'entoure...

Plus grand bâtiment de l'Invincible Armada dépêchée par Philippe II d'Espagne contre l'Angleterre, la *Girona* fait route vers l'Écosse en octobre 1588. Alourdie par les quelque 800 rescapés de deux naufrages précédents, elle sombre à son tour au large de la Chaussée des Géants. Seuls 9 passagers sur 1 300 survivront... Une partie des découvertes faites en 1968 sur l'épave est exposée à l'Ulster Museum de Belfast.

Arriver – Quitter

En train

➢ **Belfast (Great Victoria Street et Central)-Portrush-Derry via Coleraine :** lun-sam 7-8 trains/j., 5 le dim. Pour Portrush, changement systématique à Coleraine.

En bus

➢ **La ligne côtière Coleraine-Belfast/Larne (Antrim Coaster) :** service 252 d'*Ulsterbus*. Lun-sam tte l'année, et dim en été slt, 2 liaisons/j., l'une avec terminus à Belfast, l'autre à Larne. Dessert *Bushmills, Giant Causeway, Carrick-a-Rede, Cushendall* et *Larne*.
➢ **The Causeway Rambler/Coleraine-Carrick-a-Rede :** correspond à la ligne n° 402 d'*Ulsterbus*. Juin-sept slt, tlj 1 bus/h dans les 2 sens ; 10h10-17h10 depuis *Coleraine,* 1h plus tard à partir de *Carrick-a-Rede.* Dessert *Portrush, Dunluce Castle, Bushmills, Giant's Causeway* et *White Park Bay*.
➢ **Portrush-Ballycastle :** lun-ven 1 direct/j., 2/j. le w-e. En sem, 5 liaisons supplémentaires si changement à Coleraine.

En ferry

➢ **Magilligan Point-Greencastle (Inishowen, comté de Donegal) :** ☎ (+ 353) 74-93-81-901. ● *lough* foyleferry.com ● Avr-août, env 9h-19h, 1 départ/h dans les 2 sens ; printemps et automne, le w-e slt. Tarif aller simple : piéton 2,50 £, voiture 10 £ (chauffeurs et passagers non compris). Trajet : 10 mn. Économise presque 80 km de route si on ne repasse pas par Derry. Voir aussi « La péninsule d'Inishowen ».

Se repérer

60 km séparent Magilligan Point de Ballycastle. Nos adresses et sites à voir se répartissent sur l'ensemble de la côte, tout en se concentrant sur les principales agglomérations : station balnéaire de Portrush, gros village de Bushmills et petit village de Ballintoy. Ces 2 derniers sont les plus proches de la Chaussée des Géants.

Adresse et info utiles

🄸 **Dunluce Portrush Information Centre :** à Portrush. ☎ 70-82-33-33. À l'entrée de la ville. De mi-juin à août, tlj 9h-19h ; d'avr à mi-juin et sept, tlj 9h (12h w-e)-17h ; mars et oct, w-e slt 12h-17h. Fermé nov-fév. Informe sur toute la côte. Fait aussi change et résas d'hôtels et *B & B*.
– **Site internet :** ● causewaycoastand glens.com ● Ce site de l'office de tourisme couvre toute cette région.

Où dormir ?

Campings

⋌ |●| *Glenmore House :* *voir plus bas pour plus de détails. Compter env 14 £ pour 2 avec tente et voiture.* Quelques emplacements seulement, mais les dynamiques patrons de la maison prévoient d'agrandir. Bloc sanitaire récent, machines à laver, plus tous les services de la maison mère !

⋌ *Bush Caravan Park :* 97, Priestland Rd. ☎ 20-73-16-78. ● *bushcaravanpark.com* ● *Dans les terres, proche de l'intersection des B 62 et B 17, à 5 km au sud-ouest de Bushmills. Arrêt de bus juste en face. Ouv avr-sept. Compter 20 £ pour 2 avec tente et voiture.* Petit camping familial et doté de l'essentiel : gazon pour planter, sanitaires corrects, douches chaudes gratuites et machines à laver. Fréquenté principalement par des camping-cars et caravanes, c'est néanmoins le seul, à part *Glenmore House*, qui accepte encore les tentes dans le coin. Pourvu que ça dure !

De bon marché à prix moyens (moins de 50 £ / 60 €)

🛏 *Downhill Hostel :* 12, Mussenden Rd, **Downhill**. ☎ 70-84-90-77. ● *downhillhostel.com* ● ♿ *Sur la route côtière Coleraine-Limavady (A 2). Bus n° 134 (arrêt à 100 m), sf dim. Train, arrêt à Castlerock. Tt près également de l'Ulster Way. Ouv tte l'année. Résa conseillée, même en hiver. En dortoir, compter 15 £/pers ; doubles 45-55 £ (15 £/pers supplémentaire, max 4 pers) ; petit déj non compris.* 🖥 📶 Jouissant d'une vue fantastique sur la mer, pile en face, voici une *hostel* de charme, peut-être le meilleur d'Irlande du Nord ! La grande demeure victorienne modernisée abrite 2 dortoirs de 7 lits à l'étage et 4 chambres sous les toits, pouvant loger confortablement 3 adultes ou une famille avec 2 enfants (prévenir alors dans ce cas). Salle de bains à partager.

Cuisine équipée, salle à manger et un salon avec cheminée qu'il est bien difficile de quitter attendent leurs hôtes. Quant aux activités, tout le monde trouvera son compte : peinture sur poterie, balades extra de Mussenden ou Binevenagh, cours de surf ou de char à voile... Accueil absolument charmant.

🛏 *Whitepark Bay Hostel :* 157, Whitepark Rd, **Ballintoy**. ☎ 20-73-17-45. ● *hini.org.uk* ● *13 km à l'ouest de Ballycastle, sur le trajet des bus n°s 172 et 252 – arrêt sur demande. Ouv avr-sept slt. Réception fermée 11h-17h (14h juil-août) et à partir de 21h30. En dortoir, compter 18 £/ pers ; double avec sdb 42 £ ; petit déj non compris* (proposé en sus en hte saison). 🖥 Superbement située en surplomb de la plage de sable blanc de *Whitepark Bay* et sur le chemin du *North Antrim Cliff Path* (rubrique « À voir »), il s'agit d'une AJ officielle, moderne et impeccable. 4 doubles (TV, bouilloire, thé et café, etc.) et une dizaine de dortoirs colorés de 4 ou 6 lits. Grande cuisine (prévoir son ravitaillement, pas d'épicerie dans le coin), salon commun avec cheminée, machines à laver. Suggestion : flâner le long de l'océan jusqu'à Port Ballintoy (à 2 km à l'est), un petit port de carte postale. À vos jumelles : on peut voir des macareux !

🛏 *Sheep Island View :* 42 A, Main St, **Ballintoy**. ☎ 20-76-93-91. ● *sheepislandview.com* ● ♿ *Ouv tte l'année. Selon saison, dortoir (3-6 lits) 15-20 £/ pers ; doubles avec sdb 35-50 £ ; petit déj non compris.* Repérée par une amusante routarde, cette AJ privée est assez pimpante. Possibilité d'arranger les chambres en familiales. Vaste cuisine commune et machines à laver à disposition. Si nécessaire, service gratuit de pick-up de Ballycastle à Bushmills. Bonus : le sourire des proprios, Josie et Seamus.

🛏 *Bushmills Hostel :* 49, Main St, **Bushmills**. ☎ 20-73-12-22. ● *hini. org.uk* ● *Arrêt de bus à 50 m. Marsoct, tlj ; le reste de l'année, w-e slt. Fermé 23 déc-3 janv. Réception fermée 11h-17h (14h juil-août). Compter 17,50-20,50 £/pers selon type d'hébergement, sdb à l'intérieur dans ts les cas.* 🖥 *(payant).* AJ moderne, bien

Ballycastle	Lieux traités
Bushmills	Adresses et lieux dans les environs
Coleraine	Repères

5 km

NORD

Church Quarter

Rathlin Island

CÔTE D'ANTRIM

Giant's Causeway

Whitepark Bay

Carrick-a-Rede

Kinbane Head

Fair Head

Visitor's Centre

Portballintrae

Dunluce

Ballintoy

B 15

Ballycastle

Murlough Bay

Magilligan Point DOWNHILL

Bushmills

A 2

A 2

Torr Head

Portrush

Portstewart

A 2

Coleraine

B 67

Glentaisie

▲ 514 Knocklayd

Glenshesk

A 2

Cushendun

DERRY

A 31

A 26

B 62

Ballymoney

B 15

A 44

Glendun

Glencorp

Ossian's Grave

A 29

A 54

Slieveanorra ▲ 508

Glenaan

Cushendall

Waterfoot

B 70

B 64

Glenballyemon

Glenariff

B 96

B 62

Glenariff Forest Park

A 26

A 43

Carnlough

Glenarm

COOKSTOWN

A 29

A 42

Glencloy

LARNE

A 42

M 2

Ballymena

Slemish Mountain ▲

site inscrit au Patrimoine mondial de l'Unesco

A 6

ANTRIM

ANTRIM, BELFAST ↓

A 36

A 26

GIANT'S CAUSEWAY ET LA CÔTE D'ANTRIM

organisée et très propre, elle compte 80 lits répartis en chambres et dortoirs de 6 lits maximum. Nombre d'options sont arrangées en mezzanine, comme les familiales avec 1 lit double en bas et 2 simples en haut. Avis aux amateurs quand même : il n'y a qu'une double et c'est une twin. Cuisine bien équipée, jardin avec espace barbecue, machines à laver et cybercafé.

Prix moyens (40-60 £ / 48-72 €)

🏠 **Valley View Country House Accommodation :** 6 A, Ballyclough Rd ; à env 8 km au sud de Bushmills. ☎ 20-74-16-08. ● valleyviewbushmill saccomodation.com ● 🔥 ♿ Sur la B 17 en direction de Coleraine, bifurquer sur la gauche 500 m après la station-service Maxol, c'est à 5 km. Fermé déc-janv. Double avec sdb 60 £. 📶 Belle maison au calme, construite spécifiquement, avec 7 chambres superbes, très grandes et très bien équipées ; certaines peuvent accueillir des familles avec plusieurs enfants. Accueil très chaleureux de Valerie McFall. Petit déj copieux.

🏠 **The Tramway :** 4, Tramway Drive, Bushmills. ☎ 20-73-23-35. ● tram wayretreatuk@gmail.com ● Sur la gauche de la grande route (A 2), à l'entrée de Bushmills en venant de Portrush. Dans un quartier résidentiel, proche du départ du Tram (voir « La Chaussée des

Géants »). Double avec sdb et full Irish breakfeast *env 60 £ (slt 50 £, si l'on se contente d'un* Continental breakfast*).* CB refusées. 🖥 Géré par un couple très sympathique, le *Tramway* dispose juste de 2 petites chambres agréables, très bien tenues et équipées, dans un genre très *homestyle*. Petits déj pantagruéliques. Passionné de courses d'attelages, Clyde, le mari, peut vous offrir une petite balade en charrette si le cœur vous en dit.

🛏 *Ballintoy House (Mrs Rita McFall) :* 9, Main St, **Ballintoy**. ☎ et fax : 20-76-23-17. ● ballintoyhousebandb.co.uk ● *Ouv tte l'année. Double avec sdb env 50 £, petit déj compris.* 📶 Vieille maison de 1737, modernisée il y a quelques années. Ses 5 chambres comptent parmi les moins chères de la côte. Très bon accueil de la part de Rita and Tony. Agréable jardin.

🛏 *Lismar B & B :* 26, Castlecat Rd, **Bushmills**. ☎ 20-73-21-37. ● lismar bandb.com ● *À env 300 m de la distillerie. Double avec sdb 60 £.* 📶 Derrière sa façade de pierre grise, ce pavillon moderne cache un intérieur tout en bois clair et dégradés de blancs. Les chambres avec fauteuil, bureau ou coiffeuse, bouilloire et TV sont lumineuses et douillettes. Hugh et Margaret Graham réservent à leurs hôtes un excellent accueil et de bons tuyaux pour explorer la région. Une adresse impeccable.

🛏 *Brown's Country House :* 174, Ballybogey Rd (B 62). ☎ 20-73-27-77. ● brownscountryhouse.co.uk ● 🏃 *Dans les terres, à équidistance (env 4 km) de Portrush et Bushmills. Fermé nov-fév. Résa conseillée. Double avec sdb 64 £, petit déj compris.* 🖥 📶 Chambres coquettes aux coordonnés de couleurs soignés. Toutes de taille généreuse à une exception près, certaines sont équipées de douche et baignoire. Vaste salon vitré sur l'arrière. Accueil aux petits oignons de la proprio.

De chic à très chic (plus de 60 £ / 72 €)

⚠ 🛏 🍴 *Glenmore House :* 94, Whitepark Rd, **Ballintoy**. ☎ 20-76-35-84.

● glenmore.biz ● 🏃 *À 2 km de Ballintoy, sur la route de Ballycastle (B 15). Ouv tte l'année. Double avec sdb et petit déj env 65 £. Plats 5-20 £. CB acceptées (majoration de 3 %).* 📶 Un véritable « tout en un », produit d'une petite entreprise dynamique ! À savoir 11 chambres bien meublées et équipées, sans énorme cachet mais « claires et nettes » ainsi que spacieuses pour la plupart, un camping adjacent (voir plus haut), un resto, un bar où les filles de la famille donnent des concerts de musique traditionnelle et même un étang de pêche, d'où proviennent les truites du menu... Monsieur et Madame, de vrais régionaux, n'ont pas eu à faire plus de 1 km pour se rencontrer et s'installer ici. On s'amusera des règlements, rappelant avec insistance les interdictions de fumer et de boire, là où c'est de mise, pour constater que cette *house* est véritablement familiale, bien tenue quand il le faut.

🛏 *Whitepark House :* 150, Whitepark Rd, **Ballintoy**. ☎ 20-73-14-82. ● whiteparkhouse.com ● *Au niveau de Whitepark Bay, sur l'A 2. Résa conseillée en été. Double avec sdb et petit déj 120 £. CB acceptées (majoration de 5 %).* 🖥 📶 La demeure, bâtie en 1734, possède un charme que peuvent lui envier tous les autres *B & B* du coin. À peine arrivé, vous voilà assis devant la cheminée, une tasse de thé à la main. Bob, le propriétaire absolument charmant, collectionne les prix bien mérités et pourra vous indiquer des coins méconnus à explorer. Superbes chambres confortables côté mer ou jardin et déco raffinée, mêlant style *Countryside British* et touches exotiques. Pas d'option familiale. Petit déj mémorable dans le jardin d'hiver.

🛏 *Adelphi Guest House :* 67-71, Main St, **Portrush**. ☎ 70-82-55-44. ● adelphiportrush.com ● *Selon saison et type, compter 65-105 £ pour une double et 145-175 £ pour une familiale, petit déj compris.* 📶 Plus hôtel que maison d'hôtes, l'*Adelphi* regroupe une trentaine de chambres dans une demeure victorienne entièrement remodelée, avec ascenseur. Les doubles 1er prix sont plus petites et sans vue mais déjà très confortables et aussi grandes que dans bien des *B & B*. Salles de bains luxueuses, TV à écran plat et même... la clim ! Spa. Accueil pro et soigné.

Où manger ?
Où boire un verre ?

Prix moyens
(10-20 £ / 12-24 €)

|●| ♈ ♪ *Ramore* : The Harbour, Portrush. ☎ 70-82-43-13. Wine Bar *ouv tlj* ; Ramore Oriental *ouv tlj sf lun-mar* ; Coast *ouv tlj sf lun-mar en basse saison* ; Harbour Bar et Harbour Bistro *ouv tlj à partir de 12h*, live music *ven-sam*. Sous ce nom, nous regroupons la flottille d'enseignes appartenant au même proprio. Malgré son nom, pas d'atmosphère feutrée au *Wine Bar* qui voguerait plutôt dans l'extraterritorialité, quelque part entre cafèt' et *modern cocktail bar*... Commande et règlement immédiat au comptoir, self-service pour les couverts, et on emporte soi-même ses boissons à table ! Si c'est plein, vous attendrez qu'on appelle votre numéro au micro. La cuisine s'avère plutôt correcte et bien servie, que vous soyez *seafood thermidor* (assortiment de fruits de mer et poisson) ou *barbecue pork ribs*. Rien de gastro, mais tout ça se conjugue bien avec l'animation bon enfant et le design de la vaste salle. Dans le même genre mais plus cheap et orienté pizzas, il y a le *Coast* (plats 4-9 £), tandis que l'*Oriental* file effectivement vers l'Orient et que les *Harbour Bar* et *Bistro* célèbrent les repas liquides à la *Guinness*.

|●| ♈ *Sweeney's Public House & Wine Bar* : 6 B, Seaport Ave, Port Ballintrae. ☎ 20-73-24-05. Tlj 12h-15h, 17h-21h. Le midi, menu 2 plats à partir de 10 £ ; le soir, plats 12-20 £. La partie originale de *Sweeney's*, un ancien relais de diligence, conserve de l'atmosphère avec son bar et sa cheminée où se consument des briques de tourbe. On aime moins l'extension vitrée moderne façon jardin d'hiver. La cuisine un peu passe-partout conviendra pour le midi, elle est plus recherchée le soir. D'autres y boivent seulement un verre.

À voir. À faire

La Chaussée des Géants

🄸 *Visitor's Centre* : à l'entrée de la Giant's Causeway. ☎ 20-73-18-55. ● causewaycoastandglens.com ● Tlj 9h30-19h (18h juin et sept ; 17h mars-mai et oct ; 16h nov-fév). Installé dans un tout nouveau bâtiment inspiré par la géométrie particulière de la Chaussée. Incorpore un centre d'interprétation du site (panneaux, vidéo), une grande cafétéria avec terrasse, des services de change, de résa d'hébergements et, *of course !* une boutique regorgeant de souvenirs labellisés « Giant's Causeway ».

Accès au site

– *Park'n ride* : système de navette de bus entre un grand parking dédié de Bushmills et le site. Tarif : env 2 £ l'A/R ; réduc. Mêmes horaires de service que le Visitor's Centre.
– *The Tram* : train touristique à voie étroite reliant Bushmills et la Chaussée. ☎ 20-73-28-44. ● freewebs.com/giantscausewayrailway ● Compter 7,50 £ l'A/R ; réduc. Juil-août (ainsi que pdt les vac de Pâques et à la Saint-Patrick), tlj 10h30-17h30 env, 7 navettes/j. ; mai-juin et sept-oct, w-e slt. 3 km de trajet qui raviront les petits, entre autres.
– *En voiture* : accès très bien indiqué. Le tarif d'entrée inclut le parking (bien !). Choix entre le n° 1 (entrée principale) ou le n° 2, proche de l'accès du *Sheperd's Path*.
– *En bus* : n° 252, « Antrim Coaster ». Voir « Arriver – Quitter » plus haut.

Tarifs

– **Entrée sur le site :** *8,50 £, parking compris ; réduc.*
– **Descente jusqu'à la Chaussée :** *navette optionnelle, ttes les 15 mn env, 1 £/ trajet. À pied, compter 15 mn.*

Visite

➤ Le chemin goudronné descend vers les célèbres promontoires de la *Chaise porte-bonheur* et de la *Clé de voûte*. Le lieu est splendide et beaucoup plus serein tôt le matin ou après le départ des dernières navettes. N'hésitez pas à y attendre le coucher du soleil : l'*Orgue* se teintera peut-être d'or, c'est un moment magique.

➤ **Petite balade en boucle :** *env 3 km en tt.* **Attention !** la réorganisation des sentiers ou d'occasionnels effondrements peuvent modifier cet itinéraire. Des panneaux et barrières avec des instructions précises sont apposés. Depuis les célèbres promontoires, marcher vers l'est le long des hautes falaises verdoyantes de la baie de Port Noffer jusqu'à l'étonnante vue en contre-plongée sur l'*Orgue*. Ses tuyaux hauts de 12 m composent le plus bel exemple de colonne basaltique. Au-delà, vous pourrez peut-être pousser jusqu'au point de vue de **Port Reostan.** Si vous avez les jambes, la promenade se termine par les marches du *Shepherd's Steps* qui rejoint le *Sheperd's Path,* sentier qui suit le haut des falaises jusqu'au parking n° 2, peu éloigné de l'entrée principale.

Randonnées aux alentours de la Chaussée des Géants

🎏🎏🎏 Ici aussi, les sentiers peuvent être barrés au gré des effondrements, des réparations nécessaires ou des conditions atmosphériques. Tout ceci est géré avec sérieux. Si nécessaire, des alternatives sont proposées et bien fléchées.

➤ **De la Chaussée des Géants à Carrick-a-Rede :** *env 17 km en tt, compter 1 j. ; possibilité de se limiter à des sections ou de faire étape. Consulter ● walkni. com ●, se procurer une carte au 1/25 000 ou au 1/50 000 de l'Ordnance Survey ou, à défaut, une brochure des Walking Tours éditée par les OT.*
Longeant le sommet des falaises, également connue sous le nom de **North Antrim Cliff Path,** c'est l'une des plus belles randos d'Irlande. Elle procure une vue plongeante sur de nombreux sites, à commencer par l'anse de **Port na Spaniagh** (en gaélique : le « port de l'Espagnol »), où la *Girona,* de l'Invincible Armada, se fracassa en 1588. Les curiosités géologiques s'enchaînent ensuite : la *Harpe,* les cheminées, au pied desquelles se succèdent des trous appelés *Yeux de géant, Benbane Head,* dont on distingue bien les diverses strates des coulées et enfin le *Fer à cheval,* une petite arche sur la mer. Remarquez, en cours de route, les anciens fours à goémon.
Arrivé aux ruines du **château de Dunseverick,** détruit par Cromwell, deux options s'offrent à vous : la route B 146 ramène au *Visitor's Centre* de la Chaussée des Géants, situé à 4,5 km de là (service de bus si nécessaire) ou, si vous avez encore de l'énergie, rejoindre le port croquignolet de Dunseverick pour continuer la rando. Dans ce dernier cas, vous rencontrerez, bientôt un autre microport, Portbraddan, où se trouve la plus petite église d'Irlande (3,60 m sur 2 m). La ruine en haut de la falaise serait encore plus petite ! Quelques kilomètres plus loin, voici **Whitepark Bay** et son AJ si opportunément placée (voir « Où dormir ? »), d'où Port Ballintoy, encastré entre les rochers, n'est pas si éloigné (autre AJ en cas d'escale), tout comme le fameux pont suspendu de Carrick-a-Rede (encore 3 km, courage !).

➢ *Runkerry Circuit :* *depuis la Chaussée, cette rando suit également le sommet des falaises, mais vers l'ouest cette fois-ci : compter 6 km jusqu'à Dunluce, autant pour revenir en passant par les terres. Rens et précisions : voir sous la balade précédente.* En chemin, passage par la *Runkerry House* et Portballintrae. Au-delà des ruines du *château de Dunluce* (voir plus loin), jolies vues sur Portrush et les montagnes du Donegal au loin. Au retour, possibilité d'embarquer en *Tram* depuis Bushmills (voir plus haut). Sinon, obliquer vers les terres au niveau de la voie.

DANS LES ENVIRONS DE LA CHAUSSÉE DES GÉANTS (D'OUEST EN EST)

🏋 *Magilligan Point :* *quitter l'A 2, pour filer vers cette pointe.* Ici, depuis l'une des commissures de l'étroite bouche du Lough Foyle, les badauds regardent un *South* qui est pourtant plus au nord... D'ailleurs, un ferry rejoint Greencastle, en république d'Irlande (voir « Arriver – Quitter »). Un café-resto cultive l'aubaine, une vaste plage accueille les promeneurs. Tout près aussi, une de ces tours Martello, du nom d'une consœur corse dont la résistance eut le don d'exaspérer la marine anglaise en 1794.

🏋🏋 *Downhill Demesne, Hezlett House et Mussenden Temple :* **Downhill,** *sur la ligne de bus n° 134 Coleraine-Derry.* ☎ 70-84-87-28. *Downhill Demesne, ouv tte l'année de l'aube au crépuscule ;* **Hezlett House,** *avr-sept tlj 10h-17h ;* **Mussenden Temple,** *sur rdv et... pour les mariages. Entrée libre, sf jardins et Hezlett House : 4,70 £. Parking payant si l'on se gare à Lion's Gate, mais normalement gratuit à Bishop's Gate, 300 m plus loin.*

ROULÉS DANS LA FARINE

Mort en Italie en 1803, Frederick Augustus Hervey, évêque protestant de Derry et fondateur du domaine de Downhill, avait exigé que son corps soit rapatrié dans un tonneau de sherry... Mais il n'avait pas attendu le crépuscule de sa vie pour faire preuve d'excentricité. Amateur de fiestas libertines, il répandait de la farine dans les couloirs afin de pister ceux qui naviguaient de chambre en chambre, aux petites heures des fêtes orgiaques qu'il organisait.

Le domaine de Downhill fut construit à la fin du XVIIIᵉ s par l'évêque protestant de Derry (voir encadré), réputé pour son excentricité. Également humaniste, il fit planter 300 000 arbres, détourner deux rivières et aménager des cascades pour donner du travail à ses paroissiens qui en manquaient cruellement. Le *palais,* largement détruit par un incendie en 1851, fut réquisitionné par la RAF pendant la Seconde Guerre mondiale et abandonné depuis. Impressionnante, la vue depuis ces ruines trace une perspective qui aboutit à *Mussenden Temple.* Rotonde imitée d'un temple romain, elle renfermait la bibliothèque de l'évêque et se rapproche inéluctablement du bord de la falaise à cause de l'érosion. D'ici, on peut rejoindre le sentier côtier pour accomplir une petite boucle ramenant vers le palais.

À voir encore, deux jardins, l'un clos, contre Lion's Gate (porte d'accès au temple), l'autre superbe et foisonnant, atteint par Bishop's Gate. Un grand moment. Environ 500 m plus loin, en direction de Coleraine, se dresse *Hezlett House,* une des plus anciennes chaumières d'Irlande du Nord (fin XVIIᵉ s).

🏋🏋 *La plage de Downhill :* généreuse et photogénique, commandant un très beau point de vue sur Mussenden, c'est aussi un petit « Daytona Beach » où il est autorisé de rouler en voiture ! Les autochtones ne s'en privent pas...

🏋🏋 *Bishops Road et point de vue de Gortmore :* *bifurcation depuis l'A 2 à hauteur de Downhill Beach ou avt d'arriver à Magilligan Point en venant de Derry.*

Tracée suivant les intentions de notre bon évêque de *Downhill Demesne,* cette route traverse le plateau de Binevenagh. Boursouflé d'étonnantes parois rocheuses, il s'étend sur plus de 6 miles et grimpe jusqu'à presque 400 m d'altitude pour offrir un panorama bluffant sur la côte et toute la péninsule de Magilligan.

🍴 *Portrush :* principale station balnéaire à l'ouest de la côte d'Antrim, elle est bourrée de monde en été. Plein de familles irlandaises avec un tas de gamins, dans une ambiance typique, festive et tenant un tantinet de la fête foraine du bon vieux temps, ici et là.

🍴🍴🍴 *Dunluce Castle :* 4,5 km à l'est de Portrush. ☎ 20-73-19-38. ● doeni.gov. uk/niea ● Tlj 10h-18h (16h déc-janv ; 17h fév-mars). Dernière entrée 30 mn avt fermeture. Entrée : 5 £ ; réduc. Audioguide en anglais slt. Brochure en français.
Ruiné, ce château n'en est pas moins superbe, véritable sentinelle postée sur son promontoire, 30 m au-dessus de la mer. Le site était réputé imprenable jusqu'à l'apparition de l'artillerie. Une légende tenace raconte qu'une partie de la falaise s'effondra un soir de tempête en 1639, emmenant avec elle cuisines et cuistots. Pourtant, les historiens ont établi que ce n'est qu'au XIXe s qu'un morceau du château se fit la malle par l'océan. Dunluce fut en tout cas abandonné dès 1659, conséquence probable de la grande rébellion de 1641, durant laquelle son domaine incorporant une ville et de vastes terres fut entièrement détruit. Avant la visite, jeter un œil à la petite expo arrangée dans le *Visitor's Centre* et, dans une salle à l'opposé, au court film consacré aux fouilles engagées depuis 2008 pour exhumer les vestiges de la cité disparue.
Dans le château, panneaux et commentaires de l'audioguide permettent de se faire une bonne idée de l'organisation des lieux : cour extérieure, pont menant au *Manor House* où étaient logés et divertis les invités prestigieux et *Inner Castle,* partie la plus ancienne où logeaient les proprios. Nombre d'ouvertures rappellent au visiteur à quel point le site est précaire et la mer proche ! En contrebas, des escaliers conduisent vers un passage souterrain naturel où des barques étaient cachées afin de fuir vers l'île de Rathlin en cas de besoin. Jolie photo à faire en fin de journée depuis le belvédère de Magheracross, 1 km à l'ouest.

🍴🍴 *Old Bushmills Distillery :* 2, Distillery Rd, Bushmills. ☎ 20-73-32-19. ● bushmills.com ● Mars-oct, tlj 9h15 (12h w-e)-17h ; nov-fév, tlj 10h (12h30 w-e)-16h15. Dernier tour 1h avt fermeture. En été, visite ttes les 10 mn env, sinon ttes les 30 mn. Entrée : 7 £ ; réduc. Plaquette en français, vidéo en anglais. **Attention !** de mi-juin à début juil env, visite moins intéressante car l'usine tourne au ralenti ; se renseigner.
En activité depuis 1608, la plus ancienne distillerie de whiskey du monde produit l'un des breuvages les plus appréciés qui soient, le fameux *Blackbush* ! Plusieurs spécificités expliquent le succès d'Old Bushmills auprès des amateurs : contrairement au whisky écossais, l'orge n'est pas fumée mais séchée, ce qui fait mieux ressortir l'arôme du malt ; trois distillations sont menées contrairement aux deux du whisky et enfin l'eau est tirée d'une rivière privée, la Rill of Saint Columb, réputée pour sa pureté.
La visite de l'usine, d'une belle architecture « révolution industrielle britannique », débute par une vidéo racontant l'histoire du whiskey et de l'entreprise. Suivent les caves de fermentation, la salle de distillation, où l'on peut voir le whiskey à 85 % s'écouler à gros bouillons de plusieurs « robinets », puis les hangars. Pas moins de 165 000 tonneaux sont dédiés au vieillissement ! On finit par l'embouteillage et, bien sûr, la dégustation (incluse), toutefois tempérée de nos jours ! Snack-bar, *Visitor's Centre* et boutique sur le chemin de la sortie. Attention, les 21 ans d'âge atteignent facilement les 120 £ la bouteille...

🍴🍴 *Whitepark Bay :* long croissant de sable peu fréquenté et s'étalant paresseusement dans un paysage très doux, vue portant jusqu'à l'Écosse par temps clair, peut-être un des plus beaux sites d'Irlande... Au crépuscule, en particulier, la vue est une pure merveille. Superbe balade jusqu'au petit port de Ballintoy, à l'est, ou vers celui de Portbradden, à l'ouest.

🎦 *Port Ballintoy* : le quai, s'avançant au milieu d'une débauche de rochers sur lesquels les vagues s'écrasent puissamment, offre une vue exceptionnelle sur le littoral souligné de falaises et d'îlots rocheux.

🎦🎦 *Carrick-a-Rede* : *juste après Ballintoy, bifurcation sur une petite route.* ☎ 20-76-98-39 ● nationaltrust.org.uk/carrick-a-rede/ ● *Ouv tte l'année, tlj (sf j. de vent fort) 10h-19h (18h mars-mai et sept-oct ; 15h30 nov-fév). Entrée libre pour la promenade d'env 1 km jusqu'au pont ; franchissement (à payer au guichet du parking) 5,60 £, réduc. Dernier billet 45 mn avt fermeture.* L'îlot de Carrick-a-Rede (« le rocher sur la route » des saumons), c'est d'abord le célèbre et quasi initiatique pont de corde qui le relie précairement à la terre ferme, 24 m au-dessus des flots ! Construit par les pêcheurs de saumon (renommé par ici) qui l'empruntent depuis 350 ans pour rejoindre leur base, l'ouvrage n'a longtemps compté qu'une seule main courante... Le préposé à la guitoune de départ, là où les jambes flageolent un peu, veille à ce qu'il n'y ait pas plus de huit personnes à la fois, ce qui peut générer de l'attente en été. Certains se contenteront de contempler la scène, captivante et gratuite. Un petit truc pour les volontaires : s'engager sur le pont en fixant son extrémité opposée. Le matin, la lumière est magnifique et vous partagerez la sérénité des lieux avec mouettes et pingouins. Du sommet de l'îlot, splendide vue sur les falaises de l'Antrim Coast.

BALLYCASTLE [Baile an chaisil]

5 100 hab.   IND. TÉL. : 028

Station de villégiature agréable, doublée d'un bourg commerçant, Ballycastle se situe à une vingtaine de kilomètres à l'est de la Chaussée des Géants. Porte d'entrée des célèbres Glens of Antrim, elle constitue une base très acceptable pour rayonner dans la région. De mère irlandaise, Marconi y expérimenta pour la première fois, en 1898, la télégraphie sans fil avec l'île de Rathlin.

Arriver – Quitter

En bus

➤ *Par la ligne côtière Coleraine-Belfast :* avec *Ulsterbus* (voir les infos dans le chapitre consacré à la Chaussée des Géants).

En ferry

➤ *De/vers Rathlin Island :* voir le chapitre consacré à cette île.

Adresses et info utiles

🛈 *Office de tourisme* (plan B2) : *Sheskburn House, 7, Mary St.*

☎ 20-76-20-24. ● moyle-council.org/tourism ● *Après le port, à la sortie, vers Cushendall. Juil-août, lun-ven 9h-19h, w-e 10h (12h dim)-18h ; le reste de l'année, lun-ven 9h-17h.* L'un des meilleurs de la région, très documenté sur l'ensemble de la côte d'Antrim. Change et résa d'hébergement.

@ *Ballycastle Library* (hors plan par A2, 1) : *5, Leyland Rd.* ☎ 20-76-25-66. *Lun, mer et ven-sam 9h30-17h, mar et jeu 13h-20h.* Alternativement, *SMC Computer* (plan B2 ; 20, Ann St ; ☎ 20-76-89-99). Plusieurs cafés et restos proposent le wifi gratuitement, moyennant conso.

– *Site internet :* ● causewaycoastandglens.com ●

Où dormir ?

Camping

⚓ *Maguires Strand Caravan & Camping Park* (hors plan par B2, **10**) : 32, Carrickmore Rd. ☎ 20-76-32-94. Fax : 20-76-24-66. Belle situation face à la mer, à moins de 2 km de Ballycastle (route de Cushendall, puis à gauche vers Corymeela). Compter env 15 £ pour 2 avec tente. (Tout) petit espace gazonné, en retrait d'une côte essentiellement rocheuse. Proche de Fair Head (rubrique « À voir »).

Bon marché
(moins de 40 £ / 48 €)

🛏 *Ballycastle Backpackers* (plan B1, **12**) : 4, North St. ☎ 20-76-36-12. ● ballycastlebackpackers.net ● Ouv tte l'année. Résa conseillée. Env 15-20 £/ pers selon confort (sans ou avec sdb) ; petit déj non compris. 🖥 🛜 Bien situé face à la baie, avec vue sur Fair Head, dans une vieille maison XIXᵉ s. Côté *hostel*, 4 petites doubles et 2 chambres plus grandes avec 4 et 5 lits (plutôt familiales que dortoirs), toutes avec sanitaires communs. Salon au 1ᵉʳ, cuisine et machine à laver pour les hôtes. Ensemble correct sans être transcendant, mais des travaux d'amélioration sont prévus. À l'arrière, un cottage entièrement équipé (minimum 2 nuits) peut accueillir 4 personnes. Accueil dynamique.

De prix moyens
à plus chic
(40-80 £ / 48-96 €)

🛏 *Fragrens* (plan A-B1-2, **13**) : 34, Quay Rd. ☎ 20-76-21-68. ● fragrens.co.uk ● Dans la grande rue qui file à angle droit vers le port. Fermé 2ᵈᵉ quinzaine de déc. Doubles avec sdb 55-60 £ selon saison, petit déj compris. Parking gratuit. Les 6 chambres moquettées bien cosy, aux grandes salles de bains et literies moelleuses, sont réparties entre la maison principale et le pavillon adjacent. Excellent petit déj à la carte, servi dans une grande véranda vitrée. Accueil très chaleureux. Une adresse comme on les aime.

🛏 *Colliers Hall Farm House B & B* (hors plan par B2, **15**) : 50, Cushendall Rd. ☎ 20-76-25-31. ● colliershall. com ● ♿ À moins de 2 km de la ville, sur la route de Cushendall (A 2). Ouv mars-oct. Doubles avec sdb 50-60 £ selon formule petit déj choisie. 🛜 La ferme dispose de 3 chambres dans le bâtiment principal et de 6 autres dans l'ancienne grange en pierre qu'elle cache, plus petites mais plus pimpantes. Bon petit déj copieux ou grande cuisine à disposition si l'on choisit la formule *self-catered*.

🛏 *Kenmara House* (Mr Ernie Shannon ; plan A1, **14**) : 45, North St. ☎ 20-76-26-00. Ouv mai-oct. Double env 80 £. Ernie est un personnage à découvrir, il adore les bons vins et... les fromages qui puent, à commencer par le livarot ! Sur la hotte de la cuisine, en français : « Pour bien manger, il faut savoir attendre. » C'est de cette maison en hauteur, dans un joli jardin avec vue imprenable sur la baie, que Marconi établit la première liaison radio en 1898 (avec l'île de Rathlin). Chambres vraiment confortables, même si une seule dispose de sa propre salle de bains (elle est d'ailleurs au même prix que les autres). Breakfast mitonné avec amour et raffinement. Un must, tout simplement.

Où manger ?
Où écouter
de la musique ?

Bon marché
(moins de 10 £ / 12 €)

🍴 *Margo's* (plan A2, **20**) : 22, Ann St. Tlj 7h30-14h30. Burgers, *Irish stew*, incontournables *chicken goujons*. Certes, ce n'est pas gastronomique, mais l'intérieur, en bois, est plus avenant qu'une cafèt', et les sandwichs frais (du lundi au samedi) tirent leur épingle du jeu.

BALLYCASTLE

GIANT'S CAUSEWAY, GLENS OF ANTRIM

■ Adresses utiles

- **🛈** Office de tourisme
- **⚓** Ferry pour Rathlin Island
- **@ 1** Ballycastle Library

🏕 🏠 Où dormir ?

- **10** Maguires Strand Caravan & Camping Park
- **12** Ballycastle Backpackers
- **13** Fragrens
- **14** Kenmara House
- **15** Colliers Hall Farm House B & B

🍴 ♪ Où manger ? Où écouter de la musique ?

- **20** Margo's
- **21** Central Wine Bar
- **22** The Cellar Restaurant
- **23** O'Connors

🚩 À voir

- **30** Ruines du couvent franciscain de Bonamargy

Prix moyens (10-20 £ / 12-24 €)

🍴 ♪ Central Wine Bar (plan A2, 21) : 12, Ann St. ☎ 20-76-38-77. Tlj 12h-21h. Early bird (lun-ven 17h-19h) 2 plats 10 £ ; plats à la carte 6-20 £. Musique live au pub du rez-de-chaussée, irlandaise le mercredi et plus variée les fins de semaine, quand elle met le feu à la boutique. À l'étage, la déco moderne et épurée du resto, tout en longueur, incite à taper dans le haut de la carte, petit verre de vin en option...

🍴 The Cellar Restaurant (plan A2, 22) : 11 B, The Diamond. ☎ 20-76-30-37. Tlj midi et soir (mieux vaut venir avt 20h30). Early bird (lun-ven 17h-19h) 10 £ (2 plats + 1 verre de vin) ; plats à la carte env 10-18 £. L'aménagement de ce resto, lové dans une cave voûtée avec des box ornés de vitraux, n'est pas fait pour les familles nombreuses ! Poissons et viandes se partagent équitablement la carte, mais on suggère l'arrivage marin du jour, listé sur l'ardoise. Bon choix de vins.

|●| ♟ ♪ *O'Connors* (plan A2, **23**) : 7, Ann St. ☎ 20-76-21-23. Concerts et soirées jeu-dim à partir de 22h. L'amical patron de ce pub est un fidèle supporteur du foot irlandais. Il nous a pardonné la mimine de Thierry, pas de soucis ! Cuisine honorable et bien servie. Musique traditionnelle live le jeudi soir, soirée folk le vendredi, autres concerts ou DJ le week-end.

À voir

Ceux qui veulent tout voir demanderont la plaquette *Ballycastle Heritage Trail*.

🎏 *Les ruines du couvent franciscain de Bonamargy* (hors plan par B2, **30**) : à moins de 1 km sur la route de Cushendall (A 2). Accès libre tlj. Fondé en 1485. Herbe bien verte et petits arbres, avec le vieux cimetière et le terrain de golf enveloppant tout ça.

Manifestation

– *Ould Lammas Fair :* derniers lun-mar d'août. Si vous êtes dans le coin, ne ratez pas l'une des plus anciennes foires d'Irlande (1606). Des centaines de poneys et de chevaux changent de mains, la bière coule à flots, musique et bals dans les rues, etc.

RATHLIN ISLAND

100 hab.   IND. TÉL. : 028

Les 600 habitants de l'île furent massacrés en 1575 par le comte d'Essex, émissaire d'Elizabeth Ire. Aujourd'hui, une centaine de personnes vivent sur ses 14 km² battus par les vents. Sauvage et sans arbres, Rathlin Island est ceinturée de hautes falaises blanches abritant la plus grande colonie d'oiseaux d'Irlande du Nord et parsemée de nombreux murets et de fermes en ruine. Si Marconi y transmit son premier message radio en 1898, la première automobile n'y débarqua qu'en 1955 et, pendant longtemps, l'électricité fut fournie par un générateur.

Important : l'île ne tente pas de séduire les touristes pour le moment. Il faut la prendre comme elle est, brute de forme, avec ses carcasses de voitures et son goémon. Vous y découvrirez l'âpreté de la vie insulaire et le plaisir de balades à pied dans le vent vif et tonique.

– *Location de vélos :* possible auprès des hébergements indiqués, c'est le moyen de déplacement idéal sur l'île.

Arriver - Quitter

➢ *Rathlin Island Ferry :* relie Ballycastle à l'île. ☎ 20-76-92-99. ● *rathlinballycastleferry.com* ● Avr-sept, env 8 départs/j., 8h (10h le w-e)-18h30 depuis Ballycastle, 7h30 (8h30 le w-e)-17h30 de Rathlin. En hiver, 4-5 départs/j. Compter env 12 £ l'A/R ; réduc. Traversée : 25 mn avec l'*Express* (assure la majorité des traversées), 45 min avec *MV Canna* (2-3 liaisons/j.). Résa conseillée. L'accès en voiture, réservé aux handicapés et séjours min de 6 nuits sur l'île, nécessite une demande d'autorisation auprès de l'office de tourisme.

Où dormir ? Où manger ?

⚐ *Camping :* possible à chaque extrémité de la Church Bay (où accoste le

GIANT'S CAUSEWAY, GLENS OF ANTRIM

ferry) moyennant l'autorisation du pro-prio du McCuaig's Bar.

🏠 **Soerneog View Hostel :** ☎ et fax : 20-76-39-54. À 10 mn à pied du ferry (on peut venir chercher vos sacs si vous prévenez). Ouv avr-sept. À partir de 12,50 £/pers. CB refusées. La maison dispose de 3 chambres seulement :

1 double avec grand lit et 2 avec lits superposés.

🍴 **McCuaig's Bar & Restaurant** (Manor House) : tt près du port, dans une magnifique demeure georgienne. ☎ 20-76-39-74. Tlj 9h-21h. Sand-wichs, petits en-cas ou plats plus copieux.

À voir. À faire

🦐 **Boathouse :** au port, sur le versant opposé au quai d'arrivée du ferry. Mai-août, tlj 9h30-17h. Entrée libre. Vieilles photos, outils, objets tirés d'épaves échouées le long des côtes de l'île dessinent l'histoire et le quotidien de Rathlin. En continuant la balade vers le sud, direction Mill Bay, vous rencontrerez une colonie de phoques peu farouches.

🦐 **Bruce's Cave** (grotte de Bruce) **et East Lighthouse** (phare de l'Est) : 2 petits km vers le nord-est. Quelques grottes se visitent, par très beau temps seulement. La plus connue doit son nom à Robert Ier, the Bruce, roi écossais qui s'y réfugia en 1306, après une défaite contre les Anglais. La légende dit que c'est l'observa-tion des efforts acharnés d'une araignée pour tisser une toile dans cette grotte qui lui donna l'énergie de repartir au combat. Il remporta la bataille de Bannockburn (en 1314), qui permit à l'Écosse de recouvrer son indépendance.

🦐🦐 **Bull Point et West Lighthouse** (phare de l'Ouest) : belle balade de 13 km A/R. Les falaises aux alentours du Seabird viewpoint (Rathlin Seabird Centre, ● rspb.org.uk/reserves/guide/r/rathlin ● ; avr-août, tlj 10h-16h) fourmillent de près de 40 000 guillemots, 10 000 petits pingouins, 3 000 macareux, 6 000 kittiwakes (mouettes tridactyles) et d'un bon millier de couples de pétrels... Impressionnant concert de cris et agitation incessante garantie ! Pressés et flemmards pourront s'y rendre par le Puffin Bus (☎ 20-76-34-51).

LES GLENS OF ANTRIM   IND. TÉL. : 028

De Ballycastle à Larne se déroule l'une des plus pittoresques côtes d'Irlande : les Glens of Antrim, neuf vallées verdoyantes livrant de jolis panoramas, de charmants villages et de superbes plages. Empruntez l'*Antrim Coast Road.* En avant pour Glentaisie, Glenshesk, Glendun, Glen-corp, Glenaan...

Arriver - Quitter

➤ **Ligne côtière Coleraine-Belfast/ Larne (Antrim Coaster) :** voir les infos dans le chapitre consacré à la Chaus-sée des Géants. Arrêts notamment à **Cushendun, Cushendall, Waterfoot, Carnlough** et **Glenarm.**
➤ **Ulsterbus n° 150 :** liaisons entre **Ballymena** et **Cushendun,** tlj sf dim.

Dans les 2 sens, 5 bus/j., 3 slt le sam.
➤ **Ulsterbus n° 162 :** liaisons entre **Cushendall** et **Larne,** lun-ven 2 départs/j.

Adresses utiles

🛈 **Points d'information touristique :** à **Cushendall,** à l'entrée de la rue principale. ☎ 21-77-11-80. Mar-sam

10h-13h. À **Larne,** ☎ 28-26-00-88. Lun-ven 9h-17h, plus sam 10h-16h avr-sept slt. Voir aussi à Ballycastle. ● *cau sewaycoastandglens.com* ●

■ *Location de VTT :* **Ardclinis Out-door Adventure,** High St, **Cushen-dall.** ☎ 21-77-13-40. Pour profiter des très nombreuses balades dans les Glens.

@ *Cushendall Public Library :* 26, Mill St, **Cushendall.** ☎ 21-77-12-97.

Où dormir ?

Campings

⊼ **Glenariff Forest Park :** depuis Waterfoot, remonter l'A 43 pdt 6 km ou, depuis Cushendall, la route B 14 jusqu'au panneau. ☎ 29-55-60-00. ● *nidirect.gov.uk/forests* ● Arrêt de bus à 500 m. Ouv Pâques-fin sept. Emplacement 13,50 £. Immense espace gazonné en pleine forêt, mais paradoxalement peu ombragé ! Pour amateurs de calme, en tout cas. En arrivant, on s'installe et on paiera au *ranger* quand il passera. Équipement minimum (sanitaires, douches, éviers).

– Le paiement du camping donne droit à la gratuité du parc forestier (à 1 km de là, rubrique « À voir »), où l'on trouve un resto-*tea room* et une petite épicerie *(ouv en principe Pâques-oct, tlj ; en pratique, tant que le client ne se fait pas trop attendre – sic !)*.

⊼ **Watertop Open Farm :** 188, Cushendall Rd. ☎ 20-76-25-76. ● *watertopfarm.co.uk* ● À 9 km de Ballycastle, sur la route de Cushendall (A 2) ; bien indiqué. Ouv Pâques-Halloween. Résa conseillée en hte saison. Compter 5 £/pers. CB refusées. Petit camping faisant partie du complexe *Watertop Open Farm* (lire plus loin : « À voir. À faire »). Après les heures de visite, les campeurs ont accès à la ferme-musée, où ils pourront se blottir devant un feu de tourbe dans une ambiance du passé. Les gosses seront ravis d'avoir tant d'animaux tout autour. Les 2 zones de camping (dont l'une réservée aux tentes, avec un abri en cas de pluie)

sont parfois pleines en été, mais on vous trouvera un bout de champ pour vous installer.

Bon marché (moins de 40 £ / 48 €)

🛏 **Ballyeamon Barn :** 127, Ballyeamon Rd, à env 8 km de Cushendall. ☎ 21-75-84-51. ● *ballyeamonbarn. com* ● Sur la B 14, à l'orée de la forêt de Glenariff. Proche du parc du même nom, 1 km avt la jonction avec l'A 43. Ouv tte l'année. Compter 14 £/pers dans la grange, 17 £/pers dans le cottage ; petit déj non compris. CB refusées. 🖥 🛜 En bordure d'une route un peu perdue, voilà une super adresse, comme on aimerait en trouver plus souvent ! La « grange » réaménagée abrite un dortoir de 14 places, bien agréable malgré sa taille. Dans l'annexe plus récente mais parfaitement intégrée, le cottage est doté d'un lit double et d'un sofa convertible. Grande cuisine équipée et lave-linge à dispo. La proprio, Liz Weir, habite les lieux quand, conteuse émérite, elle ne voyage pas dans le monde entier pour partager sa passion de la musique et du folklore irlandais. Organisation régulière de soirées musicales ou narratives.

Prix moyens (40-60 £ / 48-72 €)

🛏 **The Villa Farmhouse** (Mrs Scally) : 185, Torr Rd, **Cushendun,** au début de la route panoramique. ☎ 21-76-12-52. ● *thevillafarmhouse.com* ● Ouv mars-fin oct. Double avec sdb env 60 £, petit déj compris selon formule. CB refusées. Sur les hauteurs de ce petit port adorable (rubrique « À voir »), dans un coin calme doté d'un sacré panorama : à droite, la baie et les *glens*, à gauche l'Écosse ! De style Tudor, la maison centenaire dispose de 3 chambres très correctes, dans des tonalités de rose. Également un cottage avec 2 chambres en formule *self-catering*.

🏠 *Dieskirt Farm B & B* (*James et Ann McHenry*) : 104, Glen Rd, **Waterfoot.** ☎ 21-77-13-08. ● *dieskirtfarm. co.uk* ● À 4,5 km env dans les terres, en remontant la vallée depuis le village côtier. Ouv avr-déc. Compter 60 £ pour 2 ; réduc à partir de 2 nuits. CB refusées. 📶 La ferme, située dans un coin bucolique, abrite 3 chambres *en suite* de bon confort. Tout autour, moutons, chevaux, poules et même 2 ânes, Trixie et Nicky ! Sans oublier des chiens en pagaille, un peu agités à ton goût... Excellent accueil. Bicyclettes à dispo.

🏠 *The Meadows :* 79-81, Coast Rd, **Cushendall.** ☎ 21-77-20-20. ● *themeadowscushendall.com* ● 👤 Double avec sdb env 50 £, petit déj compris. 📶 Dans la grande maison accolée à sa demeure, Anne accueille efficacement et gentiment ses hôtes. 6 chambres, la plupart avec vue sur la mer. Le manque d'originalité décorative est largement rattrapé par l'ameublement correct, l'espace disponible et les tarifs.

🏠 🍷 *The Village :* Mill St, **Cushendall.** ☎ 21-77-23-66. ● *thevillagebandb.com* ● En plein centre du village. Tte l'année. Double avec sdb 60 £, petit déj compris. 📶 Les 8 chambres, au haut plafond et de taille généreuse, se répartissent sur les 2 étages supérieurs tandis qu'un *tea room* et un *lounge* égaient le rez-de-chaussée. Aménagement récent et chaleureux à la fois.

De chic à plus chic (plus de 70 £ / 84 €)

🏠 🍴 *Londonderry Arms Hotel :* 20, Harbour Rd, **Carnlough.** ☎ 28-88-52-55. ● *glensofantrim.com* ● Fermé à Noël. Doubles avec sdb 70-100 £ selon saison et confort. Formules en ½ pens. L'ambiance et la déco n'ont pas bougé depuis la construction de l'hôtel en 1848. Feu dans tous les *lounges* (et il y en a !). Demeure georgienne, elle fut un temps la propriété de Churchill. Chambres somptueuses et restaurant réputé (*repas 20-25 £*). Hmm... la crème brûlée aux framboises... *Music ses-*

sions le samedi soir, 1 ou 2 fois par mois.

Où manger ? Où boire un verre ? Où écouter de la musique ?

🍴 *Arthur's Cafe :* 4, Shore St (dans le prolongement de Mill St), **Cushendall.** ☎ 21-77-16-27. Tlj 9h-16h ou 17h. Plats du jour, bagels, sandwichs, petit déj servi jusqu'à 14h, soupes, voilà tout ce qu'il faut pour se caler un creux sans en faire un dans le budget. On a bien aimé la *pavlova*, un dessert meringué aux fruits dont Kiwis et Australiens se disputent la paternité. Commander au comptoir, on viendra vous servir. Cadre pimpant.

🍴 🍷 *Harry's :* 10, Mill St, **Cushendall.** ☎ 21-77-20-22. Côté droit de la rue en arrivant de Ballycastle. Tte l'année, tlj 12h-21h. Sélection de plat du jour : déj 10 £, dîner 14 £ ; carte 9-17 £. Tapisserie à ramage, tons taupe et acajou composent un cadre plaisant pour déguster une bonne cuisine de qualité régulière. C'est bien servi, mais si vous avez encore de la place, jetez donc un œil aux amusants desserts, disponibles en assortiment à partager... Le dimanche, *sunday lunch* avec toutes sortes de *roasts*. Bien pour boire un verre aussi.

🍷 🎵 *J. Mc Collams et Upstairs at Joe's :* 23, Mill St, **Cushendall.** ☎ 21-77-19-92 ou 21-77-26-30. Hors saison, n'ouvre que jeu-dim, l'ap.-m. Pub au rdc, resto à l'étage. *Music sessions* en principe le vendredi et le week-end. Aux murs, embrouillaminis de billets du monde entier et de photos de clients, dont... un âne ! Ambiance locale assurée.

🍴 🍷 🎵 *Mary Mc Brides :* 2, Main St, **Cushendun.** ☎ 21-76-15-11. Repas jusqu'à 18h30 slt ! Petit mais incontournable par son rôle communautaire. Les 3 types de pressions syndicales, des plats simples à base de produits locaux, retransmission d'événements sportifs, musique live le week-end, soirées quiz, tout le village y trouve son compte... Si ça ne vous convient pas, traversez la rue jusqu'au **Therese's Tea Room** (plats 6-11 £), équipé d'une petite cantine à l'entresol.

À voir. À faire

De Ballycastle à Cushendun par Torr Road

Pour s'engager sur Torr Road, quitter l'A 2 à Ballyvoy, au niveau du *Hunter's Bar*. Vallons, falaises, points de vue, haies de genêts, voici un beau brin de parcours, à prendre à la vitesse escargot tant ça tournicote. Nous indiquons les sites par ordre d'apparition. À Cushendun, retour sur l'A 2.

🔏 **Fair Head :** *env 800 m après le début de Torr Rd, au-delà de bungalows ruinés, prendre la route étroite sur la gauche (panneau discret).* Arrivé au hameau de Coolanlough, minuscule parking. Demander l'autorisation de passer la barrière (panneau « Private Road »), puis traverser la clôture par l'échalier à droite. Monter le long du muret jusqu'à la brèche visible à 1,5 km (Grey Man's Path) en suivant les gros points jaunes (si vous les trouvez...). À gauche, le lough na Cranagh avec son îlot artificiel *(crannog)* dont le mur défensif est encore visible. Prudence : à la fin de la montée, en arrivant près de la falaise, le sol soudain se dérobe sous vos pieds !
Si l'on longe l'abîme vers l'est, on atteint rapidement un joli point de vue sur Murlough Bay (voir ci-dessous). De là, deux options : continuer le long des falaises avant de descendre vers Murlough Bay (45 mn) ou retourner vers Coolanlough par le large chemin qui se dessine sur la droite (15 mn).

🔏🔏 **Murlough Bay :** *bifurcation bien indiquée depuis Torr Rd.* Après un paysage de landes à l'herbe rase, la route plonge vers une vallée perdue. Autour, des falaises marquent la limite entre la lande et les *glens* verdoyants courant jusqu'à la mer. Paysage d'une grande sérénité, à peine troublé par le chant des pipits, le bêlement des agneaux et le clapotis des vagues.

🔏 **Torr Head :** *un panneau pas très visible indique l'embranchement depuis Torr Rd.* La route s'arrête en contrebas d'un poste d'observation abandonné (5 mn de grimpette), près d'une station en ruine de gardes-côtes. Belle vue sur Rathlin Island et le Mull of Kintyre, en Écosse, à moins de 10 milles marins.

Cushendall et ses environs

🔏 **Cushendall :** *sur l'A 2, à env 25 km au sud de Ballycastle.* Petit port, il est à juste titre un lieu populaire de villégiature sur la route des Glens, grâce à ses nombreux *B & B*, ses restos et son petit pub (voir plus haut « Où dormir ? » et « Où manger ? »). Colorées et pimpantes, les maisons s'agglutinent à l'approche du carrefour central. La *Curfew Tower* a été bâtie vers 1809 pour y boucler des émeutiers, sur des instructions précises et quelque peu excentriques du *landlord* : noter les fenêtres agencées de telle sorte qu'il soit possible de jeter du plomb fondu sur un attaquant éventuel ! Au-dessus du village, par la rue qui mène au parc The Cottage, la colline de Tievera rameuterait toutes les sorcières des *glens*... Entre Cushendall et Glenarm, la route se fraie un passage le long de l'océan.
– **Festival Heart of the Glens :** *dernier w-e d'août.* Le vendredi soir, tout le monde se costume sur un thème particulier. Le dimanche soir, les danses traditionnelles des *Waves of Tory* mettent en scène jusqu'à 6 000 personnes.

🔏 **Cushendun :** adorable bourgade qui fut longtemps le principal port des ferries vers l'Écosse. Au centre, de blancs cottages aux toits d'ardoises de style cornouaillais et les ruines d'un château. Jolie plage et miniport croquignolet.

🧍🏃 **Watertop Open Farm :** 188, Cushendall Rd (A 2). ☎ 20-76-25-76. ● water topfarm.co.uk ● Voir également la rubrique « Où dormir ? Campings » plus haut. Juil-août, tlj 11h-17h30 ; également quelques w-e fériés au printemps. Entrée : 3 £ ; réduc. Balades à dos de poney 9-15 £. Le couple McBride a eu la bonne idée d'ouvrir sa ferme aux visiteurs. Les enfants peuvent caresser les animaux, assister à la tonte des moutons, se faire promener en *padiwaggon* (camion 4x4) à travers le domaine, faire du poney et de la barque, du tir à l'arc et du kart à pédales. Balade de 20 mn jusqu'à une cascade. Accueil familial, très bien organisé.

➤ **Scenic Drive :** à 1 km au sud, à travers Ballypatrick Forest. ☎ 29-55-60-00. En principe, tlj en juil-août, ainsi que les w-e de juin et sept. Mais l'accès peut varier en fonction de l'exploitation forestière... Entrée : 3 £/voiture.

🧍 **Ossian's Grave** (tombe d'Ossian) : à 1 km au nord de Cushendall, prendre Gleenan Rd à gauche, puis se garer peu après le long de la route, à la hauteur du McCloeys Cottage – et pas dans la cour de la ferme. On grimpe à pied (assez fatigant). La sépulture néolithique d'Ossian, héros légendaire, grand guerrier, poète et fils mythique de Finn McCool (mais oui, le géant de la Chaussée...) se trouverait ici, au pied du mont Tievebulliagh, dans un environnement sauvage et romantique. En réalité, ces alignements sont au moins 2 000 ans plus vieux que le barde guerrier, mais... chut ! Juste à côté, cairn marquant la tombe du poète John Hewitt. Cela dit, le site n'est pas forcément à la hauteur de l'histoire.

🧍 **Waterfoot :** bourgade au débouché du Glenariff. D'ailleurs, on l'appelle également de ce nom-là. Grande et belle plage. Fin juin, début juillet s'y déroule le *Feis na nGleann*, festival culturel gaélique, avec sports traditionnels, danse et musique.

Vers Ballymena et plus au sud

🧍🧍 **Glenariff Forest Park :** voir également plus haut, dans « Où dormir ? Campings ». ☎ 29-55-60-00. Tlj de 8h au coucher du soleil. Compter 4,50 £/voiture et 1,50 £ pour les piétons. Entrée payante, mais la forêt en vaut la peine, avec ses nombreuses chutes d'eau et son sous-bois qui aide à croire aux elfes. Quatre itinéraires de balades bien balisés (de 1 à 9 km), dont le *Waterfall Trail,* qui permet justement de se repaître des eaux vives de la rivière Glenariff à l'endroit où elles ont tracé une gorge. *Visitor's Centre* (belles bébêtes empaillées et explications sur l'exploitation de la forêt).

🧍🧍 **Glenarm :** au débouché du « Last of the Nine Glens », cet ancien village achève cette magnifique balade. Château des comtes d'Antrim, du XVIIe s, avec un magnifique pan de remparts et plusieurs tours du côté de la rivière (est).

LARNE (Latharna)   18 200 hab.   IND. TÉL. : 028

Ville industrielle sans charme, c'est le principal port d'embarquement d'Irlande du Nord pour l'Écosse.

Arriver – Quitter

En train

– Rens : ☎ 90-66-66-30. ● translink. co.uk ●
➤ **De/vers Belfast :** jusqu'à *Central Station.* Ttes les 30-60 mn en sem, ttes les heures le sam et ttes les 90 mn le dim. Prévoir 40 mn-1h de trajet.

En bus

➤ **De/vers Belfast (Laganside Bus Centre) :** avec *Ulsterbus* Service 156. 3-5 bus/j. sf dim.

➢ **De/vers Belfast (Europa Buscentre) :** avec *Goldline* Service 256. Env 1 bus/h en sem, 6 bus le sam, 2 le dim.

➢ **De/vers Glens d'Antrim et Chaussée des Géants :** *voir la même rubrique sous ces destinations.*

En bateau

➢ **Ferry pour l'Écosse :** avec *P & O* (à Larne : ☎ 087-16-64-20-20 – tlj 8h-20h30 ; ● poirishsea.com ●). Nombreux départs/j. tte l'année. Compter à partir de 100 £/trajet pour une voiture et 4 pers. Traversée : 1h pour Cairnryan, 2h pour Troon. Généralement moins cher en milieu de semaine et si l'on réserve bien à l'avance.

Adresse utile

🖽 **Office de tourisme :** Narrow Gauge Rd. ☎ 28-26-00-88. ● larne.gov.uk ● En plein centre. Tte l'année, lun-ven 9h-17h, plus sam de mi-mai à fin sept slt. Vous pourrez y réserver hôtel ou passage en ferry.

Où dormir ?

⛺ **Curran Court Caravan & Camping Site :** 131, Curran Rd. ☎ 28-27-37-97. À 500 m du port. Bien fléché à partir du ferry. Ouv Pâques-sept. Autour de 10-15 £ pour 2. Pratique quand on arrive tard. Un des campings les moins chers d'Irlande, pourtant tout confort. Même les emplacements pour caravanes sont gazonnés. À côté, parc pour se promener.

🛏 **Derrin Guesthouse :** 2, Prince's Gardens. ☎ 28-27-32-69. ● derrin house.co.uk ● Près du centre-ville, dans un quartier résidentiel. De Curran Rd (route du port), tourner à droite vers la Coast Rd (A 2) ; Prince's Gardens est immédiatement à gauche. Ouv tte l'année. Double avec sdb 57 £. 🖥 📶 On aurait presque envie de dire : dommage qu'il soit à Larne... Ce *B & B*, superbement tenu par un Hollandais et sa femme écossaise, est l'un de nos préférés en Irlande du Nord. Chambres (dont 1 familiale) plaisantes, avec TV, bouilloire, thé ou café, double vitrage, etc. Grand choix de petit déj (dont 1 végétarien).

Où manger ?

🍽 **The Kiln :** 168, Old Glenarm Rd. ☎ 28-26-09-24. À 1 km au nord du centre, dans le prolongement d'Agnew St. Ne pas confondre avec Glenarm Rd ! Tlj 12h-minuit. Plats à partir de 10 £. Un resto-pub bien connu des locaux et des touristes de passage. Plus que pour la cuisine, on vient ici pour l'animation : groove le vendredi, groupes locaux le samedi, musique sur demande le dimanche, etc.

BELFAST ET SES ENVIRONS

BELFAST [Béal feirste]   286 000 hab.   IND. TÉL. : 028

« Capitale » d'Irlande du Nord, Belfast regroupe à elle seule le sixième de la population régionale, et même le tiers en comptant l'agglomération. Sa vocation industrielle et commerciale pourrait vous pousser à passer votre chemin, mais ce serait dommage. Car affiche un caractère bien trempé et sa détermination à rattraper les années assombries par les *Troubles*. Ses beaux musées, sa vie universitaire, sa scène culturelle, les *murals*, l'animation de son centre et de ses pubs pittoresques sauront vous retenir pour une étape.

UN PEU D'HISTOIRE

Béal Feirste signifie en gaélique « l'embouchure sur le rivage sablonneux ». La ville moderne ne s'est développée qu'à partir du XVIIe s, sur l'emplacement d'une ancienne place forte détruite en 1316, le long de la rivière Farset, affluent de la Lagan. Très vite, elle centralisa le commerce du lin, spécialité de l'Ulster. Puis le gouvernement anglais y développa systématiquement les manufactures et les industries, le reste de l'Irlande étant considéré comme un réservoir agricole. La Farset, qui permettait aux voiliers de pénétrer sur ce qui est aujourd'hui High Street, fut définitivement couverte à l'aube du XIXe s quand naquit le nouveau port, rendu nécessaire par la révolution industrielle et le commerce colonial. L'architecture victorienne des grands bâtiments civils, aux alentours de Donegall Square, témoigne de la prospérité que Belfast connut alors.

La ville fut longtemps symbolisée par son fleuron, les célèbres chantiers navals *Harland & Wolff* – d'où sortit, entre autres, le *Titanic*. La ville a profité du 100e anniversaire de son lancement pour entériner sa reconquête des anciennes rives industrielles de la Lagan, en inaugurant... « Titanic Belfast ». Souhaitons à cet espace consacré au paquebot mythique, scintillante icône high-tech plus que simple musée, une longue traversée sans naufrage !

QUELQUES PERSONNAGES

Beaucoup de gens célèbres sont liés à Belfast, qu'ils y soient nés ou qu'ils y aient accompli une grande partie de leur carrière. On citera Mary McAleese, première citoyenne d'Irlande du Nord élue présidente de la république du Sud. Des acteurs : Kenneth Branagh, Liam Neeson, Stephen Rea... Des chanteurs et musiciens : Van Morrison (et son inoubliable *Gloria*), Brian Kennedy, le guitariste de blues Ronnie Greer, James Galway, l'un des plus grands flûtistes du monde...

TOPOGRAPHIE DE LA VILLE

Il y a d'abord le centre-ville, aux abords de Donegall Square et de la cathédrale *(zoom B1),* avec ses monuments néoclassiques, ses administrations, les grands magasins, etc. C'est là que l'on fera son shopping : cristal, poterie, linge de maison, tweed et mohair, whiskeys, etc. Sans oublier l'artisanat celtique et ses motifs traditionnels. À l'est et au nord-est, les rives de la Lagan sont en pleine renaissance, mais manquent encore un peu de vie.

Du centre, **Great Victoria Street** *(zoom A2)* mène vers le sud au quartier mixte (ou intégré) de **Queen's University** *(zoom A3),* où l'on trouve la plupart des *B & B* et pléthore de restos, bars et boîtes, plus populaires et étudiants qu'au centre.

À l'ouest de Great Victoria Street s'étend **Sandy Row** *(zoom A2),* une petite enclave loyaliste affichant haut les couleurs de l'Union Jack. Les principaux quartiers catholiques et protestants sont toutefois plus éloignés du centre. Par Divis Street et Grosvenor Road *(zoom A1),* on atteint le plus important d'entre eux, le très républicain **Lower Falls** *(plan général E4-5),* réputé pour ses fresques politiques, les *murals.* Au nord des Falls, la **Peace Line** dresse en pleine ville son mur tristement célèbre qui fait que la plupart des rues menant à **Shankill** *(plan général E4),* le principal foyer loyaliste de Belfast, se terminent en cul-de-sac.

L'autre grand quartier protestant, **East Belfast,** s'étend sur la rive orientale de la Lagan, tout autour de Newtownards Road.

Depuis la signature du Good Friday Agreement en mai 1998, les stigmates de la guerre que portaient les alentours du centre se sont en partie estompés, notamment grâce à d'importants crédits débloqués par les autorités britanniques pour reconstruire des logements. Cette fois-ci, les quartiers catholiques ont bien reçu leur part, des centaines de maisons ont ainsi poussé dans les Lower Falls. Si les fresques murales aux couleurs crues et au symbolisme naïf affichent contre vents

Adresse utile

🏠🎵 **49** Cultúrlann McAdam-Ó'Fiaich

🍴 **Où manger ?**

49 Cafe Feirste
50 Doorsteps

🏃 **À voir**

50 Conway Mill
110 Mural de Bobby Sands
111 Victoria Hospital
114 City Cemetery
115 Milltown Cemetery
116 Shankill
117 Fernhill House
118 Black Mountain
119 Colin Glen Forest Park

Murals

118 Black Mountain

500 m

NORD

Black Hill

BELFAST

LISBURN — Belfast International Airport

119 Colin Glen Park

BELFAST (PLAN GÉNÉRAL)

et marées les luttes passées mais aussi les nouveaux espoirs des populations, ce n'est généralement qu'à l'approche des parades orangistes qu'on sent les tensions renaître.

Arriver – Quitter

– La compagnie *Translink* (● translink. co.uk ●) chapeaute les transports en commun d'Irlande du Nord : trains *(Northern Ireland Rail)*, bus régionaux *(Ulsterbus)* et urbains *(Metro* à Belfast). Parmi la ribambelle de formules proposées, la carte *iLink* à usage illimité dans tous les transports en commun pendant une période et sur une zone déterminées peut s'avérer intéressante. Vente et renseignements dans les offices de tourisme et gares routières et ferroviaires.

En avion

✈ *Belfast International Airport* (hors plan général par C6) : 28 km à l'ouest de Belfast, à proximité du lough Neagh. ☎ 94-48-48-48. ● belfastairport.com ● Vols pour Londres et les principales villes britanniques, ainsi que quelques grandes cités européennes, dont Paris, Nice et Genève, avec *Easyjet* (● easy jet.com ●).

■ **Adresses utiles**

- 🛈 1 Belfast Welcome Centre
- 2 Avis Rent a Car
- 4 Budget Car Rental
- 🚆 5 Belfast Central Station
- 🚌 7 Laganside Bus Centre
- 🚌 8 Europa Bus Centre et Great Victoria Street Station
- @ 9 Revelations
- @ 11 Ark Internet
- @ 12 Esquires

â **Où dormir ?**

- 20 Marine Guesthouse
- 21 Days Hotel
- 22 Madisons
- 23 Ash-Rowan Townhouse
- 25 Vagabonds
- 26 Global Village
- 27 Belfast Youth Hostel
- 29 Travelodge Belfast Central
- 31 Avenue Guest House
- 32 Pearl Court Guesthouse
- 33 Benedicts
- 34 Ravenhill Guest House
- 35 Cordia Serviced Apartments

|●| **Où manger ?**

- 40 Conor
- 41 The Kitchen Bar
- 42 Deanes
- 43 Bishops
- 44 Nick's Warehouse
- 45 The John Hewitt
- 46 Made in Belfast – Talbot Street
- 47 Made in Belfast – Wellington Street
- 52 Deanes Deli
- 53 Darcy's
- 55 Mourne Seafood Bar
- 91 Coffee-shop de la Linen Hall Library

🍸 ♪ ♫ **Pubs intéressants**

- 45 The John Hewitt
- 55 Kelly's Cellars
- 61 The Crown Liquor Saloon
- 62 Whites Tavern
- 63 Madden's
- 64 Morning Star
- 65 The Cloth Ear Bar
- 66 Katy Daly's
- 67 Bar Bacca
- 68 The Grill Room & Bar
- 71 Robinson's
- 72 The Duke of York
- 73 The Voodoo
- 74 Ye Olde Eglantine Inn
- 75 Botanic Inn
- 76 The Pavilion Bar

🍸 ♪ ♫ **Où sortir ?**

- 66 Limelight
- 80 Lavery's
- 81 Empire
- 82 The Kremlin

🍴 **À voir. À faire**

- 61 The Crown Liquor Saloon
- 90 City Hall
- 91 Linen Hall Library
- 92 Grand Opera House
- 93 Ulster Hall
- 95 Saint Malachy's Church
- 97 Belfast Exposed
- 98 Saint Anne's Cathedral
- 99 Lagan Weir
- 100 Whowhatwherewhenwhy-Odyssey et Titanic Belfast
- 101 Saint George Market
- 103 Sinclair Seamen's Church
- 104 Queen's University
- 105 Ulster Museum
- 106 Jardin botanique et Palm House
- 107 Friars Bush Graveyard
- 108 Sandy Row

BELFAST (ZOOM)

– **Comptoir de l'office de tourisme :** lun-sam 7h30-19h, dim 8h-17h.

➤ **Liaisons avec le centre-ville : bus Airport Express 300.** 5h30 (5h depuis le centre-ville)-minuit, ttes les 15-30 mn dans les 2 sens. Terminus à l'*Europa Bus Centre* (zoom A2, **8**).

✈ **George Best Belfast City Airport** (hors zoom par B1) : à 3 km du centre. ☎ 90-93-90-93. ● belfastcityairport. com ● Vols à destination des villes anglaises et irlandaises essentiellement, ainsi qu'une liaison avec Paris assurée par *Flybe* (● flybe.com ●). Comptoir de l'office de tourisme (lun-sam 8h-19h, dim 10h-17h), bureau de change, distributeurs de billets et principales compagnies de location de voitures.

➤ **Liaisons avec le centre-ville**
– **En bus :** avec l'*Airport Express 600*. 6h-22h, lun-sam ttes les 20 mn env, ttes les 40 mn le dim. Terminus à l'*Europa Bus Centre* (zoom A2, **8**).
– **En taxi :** compter env 10 £.

➤ **Liaisons entre les 2 aéroports et Derry :** avec l'*Airporter* (☎ 71-26-99-96 ; ● airporter.co.uk ●). La ligne dessert dans l'ordre Belfast City Airport, Belfast International Airport et Derry. 10 bus/j. lun-sam 5h45-21h45 (3h30-18h depuis Derry) ; dim, 7 liaisons (de Derry, dernier bus à 14h30). Tarifs : aéroports-Derry 18,50 £, entre les 2 aéroports 8,50 £.

En bateau

➤ **Belfast-Cairnryan (Écosse) :** avec la *Stena Line*, Victoria Terminal 4, West Bank Rd (hors zoom par B1). ☎ 084-47-70-70-70. ● stenaline.co.uk ● 5-6 départs/j. Traversée : 2h15. Combo ferry + train pour Glasgow et Édimbourg.
➤ **Belfast-Liverpool :** avec la *Stena Line*, Victoria Terminal 4, West Bank Rd (hors zoom par B1). 1-2 liaisons/j. Traversée : 8h.

En train

– **Infos horaires :** pour l'Irlande du Nord, ☎ 90-66-66-30. ● translink.co.uk ● Pour les liaisons avec la république d'Irlande : ☎ 1-83-66-222. ● irishrail.ie ●
Attention ! pas de consigne dans les gares ferroviaires et routières ! S'arranger avec son hébergement ou avec le

Welcome Tourist Centre (voir la rubrique « Adresses utiles »).

La plupart des trains desservent les 2 principales gares de Belfast soit :

🚆 **Belfast Central Station** (hors zoom par B1, **5**) : East Bridge St. Rens : ☎ 90-89-94-00 (lun-ven 9h-17h). Pour rejoindre le centre-ville, bus urbains gratuits sur présentation du billet de train. Ils se prennent à 50 m à gauche en sortant de la gare.

🚆 **Great Victoria Street Station** (zoom A2, **8**) : Glengall St. Attenant à l'*Europa Bus Centre* et plus centrale que la précédente.

🚆 Certains trains s'arrêtent également dans des gares secondaires, comme *Botanic Station* (zoom A2), pratique si l'on réside dans le quartier de l'université.

➤ **De/pour Dublin par Lisburn, Portadown et Newry :** lun-sam 8 trains/j., 5 le dim. Trajet d'env 2h.
➤ **De/pour Larne :** lun-sam 20 départs/j., dim 8 trains. Env 45 mn de trajet.
➤ **De/pour Derry via Coleraine :** lun-sam 8 trains/j., dim 5 trains. Trajet total : env 2h.
➤ **De/pour Portrush :** lun-sam 2 trains/j., 1 le dim. Trajet : env 1h45.

En bus

🚌 **Europa Bus Centre** (zoom A2, **8**) : Glengall St. ☎ 90-66-66-30. Centralise la plupart des bus longue distance et ceux pour les aéroports. Guichet d'info (lun-sam 9h30-17h), cafés, supérette et distributeur. On y trouve aussi l'**Ulsterbus Travel Centre.** ☎ 90-33-70-02 ou 03. Tlj sf dim 9h-17h (12h30 sam). Informations horaires et proposition de circuits.
➤ **Derry : Goldline Express,** Service 212. Lun-ven 6h30-23h depuis Belfast (5h30-21h dans l'autre sens), bus ttes les 15-30 mn ; sam, ttes les 30 mn-1h ; dim ttes les 1h-1h30. Trajet : 1h45.
➤ **Omagh : Goldline Express,** Service 273. Lun-sam 8h35-21h (6h25-19h55 depuis Omagh), env 1 départ/h ; dim 4 bus. Trajet : env 1h45.
➤ **Enniskillen : Goldline Express,** Service 261. Lun-ven 8h-20h env (7h30-17h30 depuis Enniskillen), 1 bus direct/h ; w-e 5-7 liaisons/j. Trajet : 2h10.

BELFAST

➢ *La ligne côtière Coleraine-Belfast via Bushmills, Giant Causeway, Carrick-a-rede, Cushendall et Larne : Antrim Coaster,* Service 252. Lun-sam 2 fois/j. (1 terminus à Larne, l'autre à Belfast), dim en été slt 1 liaison/j.

➢ *Dublin via Newry : Goldline Express,* Service 200. 6h-23h (5h-21h depuis Dublin), 1 bus/h, puis ttes les 2h. Ts desservent aussi l'aéroport de Dublin. Durée totale : 2h25.

➢ *Vers l'Angleterre et l'Écosse :* avec *Ulsterbus Cross Channel,* Express Service. ☎ 90-33-70-02 ou 03. 3 liaisons/j. avec l'Écosse, 1 avec l'Angleterre. Plus on achète tôt, moins c'est cher.

🚌 *Laganside Bus Centre* (zoom B1, **7**) : Queen's Sq. Liaisons avec le Down (Portaferry, Newtownards...) et l'Antrim, sf dim (gare fermée, utiliser l'*Europa Bus Centre*). Se reporter aux villes concernées pour plus de détails.

Location de voitures

■ *Avis Rent a Car* (zoom A2, **2**) : 69-71, Great Victoria St. ☎ 90-24-04-04. ● avis.co.uk ● Également présent dans les 2 aéroports.

■ *Budget Car Rental* (zoom A2, **4**) : 96-102, Great Victoria St. ☎ 90-23-07-00. ● budget.ie ● Lun-ven 9h-17h30. Également à l'aéroport international (☎ 94-42-33-32) et au City Airport (☎ 90-45-11-11), tlj 5h30-22h.

■ *Hertz Car Rental :* ● hertz.co.uk ● À l'aéroport international, ☎ 90-42-25-33 ; tlj 7h-minuit. À Belfast Airport, ☎ 90-73-24-51 ; tlj 7h-21h30.

Se déplacer dans Belfast

Stationnement

Dans le centre, parkings payants chers. Pour une visite rapide, préférer les horodateurs. Le stationnement est gratuit le long de certains trottoirs, mais assurez-vous que c'est bien autorisé... Le plan fourni par l'office de tourisme indique les parkings « *Park and ride* » reliés au centre-ville par des bus. À consulter également pour comparer les prix : ● en.parkopedia.co.uk ●

Bus urbains

■ *Metro* (*Citybus*) : ☎ 90-66-66-30. ● translink.co.uk ● À partir de 1,60 £/ trajet. Ticket valable 1 j. sur tt le réseau, 3,50 £. Carte Smartlink, en vente au Metro Kiosk (Donegall Sq West ; zoom B1), 9-18 £ (+ 1,50 £ au 1er achat), pour respectivement 10 et 20 trajets. Plan détaillé des lignes dispo à l'office de tourisme. Malgré son nom, ce réseau très dense est exclusivement desservi par des bus. Service de nuit (*Nightlink*) à destination des villes proches.

Taxis

■ *Value Cabs :* ☎ 90-80-90-80. 24h/24.

Adresses utiles

🛈 *Belfast Welcome Centre* (zoom B1, **1**) : 47, Donegall Pl. ☎ 90-24-66-09. ● gotobelfast.com ● Lun-sam 9h-19h (17h30 oct-mai), dim 11h-16h. Spacieux, bourré d'infos sur toute l'Irlande et animé par une équipe hyper pro, ça c'est l'office de tourisme ! Proposition de balades guidées comme le célèbre *Historical Pub Tour* (voir « Pubs intéressants » et « À voir. À faire ») et l'*Historic Belfast Tour.* Vente du *Belfast Visitor Pass* (6,50 £/j., 10,50 £ les 2 j. ; réduc) incluant l'accès illimité aux transports en commun et des réducs sur les visites et tours guidés. Service de change, vente de billets pour les spectacles, consigne (4,50 £/j. par sac), espace internet (lun-sam 9h-17h30), etc.

✉ *Poste* (zoom B1) : 12-16, Bridge St. Lun-sam 9h-17h30. Beaucoup d'autres petits bureaux à travers la ville.

@ *Revelations* (zoom A2, **9**) : 27, Shaftesbury Sq. ☎ 90-32-03-37. Lun-ven 8h-22h, sam 10h-18h, dim 11h-19h. Impressions, vente de *Sim Card* et autres cartes téléphoniques.

@ *Esquires* (zoom A2, **12**) : Great Northern Mall, Great Victoria St. ☎ 90-24-15-47. Lun-sam 7h-20h, dim 10h-19h. Parfait pour prendre votre petit noir matinal en pianotant sur Internet.

@ *Ark Internet* (zoom B3, **11**) : 44, University St. ☎ 90-32-96-26. Tlj 9h-22h.

■ *Agent consulaire français :* Mrs Régine McCullough, FLEX, University of Ulster, Shore Rd, Jordanstown, Newtownabbey. ☎ 93-37-34-75.

Où dormir ?

La plupart des *B & B* se situent dans le quartier mixte et agréable de Queen's University *(zoom A3)*, entre University Road et Lisburn Road. Ces rues sont très bien desservies par les bus et ne sont, à leur début, qu'à 1 km de l'hypercentre.

Camping

⚕ *Jordanstown Loughshore Park :* Shore Rd, Newtownabbey, à env 9 km au nord, sur la route côtière A 2. ☎ 90-34-01-37. ● newtownabbey. gov.uk ● Ouv tte l'année. Compter 12 £ par tente ; 19-21 £ pour un camping-car. 🛜 Géré par la municipalité de Newtownabbey, le camping, tout petit, est situé juste en retrait du Belfast Lough, près de la route. Abrité par des arbres, il est néanmoins assez calme. Il compte en tout et pour tout 13 places pour caravanes et camping-cars, et 3 pour tentes ! Autant dire qu'il vaut mieux réserver. Les bus pour le centre s'arrêtent à 50 m.

Bon marché
(moins de 40 £ / 48 €)

Noter que les tarifs des doubles flirtent ou dépassent légèrement cette fourchette.

🛏 *Vagabonds (zoom A2, 25) :* 9, University Rd. ☎ 90-23-30-17. ● vaga bondsbelfast.com ● Dortoirs de 6-14 lits à partir de 13-16 £/pers ; double sans sdb 40 £ ; petit déj inclus. Loc de vélos. 🖥 🛜 Idéalement située entre le centre-ville et le quartier de l'université, cette maison de brique blottie entre 2 voisines quasi jumelles permet de jouir de tous les attraits de Belfast. Chambres et dortoirs sont bien un peu exigus mais l'ensemble est coloré et chaleureux. Cuisine à dispo, cour avec barbecue, machines à laver

et enfin staff serviable et amical. Bref, on y trouve tous les ingrédients d'une bonne *hostel.*

🛏 *Global Village (zoom B3, 26) :* 87, University St. ☎ 90-31-35-33. ● globalvillagebelfast.com ● En dortoir de 4-8 lits à partir de 13 £/pers ; double sans sdb 40 £ ; petit déj inclus. 🖥 🛜 À deux pas de l'animation de Queens, cette AJ donne un sacré coup de peps à une rue aux façades toutes semblables et bien comme il faut ! Les chambres et dortoirs sont clairs et nets. Chouette fresque murale dans la salle commune où rois du fourneau et cracks du baby-foot pourront s'adonner à leur passion. Accueil plaisant assuré par une équipe cosmopolite. Un autre bon point de chute dans cette catégorie.

🛏 *Belfast Youth Hostel (zoom A2, 27) :* 22-32, Donegall Rd. ☎ 90-31-54-35. ● hini.org.uk ● Ouv 24h/24. Selon confort (sans ou avec sdb), j. de la sem (ven-sam plus cher) et taille : grandes chambres multilits et dortoir, compter 12-16 £/pers ; doubles env 30-42 £. Parking gratuit. 🖥 (payant après 15 mn). L'AJ officielle de Belfast est peut-être un peu « clinique » mais elle est grande, moderne et soignée, ainsi qu'idéalement située entre le centre-ville et le quartier étudiant. Grand dortoir de 19 lits, nombreuses doubles et chambres multiples (4-6 lits) y sont déclinés avec ou sans salle de bains à l'intérieur. Self-service maison, le *Causeway Cafe* prépare notamment un large choix de petits déj à prix très raisonnables. Cuisine commune, lave-linge, vélos à louer et petite agence de voyages complètent la gamme des services.

De prix moyens
à plus chic
(moins de 80 £ / 96 €)

🛏 *Marine Guesthouse (zoom A3, 20) :* 30, Eglantine Ave. ☎ 90-66-28-28. ● marineguesthouse3star.com ● Fermé à Noël. Double 60 £, petit déj compris. 🛜 Cette belle maison en brique accolée à un petit jardin dispose de 8 chambres fort bien tenues, la plupart très spacieuses et avec moulures au plafond. De nombreux profs de fac en visite et conférenciers y ont leurs habitudes. Bon accueil.

🏠 *Travelodge Belfast Central* (zoom A2, 29) : 15, Brunswick St. ☎ 0870-191-1687. ● *travelodge.co.uk* ● *Doubles avec sdb env 40-110 £ selon date de résa et période ; petit déj possible en sus, 7 £/pers. Parking possible (compter env 8 £/24h).* 🛜 *(payant).* Antenne locale d'une chaîne d'hôtels budget, bien située dans un grand immeuble de brique de 7 étages. En fonction du taux d'occupation, les prix peuvent grimper vers des tarifs « chic » qui ne correspondent plus à cette adresse mais aussi plonger vers du dernière minute imbattable... Chambres standard, bien tenues et dotées de baignoire, bureau, bouilloire, etc. À étudier si le charme de l'hébergement ne constitue pas le critère principal de son séjour.

🏠 *Avenue Guest House* (zoom A3, 31) : 23, Eglantine Ave. ☎ 90-66-59-04. ● *avenueguesthouse.com* ● *Double avec sdb 70 £, petit déj inclus. CB refusées mais euros acceptés.* 🖥 🛜 Maison particulièrement cosy, avec un petit jardin fleuri à l'arrière et, en prime, un accueil délicieux. Les 4 chambres, spacieuses, (dont 2 avec bow-window) sont impeccablement tenues. Elles ont toutes TV satellite, téléphone direct et bouilloire. Une de nos meilleures adresses.

🏠 *Days Hotel* (zoom A2, 21) : 40, Hope St. ☎ 90-24-24-94. ● *dayshotelbelfast. co.uk* ● *Doubles à partir de 75 £, petit déj compris (option sans possible). Parking gratuit.* 🛜 Cousin amélioré des *Days Inn* américains, cet hôtel de chaîne, le plus grand du centre-ville (250 chambres !), offre un très bon rapport qualité-prix. Les chambres sont standardisées mais confortables, et l'hôtel est très bien situé.

🏠 *Pearl Court Guesthouse* (zoom A3, 32) : 11, Malone Rd. ☎ 90-66-61-45. ● *pearlcourt.com* ● *Double 60 £, avec petit déj ; appart à partir de 80 £ pour 2.* 🖥 🛜 Cette maison victorienne en brique, précédée d'un jardinet fleuri d'hortensias et de fuchsias, abrite 10 chambres très confortables, avec TV et bouilloire. Celles avec bow-window, très lumineuses, sont les plus agréables, même si elles donnent sur la rue. Les proprios louent aussi 3 apparts avec cuisine et salle de bains pouvant accueillir jusqu'à 6 personnes.

🏠 ♪ *Madisons* (zoom A2-3, 22) : 59-63, Botanic Ave. ☎ 90-50-98-00. ● *madisonshotel.com* ● *Doubles à partir de 75 £, petit déj compris.* 🛜 Hôtel-resto-bar-boîte... c'est le tout en un : pratique pour rentrer se coucher après une soirée animée ! Parmi les 35 chambres, toujours assez modernes, mention spéciale aux *executive rooms* dont les bow-windows bien isolés donnent sur l'avenue. Plein d'offres spéciales sur le site, parfois avec entrée gratuite pour la discothèque.

🏠 *Ravenhill Guest House* (hors zoom par B3, 34) : 690, Ravenhill Rd. ☎ 90-20-74-44. ● *ravenhillhouse. com* ● *Arrêt (Ormeau Rd) de la ligne de bus n° 7 à deux pas. Double 85 £, petit déj compris.* 🛜 Charmants, Roger et Olive vous accueillent dans leur maison victorienne équipée de 6 chambres (dont une simple). Ensemble impec, très confortable et généreusement meublé ; les chambres du 2e sont mansardées et dotées de baignoire. Petit déj soigné avec plat chaud à la carte, *soda bread* et fruits au sirop maison. *Lounge* et salle de petit déj au rez-de-chaussée. Paraît excentré mais le coin est bien desservi par les bus, tandis que les marcheurs ne dédaigneront pas la balade vers le centre, par Ormeau Road, bordée de plusieurs pubs et cafés, puis à travers Botanic Garden.

De plus chic à beaucoup plus chic (plus de 80 £ / 96 €)

🏠 *Ash-Rowan Townhouse* (zoom A3, 23) : 12, Windsor Ave. ☎ 90-66-17-58. ● *ashrowan@hotmail.com* ● *Résa très conseillée. Doubles à partir de 96 £, petit déj inclus.* Située dans une rue calme, cette *townhouse* victorienne, ancienne demeure de Thomas Andrews, l'architecte du *Titanic,* est l'une des plus agréables *guesthouses* de Belfast. Déco soignée, atmosphère cossue et intime à la fois. Très agréable véranda pour se relaxer. Parmi les chambres confortables, bien qu'un peu petites parfois, on a un faible pour la n° 7, au 2e étage, avec son très grand lit. Copieux petit déj et grand choix de menus (ah, le *Kedgeree*, son haddock fumé et sa crème au cumin !).

🛏️ |●| *Benedicts* (zoom A2, 33) : 7-21, *Bradbury Pl*, *Shaftesbury Sq*. ☎ 90-59-19-99. ● benedictshotel. co.uk ● *Doubles 80-90 £, petit déj compris. Resto : le soir, menu 3 plats 22 £, carte 10-18 £.* 📶 Dans un genre similaire au *Madison's* (voir plus haut), le *Benedicts* dispose de chambres confortables et bien équipées. Il y a même un bain à remous dans les plus chères ! Gros petit déj, buffet + plat chaud à la commande dont un choix « santé ». Original, entre 17h30 et 19h, les tarifs du resto sont fonction de l'heure. Le même plat coûtera donc 5,50 £ à 17h30 et 7 £ à 19h !

🛏️ *Cordia Serviced Apartments* (zoom A3, 35) :355-367, *Lisburn Rd*. ☎ 90-38-09-00. ● cordiaapartments.com ● *Entrée par une petite porte à gauche du supermarché Tesco. Apparts 75-110 £ pour 2 selon j. et période. Parking souterrain gratuit.* 📶 Tous les appartements sont aménagés dans un style contemporain, fonctionnel et confortable. On peut leur reprocher de manquer de cachet mais pas d'équipements ! Dans tous les cas, cuisine complète ouverte sur un salon-salle à manger avec balcon. 2 chambres et salles de bains dans les plus grands.

Où manger ?

Bon marché (moins de 10 £ / 12 €)

– Quasiment tous nos *pubs* (indiqués plus loin) offrent à midi un excellent *pub grub* à prix très abordables (entre autres, *Kelly's Cellars* et *Pat's Bar*).

|●| *Conor* (zoom A3, 40) : 11 A, *Stranmillis Rd*. ☎ 90-66-32-66. *Café-bar tlj 9h-17h, resto de 12h jusqu'à... l'heure d'aller se coucher. Lun-mer 17h-19h, formule plat + boisson env 10 £. Carte 9-12 £.* Ancien atelier d'un peintre dont le portrait voisine avec de grandes toiles contemporaines sous une verrière, ce café-resto propose une bonne cui-

sine à base de produits frais : salades, sandwichs, curry thaï, lasagnes, *fish & chips*. Sans oublier de très bons *scones* pour combler un petit creux.

|●| *The Kitchen Bar* (zoom B1, 41) : *Victoria Sq.* ☎ 90-24-52-68. *Ouv tlj. Plats 7-10 £.* Datant de 1859, le pub originel a été détruit en 2004 lors de la restructuration du quartier. Rouvert à deux pas, à l'entrée du centre commercial de Victoria Square, il a perdu en patine mais pas en ambiance ! Employés du coin, hommes d'affaires et *shopping addicts* se retrouvent autour d'une pinte ou d'un *pub grub*. D'ailleurs, vu l'allure de la pizza, autant s'en tenir aux spécialités locales comme le traditionnel *sausage, bacon, champ and gravy*. Pour toper le tout, offrez-vous un *Irish coffee* au *Bushmills*, c'est du sérieux ! Concert de musique traditionnelle le jeudi soir, de blues le vendredi et *DJ set* le samedi.

|●| *The John Hewitt* (zoom B1, 45) : 51, *Donegall St.* ☎ 90-23-37-68. *Lun-sam 12h-15h. Plat env 8 £.* Décor « néoancien bistrot » assez réussi : cheminée, comptoir en bois, expos d'artistes locaux, etc. Lunch très correct, soupes onctueuses, poisson cuit parfaitement, etc. Réputé pour sa musique live le soir et le samedi après-midi (voir « Pubs intéressants »). Tenu par une ONG d'aide à la réinsertion.

|●| *Bishops* (zoom A2, 43) : 32-34, *Bradbury Pl.* ☎ 90-43-90-70. *Lun-mer 10h-2h, jeu-sam 10h-3h, dim 10h-1h.* Un des meilleurs *fish & chips* de la ville, ce qui ne l'empêche pas de proposer des burgers. C'est un peu le *McDo* local, mais avec des *booths* et une cheminée qui crépite ! Atmosphère chaleureuse et détendue.

|●| *Coffee-shop de la Linen Hall Library* (zoom B1, 91) : 17, *Donegall Sq North.* ☎ 90-32-17-07. *Lun-ven 10h-16h, sam 10h-12h30.* Atmosphère calme et studieuse de la prestigieuse bibliothèque pour grignoter sandwichs, *scones*, gâteaux, etc. On peut même y prendre son petit déj.

À West Belfast

|●| *Cafe Feirste* (plan général E5, 49) : 216, *Falls Rd.* ☎ 90-96-41-84. *Lun-ven 9h30-17h30, sam 10h-17h.* C'est la cafét' du centre culturel gaélique

(Cultúrlann McAdam-Ó'Fiaich, consulter la rubrique « À voir »). Cadre agréable et aéré pour une bonne nourriture traditionnelle. Des peintures égaient les murs. Tables en bois blanc et chaises cannées. Librairie pour les nourritures spirituelles. Une sympathique halte sur le trekking des *murals.*

|●| **Doorsteps** *(plan général E4, 50) :* 5-7, Conway St. ☎ 90-23-71-71. *Au rdc du Conway Mill (consulter la rubrique « À voir »). Lun-sam 9h-17h. Sandwichs et plats 3-7 £.* Grande salle profitant des volumes de cette ancienne usine. Sandwichs et petits plats sont listés sur l'ardoise derrière le comptoir. De *roast beef* en curry thaï, d'émincé de bœuf en tomates séchées, tout ce qu'il faut pour se requinquer après la balade des *murals.*

De prix moyens à chic (10-30 £ / 12-36 €)

|●| **Made in Belfast** *(zoom B1, 46) :* 23, Talbot St. ☎ 90-24-41-07. *Ouv tlj 11h-21h (23h jeu-sam, 18h dim). Plats env 10 £ le midi, 10-18 £ le soir.* 📶 On préfère cette nouvelle branche à l'adresse originale située sur Wellington Street *(zoom A1, 47)* pour le grand volume de sa salle, généreusement vitrée. Pour le reste, même principe : déco dépareillée au possible, avec des notes rigolotes comme les théières et chapeaux melons convertis en luminaires, et cuisine urbaine élaborée principalement à l'aide de bons produits locaux (parfait de foie de poulet, saumon bio, moules du Strangford Lough, etc.). Intéressante carte de vins. Service à la fois attentif et décontracté, bande-son soignée.

|●| **Mourne Seafood Bar** *(zoom A-B1, 55) :* 34-36, Bank St. ☎ 90-24-85-44. *Mar-sam 12h-21h30, dim le midi slt. Résa conseillée le soir. Plats 7-20 £.* Resto à l'entrée derrière la poissonnerie maison, *Oyster Bar (ts les midis sf dim, et le soir jeu-sam)* au-dessus, le *Mourne* fait le buzz pour la qualité de sa cuisine marine qui devrait l'inscrire dans la durée. Sur fond de musique rock, les convives dégustent les poissons entiers ou en filets, parfois servis sur des salades chaudes, ou

la fameuse casserole de fruits de mer. Brique et bois sombre s'associent pour donner à la longue salle un petit côté *trendy* sans geler l'atmosphère, plutôt cool.

|●| **Deanes Deli** *(zoom B2, 52) :* 42-44, Bedford St. ☎ 90-24-88-00. *Tlj sf dim 12h-15h, 17h30-22h. Plats 7-11 £ le midi, 11-18 £ le soir.* 2 en 1, c'est plus malin ! À gauche le chaleureux bar à vins exhibe ses bouteilles (c'est bon pour elles, ça ?) et une grande ardoise avec les plats du jour. À droite le bistrot, à la déco similaire, où la cuisine se fait fusionnelle : des influences du monde entier y titillent les papilles... Risotto, *fish hotpot,* curry vert thaïlandais... Ça change tout le temps. Michael Deane, le proprio, qui est l'un des 2 chefs les plus cotés de Belfast, possède aussi un resto amiral (le *Deanes*) décrit plus loin.

|●| **Darcy's** *(zoom A2, 53) :* 10, Bradbury Pl, contre Shaftesbury Sq. ☎ 90-32-40-40. *Lun-jeu et sam 17h-22h, ven et dim 13h-22h. Plat env 12 £ ; steak dinners 18-21 £ ; tlj sf sam, avt 19h, sélection de plats 7-8 £.* Derrière la façade rose bonbon, la petite salle voûtée, chaleureuse, et les bougies sur les tables plairont aux amoureux. La carte, qui fait une part égale aux poissons, fruits de mer et viandes, préparés à partir de produits frais locaux, satisfera tout le monde.

De chic à plus chic (plus de 20 £ / 24 €)

|●| **Nick's Warehouse** *(zoom B1, 44) :* 35-39, Hill St. ☎ 90-43-96-90. *Tlj sf dim-lun 12h-15h, 17h-22h. Résa nécessaire le soir. Mar-jeu 17h-22h, ven 17h-18h, menus 2/3 plats 18-22 £ ; à la carte, plats 8-16 £ le midi, 12-23 £ le soir.* Le resto occupe un ancien entrepôt de whiskey Bushmills en brique rouge : la poutre métallique servant de palan de façade est encore utilisée. Au rez-de-chaussée, populaire *wine bar* : sandwichs, salades chaudes et quelques plats originaux. À la cave, une cinquantaine de crus provenant de toute la planète. Belle sélection de bières aussi. Au resto à l'étage, c'est 2 fois plus cher ! Cadre plus formel et

produits frais venus des quatre coins d'Irlande. Le menu, qui change tous les jours, a valu à la maison de multiples récompenses.

|●| **Deanes** (zoom A1, **42**) : 36-40, Howard St. ☎ 90-33-11-34. Tlj sf dim. Résa fortement conseillée. Resto et Seafood bar : brasserie, compter 15-25 £ ; resto, env 40 £. Un restaurant réputé pour la finesse de sa cuisine et de son décor. Le chef, Michael Deane, possède un palmarès de grand sportif et collectionne les awards et golden medals... Il s'est fait connaître comme champion de la cuisine fusion, et ses années passées en Thaïlande ont une évidente résonance sur la carte. 2 ambiances : ouverte sur la rue par de grandes baies vitrées au rez-de-chaussée, style brasserie élégante, et, au 1er étage, restaurant au cadre hyper cossu et confortable.

Où dormir ?
Où manger très chic
dans les environs ?

🏠 |●| **The Old Inn** : 15, Main St, à Crawfordsburn. ☎ (028) 91-85-32-55. ● theoldinn.com ● À 16 km de Belfast, vers Bangor. Prendre l'A 2, puis la B 20 à gauche (c'est indiqué). Ouv tte l'année. Doubles à partir de 120 £. Menu 2 plats, bouteille de vin incluse, 52,50 £ pour 2 pers ; carte min 20 £. 🌿 L'une des plus anciennes auberges d'Irlande (1614) se trouve dans ce charmant village cerné par la campagne. Cadre chaleureux, avec cheminées et très beau mobilier. Les chambres sont très confortables, la plupart avec lit à baldaquin. La cuisine maison, servie au Lewis Restaurant, est, à juste titre, fort réputée.

Pubs intéressants

Penser à l'**Historical Pub Tour** (consulter la rubrique « À voir. À faire »).
Nichés dans des blocs de maisons, certains pubs (O'Neill, White's, The Morning Star) ne sont accessibles que par d'étroites ruelles appelées entries,

vestiges de petits chemins qui traversaient autrefois des jardins.

Dans le centre

🍸 ♪ **Kelly's Cellars** (zoom B1, **55**) : 30, Bank St. ☎ 90-32-48-35. Lieu de rendez-vous sympa, sur une placette envahie par les tables aux beaux jours. Construit en 1720, le pub a connu une tripotée d'éminents habitués comme l'état-major des United Irishmen. Ne manquez pas l'écriteau « Hands off the barmaid » – « Ne touchez pas à la serveuse » ! Bien qu'un peu rénové, Kelly's conserve l'authenticité de son atmosphère. Irish music sessions tous les jours à 18h (17h le dimanche). Plats chauds traditionnels (lun-mer 12h-18h, jeu-sam 12h-19h, dim 12h-17h) et sans doute les huîtres les moins chères de la ville.

🍸 ♪ **The Crown Liquor Saloon** (zoom A2, **61**) : 46, Great Victoria St. ☎ 90-24-94-76. Tlj sf dim 12h-21h. Considéré comme patrimoine national depuis son rachat et sa rénovation par le National Trust en 1978 (consulter la rubrique « À voir »), ce superbe pub n'a pas pour autant perdu sa vocation première. Visite conseillée et n'hésitez pas à investir un snug si possible. Bon pub grub (plats 9-14 £), huîtres par 6 ou même à l'unité. Également un étage.

🍸 ♪ **Robinson's** (zoom A2, **71**) : 38-40, Great Victoria St, juste à côté du précédent. ☎ 90-24-74-47. Lun-sam 11h30-1h, dim 12h30-minuit. Inauguré en 1895, ce pub compte aujourd'hui 5 salles. La tradition prévaut au rez-de-chaussée où se produisent quotidiennement d'excellents groupes d'Irish music à partir de 21h30 (le samedi à partir de 15h). Tout autre ambiance au Roxy Nightclub (le samedi à partir de 21h) et au Lounge BT1 (les vendredi et samedi de 21h à 1h) qui combine cadre trendy et karaoké.

🍸 ♪ **Whites Tavern** (zoom B1, **62**) : 1-4, Winecellar Entry. ☎ 90-24-30-80. Accès au 20, Lombard St ou au niveau du 14, High St (panneau). Dim-mer 12h-23h, jeu-sam 12h-1h. La plus ancienne taverne de Belfast (1630) devenue entrepôt de spiritueux jusqu'en 1950 ! Atmosphère feutrée à l'ancienne, avec d'énormes poutres au plafond. Même en plein midi, lumière

BELFAST

intimiste. On y sert de bons snacks en journée. Musique traditionnelle les fins de semaine en début de soirée, suivie, les vendredi et samedi, de soirées DJ à partir de 22h *(entrée : 5 £)*.

🍷 ♪ **Madden's** *(zoom A1, 63)* : 74, *Berry St.* ☎ 90-24-41-14. *Dans une rue longeant Castle Court, dans le quartier de Smithfield. Fermé dim.* Pub traditionnel à la clientèle populaire. Ne tirez pas la porte, ça ne sert à rien, pressez plutôt la sonnette. Rien de spécial la journée, mais *music sessions* à partir de 21h30 ou 22h30 les lundi, vendredi et samedi. La meilleure adresse pour la musique traditionnelle. *Pub grub* et snacks en semaine de 12h à 14h.

🍴🍷 ♪ **Morning Star** *(zoom B1, 64)* : 17-19, *Pottinger's Entry.* ☎ 90-23-59-86. *Accès par Ann St ou High St. Lun-jeu 11h30-21h, ven-sam 11h30-22h. Buffet le midi.* 📶 Ce pub, relais de poste jusqu'au début du XXᵉ s, se trouve dans le plus ancien quartier de Belfast. Belle façade de style géorgien en bois vert et rouge, dominée par un lion de Saint-Marc doré, comptoir en acajou et traditionnelles séparations *snug* dans la salle du fond. Très fréquenté à l'heure du déjeuner pour son excellent buffet, tandis que le resto est connu pour ses steaks, l'« Étoile du Matin » est souvent très calme en journée, quand les vieux de la vieille papotent au comptoir.

🍷 ♪ **The Duke of York** *(zoom B1, 72)* : 7-11, *Commercial Court.* ☎ 90-24-10-62. *Dans une ruelle piétonne accessible depuis Donegall ou Hill St (au niveau de Nick's Warehouse). Lun-sam 11h30-23h30 (1h ou 2h ven-sam), dim 15h-22h.* Bancs rouges, enseignes et fleurs égaient ce passage investi par ce célèbre pub. Aujourd'hui fréquenté principalement par des quadras bien sur eux, il brassait autrefois plus large en âges et conditions. Pour autant, il demeure un bel et propice endroit pour boire une pinte ou consommer assiette copieuse et sandwichs *(tlj 12h-14h30)*. Les jeudi, musique traditionnelle à 22h. Également des concerts le vendredi.

🍷 ♪ **The John Hewitt** *(zoom B1, 45)* : 51, *Donegall St.* ☎ 90-23-37-68. ● *thejohnhewitt.com* ● On parle déjà de cette adresse dans la rubrique « Où

manger ? » mais le grand choix de bières (dont de la *Real Ale*) et spiritueux, les concerts de musique traditionnelle (jeudi à 21h et samedi à 18h) et, surtout, les *jazz sessions* du vendredi à 20h30, lui valent bien d'être citée une seconde fois !

Dans le centre aussi, mais modernes

🍷 ♪ **Katy Daly's** *(zoom B2, 66)* : 17, *Ormeau Ave.* ☎ 90-32-59-42. L'un de nos bars préférés. Personne ne se prend la tête et tout le monde a la banane dans cette atmosphère décontractée où vous rencontrerez plus de tatoués et de nez percés que de cols montés et de faux cils. Intérieur tout en bois. Ça déborde de partout sur le trottoir en fin de semaine. Les amateurs y trouveront 35 variétés de whiskey. Soirée DJ le mardi, en association avec *Limelight* (voir « Où sortir ? »), reggae le mercredi et *open mike* le jeudi, à partir de 21h30.

🍷 ♪♪ **Bar Bacca** *(zoom A-B2, 67)* : 43, *Franklin St.* ☎ 90-23-02-00. L'antithèse du précédent ! Ici, mieux vaut se saper pour entrer et on se zyeute à tout-va, sous le regard impassible d'un bouddha. Déco épurée aux notes asiatiques, avec cheminée moderne accolée au bar. Les cocktails sont excellents et les barmen sympas. DJs les jeudi, vendredi et samedi à partir de 21h. À l'étage, club *La Lea* (vendredi et samedi à partir de 21h) pour se trémousser sur des rythmes disco funk.

🍷 **The Grill Room & Bar** *(zoom B1, 68)* : 1, *Linenhall St.* ☎ 90-24-10-01. N'y allez pas pour manger ! Mais le bar est l'un des plus animés de la ville les soirs de fin de semaine. Les messieurs (sur leur trente et un) et leurs conquêtes (sur leur trente-deux) y sirotent cocktails et bières dans un brouhaha que les TV ne font rien pour apaiser. Heureusement, il y a la terrasse donnant sur le City Hall pour prendre l'air et se montrer. Profitez-en : les plus belles filles de Belfast s'y donnent rendez-vous.

🍷 ♪ **The Cloth Ear Bar** *(zoom B1, 65)* : *The Merchant Hotel,* 35-39, *Waring St.* ☎ 90-23-48-88. Si vous passez dans le coin, jetez un coup d'œil au superbe *Merchant Hotel* et offrez-vous une pinte au bar. Et n'ayez pas de regret si le *Trader Vic's Mai Tai* n'est plus à la carte. Cocktail le plus cher du monde, concocté à partir d'un rhum dont il n'existait plus qu'une poignée de bouteilles, le dernier *shot* a été servi à un toubib américain début 2011 ! À 1 300 € le verre, si ça ce n'est pas du snobisme... Cadre naviguant entre *lodge* de chasse et bar *smart*. Musique live certains soirs.

🍸 🎵 **The Voodoo** (zoom B1, **73**) : 9-11, Fountain St. ☎ 90-27-82-90. Tlj (sf dim midi), ferme vers 1h du mat. Live music à l'Altar Bar, *au-dessus*. Rouge dominant, tout en long avec tables basses, chaises classiques et bar au fond, le *Voodoo* peut accueillir des *Child* que ne désavouerait pas Jimi Hendrix. Mais en fait, il brasse pas mal et attire tous ceux qui aiment l'ambiance rock'n'roll et le service décontracté, ce dès la fin d'après-midi. Régulièrement des DJs et des concerts.

Dans le quartier de l'université et sur Ormeau Road

🍸 🎵 **Ye Olde Eglantine Inn** (zoom A3, **74**) : 32-40, Malone Rd. ☎ 90-38-19-94. Lunch et petite restauration bon marché tlj 12h-21h. 2 repas pour le prix de 1 lun-sam 15h-21h. Ancien relais de poste, c'est l'un des principaux points de chute des étudiants. Grande salle modernisée sans charme, pleine à craquer lors des matchs : il y a tant d'écrans, de toutes les tailles, qu'on se croirait chez *Darty* ! Comptoir pour goûter les nombreux vins. *Live music* les dimanche et lundi de 21h à minuit. DJ le mardi.

🍸 **Botanic Inn** (zoom A3, **75**) : 23-27, Malone Rd. ☎ 90-50-97-40. Juste en face du précédent. Ancien *coach house*, lui aussi devenu *sports bar*, avec des trophées en tout genre fièrement exhibés. Décor lambris en bois sombre et vieille cheminée dans la 1re salle. Pour contenir tous les étudiants, une 2e salle, avec un long bar qui louvoie, a été ouverte derrière. Ambiance boîte de sardines lors des matchs ; les nanas se sentiront

un peu seules... Très animé aussi au moment du lunch, servi à un prix très compétitif tout comme le *pub grub* (4-12 £) et les bières, clientèle oblige. Profitez-en pour essayer la *Belfast Ale*, *Real Ale* de la ville. Au 1er étage, « The Top of the Bot » *live music* et disco (mer-sam).

🍸 🎵 **The Pavilion Bar** (hors zoom par B3, **76**) : 296, Ormeau Rd. ☎ 90-28-32-83. ● pavilionbelfast.com ● *Au sud de la rivière Lagan, non loin de* Ravenhill Guesthouse. Tlj 11h-23h (1h env jeu-sam) ; cuisine jusqu'à 21h. Un très bon exemple de *community pub* : tout le quartier, du « notable » au jeune alternatif, fréquente la grande et belle salle classique (cheminée, miroirs, plafond à caisson, TV...) du *public bar*. En parallèle, le *Boutique Bar* (au 1er étage) et *Loft Pool Bar* rassemblent les amateurs de musique en fin de semaine (bons groupes locaux ou soirées club) et même de comiques le lundi.

Où sortir ?

En fin de semaine, la vie nocturne de Belfast est dense (euphémisme !) et... bruyante. En plus des pubs précédents, souvent lieux de sortie à part entière, voici quelques autres adresses pour boire des coups, écouter tout type de musique et danser.

🍸 🎵 🎶 **Limelight** (zoom B2, **66**) : 17, Ormeau Ave. ☎ 90-32-70-07. ● lime lightbelfast.com ● *Entrée payante.* S'acoquinant chaque mardi soir avec son sympathique voisin *Katy Daly's* pour une soirée DJ, ce club, élu meilleur d'Irlande du Nord en 2011, tourne au disco le vendredi et bascule dans le rock et l'*indie* le samedi. Rien qu'à voir la foule sur le trottoir, on pressent l'ambiance ! Une belle programmation de concerts complète ces rendez-vous réguliers.

🍸 🎵 🎶 **Lavery's** (zoom A2, **80**) : 14, Bradbury Pl. ☎ 90-87-11-06. ● lave rysbelfast.com ● Tlj 11h30-1h. Un des pubs les plus anciens et le premier à avoir adjoint un *lounge* pour que les femmes puissent consommer. De nos jours, il attire des foules de jeunes, notamment en fin de semaine.

Plusieurs espaces pour différentes atmosphères : façon pub au *Public Bar* avec musique traditionnelle les lundi et mardi à 22h, relax au *Back Bar* où on joue souvent reggae, ska, rock et soul et maxi branchitude électro au *Mister Tom* (*DJ sets* presque tous les jours). Le samedi, la *Contrast Party* se déploie sur 2 étages.

♥ ♪ ♫ ***Empire*** *(zoom A2, 81) : 42, Botanic Ave.* ☎ *90-24-92-76.* ● *thebelfastempire.com* ● Installé dans une ancienne église. Énorme volume agencé façon théâtre et belle déco. Public plutôt dans la tranche 25-35 ans, sélection à l'entrée pas trop féroce. Animations tous les soirs au *Basement* qui bénéficie d'une bonne programmation de concerts rock,

parfois pop. Fameux *comedy club* le mardi à 20h, soirée *Glamarama* le vendredi pour replonger dans les 70's. Une de nos boîtes préférées pour son atmosphère.

♥ ♪ ***The Kremlin*** *(zoom B1, 82) : 96, Donegall St.* ☎ *90-31-60-60. Tlj sf lun 21h30-3h. Entrée payante (gratuit avt 22h).* Impossible à manquer : une statue de Lénine, en façade, vous tend les bras. *Come in Comrade...* À l'intérieur, banquettes en imprimés cyrilliques et, sur les murs, faucilles et marteaux. Le *Kremlin* est l'une des discothèques les plus « chaudes » avec ses célèbres *drag queens,* fréquentée aussi bien par une clientèle hétéro que gay et lesbienne. Le tout dans la plus parfaite bonne humeur.

À voir. À faire

Dans le centre

🏛🏛 ***City Hall*** *(zoom B1, 90) : Donegall Sq North.* ☎ *90-27-04-56. Visite gratuite d'env 1h, tlj sf dim et j. fériés à 11h (sf sam), 14h et 15h.* Surnommé le « Titanic de pierre », ce bâtiment achevé en 1906 fut le siège du premier Parlement d'Irlande du Nord en 1921. Considéré comme un chef-d'œuvre pour les uns, pour les autres il est le produit des amours crapuleuses du Vittoriano de Rome et du Capitole de Washington. Son architecte fut anobli mais dut quand même poursuivre en justice les autorités de la ville pour être payé ! À l'intérieur, voir le grand hall en marbre, sa coupole (haute de 53 m), le grand escalier d'honneur, la charte accordée par Jacques Ier à la Ville en 1613 ainsi qu'un remarquable *mural* racontant l'histoire industrielle de Belfast.

🏛 ***Linen Hall Library*** *(zoom B1, 91) : 17, Donegall Sq North.* ☎ *90-32-17-07.* ● *linenhall.com* ● *Tlj sf dim 9h30-17h30 (13h sam). Fermé sem du 12 juil. Visite gratuite. Fiche en français à demander à l'accueil.* Fondée en 1788, elle est la plus ancienne bibliothèque de Belfast. Son premier directeur, Thomas Russell, fut exécuté par les Anglais pour ses activités politiques républicaines. Une « biba » comme on les aime, avec un côté vieillot et chaleureux ! Une des plus riches collections d'ouvrages, revues et journaux sur les événements d'Irlande du Nord. |●| Petite *cafétéria* (voir, plus haut, « Où manger ? »).

🏛 ***Grand Opera House*** *(zoom A1-2, 92) : Great Victoria St.* ☎ *90-24-19-19.* ● *goh.co.uk* ● *Visite guidée mer-sam à 11h. Prix : 5 £.* Un bel exemple d'architecture belfastoise (1895), mariant allègrement brique rouge et riche décoration kitsch. Le blackout qui frappa la vie nocturne de Belfast pendant les *Troubles* faillit lui coûter la vie. Sauvé in extremis de la destruction en 1974, il fut du coup le premier bâtiment classé en Irlande du Nord.

🏛🏛🏛 ***The Crown Liquor Saloon*** *(zoom A2, 61) : voir également « Pubs intéressants ».* Fondé en 1826, le *Crown* revêt sa splendeur actuelle à la fin du XIXe s, sous la houlette d'un architecte qui mêla style victorien et influences italiennes. Richement carrelée, la façade aux deux colonnes présage du voyage dans le temps qui vous attend à l'intérieur, où le comptoir est toujours éclairé par des lampes à gaz. Les *snugs*, ces compartiments qui permettaient à la haute de boire à l'abri des regards, sont ici au nombre de 10 et enrichis de cloisons particulièrement ouvragées. À apprécier encore et toujours, en dégustant sa mousse ou un plat : vitraux, mosaïques, plafonds aux riches moulures et débauche de cuivre. Noter que le *Crown* servit de cadre à l'une des scènes clés de *Odd Man Out (Huit heures de sursis),* le superbe film de Carol Reed.

🥂 **Ulster Hall** *(zoom B2, 93)* : *Bedford St.* ☎ 90-32-39-00. • ulsterhall.co.uk • Inauguré en 1862, le théâtre possède toujours son grand orgue d'origine, offert par un ancien maire, et s'orne de 13 scènes du peintre local J. W. Carey illustrant l'histoire de Belfast. Sous ces dehors classiques, il affiche un bel éclectisme, des concerts de musique de chambre au *trash metal.* C'est ici que Led Zeppelin interpréta pour la première fois *Stairway to Heaven* en 1971.

🥂 **Saint Malachy's Church** *(zoom B2, 95)* : *Alfred St.* Église catholique de style élisabéthain-gothique aux faux airs de château fort (1844). Plafond original (genre décor de gâteau de mariage par un artiste de la crème fouettée), inspiré de celui de la chapelle d'Henri VII à l'abbaye de Westminster. La structure de l'ensemble n'est pas banale non plus, avec ses quatre autels établis sur plusieurs niveaux et dans différentes directions.

🥂🥂 **Belfast Exposed** *(zoom B1, 97)* : *23, Donegall St.* ☎ 90-23-09-65. • belfast exposed.org • *Mar-sam 11h-16h. Entrée gratuite.* Fondé en 1983 par un collectif de photographes belfastois, ce lieu met en scène un peu de l'âme du Belfast secret au fil d'expositions temporaires de photos contemporaines. Les images de l'époque des *Troubles* ne sont malheureusement pas visibles sur place, mais une petite partie du fonds (100 000 images) est consultable sur Internet.

🥂 **Saint Anne's Cathedral** *(zoom B1, 98)* : *Donegall St. Tlj 9h-17h.* Construite en style roman entre 1899 et 1904, autour d'une église préexistante, elle a connu depuis beaucoup d'ajouts. Le dernier en date, la flèche d'acier baptisée the *Spire of Hope* est aussi spectaculaire, de l'intérieur que de l'extérieur... Ne manquez pas, en entrant à gauche, la chapelle du Saint-Esprit et sa voûte en mosaïque composée de plus de 150 000 pièces, représentant la gloire divine. Une autre, sur sa façade, commémore le 1 500e anniversaire de l'arrivée de saint Patrick en Irlande. Si lord Edward Carson de Duncairn, célèbre opposant à l'autonomie de l'Irlande en 1912, est inhumé ici, la cathédrale abrite également une chapelle de l'Unité ouverte à tous les chrétiens.

🥂🥂 **Historical Pub Tour :** *organisé par l'office de tourisme, voir les rubriques « Adresses utiles » et « Pubs Intéressants ».* ☎ 92-68-36-65. • belfastpubtours. com • *Mai-oct, départs jeu à 19h et sam à 16h, depuis le 1er étage du* Crown Liquor Saloon. *Durée : 2h. Prix : 6 £.* Au programme : six établissements qui fourmillent d'anecdotes, sont chargés d'atmosphère et sentent bon le houblon.

Sur les quais de la Lagan

La ville s'est fixé l'objectif ambitieux de faire de ces quais un second centre pour le IIIe millénaire. Dorénavant, *Titanic Belfast* sert de figure de proue à ce projet qui s'étire au sud jusqu'au niveau du Waterfront Hall. Encore ponctué de quelques lieux déserts et marqué par les ponts autoroutiers, ce secteur compte beaucoup de bâtiments d'affaires et d'appartements.

🥂🥂🥂 🚶 **Titanic Belfast** *(hors zoom par B1, 100)* : *Titanic quarter.* ☎ 90-76-63-39. • titanicbelfast.com • *À 20 mn de marche du centre. Desservi par de nombreuses lignes de bus. Avr-sept, lun-sam 9h-19h, dim 10h-19h ; oct-mars, tlj 10h-17h ; entrée par tranches de 20 mn. Dernière entrée 1h40 avt fermeture. Résa recommandée à l'avance par tél ou auprès du Welcome Centre (voir « Adresses utiles »). Compter 2h de visite. Tarif : 13,50 £ ; réduc. Audioguide en français.*

Habillée de 3 000 plaques d'aluminium étincelant jusqu'à l'aveuglement, la façade anguleuse du *Titanic Belfast* est censée évoquer à la fois la proue du légendaire paquebot, et les 5 étoiles de la compagnie *White Star*. Inauguré pour le 100e anniversaire du lancement du *Titanic*, construit et mis à l'eau à quelques pas de là, ce gigantesque espace n'est pas un musée au sens classique du terme puisqu'on n'y trouve aucune pièce authentique, à l'exception de photos et films d'époque. Ludique et interactif, il a pour ambition de raconter toute l'histoire du navire et de la mettre en perspective avec le contexte socio-économique de l'époque. Les neuf galeries permettent de revivre autant d'étapes, allant de l'effervescent chantier à la découverte de l'épave en 1985. Des technologies dernier cri sont mobilisées pour donner à cette expérience un caractère sensoriel. Effet garanti lors du tour du chantier en nacelle *(shipyard ride)* ou dans le vertigineux ascenseur virtuel dont les parois-vidéo hissent le visiteur sur toute la hauteur de ce vaisseau hors norme. Avec la même efficacité, les reconstitutions des différentes classes de cabines sont occupées par des passagers en hologrammes, la pénombre et le froid annoncent l'instant funeste de la collision avec la glace et, dans la salle dédiée à l'épave, on aura l'illusion d'être à l'intérieur du sous-marin d'exploration. Avec cet espace impressionnant, la ville tire définitivement un trait sur la relation douloureuse qui l'unit longtemps avec le *Titanic*. Il est amusant de constater que les Belfastois ont donné à cette icône architecturale le surnom d'Iceberg ! Peut-être en hommage à ce compagnon de destinée sans lequel, après tout, le *Titanic* aurait probablement rejoint d'autres paquebots dans l'anonymat poussiéreux des annales maritimes. S'ils sont moqueurs, les Belfastois ne semblent pas superstitieux : la reconstitution de la salle de bal (non incluse dans la visite classique) est louée pour des mariages...
– Cafétéria, bistro et, évidemment, un magasin entièrement dévoué à la marque « Titanic ».

🎞 *Titanic Interactive Trail :* info et loc au Belfast Welcome Centre, ☎ 90-24-06-09. À partir de 5 £. La municipalité a mis au point cet audioguide nouvelle génération (genre GPS), pour vous guider en 1h30 environ sur tous les sites liés à l'histoire du grand navire.

🎞 *Lagan Weir* (zoom B1, 99) : *sur la rivière Lagan.* Cette digue est la clé du dispositif permettant d'empêcher la marée de remonter le cours de la rivière. Accessible à pied, elle comporte quatre plates-formes d'observation. La nuit, belle mise en valeur par un éclairage bleuté.

🎞🎞 ⅋ *Whowhatwherewhenwhy-Odyssey* (W5 ; hors zoom par B1, 100) : Queen's Quay. ☎ 90-46-77-00. ● w5online.co.uk ● *Dans l'énorme complexe Odyssey qui intègre également l'Arena, plus grande salle de sport et de spectacle d'Irlande. Lun-ven 10h-17h, w-e 10h (12h dim)-18h. Dernière admission 1h avt fermeture. Entrée : 7,90 £ ; réduc.* Pour les enfants et les grands enfants que nous sommes restés, une sorte de palais de la Découverte qui profite des technologies les plus récentes pour animer des jeux et expériences interactives et éducatives ainsi qu'une série de gadgets sophistiqués comme les escaliers musicaux. Ensemble divisé en cinq sections : *Wow, Start, Go, See* et *Do.* À propos de *Do,* essayez donc la *Laser Harp* ! Le 2e étage est une sorte de grand parc de jeux, avec même une épicerie pour faire comme les grands (sponsorisée par *Tesco,* bien sûr...).

🎞🎞 *Saint George Market* (zoom B1, 101) : *12-20, East Bridge St.* ☎ 90-43-57-04. *Ven 6h-14h, sam 9h-15h, dim 10h-16h.* Élégante halle de brique et de fonte inaugurée en 1896, elle abrite en fin de semaine des stands d'alimentation et d'artisanat. Pas mal de traiteurs proposent des plats du monde entier. Idéal pour prendre le petit déj, bruncher ou siroter un bon expresso dans une ambiance vraiment conviviale. Certains matins, il y a même des musiciens.

🦪 **Sinclair Seamen's Church** *(hors zoom par B1, 103)* : *Corporation Sq, au nord du Laganside. Accès par Corporation St, presque sous le pont de la M 3. Visite mer 14h-16h (visez juste !). On peut aussi venir après l'office ou, pourquoi pas, pour l'office (dim à 11h30 et 19h).* Sous un aspect extérieur quelconque, cette église, construite pour les marins en 1857, est une réelle curiosité. Tout l'intérieur reflète la tradition maritime de la ville : chaire en forme de proue, lanternes d'un *Guinness boat* de la Liffey à Dublin, cloche d'un bateau coulé en 1916, vitraux sur thèmes maritimes, etc. Même les plateaux pour la quête ont une forme de bateau !

Dans le quartier de l'université

🦪🦪 **Queen's University** *(zoom A3, 104)* : *University Rd.* ☎ *90-33-52-52. Visite guidée gratuite lun-sam à 14h. Visitor's Centre lun-sam 10h-16h.* Dites simplement « Queen's » pour ne pas passer pour un alien ! Superbe et longue façade de style Tudor, édifiée au milieu du XIXe s et inspirée par le Magdalen College d'Oxford. Belle cour intérieure, partiellement entourée d'arcades. Ici étudièrent, entre autres, Mary McAleese (ex-présidente de république d'Irlande), David Trimble (ex-Premier ministre d'Irlande du Nord) et Seamus Heaney (Prix Nobel de littérature). Prestigieux festival culturel en octobre (voir « Festivals »). Tout autour, grosse animation pendant l'année universitaire, bien entendu. Notamment dans les pubs...

🦪🦪🦪 👫 **Ulster Museum** *(zoom A3, 105)* : *Strandmillis Rd, Botanic Gardens.* ☎ *0845-608-00-00.* ● *nmni.com/um* ● *Mar-dim 10h-17h (ouv lun fériés slt). Entrée libre.* Bénéficiant d'une muséographie moderne, cet immense musée (8 000 m²) est organisé en quatre départements couvrant des domaines si variés que chacun devrait y trouver son bonheur. Indispensable, la petite brochure avec plan permet de s'y retrouver parmi le chevauchement des sections, au fil des étages, et indique une sélection de pièces emblématiques.

– **Windows of the World :** conçue comme un best of du musée, cette section réunit des pièces emblématiques des différents départements : maquettes de jonques chinoises, panneau sculpté Maori, statuettes, colonne basaltique, etc.

– La foisonnante **History Zone** devrait être inscrite à l'agenda de tous ceux qui veulent mieux connaître l'Irlande du Nord, depuis... la préhistoire. Le conflit nord-irlandais de la fin du XXe s fait l'objet de la salle « *Troubles* », à ne pas manquer. L'accent principal est toutefois mis sur la période 1600-1921. Nombreuses photos, témoignages des acteurs du conflit, évocation des *Irishmen, militaria*... jusqu'au matériel des paramilitaires. À voir aussi, les découvertes faites dans l'épave de la *Girona*, navire de la Grande Armada qui sombra au large de la Chaussée des Géants. Remarquons encore, dans un tout autre genre, la petite salle égyptienne centrée sur la momie de Takabuti, jeune Thébaine morte au VIIe s av. J.-C.

– **Nature Zone** rassemble une foule d'animaux naturalisés, des minéraux, des fossiles...

– **Art Zone :** les grandes écoles de peinture italienne, hollandaise et anglaise y sont notamment représentées par Van der Heyden, Gainsborough ou Turner, tandis que la salle d'art contemporain rassemble des noms aussi prestigieux que Matisse, Joseph Beuys ou Bacon. Les arts appliqués ne sont pas en reste avec des collections consacrées à la mode et ses accessoires, à la céramique, au verre, etc. ☙ 🍷 Espace *café* et *boutique*, comme il se doit.

🦪🦪 **Le jardin botanique et Palm House** *(zoom A3, 106)* : *contre l'Ulster Museum. Tlj de 8h au coucher du soleil. Palm House : avr-sept, lun-ven 10h-12h, 13h-17h, w-e et j. fériés ap-m slt ; le reste de l'année, ferme 1h plus tôt.* Comme les locaux, allongez-vous sur les généreuses pelouses de ce vaste jardin, oasis de tranquillité au cœur du quartier de l'université. On y trouve deux serres tropicales dont la magnifique *Palm House* victorienne, toute de verre et de fonte, qui fut construite en 1840, avant sa célèbre consœur des Kew Gardens de Londres.

🎥🎥 *Friars Bush Graveyard* (zoom A3, *107*) : *Stranmillis Rd, contre l'Ulster Museum.* ☎ *90-24-66-09. Visites guidées slt : mai-août, dim à 15h. 3 £.* Plein de charme, le plus ancien cimetière catholique de la ville, envahi par les herbes folles et les grands arbres, a été fermé en 1869.

Au cœur des Troubles

Pour comprendre la situation en Irlande du Nord, rien ne remplace une visite dans les quartiers où vivent des hommes et des femmes qui se sont longtemps affrontés. C'est là que l'on peut sentir, de manière palpable, l'attachement obstiné des deux communautés à leurs valeurs fondatrices et à leurs territoires respectifs.

🎥 *Sandy Row* (zoom A2, *108*) : à deux pas du quartier mixte de l'université, cette rue a donné son nom à une zone symbolisant le loyalisme protestant pur et dur. Au nord, près de Hope Street, une très grande fresque montre un homme cagoulé en armes et annonce l'entrée dans le quartier. La bordure des trottoirs a été peinte en bleu-blanc-rouge (les couleurs de l'Union Jack). Ravivés à l'approche des parades orangistes de juillet, ces coups de pinceau sont un manifeste politique.

WEST BELFAST (plan général)

🎥🎥🎥 Bien délimité par la M 1 au sud, la Westlink à l'est et des collines au nord, West Belfast s'étend sur 9 km vers l'ouest et compte environ 100 000 habitants. Il englobe une majorité de quartiers catholiques (Falls, Ballymurphy, Turf Lodge, Andersontown, Twinbrooks) et une partie du quartier protestant de Shankill. Ici, les classes populaires, catholiques comme protestantes, habitent des alignements de petites maisons de brique rouge, semblables à des corons. Autrefois, les différences confessionnelles rejaillissaient de manière criante sur le monde du travail et les chantiers navals n'embauchaient que très peu de catholiques ! À cette époque, le quartier des Lower Falls ressemblait à une ville du tiers-monde même si une riche vie de quartier s'était développée autour des pubs. Une des premières mesures sociales importantes prises dans les années 1980-1990 fut la reconstruction quasi totale des Lower Falls et la rénovation des autres quartiers.

Visiter West Belfast aujourd'hui ne devrait relever ni du tourisme au sens traditionnel du terme, ni du voyeurisme. Il s'agit idéalement de comprendre les origines du conflit interconfessionnel, les mouvements de résistance, les espoirs placés dans le processus de paix, grâce à la rencontre avec des gens ouverts et chaleureux dont l'histoire s'inscrit notamment sur les saisissantes fresques qui jalonnent les rues. Une carte-guide, intitulée *Shankill and West Belfast Arts and Heritage Trail*, a été éditée pour permettre de mieux repérer les principales curiosités.

Les *murals* (fresques murales)

Le phénomène artistique et politique des *murals* éclata vraiment du côté républicain au moment des grèves de la faim de 1981. Peints sur les pignons des maisons les mieux placées, ils exprimaient la solidarité d'une rue, d'un quartier avec les grévistes de la faim luttant pour une reconnaissance politique. Puis les thèmes se diversifièrent, puisant beaucoup aux sources de l'histoire et de la mythologie irlandaise et s'attachant aussi à défendre la cause d'autres peuples opprimés (Palestine, Afrique du Sud, Cuba...). Cela dit, les *murals* restent d'abord le témoignage d'un puissant sentiment identitaire. Il en va de même chez les loyalistes, même si les fresques sont relativement moins nombreuses à Shankill que dans les quartiers catholiques.

On consultera avec intérêt ● *muralsirlandedunord.over-blog.com* ●

Bien, comment y va-t-on ?

➤ **À pied :** du centre-ville, suivre Castle Street, qui devient Divis Street puis Falls Road, c'est l'opportunité de ressentir le progressif changement d'atmosphère et d'architecture. La première série de fresques se situe juste avant le croisement d'Albert Street, peu avant d'atteindre le populaire *Falls Leisure Centre,* soit à environ 1,2 km du centre (15 mn de marche).

➤ **En bus :** la ligne 10 suit Falls Road.

➤ **En black taxi :** embarquer sur Castle Street, à l'angle de King. Ils empruntent Divis Street, puis Falls Road et s'arrêtent à la demande. Fonctionnent de 5h à minuit (1h le week-end). À partir de 17h30, la première personne détermine la destination et on attend que le taxi soit rempli. Au retour, on peut le héler depuis n'importe quel endroit de Falls Road. Les *black taxis* ont joué un rôle fondamental pendant les *Troubles* en assurant, en l'absence de transport public, le transport jour et nuit. Organisés en coopérative, ils permirent à de nombreux chômeurs et ex-prisonniers de retrouver un job. Aux moments les plus chauds, certains payèrent de leur vie cette généreuse notion de service public. Certains *murals* leur rendent d'ailleurs hommage.

■ **Black Taxis Tours :** recourir à ces taxis pour un tour spécifique des *murals* est une manière originale de découvrir les fresques. *Compter 25-30 £ pour 2-3 pers, 10 £/pers supplémentaire. 1h30-2h de visite.* La plupart des compagnies organisent aussi des visites du reste de la ville. Vous pouvez essayer notamment :
– *Big E Taxi Tours :* ▤ *079-684-779-24.* ● *big-e-taxitours.com* ●
– *Black Taxi Tours :* ☎ *90-64-22-64.*

● *belfasttours.com* ●
– *Belfast City Black Taxi Tours :* ▤ *077-069-865-66.* ● *belfastcityblack taxitours.com* ●
■ *Irish Political Tours :* 10, Beechmount Ave. ☎ 90-20-07-70. ● *coiste. ie* ● *Tlj à 12h (14h dim). Durée : env 3h.* Visite pédestre guidée des *Falls* (8 £) et *Milltown Cemetery* (5 £). Organisée par *Coiste Na nLarchimí,* un réseau d'anciens prisonniers républicains.

Adresse utile

🛈 ⊛ ♪ *Cultúrlann McAdam-Ó'Fiaich (plan général E5, 49) :* 216, *Falls Rd.* ☎ 90-96-41-88. ● *culturlann. com* ● *Lun-ven 9h30-17h30, sam 10h-17h.* Installé dans une ancienne église presbytérienne, c'est le centre culturel gaélique de Belfast et il foisonne d'activités ! Cours de musique et de langue gaélique, soirées culturelles et artistiques, dont des concerts de musique traditionnelle le samedi après-midi, à 13h et 15h. Également un point d'information visiteurs *(Oifig Failte na bhfal),* une agréable librairie (livres de cuisine, ouvrages politiques, affiches et cartes postales originales) ainsi que des espaces d'exposition, dont un dédié au gaélique, sans oublier le *coffee shop* (voir *Cafe Feirste* dans « Où manger ? »).

Balade à pied

➤ La première série de fresques, particulièrement riche, se trouve à l'extrémité de Divis Street, là où elle devient Falls Road *(plan général E-F4).* Elle se prolonge sur sa perpendiculaire, Northumberland Street (voir aussi sous Peace Line). Un peu plus loin, côté sud de Falls Road, un *mémorial,* que l'on aperçoit à travers des grilles, perpétue le souvenir des membres de l'IRA et des civils catholiques morts pendant les *Troubles.*

➤ *Conway Mill (plan général E4, 50) :* domine Conway St (voir « Peace Line »). ☎ 90-32-96-46. ● *conwaymill.org* ● *Entrée libre. Visite libre ou guidée (aborde les difficiles conditions de travail des ouvrières des tissages) : mar et jeu en principe (ou sur demande à l'avance) ; durée 1h-1h30.*

BELFAST

Vieille filature de lin datant de 1840, elle a été habilement réhabilitée et coiffée d'un toit translucide. Elle accueille un centre d'éducation communautaire, de petites boutiques, des ateliers d'artistes, des espaces d'expositions, un café-resto, le *Doorsteps* (voir « Où manger ? ») et un musée (voir ci-dessous).

– **L'Irish Republican History Museum :** *derrière le bâtiment principal de la filature.* ☎ 90-24-05-04. *Mar-sam 10h-14h ou sur demande à l'avance. Entrée libre.* Né à l'initiative d'une ancienne membre de l'IRA, il aborde en détail la lutte de la communauté catholique, avec force posters, armes et artisanat fabriqué par les prisonniers. On peut même y voir une porte et un lit de la prison pour femmes d'Armagh...

➢ **Peace Line :** au-delà de la filature, vous ne pourrez pas manquer le mur qui barre le fond de Conway Street. Il s'agit d'une section assez moderne de la *Peace Line,* un euphémisme qui dissimule mal la triste réalité d'un ouvrage qui devait être temporaire... C'est dans les années 1970-1980 que la plupart des rues reliant les *Falls* catholiques au *Shankill* protestant furent condamnées par ce « mur de Berlin ». Les programmes municipaux et internationaux visant à aider les deux communautés à se débarrasser de cette verrue n'ont pas encore donné de grands résultats. En attendant, les seuls passages se font via Northumberland Street *(plan général F4)* et Lanark Way *(plan général F4),* perpendiculaire à Springfield Road. Là, les battants blindés sont désormais ouverts toute la journée mais peuvent encore être refermés les soirs de week-end ou de tension particulière.

➢ De retour sur Falls Road, on arrive peu après à la vénérable *Falls Road Library* (1908), qui offre une jolie façade ouvragée. Noter l'ange insolite entre les deux arches. En face, sur le flanc du siège du Sinn Féin, au n° 51-53, célèbre **mural de Bobby Sands** *(plan général E4, 110),* le plus connu des grévistes de la faim de 1981.

➢ **Dunville Park,** au cœur des Falls, est dominé par le **Victoria Hospital** *(plan général E5, 111),* bâti en 1906. Au temps des *Troubles,* il était particulièrement réputé pour l'efficacité des soins prodigués aux blessés par balles...

➢ En face de l'hôpital, au cœur du quartier le plus populaire, débute **Springfield Road** qui fut le théâtre de nombre d'affrontements à l'époque de la présence incongrue d'une énorme caserne de l'armée britannique, aujourd'hui démantelée. En profiter pour aller voir d'intéressants *murals* sur Cavendish Street.

➢ Continuons sur Falls Road jusqu'au centre culturel gaélique **Cultúrlann McAdam-Ó'Fiaich** (voir plus haut « Adresse utile »). Belles fresques sur le côté droit un peu plus loin, notamment, à l'orée de Beechmount Avenue, celle intitulée *Éirí Amach na Cásca,* sur le thème de l'insurrection de 1916.

DES GRÉVISTES ACTIFS !

Au 491 de Fall's Road, The Rock, *un populaire pub à la façade en pierre ciselée particulièrement élaborée. Inhabituel pour un pub,* isn't it ? *Sympathique explication : en 1901, ce sont des tailleurs de pierre travaillant à la construction du City Hall qui, en grève, en profitèrent pour ériger ce lieu convivial. Étonnant, non ?*

🕯 **City Cemetery** *(plan général D-E5, 114) : tlj 9h-18h.* La végétation s'est emparée du site et le lierre envahit les tombes de ce cimetière ouvert en 1869. La section catholique avait une entrée indépendante et était séparée de celle des protestants par un mur... souterrain ! Autrefois, on y allait le dimanche en famille pour voir comment étaient enterrés les riches. Beaucoup de tombes au style grandiloquent, certaines greffées de hautes croix celtiques ou d'obélisques, comme il était de tradition au XIXe s.

– James Connolly, le syndicaliste dirigeant de la rébellion de 1916 à Dublin, vécut de 1910 à 1916 en face de l'entrée du cimetière, au 420, Falls Road (plaque sur la maison). Voir aussi, 50 m plus loin, côté gauche de Falls Road, le grand *mural* coloré appelant au soutien des grévistes de la faim. Même les mamies y figurent.

🎭 *Milltown Cemetery* (plan général D-E5, **115**) : 546, Falls Rd. Env 800 m au-delà du City Cemetery. Lun-ven 8h30-16h, sam 9h-12h (mais souvent ouv en dehors de ces heures). Pour ceux qui souhaitent rendre visite au carré républicain où sont enterrés tous les héros de la lutte nationaliste, dont Bobby Sands. Pour le trouver, longer le muret à droite après l'entrée puis monter quelques marches et se diriger vers la barrière qui sépare le cimetière des entrepôts voisins. Après un décrochage se dresse le mémorial du County of Antrim. À côté, surmonté d'un drapeau irlandais, s'étire le monument du « Provisional Government », avec les martyrs de la cause bien alignés devant. C'est une longue et plate tombe commune, d'une grande sobriété mais... très émouvante.

🎭 Les fresques murales du quartier loyaliste de **Shankill** (plan général E4, **116**) constituent une autre forme de proclamation. Elles affirment la volonté de rester au sein du Royaume-Uni et glorifient l'action des milices armées. Hommes cagoulés, vêtus de noir, avec pistolet-mitrailleur et tout. On les trouve principalement sur Shankill Road et aux abords. Dans l'ensemble, le quartier manque un peu de vie et contraste avec le dynamisme culturel des Falls et d'Andersontown.

🎭 *Fernhill House* (plan général D4, **117**) : Glencairn Park, Shankill. ☎ 90-71-55-99. Lun-sam 10h-16h, dim 13h-16h. Entrée : 2 £.
Au milieu d'un superbe parc, cette grande et élégante demeure de 1864 abrite le ***People's Museum***, le musée de la Communauté protestante de Shankill. D'une remarquable richesse, complément indispensable à toute visite de Belfast. Possibilité de visiter avec un audioguide. Attention : le lieu est officiellement habité par un mystérieux fantôme, qui se manifeste régulièrement (surtout la nuit dans la bibliothèque)...
Histoire de la ville depuis la préhistoire. Émouvantes photos de la vie populaire, notamment Hudson Place et ses enfants, et les *kitchen houses*. Reconstitution d'un intérieur. *Shankill Hall of Fame* à la gloire des héros de la communauté locale. Signature du *Convenant* (la fameuse déclaration du refus du *Home Rule* signée par 471 000 Ulsteriens) sur un drapeau anglais (la symbolique paraît claire). De l'autre côté, à droite de la caisse, histoire de l'ordre d'Orange, des marches et des *flutes bands* ; curieusement, sur les origines de la création de l'ordre, pas un mot, sinon une pauvre tentative d'autodéfense contre les vilains paysans catholiques désirant, en 1795, s'emparer des terres protestantes... Un peu court, non ?
– *Au 1er étage :* collection d'insignes, histoire de l'armée privée de Cunningham et des campagnes d'Inde et de Birmanie. Section consacrée à George Best, un des plus grands footballeurs, né à Belfast et qui se distingua à *Manchester United*. Salle des industries de Shankill (ateliers de tissage et fonderies). Grande salle consacrée à la Première Guerre mondiale et à la crise du *Home Rule*.

➤ *Balade dans la Black Mountain* (plan général D4, **118**) : en sortant de Fernhill, tourner à droite, grimper la colline. Vous êtes déjà au sein d'une superbe nature. Panorama exceptionnel sur Belfast, la ville, le port... Possibilité de balades à pied organisées (☎ 90-58-57-53) ou à cheval (☎ 90-62-47-82). Nombreux chemins balisés pas trop difficiles.

🎭 *Colin Glen Forest Park* (plan général C6, **119**) : 163, Stewartstown Rd, Dunmurry. ☎ 90-61-41-15. ● colinglentrust.org ● Bus nos 10 B à 10 F. Forest Park Centre, lun-ven 9h-17h, sam 11h-15h. Au cœur de West Belfast, étangs, chutes d'eau, bois et prairies où l'on surprend parfois des écureuils, voire des renards et loutres... Au XVIIIe s, pendant la période des lois pénales, quelques rochers abritèrent des messes clandestines. Nombreux sentiers (dont 6 km accessibles aux fauteuils roulants).

Festivals et spectacles

– **Belfast Film Festival :** *mars ou avr.* ☎ *90-32-59-13.* ● *belfastfilmfestival.org* ●
– **Titanic Made in Belfast Festival :** *avr.* ☎ *90-24-66-09.* Expositions d'objets du *Titanic* et sur les chantiers navals de l'époque ; visites spéciales du *SS Nomadic* et balade guidée à pied ou en bus sur les traces du grand paquebot, vieux films, cérémonie en mémoire des victimes au City Hall, etc.
– **Belfast Folk Festival :** *w-e d'été. Pour les dates, contacter l'office de tourisme.* Un grand moment de musique traditionnelle. Grosse animation, atmosphère très sympa.
– **West Belfast Festival** *(Féile an Phobail) :* 1*re* *quinzaine d'août. Festival House, 473, Falls Rd.* ☎ *90-31-34-40.* ● *feilebelfast.com* ● Ensemble de festivités et spectacles gratuits qui, au fil des années, en ont fait un des tout premiers festivals communautaires d'Europe. Carnaval avec 50 000 personnes costumées.
– **Festival culturel de Queen's University :** *fin oct-début nov. 8, Fitzwilliam St.* ☎ *90-97-11-97.* ● *belfastfestival.com* ● Festival au renom international, fondé en 1962. Musique, théâtre, danse, opéra, cinéma, tous les genres, en fait ! Vous constaterez que la culture à Belfast possède une sacrée santé !
– Nombreux concerts, autant rock que symphoniques, au **Waterfront Hall** *(zoom B1) : près de la gare centrale.* ☎ *90-33-44-55.* ● *waterfront.co.uk* ● Également des concerts au vieux théâtre municipal, l'**Ulster Hall** *(zoom B2, 93).* On peut aussi consulter le programme de l'**Old Museum Arts Centre** *(zoom A1) :* 7, *College Sq North.* ☎ *90-23-33-32.* ● *oldmuseumartscentre.org* ● Théâtre, danse, lectures, concerts, ateliers... il y en a pour tous les goûts.

DANS LES ENVIRONS DE BELFAST

🎥 **Cave Hill Country Park :** *au nord de la ville, sortie par Antrim Rd ou M 2 (sortie « Belfast Zoo, Grenncastle »). Bus n° 1, arrêt Strathmore Park. Entrée principale par la voie qui mène au château, accès également possible par le zoo. Tlj du lever au coucher du soleil.* Le parc occupe une grosse colline boisée au nord-ouest de la ville. Petits sentiers faciles à travers bois et prairies jusqu'au sommet de la colline, d'où la vue s'étend sur Belfast, au sud jusqu'aux Mourne Mountains et au nord-ouest sur le Belfast Lough et la mer jusqu'à la côte écossaise. Compter 1h30 pour l'aller-retour. Notez les cinq grottes qui ont donné son nom à la colline, ainsi que le gros rocher (appelé le Nez de Napoléon) où Wolfe Tone et les *United Irishmen*, en 1795, décidèrent de délivrer l'Irlande de la mainmise anglaise. En début de soirée estivale, pensez à votre crème, les *midges* attaquent !

🎥 **Belfast Castle :** *Cave Hill Country Park.* ☎ *90-77-69-25.* ● *belfastcastle. co.uk* ● *Tlj 9h-22h30. Visitor's Centre tlj 9h-22h (17h30 dim) ; fermé à Noël. Accès libre.* Perché sur les flancs de Cave Hill, le château n'a été construit qu'en 1868-1870, dans un style *baronnial* écossais très réussi. Son proprio, le comte de Shaftesbury, élu maire en 1907, en fit don à la Ville. Depuis, on y célèbre les mariages à la chaîne ! À tel point qu'une pièce de l'expo du deuxième étage a été aménagée en « chambre de mariée » années 1920... Vidéo racontant l'histoire des lieux et section d'histoire naturelle. Resto très victorien dans les caves *(The Cellar)* et boutique d'antiquités.

👫 **Ulster Folk and Transport Museums** *(musées de l'Habitat et des Transports d'Ulster) :* 153, *Bangor Rd, à* **Cultra,** *peu après Holywood.* ☎ *90-42-84-28.* ● *nmni.com/uftm* ● *En voiture, à 11 km par l'A2, direction Bangor. En train, arrêt à Cultra puis suivre le chemin longeant la voie (panneau) pour arriver au* **Transport Museum.** *L'***Ulster Folk Museum** *se trouve de l'autre côté de la route et plus haut (compter 10 mn de marche). Tlj sf lun : mars-sept, 10h-17h ;*

le reste de l'année, 10h (11h w-e)-16h. Entrée : 7 £. Billet combiné pour les 2 musées (à visiter le même j.) : 8,50 £ ; réduc.

– La visite passionnante du **musée des Transports** débute par une salle immense où a été réunie une collection exceptionnelle de chemins de fer irlandais. On poursuit par des véhicules hippomobiles en tout genre, les transports en commun et les véhicules privés, dont de superbes camionnettes de livraison. Passage à l'extérieur pour rejoindre un autre hangar réservé aux motos, diligences et avions. Ne pas louper l'incroyable vélo allemand datant de la guerre !

– L'**Ulster Folk Museum** est un écomusée établi dans un grand parc vallonné. Chant d'oiseaux, tapis de fleurs et pique-nique bucolique envisageable, la visite équivaut à une véritable balade ! Une trentaine d'édifices représentatifs de l'architecture et de la vie d'autrefois y sont regroupés par affinités : village reconstitué de Ballycultra d'un côté, avec sa poste, son école, sa banque, etc. ; de l'autre, des fermes et moulins répartis dans la cambrousse. Une partie des bâtiments a été reconstruite à l'identique, le reste est d'origine comme la vieille église de Kilmore (1790), serrée autour de son poêle à bois. On se croirait vraiment au XIXᵉ s grâce à l'évocation de nombreux petits métiers, artisanats et commerces d'époque. La sensation s'amplifie lors d'occasionnels *re-enactments,* des reconstitutions animées par des figurants (programme à l'entrée du village).

I●I 🍸 **Tea Room** : *à l'arrière du Cultra Manor, dans l'Ulster Folk Museum.* Bonnes pâtisseries, plats chauds et, le dimanche, *carvery* (buffet avec viande à la découpe). *So British* pour se requinquer après une visite du parc. On s'attendrait presque à voir Hercule Poirot surgir de derrière un buisson, l'air inquisiteur...

🎋 **Lagan Valley Regional Park :** *au rond-point de Stranmillis Rd, au sud du quartier de l'université, prendre Lockview Rd (plan général F6) ; parking au niveau du Rowing Club.* Le chemin de halage permet de remonter la Lagan jusqu'à Lisburn, soit 15 km à travers une zone verdoyante et bruissante de chants d'oiseaux. Nombreux sentiers et chemins adjacents et accès au Giant's Ring (voir ci-dessous).

🎋 **Giant's Ring** *(anneau des Géants) : sortir par Miltown Rd, qui prolonge Malone Rd ; après le Shaw's Bridge, suivre le fléchage. Accessible en voiture. Tlj 10h-21h (16h oct-mars).* On peut aussi se garer au terminus du bus n° 22, puis marcher 30 mn par de charmants sentiers, à partir des frondaisons de *Minnowburn Beeches,* site naturel classé au bord de la Lagan. Le Giant's Ring est une levée de terre circulaire de 200 m de diamètre, comportant un dolmen en son centre. Aujourd'hui, des vaches y paissent sans égards pour la grandeur du site...

🎋 **Carrickfergus Castle :** ☎ 93-35-12-73. *À 15 km au nord-est (sortir par la M 5). Ulsterbus n° 568 depuis le Laganside Bus Centre. Tlj 10h-18h (16h nov-fév). Dernière entrée 30 mn avt fermeture. Entrée : 5 £ ; réduc.* Imposant château fort normand construit par Jean de Courcy au XIIᵉ s. Pendant cinq siècles, il symbolisa le pouvoir britannique dans le Nord. Présentation audiovisuelle recréant scrupuleusement nombre de personnages historiques.

🏵 En été, marché d'objets artisanaux.

🎋 **Hillsborough :** *à 16 km au sud-ouest de Belfast, en marge de la M 1 (route de Banbridge). Parc ouv jusqu'à la tombée de la nuit. Visite guidée le w-e slt (château + parc) : 7 £).* Le village occupe un flanc de colline, entre un lac et un étang – avec, d'un côté, un fort et, de l'autre, un château, résidence du secrétaire d'État. Quelques maisons anciennes de la rue principale ont été restaurées et accueillent boutiques d'antiquités restos et pubs. La *Market House,* occupée par l'office de tourisme (☎ 96-68-32-85), date de 1760. En face, belle grille et portail en fer forgé de la même époque donnant accès au château. C'est là que fut signé l'*Anglo-Irish Agreement* de 1985.

LE SUD-EST : DE LA PÉNINSULE D'ARDS À ARMAGH

Entre Belfast et Dublin, autant réserver l'A 1 ou l'A 24 aux plus pressés. Le voyageur avide de paysages et d'atmosphères préférera flâner sur les routes qui longent le Strangford Lough, traversent les péninsules d'Ards et de Lecale, le pays de saint Patrick, et se fraient un passage respectueux à l'ombre des photogéniques Mourne Mountains. Puis, ceux qui se dirigent vers l'ouest, traverseront naturellement par le comté d'Armagh.

LA PÉNINSULE D'ARDS (ui eachach arda)
ET LE STRANGFORD LOUGH env 80 000 hab. IND. TÉL. : 028

Sur 30 km environ du nord au sud, la péninsule d'Ards se déploie comme une pince bordée par l'océan qui se referme sur le Strangford Lough, au niveau des bourgs jumeaux de Portaferry et Strangford, reliés par un bac. Chef-lieu de la région, *Newtownards* se situe au nord de ce lac maritime, à seulement 15 km à l'est de Belfast.
Longeant la rive orientale du Lough, la route A 20 offre des vues d'une incroyable sérénité, avec pour horizon les Mourne Mountains quand la météo le permet. Sur la rive opposée, de petites routes soulignent un paysage étonnant, ponctué d'un chapelet d'îlots.

Arriver – Quitter

En bus

Gare routière de Newtownards : *33, Regent St, juste à côté de l'office de tourisme.*
Gare routière de Portaferry : *sur le Square, au centre du village.*
Gare routière de Donaghadee : *en face de la mer, proche du port.*
– **Attention :** à Belfast, la gare d'arrivée et de départ est *Laganside Bus Centre*, sauf le dimanche où le trafic est reporté sur l'*Europa Bus Centre*.
➤ **Belfast-Newtownards :** lun-sam nombreuses liaisons/j., env 5 bus le dim. Correspondances avec **Greyabbey** et **Portaferry**.
➤ **Belfast-Donaghadee :** liaisons quotidiennes régulières avec changement à **Bangor**.

En bateau

Strangford Lough Ferry : ☎ 44-88-16-37. Piéton : 1 £ le trajet. Voiture (et conducteur) : 5,80 £ le trajet simple, 10 £ l'A/R ; + tarif passager à payer.
➤ **Portaferry-Strangford :** tlj 7h45 (8h15 sam, 9h45 dim)-22h45 (23h15 sam). Départs ttes les 30 mn (au quart et à moins le quart de chaque heure).
➤ **Strangford-Portaferry :** idem mais 15 mn plus tôt.

Adresses utiles

Ards Tourist Information Centre : *31, Regent St, Newtownards.* ☎ 91-82-68-46. ● *ards-council.gov. uk* ● Tlj sf dim 9h15 (9h30 sam)-17h. Service de change, résas d'hôtels et B & B. Demander la brochure gratuite *Guide to Exploring Ards* et la carte de la péninsule.
Portaferry Tourist Information Centre : *The Stables, Castle St, Portaferry.* ☎ 42-72-98-82. ● *portaferry. info* ● Dans les anciennes écuries du château, face au débarcadère du ferry. Pâques-fin août, lun-sam 10h-17h, dim 14h-18h. Résas d'hébergements, brochures et quelques panneaux sur l'histoire locale.

Où dormir sur la péninsule et autour du lough Strangford ?

Campings

Au sud du lough

⚊ **Castle Ward Caravan Park :** 2 km à l'ouest de Strangford par l'A 25. ☎ 44-88-12-04. ● nationaltrust.org.uk/castle-ward/places-to-stay ● Ouv tte l'année. Selon saison et type de tente, compter 21-28 £ pour 2 avec voiture ; camping pod 35-45 £ selon type. Terrain principal genre clairière, bien en retrait de la route. Une dizaine d'emplacements réservés pour les tentes, au milieu de ceux pour les camping-cars et caravanes. Petites structures de bois légèrement voûtées et dotées d'une porte-fenêtre vitrée, les camping pod sont établis sur un espace ombragé. Bien isolés, chauffés s'il le faut, il suffit d'un sac de couchage et d'un matelas ! Sanitaires bien entretenus.

Sur la côte de la mer d'Irlande

⚊ **Ballywhiskin Caravan & Camping Park :** au sud de Millisle, 216, Ballywater Rd. ☎ 91-86-22-62. ● ballywhiskincaravanandcamping.com ● Attention, ne ratez pas la discrète voie d'accès, côté terre. Ouv d'avr à mi-nov. Compter 15 £. Un des rares si ce n'est le dernier caravan parks à accepter les tentes le long de l'A 2, entre Donaghadee et Portaferry.

De bon marché à prix moyens (moins de 60 £ / 72 €)

Au sud du lough

🏠 **Barholm Portaferry :** 11, The Strand, à **Portaferry.** ☎ 42-72-99-67. ● barholmportaferry.co.uk ● Juste en face du quai du ferry. Compter 16 £/pers en dortoir et 50-55 £ la double avec sdb ; petit déj en option. Toutes les formules, du dortoir de 4-6 lits à la chambre familiale en passant par la single un peu riquiqui. Le tout est immaculé. Cuisine à dispo. Café-resto entièrement vitré pour profiter de la vue sur le lough.

Sur la rive est du lough

🏠 **Trasnagh House :** 23, Ballybryan Rd, à **Greyabbey.** ☎ 42-78-81-11. ● trasnaghhouse@hotmail.com ● Bifurcation (panneau Trasnagh ou Barnwell House) à env 2,5 km au sud du village de Greyabbey. Ouv tte l'année. Doubles avec sdb 50-55 £, petit déj compris. 📶 Une maison blanche de plain-pied sur une petite hauteur, commandant une superbe vue sur le lough et les Mourne Mountains. La salle de bains de la chambre 1er prix se trouve dans le couloir. Intérieur familial classique et sans chichis, où l'on apprécie l'accueil chaleureux de la famille Bryan. Demandez qu'ils vous commentent la photo avec le tigre ! Collection redoutable de cereals, œufs de la maison et cooked breakfast selon vos desiderata.

De chic à plus chic (plus de 60 £ / 72 €)

Sur la rive est du lough

🏠 **Ballycastle House :** 20, Mountstewart Rd, à **Newtownards.** ☎ 42-78-83-57. ● ballycastlehouse.com ● Bifurcation sur l'A 20 à 6,5 km au sud de Newtownards, 2 bons km avt d'atteindre Mount Stewart. Ouv tte l'année. Doubles à partir de 60 £, petit déj inclus. Ferme de caractère à 800 yards de la rive (à vos calculettes !). Chouettes balades. 3 chambres, dont 1 familiale.

🏠 🍽 **Portaferry Hotel :** 10, The Strand, à **Portaferry.** ☎ 42-72-82-31. ● portaferryhotel.com ● Voir également « Où manger ? ». Ouv tte l'année sf à Noël. Doubles 65-100 £ selon type et période, petit déj compris. ½ pens possible à partir de 70 £/pers. 📶 Situé directement sur la rive, cet hôtel existe depuis le XVIIIe s. 14 chambres très confortables au mobilier ancien. Les plus chères ont vue sur le lough, et certaines sont équipées de lits à baldaquin. Accueil soigné.

Sur la rive ouest du lough

🏠 🍽 **The Schoolhouse Inn :** 100, Ballydrain Rd, à **Castle Espie.** ☎ 97-54-11-82. ● theoldschoolhouseinn.com ● ♿ Resto ouv slt. Double 80 £, petit déj inclus. 📶 Tenue par Terry et sa femme Avril, qui dirige le restaurant, l'auberge occupe une ancienne école en brique. Les 12 chambres, assez grandes, sont

LES COMTÉS D'ARMAGH ET DOWN

réparties dans le bâtiment en L. Chacune baptisée du nom d'un des présidents américains ayant des origines nord-irlandaises, elles sont toutes confortables et avec baignoire mais autant préférer celles qui donnent sur la route et la pelouse. Cadre serein et resto renommé.

Où manger ? Où boire un verre ? Où écouter de la musique sur la péninsule et autour du lough Strangford ?

Sur la côte de la mer d'Irlande

|●| ▼ ♪ *Grace Neill's Bar :* 33, High St, à *Donaghadee.* ☎ 91-88-45-95. Tlj sf lun midi et soir. Menu 2 plats (mar-sam 12h-14h30) env 11 £ ; early bird (mar-jeu 17h30-19h), plat principal et verre de vin 9 £ ; à la carte (service jusqu'à 21h), petits et grands plats 7-25 £. Bouilloire et TV qui s'allument toutes seules, planchers qui craquent sans raison, livres éparpillés... eh oui, vous descendrez votre pinte ou votre *beef and Guinness pie* en compagnie d'un fantôme, un vrai, celui de la fameuse Grace Neill, renommée pour avoir jadis accueilli chacun de ses clients d'un baiser ! Cuisine de pub-resto soignée, détaillant tous les classiques régionaux, carnés ou iodés. Pour le *Guinness Book,* c'est le plus vieux bar d'Irlande (1611) mais seul le *front bar* a de la patine. Soirées avec musiciens les vendredi, samedi *(à partir de 21h30)* et dimanche *(14h-17h).*

|●| ▼ *Pier 36 :* 36, The Parade, à *Donaghadee.* ☎ 91-88-44-66. Près

du port. Plats 6-16 £ le midi, 15-29 £ le soir. Cheminée, brique et bois, banquettes et tabourets hauts, c'est le grand pub convivial de cette étape du bord de mer. L'équipe chaleureuse n'hésitera pas à vous renseigner sur le coin si vous ne trouvez pas votre bonheur auprès du petit point d'info installé à l'entrée. On y boit, mange un plat, joue au billard. Et on y cause...

Sur la rive est du **lough**

|●| *Portaferry Hotel :* voir « *Où dormir ?* ». *Le midi, plats 10-20 £ à la carte ; le soir, menus 2-3 plats 23-26 £.* Élégante salle à manger décorée de marines pour ce resto d'excellente réputation. Cuisine de qualité, élaborée principalement à base de produits de la mer, mais steaks ou *pies* figurent également sur la carte.

|●| ☗ *The Wildfowler Inn :* 1, Main St, à *Greyabbey.* ☎ 42-78-82-34. *Cuisine tlj sf dim soir. Early bird (lun-ven 17h-20h) 2 plats env 10 £ ; carte 12-16 £.* Bordée d'un grand parking, cette demeure ocre à colombages héberge

le pub-resto du village. La cheminée entourée de banquettes et les tons boisés ou chauds accompagnent bien la tambouille simple, mais généreuse et typique, de ce genre d'adresses. Service souriant.

Sur la rive ouest du **lough**

|●| ☗ *Daft Eddy et Island Coffee Room :* à Sketrick Island. ☎ 97-54-16-15. *Îlot relié à la terre, accessible par le village de Killinchy ou par les petites routes au-delà de Nendrum Monastery. Tlj :* Coffee Room *9h30-16h30, dîner 17h-21h. Carte 10-20 £.* Sympathique point focal pour les visiteurs et les gars du coin, cet établissement compte un *Coffee Room* (petit déj, gâteaux et déjeuners), un bar (*Real Ale* à la pression, bien !), un coin *lounge,* un espace resto et une grande terrasse. Et même des chambres si nécessaire... La cuisine, goûteuse, privilégie les produits de la mer et s'entiche d'une petite coloration méditerranéenne. Steaks, *pies* et burgers sont aussi de la partie. Service charmant.

À voir. À faire

Sur la rive est du lough

☗☗ *Mount Stewart House and Gardens :* sur l'A 20, 9 km au sud de Newtownards. ☎ 42-78-83-87. • nationaltrust.org.uk/mount-stewart • *Lakeside Gardens : tlj 10h-18h. Réception et resto tlj 10h-17h (13h lun-ven de nov à mi-mars). Pour le reste, ouv de mi-mars à oct slt : Formal Gardens, tlj 10h-18h ; Mansion House, 12h-18h ; Temple of the Winds, dim slt 14h-17h. Dernière admission pour la maison et les Formal Gardens 1h avt fermeture. Billet combiné (jardins et maison) : 7,30 £ ; réduc. Visites guidées ttes les 15-30 mn. Feuillet d'info en français.*
Propriété des Stewart (marquis de Londonderry) de 1744 à 1959, ce domaine s'organise autour d'un manoir remanié au XIXᵉ s dans le style néoclassique. Lors de la visite guidée (environ 45 mn), on découvre le vaste hall octogonal, les nombreux portraits et peintures équestres, une collection de porcelaine assez kitsch (en forme de choux, d'asperges, de lapins...) ainsi que la chapelle familiale.
Quantité d'essences exotiques ont été acclimatées dans les deux jardins. Créés vers 1920, les *Formal Gardens* forment une mosaïque d'espaces à l'italienne, à l'espagnole ou plus fantaisistes, comme celui parsemé de sculptures de dodos (drôles d'oiseaux disparus)... et de dinosaures. Un vaste jardin paysager autour d'un lac occupe le reste de la propriété. Près de l'entrée, le « temple des vents » inspiré de la tour des vents de l'agora d'Athènes, construit en 1785 pour accueillir des banquets, et doté de balcons pour mieux jouir de la vue sur le *lough.*

☗ *Grey Abbey :* 3 km au sud de Mount Stewart (A 20), bifurcation à gauche dans le village de *Greyabbey.* ☎ 91-81-14-91. *Pâques-sept, tlj 10h-17h ; le reste de l'année, dim 12h-16h slt. Entrée gratuite.* Imposantes ruines d'une abbaye cistercienne fondée en 1193 et incendiée en 1572, de peur que les Anglais ne l'utilisent comme fortifications ! Deux bâtiments : l'abbaye proprement dite et le réfectoire. Sur les murs de l'église, de nombreuses plaques honorent la mémoire des Montgomery, dont le château se dresse sur la colline. Gazon parsemé de pâquerettes et parc planté d'essences variées pour l'atmosphère typiquement britannique, tandis que le petit jardin médiéval d'herbes, à l'entrée, complète le thème.

Sur la rive ouest du lough

🏃 **Scrabo Country Park :** *4 km au sud de Newtownards par l'A 21.* ☎ *91-81-14-91.* ● *doeni.gov.uk* ● *Tour : Pâques-fin sept, tlj 10h-18h ; parc : tlj 9h-21h (17h l'hiver). Entrée gratuite.* Impossible de ne pas voir la tour à clochetons et échauguette qui marque le sommet de la colline ! Elle a été érigée en 1857 en hommage à la conduite exemplaire de Charles William Stewart, marquis de Londonderry, vis-à-vis de ses gens pendant la Grande Famine. 5 mn de montée depuis le parking. Panorama sur le Strangford Lough. Dans la tour, audiovisuel et panneaux d'information sur la faune, la flore et la géologie (Scrabo est une ancienne carrière de pierre). Plusieurs sites de pique-nique très agréables.

🏃🏃 🚶 **Castle Espie Wildfowl & Wetlands Trust Conservation Centre :** *78, Ballydrain Rd.* ☎ *91-87-41-46.* ● *wwt.org.uk/visit-us/castle-espie* ● *5 km au sud de Comber. Ouv tte l'année sf 2 j. à Noël : fév-oct, lun-ven 10h-17h (17h30 juil-août), w-e 10h-17h30 ; nov-janv, tlj 10h-16h30. Entrée : 7,30 £ ; réduc.* Vous serez accueilli par une foule de palmipèdes dans ce vaste pan de nature situé sur la rive du Strangford Lough ! Des panneaux présentent les caractéristiques de chaque espèce. Certaines sont menacées, comme les élégantes bernaches à cou roux, déjà représentées sur d'antiques frises égyptiennes. La réserve sert aussi de lieu de villégiature hivernal pour quelque 25 000 bernaches du Canada, de nombreux échassiers et oiseaux marins. Des abris d'observation sont aménagés. Les observations les plus récentes et les activités du parc sont listées à l'entrée du *Visitor's Centre*.

🏃 **Nendrum Monastery :** *Mahee Island, Comber. Au sud de Castle Espie, embranchement sur la gauche. Site lui-même accessible en permanence.* Visitor's Centre : *avr-sept, tlj sf lun 9h (13h dim)-18h ; oct-mars, w-e slt 10h (14h dim)-16h. Entrée gratuite.* Cette butte énigmatique, reliée à la terre ferme par une chaussée, accueillit un monastère dès le Xᵉ s. Les bénédictins l'investirent au XIIᵉ s avant de l'abandonner au XVᵉ s. Il ne reste guère que le site, avec la base de quelques murs et d'une tour, mais la balade par la petite route le long du *lough* est bien dépaysante et procure d'étonnants panoramas.

La côte de la mer d'Irlande

🏃 **Donaghadee :** *à 19 km à l'est de Newtownards, sur l'A 2.* Jolie petite ville au front de mer incurvé et photogénique, elle fut avant l'ère des steamers le Douvres irlandais, monopolisant le trafic des ferries avec l'Écosse avant d'être détrônée par Larne. Cela lui a permis de conserver l'essentiel de son aspect du début du XXᵉ s. Plusieurs restos et pubs. Joli phare blanc au niveau du port sud.

➤ **Excursion aux îles Copeland :** *avec Nelson's Boats, 146, Killaughey Rd, à Donaghadee.* ☎ *91-88-34-03. En juil-août ou sur demande le reste de l'année. Résa impérative.* Inhabitées, les îles Copeland servent de refuge à de nombreux oiseaux : passereaux, gallinacés et rapaces ainsi qu'à une colonie de phoques, pas farouches du tout.

Au sud du lough

🎏 **Portaferry** *(Port an Pheire)* **et Strangford** *(Loch Cuan)* **:** voici deux mignons petits ports qui se regardent de part et d'autre de l'étroite bouche marine du *lough,* à la pointe sud de la péninsule d'Ards. *Strangford* signifie « fjord tumultueux » en vieux norois ; il faut dire que les courants se font violents à l'heure des marées. D'ailleurs, la plate-forme rouge et noir au milieu du *lough* n'est rien d'autre qu'une petite centrale marémotrice alimentant en énergie près de 1 000 foyers.

🎏🏃 **Exploris, an Exploration of the Irish Sea :** Castle St, à **Portaferry.** ☎ 42-72-80-62. ● exploris.org.uk ● *À deux pas du port, derrière le château. Avr-août, tlj 10h (11h sam, 12h dim)-18h ; sept-mars, ferme 1h plus tôt. Entrée : 7 £ ; réduc.* Ce beau centre dédié à la faune marine du Strangford Lough et de la mer d'Irlande est organisé de manière à la fois pédagogique et ludique. Les aquariums recréent les différents milieux (roche, gravière, sable, boue) où évoluent poissons et crustacés. Animations régulières : nourrissage, plongeurs descendant nettoyer le spectaculaire bassin de 250 m³ où patrouillent les gros « volumes » et, notamment pour les plus jeunes, un bac permettant de toucher raies et étoiles de mer en présence d'un animateur *(sept-fév, ttes les 90 mn à partir de 10h30 env).* La section *Seal Sanctuary* assure un remarquable travail de sauvetage des bébés phoques blessés ou abandonnés qui sont soignés ici avant d'être relâchés.

🎏🏃 **Castle Ward Estate :** sur la route de Downpatrick, à 2 km de Strangford. ☎ 44-88-12-04. ● nationaltrust.org.uk/castle-ward/ ● *Horaires : parc ouv tlj 10h-20h (16h oct-mars) ; tea room mars-oct slt, tlj 12h-17h ; house (manoir) de mi-mars à oct, tlj 12h-17h. Entrée parc et maison : 7,30 £ ; réduc. Intègre un beau camping* (voir « Où dormir ? »)*dont l'entrée est cependant séparée (panneaux). Loc de vélos et kayaks auprès de* **Clearsky Adventure** *: dans le parc (panneaux) ;* ☎ *43-72-39-33 ;* ● *clearsky-adventure.com* ● Situé au milieu d'un immense espace de bois et de pâturages (330 ha), au bord du *lough,* le domaine est constitué du manoir *(House)* et de nombreuses dépendances. Il a été construit par lord Bangor en 1765 en style classique pur. Enfin, pour moitié seulement, puisque sa femme imposa son goût du gothique pour la façade est... Un ancien château *(Old Castle Ward)* avec une grosse tour médiévale se dresse en contrebas et cinq promenades balisées (de 30 mn à 2h) sillonnent le domaine. Celle qui conduit, au nord, à Audley's Castle – en fait une grosse tour anglo-normande – révèle un panorama splendide sur les Narrows du *lough.*

DOWNPATRICK [dún phádraig] ET LE PAYS DE SAINT PATRICK
10 300 hab.　　IND. TÉL. : 028

Cette petite capitale du comté de Down est le fief du saint patron d'Irlande. La région regorge de traces de son passage. Les pressés pourront se contenter de visiter le *Centre* de Downpatrick consacré à ce sacré routard.

Arriver – Quitter

➢ **Belfast (Europa Bus Centre) :** *Goldline Express, Service 215.* Lun-sam 7h-21h env, liaisons dans les 2 sens ttes les 15-30 mn ; dim, slt 7 bus/j. Env 1h de trajet. *Autres liaisons avec* **Ulsterbus,** *Services 15 et 515.*
➢ **Newcastle :** *Ulsterbus, Service 17.* Env ttes les heures en sem, 7 bus le sam, 3 le dim (aucun le mat depuis Downpatrick). Également 4-6 bus/j. avec *Goldline Express 240.*

Office de tourisme : dans le Saint Patrick Centre. ☎ 44-61-22-33. Juil-août, tlj 9h30 (14h dim)-18h ; le reste de l'année, lun-sam 9h30-17h. Accueil sympa. Nombreuses brochures gratuites sur tout le comté de Down. Résa d'hébergement, change et vente de cartes de randonnées.

Où dormir ? Où manger ?
Où sortir à Downpatrick
et dans le coin ?

De prix moyens
à plus chic

Denvir's Guesthouse : 14-16, English St, à **Downpatrick.** ☎ 44-61-20-12. ● denvirshotel.com ● En bas de la rue qui mène à la cathédrale. Resto tlj midi et soir jusqu'à 21h. Double 70 £. Le midi, plats à partir de 10 £ ; le soir, compter 12-20 £ et lun-sam (17h-20h) formule 2 plats 10 £. L'un des plus anciens relais d'Irlande, en activité depuis 1642. Son histoire foisonne d'anecdotes et de clients célèbres. Le nom même de l'endroit ne vous rappelle rien ? Un ancien propriétaire aurait donné au XVIIIᵉ s son nom à la ville de Denver, dans le Colorado ! Les chambres sont spacieuses, un tantinet rétro mais confortables avec plancher et quelques meubles anciens. Côté resto, cadre presque romantique avec lumignons et grande cheminée. Le chef inventif propose une cuisine voguant entre traditions anglaises et fusion. Folk night le samedi à partir de 22h.

Brendan's : 94, Market St, à Downpatrick. ☎ 44-61-53-11. Presque en face de la petite place du Saint Patrick Centre. Resto ouv le midi tlj et le soir ven-dim slt. Lunch specials autour de 8-10 £. Pub à la chouette façade typique offrant une cuisine traditionnelle de bonne tenue (burgers très appréciés). Salle plutôt cosy, bien qu'assez sombre.

Dufferin Arms Coaching Inn : 35, High St, à **Killyleagh.** ☎ 44-82-11-82. À 9 km au nord de Downpatrick par l'A 22. Plats 15-20 £ le soir, presque moitié moins le midi. Sympathique pub à l'ancienne avec, d'un côté, quelques snugs et des banquettes de velours vert bien lustrées, et, de l'autre, une jolie petite salle lumineuse. Le midi, bon pub grub, sandwichs et bagels ; les vendredi et samedi soir, cuisine réputée au Cellar jusqu'à 21h. Musique live le samedi soir (rock, acoustique, etc.). Certains samedis après-midi, jam sessions de musique traditionnelle. Fait aussi B & B.

À voir

Down Cathedral et Saint Patrick's Grave : sur une colline dominant la ville. ☎ 44-61-49-22. Tlj 9h30 (14h dim)-17h. Entrée gratuite. Brochure en français. La cathédrale fut tour à tour détruite et reconstruite du XIIᵉ s à la fin du XVIIIᵉ s. À l'intérieur, le trône de l'évêque est placé en face de celui... du juge ! Tout simplement parce que certains procès se déroulaient là. Orgue de style georgien. La tombe de saint Patrick se trouve dans le cimetière, à droite de l'entrée. Nul ne sait s'il repose vraiment sous cette grosse dalle gravée d'une croix celtique. En tout cas, il devrait être quelque part sur la colline en « compagnie » de sainte Brigid (celle qui a inventé la fameuse croix) et saint Columcille (Colomba).

Saint Patrick Centre : Saint Patrick's Sq, au pied de la cathédrale. ☎ 44-61-90-00. ● saintpatrickcentre.com ● Juil-août, tlj 9h (13h dim)-17h ; le reste de l'année, tlj sf dim 10h-17h. Dernière entrée 90 mn avt fermeture. Entrée 5 £ ; réduc. Audioguide en français. Superbe bâtiment de verre et d'ardoise où la vie pleine de contradictions du plus célèbre des Irlandais (né en Angleterre !) est retracée grâce à la technologie du XXIᵉ s. À travers des reconstitutions de scènes et des écrans interactifs et multilingues, on replonge à l'époque de l'Angleterre romaine et de l'Irlande des Scots où saint Patrick fut emmené par des pirates et réduit en esclavage à l'âge de 16 ans. Pendant sa captivité en tant que berger,

LE SUD DE L'ULSTER

il redevient croyant puis s'enfuit pour regagner l'Angleterre. C'est alors qu'une apparition lui enjoint de porter la parole divine en Irlande païenne où il retourne en 432. Il évangélise les premiers habitants dans une grange et meurt à Saul, devenue abbaye, en 461, après avoir converti toute l'Irlande. Si la tradition soutient qu'il chassa aussi tous les serpents de l'île, la sagesse populaire telle qu'on l'entend au pub avance qu'il était bien le seul à en avoir vu ! À la fin de la visite, projection d'un film montrant, vus du ciel, les différents lieux associés à la vie et à la légende du saint.

🎬 **Down County Museum :** *The Mall, sur la rue menant à la cathédrale.* ☎ *44-61-52-18. Tlj 10h (13h w-e)-17h. Entrée gratuite. Audioguide en français.* Le musée occupe l'ancienne prison régionale. Son prisonnier le plus célèbre, le *United Irishman* Thomas Russell, y fut pendu en 1803. Les lieux, joliment restaurés, servirent de caserne lors des deux guerres mondiales. Dans l'ancienne résidence du gouverneur, au centre de la cour, l'histoire régionale est passée en revue depuis les origines. Dans les vitrines : bracelets en or de l'âge du bronze, reliquaire de la main de saint Patrick (XIVe ou XVe s), croix sculptées et éléments lapidaires du Xe au XIIe s, etc. Riche section consacrée à l'époque victorienne. Au fond de la cour, un autre bâtiment conserve d'anciennes cellules remises en scène. L'une rappelle la triste aventure d'Ann Morrison, condamnée au bagne en Australie au début du XIXe s pour faux monnayage. À l'arrière, petite galerie d'art et *tea room*.

DANS LES ENVIRONS DE DOWNPATRICK

Au nord

🎬 **Inch Abbey :** *à 1,3 km sur la route de Belfast (l'A 7). Panneau à 300 m à gauche, souvent caché par la végétation. Toujours ouv ; entrée libre.* Ruines d'un monastère cistercien fondé à la fin du XIIe s, considéré comme la plus ancienne église gothique d'Irlande. Il en subsiste surtout le mur du chœur percé de trois longues baies, joliment mises en valeur par les bons soins du jardinier. Site d'une totale sérénité. Vue distante sur la cathédrale, de l'autre côté de la Quoile.

🎬 **Killyleagh :** *village perché sur la rive ouest du Strangford Lough (9 km au nord par l'A 22).* L'élégante rue principale aux maisons colorées est dominée par un château privé style Walt Disney du XVIIe s, remodelé vers 1850. C'est dans ce village que naquit sir Hans Sloane, médecin du roi George II et fondateur du British Museum à Londres.

🎬 **Rowallane Gardens :** *à 17 km au nord, à l'entrée sud de Saintfield, par l'A 7.* ☎ *97-51-01-31.* ● nationaltrust.org.uk/rowallane-garden ● *Le bus n° 15 Downpatrick-Belfast s'arrête devant. Tlj 10h-20h (18h mars-avr et sept-oct, 16h nov). Fermé déc-fév. Entrée : 5,70 £ ; réduc.* De superbes jardins plantés d'essences rares, de rhododendrons exubérants, d'azalées éblouissantes, des sous-bois tapissés de narcisses et de jacinthes. La quintessence des jardins anglais. Tranquille et intimiste. Se renseigner sur les différentes périodes de floraison. Avril est somptueux.

La péninsule de Lecale

🎬 **Struell Wells :** *en marge de la B 1 (route d'Ardglass), à moins de 3 km à l'est de Downpatrick (bien indiqué).* Pour ceux qui suivent les traces de saint Patrick. En fait, on n'a aucune certitude que ces puits soient bien ceux auxquels le saint s'abreuvait. Mais, depuis le Moyen Âge, on leur prête des vertus miraculeuses. Paysage beau et calme : ruines de pierre grise

PLANS ET CARTES
EN COULEURS

DISTANCES PAR LA ROUTE

2

L'IRLANDE

sites inscrits au Patrimoine mondial de l'Unesco

0   20   40 km

NORD

★★ Glencolumbkille

★ Killyb

OCÉAN
ATLANTIQUE

**LES COMTÉS DE
MAYO ET DE SLIGO**
p. 437

Killala   ★★ Sli

Keel
★★ Achill Island   ★★ Newport   Ballina ★

Clare Island   Charlestown
★ Bo

Louisburgh   Castlebar ★

★ Inishbofin   Westport ★★

ROSCOM

★★ Letterfrack   Claremorris

Leenane ★★   Cong ★★

★★ Clifden   Roscomn

CONNEMARA
p. 383

GALWAY
M 6

★★ Galway

★★★ Aran Islands   ★★ Ballyvaughan

Loughre

★★ Lisdoonvarna   Kilfenora ★   Kinvara ★

★★★ Cliffs of Moher   Ennistymon ★

★ Lahinch

Spanish Point   Corofin ★

Miltown Malbay   ★ Ennis

LE COMTÉ DE CLARE   Nen

p. 344   Kilrush   N

Shannon   TIPPE

**DE LA PÉNINSULE DE
DINGLE AU SHANNON**   Listowel   ★★ Adare   Limerick ★

p. 310

Tralee   Dromcolliher   Tipperary

★★★ Dingle

Kanturk   ★★ C

★★ Valentia   KERRY
Island   ★ Killorglin   Killarney ★★   Mallow

Cahersiveen ★   Lis

LE RING OF KERRY   Sneem ★   CORK

p. 273   Waterville ★   Kenmare ★★   Macroom   ★★ Cork   ★★ Youg

★★★ Skellig   N 25
Islands   Beara   Glengarriff ★★

Castletownbere ★   Dunmanway   ★★★ Kinsale

★★   ★ Timoleague

LA CÔTE SUD À   Bantry   Clonakilty ★★

L'OUEST DE CORK p. 225   Skibbereen ★

Mizen Head   Baltimore ★★

Clear Island ★★   ROSCOFF

L'IRLANDE

CORK (PLAN I)

■	**Adresses utiles**		🚹	**Où dormir ?**
	🚹 Office de tourisme			11 Cork International Youth Hostel
	@ 53 PC Services			12 Travelodge

CORK (PLAN I)

13 Avondale B&B	|●| **Où manger ?**
15 Fernroyd House	
16 Acton Lodge	31 Cafe Paradiso
17 Garnish House	32 Lennox

GALWAY

GALWAY

GALWAY – REPORTS DU PLAN

GALWAY – REPORTS DU PLAN

(thermes du XVIIe s et église), murmure de la source et bêlement des moutons. Tables de pique-nique.

🦌 *Saul :* *petit village à quelques km au nord-est de Downpatrick.* Une église de style néoceltique *(tlj de 9h à la tombée de la nuit),* dotée d'une tour cylindrique, a été dressée en 1933 sur le site de la grange où saint Patrick aurait célébré la première messe d'Irlande, 1 500 ans plus tôt. Émouvant cimetière aux tombes penchées envahies par la végétation. De là, on voit bien la colline de Slieve Patrick, un peu plus à l'est, avec son autel en plein air, son Christ en Croix et son saint Patrick perché au sommet. C'est un site de pèlerinage encore bien vivant. Trois belles balades sur le thème du saint dans un environnement verdoyant à souhait : le point de départ est la *Slaney Inn* dans le hameau de Raholp. Demander à l'office de tourisme la brochure *Walk our Way : Saint Patrick's Way.*

🦌🦌 *Le reste de la péninsule :* les marcheurs trouveront à l'office de tourisme de Downpatrick la brochure *Lecale Way* (payante) décrivant un tour de la péninsule. Outre ce qui précède, on peut voir la réserve naturelle de Cloghy Rocks et ses phoques, et la maison-tour de Kilclief.

Pour rejoindre Newcastle, on recommande la route côtière passant par Ballyhornan puis Ardglass. Petit port photogénique, ce dernier fut le plus important d'Ulster avant sa destruction lors de la rébellion de 1641. Il conserve quelques vestiges de fortifications. Environ 4 km plus loin, le village de Killough, et, par une bifurcation, les paysages marins de Saint John's Point, ponctués par un phare strié de noir et de jaune. Enfin, avant d'arriver à Clough, à 8 km de Newcastle, belle plage de Tyrella. Du parking, dépassez la section centrale, plus caillouteuse, pour aller vers le *Visitor's Centre.* Dans ce coin-là, le sable est ultrafin.

NEWCASTLE [an caisleán nua]

7 500 hab.   IND. TÉL. : 028

Fameuse et plus importante station balnéaire du comté de Down, elle est aussi la porte d'entrée septentrionale des Mourne Mountains. Dès les beaux jours, les Belfastois s'y précipitent le week-end. Ils sont attirés par la plaisante promenade le long de la baie soulignée d'une belle plage et les pentes boisées en toile de fond, rappelant que la montagne est proche.

Arriver – Quitter

En bus

🚌 *Gare routière :* dans Railway St, à l'orée de la rue principale en arrivant de Downpatrick. ☎ 43-72-22-96 ou 90-66-66-30. ● translink.co.uk ●

➤ **Belfast (Europa Centre) :** Ulsterbus, Service 18. Lun-ven, liaison ttes les 30 mn env ; w-e, ttes les heures.

➤ **Downpatrick :** voir plus haut cette ville.

➤ **Newry** *(correspondance pour Armagh et Enniskillen) : Goldline,* Service 240. 4-6 bus/j.

Adresse utile

🛈 *Office de tourisme :* 10-14, Central Promenade. ☎ 43-72-22-22. ● downdc.gov.uk ● Au nord de la rue principale. En été, tlj 9h30 (13h dim)-19h ; le reste de l'année, lun-sam 10h-17h, dim 14h-18h (17h oct-mars). En plus des infos sur la région, change, résa d'hébergement et consigne.

Où dormir ?

Campings

⋊ *Tollymore Forest Park :* voir plus bas « *Dans les environs de Newcastle* ». *Ouv tte l'année. Résa obligatoire en saison. Selon saison, compter 11,50-16,50 £ pour 2 avec tente et voiture.* Environnement de rêve au pied des Mourne Mountains. Sanitaires modernes et de bonne qualité, douches chaudes. Petite épicerie-poste (*general store*) à Bryansford, 300 m à droite de la sortie du parc.

⋊ *Castlewellan Forest Park :* voir plus bas « *Dans les environs de Newcastle* ». ☎ *43-77-86-64. Ouv du w-e de la Saint-Patrick à oct. Résa obligatoire en saison. Selon saison, compter 11,50-16,50 £ pour 2 avec tente.* Dans la même veine que le précédent. Château, arbres centenaires et balades. Tout est dit !

Prix moyens (40 à 60 £ / 48-72 €)

🏠 *Hutt Hostel :* 30, Downs Rd. ☎ *43-72-21-33.* ● hutthostel.com ● *En bord de mer. Bus à 50 m. Fermé janv-fév, ouv w-e slt nov-déc. Résa conseillée en hte saison et le w-e. Compter 22 £/pers en dortoir.* 🛜 Belle maison de style victorien super bien placée, sur le front de mer. Intérieur très mignon, très propre, très bien tenu. Une petite quarantaine de lits répartis en dortoirs de 3 à 6 lits. Cuisine, machines à laver, location de vélos.

Chic (60-80 £ / 72-96 €)

🏠 *Beach House B & B :* 22, Downs Rd. ☎ *43-72-23-45.* ● beachhouse22@tis cali.co.uk ● *Sur le front de mer, à côté de l'église moderne. Double avec sdb 70 £.* 🛜 *B & B* coquet avec un bel escalier en bois et 4 chambres, dont 2 partagent une même salle de bains. Le tout est fort bien tenu et dégage un certain charme, en particulier les 2 chambres qui jouissent de la vue sur la plage depuis l'élégant balcon en fonte.

🏠 *Coolgreeney House B & B :* 11, Downs Rd. ☎ *43-72-69-30.* ● cool greeneyhouse.com ● *Au bout de la* rue du pub Quinns. *Double avec sdb env 70 £.* 🛜 Maison cossue face à la mer, où l'on découvre plusieurs types de chambres, allant de la *single* à la familiale (1 grand lit et 2 petits). De style classique, elles sont toutes bien dotées (TV, bouilloire) mais certaines sont quand même un peu riquiqui. Si possible, visiter avant de choisir.

🏠 ◖●◗ *The Briers :* 39, Middle Tollymore Rd. ☎ *43-72-43-47.* ● the briers.co.uk ● *À la lisière de la ville et à 500 m du parc de Tollymore. Pour s'y rendre : route de Castlewellan, puis à gauche Tollymore Rd et Middle Tollymore Rd à droite). Ouv tte l'année. Double avec sdb 75 £.* 🛜 Agréable *B & B* installé dans une ferme datant du XVIIIᵉ s, tout près de la ville et pourtant très au calme... bêlement des moutons excepté. 7 chambres simples et agréables, certaines avec de grandes baignoires. Bon accueil. Possibilité de dîner si l'on prévient.

Où manger ?
Où boire un verre ?

◖●◗ *Cafe Mauds :* Waterfoot, Main St. ☎ *43-72-61-84. Sur la rue principale, non loin du Quinns et de la gare routière. Ouv tlj.* Appartenant à une chaîne, ce café-self moderne et peu original en soi est néanmoins agréable pour son immense baie vitrée tournée vers l'embouchure de la rivière Shimna. C'est aussi l'une des seules adresses ouvertes le soir hors saison. Petit déj classique et pâtisseries du jour le matin, crêpes, sandwichs et burgers le midi.

◖●◗ 🍷 *Quinns :* 62-64, Main St. ☎ *43-72-64-00. Plats principaux 5-10 £.* Rien ne manque à ce vaste pub pour en faire un lieu typique : boiseries, plafonds à moulures, moquette, capitons entourant le podium de l'occasionnel DJ, billards, comptoir, mezzanine cosy avec cheminée, tabourets ou tables et chaises, etc. Les habitués se postent vers l'entrée, d'autres mangent plus loin. Du jeudi au dimanche, ce débonnaire établissement vibre au son de DJs rétro ou funky, de karaoké ou de musique live.

DANS LES ENVIRONS DE NEWCASTLE

🏕🏕 *Tollymore Forest Park :* *176, Tullybrannigan Rd, à Newcastle.* ☎ *43-72-24-28.* ● *nidirect.gov.uk/forests* ● *À 3 km au nord de Newcastle, sur la route de Bryansford. Tlj de 10h à la tombée de la nuit. Compter 4,50 £/voiture et 2 £/pers ; réduc.* Installé en 1955 sur le flanc nord-est des Mourne Mountains, c'est le plus ancien des parcs forestiers d'Irlande du Nord, comme le rappelle sa porte crénelée néogothique. Cafétéria et infos dans la pseudo-église du même style, camping (voir « Où dormir ? »). Les sentiers balisés sont bordés d'essences remarquables, tel cet « arbre aux fraises » (arbousier) centenaire, d'autres serpentent parmi une végétation exubérante, égayée de petites cascades et de vieux ponts. L'*Arboretum Path* (1,7 km) et le *River Trail* (5,2 km) partent tous deux du parking. Le *Mountain Trail* (8,8 km), éventuellement prolongé de la boucle du *Drinns Trail* (4,8 km) compose une véritable rando (prévoir 4-5h), pour moitié sur l'*Ulster Way.* Beaux panoramas sur les montagnes et la baie de Dundrum.

■ *Tollymore National Mountain Centre :* *Bryansford.* ☎ *43-72-21-58.* ● *tollymore. com* ● *Env 2 km au nord du parc, sur la route de Hilltown (B 180). Résa à l'avance indispensable.* Centre sportif national, il organise randonnées dans les *Mourne Mountains,* varappe, canoë-kayak, surf, VTT, course d'orientation, etc. Également de remarquables équipements *indoor :* mur d'escalade, plan d'eau, fitness, etc. Les tarifs s'entendent pension complète à l'exception de certaines activités à la journée. De quoi occuper toute la famille, du débutant au confirmé.

🏕🏕 *Castlewellan Forest Park :* *The Grange, à Castlewellan.* ☎ *43-77-86-64.* ● *nidirect.gov.uk/forests* ● *Au nord de Castewellan. Tlj jusqu'à la tombée de la nuit. Compter 4,50 £/voiture et 2 £/pers ; réduc.* Ce parc de 450 ha ressemble à celui de Tollymore, mais un château victorien en plus (1850) et un ravissant lac. Créé au XVIIIᵉ s, le premier jardin s'est enrichi d'un arboretum en 1870, fier de ses 39 arbres *champions* (les plus grands de leur espèce en Irlande du Nord). De nombreux sentiers, longs de 4 à 8 km, du très facile au plus difficile. Surprise, un gigantesque labyrinthe, le *Peace Maze* ! Location de vélos et de canoës (cher). Camping (voir « Où dormir ? »).

🏕🏕 *L'ascension du Slieve Donard :* point culminant des *Mourne Mountains,* il surveille Newcastle du haut de ses 852 m. À partir du parking de Donard Park, à l'ouest du front de mer, compter 3h de montée. Autre accès depuis le parking de Bloody Bridge, plus au sud. Sentier bien tracé, le long de la Glen River. Le Mourne Wall vous attend au sommet (voir « Silent Valley »).

🏕 *Murlough National Nature Reserve :* *env 3 km au sud de Dundrum, sur la route Newcastle-Belfast (A 2).* ☎ *43-75-14-67.* ● *nationaltrust.org.uk* ● Visitor's Centre : *de juin à mi-sept, tlj 10h-18h ; de mi-mars à mai, w-e slt 10h-18h. Entrée : 3 £/voiture ; gratuit de mi-sept à mi-mars. Visite guidée juil-août, dim ap-m.* C'est un parc naturel de dunes fixes, certaines très hautes, protégeant un fragile écosystème où croissent plantes et fleurs rares. Compter 10 mn pour rejoindre la plage, où se déroule un immense estran mêlant sable et galets. Nombreux oiseaux (migrateurs en hiver) et parfois des phoques.

LES MOURNE MOUNTAINS

IND. TÉL. : 028

« *Where the Mountains O'Mourne sweep down to the sea* », chante la vieille ballade de Percy French, hommage à la beauté de ces montagnes de granit et au galbe inimitable de leurs pentes qui glissent élégamment vers la mer. Si possible, faites étape à Rostrevor ou Warrenpoint, au bord du Carlingford

Lough, qui délimite la frontière avec la république d'Irlande. Vous aurez alors le temps de pénétrer dans les Mourne, d'être hypnotisé par les *blanket bog* (tourbières d'altitude typiques), puis réveillé par la soudaine verdeur d'une forêt. Peut-être serez-vous également subjugué par les changements brutaux de climat et de lumière propres à cette région : d'un versant à l'autre, il arrive de passer de la purée de pois la plus épaisse à la plénitude d'une vallée riante et ensoleillée !

Adresses utiles

🛈 *Infos :* Mourne Heritage Trust, 87, Central Promenade, à **Newcastle**. ☎ 43-72-40-59.

🛈 *Kilkeel Tourist Information Centre :* The Nautilus Centre, Rooney Rd, à **Kilkeel**. ☎ 41-76-25-25. ● visitkilkeel. com ● Pâques-oct, lun-sam 9h-13h, 14h-17h30 ; le reste de l'année, fermé sam. Kilkeel est la capitale maritime des Mourne Mountains.

Où dormir ?

Camping

⚐ *Kilbroney Caravan Park :* dans le parc forestier du même nom (consulter la rubrique « À voir »). ☎ 41-73-81-34. ● kilbroneypark@newryandmourne.gov. uk ● Ouv mars-oct. Compter 13,50 £ pour 2 avec tente et voiture. Très bien équipé et dessiné : nombreux sanitaires, lave-linge, cafétéria (petite restauration), généreuse pelouse plantée d'arbres majestueux, aire de jeux pour les enfants, espace barbecue et même des courts de tennis ! Un beau coin, vraiment.

Prix moyens (env 60 £ / 72 €)

🏠 *The Promenade B & B :* 10, Osborne Promenade, à **Warren-** point. ☎ 41-77-38-40. ● leann_duffy@hotmail.com ● Suivre le bord de mer jusqu'à trouver la marina et le quai du petit ferry saisonnier, c'est en face. Double avec sdb 60 £. 🛜 Établi dans une demeure typique et tenu par un jeune couple sympathique. 4 chambres aux étages, demander la vue sur le *lough* et le *South,* juste en face. Au 2e étage mansardé, la n° 3 est toute petite mais pas déplaisante pour autant. Mignonne salle de petit déj-*lounge* au 1er. Le petit salon de thé du rez-de-chaussée ouvrira si le dernier-né de la maisonnée en laisse le temps à sa maman.

Où manger ?

🍴 🍷 *Bennett's :* 21, Church St, à **Warrenpoint**. ☎ 41-75-23-14. Sur la rue principale de la ville, perpendiculaire à la plage. Plats 12-18 £. L'enseigne est sans équivoque sur la spécialité maison, des poissons et fruits de mer pour l'essentiel. Quelques viandes, quand même. Sans extravagance, les préparations honnêtement réalisées et variées s'accordent bien avec le cadre plutôt chaleureux et élégant, fait de lumière douce, parquet blond et chaises habillées de moleskine. Service au diapason.

À voir. À faire

Voir également cette rubrique sous Newcastle, où sont rassemblés les sites les plus proches de ce chef-lieu.

La route côtière de Newcastle à Newry

Longue d'environ 130 km, elle est très belle et variée.

🎿 Dans le sens Newcastle-Newry, après une vingtaine de kilomètres, vous pourrez jeter un coup d'œil au vieux moulin à eau d'*Annalong,* au port de pêche de *Kilkeel*

(13 km plus loin), puis, après 10 km supplémentaires, au château de *Greencastle* qui garde l'entrée du Carlingford Lough.

🏃🏃 *Rostrevor :* à env 24 km de Kilkeel. Pour peu que le ciel y mette du sien, la route du rivage (Shore Road) délivre des panoramas géniaux. Les hauteurs sont panachées d'une très belle forêt, protégée par le *Kilbroney Park* que parcourent de nombreux sentiers.

🏃 *Warrenpoint :* 6 km plus loin. Voir également plus haut « Où dormir ? » et « Où manger ? ». Station touristique et petit port régional aux jolies maisons rouge et bleu. En été, un ferry la relie à l'autre Irlande, « à travers *lough* ». 4 km plus loin, le *Narrow Water Castle* se dresse à l'embouchure de la rivière Newry, dans le renfoncement du Carlingford Lough. C'est l'une des maisons-tours les mieux conservées d'Irlande (XVIᵉ s).

Dans les montagnes

La route grimpe lentement... Soudain, vous voici dans les Mourne, presque à votre insu.

🏃🏃 *Silent Valley :* ☎ 90-74-65-81. ● niwater.com/silent-valley ● *Plusieurs petites routes y mènent depuis l'A 2 (fléché). Excursions en bus depuis Belfast en été, avec Ulsterbus. Tlj 10h-18h30 (16h oct-avr). Coffee Shop et Information Centre : juin-août, tlj 11h-18h30 ; le reste de l'année, plus irrégulier. Entrée : 4,50 £/voiture, passagers compris ; 1,60 £/piéton. À l'intérieur, navettes payantes entre le parking et le 2ᵉ barrage (Ben Crom) : juil-août, tlj ; mai-juin et sept, w-e slt.* Vallée au caractère à la fois rude et reposant, elle le doit aux deux barrages qui garnissent son lit, séparés par environ 5 km, ainsi qu'à l'uniformité de ses flancs entièrement tapissés de tourbe. La vaste zone de captage, englobe 14 sommets des Mourne et fournit environ 130 millions de litres d'eau par jour à Belfast et à la région. Le mur qui la protège (scruter les sommets), long de 35 km et atteignant jusqu'à 2,40 m de hauteur, donna pas mal de boulot aux gars du coin. Excursion intéressante, et possibilité de randos, comme celle reliant les monts Slieve Binnian et Muck.

🏃 *Attical :* à env 8 km de la côte, dans les terres. Voici le seul village à rassembler quelques habitants et commerces à l'intérieur des Mourne. Étiré au milieu de prairies jalonnées par des murs de grosses pierres, Attical constitue une bonne base d'exploration.

LE SOUTH ARMAGH

IND. TÉL. : 028

La région a toujours inspiré les bardes et poètes irlandais. Les habitants y conservent un sens aigu de la communauté, comme en témoignent les associations sportives et culturelles. Parmi les nombreux marchés régionaux, celui de Jonesborough, en plein air le dimanche, est le plus animé.

En dehors d'Armagh, *Newry* est la plus grande ville du coin. Ouvrière et à majorité catholique, elle n'offre pas grand intérêt en soi. À l'entrée du Carlingford Lough, elle appartient administrativement au comté de Down, mais géographiquement, c'est aussi la porte d'entrée vers le South Armagh quand on arrive des Mourne Mountains.

Où dormir ?

⛺ **Gosford Forest Park :** 7, Gosford Demesne, à *Markethill*. ☎ 37-55-12-77. À 10 km d'Armagh (A 28), direction Newry. Entrée du parc : 4,40 £/voiture. Compter 11,50-16,50 £ pour 2 avec tente et voiture. Superbe emplacement, à proximité d'un château de style *Norman revival* (très, très *revival*...) et au cœur d'un parc de 240 ha, ancien domaine des comtes de Gosford. Hardes de cerfs, chèvres, moutons, conifères de 200 ans... Les enfants adoreront. S'il fait beau, vous y serez comme un coq en pâte.

🏠 *Tí Chulainn Centre and Slieve Gullion Lodge :* à *Mullaghbawn* (ᴀɴ ᴍᴜʟʟᴀᴄʜ ʙᴀɴ). ☎ 30-88-88-28. ● tichulainn.com ● *À env 16 km au sud-ouest de Newry. Double avec sdb env 50 £.* 📶 Une sorte de centre d'activités moderne, sans charme mais pratique pour sillonner la région. Les 15 chambres doubles de la section *lodge* s'alignent dans un long bâtiment : simples, elles sont néanmoins plutôt agréables, grandes et lumineuses.

🏠 *Dundrum House :* 116, Dundrum Rd, à *Tassagh (au sud de Keady).* ☎ 37-53-12-57. ● dundrumhouse. com ● *À 10 km d'Armagh par l'A 29 vers Keady, bifurquer à gauche après* 7,5 km en direction de Tassagh. Ou, depuis Markethill sur l'A 28 (route Newry-Armagh), direction Keady puis bifurquer à gauche env 3 km avt ce village (panneau). Double avec sdb 50 £, petit déj compris ; chambre dans le cottage 50 £, sans petit déj.* 📶 Larry et Elizabeth ont créé ce *B & B* dans le manoir d'une ancienne exploitation de lin datant du début XVIIIᵉ s, acquise par la famille en 1949. Ils poursuivent leur activité d'élevage dans la ferme attenante. Extrêmement sympathique, Larry aime discuter de tout ce qui touche à sa région. Entièrement rénovée, la maison compte 3 chambres (dont 2 *family rooms*) avec plancher et mobilier de bois rustique, ainsi qu'une vaste salle à manger aux moulures d'origine. Dans les anciennes dépendances, le cottage avec cuisine entièrement équipée offre 3 doubles supplémentaires.

À voir. À faire

🎣 *Ring of Gullion (anneau du Gullion) :* au sud-ouest de Newry, une curiosité géologique qui fit couler beaucoup d'encre. Il s'agit d'un ensemble de collines érodées d'origine volcanique, formant un anneau de plusieurs kilomètres de diamètre autour du Slieve Gullion. C'est étonnant, même si ça ne se voit vraiment que d'avion. Belles couleurs des bruyères en fleur. Emprunter la *Slieve Gullion Scenic Drive* à Drumintee, près de Forkhill. La boucle de 13 km grimpe sur les flancs de la montagne, tantôt dénudés, tantôt garnis d'une forêt un peu trop exploitée. Venir le matin pour ne pas avoir le soleil dans les yeux. Aires de pique-nique.

ARMAGH (ᴀʀᴅ ᴍʜᴀᴄʜᴀ)   14 600 hab.   IND. TÉL. : 028

Chef-lieu du comté du même nom et capitale spirituelle de l'Irlande, Armagh abrite les deux archevêchés, catholique et protestant. Elle a su profiter de ce statut pour conserver son tracé médiéval. Les rues tournent autour de la cathédrale anglicane, alignant d'anciennes maisons de caractère rénovées.

LE SUD DE L'ULSTER

Arriver – Quitter

En bus

🚌 *Gare routière (plan B1) :* dans Londsdale Rd, en face du palais de justice. ☎ 37-52-22-66.

➤ *Belfast (Europa Bus Centre) : Goldline,* Service 251. Env 1 bus/h en sem et 4-8 le w-e ; le dim, aucun départ matinal depuis Armagh.

➤ *Dublin (station Busáras et aéroport) :* Bus Eireann. Lun-ven 8 bus/j., 6 bus sam, 3 bus dim. Changement systématique à Monaghan.

Adresse utile

🏢 *Office de tourisme (plan A-B2) :* 40, English St. ☎ 37-52-18-00. ● visi tarmagh.com ● Tlj 9h (12h ou 14h dim

NORD

↞ 11

← 37

↘ NEVRY

KEADY

↓ 36

0   100   200 m

ARMAGH

LE SUD DE L'ULSTER

■ **Adresse utile**

🄷 Office de tourisme

🏠 **Où dormir ?**

10 Armagh City Youth Hostel
11 Desart Guest House
13 Hillview Lodge
14 Charlemont Arms Hotel & Turner

🍽 🍷 **Où manger ? Où boire un verre ?**

14 Charlemont Arms Hotel & Turner
20 Fatsam's et Raffles

21 Mc Geown's Fish & Chips
22 Uluru Bistro
23 Hole in the Wall

🗡 **À voir. À faire**

30 Armagh County Museum
31 Palais de justice
32 Saint Patrick's Cathedral
33 Saint Patrick's Trián
34 Armagh Public Library
35 Saint Patrick's Cathedral
36 Demesne Palace's Park
37 Navan Centre and Fort

selon saison)-17h. Change et résas d'hébergement.

Où dormir ?

De bon marché à prix moyens (moins de 60 £ / 72 €)

🏠 **Armagh City Youth Hostel** *(plan A2, 10)* : 39, Abbey St. ☎ 37-51-18-00. ● youthhostel@armagh.gov.uk ● *À 10 mn à pied de la gare routière, derrière la cathédrale protestante. Mars-oct, tlj ; nov-fév, w-e slt. Accueil 8h-11h, 17h-23h. Fermé 23 déc-2 janv. Compter 18-21 £/pers selon saison et type d'hébergement. Parking gratuit.* 📶 *18 chambres, réparties en 6 doubles* twin *et 12 dortoirs de 4 ou 6 lits pour l'un d'entre eux. Draps fournis mais pas les serviettes ; salon TV, cuisine à dispo, machine à laver. Peu de charme mais fonctionnel.*

🏠 **Desart Guest House** *(hors plan par A1, 11)* : Desart Lane, 99, Cathedral Rd. ☎ 37-52-23-87. ● sylvia. mcroberts@armagh.gov.uk ● *En bas de Desart Lane, sur la gauche. Pas de panneau mais facile à repérer car c'est la seule maison à l'écart de la rue, dans un parc. Ouv tte l'année. Doubles 50-60 £, petit déj compris. CB refusées.* 🖥️ 📶 *Mrs McRoberts vous accueille dans sa très belle demeure de brique. 4 chambres à l'ancienne se partagent une salle de bains. La plus grande, à réserver en priorité, a même une cheminée.*

De chic à plus chic (plus de 60 £ / 72 €)

🏠 **Hillview Lodge** *(Mrs Alice McBride ; hors plan par A3, 13)* : 33, Newtownhamilton Rd. ☎ 37-52-20-00. ● hillview lodge.com ● *Prendre l'A 29 vers Keady, puis B 31 à gauche ; c'est à 1 km de là, sur la droite. Double avec sdb 78 £, petit déj inclus. CB refusées.* 🖥️ *De l'extérieur, le bâtiment ressemble à un vilain motel. Mais il abrite des chambres impeccables et fort bien équi-*

pées : TV câblée, bouilloire, téléphone, etc. DVD en location à l'accueil. Pour ne rien gâcher, les proprios sont très accueillants.

🏠 🍽️ **Charlemont Arms Hotel & Turner** *(plan A1, 14)* : 57-65, Lower English St. ☎ 37-52-20-28. ● charle montarmshotel.com ● *Ouv tte l'année sf à Noël. Doubles 70-95 £ selon saison et catégorie, petit déj inclus.* 📶 *Des couloirs sombres et labyrinthiques mènent à une trentaine de chambres à l'ancienne, très grandes et avec baignoire. Le* Charlemont *ne brille peut-être pas par sa modernité mais il est bien tenu et profite de l'animation du resto-pub attaché (voir « Où manger ? Où boire un verre ? »).*

Où manger ?
Où boire un verre ?

🍽️ 🍺 **Charlemont Arms Hotel & Turner** *(plan A1, 14)* : voir rubrique « Où dormir ? ». *Cuisine jusqu'à 20h30. Buffet à prix modérés le midi ; à la carte, petits plats et salades 3-6 £ ; plats principaux 7-20 £. Choix entre le* Turner's Bar *ou un* lounge *plaisant avec cheminée. Honorable cuisine classique de pub où, parmi les poulets, burgers, scampi, lasagnes et autres, les steaks généreusement accompagnés constituent probablement le meilleur choix.* Music sessions *au bar le samedi à partir de 22h.*

🍽️ **Fish & chips et petits restos :** *Lower English St.* 3 établissements pour grignoter sur le pouce : *Fatsam's (plan A1, 20)*, où on peut s'asseoir (compter 6-8 £), *Raffles (plan A1, 20)* et *Mc Geown's Fish & Chips (plan A1, 21)* pour les *take-away (tlj 12h-minuit ; 4,50-6 £)*.

🍽️ **Uluru Bistro** *(plan A2, 22)* : 16-18, Market St. ☎ 37-51-80-51. *En haut de la jolie Market Pl. Fermé lun ainsi que dim midi. Plats 7-8 £ le midi, 15-24 £ le soir. Early bird menu (mar-ven 17h-18h45) 17 £.* Eh non, le nom ne vous a pas trompé : il y a bien du kangourou au menu ! En hors-d'œuvre, préparé avec des épices thaïes, ou le soir, en médaillon mariné, servi avec des patates douces *(kumara)*. Ceux qui rechignent à croquer Skippy opteront pour des mets au lapin, chevreuil, poisson ou... crocodile. Tenu par un Australien pur jus, avec une petite salle chaleureuse décorée de peintures aborigènes.

🍷 *Hole in the Wall* (plan B2, **23**) : 9, Market St. Dans une ruelle entre Mar-

ket Pl *et un centre commercial*. Pour boire une bonne *stout* dans le plus ancien pub protestant de la ville, au rez-de-chaussée de l'ancienne prison. Tout un programme...

À voir. À faire

🎨 *Armagh County Museum* (plan B2, **30**) : The Mall East. ☎ 37-52-30-70. ● nmni.com ● *Tlj sf dim 10h-17h ; sam, pause 13h-14h. Entrée gratuite.* Un petit musée d'Art et d'Histoire à l'ancienne, dont les vitrines vieillottes déclinent dans le désordre l'histoire régionale de la préhistoire au XIXe s. La collection de costumes est plus intéressante. Souvenirs historiques concernant la Yeomanry, l'ordre d'Orange et les *United Irishmen*. Expos temporaires.

🎨 *Le palais de justice* (Courthouse ; plan B1, **31**) : sur le Mall également. Construit en 1819, il est l'œuvre de l'architecte Francis Johnston, natif d'Armagh et à qui Dublin doit un certain nombre de prestigieux édifices.

🎨🎨 *Saint Patrick's Cathedral* (Church of Ireland ; plan A2, **32**) : ☎ 37-52-31-42. *Tlj 9h30-17h (16h nov-mars). Entrée : 3 £ ; réduc.* Selon la tradition, la cathédrale anglicane occupe l'emplacement de la première église en pierre édifiée par saint Patrick en Irlande. Elle a été détruite et reconstruite 17 fois ! Beau chœur sobrement éclairé, avec une voûte à croisée d'ogives en bois. À droite de la nef, vous découvrirez de curieuses statuettes païennes. Parmi elles, la superbe figure de Macha, déité celtique qui aurait donné son nom à Armagh. À ses côtés, l'étonnant *Tandragee Man* figurerait le grand roi de l'âge du fer Nualha. La légende affirme que, comme la statue, il aurait perdu un bras – et son trône dans la foulée... Une copie du *Book of Armagh,* l'un des plus anciens manuscrits celtiques, est exposée près de l'entrée, sur la droite. L'original, rédigé en 807 par les moines d'Armagh, est conservé au *Trinity College* de Dublin et constitue l'une des principales sources d'informations sur saint Patrick et ses voyages. Vendu à un antiquaire en 1853, il fut racheté par le primat anglican. Enfin, une plaque à l'extérieur rappelle que Brian Boru, premier unificateur de l'Irlande, vainqueur des Scandinaves à la bataille de Clontarf (1014), est enterré ici.

🎨🎨 🚶 *Saint Patrick's Trián* (plan A2, **33**) : 40, English St. ☎ 37-52-18-01. ● saintpatrickstrian.com ● *Entrée par l'office de tourisme. Tlj 10h (14h dim)-17h (17h30 juil-août) ; oct-mars, fermé dim. Dernière entrée 45 mn avt fermeture. Entrée : 5,50 £ pour les 2 sections ; réduc pour une seule. Notices et commentaires en anglais slt.*
– À l'aide de panneaux, d'effets audiovisuels et de scènes reconstituées, la section *Armagh Story* retrace l'histoire de la ville à travers les âges, des rites néolithiques aux travaux du XVIIIe s, en passant par l'histoire de saint Patrick et les raids vikings. En clôture, une vidéo de 15 mn présente tout ce que la région compte d'intéressant à visiter.
– La seconde partie, *Land of Lilliput,* n'a rien d'historique puisqu'elle met en scène les *Voyages de Gulliver* de Jonathan Swift. Armagh conserve le manuscrit de son célèbre livre. La gamme d'animation et d'effets qui se déclenchent automatiquement (compter 30 mn de visite) plaît particulièrement aux enfants, qui seront fascinés par le géant de 7 m harcelé par les Lilliputiens. Tout cela a un petit côté désuet pas désagréable. Pour terminer, faites un tour au scriptorium, histoire d'écrire à la plume.
🍴 ⊛ Caféteria et boutiques.

🎨 *Armagh Public Library* (plan A2, **34**) : 43, Abbey St. ☎ 37-52-31-42. ● armaghpubliclibrary.arm.ac.uk ● *Juste en contrebas de la cathédrale. Sonnez, on* *vous ouvrira. Lun-ven 10h-13h, 14h-16h. Entrée libre.* Bibliothèque fondée en 1771 par l'archevêque Richard Robinson, elle a gardé tout son cachet. Remarquable section de livres très anciens. On y trouve, entre autres, les précieux manuscrits des *Voyages de Gulliver* annotés par Swift, et l'*Histoire du monde* de sir Walter Raleigh, publiée en 1614.

➤ *Promenade* agréable *dans les vieilles rues* alentour. Les accros pourront se procurer la brochure *(payante)* qui décrit minutieusement un itinéraire complet à travers la ville. Les autres suivront *Castle Street*, derrière la cathédrale, bien restaurée pour laisser apparaître ses belles pierres ; ils rejoindront *Dobbin Street* puis *Scotch Street (plan B2)*, où les attend (au n° 36) une belle demeure de Francis Johnston (1812), l'architecte de la GPO de Dublin. Puis, ils reviendront sur *Market Place* pour profiter des terrasses les jours de beau temps.

🍴 *Saint Patrick's Cathedral (plan A1, 35)* : *Cathedral Rd.* ☎ 37-52-28-08. *Tlj 9h (8h dim)-18h (20h sam, 18h30 dim).* Dédiée au même saint que son homologue anglicane, la cathédrale catholique se présente de l'extérieur comme un bâtiment néogothique sans âme de la fin du XIXᵉ s. L'intérieur est cependant équilibré et lumineux. Les murs et sols sont entièrement parés de mosaïques et de vitraux. Beau plafond en bois chantourné et peint.

🍴 *Demesne Palace's Park (hors plan par B3, 36)* : *à 10 mn à pied du centre, par Friary Rd (route de Monaghan).* Grand parc, propice à un bol d'air, il abrite quelques curiosités. À l'entrée, les ruines d'une *abbaye* franciscaine fondée en 1263 ne laissent plus deviner que son église fut la plus longue de tous les monastères irlandais (presque 50 m). Plus haut, le

LA CONFIANCE RÈGNE !

Les marches extérieures, à gauche, rejoignent un souterrain qui reliait les cuisines au palais, afin d'éviter que les plats ne refroidissent en hiver. Les serviteurs devaient siffler tout au long du parcours pour bien montrer qu'ils ne mangeaient rien !

palais Demesne, ancienne demeure de l'archevêque datant de 1770, abrite la mairie et ne se visite pas. Vous pourrez peut-être apprécier (adressez-vous à l'accueil), la chapelle *(Primate's Chapel)*, située derrière le parking et contre le palais. Datant de 1786, elle est considérée comme l'un des meilleurs exemples d'architecture georgienne en Irlande : splendides stucs au plafond, vitraux d'époque, chaire de l'archevêque, en chêne sculpté.

DANS LES ENVIRONS D'ARMAGH

🍴🍴🍴 *Navan Centre and Fort (hors plan par A3, 37)* : *à env 3 km à l'ouest, vers Killylea (A 28).* ☎ 37-52-96-44. ● *visitarmagh.co.uk ● Accès libre et à tte heure au site lui-même, en extérieur. Centre d'interprétation : tlj 10h-19h (16h oct-mars) ; dernière admission 1h avt fermeture ; tarif : 6 £ (5 £ oct-mars ; réduc) ; audioguide en français.* En hte saison, tours guidés et animés par des figurants, départs réguliers.

Commencer par l'expo, dans un édifice dont le toit gazonné sied parfaitement à l'environnement. La muséographie interactive et les commentaires en français permettent de faire le point des connaissances sur ce site, fascinant à bien des égards.

Prendre ensuite le sentier qui mène à Fort Navan *(Emain Macha)*. Site des couronnements à l'âge du bronze, cette forteresse des rois d'Ulster fut détruite en 332 apr. J.-C. Ne restent que les contours d'une butte et quelques fossés. Pourtant, le lieu est particulièrement « atmospheric », voire magique pour certains. L'ondulation périphérique correspond à une large enceinte circulaire avec fossé intérieur, indiquant pour les spécialistes un usage plus cérémoniel que défensif. Du sommet aplani de la butte gazonnée, on se rend bien compte que la perfection de ses courbes n'est pas l'œuvre de la nature. De là-haut, belle vue sur une région où d'autres vestiges préchrétiens ont été localisés.

L'OUEST D'ENNISKILLEN AUX SPERRIN MOUNTAINS

ENNISKILLEN [ɪnɪs ceɪthleann] ET LE FERMANAGH [ʃheaʀ manach]

13 600 hab.   IND. TÉL. : 028

À 130 km à l'ouest de Belfast, Enniskillen, petite capitale du comté du Fermanagh, est bâtie sur une île cernée de voies rapides et de nœuds routiers qui désorientent un peu. Son vieux centre historique a été habilement restauré. En été et en fin de semaine, on se croirait parfois dans une ville finlandaise, du fait de l'animation nocturne et du soleil qui n'en finit pas de se coucher sur les lacs alentour.

Le Fermanagh est une destination de premier choix pour les amoureux de la nature, les pêcheurs et les observateurs d'oiseaux. Comptant quelque 500 îles parsemant une cinquantaine de lacs, le comté s'organise autour de ses deux plus grandes étendues d'eau douce : le *Lower Lough Erne,* long de 42 km et exposé aux vents de l'Atlantique, et l'*Upper Lough Erne,* long de 19 km et tellement tarabiscoté qu'une bonne carte est nécessaire pour y naviguer.

Également irriguée par un réseau labyrinthique de petites routes desservant des sites naturels de toute beauté, ponctuée de parcs et châteaux, de ruines romantiques et de multiples départs de randonnée, cette séduisante région est incontestablement l'une des grandes étapes nord-irlandaises.

UN PEU D'HISTOIRE

Devenue majoritairement catholique mais rattachée à l'Irlande du Nord après la partition de l'île en 1922, la région se révèle vite un casse-tête politique pour les Anglais. Seul un subtil système de charcutage des circonscriptions permet aux loyalistes de conserver le pouvoir, malgré une majorité nationaliste. En 1968, le mouvement des droits civiques obtient le *one man, one vote,* et la représentation du Fermanagh bascule immédiatement. C'est d'ailleurs une circonscription englobant ce comté et le Sud-Tyrone qui élit Bobby Sands à la Chambre des communes en 1981, alors qu'il mène une grève de la faim entre quatre murs, pour la reconnaissance du statut de prisonnier politique. Avec l'épilogue que l'on sait...

Arriver – Quitter

En bus

🚌 **Gare routière** *(plan A2) : Shore Rd, Enniskillen.* ☎ 66-32-26-33. *Face à l'office de tourisme.*

➤ **Belfast :** *Ulsterbus, Goldline Express Service 261.* Lun-ven, 1 bus direct/h, 7h30-17h30 depuis Enniskillen, 8h05-20h05 depuis Belfast ; w-e 5-7 liaisons/j. Trajet : 2h10.

➤ **Omagh :** *Ulsterbus, Service 94.* Lun-ven 6 bus/j., 3 le sam et 1 slt le dim.

➤ **Donegal (Eire) via Belleek :** *Bus Eireann (info à Dublin :* ☎ *01-836-61-11 ;* ● buseireann.ie ●). 7-9 liaisons/j. avec **Ballyshannon** et **Donegal.**

↑ DERRY

Omagh

A 505

COOKSTOWN

A 5

A 32

DUNGANNON

Kesh

B 4

A 35

A 32

Lisnarick

Irvinestown

archdale

Necarne

B 122

B 80

IRLANDE DU NORD
(ULSTER)

Ballinarnallard

A 4

ARMAGH

Devenish Island

B 80

Tempo

Fivemiletown

Enniskillen

Coole

A 4

A 32

B 514

Bellanaleck

A 509

Maguiresbridge

A 34

Lisnaskea
Forest

MONAGHAN ↑

Kinawley

Lisnaskea

Roslea

B 36

Derrynawilt

Derrylin

Upper
Lough
Erne

Newtownbutler

N 54

A 509

Crom
Estate

A 34

Clones

N 54

CAVAN ↓

CAVAN ↓

0   5   10 km

LE FERMANAGH

➤ **Dublin :** avec **Bus Eireann**. Env 10 liaisons/j. Depuis Enniskillen, 5h30-19h ; depuis *Dublin Airport*, 7h-minuit. Trajet : 2h30-3h.

Adresses utiles

🛈 **Fermanagh Tourist Information Centre** (plan A2) : Wellington Rd. ☎ 66-32-31-10. • fermanaghlakelands.com • Lun-ven 9h-17h30 (19h juil-août), plus Pâques-sept slt sam 10h-18h et dim 11h-17h. 🖥 (payant). Bonne doc et service de résas de B & B. Fournit également licence et permis de pêche (8,50 £ pour 3 j.) ainsi que la liste des loueurs de bateaux dans le coin (à partir de 90 £/j.).

✉ **Poste** (plan A2) : 3, High St. Au fond du magasin Dolans Centra. Lun-ven 8h-17h30, sam 9h-14h. Service de change.

@ **M3 Connect** (plan B2) : 2, Corporation St. ☎ 66-32-03-02. Dans une ruelle, en contrebas de Wellington et au-dessus du centre commercial. Lun-sam 9h-20h (21h jeu-ven).

✚ **Erne Hospital** (plan B1, 3) : Cornagrade. ☎ 66-38-20-00.

Où dormir à Enniskillen et aux abords immédiats ?

De prix moyens à plus chic (40-80 £ / 48-96 €)

🛏 **Rossole Guesthouse** (hors plan par A1, **10**) : 85, Sligo Rd. ☎ 66-32-34-62. • rossoleguesthouse.com • Situation agréable au bord de l'eau, à peu de distance du centre en voiture. Ouv tte l'année. Double 55 £, petit déj compris. 🛜 Maison en pierre grise, de style georgien, offrant 5 chambres correctes, sans plus, dont 3 avec une cabine de douche posée directement sur la moquette... Bateau mis gratuitement à la disposition des pêcheurs.

🛏 **Dromard House B & B** (hors plan par B2, **11**) : à Tamlaght. ☎ 66-38-

72-50. • dromardhouse.com • À 3 km d'Enniskillen sur la route de Belfast. Double avec sdb 70 £. 🛜 Exploitation agricole de 73 ha, appartenant à la même famille depuis plus de 150 ans. 4 chambres cosy, pimpantes et parfaitement équipées sont arrangées au 1er étage partiellement mansardé d'un pavillon, doté d'un *lounge* soigné et situé juste derrière la résidence des hôtes, où l'on se rend pour les bons petits déj. Sharon, autrefois finaliste pour le titre de « *Landlady of the year* », n'a rien changé depuis. On se sent toujours ici comme un coq en pâte ! Sentier de découverte à travers les bois jusqu'au bord de la rivière Erne.

Où dormir dans les environs d'Enniskillen ?

Répartis dans un rayon de 10 à 20 km autour de la ville, les hébergements ci-dessous profitent pour la plupart de très belles situations en bord de lac. Ils s'adressent idéalement aux lecteurs motorisés, bien que les transports publics soient envisageables (notamment à proximité de l'A 46) et que les randonneurs soient toujours bienvenus !

Au nord ; rive orientale du Lower Lough Erne

Camping

⚊ **Castle Archdale Caravan and Camp Park** : à 1 km au sud de **Lisnarick**. ☎ 68-62-13-33. • castlearchdale.com • Ouv 17 mars-oct. Resto ouv tlj juil-août ; le w-e slt le reste du temps. Compter 20 £ pour 2 avec tente et voiture. 🛜 (payant). Dans un bel environnement (voir plus loin « Dans les environs d'Enniskillen ». Sur la rive orientale du Lower Lough Erne », tentes et caravanes se partagent plusieurs espaces gazonnés tandis que les camping-cars et motor homes sont parqués autour. Sanitaires bien tenus. Nombreux services et activités possibles, au sein du camping ou à la marina attenante :

ENNISKILLEN

■ **Adresses utiles**

🛈 Fermanagh Tourist Information
Centre
@ M3 Connect
➕ 3 Erne Hospital

🏠 **Où dormir ?**

10 Rossole Guesthouse
11 Dromard House B & B

|●| **Où manger ?**

20 The Linen Hall
21 Cafe Merlot
22 Franco's

🍸♪ **Où boire un verre ?
Où écouter de la musique ?**

21 Blakes of the Hollow
30 Crowe's Nest
31 Bush Bar

🗡 **À voir**

40 Enniskillen Castle
and Museums
41 Court House
42 Townhall
43 Saint Macartin's
44 Saint Michael's
45 The Buttermarket

épicerie, resto, jeux pour les enfants, location de vélos, de barques, de kayaks et même de *wakeboard*. Bon accueil.

Prix moyens
(40-60 £ / 48-72 €)

🏠 **The Old Glebe House :** 229, Killadeas Rd, **Killadeas.** ☎ 68-62-

15-37. *À moins de 10 km au nord d'Enniskillen (B 82). Ouv mars-nov. Double avec sdb env 60 £. CB refusées.* Entouré d'un jardin, cet ancien presbytère de style victorien est notre chouchou régional pour son calme impérial, la vue sur le *lough,* son cachet et l'excellent l'accueil prodigué. 3 chambres cosy avec parquet et beau mobilier ancien dont un lit à baldaquin. La salle de bains de l'une d'elles se trouve de l'autre côté du couloir.

À l'ouest ; rive occidentale du Lower Lough Erne

Prix moyens (40-80 £ / 48-96 €)

🛏 **The Rocks Farm B & B :** Cosbytown, à **Blaney**. ☎ 68-64-12-30. ● ruth crooke@btinternet.com ● Sur l'A 46, vers Belleek, à 13 km d'Enniskillen. Ouv tte l'année. Compter 60 £. L'élégante demeure, de style georgien, est couverte de rosiers grimpants. Un bel escalier conduit de l'entrée lambrissée aux 3 chambres bien tenues qui profitent de généreuses salles de bains (l'une d'elles est à l'extérieur de la chambre). Bateau en prêt pour aller pêcher, le top !

🛏 **Bayview Guest House :** 354, Lough Shore Rd, Churchill, **Tully**. ☎ 68-64-12-50. ● thebayviewguesthouse.co.uk ● À 16 km d'Enniskillen, sur l'A 46, direction Belleek. Fermé déc-janv. Double avec sdb et petit déj 60 £. Dîner (prévenir avt 14h) à partir de 12 £. 🖥 Juste devant la ferme laitière familiale, toujours en activité, cette guesthouse est l'occasion d'un flash-back de quelques dizaines d'années, tant pour la déco que pour l'ambiance orchestrée par Dorothy, à la politesse réservée façon old school. Il y a bien tous ces bibelots un peu kitsch qui pousseront les allergiques à éviter la chambre n° 3 où ils semblent s'être donné rendez-vous. Dommage pour la vaste salle de bains avec baignoire... En tout cas, on est peinard ici, le petit déj est bon et copieux (salade de fruit frais, croissant et Ulster Fry à la carte), rien ne manque dans les chambres (bouilloire, petits gâteaux) et la vue sur le lough (depuis les chambres 2 et 3, le lounge et la salle de petit déj) mérite d'être encadrée !

Au sud

Camping

⋇ **Mullynascarthy Caravan Park :** Gola Rd, au sud-est sur la B 514, à 2,5 km de **Lisnaskea**. ☎ 67-72-10-40. Ouv avr-oct. Compter 10 £ pour 2 avec tente et voiture. Terrain modeste mais assez plaisant et verdoyant, au bord d'une petite rivière. Une trentaine d'espaces pour les tentes. Sanitaires plus tout neufs mais propres, machines à laver. Jeux pour les enfants.

De prix moyens à plus chic (40-80 £ / 48-96 €)

🛏 **Corrigans Shore Guest House :** Clonatrig, à **Bellanaleck**. ☎ 66-34-85-72. ● shoreguesthouse.co.uk ● À env 12 km au sud-ouest d'Enniskillen. À la sortie de Bellanaleck, bifurcation sur la gauche (le panneau indique slt « Shore Guesthouse »), puis 3 km sur une route étroite. Fermé autour de Noël. Doubles avec sdb et petit déj env 60-64 £. 🛜 Une maison complètement isolée avec des canards qui barbotent sur l'Upper Lough Erne, ici étroit comme une petite rivière. Chambres très simples et propres, les n°s 1, 2, 3 et 7 donnent sur le lac. L'Irish breakfast et ses compléments en libre-service vous tiendront à l'estomac jusqu'au soir. Environnement d'une grande sérénité, juste diverti par les occasionnels plaisanciers. Van Gogh en herbe, à vos chevalets !

🛏 🍴 **Arch House B & B** (Mrs Rosemary Armstrong) : 59, Marble Arch Rd, **Florencecourt**. ☎ 66-34-84-52. ● archhouse.com ● Entre Florencecourt et les grottes de Marble Arch. D'Enniskillen, suivre les A 4 et A 32. Ouv tte l'année. Doubles 60-65 £ selon saison. 🛜 Grande demeure en pleine campagne, au calme. Propose 6 chambres plutôt agréables mais un peu petites, très bonbonnières anglaises. Oh, les belles cuvettes de w-c incrustées de coquillages ! Cuisine réputée ; dîner servi sur réservation seulement, au plus tard à 19h. Carte abondante, à base de viande et légumes maison.

Où manger à Enniskillen ?

Bon marché (moins de 10 £ / 12 €)

🍴 🍷 **The Linen Hall** (plan A2, **20**) : 11-13, Townhall St. ☎ 66-34-09-10.

Tlj 8h-23h ; cuisine jusqu'à 22h ; service au comptoir. Plats principaux 4,50-12 £. Appartient à une chaîne qui n'a pas dénaturé l'atmosphère rustique d'une vaste salle aux différents niveaux. Ce « sponsor » fournit la carte variée, riche en formules spéciales (avec boisson incluse, par exemple) et particulièrement économiques. On préfère les plats typiques (*pies*, steaks, *sausages and champ*, etc.) qui ont l'avantage indéniable d'être servis jusque tard, tous les jours. La large gamme de bières (dont au moins une *Real Ale*) et les autres spiritueux, également à prix plancher, séduisent toutes les générations.

De prix moyens à plus chic (10-30 £ / 12-36 €)

|●| *Cafe Merlot* (plan A1-2, 21) : 6, Church St. ☎ 66-32-21-43. *Accès au bout du couloir qui longe* Blakes of the Hollow. *Tlj 12h-15h, 17h30-21h (21h30 ven-sam). Résa conseillée en fin de sem. Menu pre theatre 2 plats (tlj sf dim jusqu'à 19h) env 15 £ ; plats à la carte env 13-20 £.* Le resto « charme » de la ville a investi ce caveau orné de fausses voûtes blanches à croisée d'ogives ! Produits de qualité, principalement régionales, cuissons bien maîtrisées et présentation soignée. Carte des vins intéressante et très fournie. Dommage que le service peine parfois à suivre et que le fond sonore FM soit si banal. Pas au point de gâcher la soirée...

|●| *Franco's* (plan B2, 22) : Queen Elizabeth Rd, angle Water St. ☎ 66-32-44-24. *Tlj 12h-23h. Résa conseillée le w-e. Pizzas 10-12 £ ; tlj sf ven-sam, formules early bird 12h-19h (17h sam, 18h dim), 2-3 plats, 16,50-19,50 £ ; plats 10-28 £.* Les gens du coin affluent ici pour la sortie un peu chic de fin de semaine. Autant réserver ces soirs-là. La carte assez variée met l'accent sur les viandes, l'inspiration méditerranéenne se cantonnant surtout aux pizzas. Cuisine goûteuse et beau choix de vins. Salle *trendy* avec un bar, l'extension est moins chaleureuse.

Où boire un verre ? Où écouter de la musique à Enniskillen ?

La rue principale d'Enniskillen regorge de pubs qui proposent pour la plupart de la musique live au moins une fois par semaine. Le choix est plus grand le vendredi et samedi, mais en saison, pas un jour ne passe sans qu'un ensemble ne se produise ici ou là.

🍷 ♪ *Blakes of the Hollow* (plan A1-2, 21) : 6, Church St. ☎ 66-32-21-43. *Tlj jusqu'à minuit (1h45 ven-sam).* Ouvert en 1887, c'est le pub le plus sympathique et le plus pittoresque de la ville. La devanture typiquement victorienne, rouge sang de bœuf cache un vieux décor en bois sombre vernissé. Anciens tonneaux de whiskey au mur et *snugs* pour écluser son *stout* tranquillou. Superbe atmosphère le soir (surtout le week-end) quand les vieux fidèles partagent le comptoir avec les plus jeunes. Au lunch, toujours une soupe savoureuse, un plat chaud copieux ou des sandwichs tout frais (sauf le dimanche).

🍷 ♪ *Crowe's Nest* (plan A2, 30) : 12, High St. ☎ 66-32-52-52. *Tlj 10h-minuit.* Il se passe toujours quelque chose au « nid du corbeau ». Le plus ancien pub de la ville, antre préféré de bien des étudiants, rassemble 2 bars en bois très chaleureux et une boîte, *The Thatch*. Musique tous les soirs sauf les lundi et jeudi, *sessions* traditionnelles le mardi. Gros petit déj servi toute la journée et *special lunch* jusqu'à... 21h ! Allez dire, après ça, qu'on ne se soucie pas des noctambules dans ce pays !

🍷 ♪ *Bush Bar* (plan B2, 31) : 26, Townhall St. ☎ 66-32-52-10. Redessiné en 2012, il dispose d'une vue sur la rivière depuis l'arrière. Plus people, plus design que d'autres, il ne manque pas de charme ainsi installé tout en longueur. Musique presque chaque soir (disco le mercredi).

L'OUEST DE L'ULSTER

À voir à Enniskillen

🏛🏛 **Enniskillen Castle and Museums** (plan A1-2, **40**) : Wellington Rd. ☎ 66-32-50-00. ● enniskillencastle.co.uk ● *Ouv tte l'année, lun 14h-17h, mar-ven 10h-17h, plus sam (avr-oct)-dim (juil-août) 14h-17h. Dernière entrée à 16h30. Prix : 4 £ ; réduc.* À l'origine, le château n'était qu'une tour fortifiée, construite au XVe s par la puissante famille Maguire, chef des clans du Fermanagh. Sans cesse assailli, détruit et reconstruit, puis tombé aux mains des Anglais en 1607, l'édifice fut alors remanié, notamment par l'ajout d'une élégante poterne à deux tourelles *(Water Gate)*. De la fin du XVIIIe s jusqu'en 1926, le château fut transformé en caserne. Il abrite aujourd'hui deux petits musées. *Fermanagh County Museum* se consacre au milieu naturel et aux premiers habitants de la région. Dans le donjon, au cœur du château, une exposition retrace l'histoire des Maguire. Aux étages et dans la caserne ceinturant la cour, le *Royal Inniskillings Fusiliers Museum* célèbre les illustres régiments de la ville qui participèrent à toutes les grandes batailles de la Grande-Bretagne. Les nombreux objets et souvenirs rappellent entre autres les guerres napoléoniennes, la bataille de la Somme et le débarquement de Sicile, lors duquel les *Inniskillings* eurent l'honneur d'être les premiers Alliés à reprendre pied en Europe.

🏛 **Main Street** : amusant, ce long ruban change de nom au fur et à mesure. D'est en ouest, cela donne East Bridge Street, Town Hall Street, High Street, Church Street et enfin Darling Street. À l'est, l'enfilade démarre au pied de la petite colline de Forthill, chapeautée par un monument à la gloire de Sir Cole, général du XIXe s né dans le coin *(Cole's Monument ; avr-sept, tlj 13h30-15h ; entrée payante)*. Pour le reste, les bâtisses sont très typiques des villes de la *Plantation*. Remarquez le portique « plus lourdingue, tu meurs » de la *Court House* (plan B2, **41**), du XVIIIe s et remodelée en 1821, ou encore le *Townhall* (plan B2, **42**), construit à la fin du XIXe s dans un style vaguement Renaissance. Plus loin, *Saint Macartin's* (plan A1, **43**), la cathédrale anglicane a conservé une tour de 1637, vestige d'une église antérieure. Certaines de ses cloches furent fondues à partir de canons utilisés à la bataille de la Boyne (1690). Tout un symbole. *Saint Michael's* (plan A1-2, **44**), l'église catholique, fut, quant à elle, bâtie en 1875 en style *French gothic revival* (drôle de revival...). L'intérieur, aux murs roses, a un petit côté italien.

🏛 **The Buttermarket** (plan A-B1, **45**) : Down St. ☎ 66-32-44-99. *Lun-sam 9h-17h.* Dans une cour pavée et fleurie, cet ensemble harmonieux de bâtiments restaurés correspond au vieux marché (1830), avec des adjonctions récentes bien intégrées. Au XIXe s, le comté était un grand producteur de beurre, d'où le nom !

À faire

➢ **Croisières sur le lough Erne avec Erne Tours** : Round O'Jetty, Brooke Park. ☎ 66-32-28-82. ● ernetoursltd.com ● *À la sortie d'Enniskillen par l'A 46, direction Belleek. Juil-août, tlj 4 départs/j. 10h30-16h15 ; juin, tlj 1-2 départs/j. l'ap-m ; mai et sept-oct, mar et w-e slt, 1-2 départs/j. l'ap.m. En hte saison, arriver au moins 20 mn avt départ. Durée : 1h45. Prix : 10 £/pers ; réduc.* Croisière à bord du *MV Kestrel* sur le Lower Lough Erne, avec 45 mn d'arrêt à *Devenish Island*. C'est d'ailleurs l'unique façon d'aller sur l'île, dommage quand même ! Voir aussi plus bas « Dans les environs d'Enniskillen ».

– **Location de bateaux** : la région d'Enniskillen et des lough Erne est propice à de belles navigations, pour une journée ou davantage si l'on veut faire, grâce à l'ouverture de l'axe Erne-Shannon, la très belle balade Belleek-Limerick (62 km). Le livret *Ireland's Lakelands & Inland Waterways* en donne un aperçu. Disponible à l'office de tourisme, il fournit également la liste des loueurs de bateaux, à contacter impérativement à l'avance. Confortables et aménagées pour deux à huit passagers, ces embarcations de 9 à 11 m sont très simples à manœuvrer et ne nécessitent pas de permis. En revanche, il est obligatoire pour la pêche. Attention quand même, le *lough* peut devenir délicat par mauvais temps ; demander conseil au loueur et toujours lui indiquer sa destination.

Balades à cheval

– **Équitation :** The Forest Stables, 100, Cooneen Rd, à 4 km au sud de Fivemiletown, sur la B 143 (direction Derrynawilt). ☎ et fax : 89-52-19-91. À env 30 km à l'est d'Enniskillen. Tte l'année, lun-sam. Des équidés de toutes les tailles pour tous niveaux. Les enfants adoreront le *pony trekking* (10 £ les 30 mn, 15 £/h) !

Festivals

– **Enniskillen Drama Festival :** début mars, à l'Ardhowen Theatre. ☎ 66-32-54-40.
– **Lady of the Lake Festival :** ts les ans en juil à Irvinestown. ☎ 68-62-16-56. Évocation de la légende de la Dame du Lac, sortant des brumes et marchant d'île en île vêtue d'eau et de lumière, porteuse d'un bouquet de fleurs sauvages.
– **Kesh Festival :** ts les ans mi-août à Kesh. ☎ 68-63-21-58. Musique traditionnelle, art et artisanat.

DANS LES ENVIRONS D'ENNISKILLEN

Au nord et au sud-est, dans les environs proches

🎏🎏🎏 **Devenish Island :** à 6 km au nord d'Enniskillen. ☎ 90-54-65-18. ● ehsni. gov.uk/devenish.shtml ● Accès slt avec la croisière Erne Tours *(voir plus haut la rubrique « À faire »)* ; à moins que les autorités locales ne se décident à relancer le petit ferry de Trory, à 5 km au nord d'Enniskillen (se renseigner).
Île paisible et romantique à souhait, elle abrite l'un des plus beaux sites monastiques qu'on connaisse. Fondé au VIe s par saint Molaise, père spirituel de saint Columb (le saint Columcille du Donegal), le monastère fut victime des raids vikings au IXe s, puis brûlé en 1157. Il connut cependant une nouvelle période faste et demeura en activité jusqu'au XVIe s.
On peut monter dans la superbe tour ronde du XIIe s, haute de 24 m. Noter les quatre ouvertures permettant de surveiller tous les points cardinaux. Les tours monastiques servaient également à stocker nourriture et livres en cas d'attaque.
La première ruine rencontrée est celle de l'église *Teampull Mór* (1225) et sa belle fenêtre sud. Elle est suivie de *Saint Molaise's House* (XIIe s). Après la tour ronde, les vestiges de *Saint Mary's,* un prieuré augustinien datant de 1449, conservent un remarquable portail nord avec d'intéressantes sculptures. L'un des chefs-d'œuvre de l'ensemble est la croix en pierre du XVe s dans le cimetière.

🎏🎏 **Castle Coole National Trust** *(château de Coole)* : ☎ 66-32-26-90. ● natio naltrust.org.uk ● À 2,5 km, sur la route Enniskillen-Belfast (A 4). Parc : tlj 10h-19h (16h nov-fév). Château : juin-août, tlj (sf jeu juin) 11h-17h ; de mi-mars à mai et sept, w-e et j. fériés slt 11h-17h. Visite du château obligatoirement guidée (dernière à 16h). Tarifs : 5 £ ; parc seul 3 £ ; réduc. Brochure en français. Cet élégant château néoclassique de la fin du XVIIIe s fut dessiné par le célèbre architecte de Westport, James Wyatt. Parfaitement symétrique et accordé à son large parc, il témoigne du perfectionnisme de cet homme qui se contenta pourtant de transmettre ses plans aux constructeurs, sans jamais venir sur place ! Commandité par les comtes de Belmore, il conserve une magnifique décoration intérieure et un remarquable mobilier, où se distinguent des œuvres de James Wyatt lui-même, de l'école Boulle et de belles gravures originales. Au gré de la visite, on apprécie d'immenses halls, une ravissante salle à manger, le salon Regency et ses beaux miroirs, le salon chinois et le Drawing Room aux dimensions parfaites. Quant à la chambre d'État « State Room », elle fut aménagée à l'occasion de la visite en Irlande du roi George IV en 1821. Pour rien, puisqu'il délaissa ses obligations officielles et préféra passer tout son séjour dans les bras de la belle lady Conyngham, châtelaine de Slane, au nord de Dublin ! De nombreuses promenades dans le parc et un charmant *tea room* complètent la visite.

Au sud et à l'ouest, un peu plus loin

Entre la rive occidentale du Lower Lough Erne et la « frontière » avec le Sud s'étend une contrée sauvage parcourue par un lacis de petites routes adorables. Certaines osent des incursions dans le Sud, puis musardent à nouveau dans le Nord. Pour les randonneurs, traversée magnifique par l'*Ulster Way*. Voici quelques sites intéressants à visiter. Pour le reste, partez à l'intuition...

🦌 **Florence Court House National Trust :** ☎ 66-34-82-49. ● nationaltrust.org. uk/florence-court ● À 13 km au sud-ouest d'Enniskillen par l'A 4 et l'A 32. Parc tlj 10h-19h (16h nov-fév). Château 11h-17h : juil-août tlj ; mai-juin tlj sf mar ; sept tlj sf ven ; mars-avr et oct w-e slt. Fermé nov-fév. Visite du château obligatoirement guidée (dernière à 16h). Tarifs : 4,50 £ ; parc et jardins slt 4,50 £ ; réduc. Brochure en français. Tea room. Construit au milieu du XVIIIe s dans un style rococo flamboyant, le manoir des comtes d'Enniskillen fut gravement endommagé par un incendie en 1955. Restauré depuis, on visite ses chambres et salons cossus, mais le plus intéressant reste le vaste sous-sol, univers de la domesticité. L'inhabituel plafond métallique de la cuisine était destiné à protéger du feu la collection géologique que le comte entreposait juste au-dessus. Le parc et la forêt alentour offrent quantité de délicieuses randonnées.

🦌 **Marble Arch Caves Global Geopark** (grottes de Marble Arch) : ☎ 66-34-88-55. ● marblearchcavesgeopark.com ● À 18 km au sud-ouest d'Enniskillen par l'A 4 et l'A 32, un peu après Florence Court. De mi-mars à sept, tlj 10h-16h30 (17h juil-août). Entrée : 8,75 £ ; réduc ; section expo gratuite. Départs (vidéo puis bateau) ttes les 20 mn env (dernier à l'heure de la fermeture) ; durée 20 mn. En cas de forte pluie, la visite est réduite, se renseigner.
Ce réseau de grottes étendu sur 6,5 km, dont 1,2 km est ouvert au public, a été découvert en 1895 par Édouard Martel, le pionnier français de la spéléo. Il est aujourd'hui au cœur d'un Geopark, avalisé par l'Unesco.
Une intéressante expo gratuite est consacrée aux tourbières, à la géologie du coin et à la spéléo. La visite elle-même commence par une vidéo de 15 mn avant d'embarquer pour 5 mn de navigation sur la rivière souterraine Cladagh, commentée en anglais. Calcites, stalactites et autres -gmites, quelques draperies... et puis c'est tout. Ne pas oublier de prendre un pull.
➢ Profiter de votre venue pour emprunter la *Marlbank Scenic Loop* qui sillonne sur les routes étroites des sauvages **Cuilagh Mountains,** partie intégrante du Geopark. Contrastant fortement avec le reste de la région, le paysage vaut le détour même si vous ne désirez pas visiter les grottes.

🦌🦌 **Crom Estate National Trust** (domaine de Crom) : ☎ 67-73-81-18. ● natio naltrust.org.uk/crom ● Rive orientale de l'Upper Lough Erne, à 10 km au sud de Lisnaskea et 3 km à l'ouest de Newtownbutler. Parc : juin-août tlj 10h-19h ; de mi-mars à mai et sept-oct tlj 10h-18h ; fermé le reste de l'année. Visitor's Centre : de mi-mars à sept tlj 11h-17h ; oct w-e slt. Entrée : 3,50 £ ; réduc. Ce domaine constitue un très joli lieu de promenade, même si son château Tudor, construit au milieu du XIXᵉ s et toujours habité, ne se visite pas. Dans une belle nature, plantée d'arbres vénérables et divertie par le cours tortueux du *lough,* on appréciera les vestiges du premier château, détruit par un incendie en 1764, ainsi que les fausses ruines romantiques, comme la tour de l'île. Le *Visitor's Centre* abrite une intéressante expo sur l'histoire de cette région très particulière, qui fut considérablement affectée par le drainage du lac à la fin du XIXᵉ s. Possibilité de louer un bateau.

🎭🎭 *Sheelin Lace Museum (musée de la Dentelle) :* à *Bellanaleck,* 12 km env au sud-ouest d'Enniskillen, face à la station-service. Traverser la superbe boutique de Rosemary Cathcart pour découvrir le musée. Avr-oct slt, tlj sf dim 10h-18h. Entrée : 2,50 £. Petit par la taille, il est remarquable par la qualité des pièces que cette passionnée a rassemblées depuis une vingtaine d'années. Robes de mariée ou de soirée, bonnets d'enfants, éventails et châles reflètent le raffinement et la variété des styles de dentelle en vogue au XIXᵉ s, accompagnés d'explications historiques et techniques. Dans cet univers de princesse, hommage est rendu aux dentellières irlandaises qui luttèrent contre la misère, armées de fuseaux, aiguilles et crochets.

Sur la rive occidentale du Lower Lough Erne

Là aussi, quel plaisir de s'engager à travers collines et forêts, avec parfois de belles petites vallées dominées par des crêtes rocheuses ! Super balade au Lough Navar, en profitant du prodigieux panorama des Cliffs of Magho.

🎭 *Monea Castle :* à 10 km env d'Enniskillen. Prendre la B 81 en direction de Derrygonnelly. Accès libre. Une délicieuse échappée bucolique par un petit chemin de campagne privé, bordé de beaux arbres, mène aux ruines du château, isolées entre bois, prairies et marais. Il s'agit d'un bel exemple de la guirlande de petites places fortifiées, édifiées au début du XVIIᵉ s pour protéger les colons de la *Plantation.* Remarquer le vicieux *murder hole,* percé dans la tour face au porche pour faire mouche sur l'assaillant à tous les coups...

🎭 *Tully Castle :* Tully Point, au-delà de Blaney sur l'A 46, à env 17 km d'Enniskillen. Accès libre. Sur ces terres, elles aussi confisquées aux comtes Maguire, le « planteur » écossais sir John Hume construisit en 1613 un château défensif dont subsistent ces belles ruines. Rory Maguire le brûla le soir de Noël 1641, lors de la grande rébellion. Petite expo dans une ferme restaurée *(Pâques-fin sept, tlj 10h-18h).*

🎭🎭 *Forest Drive :* départ à env 5 km au nord-ouest de Derrygonnelly. Ouv tte l'année.
Boucle carrossable et dépaysante de 11 km, elle emprunte des routes forestières à sens unique, tracées au sein de la Lough Navar Forest. Plantée de conifères dont l'exploitation occasionne de grandes coupes franches, elle abrite une faune variée : cerfs, chèvres sauvages, renards, lièvres, écureuils et de plus rares faucons pèlerins, busards Saint-Martin et coqs de bruyère.
Peu après le départ, l'*Aghameelan View Point* propose un superbe point de vue sur toutes les vallées à l'ouest du *lough* et un accès à la *Blackslee Walking Area* (quatre intéressantes randonnées de 30 mn à 2h). Un peu plus haut sur la route, il ne faut surtout pas manquer la bifurcation marquée simplement « View Point », pour atteindre les Cliffs of Magho. Là, mazette ! la falaise commande un panorama vraiment impressionnant et à 180° sur le *lough.*

Sur la rive orientale du Lower Lough Erne

🎭 *Castle Archdale Country Park :* 1 km au sud de Lisnarick. Voir également « Où dormir dans les environs d'Enniskillen ? » et ci-dessous *White Island.*

☎ 68-62-15-88. ● doeni.gov.uk ● Parc : juin-sept, tlj 9h-21h (19h avr-mai, 18h oct, 16h30 nov-mars). Visitor's Centre : juin-sept tlj 10h-17h ; avr-mai et oct w-e slt 13h-17h ; nov-mars dim slt 12h-16h. Entrée gratuite. Du château lui-même, il ne reste plus que de belles dépendances enserrant une grande cour. Avoir abrité une importante base d'hydravions durant la Seconde Guerre mondiale n'aura pas porté chance au manoir, négligé puis démoli en 1970 ! Une petite expo se consacre à l'histoire de la base, tandis qu'une autre aborde les problèmes de conservation des paysages calcaires d'Irlande. Parmi les nombreux sentiers parcourant la belle forêt, l'un file vers l'ouest et les ruines d'un vieux château.

🥾🥾 **White Island :** accès par ferry depuis la marina attenante au Castle Archdale Caravan & Camp Park (voir « Où dormir dans les evirons d'Enniskillen ? »). ☎ 68-62-18-92. Juil-août 11h-18h (sf 13h), 1 départ/h ; Pâques-juin et sept, w-e slt. 15 mn de traversée. Prix : 4 £. Là où un premier monastère fut détruit par les Vikings en 837, subsistent aujourd'hui les ruines d'une église au ravissant porche roman du XIIe s. Quant aux sept célèbres et étranges figures sculptées, elles furent probablement réalisées au IXe ou Xe s avant d'être réemployées, ce qui expliquerait la persistance de leur inspiration païenne.

🥾 D'Archdale à **Kesh,** une belle Scenic Route, bien fléchée depuis la route principale, surplombe par moments le lough. Points de vue sur les îles et la côte ouest du plan d'eau, avec les falaises de Magho.

🥾🥾 **Caldragh Graveyard :** sur **Boa Island** ; panneau sur la gauche de l'A 47, en venant d'Enniskillen. Près d'une ferme. Longue et étroite, l'île de Boa est plutôt sauvage mais traversée par la grand-route. Ce petit cimetière est fameux pour ses deux étranges statues celtes aux têtes à double visage. La plus grande, surnommée Janus, mesure environ 1 m et présente une face féminine et une face masculine. La plus petite, dite Lusty man, représenterait une divinité celte à demi aveugle puisqu'un seul de ses yeux est sculpté.

BELLEEK [Béal Léicé] 642 hab. IND. TÉL. : 028

Gentil « village frontière » le plus à l'ouest de l'Irlande du Nord, les plages du Donegal n'étant qu'à une quinzaine de minutes, il accueille l'une des plus célèbres fabriques de porcelaine d'Irlande. Une curiosité : quelques maisons du village se trouvent en Eire. Bonjour les formalités administratives pour certains habitants ! Une particularité également : les jeunes du village se sont mobilisés à fond pour jouer la carte du tourisme, enrayer le déclin des zones rurales et casser la logique infernale de l'émigration. À encourager et ils ont des pubs qui y aident !
➢ Arriver – Quitter : se reporter à « Arriver – Quitter » à Enniskillen.

Où dormir ? Où manger ? Où boire un verre ? Où écouter de la musique ?

🏠 |●| ♪ **Moohan's Fiddlestone :** 15-17, Main St. ☎ 68-65-80-08. Ouv tte l'année. Double avec sdb 60 £, petit déj compris. Music sessions habituel-lement jeu-sam en été et sam slt en basse saison. 📶 Un bon exemple de pub-guesthouse à l'irlandaise : 5 chambres plus toutes neuves et sans chichis mais suffisamment confortables, bons snacks et pub grub servi toute la journée au bar, tout ça géré et servi de manière chaleureuse. Et n'oublions pas l'atmosphère qui s'échauffe lors des renommées music sessions.

|●| **The Thatch Coffee Shop :** Main St. ☎ 68-65-81-81. Lun-sam 9h-17h.

Petite restauration 3-7 £. Les enseignes rétro rehaussent la blancheur de la façade chaulée de cette chaumière. Construite à la fin du XVIIIe s, c'est la plus vieille du Fermanagh. Toute petite et douillette, elle invite à une excellente pause-café ou casse-croûte grâce à une appétissante liste de soupes, sandwichs, *baked potatoes* et gâteaux. Consulter aussi la rubrique « À voir. À faire ».

|●| ♟ ♪ ***Black Cat Cove :*** *Main St.* ☎ *68-65-89-42. Repas servis tlj midi et soir jusqu'à 21h. Plats env 8 £ le midi, env 12 £ le soir.* Belle devanture rouge pour un intérieur un peu saloon avec du bois et des lambris partout, divers objets de la vie quotidienne exposés sur des étagères, une cheminée et même un dancing rustique à l'arrière. Plats simples mais bons et bien servis. Musique traditionnelle le jeudi.

À voir. À faire

🎣 ***The Thatch :*** *sur Main St.* ☎ *68-65-81-81. Lun-sam 9h-17h.* La doyenne des chaumières du Fermanagh (voir « Où dormir ? Où manger ? ») est à elle seule un monument historique. Au fond du *coffee shop,* accès à un petit magasin de pêche qui loue cannes, vélos et cottages au bord de l'eau !

🎣🎣 ***Belleek Pottery :*** *3, Main St.* ☎ *68-65-85-01.* ● *belleek.com* ● *Musée ouv tte l'année : lun-sam (fermé sam janv-fév) 9h-17h30 ; plus dim 12h-17h30 juil-oct, 14h-17h mars-juin ; entrée gratuite. Visite guidée de la fabrique : ttes les 30 mn ; lun-ven 9h30-12h15, 13h45-16h, plus sam en été 10h30-12h15, 14h-16h ; durée : env 30 mn ; tarif : 5 £, réduc. Vidéo, en français sur demande.* En activité depuis 1857, c'est la plus ancienne fabrique de porcelaine d'Irlande. L'élégant petit musée présente toute la variété de la production, dont un spectaculaire vase médaillé d'or à l'Exposition universelle de Paris, en 1900. Une vidéo détaille les différentes étapes de fabrication, mais il est encore plus intéressant de les suivre *in vivo,* du moulage à la dernière touche de peinture, lors de la visite guidée. Temps fort : la réalisation des tressages de porcelaine, ornés de fleurs délicates, de véritables chefs-d'œuvre de patience et de minutie. La boutique maison compte un petit rayon soldé, intéressant pour rapporter un souvenir abordable.

LE COMTÉ DE TYRONE ET OMAGH [an ómaigh]

IND. TÉL. : 028

Comme son voisin le Fermanagh, le Tyrone est un comté intérieur, sans accès à la mer. Essentiellement rural et beaucoup moins touristique, il ne possède pas le même foisonnement de lacs, mais on y trouve tout de même quelques coins intéressants, comme les envoûtantes Sperrin Mountains, et surtout le remarquable *Ulster American Folk Park,* proche d'Omagh.

UN PEU D'HISTOIRE

Environ 250 000 *Ulstermen (and women),* beaucoup originaires du comté de Tyrone, la plupart opprimés pour leurs convictions religieuses, émigrèrent aux États-Unis au XVIIIe s. Cinq d'entre eux signèrent la Déclaration d'indépendance. Au moins 12 présidents américains sont issus d'une famille originaire d'Ulster. Parmi eux, Andrew Jackson, Ulysses Grant et Woodrow Wilson (dont la maison familiale se visite à Dergalt, près de Strabane). Citons aussi Mark Twain et le premier homme qui marcha sur la Lune... Neil Armstrong.

L'OUEST DE L'ULSTER

Arriver – Quitter

En bus

➤ **Station de bus :** Mountjoy Rd, au centre d'**Omagh**. ☎ 82-24-27-11.

➤ **Belfast (Europa Bus Centre) :** Ulsterbus, Goldline Express Service 273. Lun-sam 8 départs/j. dans les 2 sens, 4 le dim. Trajet : env 2h.

➤ **Enniskillen : Ulsterbus,** Service 94. Lun-ven 6 bus/j., 3 le sam et 1 slt le dim.

➤ **Derry via Strabane : Ulsterbus,** Goldline Express Service 273. Lun-sam 12 bus/j., 6 le dim.

➤ **Dublin :** 6 bus/j. avec **Ulsterbus,** Goldline Express Service 274 ou **Bus Eireann,** Service 33. Arrêt à l'aéroport de Dublin. Trajet : 2h40.

➤ **Sperrin Rambler :** voir la rubrique « Arriver – Quitter » des Sperrin Mountains.

Adresse utile

🖪 **Office de tourisme :** Strule Arts Centre, Townhall Sq, à **Omagh**. ☎ 82-24-78-31. ● omagh.gov.uk/tourism.htm ● Lun-sam 10h-17h30. Documentation abondante et résa d'hébergement. Excellent accueil.

Où dormir dans les environs d'Omagh ?

– Pour le camping, voir la rubrique « Où dormir ? » dans les Sperrin Mountains.

De prix moyens à plus chic (40-80 £ / 48-96 €)

🏠 **Greenmount Lodge :** 58, Greenmount Rd, **Gortaclare**. ☎ 82-84-13-25. ● greenmountlodge.com ● 🖫 À env 16 km au sud d'Omagh, par l'A 5. Au niveau d'une station-service et du pub Carrick-Keel (à 12 km), tourner à droite. Ouv tte l'année. Doubles avec sdb 60-70 £. 📶 Ferme améliorée, en pleine campagne, abritant 8 grandes chambres impeccables, dont 2 suites avec jacuzzi et lit king size (ultralarge). Généreux petit déj. Gentil accueil de miss Louie Reid et plein de jolis écureuils gris dans le parc. Cocorico version irlandaise tôt le matin.

🏠 **Arandale House B & B :** 66, Drumnakilly Rd. ☎ 82-24-32-43. ● arandalebb.com ● À 4,5 km à l'est d'Omagh. Depuis le centre-ville, prendre la direction de Tyrone Hospital. Après l'hôpital, prendre à gauche aux 2 ronds-points successifs. Ouv tte l'année. Double avec sdb env 56 £, petit déj compris. 📶 Un impressionnant escalier de bois mène aux chambres installées dans cette grande maison récente. Tonalités dominantes de bois clair pour les 3 doubles, la familiale 2 pièces et la simple, peu originales mais nettes et confortables.

Où manger à Omagh ?

Prix moyens (10-25 £ / 12-30 €)

|●| **Grants :** 29, George's St. ☎ 82-25-09-00. En contrebas de l'église catholique. Tlj 16h (12h dim)-22h. Plats principaux 10-22 £. Le cadre chaleureux, incorporant une salle avec box sur l'avant et un espace plus taverne à l'arrière compense le manque d'originalité de la tambouille. Le meilleur choix consiste probablement à commander l'une des nombreuses viandes. Service attentif et rapide.

|●| **Rue :** à l'intérieur du passage-galerie commercial Main St, s'ouvrant presque en face de Bridge St. ☎ 82-25-75-75. Plats principaux 10-23 £ ; burgers et sandwichs moins chers. On le repère de loin à sa véranda-terrasse et son look quelque part entre club et saloon. Même menu toute la journée : grand choix de sandwichs, salades fraîches et plats chauds plutôt simples. Le proprio aime bien la France : il y a même une tour Eiffel au menu ! Le lieu se mue en boîte les fins de semaine, avec parfois des groupes live.

À voir

✴ *Le centre-ville d'Omagh :* Omagh est une grosse ville commerçante traversée par la rivière Strule. Sa rue principale, commerciale et animée, aboutit à l'ouest à la *Court House* (de style classique) et à l'église catholique, en haut de la colline. Sur l'autre rive de la Strule, derrière le parking de la gare routière, un jardin du souvenir rappelle l'attentat le plus meurtrier (30 décès) perpétré par un mouvement républicain. Il eut lieu en août 1998, en plein centre-ville et désavoué par l'IRA, eut finalement pour effet de favoriser le processus de paix.

✴✴✴ *Ulster American Folk Park :* 2, Mellon Rd, à **Castletown**. ☎ 82-24-32-92. ● nmni.com/uafp ● À 8 km sur l'A 5, entre Omagh et Newtonstewart. Mars-sept tlj sf lun 10h-17h ; oct-fév tlj sf lun 10h (11h w-e)-16h. Attention, dernier billet vendu 1h30 avt fermeture. Entrée : 7 £ (8,50 £ les j. de « major event ») ; réduc. Brochure en français. Cafétéria.

Entièrement consacré aux quelque 2 millions de personnes qui quittèrent l'Irlande du Nord à la recherche d'un nouvel Éden, ce superbe écomusée englobe de riches galeries intérieures et un vaste parc. Il permet notamment de prendre la mesure de l'influence irlandaise sur l'histoire des États-Unis. Autant faire la visite dans l'ordre.

– ***Titanic-windows on Emigration :*** créée à l'occasion du centenaire du naufrage, cette section suit l'itinéraire personnel de quelques-uns des 40 rescapés sur les 113 Irlandais embarqués sur le *Titanic,* à travers panneaux légendés, anecdotes, photos et objets d'époque.

– ***Emigrants Exhibition :*** explore et exploite tous les éléments qui ont un rapport avec la fascinante saga de l'émigration nord-irlandaise. Contextes socio-économiques de l'Ulster et de l'Amérique du Nord, objets, mises en scène, suivi de destins personnels très variés, dangers et opportunités de la conquête de l'Ouest, échecs et réussites, survie ou prospérité, etc., rien n'y manque. Un chiffre, au passage : entre 1851 et 1911, la population d'Irlande du Nord déclina de 21 %, au moins 1 million de personnes ayant émigré.

À partir de là, la visite continue dans le parc en donnant vie au thème abordé.

– ***Old World :*** d'authentiques ateliers artisanaux, des cottages, chaumières et autres bâtiments d'époque reconstituent l'Irlande que quittèrent les émigrants. Arrêt obligatoire dans la maison natale de Thomas Mellon, dont la destinée a valeur de symbole pour les *Irish Americans*. Parti avec sa famille en 1818, il devient millionnaire et son fils Andrew, ministre puis ambassadeur, finance de petits travaux comme le Golden Gate Bridge de San Francisco. En saison surtout, nombreuses animations costumées en route : vous aurez peut-être l'opportunité d'apprendre à découper la tourbe ou d'en mettre dans la cheminée !

Juste après l'école s'ouvre une rue commerçante reconstituée avec brio, où il faut prendre le temps de détailler les devantures. À son extrémité, on pénètre dans la *Ship and Dockside Gallery,* un peu comme Jonas dans le ventre de la baleine. Amarrée devant un dock du XVIIIe s, la grandiose et minutieuse reconstitution d'un *coffin ship* (« bateau-cercueil ») n'épargne ni craquements de coque ni bruits de tempête pour recréer l'atmosphère.

– ***New World :*** le Nouveau Monde commence en douceur, sa première rue n'est qu'un peu plus austère que la dernière irlandaise. Mais rapidement le rondin de bois remplace la

DÉBARQUÉ LES PIEDS DEVANT

On donna le surnom de coffin ship (« bateaux-cercueils ») aux bateaux à voile qui embarquaient des centaines de candidats irlandais pour le Nouveau Monde. Malheureusement, ce surnom n'avait pas qu'un sens figuré, à cause des cales où s'entassaient les passagers, dans des conditions indignes même pour du bétail. Souvent affaiblis dès avant le départ, jusqu'à un tiers des candidats à l'émigration succombaient de maladies ou de malnutrition pendant les 6 à 12 semaines de traversée.

pierre sèche, tandis que le rythme et l'espace achèvent de donner à l'ensemble une coloration « ruée vers l'Ouest ». Les fermes et maisons « exposées » ont beau être principalement du modèle pennsylvanien, on parie que la promenade, agréable, se parera d'un peu de nostalgie *Petite maison dans la prairie* pour certains. En été surtout, et en particulier autour du 4 juillet, des animations diverses sont organisées le week-end.

LES SPERRIN MOUNTAINS [na speíríní]

Contenues dans le quadrilatère Omagh, Strabane, Magherafelt et Cookstown, ces montagnes s'étendent sur 60 km environ d'est en ouest.

On raconte qu'en 1609, quand quatre Londoniens arrivèrent en Ulster pour évaluer l'opportunité d'y investir des capitaux, leur guide reçut l'ordre formel d'éviter les Sperrin, de peur que ces collines tourbeuses et peu hospitalières ne les incitent à renoncer à leur projet... Si l'anecdote peut correspondre à une première impression des Sperrin, autant savoir que beaucoup de connaisseurs, au rang desquels le poète Seamus Heaney, Prix Nobel de littérature en 1995, louent leur beauté avec enthousiasme. En effet, malgré leur altitude modeste culminant à 720 m, elles présentent cent visages pour qui prend le temps de les sillonner. Innervées par un fouillis d'adorables petites routes, les Sperrin attirent randonneurs et cyclistes mais aussi des automobilistes, en quête d'apaisement et de dépaysement. S'il convient de se méfier de l'hiver, austère avec ses bruyères roussies, parions que ce drôle de coin laissera de beaux souvenirs à tous ceux qui s'y frotteront.

Arriver – Quitter

En bus

🚌 *Sperrin Rambler :* autre nom de la ligne n° 403 d'*Ulsterbus.* Tte l'année, lun-sam 2 bus/j. Circule entre *Omagh* et *Magherafelt* par le cœur des Sperrin, via *Gortin, Plumbridge* et *Draperstown.*

Adresses et infos utiles

ℹ️ En plus de celui d'Omagh, 3 offices de tourisme renseignent sur la zone des Sperrin :

– *Cookstown Tourist Information Centre :* Burn Rd. ☎ 86-76-99-49. *Juin-sept lun-sam 9h-17h, plus dim juil-août slt 14h-16h ; oct-mai lun-sam 9h-17h (16h sam).*

– *Magherafelt Tourist Information Centre :* Bridewell Centre, 6, Church St. ☎ 79-63-15-10. *Tte l'année, tlj sf dim 9h30-17h30 (17h sam).*

– *Strabane Tourist Information Centre :* Alley Arts and Conference Centre, 1 A, Railway St. ☎ 71-38-44-44. *Tte l'année, lun-sam 9h-17h.*

– *Site Internet :* ● sperrinstourism. com ● Regorge d'infos pratiques et d'itinéraires pour sillonner les Sperrin à pied, à vélo ou en voiture.

– *Carte Discovery Series n° 13 :* cette carte au 1/50 000 s'avère indispensable pour affiner ses balades.

Où dormir ? Où manger dans la région ?

Camping

⛺ *Sperrin Mountain Caravan Park :* 1, Lisnaharney Rd, à *Omagh.* 📱 078-139-575-63. *À env 10 km au nord d'Omagh par la B 48, avt le village de Gortin. Ouv Pâques-sept.* Compter 12 £ pour 2 avec tente et voiture. En face du *Gortin Glen Forest Park* qui, en plus d'une faune abondante, comporte plusieurs promenades fléchées ainsi qu'un *Scenic Drive* de 5 miles *(tlj de*

10h au coucher du soleil ; 3 £/voiture), ce camping propose un agréable cadre boisé, avec un ruisseau en contrebas. Bien aménagé : douches, barbecue, et même un billard.

De bon marché
à prix moyens
(moins de 60 £ / 72 €)

🏠 **Gortin Accomodation :** 62, Main St, **Gortin.** ☎ 81-64-83-46. ● gortin.net ● À côté du centre municipal. Réception 9h30-12h30, 13h30-15h30. Dortoir 6 lits avec sdb 15 £/pers ; familiale avec sdb env 45 £. Selon saison, maison équipée 4-6 pers à partir de 75 £ ; réduc à partir de la 2e nuit. Pas de petit déj. Structure caritative gérée par le village, la partie hostel consiste en 4 dortoirs aux lits superposés et 4 chambres familiales (lit double et 2 simples). Cuisine et salon à se partager, machine à laver. La section houses rassemble 4 maisons entièrement équipées (cuisine, salle de bains avec w-c séparés, cheminée et chauffage central, TV, salon). Si on préfère An Creagán Center pour les maisons, le lieu est idéal pour les petits budgets et les non-motorisés puisque pubs, restos et parc forestier du village sont tout proches.

🏠 |●| **An Creagán Center & An Clachan Cottages :** à Creggan, à 20 km à l'ouest d'Omagh par l'A 505, direction Cookstown. ☎ 80-76-11-12. ● an-creagan.com ● Ouv tte l'année. Selon taille (2-6 pers) et saison, prévoir 15-35 £/j. et par pers ; petit déj non compris. W-e, séjour 2 j. min. Réduc à partir de la 3e nuit. Coffee shop lun-sam 10h-17h. Resto : ouv très variable selon saison, w-e jusqu'à 21h normalement ; plusieurs formules menus selon les j. 10-15 £. 🛜 (au centre). Au pied des Sperrin, **An Creagán Center** leur est entièrement dévoué. On y trouve un café-resto bienvenu, parfait pour les petits déj, voire les repas, un modeste centre d'interprétation (environnement, histoire et culture régionale) et on profite d'occasionnels concerts folk. Attenant, **An Clachan Cottages** (8 charmants cottages). Tous différents et comptant de 1 à 3 chambres, ils sont construits à l'ancienne et écorespectueux (panneaux solaires, poêle spécial) sans négliger la modernité et le confort : cuisine entièrement équipée, salon cosy avec sofa convertible et chauffage central si nécessaire, TV et téléphone. Ajoutons des sentiers à travers tourbières et forêt : voici une base parfaite pour explorer les Sperrin en famille !

À voir. À faire

➤ **Découverte des Sperrin :** outre les itinéraires indiqués sur les brochures, sites internet et par des panneaux sur les routes, on vous propose une balade automobile plaisante. Compter une demi-journée, arrêts inclus, depuis Gortin.
– Quitter Gortin par la B 46 vers Carrickmore et tourner à gauche à 4 km au panneau « Barnes Gap Scenic Route ». Via le gap (trouée) en question, la route débouche dans la Glenelly Valley et musarde, très étroite, sinueuse et encombrée de moutons ! Alternance de bosquets de pins, de glens ombragés et de gras pâturages. Une fois sur l'une ou l'autre des petites routes carrossables, l'essentiel est de bifurquer à droite et Draperstown (soit vers l'est) dès que l'on rencontre la B 47. Arrivé à Cranagh, il faut quitter cette route pour s'engager vers le nord et les hauteurs. Pas de panneau mais il est impossible de se tromper puisque la route s'engage bientôt à l'assaut de Sawel Pass, à travers un paysage de landes désolées et d'austères tourbières. De l'autre côté, se diriger vers Dungiven avant de reprendre la direction de Draperstown vers le sud, pour traverser la lande jusqu'à Moneyneany puis The Six Towns. Au retour vers Glenhull, faire un crochet par les cercles de pierres de Beaghmore (voir ci-dessous) puis suivre le fléchage « Glenhull Scenic Route » pour revenir à Gortin en surplombant la vallée d'Owenkillew.

➤ **L'Ulster Way :** le célèbre sentier de rando traverse les Sperrin de part en part, de la forêt de Baronscourt à celle de Gortin Glen, puis en franchissant le Barnes Gap et en suivant la Glenelly Valley, qui passe au pied du mont Sawel.

🕏🕏 **Beaghmore Stone Circles** (cercles de pierres de Beaghmore) **:** *en marge de l'A 505, près du* **Davagh Forest Park.** En pleine lande, les sept remarquables cercles de pierres, quelques cairns et rangées de pierres qui composent ce site remontent au début de l'âge du bronze, soit de 2000 à 1200 av. J.-C. Enfouis sous la tourbe, ils furent découverts dans les années 1940. Un des cercles, rempli de 800 petites pierres, est connu sous le nom de « dents du Dragon ». Leur origine donne toujours lieu à diverses interprétations : point de rencontre social ou religieux, lié aux solstices, observatoire astronomique ?

🕏 **The Flax Mill and Weaving Mill :** Mill Lane, **Derrylane.** ☎ 77-74-26-55. ● flaxmill-textiles.com ● *Au nord des Sperrin : depuis l'A 6 en allant de Derry à Belfast, tourner à gauche peu avt Dungiven, vers Limavady et la vallée de la Roe, puis encore à gauche (Altmover Rd) après 2 km, et enfin dans la 1re à droite (pas de panneau).* Couple d'Allemands très écolos et sympas, Marion et Herman sont installés là depuis deux décennies. Madame tisse lin et laine à l'ancienne, sur un vieux métier ; monsieur organise la vente de la production et tous deux ont la volonté farouche de faire renaître la filière irlandaise du lin. Car ce que vous trouverez dans les boutiques ne vient probablement pas du pays... Marion vous montrera volontiers sa technique et ses travaux. Articles en vente sur place, dont des pulls de très bonne qualité. Que ceux qui ne passent pas par ici se rassurent, *Flax Mill* possède un stand au marché Saint-Georges de Belfast.

Près du Lough Neagh

La région du Lough Neagh est riche de sites historiques, parmi lesquels nous avons aimé :

🕏 **Wellbrook Beetling Mill :** 20, Wellbrook Rd, **Corkhill.** ☎ 86-74-82-10. ● ntni. org.uk ● *À 6 km à l'ouest de Cookstown, par l'A 505. Juil-août jeu-dim 14h-17h ; sept w-e slt 14-17h. Fermé oct-fév. Entrée 4 £ ; réduc.* Datant de 1830, c'est le seul moulin hydraulique conçu pour marteler les tissus de lin qui fonctionne encore. À l'époque, les femmes filaient et les hommes tissaient. La démonstration vous laissera muet... ou plutôt sourd, tant elle fait de vacarme ! Le moulin resta en activité jusqu'en 1961.

🕏🕏 **Ardboe Cross** (croix d'Ardboe) **:** à **Ardboe,** *sur la rive orientale du Lough Neagh, à 4 km de Cookstown par la B 73.* Très belle croix du Xe s sculptée de nombreuses scènes bibliques : Ancien Testament côté cimetière, Nouveau Testament de l'autre. Site agréable, avec les ruines d'une abbaye et une belle vue sur le *lough.* Attention, parfois, le coin est infesté de *midges.*

les ROUTARDS sur la FRANCE 2014-2015

(dates de parution sur • *routard.com* •)

DÉCOUPAGE de la FRANCE par le ROUTARD

Autres guides nationaux

- Les grands chefs du Routard
- Nos meilleures chambres d'hôtes en France
- Nos meilleurs campings en France
- Nos meilleurs hôtels et restos en France
- Nos meilleurs sites pour observer les oiseaux en France
- Tourisme responsable

Autres guides sur Paris

- Paris
- Paris à vélo
- Paris balades
- Restos et bistrots de Paris
- Le Routard des amoureux à Paris
- Week-ends autour de Paris

les ROUTARDS sur l'ÉTRANGER 2014-2015

(dates de parution sur • routard.com •)

Europe

DÉCOUPAGE de l'ESPAGNE par le ROUTARD

Espagne du Nord-Ouest — Pays basque, Béarn — Barcelone — Madrid, Castille (Aragon et Estrémadure) — Catalogne (+ Valence et Andorre) — Baléares — Andalousie

DÉCOUPAGE de l'ITALIE par le ROUTARD

Lacs italiens — Milan — Venise — Italie du Nord — Florence — Toscane, Ombrie — Rome — Italie du Sud — Sardaigne — Sicile

Autres pays européens

- Allemagne
- Angleterre, Pays de Galles
- Autriche
- Belgique
- Budapest, Hongrie

- Crète
- Croatie
- Danemark, Suède
- Écosse
- Finlande
- Grèce continentale
- Îles grecques et Athènes
- Irlande

- Islande
- Malte
- Norvège
- Pologne
- Portugal
- République tchèque, Slovaquie
- Roumanie, Bulgarie
- Suisse

Villes européennes

- Amsterdam et ses environs
- Berlin

- Bruxelles
- Copenhague
- Dublin
- Lisbonne
- Londres

- Moscou
- Prague
- Saint-Pétersbourg
- Stockholm
- Vienne

les ROUTARDS sur l'ÉTRANGER 2014-2015

(dates de parution sur • *routard.com* •)

Amériques

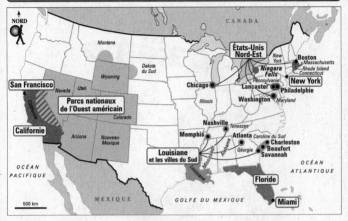

DÉCOUPAGE des ÉTATS-UNIS par le ROUTARD

Autres pays d'Amérique

- Argentine
- Brésil
- Chili et île de Pâques
- Équateur et les îles Galápagos

- Guatemala, Yucatán et Chiapas
- Mexique
- Montréal
- Pérou, Bolivie

- Québec, Ontario et Provinces maritimes

Asie

- Bali, Lombok
- Bangkok
- Birmanie (Myanmar)
- Cambodge, Laos
- Chine
- Hong-Kong, Macao, Canton (avril 2014)

- Inde du Nord
- Inde du Sud
- Israël, Palestine
- Istanbul
- Jordanie
- Malaisie, Singapour
- Népal, Tibet

- Shanghai
- Sri Lanka (Ceylan)
- Thaïlande
- Tokyo, Kyoto et environs
- Turquie
- Vietnam

Afrique

- Afrique de l'Ouest
- Afrique du Sud
- Égypte

- Kenya, Tanzanie et Zanzibar
- Maroc
- Marrakech

- Sénégal, Gambie
- Tunisie

Îles Caraïbes et océan Indien

- Cuba
- Guadeloupe, Saint-Martin, Saint-Barth

- Île Maurice, Rodrigues
- Madagascar
- Martinique

- République dominicaine (Saint-Domingue)
- Réunion

Guides de conversation

- Allemand
- Anglais
- Arabe du Maghreb
- Arabe du Proche-Orient
- Chinois

- Croate
- Espagnol
- Grec
- Italien
- Japonais

- Portugais
- Russe
- G'palémo (conversation par l'image)

FAITES-VOUS COMPRENDRE PARTOUT DANS LE MONDE !

g'palémo

Le Guide du routard

200 dessins pour se faire comprendre...
dans toutes les langues

5.00 €

hachette

routard.com

• L'indispensable
compagnon de voyage pour **se faire comprendre partout dans le monde**, rien qu'en montrant l'objet ou le lieu recherché à votre interlocuteur

• Utilisable aussi
par l'enfant ! Dans n'importe quelle langue, dans n'importe quel pays...
• 200 illustrations universelles
• un index détaillé pour s'y retrouver facilement

L'application LOok! Le Guide du routard pour iPhone est disponible sur l'AppStore

hachette
TOURISME

ES BONNES ADRESSES DU ROUTARD

Nos meilleures
chambres d'hôtes
en France

**+ de 1500 adresses
à la campagne,
à découvrir en
amoureux ou
avec des enfants.**

INDEX THÉMATIQUE :
- adresses avec piscines
- trésors d'œnologie
- activités sportives
- adresses insolites

13,20 €

hachette
TOURISME

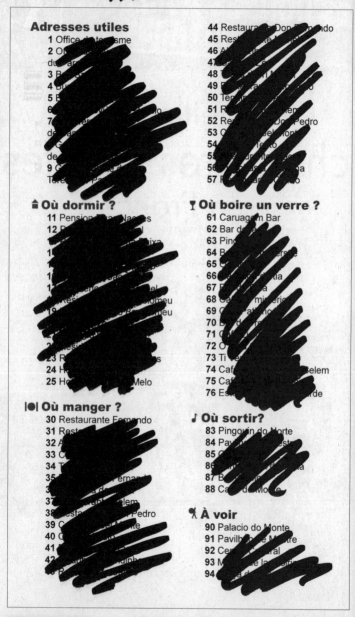

Adresses utiles
1 Office de tourisme
2 Of...
du...
3 B...
4 Bu...
5 E...
6 ...
7 ...
de...
...
9 C...
Tele...

44 Restaurante Don Fernando
45 Res...
46 A...
47 ...
48 ...
49 ...
50 Te...
51 R...
52 Re... Don Pedro
53 C...
54 ...
55 ...
56 ...
57 R...

🛏 **Où dormir ?**
11 Pension...
12 ...
...
1...
1...
...
19 ...
...
2...
23 R...
24 H...
25 Ho... Melo

🍷 **Où boire un verre ?**
61 Caruagem Bar
62 Bar de...
63 Pin...
64 B...
65 ...
66 ...
67 ...
68 Ca...
69 C...
70 ...
71 ...
72 O...
73 Ti...
74 Caf... Belem
75 Caf...
76 Est...

🍴 **Où manger ?**
30 Restaurante Fernando
31 Rest...
32 A...
33 C...
34 T...
35 ...
3...
37 ...lem
38 ...Pedro
39 C...
40 ...
41 ...
42 ...

🎵 **Où sortir?**
83 Pingouin do Morte
84 Pav...
85 ...
86 ...
87 B...
88 Ca... Mo...

⚲ **À voir**
90 Palacio do Monte
91 Pavilh...
92 Cen...
93 M...
94 ...

REPORTERS SANS FRONTIERES
POUR LA LIBERTÉ DE LA PRESSE
www.rsf.org

N'ATTENDEZ PAS QU'ON VOUS PRIVE
DE L'INFORMATION POUR LA DÉFENDRE

LES BONNES ADRESSES DU ROUTARD

Nos meilleurs
campings
en France

+ de 1 800 adresses
pour découvrir
les joies du camping.

Les plus :
- les balades à faire
- les monuments
  à ne pas manquer
- des adresses insolites

13,20 €

hachette
TOURISME

ASSOCIATION CONTRE LA PROSTITUTION DES ENFANTS

0h6 – Espace offert par le Guide du Routard

Abusez d'un enfant au soleil et vous passerez 10 ans à l'ombre

La Loi d'extraterritorialité votée en 1994, révisée en 1998, permet de juger un résident et/ou un ressortissant français ayant commis des abus sexuels en France ou à l'étranger. Les peines pour un abus commis sur un enfant sont sévères : jusqu'à 10 ans d'emprisonnement et 150 000 € d'amende.

www.acpe-asso.org
A C P E - 14, rue Mondétour - 75001 Paris
Tél. : 01 40 26 91 51 - acpe@acpe-asso.org

à c p e

ASSOCIATION CONTRE LA PROSTITUTION DES ENFANTS

Le Routard

Dénicheur de talents !

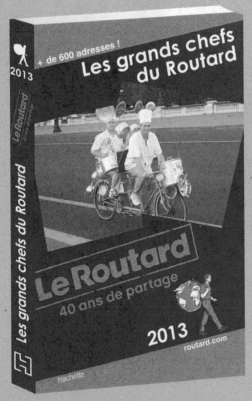

18.⁸⁰€

▶ Plus de 600 adresses avec des photos
▶ Plein de menus à moins de 30 €

RÉPARER LES VIES

**HANDICAP
INTERNATIONAL**

Espace offert par l'annonceur – Avec le soutien de l'agence ★ Euro RSCG C&O

ES BONNES ADRESSES
DU ROUTARD

Nos meilleurs
hôtels et restos
en France

+ de 3500 établissements
de qualité sélectionnés
pour leur originalité
et leur convivialité.

• des cartes régionales
en couleur
• des symboles, devant
chaque établissement,
détaillant les adresses
avec terrasse, piscine et
parking.

18,50 €

hachette
TOURISME

TBWA\CORPORATE\NON PROFIT - Espace offert par le Guide du Routard

Cour pénale internationale :
face aux dictateurs et aux tortionnaires,
la meilleure force de frappe,
c'est le droit.

L'impunité, espèce en voie d'arrestation.

Fédération Internationale des ligues des droits de l'homme.

www.fidh.org

Pour plus d'informations : Tél. : 01 44 63 51 00*
Fax : 01 42 80 41 57- www.avi-international.com

routard assurance
Voyage de moins de 8 semaines
Monde entier - Union européenne

INTERNATIONAL
L'Assurance Voyage

RÉSUMÉ DES GARANTIES*	MONTANT MAXIMUM DES GARANTIES
FRAIS MÉDICAUX MONDE SAUF EUROPE (pharmacie, médecin, hôpital)	100 000 € U.E. / 300 000 € Monde entier
RÉÉDUCATION / KINÉSITHÉRAPIE / CHIROPRACTIE	Prescrite par un médecin suite à un accident
FRAIS DENTAIRES D'URGENCE	75 €
FRAIS DE PROTHÈSE DENTAIRE	500 € par dent en cas d'accident caractérisé
FRAIS D'OPTIQUE	400 € en cas d'accident caractérisé
FRAIS DE TRANSPORT	
Rapatriement médical et transport du corps	Frais illimités
Visite d'un parent si l'assuré est hospitalisé plus de 5 jours	2 000 €
CAPITAL DÉCÈS	15 000 €
CAPITAL INVALIDITÉ À LA SUITE D'UN ACCIDENT**	
Permanente totale	75 000 €
Permanente Partielle (application directe du %)	De 1 % à 99 %
BILLET DE RETOUR	
En cas de décès accidentel ou risque de décès d'un parent proche (conjoint, enfant, père, mère, frère, sœur)	Frais nécessaires et raisonnables
ASSURANCE RESPONSABILITÉ CIVILE VIE PRIVÉE	
Dommages corporels garantis à 100 % y compris honoraires d'avocats et assistance juridique accidents	750 000 €
Dommages matériels garantis à 100 % y compris honoraires d'avocats et assistance juridique accidents	450 000 €
Dommages aux biens confiés	1 500 €
AGRESSION (déposer une plainte à la police dans les 24 h)	Inclus dans les frais médicaux
PRÉJUDICE MORAL ESTHÉTIQUE (inclus dans le capital invalidité)	15 000 €
FRAIS DE RECHERCHE ET DE SAUVETAGE	2 000 €
TRANSMISSION DE MESSAGES URGENTS	Mise à disposition
AVANCE D'ARGENT (en cas de vol de vos moyens de paiement)	1 000 €
CAUTION PÉNALE	7 500 €
ASSURANCE BAGAGES	2 000 € (limite par article de 300 €)***

* Nous vous invitons préalablement à souscription à prendre connaissance de l'ensemble des Conditions générales sur www.avi-international.com ou par téléphone au 01 44 63 51 00 (coût d'un appel local).
** 15 000 euros pour les plus de 60 ans.
*** Les objets de valeur, bijoux, appareils électroniques, photo, ciné, radio, cassettes, instruments de musique, jeux et matériel de sport, embarcations sont assurés ensemble jusqu'à 300 €.

PRINCIPALES EXCLUSIONS* (commune à tous les contrats d'assurance voyage)
• Les conséquences d'évènements catastrophiques et d'actes de guerre,
• Les conséquences de faits volontaires d'une personne assurée,
• Les conséquences d'événements antérieurs à l'assurance,
• Les dommages matériels causés par une activité professionnelle,
• Les dommages causés ou subis par les véhicules que vous utilisez,
• Les accidents de travail manuel et de stages en entreprise (sauf avec les Options Sports et Loisirs, Sports et Loisirs Plus),
• L'usage d'un véhicule à moteur à deux roues et les sports dangereux : surf, rafting, escalade, plongée sous-marine (sauf avec les Options Sports et Loisirs, Sports et Loisirs Plus).

Devoir de conseil : AVI International - S.A.S. de courtage d'assurances au capital de 100 000 euros - Siège social : 106-108, rue La Boétie, 75008 Paris - RCS Paris 323 234 575 - N° ORIAS 07 000 002 (www.orias.fr) - Le nom des entreprises avec lesquelles AVI International travaille peut vous être communiqué à votre demande. AVI International est soumise à l'Autorité de Contrôle Prudentiel (ACP) 61 rue Taitbout 75436 Paris Cedex 09. En vue du traitement d'éventuels différends, vous pouvez formuler une réclamation par courrier simple à AVI International et si le conflit persiste auprès de l'ACP.
Vos besoins sont de bénéficier d'une assurance voyage. Nous vous conseillons l'adhésion aux contrats d'assurances collectifs à adhésion facultative.
AVI sélectionne ou/et les compagnies d'assurance et d'assistance les mieux qualifiées pour garantir les risques prévus. Si besoin, elles peuvent être changées par AVI International. Si un tel événement devait se produire, les personnes garanties par la police en seraient informées.

Souscrivez en ligne sur www.avi-international.com

Pour plus d'informations : Tél. : 01 44 63 51 00*
Fax : 01 42 80 41 57- www.avi-international.com

routard assurance
Voyage de moins de 8 semaines
Monde entier - Union européenne

AVI INTERNATIONAL
L'Assurance Voyage

---

routard
WEEK-END & VOYAGES

> Lieu de couverture : tout pays en dehors du pays de résidence habituelle.
> Nationalité de l'assuré : toutes nationalités.
> Durée de la couverture : 8 semaines maximum.

Pour un voyage de moins de 8 semaines
"ROUTARD ASSURANCE"

> Tarif "INDIVIDUEL"

> Tarif "FAMILLE"**
(De 4 à 7 personnes - jusqu'à 60 ans)

> Tarif "SENIOR"
(De 61 ans à 75 ans)

**Pour un voyage jusqu'à 8 jours dans l'Union Européenne
"ROUTARD LIGHT"**

Souscrivez en ligne sur www.avi-international.com

---

marco polo
VOYAGES & TOUR DU MONDE

> Lieu de couverture : tout pays en dehors du pays de résidence habituelle.
> Nationalité de l'assuré : toutes nationalités.
> Durée de la couverture : 2 mois minimum à 1 an (renouvelable).

Pour un voyage de plus de 2 mois
"MARCO POLO"

> Tarif "INDIVIDUEL"
(jusqu'à 60 ans)

> Tarif "FAMILLE"**
(De 4 à 7 personnes maximun - jusqu'à 60 ans)

> Tarif "SENIOR"
(de 61 ans à 75 ans)

Souscrivez en ligne sur www.avi-international.com

---

working holiday
VOYAGES ET TRAVAIL POUR JEUNES

> Nationalité de l'assuré : toutes nationalités.

> Durée de la couverture : 12 mois maximum.

Pour un voyage/travail de 12 mois
"WORKING HOLIDAY VISA-PVT"

NOUVEAUTÉ

> Jusqu'à 35 ans

> Destinations :
- Canada
- Australie
- Nouvelle-Zélande
- Argentine
- Singapour
- Japon
- Corée du Sud
- Taïwan

Souscrivez en ligne sur www.avi-international.com

---

* Nous vous invitons préalablement à souscription à prendre connaissance de l'ensemble des Conditions générales sur www.avi-international.com ou par téléphone au 01 44 63 51 00 (coût d'un appel local).
** Une famille est constituée de 2 conjoints de droit ou de fait ou toutes autres personnes liées par un Pacs, leurs enfants célibataires âgés de moins de 25 ans vivant à leur domicile et fiscalement à leur charge. Par ailleurs, sont également considérés comme bénéficiaires de l'option Famille, les enfants de couples divorcés s'ils sont fiscalement à charge de l'autre parent.

INDEX GÉNÉRAL

A

B

INDEX GÉNÉRAL

C

D

DUBLIN (BAILE ÁTHA CLIATH)

E-F

G

H-I-J

K

N-O

P

Q-R

S

INDEX GÉNÉRAL

T

U-V-W-Y

OÙ TROUVER LES CARTES ET LES PLANS ?

INDEX GÉNÉRAL

NOUVEAU ET IMPORTANT : DERNIÈRE MINUTE

Sauf rare exception, le *Routard* bénéficie d'une parution annuelle à date fixe. Entre deux dates, des événements fortuits (formalités, taux de change, catastrophes naturelles, conditions d'accès aux sites, fermetures inopinées, etc.) peuvent modifier vos projets de voyage. Pour éviter les déconvenues, nous vous recommandons de consulter la rubrique « Guide » par pays de notre site • *routard.com* • et plus particulièrement les dernières **Actus voyageurs.**

Les **Routards** *parlent aux* **Routards**

Faites-nous part de vos expériences, de vos découvertes, de vos tuyaux.
Indiquez-nous les renseignements périmés. Aidez-nous à remettre l'ouvrage à jour.
Faites profiter les autres de vos adresses nouvelles, combines géniales... On adresse
un exemplaire gratuit de la prochaine édition à ceux qui nous envoient les lettres
les meilleures, pour la qualité et la pertinence des informations. Quelques conseils
cependant :
– Envoyez-nous votre courrier le plus tôt possible afin que l'on puisse insérer vos
tuyaux sur la prochaine édition.
– N'oubliez pas de préciser l'ouvrage que vous désirez recevoir.
– Vérifiez que vos remarques concernent l'édition en cours et notez les pages du
guide concernées par vos observations.
– Quand vous indiquez des hôtels ou des restaurants, pensez à signaler leur
adresse précise et, pour les grandes villes, les moyens de transport pour y aller.
Si vous le pouvez, joignez la carte de visite de l'hôtel ou du resto décrit.
– N'écrivez si possible que d'un côté de la lettre (et non recto verso).
– Bien sûr, on s'arrache moins les yeux sur les lettres dactylographiées ou correc-
tement écrites !
En tout état de cause, merci pour vos nombreuses lettres.

Les Routards parlent aux Routards :
122, rue du Moulin-des-Prés, 75013 Paris

e-mail : • *guide@routard.com* •
Internet : • *routard.com* •

Routard Assurance 2014

Routard Assurance et Routard Assurance Famille, c'est l'Assurance Voyage Inté-
grale. Dépenses de santé et frais d'hôpital pris en charge directement sans franchise
jusqu'à 300 000 € + caution + défense pénale + responsabilité civile + tous risques
bagages et photos. Assurance personnelle accidents : 75 000 €. Très complet ! Tarif à
la semaine pour plus de souplesse. Tableau des garanties et bulletin d'inscription à la
fin de chaque *Routard* étranger. Pour les départs en famille (4 à 7 personnes), demandez le bulletin d'inscription famille. Pour les longs séjours, contrat Plan Marco Polo
« spécial famille » à partir de 4 personnes. Pour un voyage éclair de 3 à 8 jours dans
une ville de l'Union européenne, bulletin d'inscription adapté dans les guides villes
avec des garanties allégées et un tarif « light ». Également un nouveau contrat Seniors
pour les courts et longs séjours. Si votre départ est très proche, vous pouvez vous
assurer via Internet • *avi-international.com* • ou par fax : 01-42-80-41-57, en indiquant
le numéro de votre carte de paiement. Pour en savoir plus : ☎ 01-44-63-51-00.

N'APPARTIENT PLUS
À LA BIBLIOTHÈQUE
MUNICIPALE DE GATINEAU

Édité par Hachette Livre (43, quai de Grenelle, 75905 Paris Cedex 15, France)
Photocomposé par Jouve (45770 Saran, France)
Imprimé par Lego SPA Plant Lavis (via Galileo Galilei, 11, 38015 Lavis, Italie)
Achevé d'imprimer le 18 octobre 2013
Collection n° 13 - Édition n° 01
24/5791/9
I.S.B.N. 978-2-01-245791-1
Dépôt légal : octobre 2013

PAPIER À BASE DE
FIBRES CERTIFIÉES

🄷 hachette s'engage pour
l'environnement en réduisant
l'empreinte carbone de ses livres.
Celle de cet exemplaire est de :
600 g éq. CO₂
Rendez-vous sur
www.hachette-durable.fr